TOUT L'UNIVERS

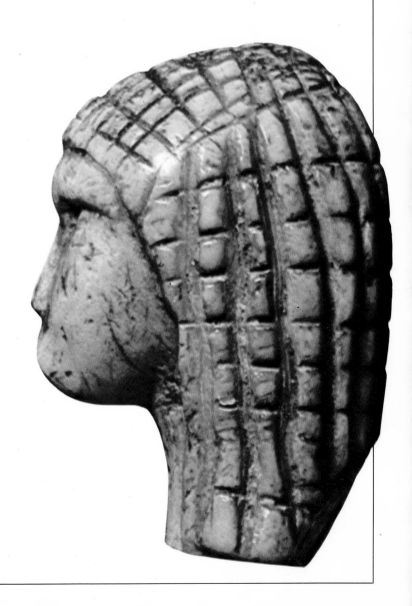

TOUT L'UNIVERS

dictionnaire-index

K-Z

LE LIVRE DE PARIS - HACHETTE

Photocomposition IOTA — Nanterre
Impression BRODARD GRAPHIQUE — Coulommiers
Reliure A.G.M. — Forges-les-Eaux
Loi n° 49-956 du 16.7.1949 sur les publications
destinées à la jeunesse
Dépôt légal : mai 1988
N° d'éditeur : 6703
I.S.B.N. : 2-245-01723-4

1

La Grande Mosquée (IXᵉ s.),
à **Kairouan**.

8 1713 | **K2** ou **Dapsang** ou **Godwin Austen** (mont). Sommet de l'Himalaya ; 8 611 m. Deuxième sommet du monde après l'Everest. Vaincu en 1954 par des alpinistes italiens.

7 1648 | **Kaboul** ou **Kābul.** Capitale de l'Afghanistan, sur la rivière Kaboul (affluent rive droite de l'Indus), à 1 760 m d'altitude. 588 000 hab. Islamisée au IXᵉ s., la ville est capitale depuis 1774.

kabuki n. m. Genre théâtral japonais né au début du XVIIᵉ s. Réaliste, populaire, le kabuki mêle dialogues, pantomimes, danses et chants dans des représentations d'une très longue durée.

11 2435 | **Kabylie.** Région d'Algérie, dans l'est de l'Atlas tellien. Ses habitants, les Kabyles, appartiennent au groupe des peuples berbères.

Kádár János, homme politique hongrois (né en 1912). Chef du gouvernement de 1956 à 1958 et de 1961 à 1965. Premier secrétaire du parti communiste hongrois depuis 1957.

12 2743 | **Kadhafi** (Mu'ammar **al-**), homme politique libyen (né en 1942). Militaire et chef d'État de la Libye (1970), il tente d'instaurer un socialisme arabe fondé sur l'islam.

Kafka Franz, écrivain tchèque de langue allemande (1883-1924). Ses nouvelles (*la Métamorphose,* 1916) et ses romans (*le Procès,* 1925) expriment l'angoisse de l'Homme devant des situations sans issue.

7 1497 | **Kairouan.** Ville de la Tunisie centrale. 46 000 hab. Artisanat (cuir, tapis). Pèlerinage. Grande Mosquée (IXᵉ s.).

11 2452 | **kaiser** n. m. *Empereur* en allemand. Le mot vient de « césar ». Titre que portaient, notamment, les souverains de l'Empire allemand, de 1871 à 1918.

kaki n. m. Fruit comestible, semblable à une tomate, dont la pulpe est sucrée

Kaboul,
capitale de l'Afghanistan.

et très riche en vitamines. L'arbre qui le produit est originaire du Japon.

4 735 | **Kalahari** (désert du). Vaste plateau désertique du centre de l'Afrique australe ; 700 000 km². Il s'étend principalement sur le Botswana.

kaléidoscope n. m. Cylindre creux qui contient des miroirs et des petits objets brillants et colorés. Il permet d'observer des motifs ornementaux à symétrie rayonnante.

Kali. Divinité hindoue de la Mort et de la Transformation. Elle est *la Noire* (Kāli), forme féminine du temps (Kāla) que régit Çiva*, son époux divin.

Kalmouks (les). Nom turc des Mongols occidentaux (ils se sont répandus jusqu'en Chine). En URSS (basse Volga), il existe une république des Kalmouks.

1 202 | **kamikaze** n. m. Avion suicide japonais (1944-1945). Le terme vient du « vent divin » qui détourna la flotte chinoise du Japon, au XIIIᵉ s. Chargé d'explosifs, l'avion suicide était lancé sur le pont des navires ennemis.

11 2581 | **Kampala.** Capitale de l'Ouganda, au nord du lac Victoria. 330 700 hab. Marché agricole, la ville est reliée par voie ferrée au port de Mombasa (Kenya).

9 1976 | **Kampuchéa** (république populaire du). État d'Asie du Sud-Est (ex-Cambodge).

superficie :	181 035 km²
population :	7 900 000 hab. *(Cambodgiens)*
capitale :	Phnom Penh
monnaie :	le riel
code international :	K

Des plateaux gréseux et basaltiques entourent une dépression qu'occupent le lac Tonlé Sap et le Mékong. Climat de mousson. Population en majorité khmère. ◇ Du XIᵉ au XVᵉ s., brillante civilisation (Angkor*). Menacé par le

Siam et le Viêt-nam, le pays devint protectorat français de 1863 à 1954. Norodom Sihanouk, roi puis chef de gouvernement de 1941 à 1970, choisit le neutralisme. En 1970, il fut renversé par un coup d'État pro-américain. En 1975, les Khmers rouges (communistes) prirent le pouvoir ; leur politique entraîna la mort de plus d'un million de Cambodgiens. Puis, en janvier 1979, les Vietnamiens renversèrent les Khmers rouges et mirent en place un nouveau régime. L'économie reprit, bien que réduite à l'agriculture (riz et caoutchouc). Malgré l'aide internationale, le revenu du pays reste l'un des plus bas du monde.

9 2029 **Kamtchatka.** Vaste presqu'île d'URSS (Sibérie), entre les mers de Béring et d'Okhotsk. Climat rigoureux. Sous-sol riche (métaux, pétrole). Pêcheries.

12 2821 **Kandinsky** Vassili, peintre russe naturalisé allemand, puis français (1866-1944). Sa célèbre aquarelle de 1910 est considérée comme la première œuvre d'art abstrait*. Fondateur du *Blaue Reiter**, il enseigna au Bauhaus* de 1922 à 1933, puis fuit le nazisme.

2 292 **kangourou** n. m. Grand mammifère
8 1788 marsupial d'Australie (haut de 1,60 m) aux grandes oreilles, au museau allongé et à la queue puissante servant d'appui. Il se déplace par bonds grâce aux pattes postérieures adaptées au saut.

1 61 **Kansas.** État des États-Unis, dans l'ouest des Grandes Plaines, au pied des Rocheuses. 213 063 km² ; 2 249 000 hab. Capitale : Topeka. Climat continental. Riche agriculture (blé, sorgho ; élevage bovin). Industries dérivées de l'agriculture et des hydrocarbures.

Kant Emmanuel, philosophe allemand (1724-1804). Sa théorie de la connaissance (*Critique de la raison pure*, 1781) et sa doctrine morale limitent les pouvoirs de la raison pour faire place à la croyance en Dieu au-delà de toute connaissance.

12 2828 **kaolin** n. m. Argile blanche et friable qui résulte de l'altération de certains feldspaths en climat chaud et humide. Le kaolin est utilisé dans la fabrication de la porcelaine.

kapok n. m. Fibre végétale élastique et imputrescible que renferme le fruit de divers arbres tropicaux appelés *kapokiers* (famille des malvacées). Le kapok est un produit de remplacement du crin. Synonyme : *crin végétal*.

4 866 **Kara** (mer ou golfe de). Partie de l'océan Arctique, au nord de l'URSS, entre l'archipel de la Nouvelle-Zemble et la presqu'île de Taïmyr (Sibérie).

7 1647 **Karachi.** Ville principale et grand port du Pakistan, à l'ouest des bouches de l'Indus, sur la mer d'Oman. 3 650 000 hab. Grand centre industriel (textile, chimie, mécanique, raffineries de pétrole) ; exportation de coton. Capitale du pays jusqu'en 1960.

Le **Kampuchéa**
(ex-Cambodge).

La queue puissante des **kangourous**
leur sert d'appui à l'arrêt.

Karting : le kart n'a ni suspension,
ni embrayage, ni carrosserie.

Le **kayak** de compétition dérive du
bateau traditionnel des Esquimaux.

Karajan Herbert VON, chef d'orchestre autrichien (né en 1908). À la tête du Philharmonique de Berlin depuis 1954, il dirige magistralement l'exécution d'œuvres de Beethoven, Mozart...

Karakoram ou **Karakorum.** Grande **8** 1713 chaîne de montagnes, à l'ouest du Tibet, à la frontière entre Chine, Inde et Pakistan. Plusieurs sommets au-dessus de 8 000 m (Nanga-Parbat, K2...).

Kara-Koum. Région désertique du Turkménistan (URSS), située dans la dépression aralo-caspienne. Vastes travaux d'irrigation : culture du coton.

karakul (ou **caracul**) n. m. Race de **14** 3191 moutons d'Asie centrale à toison noire et ondulée. Les agneaux caraculs mort-nés fournissent une fourrure très recherchée : l'astrakan.

karaté n. m. Art martial japonais, dont **11** 2619 l'un des styles, le shotokan, s'est répandu en Europe. Art de combattre à mains nues, le karaté autorise les coups (simulés) de pied, de poing et du tranchant de la main, mais impose au « karatéka » d'en mesurer la force.

Karnak ou **Carnac.** Village de la Haute-**14** 3138 Égypte, bâti sur les ruines de Thèbes. Ses vestiges archéologiques (XVIe-XIIIe s. av. J.-C.) sont parmi les plus célèbres du monde.

Karpates → Carpates

Karst. Région de plateaux calcaires du **6** 1233 nord-ouest de la Yougoslavie. ◇ Nom du relief typique des régions où le calcaire prédomine. Le relief karstique est dû à la corrosion* qui entraîne la formation de dolines, de poljés, d'avens...

kart n. m. Petite automobile sans car-**7** 1461 rosserie, sans boîte de vitesses ni suspension, pouvant atteindre 80 km à l'heure. ◆ **karting** n. m. Sport automobile, apparu dans les années cinquante, qui se pratique avec les karts sur des mini-circuits.

Kastler Alfred, physicien français (1902-1984). Il inventa le *pompage optique*, technique utilisée dans les lasers*. Prix Nobel de physique en 1966.

Katmandou ou **Kātmāndu.** Capitale du **7** 1649 Népal, à 1 300 m d'altitude. 333 000 hab. Nombreux monuments hindous et bouddhiques de bois et de brique rouge (XVIe-XVIIIe s.). Tourisme actif.

Kawabata Yasunari, romancier japonais (1899-1972). Il est l'auteur de *Nuée d'oiseaux blancs* (1949-1951), admirable récit d'amours tragiques.

kayak n. m. À l'origine, canot de pêche **10** 2283 groenlandais en peau de phoque. Désigne aussi un bateau effilé, à une ou deux places, se manœuvrant à la pagaie simple. Le sport du kayak est associé avec celui du canoë.

Kazakhstan. Vaste république d'URSS, **9** 2029 entre la mer Caspienne et la Chine.

2 715 100 km² ; 13 009 000 hab. Capitale : Alma-Ata. Plaines, plateaux, montagnes. Cultures irriguées. Sous-sol riche en métaux, charbon et pétrole.

Kazan Elia, cinéaste, acteur, metteur en scène de théâtre et romancier américain (né en 1909). Il révéla Marlon Brando (*Un tramway nommé Désir*, 1951 ; *Sur les quais*, 1954) et James Dean (*À l'est d'Eden*, 1955).

7 1612 **Keaton** Buster, acteur et cinéaste américain (1896-1966). Il est l'un des plus célèbres comiques du cinéma muet : *la Croisière du « Navigator »* (1924).

11 2573 **Keats** John, poète anglais (1795-1821). Ses odes (*À un rossignol, À la mélancolie*, etc.) sont des chefs-d'œuvre de la littérature romantique.

Keitel Wilhelm, maréchal allemand (1882-1946). Il conduisit la stratégie allemande de 1939 à 1945 et signa l'armistice. Condamné à mort à Nuremberg.

9 2155 **Kellermann** François Christophe, maréchal de France (1735-1820). Vainqueur à Valmy (1792), il commanda l'armée des Alpes (1794-1795). Rallié aux Bourbons.

2 430
13 3049 **Kelvin** *(lord)* ou sir **William Thomson,** physicien anglais (1824-1907). Il travailla sur l'électricité, le magnétisme, la thermodynamique. ◇ *Échelle Kelvin :* échelle de températures absolues.

2 430 **kelvin** n. m. Unité légale de température absolue du système international. Symbole *K*. La température de 0 K (zéro absolu) correspond à − 273 °C.

Kemal Mustafa → Mustafa Kemal

Kennedy (cap). Nom donné, de 1964 à 1973, à la base de lancement de satellites et d'engins spatiaux située au cap Canaveral, sur la côte est de la Floride.

1 72 **Kennedy** John Fitzgerald, homme d'État américain (1917-1963). Élu 35e président des États-Unis (1960), ce démocrate mena une politique dynamique et ferme (problème noir, Cuba). Il mourut assassiné à Dallas.

1 61 **Kentucky**. État du centre-est des États-Unis. 104 623 km² ; 3 183 000 hab. Capitale : Frankfort. Le plateau appalachien descend vers la vallée de l'Ohio. Tabac, charbon, hydrocarbures. Industries traitant ces produits.

11 2580 **Kenya** (république du). État d'Afrique orientale, membre du Commonwealth.

superficie :	582 646 km²
population :	17 150 000 hab. (Kenyans)
capitale :	Nairobi
monnaie :	le shilling kenyan
code international	EAK

À l'est, des plaines semi-arides ; à l'ouest, des hauts plateaux au sol volcanique, au climat humide, où vit l'essentiel de la population dont la croissance est très rapide. Au centre, dépression

nord-sud de la Rift Valley, occupée par des lacs. ◇ 75 % des actifs travaillent dans l'agriculture. Le maïs couvre 60 % des terres arables (autoconsommation). Commerce du café et du thé. Élevage bovin très développé. Balance agricole excédentaire. Importation de presque toutes les sources d'énergie (peu de ressources minières) et des produits fabriqués. Peu d'industries. Le tourisme (« safaris ») est la deuxième source de devises après le café. ◇ Possession britannique en 1920 ; résistance dès 1925 sous la direction de Jomo Kenyatta, qui devint, en 1964, le premier président du Kenya indépendant (1963).

12 2683 **Kenyatta** Jomo, homme politique du Kenya (v. 1893-1978). Animateur de la lutte pour l'indépendance, il fut président de la République de 1964 à sa mort.

8 1881
9 2095
13 3042 **Kepler** Johannes, astronome allemand (1571-1630). Il établit les lois du mouvement des planètes autour du Soleil *(lois de Kepler)*, à partir de l'étude des positions de la planète Mars. Il s'intéressa également à l'optique.

4 958 **kératine** n. f. Protéine fibreuse très résistante. Elle est le constituant principal des productions épidermiques des vertébrés (poils, ongles, sabots, cornes, becs, plumes, écailles des reptiles...).

11 2517 **Kerenski** Alexandre, homme politique russe (1881-1970). Socialiste-révolutionnaire, il fut chef du gouvernement provisoire (août 1917) ; mais, renversé par les bolcheviks en novembre 1917, il se retira aux États-Unis.

4 761 **Kerguelen** (îles) (anciennes *îles de la Désolation*). Archipel français aux confins des océans Indien et Antarctique. Environ 300 îles, montagneuses, froides, humides et balayées par des vents violents. 7 215 km² (6 000 km² pour l'île principale). L'archipel abrite une riche faune aquatique. Base scientifique à Port-aux-Français. ◇ Îles découvertes en 1772 par Yves Joseph de Kerguelen de Trémarec (1734-1797).

kermesse n. f. Fête populaire (surtout dans le nord de la France et les Flandres). ◇ Fête en plein air au bénéfice d'une œuvre. *Kermesse d'une école.*

8 1806 **kérosène** n. m. Carburant utilisé pour faire fonctionner les réacteurs d'un avion. On le fabrique par raffinage du pétrole brut.

13 2943 **Kessel** Joseph, écrivain et journaliste français (1898-1979). Il est l'auteur de récits d'aventures : *l'Équipage* (1923), *Vents de sable* (1934), *le Lion* (1958), *les Cavaliers* (1967)...

Kesselring Albert, maréchal allemand (1885-1960). Chef d'état-major de l'armée de l'air (la *Luftwaffe)*, il commanda le front de l'Ouest en 1945.

Keynes John Maynard *(lord)*, économiste anglais (1883-1946). Analysant la crise économique de son temps, il pré-

*Buster **Keaton** dans une scène du* Cameraman.

*John Fitzgerald **Kennedy** fut assassiné le 22 novembre 1963.*

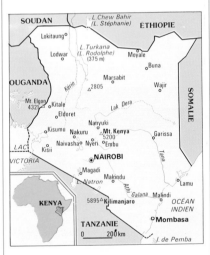

*Le **Kenya**.*

*Les îles **Kerguelen** furent aussi appelées îles de la Désolation.*

conisa l'augmentation des investissements publics pour assurer le plein-emploi.

7 1532

khan n. m. Titre que portaient les souverains mongols *(Gengis khan)* et que prirent ensuite les chefs de l'Inde musulmane, de Perse et de Turquie.

9 2028

Kharkov. Ville d'URSS, en Ukraine. 1 405 000 hab. Constructions automobiles, ferroviaires. ◇ Forteresse édifiée en 1655 ; durs combats de 1941 à 1943.

11 2578
14 3279

Khartoum. Capitale du Soudan, au confluent des deux Nils. 600 000 hab. ◇ Fondée en 1821, la ville, ruinée de 1884 à 1898 par une révolte islamique, fut reprise par les Anglais en 1898.

Khatchatourian Aram Illitch, compositeur soviétique (1903-1978). Son ballet *Gayané* (1942) renferme la célèbre *Danse du sabre.*

Khayyām Omar, poète persan (v. 1050-v. 1123). On lui attribue un célèbre recueil de quatrains *(rubā-iyyāt)* écrit à la gloire de l'amour et du vin.

9 1978

Khmers (les). Peuple qui forme la grande majorité de la population du Kampuchéa* (ex-Cambodge). Les Khmers, entre le IXᵉ et le XVᵉ s., édifièrent un empire dont la capitale était Angkor*, où leur brillante civilisation a laissé de splendides temples.

11 2541
12 2742

Khomeiny, religieux et homme politique iranien (né en 1902). Il conduisit la révolution islamique qui aboutit à la chute du chah (1979) et à la république.

11 2627
12 2721

Khrouchtchev Nikita Sergueïevitch, homme politique soviétique (1894-1971). Successeur de Staline (1953), il entama la déstalinisation et inaugura une politique de détente avec l'Ouest.

12 2731

kibboutz n. m. Exploitation agricole collective, en Israël. Le kibboutz (apparu en 1911) groupe plusieurs familles en un village communautaire (pas de propriété individuelle). Certains kibboutzim comptent 2 000 membres.

kidnapping n. m. Enlèvement d'une personne (souvent un enfant), généralement pour obtenir une rançon. Le kidnapping d'un mineur de moins de 15 ans est puni, en France, de la réclusion à perpétuité.

12 2707

Kiel. Port de la RFA, sur la Baltique. 275 000 hab. Capitale du Schleswig-Holstein. Le canal de Kiel, à l'embouchure de l'Elbe, relie Baltique et mer du Nord.

Kierkegaard Søren, philosophe danois (1813-1855). Son œuvre oppose aux grands systèmes philosophiques (Hegel) une réflexion sur le moi et le vécu *(Traité du désespoir*, 1849) qui en fait le « père » de l'existentialisme*.

9 1949

Kiev. Ville d'URSS, sur le Dniepr, capitale de l'Ukraine. 2 079 000 hab. Grand

Khmers : danseuses célestes (bas-relief d'Angkor-Vat, XIIᵉ s.).

*Départ pour les champs dans un **kibboutz** de haute Galilée.*

*L'église Sainte-Sophie, à **Kiev**.*

*Le « Grand Trou », ancienne mine de diamant à **Kimberley**.*

centre industriel. ◇ Cathédrale Sainte-Sophie (style byzantin, XIᵉ s.). Capitale de la Russie (XIᵉ-XIIᵉ s.).

Kigali. Capitale du Ruanda*, au centre de l'État. 54 000 hab. C'est un marché agricole (haricots, café) et d'artisanat.

11 2583

Kikuyus ou **Kikouyous** (les). Principale ethnie bantoue vivant au Kenya. Ce sont les Kikuyus qui organisèrent, dès 1925, la lutte pour l'indépendance du Kenya. La société Mau-Mau* recruta ses adeptes en leur sein.

Kilimandjaro, aujourd'hui **pic Uhuru** (Uhuru signifiant « Liberté »). Volcan éteint du nord de la Tanzanie, point culminant de l'Afrique : 5 895 m.

5 1047
11 2577

Killy Jean-Claude, skieur français (né en 1943). Triple médaillé d'or aux jeux Olympiques de Grenoble (1968), il domina longtemps le ski alpin moderne.

1 187

kilogramme n. m. Unité principale de masse dans le système international. Symbole *kg.* Les sous-multiples sont : hectogramme *(hg)*, décagramme *(dag)*, gramme* *(g)*, décigramme *(dg)*, centigramme *(cg)* et milligramme *(mg).*

1 158
7 1679
12 2754

kilomètre n. m. Unité de distance du système métrique, valant 1 000 m. Symbole *km.* Les sous-multiples sont : hectomètre *(hm)*, décamètre *(dam)*, mètre *(m)*, décimètre *(dm)*, centimètre *(cm)*, millimètre *(mm).*

1 159

kilowatt n. m. Unité de puissance qui vaut 1 000 watts*. Symbole *kW.* ◆ **kilowatt-heure** n. m. Unité d'énergie utilisée notamment pour mesurer l'énergie électrique. Symbole *kWh.* Correspond à 3,6 millions de joules*.

2 311

Kim Il-song, maréchal et homme politique nord-coréen (né en 1912). Il anima la résistance communiste contre les Japonais. Chef du gouvernement en 1948, il est président depuis 1972.

3 561

Kimberley. Ville d'Afrique du Sud, au nord de la province du Cap. 104 000 hab. Centre important d'extraction et de taille des diamants. Cultures florales. La ville est reliée par voie ferrée au Cap et à Gaborone (Botswana).

2 286

kinésithérapie n. f. Mode de traitement de certaines affections utilisant la mobilisation passive (massages, électricité...) ou active (mouvements volontaires sous le contrôle du kinésithérapeute : gymnastique corrective, rééducation après fracture...).

King Martin Luther, pasteur noir américain (1929-1968). Sa lutte visait à l'intégration des Noirs par des méthodes non violentes. Prix Nobel de la paix en 1964. Il mourut assassiné à Memphis.

12 2725

King Oliver, trompettiste, compositeur et chef d'orchestre de jazz américain (1885-1938). Il fit considérablement évoluer le style New Orleans. Son jeu influença Louis Armstrong.

King Kong. Gorille géant, héros d'un film fantastique de E.B. Schoedsack et M.C. Cooper (*King Kong*, 1933) qui est un chef-d'œuvre du trucage au cinéma.

10 2178 **Kingston.** Capitale de la Jamaïque, sur la côte sud de l'île. 476 000 hab. Port ; centre industriel (manufacture de tabac, textile, chimie).

7 1591 **Kinshasa** (*Léopoldville* jusqu'en 1966). Capitale du Zaïre, ville la plus peuplée d'Afrique noire avec 3 500 000 hab. Située sur le Congo (ou Zaïre), elle est le centre économique du pays.

10 2380 **Kipling** Rudyard, écrivain anglais (1865-1936). Son très célèbre *Livre de la jungle* (1894-1895) raconte l'histoire de Mowgli, « petit d'homme » élevé dans une forêt des Indes parmi les animaux.

Kirchhoff Gustav Robert, physicien allemand (1824-1887). Il établit la loi des courants dérivés *(loi des nœuds)* en électricité et contribua avec R. Bunsen au développement de la spectroscopie.

9 2029 **Kirghizistan** ou **Kirghizie.** République fédérée d'URSS, en Asie centrale, à la frontière chinoise. 198 500 km² ; 2 933 000 hab. (les *Kirghiz*). Capitale : Frounze. Région montagneuse (élevage ovin, cultures fruitières et céréalières, riche en charbon. Hydro-électricité.

Kiribati → Gilbert et Ellice

Kitchener Herbert *(lord),* maréchal britannique (1850-1916). Il s'opposa aux Français au Soudan (Fachoda, 1898) et triompha des Boers* (1902). Il fut ministre de la Guerre en 1914.

kitsch n.m. (mot allemand). Objet, bibelot manufacturé clinquant, de mauvais goût, mais qui, par sa prétention artistique même, peut avoir quelque chose d'étrange et d'amusant.

7 1590 **Kivu** (lac). Lac de l'Afrique équatoriale, à l'est du Zaïre et aux confins du Ruanda. 2 650 km². Il est situé à 1 460 m d'altitude.

3 659 **kiwi** (ou *aptéryx*) n.m. Oiseau gros comme une poule, à plumage brun, vivant en Nouvelle-Zélande (ordre des aptérygiformes). Ses ailes, rudimentaires, ne lui permettent pas de voler.

10 2194 **Kléber** Jean-Baptiste, général français (1753-1800). Engagé volontaire, il se rallia à la Révolution et combattit en Vendée puis à Fleurus (1794). Il partit avec Bonaparte en Égypte où il fut tué.

12 2820
13 3024
14 3313 **Klee** Paul, peintre allemand (1879-1940). Son art, parfois très proche de l'abstraction, est un jeu subtil de lignes légères intégrées aux couleurs tendres de compositions poétiques souvent pleines d'humour. Il fut professeur au Bauhaus* (1920-1931).

Kleist Heinrich VON, écrivain allemand (1777-1811). Son célèbre drame le *Prince*

*Les derniers instants de **King Kong** dans le merveilleux film de 1933.*

*Port et voiliers (1937) (peinture de Paul **Klee**).*

*Le **koala** se nourrit de feuilles d'eucalyptus.*

de Hombourg (1810) mêle exaltation romantique et courage civique.

Klemperer Otto, chef d'orchestre israélien d'origine allemande (1885-1973). Il dirigea avec brio l'exécution d'œuvres de Mahler et de Mozart.

kleptomanie n.f. Tendance irrépressible à commettre des vols. La kleptomanie est une maladie. ◆ **kleptomane** n.m. ou f. Personne atteinte de cette impulsion.

8 1843 **knock-out** n.m. Terme de boxe, de l'anglais *to knock,* frapper, et *out,* dehors. Mise hors de combat du boxeur resté dix secondes à terre suite à un coup reçu.

Knud Ier le Grand, roi de Danemark (v. 995-1035). Roi de Norvège et de Danemark, il fit la conquête de l'Angleterre (1017). Protecteur de l'Église, il imposa le christianisme.

8 1790
10 2242 **koala** n.m. Petit mammifère marsupial d'Australie. Long de 80 cm, il est arboricole et se nourrit exclusivement de feuilles d'eucalyptus.

1 205 **Kobe.** Ville et port du Japon (île de Honshu), sur la baie d'Osaka. 1 289 000 hab. Centre industriel (chantiers navals, métallurgie, chimie).

14 3231
14 3259 **Koch** Robert, médecin allemand (1843-1910). Célèbre par sa découverte du bacille de la tuberculose, le « BK » ou « bacille de Koch », il reçut le prix Nobel de médecine en 1905.

Kodály Zoltán, compositeur hongrois (1882-1967). Il s'est souvent inspiré du folklore de son pays : *Psalmus hungaricus* (1923), *Te Deum* (1937).

11 2601 **Kœnig** Marie Pierre, général français (1898-1970). Vainqueur à Bir-Hakeim (1942), il commanda les FFI* (1944). Ministre de la Défense (1954-1955).

Koestler Arthur, écrivain hongrois naturalisé anglais (1905-1983). Son roman le *Zéro et l'Infini* (1945) est une dénonciation du stalinisme au sein du parti communiste de l'URSS.

Kokoschka Oskar, peintre autrichien naturalisé anglais (1886-1980). Son œuvre, reflet angoissé du monde, est l'une des plus caractéristiques de l'expressionnisme* moderne.

9 2028 **Kola** (péninsule de). Presqu'île d'URSS, entre la mer Blanche et l'Arctique.

9 2031
11 2531 **kolkhoze** n.m. Exploitation agricole collective, en URSS, comprenant un secteur d'État (terres), un secteur collectivisé (cheptel, moyens de production...) et un secteur non collectivisé (habitations, lopins de terre).

11 2531 **Komintern.** Internationale communiste ou IIIe Internationale (1919-1943). Fondée pour assurer la révolution universelle et la défense de l'URSS, elle disparut avec la Seconde Guerre mondiale.

Kopa Raymond, footballeur français (né en 1931). Avant-centre ou ailier, il fut, au Stade de Reims, au Real Madrid et dans l'équipe de France, l'un des « grands » du football.

Kosma Joseph, compositeur français d'origine hongroise (1905-1969). Il a écrit de nombreuses chansons sur des poèmes de Prévert (*les Feuilles mortes*, 1946) et a composé de la musique de film (*les Enfants du paradis*, 1945).

Kossuth Lajos, homme politique hongrois (1802-1894). Chef de l'insurrection hongroise de 1848, il proclama l'indépendance. Mais, vaincu par les Russes et les Autrichiens, il dut s'exiler.

Kossyguine Alekseï, homme politique soviétique (1904-1980). Président du Conseil à partir de 1964, il œuvra pour la coexistence pacifique.

Kouang-tcheou → Canton

6 1355
11 2626
Kouo-min-tang ou **Kuomintang.** Parti national du peuple chinois. Fondé par Sun Yat-sen en 1900, ce parti devint, avec Chang Kaï-chek, le fer de lance de la lutte anticommuniste (1927-1949).

9 2029
Kouriles. Archipel soviétique du Pacifique s'étirant sur 1 200 km entre le Kamtchatka et Hokkaïdo. Ses îles, volcaniques, bordent la fosse océanique des Kouriles (− 10 389 m).

Kouro-shivo → Kuroshio

6 1288
Koweït (émirat du). État d'Arabie, sur la côte nord-ouest du golfe Persique.

superficie :	17 818 km²
population :	930 000 hab. *(Koweïtiens)*
capitale :	Koweit
monnaie :	le dinar de Koweït
code international :	KWT

Seule richesse : le pétrole, dont le Koweït est le 4e producteur mondial, avec 13 % des réserves du globe. 70 % des actifs sont des étrangers. Le revenu par habitant est le premier du monde, d'où une énorme masse de capitaux investis à l'étranger (en France, Paris et Côte d'Azur...). ◇ Protectorat britannique de 1914 à 1961. L'exploitation du pétrole ne commença qu'en 1946.

Kowloon. Péninsule et ville de Chine, faisant partie de la colonie britannique de Hong Kong*. 10 km² ; 2 300 000 hab. Commerce et industries.

11 2552
krach n. m. Mot allemand signifiant *craquement*. Se dit d'une débâcle financière avec effondrement des cours en Bourse. *Le krach de Wall Street.*

1 6
14 3195
Krakatoa ou **Krakatau.** Petite île d'Indonésie, entre Java et Sumatra ; en partie détruite en 1883 par l'éruption de son volcan, le Perbuatan, qui fit 40 000 victimes.

9 1949
Kremlin (le). Ancien palais impérial et citadelle de Moscou. Entouré de murailles, il renferme plusieurs palais et égli-

*Lajos **Kossuth** lutta pour l'indépendance de la Hongrie.*

*Le **Koweït**.*

*Dégel de la Moskova, à Moscou, devant le **Kremlin**.*

*Temple népalais dédié au dieu **Krishna**.*

ses (XVe-XIXe s.). De nos jours, le gouvernement soviétique siège au Kremlin.

Krishna ou **Krichna.** Divinité hindoue. Huitième réincarnation* de Vishnu. Très populaire, il est l'objet de nombreuses légendes et d'une adoration mystique.

kronprinz n. m. Mot allemand : de *krone*, couronne, et *prinz*, prince. Titre que portait le prince héritier, en Allemagne et en Autriche, avant 1918. *Le kronprinz Frédéric-Guillaume.*

Kruger Paul, homme politique sud-africain (1825-1904). Participa à la fondation du Transvaal (élu président de 1883 à 1898). Âme de la lutte des Boers* contre les Anglais, il s'exila, découragé.

Krupp (famille). Famille d'industriels allemands de la région d'Essen, dans la Ruhr. Elle se spécialisa dans la fabrication des canons, de 1810 à la fin de la guerre de 1939-1945.

6 1410
krypton n. m. Gaz incolore présent dans l'air. Symbole *Kr*. C'est l'un des gaz que renferme une ampoule à incandescence* à filament de tungstène*.

1 72
12 2725
Ku Klux Klan. Société secrète américaine fondée vers 1865 pour empêcher, par des méthodes terroristes, l'intégration des Noirs. Interdite par la Cour suprême en 1928. Poursuit ses activités.

9 1979
Kuala Lumpur. Capitale fédérale de la Malaysia et chef-lieu de l'État de Selangor. 500 000 hab. Centre commercial et industriel (raffinerie de pétrole, traitement de l'étain).

7 1544
Kubilay khan ou **Koubilaï,** chef mongol (1214-1294). Petit-fils de Gengis khan, il termina la conquête de la Chine et fonda la dynastie des Yuan* (1280), mais il ne parvint pas à s'emparer du Japon. Ouvert à l'étranger, il fit séjourner Marco Polo à la cour de Pékin.

Kubrick Stanley, cinéaste américain (né en 1928). Il excelle dans tous les genres : *les Sentiers de la gloire* (1956), *Docteur Folamour* (1964), *2001 : l'Odyssée de l'espace* (1968), *Orange mécanique* (1971), *Barry Lindon* (1974).

10 2257
11 2460
11 2544
12 2661
Kurdistan. Région d'Asie occidentale, sans unité administrative, où vivent les Kurdes. Cette région s'étend en Turquie, Iran, Iraq, Syrie et URSS. Peuple indo-aryen, musulmans sunnites, les Kurdes se soulèvent régulièrement depuis 1925 pour essayer d'obtenir l'indépendance du Kurdistan.

Kurosawa Akira, cinéaste japonais (né en 1910). Il a valorisé l'expression gestuelle dans des films violents, d'une grande beauté plastique : *Rashomon* (1950), *les Sept Samouraïs* (1954)...

Kuroshio ou **Kouro-shivo** (en japonais, « fleuve Noir »). Courant océanique chaud du Pacifique longeant les côtes sud-est du Japon et remontant jusqu'à l'île de Honshu.

Kuwait → Koweït

1 205

Kyoto. Ville du Japon, dans le sud-ouest de Honshu. 1 419 000 hab. Centre industriel (mécanique de précision, chimie, textile...). ◇ Capitale impériale du Japon du VIIIe s. à 1868, principale ville culturelle du pays, elle fut supplantée dès le XVIIe s. par Tokyo (alors nommée Yedo). Elle garde de son passé glorieux de nombreux monuments (palais des empereurs, temples, jardins...).

Le Pavillon d'argent, *à* **Kyoto.**

kyste n. m. Cavité close, plus ou moins grande, contenant des substances liquides ou solides. Un kyste peut être spontané *(kyste de l'ovaire)* ou lié à un parasite *(kyste hydatique du foie).*

Kyushu. La plus méridionale des grandes îles du Japon. 42 073 km² ; 12 160 000 hab. Île volcanique, montagneuse, au climat chaud de mousson. Culture du riz ; activité industrielle autour de Nagasaki.

1 205

L

Labé Louise, poétesse française de l'école de Lyon, surnommée la Belle Cordière (1524-1566). Elle a exprimé dans ses *Élégies* et ses *Sonnets* (1555) les joies et les douleurs de l'amour.

3 718
11 2497
labiacées (ou labiées) n. f. pl. Famille de végétaux dicotylédones, à tige carrée et fleur à corolle constituée de deux lèvres souvent inégales. La lavande, le romarin, la menthe, la verveine, le thym, les orties blanches, etc., sont des labiacées.

Labiche Eugène, auteur dramatique français (1815-1888). Ses vaudevilles font revivre le petit monde étriqué et risible de la bourgeoisie du Second Empire : *Un chapeau de paille d'Italie* (1851), *la Cagnotte* (1864), etc.

5 1183
7 1488
8 1750
laboratoire n. m. Local spécialisé où s'effectuent des recherches scientifiques, des mesures industrielles, des contrôles, des analyses médicales, etc. ◆ **laborantin** n. m. Personne effectuant certains travaux de laboratoire.

9 1965
labourage n. m. Action de retourner la terre, sur une profondeur variable, afin de briser les racines des mauvaises herbes et d'ameublir la terre. Le labourage s'effectue avec une charrue.

La Bourdonnais (Bertrand François MAHÉ DE), marin français (1699-1753). Gouverneur des îles de France (Maurice) et Bourbon (la Réunion), il lutta aux Indes contre les Anglais. Accusé de trahison, il fut embastillé.

7 1477
Labrador. Nom donné autrefois à la vaste péninsule du Canada, entre la baie d'Hudson, l'Atlantique et le Saint-Laurent. Ce nom désigne aujourd'hui la partie de la péninsule rattachée à la province de Terre-Neuve. Région glacée, mais exploitée : énorme potentiel hydro-électrique ; riches mines de fer.

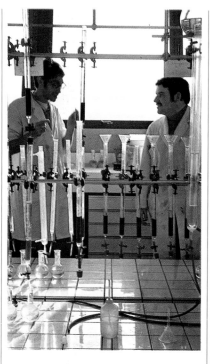

*Dans un **laboratoire** de recherche agronomique.*

***Lacs** volcaniques dans les îles de la Sonde.*

Labrador (mer du). Partie de l'Atlantique entre le Labrador et le Groenland.
7 1477

Labrador (courant du). Courant froid de l'Atlantique provenant de l'océan Arctique et longeant la côte canadienne jusqu'à Terre-Neuve.

La Bruyère Jean DE, écrivain français (1645-1696). Écrits d'une plume alerte, nerveuse, ses *Caractères* (1688-1696), portraits de personnages imaginaires (Ménalque, le distrait, etc.), acquièrent un relief extraordinaire. La satire sociale qu'ils renferment annonce les philosophes du XVIIIe siècle.
9 1937
13 2939

lac n. m. Vaste étendue d'eau continentale, généralement douce, de profondeur variable, qui ne peut s'écouler vers l'aval du fait d'une contre-pente formant barrage. Selon le caractère de la contre-pente, on distingue les lacs tectoniques (occupant un fossé tectonique), les lacs glaciaires (dans des formes surcreusées par le glacier, ou derrière une barre de moraines), les lacs volcaniques (dans un cratère ou une vallée barrée par une coulée de lave) et les lacs karstiques (dans le fond des dolines ou des poljés).
2 282
4 806
9 1954
10 2230
12 2786
14 3123

Lacan Jacques, médecin psychanalyste français (1901-1981). Fondateur d'une école de psychanalyse, il relut Freud à la lumière de la linguistique.

Laclos (Pierre CHODERLOS DE), officier et écrivain français (1741-1803). Il a analysé la perversité des mœurs de son temps dans son roman épistolaire *les Liaisons dangereuses* (1782).

La Condamine Charles Marie DE, voyageur et astronome français (1701-1774). Il rapporta en France les premiers échantillons de caoutchouc.

Lacq. Commune des Pyrénées-Atlantiques, sur le gave de Pau. Gisement de gaz naturel, qui a donné naissance à un complexe industriel.
8 1822

Photos : Krafft/Explorer ; P. Almasy ; Pascal/Explorer

lactaire n. m. Nom de champignons, à chapeau coloré et à lames, dont la chair brisée laisse s'écouler un latex. Certains, tels le lactaire délicieux et le lactaire sanguin, sont comestibles. *1 125*

lactation n. f. Sécrétion et émission du lait par les glandes mammaires des mammifères femelles pour nourrir leurs petits. Elle est entretenue par la tétée.

lactose n. m. Solide cristallisé de la famille des glucides*, contenu en abondance dans le lait. Ses solutions dans l'eau sont peu sucrées. *7 1488*

Ladoga (lac). Lac du nord-ouest de l'URSS. C'est, avec 18 400 km², le plus grand lac d'Europe. Il se déverse dans le golfe de Finlande par la Neva. *9 2028*

Ladoumègue Jules, coureur de demi-fond français (1906-1973). Il domina le demi-fond mondial entre 1928 et 1932, détint six records du monde mais ne put jamais être champion olympique.

Laennec René, médecin français (1781-1826). Connu pour ses travaux sur les maladies pulmonaires et du foie (cirrhose), il découvrit l'auscultation et mit au point le stéthoscope. *13 2918*

La Fayette (Gilbert MOTIER, *marquis* DE), général et homme politique français (1757-1834). De 1777 à 1782, il s'illustra dans la guerre d'Indépendance américaine. Il participa à la Révolution comme monarchiste libéral (1789-1792) puis émigra. Il s'engagea dans la Révolution de 1830. *9 2049*

La Fayette ou **Lafayette** (Marie-Madeleine PIOCHE DE LA VERGNE, *comtesse de*) écrivain français (1634-1693). Son chef-d'œuvre, *la Princesse de Clèves* (1678), fonde le roman d'analyse. *13 2939*

La Fontaine Jean DE, poète français (1621-1695). Il est l'auteur de poèmes de circonstances, de *Contes* en vers, etc., mais ce sont ses *Fables* (12 livres parus de 1668 à 1694) qui ont fondé sa gloire. La Fontaine n'en invente que rarement les sujets, qu'il puise chez les Anciens (Ésope et Phèdre, notamment). Son originalité réside, pour l'essentiel, dans l'art de faire d'une fable une petite pièce de théâtre en miniature grâce à un style simple, alerte et concis. *8 1878* *9 1937* *10 2379* *13 2939* *13 3043*

Lagaffe Gaston. Héros comique d'une bande dessinée (images de Franquin, texte de Jidéhem) publiée dans le journal *Spirou*. *10 2299*

Lagash. Ville sumérienne. Ses ruines, découvertes à partir de 1877, permirent de connaître la civilisation sumérienne du IIIᵉ millénaire av. J.-C. *1 126*

Lagerkvist Pär, écrivain suédois (1891-1974). Poète, dramaturge et surtout romancier (*le Nain*, 1944), il dénonce dans ses œuvres la puissance du mal.

*Le **lactaire** délicieux est un excellent champignon.*

*La **Fayette** fut l'un des héros de l'indépendance américaine.*

*Jean de **La Fontaine**, par Nicolas de Largillière.*

*Le **lagopède** est également appelé « perdrix des neiges ».*

Lagerlöf Selma, romancière suédoise (1858-1940). Son œuvre la plus célèbre est un conte moral d'inspiration fantastique destiné aux enfants : *le Merveilleux Voyage de Nils Holgersson à travers la Suède* (1906-1907). *10 2378*

lagon n. m. Étendue d'eau encerclée par un récif corallien en forme d'atoll et qui communique avec le large par des passes. Des coraux vivants en occupent le fond. *4 761*

lagopède n. m. Oiseau galliforme* de montagne, long de 35 à 40 cm, aux pattes couvertes de plumes. Brun-roux en été, son plumage devient blanc en hiver. On l'appelle aussi *perdrix des neiges*. *2 468* *13 2890*

Lagos. Capitale et port principal du Nigeria, sur le golfe du Bénin. 1 477 000 hab. Centre industriel important : automobiles, textile, alimentation. *10 2207* *14 3279*

Lagoya Alexandre, guitariste espagnol (né en 1929). Il forma avec son épouse, Ida Presti (1925-1967), un duo dont les interprétations de musique classique sont restées célèbres.

Lagrange Louis (*comte*), mathématicien français (1736-1813). Il fonda la géométrie analytique, établit les fonctions dérivées et étudia les planètes.

Lagrange Léo, homme politique français (1900-1940). Député SFIO, il fut sous-secrétaire d'État aux Sports et aux Loisirs du Front populaire.

lagune n. f. Étendue d'eau de mer, salée ou saumâtre, qu'une flèche de sable ou un cordon littoral sépare du large. Elle communique avec celui-ci par des passes appelées *graus*. *10 2232* *14 3194*

Lahore. Ville du Pakistan, chef-lieu du Pendjab. 2 148 000 hab. Résidence des Grands Moghols (XVIᵉ-XIXᵉ s.), dont subsistent de beaux monuments (mosquée d'Aurangzeb, mosquée des Perles...). *7 1647*

laïcité n. f. Caractère de ce qui est laïc, c'est-à-dire non confessionnel, non religieux ; principe de séparation des Églises et de l'État. ◇ *École laïque :* ensemble des écoles publiques dispensant un enseignement neutre au plan religieux. ◆ **laïc** (ou laïque) n. m. Personne qui n'appartient pas au clergé. *6 1343* *11 2402*

laine n. f. Fibre épaisse, souple et frisée provenant de la toison du mouton et de divers autres ruminants (lama, chèvre, chameau). ◇ Matière textile, la laine est obtenue par tonte des animaux. Elle est ensuite dégraissée par lavage au savon (extraction du « suint »), puis blanchie, cardée et enfin filée pour être tissée ou tricotée. Sa qualité croît avec la longueur et la souplesse de la fibre. *1 75* *5 1182* *7 1605* *12 2772*

lait n. m. Liquide blanc, opalescent à la lumière, de grande valeur nutritive, qui est sécrété et stocké par les mamelles des femelles des mammifères en vue de l'alimentation de leurs nouveau-nés. Il *5 1120* *5 1182* *7 1454* *12 2808*

contient, en proportions variables, de l'eau, des glucides, des protides, des lipides, des sels minéraux, des débris cellulaires et des germes bactériens.
◆ **laitage** n. m. Aliment tiré du lait : fromage, beurre, yaourt, etc.

10 2223 **laiton** n. m. Alliage de cuivre et de zinc et parfois d'autres métaux, de couleur jaune, utilisé pour la fabrication de cartouches, de bijoux, etc.

laitue n. f. Plante herbacée à larges feuilles, entières ou découpées, contenant un latex (famille des composées). On la consomme en salade.

Lakanal Joseph, homme politique français (1762-1845). Membre de la Convention puis du Conseil des Cinq-Cents, il élabora plusieurs lois sur l'instruction publique (1793-1795).

Lalique René, joaillier et verrier d'art français (1860-1945). Il est surtout connu pour ses vases et ses flacons à parfum en verre moulé.

Lalo Édouard, compositeur français (1823-1892). Ses œuvres sont d'inspiration romantique : *Symphonie espagnole* (1875), *Rhapsodie norvégienne* (1881)...

4 776 **lama** n. m. Mammifère ruminant des régions montagneuses d'Amérique du Sud (famille des camélidés). L'alpaga et le lama sont domestiqués ; la vigogne et le guanaco sont restés sauvages.

lamaïsme n. m. Forme particulière du bouddhisme, répandue au Tibet et en Mongolie, privilégiant la vie monastique. Les moines, ou lamas, atteignent la vérité par une vie consacrée à la prière dans les couvents, ou lamaseries.

1 15 **lamantin** n. m. Mammifère herbivore (ordre des siréniens) long de 3 m, au pelage gris et à la lèvre supérieure proéminente. Aquatique, il vit dans les fleuves d'Afrique et d'Amérique tropicales.

6 1293
13 3088 **Lamarck** (Jean-Baptiste DE MONET, *chevalier* DE), naturaliste français (1744-1829). Il professa une théorie de l'évolution, appelée « lamarckisme » ou transformisme, selon laquelle les caractères acquis par un organisme dans le milieu où il vit deviennent héréditaires. Le lamarckisme s'oppose au darwinisme et à la génétique moderne.

11 2573
13 2940 **Lamartine** Alphonse DE, poète et homme politique français (1790-1869). Ses *Méditations poétiques* (1820) en firent le chef de file de l'école romantique en France. Membre du gouvernement provisoire de 1848, il subit une défaite écrasante aux élections présidentielles du 10 décembre 1848. Ruiné, il mourut dans la pauvreté.

8 1816 **Lambaréné.** Ville du Gabon, située sur le fleuve Ogooué. Le docteur Schweitzer y fonda un célèbre centre hospitalier où l'on soignait notamment les lépreux.

4 915 **lamellibranches** n. m. pl. Classe de mollusques à coquille formée de deux

*Troupeau de **lamas** au Pérou, sur l'Altiplano.*

Lamaïsme : *un gourou-maître et son disciple, au Népal.*

*Alphonse de **Lamartine**, par Gérard.*

Laminage *d'un lingot dans une aciérie.*

valves. Ce sont la moule, l'huître, la palourde, etc. On dit aussi *bivalves*.

La Mennais ou **Lamennais** Félicité DE, prêtre et écrivain français (1782-1854). Il se sépara de l'Église (*Paroles d'un croyant*, 1834) pour professer un évangélisme populaire.

laminage n. m. Action d'aplatir une pièce de métal dans un laminoir. **9 2013**
◆ **laminoir** n. m. Machine munie de cylindres tournant en sens inverse et entre lesquels on fait passer la pièce métallique à laminer.

laminaire n. f. Algue brune des côtes rocheuses, dont le thalle, constitué d'un stipe et d'une partie foliacée, peut atteindre plusieurs mètres de long.

lamparo n. m. Puissante lampe électrique utilisée par les pêcheurs en Méditerranée et dont la lumière attire les poissons. *Pêche au lamparo.*

lampe n. f. Appareil utilisé comme source de lumière (lampe à pétrole, lampe de poche, lampe à incandescence...) ou comme moyen de chauffage (lampe à alcool, lampe à souder, etc.). En électronique, une lampe désigne certains composants.

lamproie n. f. Vertébré aquatique **7 1548** dépourvu de mâchoires, de forme allongée (classe des agnathes). Munie de sept **12 2692** paires d'orifices branchiaux, elle vit en mer ou en eau douce.

lampyre n. m. Insecte coléoptère dont **1 116** les segments abdominaux produisent une lumière verte. La femelle, sans ailes, est le ver luisant. Le mâle est ailé.

Lancastre (maison de). Famille qui **8 1786** régna sur l'Angleterre de 1399 à 1461. Elle fut la rivale de la maison d'York dans la guerre des Deux-Roses (1455 à 1485), qui se termina par le triomphe du dernier Lancastre, Henri Tudor.

lance n. f. Arme offensive à longue hampe, en fer ou en bois, terminée par un fer pointu, utilisée autrefois par les cavaliers et, plus rarement, par les fantassins.

lance-flammes n. m. Arme portative **4 889** projetant un jet de liquide enflammé.

lancement n. m. Action de projeter un objet : *lancement du disque*. ◇ Ensemble des opérations consistant à faire partir une fusée, une navette spatiale. ◇ Mise à l'eau d'un nouveau navire en le faisant glisser sur un plan incliné.

lancer n. m. Type de pêche à la ligne où **2 402** on lance au loin un appât, qui, ensuite, est ramené à soi à l'aide d'un moulinet. ◇ En athlétisme, on désigne ainsi les épreuves de jet d'engins : poids, disque, javelot, marteau.

Land n. m. (au pluriel « Länder »). Nom donné aux 10 États de la République fédérale d'Allemagne ainsi qu'aux neuf provinces de la république d'Autriche.

lande n. f. Formation végétale des régions océaniques, associant bruyères, ajoncs et genêts. Elle est, le plus souvent, le résultat de la dégradation de la forêt sous l'action humaine.

8 1828 **Landes** (les) (40). Département français de la région Aquitaine. 9 237 km² ; 297 424 hab. Chef-lieu : Mont-de-Marsan. Sous-préfecture : Dax. Occupé pour l'essentiel par la forêt landaise, le département est faiblement peuplé (32 hab./km²). La forêt, exploitée par la Compagnie d'aménagement des Landes de Gascogne, a donné naissance à des industries du bois (papeteries, scieries). Dans le Sud, culture du maïs associée à l'élevage des volailles. Gisements de pétrole (Parentis). Tourisme sur la côte.

Lang Fritz, cinéaste autrichien naturalisé américain (1890-1976). On lui doit quelques-uns des films les plus remarquables de l'histoire du cinéma : *le Docteur Mabuse* (1922), *les Niebelungen* (1923-1924), *Metropolis* (1926), *M le Maudit* (1931), etc.

1 112
8 1777
14 3124 **langage** n. m. Faculté que les hommes ont de communiquer au moyen de signes vocaux (sons articulés), éventuellement susceptibles d'être transcrits dans une écriture ou un ensemble de gestes. (Voir langue.) ◊ Manière de s'exprimer propre à un groupe social donné.

Langevin Paul, physicien français (1872-1946). Il est l'auteur de travaux sur le magnétisme, l'ionisation, la relativité*, les ultra-sons, etc.

12 2800 **Langlois** Henri, journaliste français (1914-1977). Il fonda en 1936, avec G. Franju et P.-A. Harlé, la Cinémathèque française, dont il assuma la direction, presque sans interruption, de 1964 à sa mort.

2 356 **langouste** n. f. Crustacé, aux pinces minuscules et aux longues antennes, vivant sur les fonds rocheux à proximité des côtes. L'abdomen, ou queue, contient une chair très appréciée.

12 2716 **Langres** (plateau de). Région du sud-est du Bassin parisien culminant à 516 m. Inculte (calcaires). Forêts. Sources de la Seine et de la Marne.

10 2319 **langue** n. f. 1 – ANAT Organe contenu dans la bouche et lié au plancher buccal. Sa consistance est variable selon les espèces : cornée chez les oiseaux et les reptiles, molle chez la grenouille, etc. Elle peut être immobile (tortues) ou extrêmement mobile (serpents). Chez les mammifères, la langue est charnue ; elle comporte 17 muscles et un squelette fibreux qui lui assurent une grande mobilité. Elle est l'organe du goût et joue un rôle capital dans la déglutition et la parole.

6 1316
12 2841 **langue** n. f. 2 – LING Forme parlée ou écrite que prend le langage* à l'inté-

*Paysage de **lande** au cap Fréhel, en Bretagne.*

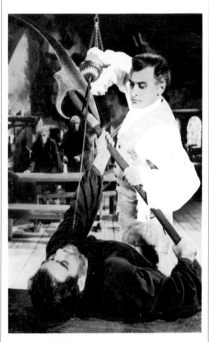

*Fritz **Lang** : une scène des Contrebandiers de Moonfleet.*

Langouste.

*Vendanges dans le **Languedoc**-Roussillon.*

rieur d'une communauté humaine donnée (cette forme, parce qu'elle est un système de signes, constitue un code, alors que la parole*, « toujours individuelle », dit Saussure*, n'est que l'utilisation de ce code). *La langue maternelle. La langue française*, etc. (on parle sur la Terre de 3 000 à 4 000 langues). *Les langues mortes* (le latin, le grec, etc.), *vivantes* (l'allemand, l'anglais, etc.). ◊ Forme parlée ou écrite du langage particulière à une matière, un individu, etc. *La langue de Rabelais.*

14 3210

Languedoc-Roussillon. Région française groupant les départements suivants : Aude, Gard, Hérault, Lozère, Pyrénées-Orientales. 27 376 km² ; 1 926 514 hab. Chef-lieu : Montpellier. ◊ Région montagneuse (Massif central, Pyrénées) s'abaissant par gradins vers une plaine littorale. Au sud, dans le Roussillon, cette plaine est bordée par une côte rocheuse (Côte Vermeille) ; au nord, la plaine du bas Languedoc est régularisée. Le climat est méditerranéen. ◊ En montagne domine l'élevage ovin. Dans les plaines et sur les collines, où se concentre la population, le vignoble demeure omniprésent, malgré l'implantation d'autres cultures (sauf dans le Roussillon, plus diversifié : primeurs, vergers). Si l'industrie est peu importante, excepté à Sète-Frontignan, Nîmes et Montpellier, le tourisme s'est développé sur le littoral. ◊ Le Languedoc, terre occitane, fut rattaché à la couronne en 1271. Le Roussillon catalan fut pris à l'Espagne en 1659.

5 1028

Lannemezan (plateau de). Plate-forme, au pied des Pyrénées centrales (France). Vaste cône de déjections, dont sont issus la Baïse, le Gers et la Save.

11 2500

Lannes Jean, maréchal de France (1769-1809). Il participa aux campagnes d'Italie de Bonaparte, aux victoires d'Austerlitz, d'Iéna et fut tué à Essling.

lanoline n. f. Corps gras onctueux et jaunâtre extrait du suint de la laine. Elle sert de base, en pharmacie et en parfumerie, à de nombreuses pommades et crèmes.

5 1180

lanterne n. f. ◊ 1. PHYS Appareil, formé d'une boîte aux parois translucides, dans lequel on enferme une lumière. ◊ *Lanterne magique* : appareil permettant de projeter sur un écran l'image agrandie de sujets peints sur du verre. ◊ 2. ZOOL *Lanterne d'Aristote* : appareil masticateur des oursins.

Laon (02000). Chef-lieu de l'Aisne, bâti sur une colline isolée. 29 074 hab. *(Laonnois).* Constructions mécaniques. La cathédrale Notre-Dame est un chef-d'œuvre de l'art gothique.

9 2014

Laos (république démocratique populaire du). État continental d'Asie du Sud-Est.

9 1975

superficie :	236 800 km²
population :	3 380 000 hab. (Laotiens)
capitale :	Vientiane
monnaie :	le kip pot poy
code international :	LAO

Dans ce pays très montagneux, surtout au nord et au centre, et au climat tropical, le Mékong, qui coule du nord au sud à la frontière thaïlandaise, constitue l'axe vital, voie de communication et artère nourricière. La population, rurale à 95 %, est formée de Laos (50 %) et d'ethnies montagnardes (les Méos). ◇ L'économie, faible, repose sur l'agriculture (riz surtout), qui ne couvre pas les besoins, malgré un effort récent. L'étain est la seule richesse minière. ◇ Pays de très ancienne civilisation, le Laos fut convoité par ses voisins, puis par les Occidentaux. Le royaume, protectorat français en 1893, accéda à l'indépendance en 1953. La guerre d'Indochine amplifia les divisions internes (guerre civile). Le *Pathet Lao*, communiste, l'emporta en 1975.

12 2645 **Lao-tseu,** sage chinois (VIᵉ ou Vᵉ s. av. J.-C.). Il fut avec Confucius* le grand maître spirituel de la Chine ancienne. On lui attribue le *Tao-tö king*, ouvrage qui fonde le taoïsme*.

La Palice ou **La Palisse** (Jacques DE CHABANNES, *seigneur* DE), maréchal de France (1470-1525). Il s'illustra durant les guerres d'Italie.

10 2368 **La Paz.** Ville de Bolivie, à 3 658 m, siège du gouvernement (Sucre étant la capitale constitutionnelle). 562 000 hab. Industries : chimie, textile, alimentation. Ville fondée en 1548.

9 2023 **La Pérouse** (Jean François DE GALAUP, *comte* DE), navigateur français (1741-1788). Chargé par Louis XVI d'explorer la côte nord-ouest du Canada et de l'Alaska (1785), il fit naufrage sur la route du retour, au large de l'île de Vanikoro, en Océanie.

lapidaire n. m. Meule servant au dressage ou au polissage des pierres précieuses et des pièces métalliques. ◇ *Musée lapidaire* : musée où l'on conserve des pierres sculptées.

1 8
3 710 **lapilli** n. m. pl. Petits fragments de pierres volcaniques, de 2 à 50 mm de diamètre, qui se consolident en tuf volcanique.

5 1123
13 2995 **lapin** n. m. Petit mammifère herbivore (famille des léporidés) élevé pour sa viande et sa fourrure. Le lapin sauvage, ou lapin de garenne, vit en terrain boisé et sablonneux.

lapis-lazuli n. m. Pierre d'un beau bleu d'azur, recherchée en joaillerie. Réduite en poudre, elle forme la matière colorante appelée « outremer ».

13 3049 **Laplace** (Pierre Simon, *marquis* DE), astronome, physicien et mathématicien français (1749-1827). Auteur d'une

Le **Laos.**

Céramique chinoise représentant **Lao-tseu.**

Le renne est toujours roi dans les grandes étendues glacées de **Laponie.**

théorie sur l'origine du système solaire et de lois physiques et mathématiques.

Laponie. Région la plus septentrionale de l'Europe s'étendant au-delà du cercle polaire, en Suède, Norvège, Finlande et URSS. Les Lapons (35 000 environ) parlent une langue finno-ougrienne et vivent de la pêche et de l'élevage du renne. Aujourd'hui sédentarisés, ils furent longtemps nomades, accompagnant le renne dans ses migrations. **4** 866 **9** 2052 **11** 2421

lapsus n. m. Faute que l'on commet par inadvertance, soit en parlant (le lapsus linguae), soit en écrivant (le lapsus calami). *Selon Freud, les lapsus ont une motivation cachée.*

Laptev (mer des). Partie de l'océan Arctique bordant l'URSS entre l'archipel de la Terre du Nord et celui de la Nouvelle-Sibérie. Eaux souvent gelées. **9** 2029

laque n. f. Gomme-résine rouge-brun fournie par plusieurs arbres d'Orient de la famille des térébinthacées et produisant, après oxydation, un vernis naturel coloré et brillant. ◇ Peinture qui a l'aspect brillant de la laque. ◇ Produit fixant les cheveux. **4** 768 **9** 1995

largeur n. f. Étendue dans le sens perpendiculaire à la longueur. *Largeur d'un fleuve.* Dans un rectangle, la largeur est le petit côté et le nombre qui le mesure. **1** 159

Largillière ou **Largillierre** Nicolas DE, peintre français (1656-1746). Il est connu pour ses portraits, exécutés à la manière flamande. **12** 2877

larme n. f. Goutte apparente du liquide salé et limpide sécrété par les glandes lacrymales. Produites sous l'effet de l'émotion ou d'une cause physique (douleur, froid, etc.), les larmes humidifient la cornée et les fosses nasales. On dit aussi *pleurs*. **3** 523

La Rochefoucauld (François VI, *duc* DE), écrivain français (1613-1680). Ses fameuses *Maximes morales* (1664) incitent au pessimisme : l'amour de soi et l'intérêt mènent le monde. **9** 1937 **13** 2939

Larousse Pierre, lexicographe et éditeur français (1817-1875). Auteur du *Grand Dictionnaire universel du XIXᵉ siècle,* il fonda sa maison d'édition en 1852.

larve n. f. Forme que prennent certains animaux avant d'atteindre l'état adulte. La larve diffère de l'embryon par l'autonomie acquise à l'égard du géniteur et de l'adulte par son inaptitude à la reproduction et par l'absence de certains organes. Les chenilles, asticots, têtards, etc., sont des larves. **7** 1490

larynx n. m. Organe de la phonation, situé, à la suite du pharynx, à l'extrémité supérieure de la trachée-artère. Formé de pièces cartilagineuses et de muscles qui les font mouvoir, il est recouvert par une muqueuse constituant deux paires de replis : les cordes vocales. Son nom courant est « pomme **1** 174 **4** 840 d'Adam ». ◆ **laryngite** n. f. Inflammation du larynx.

12 2767 **Larzac** (causse du). Haut plateau du sud du Massif central, voué à l'élevage ovin. L'extension du camp militaire qui y est implanté fut, de 1971 à 1981, l'objet de nombreuses protestations.

La Salle (saint Jean-Baptiste DE) → Jean-Baptiste de La Salle.

Las Cases (Emmanuel, *comte* DE), écrivain français (1766-1842). Il est l'auteur du *Mémorial de Sainte-Hélène* (1823), récit d'entretiens avec Napoléon.

6 1381 **Lascaux** (grotte de). Site préhistorique situé en Dordogne. Découverte en 1940, cette grotte est ornée de nombreuses peintures et gravures (scènes de chasse, animaux, etc.) qui présentent un remarquable ensemble d'art paléolithique (env. 13000 av. J.-C.).

4 894
5 1092
7 1592
14 3223
laser n. m. Nom résultant des initiales des mots anglais : *Light* (lumière) *Amplification by Stimulated Emission of Radiations.* Les lasers sont des appareils émettant sous forme d'impulsions ou en continu une lumière cohérente. Ils sont utilisés dans les domaines des télécommunications, de la médecine, l'holographie, l'armement, etc.

Lassus Roland DE, compositeur wallon (v. 1531-1594). Il est le plus grand maître de la polyphonie vocale au XVIe s. : motets, chansons, etc.

latérite n. f. Sol tropical rougeâtre contenant des hydroxydes de fer et d'alumine. Selon sa composition, il peut former des cuirasses incultes, des gisements de bauxite ou de nickel.

5 1014
12 2775
latex n. m. Liquide blanc laiteux qui s'écoule de certains végétaux (pissenlit, euphorbe, hévéa). Le latex de l'hévéa sert à fabriquer le caoutchouc*.

3 582 **latin** n. m. ◇ 1. HIST Désigne ce qui est originaire du Latium, de la Rome ancienne, des peuples romanisés. ◇ 2. LING La langue latine. On distingue le latin classique, le bas latin (le latin du Moyen Âge), le latin populaire (à l'origine des langues romanes), le latin « de cuisine ».

12 2855 **latitude** n. f. Angle formé, en un endroit déterminé, par la verticale du lieu avec le plan de l'équateur*. Les latitudes sont comptées positivement au nord de l'équateur et négativement au sud. On les exprime en degrés de 0° à ± 90°. *Le tropique du Cancer est un parallèle de latitude + 23° 27'.* ◇ Climat, lieu de telle ou telle latitude.

3 584
10 2245
14 3116
Latium. Région d'Italie centrale, sur la mer Tyrrhénienne. 17 203 km² ; 5 millions d'hab. Chef-lieu : Rome. Collines et plaines. Riche région agricole et industrielle. ◇ Occupée par les Latins au IIe millénaire av. J.-C.

8 1879 **La Tour** Georges DE, peintre français (1593-1652). Influencé par le Caravage*, il a mis l'accent sur l'opposition de

*Un rayon **laser**.*

Saint Joseph éveillé par l'ange
*(détail), par Georges de **La Tour**.*

Laurent de Médicis
(sculpture sur bois de Verrocchio).

*Le château et la cathédrale
de **Lausanne**.*

l'ombre et de la lumière dans d'admirables scènes diurnes *(le Tricheur)* ou nocturnes *(Madeleine à la veilleuse).*

La Tour (Maurice QUENTIN DE), peintre français (1704-1788). Ses très beaux portraits au pastel *(Madame de Pompadour)* lui assurèrent de son vivant une vogue extraordinaire.

10 2247
11 2529
Latran (église Saint-Jean-de-), basilique de Rome, édifiée sous Constantin en 324. Borromini, au XVIIe s., lui donna sa physionomie baroque actuelle. Le palais est attenant à la basilique. ◇ *Latran (accords du) :* traité conclu en 1929 entre le Saint-Siège et Mussolini, par lequel était reconnue la souveraineté du pape sur l'État du Vatican.

11 2603
12 2656
Lattre de Tassigny Jean DE, maréchal de France (1889-1952). Chef de la Ire armée française, qu'il mena de Provence au Danube (1944-1945), il commanda en Indochine de 1950 à 1952.

laudanum n. m. Nom donné à divers médicaments sédatifs* fabriqués à partir de l'opium macéré dans de l'alcool et auquel on ajoute diverses autres substances.

8 1688
lauracées n. f. pl. Famille de végétaux dicotylédones des régions chaudes. Ce sont des arbres, ou arbustes, souvent aromatiques : laurier-sauce, camphrier, arbre à cannelle, avocatier, etc.

7 1612
Laurel Stan, acteur de cinéma américain d'origine anglaise (1890-1965). Associé à Oliver Hardy*, il forma avec lui, de 1926 à 1950, un célèbre duo comique.

Laurencin Marie, peintre français (1883-1956). Amie d'Apollinaire et des cubistes, elle est l'auteur de portraits de femmes exécutés dans des tons très doux : bleu, rose et gris.

7 1528
7 1629
13 2892
Laurent de Médicis (*dit* le Magnifique), tyran de Florence (1449-1492). Poète, humaniste et grand seigneur, il protégea les arts et fit de Florence la capitale intellectuelle de l'Europe, mais il laissa péricliter les entreprises commerciales étrangères des Médicis.

8 1688
laurier n. m. Arbre (famille des lauracées) haut de 10 m, dont les feuilles persistantes et luisantes servent de condiment. ◇ *Laurier-rose :* arbuste méditerranéen ornemental (famille des apocynacées) aux fleurs roses, blanches.

Laurier sir Wilfrid, homme politique canadien (1841-1919). Il est le premier Canadien français qui devint Premier ministre (1896-1911).

3 486
Lausanne. Ville de Suisse, chef-lieu du canton de Vaud (rive nord du lac Léman). 138 000 hab. Ville universitaire et résidentielle. ◇ *Traité de Lausanne :* entre la Turquie et les Alliés (1923).

13 3023
Lautréamont (Isidore DUCASSE, *dit le comte DE*), écrivain français (1846-1870). Il a tourné en dérision le « sérieux » littéraire dans *les Chants de Maldoror*

(1869) et *Poésies* (1870). Il fut considéré comme un précurseur par les poètes surréalistes.

7 1552 **Laval** (53000). Chef-lieu du département de la Mayenne, sur la Mayenne. 53 766 hab. *(Lavallois).* Matériel téléphonique et électrique, industries textiles. Monuments médiévaux.

11 2600
12 2654 **Laval** Pierre, homme politique français (1883-1945). Président du Conseil (1932 et 1935). Chef du gouvernement de Pétain, il fut exécuté comme collaborateur à la Libération.

10 2317 **La Valette.** Capitale et port de Malte, dans le nord de l'île. 14 000 habitants. ◇ La ville a été fondée, en 1566, par Jean Parisot de La Valette, grand maître de l'ordre de Malte.

11 2499 **lavande** n. f. Arbrisseau méditerranéen (famille des labiées), à feuilles duveteuses et fleurs bleu-violet en épis dressés qui produisent une essence pénétrante utilisée en parfumerie.

1 6 **lave** n. f. Roche en fusion qui sort d'un volcan lors d'une éruption. Selon leur composition, les laves sortent sous des formes différentes, soit pâteuses, soit fluides ou, même, extrêmement fluides dans le cas des basaltes*.

9 2021
9 2095
13 2954 **Lavoisier** Antoine Laurent DE, chimiste français (1743-1794). Considéré comme le créateur de la chimie moderne, il a énoncé le principe de conservation des éléments et de la masse dans les réactions chimiques. Fermier général, il fut guillotiné.

Law John, financier écossais (1671-1729). Son « système » favorisa l'émission de papier-monnaie dans la France de la Régence*. Surintendant des Finances, il s'enfuit après sa banqueroute.

Lawrence David Herbert, romancier anglais (1885-1930). *L'Amant de lady Chatterley* (1928) est son œuvre la plus célèbre.

Lawrence Thomas Edward *(dit* Lawrence d'Arabie), officier anglais (1888-1935). Il lutta pour l'indépendance de l'Arabie. Auteur des *Sept Piliers de la sagesse* (1926).

lazaret n. m. Établissement servant à isoler, durant un certain temps (quarantaine), les voyageurs susceptibles d'introduire une maladie contagieuse dans le pays.

leader n. m. Chef ou personne en vue dans un parti, une organisation, un mouvement, un pays. ◇ Sportif ou équipe qui est en tête dans une course, dans un championnat. ◆ **leadership** n. m. Fonction de leader.

leasing n. m. Système de location-vente d'équipements pratiqué par l'intermédiaire de sociétés financières spécialisées. Synonyme : *crédit-bail.*

*Fêtes nautiques dans le port de **La Valette.***

*Récolte de la **lavande** en Provence.*

*Spectaculaire coulée de **lave** due au Rugarambita, au Zaïre.*

*La Cité radieuse, à Marseille, construite par **Le Corbusier.***

Léautaud Paul, écrivain français (1872-1956). Son fameux *Journal littéraire* (19 volumes, 1954 à 1965) vaut surtout par le naturel du style.

9 2061 **Lebel** Nicolas, officier français (1838-1891). Il fit adopter un fusil qui porte son nom et qui est resté en usage dans l'armée française jusqu'en 1940.

13 2942 **Leblanc** Maurice, écrivain français (1864-1941). Il est l'auteur de romans policiers qui ont pour héros Arsène Lupin*, un « gentleman cambrioleur » : *l'Aiguille creuse* (1909)...

9 1933
12 2877 **Le Brun** Charles, peintre français (1619-1690). Maître d'œuvre de la décoration du château de Versailles, il exerça un contrôle dictatorial sur tous ses collaborateurs, assurant ainsi l'unité de style du palais de Louis XIV.

Leclanché Georges, ingénieur français (1839-1882). Il est célèbre pour avoir inventé la pile électrique qui porte son nom (1867).

11 2601 **Leclerc** (Philippe DE HAUTECLOCQUE, *dit*), maréchal de France (1902-1947). Rallié à de Gaulle, il dirigea les Forces françaises libres parties du Tchad en 1942. Après le débarquement en Normandie, ses blindés (2e DB) entrèrent à Paris en libérateurs (août 1944).

Leconte de Lisle (Charles Marie LECONTE, *dit*), poète français (1818-1894). Il est, avec Heredia, le principal représentant de l'école du Parnasse* : *Poèmes barbares* (1862).

12 2821 **Le Corbusier** (Édouard JEANNERET-GRIS, *dit*), architecte, urbaniste et peintre français d'origine suisse (1887-1965). Ses innovations techniques (pilotis, toit-terrasse...) et esthétiques constituent un apport majeur à l'architecture de notre temps : *Villa Savoye* (1929), *Cité radieuse de Marseille* (1946-1952)...

Ledoux Claude Nicolas, architecte français (1736-1806). Il a mêlé, dans ses étonnantes créations, classicisme et « futurisme » : *salines d'Arc-et-Senans* (1775-1779, inachevées).

Ledru-Rollin (Alexandre Auguste LE-DRU, *dit*), homme politique français (1807-1874). Fondateur du journal *la Réforme,* il fut ministre de l'Intérieur en 1848 mais quitta le pouvoir après juin 1848.

10 2382 **Lee** Robert Edward, général américain (1807-1870). Chef des armées sudistes pendant la guerre de Sécession, il capitula à Appomatox (1865).

Lefebvre François Joseph *(duc* de Dantzig), maréchal de France (1755-1820). Il se distingua dans les campagnes napoléoniennes. Rallié aux Bourbons (1814).

légalité n. f. Caractère de ce qui est légal, conforme à la loi ; ensemble des actes, des moyens autorisés par la loi. *Sortir de la légalité.* ◆ **légalisation** n. f. Acte de rendre légal un document en le faisant authentifier, certifier conforme par une autorité officielle.

légataire n. m. ou f. Personne à qui on fait un legs*. ◇ *Légataire universel :* individu à qui on lègue la totalité de ses biens. (Voir héritage.)

14 3286

légende n. f. Récit fabuleux, en général d'origine populaire, avec ou sans fond historique. *La légende du roi Arthur.* ◇ Évocation de faits historiques réels mais enjolivés, qui idéalise un personnage ou un événement passé. *La légende napoléonienne.*

13 3024

Léger Fernand, peintre français (1881-1955). Parti du cubisme*, il évolua vers un art à caractère monumental souvent inspiré par la vie ouvrière.

3 630
13 2882

légion n. f. Chez les Romains, unité militaire qui se composait de 6 000 hommes auxquels se joignaient 600 cavaliers. ◇ *Légion étrangère :* formation militaire française dont les membres sont surtout étrangers. En 1831, succédant aux régiments étrangers de l'armée française de l'Ancien Régime, la Légion étrangère fut créée en Algérie par Louis-Philippe. Elle servit surtout outre-mer. Sa devise est : *Honneur et Fidélité.*

10 2214

Légion d'honneur (ordre de la). Ordre national français, institué en 1802 par Bonaparte. Récompense les meilleurs serviteurs de l'État. Comprend 3 grades (chevalier, officier, commandeur) et 2 dignités (grand officier, grand-croix). Chef de l'État : grand maître de l'ordre.

6 1207
11 2468

législation n. f. Ensemble des lois d'un pays : *législation française.* Lois concernant un domaine particulier : *législation du travail, législation fiscale.* ◇ *Pouvoir législatif :* pouvoir de faire les lois, de les discuter et de les voter, qui appartient au Parlement*. ◆ **législateur** n. m. Nom du détenteur du pouvoir de faire les lois. Dans une démocratie, le législateur est une assemblée.

législature n. f. Période pour laquelle une assemblée législative (Chambre* des députés, Assemblée* nationale) est élue.

10 2333
11 2401
13 2908

légitimiste n. m. ou f. Partisan du souverain ou de la dynastie légitime. ◇ *Les légitimistes :* en France, au XIXe s., partisans des descendants de Charles X, représentants de la branche aînée des Bourbons.

legs n. m. Action de céder la possession d'un bien à quelqu'un par testament ; bien ainsi cédé. *Legs universel :* qui porte sur la totalité des biens. (Voir légataire.) ◇ *Le legs du passé :* l'ensemble des traditions, des coutumes...

légume n. m. Graines comestibles contenues dans les gousses (pois, haricots, fèves...). Synonyme de *gousse**. ◇ Toute plante dont on consomme la racine (navet, rave...), les feuilles (salade, épinard...).

*Napoléon remettant les premières croix de la **Légion d'honneur** (juillet 1804).*

*Le **lemming** vit dans les régions de bouleaux et de genévriers.*

*Louis **Le Nain** :*
le Retour du baptême *(1648).*

légumineuses (ou léguminosacées) n. f. pl. Groupe de végétaux dicotylédones* constitué de 3 familles comprenant 120 000 espèces d'herbes et d'arbres de toutes les régions du monde, qui ont en commun d'avoir pour fruits des *légumes*, c'est-à-dire des gousses*.

2 361

Lehár Franz, compositeur autrichien d'origine hongroise (1870-1948). Ses opérettes, dont *la Veuve joyeuse* en 1905, connurent un immense succès.

Leibniz Gottfried Wilhelm, philosophe et mathématicien allemand (1646-1716). Il croyait à l'existence des idées innées. En même temps que Newton, il découvrit les bases de l'analyse mathématique et du calcul des déterminants.

13 3042
14 3329

Leipzig. Ville de RDA, en Saxe. 574 000 hab. Importante foire internationale. Chimie, métallurgie, optique. ◇ En octobre 1813, dans la « bataille des Nations », Napoléon y fut vaincu par les Coalisés.

6 1391

leitmotiv n. m. Brève formule mélodique (ou harmonique) qui revient plusieurs fois dans une œuvre musicale. *Les leitmotive de Wagner.* ◇ Phrase, idée qui réapparaît souvent.

Léman (lac). Lac franco-suisse, le plus grand des Alpes (582 km²). Il est traversé par le Rhône, qui en sort à Genève, le principal centre urbain suisse avec Lausanne. Tourisme. Sa partie ouest est souvent appelée « lac de Genève ».

3 486

lemming n. m. Nom de divers petits rongeurs (10 à 15 cm de long) des régions arctiques. Ils effectuent parfois des migrations massives.

6 1403
9 2083
9 2104

lémuriens n. m. pl. Groupe de mammifères caractéristiques de Madagascar. Leur taille va de celle du rat à celle du renard, leur pelage doux étant de couleurs vives. Ils possèdent deux yeux globuleux, à iris roux, en position faciale (comme l'Homme). L'aye-aye, le chirogale, le maki sont des lémuriens.

1 142
4 883

Lena (la). Fleuve d'URSS (Sibérie). 4 270 km. Tributaire de l'Arctique.

9 2029
13 2957

Le Nain (les frères), trois peintres français : Antoine (v. 1588-1648), Louis (v. 1593-1648) et Mathieu (v. 1610-1677). Ils signèrent de leur seul nom de famille des scènes de la vie paysanne (*la Charrette,* 1641) qu'on attribue le plus souvent à Louis.

8 1879
9 1931

Lenclos (Anne, *dite* Ninon DE), femme de lettres française (1620-1705). Son salon accueillit une brillante société de libres penseurs.

Lénine (Vladimir Ilitch OULIANOV, *dit*), théoricien marxiste et homme politique russe (1870-1924). Il dirigea la fraction bolchevique du Parti social-démocrate. Dans ses écrits, il conçoit le parti comme avant-garde révolutionnaire et juge nécessaire la dictature du prolétariat (*Que faire ?* 1902). Exilé en 1907 (Paris, Zurich), il revint pour organiser

11 2517
11 2530

la révolution (octobre 1917). Avant sa mort, il dénonça la bureaucratie.

9 2028
14 3233
Leningrad (anc. Saint-Pétersbourg, de sa fondation en 1703 par Pierre le Grand à 1914, puis Petrograd, de 1914 à 1924). 4 425 000 hab. Grand port sur la Baltique, industries actives. ◇ La ville fut la capitale de la Russie de 1712 à 1917. Elle renferme d'importants monuments ainsi que le musée de l'Ermitage, qui abrite l'une des plus riches collections de peintures du monde.

Leningrad en hiver.

9 1933
12 2877
Le Nôtre André, dessinateur de jardins et architecte (1613-1700). Il manifesta une sorte de génie dans la création de jardins dits « à la française » : Vaux-le-Vicomte, Versailles, Sceaux...

5 1177
lentille n. f. 1 — BOT Plante grimpante herbacée (famille des papilionacées). Elle est cultivée soit pour ses graines lenticulaires riches en amidon et comestibles, soit comme engrais.

3 640
7 1658
13 2927
14 3318
lentille n. f. 2 — PHYS Morceau de substance transparente, souvent du verre, compris entre deux surfaces sphériques, ou une surface plane et une surface sphérique. Les systèmes optiques de nombreux appareils sont formés de plusieurs lentilles. Une *lentille convergente* concentre la lumière ; une *lentille divergente* écarte la lumière.

lentisque n. m. Nom donné à une espèce de pistachier, arbrisseau méditerranéen, dont on tire un vernis, un mastic et une huile astringente.

Le plus célèbre sourire du monde : la Joconde, *de* **Léonard de Vinci.**

5 1169
León. Région du nord-ouest de l'Espagne. 38 363 km² ; 1 101 000 hab. Ville principale : Salamanque. Région de plateaux, pauvre (élevage ovin extensif). ◇ Le royaume de León, fondé en 914, fut réuni à la Castille en 1230.

8 1765
14 3177
Léon X (Jean *de Médicis*, 1475-1521). Pape de 1513 à 1521, ce fils de Laurent le Magnifique protégea les sciences et les arts. Avec François Iᵉʳ, il conclut le concordat de Bologne (1516). Il mit fin au concile de Latran et condamna Luther en 1520.

Léon XIII (Vincenzo Gioacchino *Pecci*, 1810-1903). Pape de 1878 à 1903, il pratiqua une politique d'ouverture qui prônait le « ralliement » des catholiques français à la République et donna l'impulsion au mouvement chrétien social (encyclique *Rerum novarum*, 1891).

7 1523
7 1668
13 2915
14 3180
14 3312
Léonard de Vinci, peintre, sculpteur, architecte, ingénieur et savant italien (1452-1519). Esprit universel, à la fois technicien et artiste, il s'intéressa à l'anatomie, à la botanique, à l'optique, à la mécanique... Il établit ainsi les plans de très nombreux appareils de son invention : pompes, machines de guerre, machines volantes... Célèbre comme auteur du portrait de Mona Lisa, *la Joconde*, peinture exposée au musée du Louvre, à Paris.

7 1613
Leone Sergio, cinéaste italien (né en 1926). Il s'est spécialisé dans la réalisa-

Le Bon, la Brute et le Truand, *film de Sergio* **Leone.**

Le **léopard,** *ou panthère, est un redoutable carnassier.*

tion de ce que la presse a appelé le « western-spaghetti » : *Pour une poignée de dollars* (1964), *le Bon, la Brute et le Truand* (1966)...

Léonidas Iᵉʳ, roi de Sparte (mort en 480 av. J.-C.). Héroïquement, il fit le sacrifice de sa vie dans le défilé des Thermopyles, qu'il défendit avec 300 hoplites contre l'armée perse de Xerxès.

7 1562
9 1944
léopard n. m. Autre nom de la panthère. ◇ *Léopard de mer* : grand phoque (3 m de long) à pelage tacheté, très vorace, qui vit dans les mers australes.

Leopardi Giacomo *(comte),* écrivain italien (1798-1837). Son recueil intitulé *Chants* (1831) est un sommet de la poésie lyrique.

Léopold Iᵉʳ, empereur du Saint Empire romain germanique (1640-1705). Sous son règne, les Turcs furent définitivement arrêtés. Il participa à des guerres malheureuses contre Louis XIV.

Léopold II, empereur du Saint Empire romain germanique (1747-1792). D'abord grand-duc de Toscane (1765), ce frère de la reine Marie-Antoinette hésita à combattre la Révolution française.

Léopold II, roi des Belges (1835-1909). Prince de Saxe-Cobourg, roi en 1865, il céda l'État du Congo à la Belgique en 1908. Il présida à l'évolution libérale et économique de son pays.

Léopold III, roi des Belges (1901-1984). Il régna de 1934 à son abdication en 1951. Sa reddition face aux Allemands en 1940 lui fut très préjudiciable (exil).

Lépante. Ville de Grèce, sur le détroit de Lépante. ◇ Lieu d'une grande victoire navale de la flotte chrétienne (Espagne, Venise et Rome) sur la flotte turque d'Ali Pacha (1571). Ce fut la fin de l'invincibilité ottomane.

3 589
5 1073
lépidoptères n. m. pl. Ordre d'insectes aux ailes très grandes recouvertes de poils en forme d'écailles très finement striées qui décomposent la lumière et renvoient des couleurs irisées. Ce sont les papillons diurnes aux couleurs splendides et les nocturnes aux reflets plus ternes.

Lépine Louis, administrateur français (1846-1933). Préfet de police (1893-1898 puis 1899-1912), il créa un concours pour les inventeurs français (1902).

Lépine Pierre, médecin français (né en 1901). Virologiste à l'Institut Pasteur, il mit au point le vaccin français contre la poliomyélite*.

lépiote n. f. Genre de champignons basidiomycètes. La lépiote élevée, à chapeau écailleux brunâtre, est la coulemelle, comestible et très recherchée.

14 3230
lèpre n. f. Maladie infectieuse due au bacille de Hansen. Deux formes : la lèpre tuberculoïde ou mutilante, peu

contagieuse et caractérisée par des atteintes nerveuses (atrophie des muscles, douleurs, perte des phalanges...) ; la lèpre lépromateuse, grave, contagieuse, aux lésions cutanées importantes : nodosités (lépromes). La lèpre sévit encore dans le tiers monde*.

Leprince-Ringuet Louis, physicien français (né en 1901). Spécialiste de physique atomique. Il fut élu membre de l'Académie française en 1966.

Leroux Gaston, écrivain et journaliste français (1868-1927). Il a créé Rouletabille, reporter-détective héros de romans policiers à énigme : *le Mystère de la chambre jaune* (1908)...

Lesage Alain René, écrivain français (1668-1747). Il composa des pièces de théâtre (*Turcaret*, 1709), mais son chef-d'œuvre, *Gil Blas de Santillane* (1715-1735), est un roman satirique de mœurs.

lesbienne → homosexualité

Lesbos ou **Mytilène.** Île grecque proche des côtes turques. Peuplée dès le IVᵉ millénaire av. J.-C., ce fut la patrie de Sapho*. Lesbos fit partie de la Ligue de Délos au Vᵉ s. av. J.-C.

Lescot Pierre, architecte français (1515-1578). On lui doit l'aile sud-ouest de la *cour Carrée du Louvre*, point de départ du nouveau palais et chef-d'œuvre de la Renaissance en France (frontons de J. Goujon*).

lésion n. f. ◇ 1. DRT Atteinte portée aux droits, aux intérêts de quelqu'un, notamment lors d'une signature de contrat. ◇ 2. MÉD Atteinte, blessure d'un tissu, d'un organe...

Lesotho (royaume du). État enclavé dans la république d'Afrique du Sud.

superficie :	30 355 km²
population :	1 214 000 hab.
capitale :	Maseru
monnaie :	le loti
code international :	LS

Plateau volcanique au climat tempéré. Élevage de bovins, ovins et chèvres angoras. Richesse essentielle fournie par les travailleurs émigrés en Afrique du Sud. ◇ Ancien Basutoland britannique, indépendant en 1966.

Lesseps Ferdinand (*vicomte* DE), diplomate et homme d'affaires français (1805-1894). Il créa la compagnie qui construisit le canal de Suez (1869), mais fit faillite pour celui de Panamá (1888).

lest n. m. Matière lourde, morceaux de fonte ou d'acier que l'on met au fond d'un navire, d'un avion pour l'équilibrer. ◇ Sable en sacs qu'on largue d'un aérostat pour gagner de l'altitude. ◆ **délestage** n. m. Action de détourner des autos vers un itinéraire moins encombré.

léthargie n. f. Sommeil profond et prolongé durant lequel les fonctions vitales

*Léproserie en Éthiopie : la **lèpre** sévit toujours dans les pays pauvres.*

*Pierre **Lescot** érigea l'aile sud-ouest de la cour Carrée du Louvre.*

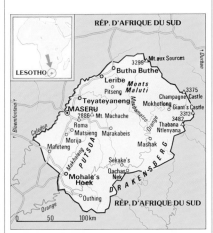
*Le **Lesotho.***

*Claude **Lévi-Strauss,** fondateur de l'ethnologie structuraliste.*

sont ralenties. La léthargie peut être due à une maladie, à un médicament.

Lettonie. République d'URSS, sur la Baltique. 63 700 km² ; 2 364 000 hab. (*Lettons*). Capitale : Riga. Vaste plaine, boisée et agricole. Industries textile, alimentaire et mécanique. ◇ Un des trois pays baltes, indépendant de 1918 à 1940.

lettre n. f. Signe graphique qui, par assemblage avec d'autres signes graphiques de même nature (lesquels composent un alphabet*), sert à la transcription des mots d'une langue phonétique. *Les 26 lettres de l'alphabet français.* ◇ Écrit qu'on adresse à une personne pour lui faire connaître quelque chose. *Rédiger, poster une lettre.*

lettres n. f. pl. Études, connaissances littéraires, philosophiques, etc. (par opposition aux études et connaissances scientifiques). *Un docteur ès lettres. Lettres classiques, modernes.* ◆ **belles-lettres** n. f. pl. (terme vieilli). La littérature et l'éloquence en général.

leucémie n. f. Maladie caractérisée par la prolifération de globules* blancs dont certains sont anormaux. Elle se manifeste sous deux formes : la leucémie aiguë, à évolution rapide, et la leucémie chronique, à évolution lente.

leucocyte n. m. Nom savant des globules blancs, cellules sanguines dépourvues d'hémoglobine*. On distingue les lymphocytes*, les polynucléaires ou granulocytes, les petits et grands monocytes et les cellules génératrices des plaquettes sanguines. Tous participent à la défense de l'organisme.

Levant. Région d'Espagne orientale, sur la Méditerranée. Ville principale : Valence. Montagnes avec quelques plaines et vallées (cultures intensives).

Levant → Moyen-Orient

Le Vau Louis, architecte français (1612-1670). Le château de Vaux-le-Vicomte (1655-1661) est son œuvre maîtresse, mais le palais de Versailles lui doit aussi beaucoup.

Le Verrier Urbain, astronome français (1811-1877). Ses calculs permirent de prévoir l'existence puis de découvrir la planète Neptune en 1846.

levier n. m. Pièce rigide, barre d'acier qui sert à soulever une charge, en prenant appui près de la charge à soulever. ◇ Tige articulée. Un *levier de changement de vitesse.*

Lévi-Strauss Claude, ethnologue français (né en 1908). Il est le premier à avoir appliqué des méthodes issues du structuralisme* à l'analyse des mythes. *Les Structures élémentaires de la parenté* (1949), *Tristes Tropiques* (1955)...

lèvre n. f. Chacun des bourrelets charnus qui bordent la bouche. Les lèvres sont constituées par un muscle circulaire (le muscle orbiculaire). ◇ Replis cutanés de la vulve*. *Grandes, petites lèvres.*

10 2291 **lévrier** n. m. Chien aux membres longs, à la taille étroite et au ventre concave, très rapide à la course et utilisé pour chasser le lièvre (d'où son nom). Les courses de lévriers sont organisées sur les *cynodromes.*

1 123
7 1486
13 3064 **levures** n. f. pl. Groupe de champignons ascomycètes* dont le thalle* très réduit se multiplie par bourgeonnement. L'industrie utilise la levure de bière ou de boulanger pour réaliser la panification des farines et la fermentation alcoolique (vin, cidre, bière...).

Lewis Jerry, fantaisiste, acteur et cinéaste américain (né en 1926). Il a créé un personnage farfelu, héros de films à l'action débridée : *Dr. Jerry et Mr. Love* (1963)...

lexique n. m. Ensemble des mots formant la langue d'un groupe, d'une activité, d'un écrivain... ◇ Forme abrégée d'un dictionnaire bilingue. ◆ **lexicographe** n. m. ou f. Personne qui classe les mots et les définit pour faire un dictionnaire de langue. ◆ **lexicologie** n. f. Branche de la linguistique qui étudie l'origine, le fonctionnement des mots d'une langue.

1 153
8 1836 **lézard** n. m. Nom courant de divers reptiles sauriens*. En Europe, le lézard de muraille est gris-brun, habite les tas de pierres, les fentes des vieux murs... Le lézard vert, plus grand (30 cm de long), habite les prairies ensoleillées. Ils sont insectivores.

8 1712 **Lhassa.** Capitale et ville sainte du Tibet (Chine), à 3 630 m d'altitude. 70 000 hab. Artisanat. Résidence habituelle du dalaï-lama* jusqu'en 1959, Lhassa possède de nombreux et magnifiques monastères, dits *lamaseries.*

8 1850 **L'Hospital** Michel DE, homme politique français (v. 1505-1573). Chancelier de France (1560), il essaya, en vain, de rapprocher catholiques et protestants. En 1568, il décida de se retirer.

10 2272 **liaison** n. f. ◇ **1.** SOC Communication assurée entre deux lieux par le moyen d'avions, de trains... *Liaison ferroviaire.* ◇ *Officier de liaison :* officier chargé de maintenir le contact entre les différents niveaux de la hiérarchie. ◇ **2.** CHIM Force qui unit entre eux des atomes.

3 618 **liane** n. f. Végétal dont la tige grêle, très longue, est incapable de se tenir dressée et qui s'appuie sur un support, tels le lierre, la clématite...

lias n. m. Période de l'ère secondaire correspondant à la première partie du système jurassique. Le lias s'étend de − 150 à − 130 millions d'années.

11 2458
12 2745 **Liban** (république du). État côtier du Proche-Orient.

*Couple de **lévriers** afghans.*

*Jerry **Lewis** dans Dr. Jerry et Mr. Love.*

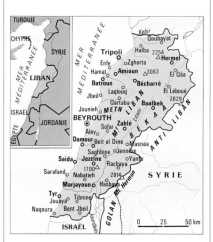
*Le **Liban**.*

*La **libellule** vit au bord de l'eau ; ses larves sont aquatiques.*

superficie :	10 400 km²
population :	3 millions d'hab. *(Libanais)*
capitale :	Beyrouth
monnaie :	la livre libanaise
code international :	RL

Petit État montagneux. Climat tempéré sur la côte, continental à l'intérieur. La population, concentrée dans la plaine côtière et dans la plaine de la Bekaa, est divisée en deux grandes communautés, chrétienne et musulmane. ◇ L'agriculture fournit des céréales et des fruits. L'industrie est limitée. Le Liban a été, jusqu'en 1975, la première place commerciale du Moyen-Orient : il en tirait ses principales ressources. Sa prospérité est aujourd'hui compromise par la guerre, mais Beyrouth joue malgré tout un rôle financier important. ◇ Ancienne Phénicie, le pays a connu de nombreuses dominations et des apports religieux divers : maronites (chrétiens), Druses*... Sous mandat français de 1922 à 1943, puis république indépendante, accueillant, en 1949, les réfugiés palestiniens, il connut des heurts graves entre chrétiens et musulmans, heurts envenimés par les États arabes et Israël. Après la sanglante guerre civile de 1975, la Syrie (1976) puis Israël (1982, siège de Beyrouth) occupèrent en grande partie un pays meurtri.

7 1489
8 1887 **libellule** n. f. Nom commun des insectes odonates*. Ils ont une grosse tête, un abdomen long et mince à couleurs irisées. Les ailes forment une croix avec le corps. Ils habitent près de l'eau.

4 906
6 1386 **liber** n. m. Tissu conducteur de la sève élaborée chez les gymnospermes* et angiospermes* dicotylédones. Il est juste sous l'écorce des tiges et racines.

7 1583 **libéralisme** n. m. Attitude de ceux qui s'attachent au respect de la liberté d'autrui en matière d'opinion, de conduite... Contraire : autoritarisme. ◇ *Libéralisme politique :* système qui s'attache à la défense de la démocratie et des libertés personnelles des citoyens. Au XIXe s., les libéraux réclamèrent la liberté politique, religieuse, etc., conformément à l'esprit des principes de 1789. Contraire : totalitarisme. ◇ *Libéralisme économique :* doctrine hostile à l'intervention de l'État dans la vie économique et à la collectivisation des moyens de production (libre-échange*).

11 2603
12 2654
13 3097 **Libération** (la). Victoire des troupes alliées sur l'Allemagne. Elle s'étala, selon les pays, de 1943 (sud de l'Italie) à 1945 (Europe centrale). En France, Paris fut libéré le 24 août 1944 par la 2e DB du général Leclerc. Pour beaucoup de pays, la Libération fut suivie de l'épuration, poursuites contre les collaborateurs avec les nazis.

10 2347 **Liberia** (république du). État côtier d'Afrique occidentale.

superficie :	111 369 km²
population :	1 670 000 hab. *(Libériens)*
capitale :	Monrovia
monnaie :	le dollar libérien
code international :	LB

Le pays s'étend sur un plateau cristallin s'abaissant vers la mer. Climat subéquatorial. Population composée de nombreuses ethnies (bas niveau de vie) et d'une minorité d'Afro-Américains, aux revenus plus élevés. ◇ L'économie est basée sur la culture de l'hévéa (6ᵉ producteur mondial), l'exploitation de riches mines de fer et les revenus de la flotte marchande (1ʳᵉ du monde). ◇ Fondé en 1822 par une société américaine de colonisation pour y installer des esclaves noirs libérés, le pays fut indépendant en 1847. Il reste très lié aux Américains, qui contrôlent l'économie par leurs capitaux. Toutefois, le pouvoir politique a été retiré aux Afro-Américains. Mais le coup d'État de 1980, dû aux autochtones (les « natives »), ne semble pas avoir remis en question les liens avec les États-Unis.

liberté n. f. Possibilité, assurée par les lois ou le système politique et social, d'agir comme on l'entend, à condition de ne pas porter atteinte aux droits d'autrui ou à la sécurité publique. *Liberté, Égalité, Fraternité* (devise de la République française). ◇ État d'une personne qui n'est pas prisonnière. *Liberté provisoire* d'un inculpé non emprisonné tant qu'il n'est pas jugé. *Liberté surveillée* de certains délinquants mineurs placés sous la surveillance d'un délégué.

libido n. f. Pour les psychanalystes freudiens, énergie vitale émanant de la sexualité et visant au plaisir physique. Chez Jung et ses successeurs, énergie psychique en général.

librairie n. f. À l'origine, bibliothèque. Magasin où l'on vend des livres. ◇ Commerce des livres. ◆ **libraire** n. m. ou f. À l'origine, personne qui vendait les livres qu'elle imprimait. Marchand qui fait le commerce des livres.

10 2335 **libre-échange** n. m. Système économique qui préconise la libre circulation des marchandises entre les États, en supprimant les droits de douane et toutes les entraves au commerce international. Contraire : protectionnisme.

8 1916 **Libreville.** Capitale du Gabon, sur l'estuaire du Gabon. 186 000 hab. La ville est un important centre d'exportation et de traitement des bois tropicaux (okoumé, ébène).

7 1502
14 3278 **Libye** (république arabe libyenne). État du nord de l'Afrique.

superficie :	1 759 540 km²
population :	3 200 000 hab. *(Libyens)*
capitale :	Tripoli
monnaie :	le dinar libyen
code international :	LAR

Le pays fait partie du désert du Sahara.

Le *Liberia.*

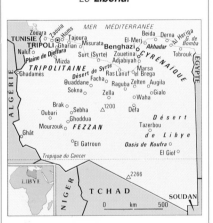
La *Libye.*

Vue du port de Tobrouk, en *Libye.*

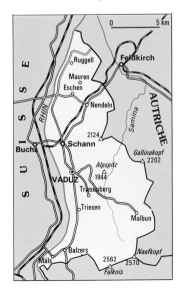
Le *Liechtenstein.*

Seule une étroite bande côtière reçoit de l'eau : c'est là que se regroupe la population. ◇ L'agriculture, 20 % des actifs, met en valeur 1 % du sol. Culture du blé, de l'orge, des oliviers, des dattes, et surtout élevage nomade de chèvres et de moutons. La grande ressource est le pétrole, exploité depuis 1961, dans la région voisinant le golfe de la Grande Syrte. Il fournit 80 % du produit national brut. Les réserves sont les huitièmes du globe. Industrialisation encore embryonnaire. La Libye est le pays le plus riche d'Afrique. ◇ Après la domination romaine, arabe, turque, italienne, la Libye accéda à l'indépendance en 1951. Le roi Idris Iᵉʳ fut renversé en 1969 par le colonel Kadhafi, qui instaura un régime islamique intervenant activement dans les affaires africaines et arabes.

licence n. f. ◇ 1. ENSG Grade universitaire qui se place entre le baccalauréat et le doctorat. *Licence ès lettres.* ◇ 2. SOC Autorisation d'exercer certaines activités, de vendre (importer et exporter) certains produits. Permission d'exploiter un brevet. *Licence d'aviateur.*   **6** 1344

licenciement n. m. Action de licencier un employé, de le priver de son emploi, de le renvoyer ; son résultat. *Indemnité de licenciement. Licenciement collectif pour cause économique.*

lichen n. m. Organisme formé par l'association (symbiose*) d'un champignon (assurant l'approvisionnement en azote et en sels minéraux) et d'algues unicellulaires vertes produisant des composés glucidiques par photosynthèse*.   **4** 866   **9** 1926

licorne n. f. Animal fabuleux, cheval à longue corne unique implantée au milieu du front. *La tapisserie de « la Dame à la licorne »* du musée de Cluny, à Paris, l'illustre.   **4** 820   **14** 3289

Liebig Justus (*baron* VON), chimiste allemand (1803-1873). Il isola le titane et mit au point une méthode d'analyse des composés chimiques organiques.   **13** 2955

Liebknecht Karl, homme politique allemand (1871-1919). Député, dirigeant de la gauche du parti socialiste, il fonda la Ligue Spartacus et fut assassiné lors de l'insurrection de Berlin.   **11** 2532

Liechtenstein (principauté de). Petit État européen, entre la Suisse et l'Autriche. 160 km² ; 23 000 hab. Capitale : Vaduz. Monnaie : le franc suisse. ◇ État alpin, sur la rive droite du Rhin. Tourisme, élevage, mécanique de précision. Importante place financière (paradis fiscal) : il y a deux sociétés pour trois habitants. Le Liechtenstein est lié à la Suisse, qui assure sa représentation à l'étranger.   **8** 1896

lied n. m. (mot allemand). Chanson populaire, ballade propre aux pays germaniques. ◇ Courte pièce de musique vocale, avec ou sans accompagnement, écrite sur le texte d'un lied. *Les lieder romantiques de Schubert.*

2 428 **liège** n. m. Tissu végétal peu dense, formé de cellules mortes dont les parois, imprégnées de subérine, le rendent imperméable et imputrescible. Il constitue l'écorce de certains arbres, notamment celle du chêne-liège. C'est un excellent isolant thermique, peu inflammable.

4 775 **Liège.** Province de Belgique orientale. 3 876 km² ; 1 010 000 hab. Chef-lieu : Liège. La vallée de la Meuse forme l'axe industriel (sidérurgie, métallurgie) de la province et sépare le massif des Ardennes, au sud-est, du plateau de Condroz, région d'élevage. ◇ La ville de Liège (230 800 hab.), grand centre industriel, fut la capitale de la principauté de Liège (Xe-XVIIIe s.) ; monuments : églises, palais du prince-évêque.

lierre n. m. Plante ligneuse à feuillage persistant (famille des hédéracées), qui vit fixée aux murs et aux arbres par de nombreuses racines crampons.

lieu → colin

lieu n. m. Partie délimitée de l'espace. ◇ MATH Lieu géométrique : ensemble des points vérifiant une propriété. *La sphère est le lieu géométrique des points situés à égale distance d'un point fixe.*

2 468
4 779
5 1197
7 1621
13 2995
lièvre n. m. Petit mammifère rongeur (sous-ordre des lagomorphes) auquel de longues pattes postérieures confèrent une grande rapidité. Le lièvre d'Europe mesure jusqu'à 70 cm de long.

Lifar Serge, danseur et chorégraphe français d'origine russe (1905-1986). Il fut l'un des plus célèbres danseurs étoiles de l'Opéra de Paris.

2 328 **ligament** n. m. Faisceau conjonctif fibreux, extrêmement résistant et plus ou moins élastique, reliant deux parties d'une articulation (ligament articulaire) ou maintenant à leur emplacement les viscères (ligament suspenseur des ovaires, etc.).

ligature n. f. Opération consistant à serrer un vaisseau ou un canal pour empêcher le passage du sang ou d'un autre fluide. ◇ Lien servant à cette opération.

13 3096
14 3310
ligne n. f. ◇ 1. MATH Figure engendrée par le déplacement d'un point. *Ligne droite, ligne courbe.* ◇ 2. PHYS Ligne de champ ou ligne de force : ligne tangente en chacun de ses points à la direction du champ magnétique. ◇ 3. GÉO Ligne d'horizon. ◇ 4. SOC Succession d'ouvrages fortifiés. *La ligne Maginot.* Ensemble des troupes faisant face à l'ennemi ou se trouvant en contact avec lui. *La ligne de feu.*

lignine n. f. Substance organique dure, imputrescible, imprégnant les parois des cellules des organes et tissus durs, tels le bois, les épines, etc.

6 1391
10 2391
lignite n. m. Roche sédimentaire brunâtre provenant de la décomposition

Immeubles sur la rive droite de la Meuse, à Liège.

Le lièvre, toujours en alerte, sort de son gîte la nuit pour manger.

Procession de la Ligue (peinture anonyme du XVIe s.).

Le palais de l'archevêché à Lima, capitale du Pérou.

incomplète de divers végétaux. Elle est combustible. Son pouvoir calorifique est trois fois moindre que celui de la houille.

ligue n. f. Alliance entre plusieurs États. *La ligue d'Augsbourg.* ◇ Mouvement politique. *La Ligue communiste révolutionnaire.* ◇ Association œuvrant[7] dans un but déterminé. *La Ligue des droits de l'Homme.*

8 1851
13 2936
Ligue (la Sainte). Confédération de catholiques français organisée par Henri de Guise contre les huguenots (1576-1594). Son rôle fut essentiel dans les guerres de Religion. En 1588, elle réussit à s'emparer de Paris. L'abjuration d'Henri IV lui ôta sa raison d'être.

Ligue hanséatique → Hanse

10 2249 **Ligurie.** Région de l'Italie du Nord, sur le golfe de Gênes. 5 413 km² ; 1 859 000 hab. Chef-lieu : Gênes. L'Apennin borde une étroite plaine côtière, où se concentrent d'actives industries. Tourisme florissant (Riviera).

8 1827 **lilas** n. m. Arbrisseau ornemental (famille des oléacées) à feuilles simples, en forme de cœur, et grosses grappes de fleurs printanières odorantes.

9 1971
10 2278
liliacées n. f. pl. Famille de végétaux monocotylédones, à fleurs à trois pétales ; le lis, l'oignon, l'ail, le poireau, le muguet, la tulipe sont quelques-unes des 4 000 espèces existantes.

Lilienthal Otto, ingénieur allemand (1848-1896). Il construisit et fit voler de nombreux planeurs, ouvrant ainsi la voie à l'aviation.

3 666 **Lille** (59000). Chef-lieu du département du Nord et de la région Nord-Pas-de-Calais. 174 039 hab. *(Lillois).* Forme avec Roubaix et Tourcoing une conurbation de 900 000 hab., très industrialisée. ◇ Cette ville des Flandres devint définitivement française en 1713.

4 736 **Lilongwe.** Capitale du Malawi depuis 1975. 103 000 hab. Deuxième ville du pays après Blantyre, le centre économique. Elle exporte du tabac, du sucre, du thé et des arachides.

8 1811
10 2367
Lima. Capitale du Pérou, à 15 km du Pacifique, où se situe son port, El Callao, et où sont regroupées les activités industrielles. 3 303 000 hab. Métropole commerciale et culturelle du pays, Lima fut fondée en 1535 par Pizarro.

13 2898 **limace** n. f. Mollusque gastéropode pulmoné terrestre, atteignant 7 cm de long, dont la coquille est réduite à une mince écaille interne.

limaçon n. m. ◇ 1. ZOOL Escargot. ◇ 2. ANAT Partie de l'oreille interne constituée d'un tube cylindrique enroulé autour d'un axe et ayant la forme d'une coquille de limaçon.

limande n. f. Poisson plat, comestible, à peau rugueuse pigmentée sur un côté. Elle atteint 40 cm de long et vit sur les côtes occidentales d'Europe.

Limbourg (les frères Pol, Hennequin et Hermann DE), miniaturistes français d'origine flamande (début XVe s.). On leur doit les enluminures des *Très Riches Heures du duc de Berry.*

4 775 **Limbourg.** Nom de deux provinces voisines, de Belgique (2 421 km² ; 692 000 hab. ; chef-lieu : Hasselt) et des Pays-Bas (2 172 km² ; 1 056 000 hab. ; chef-lieu : Maastricht). Bassin houiller, carbochimie, métallurgie.

4 724 **limes** n. m. Sous l'Empire romain, zone
4 896 de fortifications formées de murailles (mur d'Hadrien) et de fossés, qui bordaient certaines frontières (Rhin, nord de l'Angleterre) dépourvues de défenses naturelles.

limite n. f. Valeur ou position extrême que l'on peut approcher d'aussi près que l'on veut sans l'atteindre effectivement. *Limite d'une suite, limite d'une fonction, dérivée*.*

9 1955 **limnée** n. f. Mollusque gastéropode pulmoné des eaux douces, à coquille en hélice conique allongée. Elle transmet un ver parasite du foie.

12 2829 **Limoges** (87000). Chef-lieu de la Haute-Vienne et de la région Limousin, sur la Vienne. 144 082 hab. *(Limougeauds).* Centre commercial et industriel, Limoges est la capitale de la porcelaine.

6 1394 **limon** n. m. Roche sédimentaire formée de dépôts de nature variée, où dominent de fines particules charriées puis déposées par les eaux fluviales le long des berges. Les limons, qui conservent bien l'humidité, sont des sols généralement très fertiles.

12 2826 **Limousin.** Région formée des départements de la Corrèze, de la Creuse et de la Haute-Vienne. 16 942 km² ; 737 153 hab. Chef-lieu : Limoges. Région la moins peuplée de France après la Corse, dont l'activité est essentiellement agricole (élevage en montagne). Industries traditionnelles (porcelaine de Limoges), mines d'uranium. ◇ Ancienne province française. Après la colonisation romaine, la région tomba sous le joug wisigoth du Ve au VIIe s. Partagée en seigneuries (Xe s.), elle fit partie du duché d'Aquitaine et devint anglaise après le mariage d'Aliénor d'Aquitaine avec Henri II Plantagenêt (1152). Échappant à l'Angleterre (XVIe s.), elle fut rattachée à la couronne en 1607. Elle bénéficia de l'action de remarquables intendants (Tourny, Turgot).

4 735 **Limpopo.** Fleuve d'Afrique australe. 1 600 km. Séparant l'Afrique du Sud du Botswana et du Zimbabwe, il se jette dans l'océan Indien au Mozambique.

2 376 **limule** n. m. Arthropode marin, fossile
3 695 vivant n'ayant pas évolué depuis le

*La **limnée** monte à la surface de l'eau pour faire provision d'air pur.*

*Le **limule** se nourrit de petits mollusques et de vers marins.*

*Abraham **Lincoln,** grande figure de la lutte contre l'esclavage.*

*Les **lingots** d'or sont tous numérotés et répertoriés.*

trias. Il vit sur la côte du Pacifique, aux États-Unis, et aux îles Moluques.

7 1507 **lin** n. m. Plante dicotylédone herbacée,
7 1603 à grandes fleurs bleues. La tige, haute de 60 cm, très riche en fibres cellulosiques, donne, après trempage dans l'eau, une excellente fibre textile. Ses graines fournissent l'huile de lin, qui est à la base de peintures, du linoléum, etc.

Lin Biao ou **Lin Piao,** homme politique chinois (1908-1971). Chef de l'armée rouge en Mandchourie (1949), il faisait figure de successeur de Mao (1969) lorsqu'il disparut dans un accident d'avion.

1 72 **Lincoln** Abraham, homme d'État améri-
10 2383 cain (1809-1865). Avocat puis député, il fit campagne contre l'esclavagisme. Son élection à la présidence des États-Unis (1860) déclencha la sécession du Sud. Il dirigea le camp nordiste, affranchit les esclaves (1863) mais fut assassiné peu après la victoire par un Sudiste exalté, l'acteur Booth.

4 814 **Lindbergh** Charles, aviateur américain
11 2525 (1902-1974). Il réussit la première traversée aérienne sans escale de l'Atlantique, de New York à Paris, sur son avion, le *Spirit of Saint Louis* (1927).

Linder Max, acteur et cinéaste français (1883-1925). Il fut le précurseur des grands burlesques américains (Chaplin*, etc.) : *Sept Ans de malheur* (1921), *l'Étroit Mousquetaire* (1922), etc.

1 108 **lingot** n. m. Pièce de métal (acier, or) obtenue en coulant dans un moule le métal en fusion. Elle a la forme d'un parallélépipède.

linguistique n. f. Science qui a pour but l'étude du langage humain. Cette étude comprend principalement la description des systèmes de signes (ou codes) que sont les différentes langues et la connaissance du fonctionnement de ces systèmes de signes. La grammaire*, la phonétique*, la sémantique* et la lexicologie* relèvent de la linguistique. Ferdinand de Saussure* est le fondateur de la linguistique moderne. ◆ **linguiste** n. m. ou f. Personne spécialiste de linguistique.

3 611 **Linné** Carl VON, médecin et botaniste
3 716 suédois (1707-1778). Il est l'auteur d'une
9 2095 nomenclature, dite binominale, univer-
9 2100 sellement employée, désignant tout être
13 3009 vivant par deux noms latins : le premier
13 3019 donne le genre ; le second, l'espèce.

linotte n. f. Petit oiseau passériforme au plumage brun dont la tête et la poitrine sont rouges chez le mâle. Femelle et mâle sont d'excellents chanteurs.

8 1889 **Linotype** n. f. Machine à composer qui fond des lignes complètes de caractères d'imprimerie. Elle comprend un clavier et une fondeuse. ◆ **linotypie** n. f. Composition sur Linotype. ◆ **linotypiste** n. m. ou f. Personne travaillant sur une Linotype.

lion n. m. Mammifère carnivore félidé, de grande taille (1,70 à 1,90 m de long, queue non comprise), dont le mâle porte une crinière très fournie et plus foncée que le reste du pelage fauve. Il ne subsiste plus qu'en Afrique, au sud du Sahara, et dans une réserve en Inde. Redoutable chasseur, il vit en petites hardes d'une dizaine d'individus.

5 1004
7 1562

Lion (constellation du). Groupement caractéristique d'étoiles de l'hémisphère Nord. Une des 12 constellations servant à repérer le zodiaque*.

1 105
13 3103

Lion (golfe du). Golfe du nord-ouest de la Méditerranée bordant la côte française, entre le delta du Rhône et les Pyrénées.

5 1028

Lipari (île). La principale des îles Éoliennes, servant communément à désigner cet archipel volcanique italien situé au nord-est de la Sicile.

1 9

Lippati Dinu, pianiste roumain (1917-1950). Il fut un interprète génial de Mozart, Bach et Chopin.

lipide n. m. Corps gras formé de molécules d'acides gras ou de dérivés de corps gras. Substance de réserve de l'organisme. Combinés à des protéines, les lipides sont les constituants des cellules nerveuses.

3 689
10 2318

Li Po, poète chinois (v. 701-762). Grand poète de la dynastie T'ang, il a renouvelé les thèmes traditionnels de la poésie chinoise : l'amitié, la vanité...

Lippi Filippo (*dit* Fra Filippo), peintre et moine italien (v. 1406-1469). Sensible à l'art de Masaccio, il resta toutefois marqué par l'esprit médiéval. Son fils Filippino (1457-1504), également peintre, fut l'élève de Botticelli.

7 1628

liquide n. m. Un des états de la matière dont la caractéristique est de couler ou de tendre à couler. Un liquide n'a pas de forme propre : il prend celle du récipient qui le contient. Sa surface, au contact de l'air, est plane et horizontale. Son volume ne varie pratiquement pas. ◆ **liquéfaction** n. f. Passage d'un gaz à l'état de liquide.

3 592

lis ou **lys** n. m. Plante bulbeuse (famille des liliacées) à grandes fleurs blanches, jaunes ou rouges. Le lis blanc était l'emblème des rois de France.

3 500
6 1323
10 2278

Lisbonne. Capitale du Portugal, sur l'estuaire du Tage. 829 000 hab. Principal centre économique du pays et port très actif. ◇ Capitale du royaume à partir du XIIIe s., elle fut ravagée par un tremblement de terre en 1755.

11 2607

liseron → volubilis

Liszt Franz, compositeur et pianiste hongrois (1811-1886). Beau-père de Wagner, ami de Berlioz, il joua un rôle capital comme animateur de la vie musicale romantique. On admire sa

11 2571

*Chez les **lions**, c'est presque toujours la femelle qui chasse.*

*Madone à l'Enfant (1465), de Filippo **Lippi**.*

*Les hauteurs de **Lisbonne**.*

*Franz **Liszt** parcourut l'Europe pour donner des concerts de piano.*

musique symphonique (*Préludes,* 1850), mais l'essentiel de son œuvre est constitué par ses compositions pour le piano (19 *Rhapsodies hongroises,* 1860 ; etc.).

lit n. m. ◇ 1. GÉO Chenal creusé par un cours d'eau et dans lequel il s'écoule. Le lit majeur est l'espace occupé par un cours d'eau en crue, le lit mineur l'espace couvert lors de l'étiage. ◇ 2. GÉOL Couche d'un matériau.

6 1393

lithium n. m. Métal blanc argent, mou. Symbole *Li*. C'est le plus léger des métaux (densité 0,53). On l'utilise dans des alliages, des céramiques...

lithographie n. f. Art de reproduire par des dessins tracés avec une encre ou un crayon gras sur une pierre plate en calcaire. ◇ Découverte par Senefelder en 1796, la lithographie est surtout utilisée par les dessinateurs d'art. ◇ Estampe imprimée par ce procédé.

13 2901

lithosphère n. f. Couche externe solide de la sphère terrestre, par opposition à l'atmosphère (domaine de l'air) et à l'hydrosphère (domaine de l'eau).

4 938
5 1098

litre n. m. Unité de mesure des volumes des liquides, valant 1 décimètre cube. Symbole *l*. Les multiples sont : le décalitre, l'hectolitre, le kilolitre ; les sous-multiples : le décilitre, le centilitre, le millilitre.

12 2755

littérature n. f. Ensemble des œuvres, orales ou écrites, réalisées par les moyens du langage et qui visent à un but esthétique qui peut être apprécié selon différents critères : force des idées, beauté du style, composition, etc. *Un chef-d'œuvre de la littérature.* ◇ Production littéraire d'un pays, d'une époque. *La littérature française moderne.*

10 2377
13 2938
14 3256

littoral n. m. Zone située en bordure de mer : *le littoral de la Méditerranée.* Incluant en principe la côte* et le rivage (qui est soumis directement aux actions marines), il est, en fait, devenu synonyme de ces deux termes.

Littré Émile, lexicographe français (1801-1881). Il est l'auteur d'un monumental *Dictionnaire de la langue française* (1863-1873), dit *le Littré.*

6 1318

Lituanie. République fédérée d'URSS, sur la Baltique. 65 200 km² ; 3 129 000 hab. (*Lituaniens*). Capitale : Vilnious. Plaine vouée à l'agriculture. ◇ État puissant au XIVe s., la Lituanie fut ensuite disputée par la Russie et la Prusse.

9 2029

liturgie n. f. Ensemble des règles organisant le déroulement du culte d'une religion. *La liturgie catholique fut modifiée par Vatican II.* ◇ Dans la Grèce ancienne, service public.

Liverpool. Ville de l'ouest de la Grande-Bretagne (Angleterre), port sur la mer d'Irlande. 606 000 hab. Deuxième port du pays ; grand centre industriel (raffinage du pétrole, métallurgie).

7 1571

Living Theatre, troupe de théâtre américaine, créée en 1950 par Julien Beck et Judith Malina. Influencés par la vogue du happening*, ses animateurs ont mis l'accent sur les possibilités expressives de la spontanéité corporelle.

4 735 **Livingstone** David, missionnaire et explorateur écossais (1813-1873). Il remonta le Zambèze (1853), atteignit les chutes Victoria et les grands lacs africains (1871), où il rencontra Stanley*. Il fut un adversaire de l'esclavagisme.

5 1026
6 1420 **livre** n. m. Assemblage de feuilles de papier imprimées (autrefois écrites à la main), cousues ou collées ensemble et formant un volume. *Livre relié, broché. Un livre de classe, de poche.* ◇ L'œuvre d'un auteur ainsi reproduite en un certain nombre d'exemplaires. *Son livre s'est très bien vendu.* ◇ Le texte même d'un livre. *Écrire un livre.* ◇ Subdivision d'une œuvre littéraire. *Les livres des « Mémoires d'outre-tombe ».*

livret n. m. Petit livre, petit registre. *Livret scolaire. Livret militaire.* ◇ *Livret de famille :* livret remis aux épous lors du mariage et où seront inscrits les actes* d'état civil concernant la famille. ◇ Texte mis en musique. *Livret d'un opéra.*

11 2485 **Ljubljana.** Ville de Yougoslavie, capitale de la Slovénie. 182 000 hab. Métallurgie. ◇ Monuments et demeures (classiques ou baroques) des XVIIe-XVIIIe siècles.

Lloyd Harold, acteur américain de cinéma (1893-1971). Il fut l'un des plus grands comiques de l'époque du muet : *Monte là-dessus !* (1923).

11 2483 **Lloyd George** David, homme politique britannique (1863-1945). Premier ministre libéral d'un cabinet de coalition (1916-1922), il engagea à fond son pays dans la guerre. Il tenta d'adoucir les conditions de paix pour l'Allemagne, car il désirait la préserver d'une révolution.

4 933 **Lobatchevski** Nicolaï Ivanovitch, mathématicien russe (1792-1856). Créateur de la géométrie non euclidienne, dite hyperbolique. Il pensait que le postulat d'Euclide* était une hypothèse arbitraire.

lobe n. m. ◇ 1. ANAT Partie d'un organe de forme arrondie ou bien délimitée. *Le lobe de l'oreille.* ◇ 2. BOT Découpure, plus ou moins profonde, souvent arrondie, d'un pétale ou d'une feuille.

3 486 **Locarno.** Ville de Suisse (Tessin), sur le lac Majeur. 14 143 hab. ◇ *Accords de Locarno* (1925) : pacte de non-agression signé par la France, la Grande-Bretagne, l'Allemagne, l'Italie et la Belgique.

location n. f. Action de louer un bien pour un temps déterminé, moyennant le paiement d'un loyer*. ◇ *Location-vente :* contrat donnant la possibilité à un locataire de devenir propriétaire.

Harold **Lloyd** en mauvaise posture dans l'un de ses films comiques.

Un **loch** en Écosse.

Locomotive du Tokaïdo, l'un des trains les plus rapides du monde.

◆ **locataire** n. m. ou f. Personne qui paie un loyer à un propriétaire.

loch n. m. Lac très allongé occupant le fond d'une vallée, très typique du paysage écossais. ◇ *Le monstre du loch Ness :* animal fabuleux et légendaire.
3 695
14 3290

lock-out n. m. Fermeture d'une entreprise décidée par la direction pour faire pression sur le personnel en grève ou menaçant de faire grève.

locomotion n. f. Mouvement par lequel on se porte d'un lieu à un autre. Les animaux utilisent le vol, la nage (par réaction d'un milieu fluide sur un plan mobile, aile ou nageoire) ou le contact par frottement du corps avec un support solide (marche, course, etc.).
1 88
1 150
1 174
2 326

locomotive n. f. Véhicule monté sur roues qui circule sur rails et remorque des wagons. Les premières locomotives fonctionnaient au charbon (locomotives à vapeur). Elles possédaient une chaudière qui produisait la vapeur. Aujourd'hui, les locomotives fonctionnent à l'électricité (locomotives électriques), au gasoil (locomotives Diesel) ou avec une turbine à gaz (turbotrains).
1 86
8 1846
10 2236
11 2443

locution n. f. Façon de s'exprimer. ◇ Groupe de mots formant une unité sur le plan du sens et de la fonction grammaticale. *Locution adverbiale* (ici-bas), *prépositive* (au-dessous de), etc.

Łódź. Ville de Pologne, au sud-ouest de Varsovie. 821 000 hab. (deuxième ville du pays, après Varsovie). Centre industriel (textile).
12 2790

lœss n. m. Variété de limon fin, déposé par les vents, formé de granules de quartz et de calcaire enrobés d'argile. Il constitue un sol très fertile. Le lœss couvre de vastes régions en Chine, aux États-Unis, en Argentine (pampas) et en Europe.

Logan (mont). Point culminant du Canada (6 050 m), situé dans le nord du Yukon (chaîne Saint-Élie), à la frontière de l'Alaska.
7 1476

logarithme n. m. Exposant dont il faut affecter un nombre, appelé base, pour obtenir le nombre recherché. On appelle logarithme de base a d'un nombre b le nombre y qui, placé en exposant de a, donne pour résultat b. L'usage des logarithmes simplifie les calculs.
13 3042

logique n. f. Suite, enchaînement cohérent d'idées, d'événements. *Discours qui manque de logique.* ◇ Manière de raisonner, de se conduire, qui a sa cohérence propre. *La logique d'un enfant.* ◇ Science qui détermine les règles du raisonnement. *Logique formelle :* qui s'applique aux formes du raisonnement sans tenir compte de son contenu.

logistique n. f. Partie de l'art militaire qui concerne les activités et les moyens permettant à une armée d'accomplir ses missions dans les meilleures conditions d'efficacité (approvisionnement en vivres et en munitions, maintenance du matériel, etc.).

6 1207 **loi** n. f. Règle ou ensemble de règles établies par une autorité souveraine et imposées à tous les individus en vue du maintien et de l'organisation d'une société. *Nul n'est censé ignorer la loi.* Le Parlement adopte les lois (pouvoir législatif*) que le gouvernement fait appliquer (pouvoir exécutif*). *Loi de finances.* (Voir code, droit, législation.) ◊ Obligation sociale, principe, précepte s'imposant aux hommes. *Lois de l'honneur. Loi morale.* ◊ *Loi divine :* ensemble des préceptes révélés par Dieu aux hommes. *Les Tables de la Loi.* ◊ Proposition exprimant des rapports constants entre les phénomènes du monde physique. *Loi de la pesanteur.*

10 2300 **Loir** (le). Rivière de France (sud-ouest du Bassin parisien), affluent rive gauche de la Sarthe ; 311 km. Il draine l'ouest de la Beauce.

2 468
6 1405
10 2386 **loir** n. m. Petit mammifère rongeur arboricole à pelage gris, pourvu d'une queue touffue qui le fait ressembler à un écureuil. Il est de mœurs nocturnes.

10 2302 **Loire** (la). Le plus long fleuve de France (1 020 km), tributaire de l'Atlantique. Son bassin hydrographique s'étend sur trois régions : le Massif central, où elle prend sa source au mont Gerbier-de-Jonc ; le Bassin parisien et le Massif armoricain, où sa vallée s'élargit en un long estuaire. Régime irrégulier. Principaux affluents : Allier, Cher, Indre, Vienne, Maine.

9 1958 **Loire** (42). Département français de la région Rhône-Alpes. 4 781 km² ; 739 521 hab. Chef-lieu : Saint-Étienne. Sous-préfectures : Montbrison, Roanne. Ce département de l'est du Massif central comprend des hautes terres (Madeleine, Forez, Beaujolais, Lyonnais), domaine de l'élevage ; le bassin du Forez, drainé par la Loire, où se concentrent cultures et industries ; la plaine du Roannais. Le secteur industriel est très développé : métallurgie, constructions mécaniques, textiles.

7 1552 **Loire-Atlantique** (44). Département français de la région Pays de la Loire. 6 815 km² ; 995 498 hab. Chef-lieu : Nantes. Sous-préfectures : Ancenis, Châteaubriant, Saint-Nazaire. Occupant le sud du Massif armoricain, le département possède une activité agricole importante (élevage bovin, viticulture). Mais l'industrie, grâce à l'activité portuaire de la basse Loire (agglomération nantaise, Saint-Nazaire), occupe la première place et regroupe la majorité des habitants. Tourisme côtier.

4 800 **Loire (Haute-)** (43). Département français de la région Auvergne. 4 965 km² ; 205 895 hab. Chef-lieu : Le Puy. Sous-préfectures : Brioude, Yssingeaux. Ce département de l'est du Massif central, montagneux (Velay, Mégal-Mézenc,

Loir dans un cerisier.

Bancs de sable sur la Loire, près de Saint-Florent-le-Vieil.

Au pied des Alpes, un village italien de la Lombardie.

Lombards : scène de chasse royale (manuscrit du XIᵉ s.).

Margeride), subit l'effet de l'exode rural. L'agriculture domine : élevage dans les montagnes, céréales et lentilles dans les bassins (celui du Puy notamment). Rares industries (constructions mécaniques), au Puy, seule ville dépassant 10 000 habitants.

7 1552 **Loire** (Pays de la). Région française groupant 5 départements : Mayenne, Loire-Atlantique, Maine-et-Loire, Sarthe et Vendée. 32 064 km² ; 2 930 398 hab. Chef-lieu : Nantes. ◊ Empiétant sur le Massif armoricain, le Bassin parisien et le Bassin aquitain, la région, entaillée par la vallée de la Loire (8 à 12 km de large ; terrasses alluviales), possède une unité géomorphologique (bas plateaux) et climatique certaine. La côte est granitique au nord, sablonneuse au sud. ◊ Agriculture (élevage laitier, cultures maraîchères, viticulture) et industrie (mécanique, électronique, chantiers navals, produits pétroliers, métaux non ferreux) s'équilibrent. La façade atlantique, partie la plus développée, profite en outre du tourisme.

10 2300 **Loiret** (45). Département français de la région Centre. 6 775 km² ; 535 669 hab. Chef-lieu : Orléans. Sous-préfectures : Montargis, Pithiviers. Il est formé de régions naturelles variées : au nord-ouest, la Beauce (céréales) ; au nord-est, le Gâtinais (bovins, miel réputé) ; au centre, la grande forêt d'Orléans ; au sud, la Sologne marécageuse et sablonneuse, en cours d'assainissement, et le Val de Loire (horticulture). L'industrie (alimentaire, mécanique, électrique, chimique) est regroupée à Orléans.

10 2300 **Loir-et-Cher** (41). Département français de la région Centre. 6 343 km² ; 296 220 hab. Chef-lieu : Blois. Sous-préfectures : Romorantin-Lanthenay, Vendôme. Au nord de la Loire s'étendent un pays de collines (élevage bovin) et la Beauce blésoise, calcaire et céréalière. La Sologne (élevage bovin, pisciculture, chasse) se situe au sud de la Loire. L'industrie progresse (constructions mécaniques et électriques). Centrale nucléaire à Saint-Laurent-des-Eaux. Tourisme (châteaux de la Loire).

10 2245 **Lombardie.** Région du nord de l'Italie. 23 834 km² ; 8 911 000 hab. (*Lombards**). Chef-lieu : Milan. Elle englobe le versant sud des Alpes et la plaine du Pô. Première région économique du pays, aux industries variées, essentiellement regroupées dans la région de Milan. Riches cultures dans la plaine padane.

5 1109 **Lombards** (les). Peuple germanique. Les Lombards envahirent la Pannonie au Vᵉ s., puis la plaine du Pô (568-572), où ils fondèrent un puissant État. Une offensive de leur roi Liutprand (712-744) sur Rome poussa la papauté à faire appel aux Francs. Les victoires de Pépin le Bref puis de Charlemagne (qui prit le titre de roi des Lombards) les contraignirent à capituler (774).

lombes n. f. pl. Région postérieure du tronc, située entre les dernières côtes et le bassin. La région lombaire est souvent appelée les « reins ». ◆ **lombalgie** n. f. Douleur de la région lombaire.

5 1123
7 1654
10 2234
lombric n. m. Nom scientifique du ver de terre. Long de 15 à 30 cm, de couleur rose, il est formé de 100 à 180 anneaux. Il creuse des galeries dans le sol humide en avalant la terre.

10 2349
Lomé. Capitale du Togo et port sur le golfe du Bénin, à l'ouest du golfe de Guinée. 200 000 hab. C'est surtout un centre commercial.

10 2380
London Jack, écrivain américain (1876-1916). Ses récits d'aventure, souvent autobiographiques (*Martin Eden*, 1909), aux accents socialistes (*le Talon de fer*, 1908), ont pour cadre le Grand Nord ou les tropiques (*Croc-Blanc*, 1907 ; *le Peuple de l'abîme*, 1913).

7 1571
Londonderry. Port d'Irlande du Nord (Ulster). 52 000 hab. Industries textiles. Un des bastions du républicanisme irlandais.

5 1130
7 1577
14 3254
Londres (en anglais *London*). Capitale de la Grande-Bretagne, sur la Tamise. 2 145 000 hab., 7,2 millions avec le « Grand Londres » (*Londoniens*). Premier port du pays, grand foyer industriel, Londres est une des plus importantes places bancaires et boursières du monde. ◇ Capitale des rois anglo-normands (XIᵉ s.), elle s'agrandit à mesure que s'accroissait la puissance commerciale et politique du pays. Principaux monuments : la Tour de Londres (XIᵉ s.), l'abbaye de Westminster, fondée au XIᵉ s. Riches musées (National Gallery, British Museum...).

1 227
longévité n. f. Durée de vie d'un organisme. La longévité d'un homme est de 70 ans environ, celle de la femme de 4 ou 5 années de plus. La longévité d'une plante vivace peut être illimitée.

10 2185
Longhi Pietro (Pietro FALCA, *dit*), peintre italien (1702-1785). Il fut, au XVIIIᵉ s., le principal représentant vénitien de la peinture de genre.

12 2855
longitude n. f. Angle formé par le plan méridien* d'un lieu avec le plan méridien origine de Greenwich*, permettant de situer la position de ce lieu. Les longitudes sont comptées positivement à l'ouest de Greenwich et négativement vers l'est. On les exprime en heures (de 0 à 12 h) ou en degrés (de 0 à 180°). *La longitude de New York est de + 74° ou 74° ouest.*

6 1361
Longue Marche (la). Retraite de l'armée communiste chinoise (1934-1936), qui, pour échapper au massacre par les troupes de Chang Kaï-chek, parcourut plus de 12 000 km.

1 156
longueur n. f. ◇ 1. MATH Dimension d'un objet dans sa plus grande étendue. La longueur d'un rectangle est le plus grand côté et le nombre qui le mesure. ◇ 2. PHYS *Longueur d'onde* : distance parcourue par une vibration au cours d'une période. ◇ 3. SP Unité qui sépare

*Trafalgar Square, à **Londres**.*

*Le Carnaval de Venise (détail), de Pietro **Longhi**.*

Longue-vue.

*Le sifflement clair du **loriot** dépasse en éclat tous les chants de la forêt.*

les concurrents à l'arrivée d'une course cycliste, d'une course hippique, etc.

3 641
longue-vue n. f. Lunette d'approche utilisée pour observer des objets terrestres éloignés. Son système optique est placé dans un long tube.

9 2118
Lons-le-Saunier (39000). Chef-lieu du Jura, au pied du plateau du Jura. 21 886 hab. (*Lédoniens*). Petites industries (alimentation, jouets...).

looping n. m. (mot anglais). Exercice de voltige aérienne consistant à faire accomplir une boucle dans un plan vertical à un avion.

Lope de Vega Carpio Felix, poète et dramaturge espagnol (1562-1635). Sa prodigieuse facilité d'écriture l'a fait briller dans tous les genres, notamment la comédie (*le Chien du jardinier*, 1618) et la tragi-comédie.

Lorca Federico García → García Lorca Federico

lord n. m. Titre donné, en Grande-Bretagne, aux pairs du royaume (nobles) et aux membres de la Chambre haute du Parlement, appelée Chambre des lords. Féminin : *lady*.

Lorenz Konrad, biologiste autrichien (né en 1903). Il est le père de la psychologie et de l'éthologie animales modernes. Prix Nobel de médecine en 1973.

Lorenzetti (les frères), peintres italiens : Pietro (v. 1280-1348) et Ambrogio (v. 1290-1348). Ils ont, sous l'influence de Giotto et Pisano, renouvelé l'art de l'école de Sienne*.

lorgnette n. f. Petite lunette d'approche portative dont on se sert pour observer des objets terrestres pas trop éloignés. ◇ Petite jumelle de théâtre.

1 134
Lorient (56100). Chef-lieu d'arrondissement du Morbihan. 64 675 hab. (*Lorientais*). Port de guerre, de commerce et deuxième port de pêche de France.

loriot n. m. Nom de divers oiseaux passériformes. Le mâle du loriot d'Europe est jaune d'or avec masque, ailes et queue noirs. La femelle est verdâtre.

12 2876
Lorrain ou **Le Lorrain** Claude (Claude GELÉE ou GELLÉE, *dit*), peintre français (1600-1682). Il est l'un des plus éminents représentants du classicisme en France. Ses ports de mer au soleil couchant sont célèbres.

8 1700
Lorraine. Région française groupant les départements suivants : Meurthe-et-Moselle, Meuse, Moselle et Vosges. 23 549 km² ; 2 319 905 hab. Chef-lieu : Metz. ◇ La région s'étend sur la partie orientale du Bassin parisien et sur le versant occidental des Vosges. À l'ouest domine un relief de côtes (côtes de Meuse, de Moselle). Au centre, le plateau lorrain s'élève vers les Vosges gréseuses. Climat continental. Population dense en Meurthe-et-Moselle, qui pos-

sède les deux grandes villes, Nancy et Metz. ◇ Agriculture (élevage laitier, céréales) peu importante, en partie à cause du dépeuplement rural. L'industrialisation est forte (axe mosellan), du fait des ressources en fer, charbon et sel gemme. L'exploitation du fer et du charbon est devenue peu rentable. ◇ Noyau de l'Austrasie, la Lorraine fut disputée entre la France et l'Allemagne. Le duché échut à la France à la mort de Stanislas* Leszczyński I er (1766).

1 62 **Los Angeles.** Ville des États-Unis (Californie), sur le Pacifique. 3 millions d'hab. (deuxième aire métropolitaine des États-Unis : 7 300 000 hab.). Grand centre industriel. Activités portuaires (San Pedro). Centre cinématographique de renommée mondiale à Hollywood.

losange n. m. Quadrilatère qui a ses quatre côtés de même longueur. Dans un losange, les diagonales sont perpendiculaires en leur milieu.

Losey Joseph, cinéaste américain (1909-1984). Ses films renferment une critique du monde contemporain : *les Criminels* (1960), *Eva* (1962), *The Servant* (1963), *Accident* (1966), *M. Klein* (1976)...

11 2500 **Lot** (le). Rivière de France, affluent rive droite de la Garonne. 481 km. Né dans le Massif central, près du mont Lozère, il arrose Mende et Cahors.

11 2500 **Lot** (46). Département français de la région Midi-Pyrénées. 5 216 km² ; 154 533 hab. Chef-lieu : Cahors. Sous-préfectures : Figeac, Gourdon. ◇ Ce département couvre les causses du Quercy, plateaux calcaires entaillés par des vallées (Dordogne, Lot) où se concentrent les activités. Au nord-est (Massif central), présence de châtaigneraies. Les rares industries traitent les produits agricoles (tabac, vin, cultures maraîchères, ovins).

loterie n. f. Jeu de hasard consistant dans la vente de billets portant des numéros et le tirage au sort des numéros gagnants, donnant droit à des lots. *Loterie au profit d'une œuvre de charité.* ◇ *Loterie nationale :* loterie au profit de l'État, instituée en 1933.

8 1828 **Lot-et-Garonne** (47). Département français de la région Aquitaine. 5 358 km² ; 298 522 hab. Chef-lieu : Agen. Sous-préfectures : Marmande, Nérac, Villeneuve-sur-Lot. ◇ Ce département du Bassin aquitain est formé de collines molassiques (intense polyculture) entaillées par des vallées, notamment celles du Lot et de la Garonne, centres vitaux du département (céréales, fruits, légumes, tabac). Les industries traitent surtout des produits agricoles.

Loti Pierre, officier de marine et écrivain français (1850-1923). Il est l'auteur de romans exotiques (*Aziyadé*, 1879) et maritimes (*Pêcheur d'Islande*, 1886).

loto n. m. Jeu qui se joue avec des cartons portant des numéros correspondant

Une artère de Los Angeles.

Jeune Ceylanaise confectionnant un bouquet de fleurs de lotus.

Louis IX, dit Saint Louis, mourut de la peste lors de la 8e croisade.

à des jetons que l'on tire tour à tour. ◇ Jeu de hasard national, depuis 1976.

lotte de mer → baudroie

lotus n. m. Nom courant de divers nénuphars, appelés également *lotos*, dont la fleur blanche est symbole de pureté dans les mythologies égyptienne, grecque et hindoue.

Louis (Saint) → Louis IX

Louis I er le Pieux ou **le Débonnaire**, empereur d'Occident (778-840). Fils de Charlemagne, il lui succéda en 814. Il tenta de préserver l'unité de l'Empire. Mais la naissance de Charles le Chauve l'opposa à ses trois autres fils.

Louis VI le Gros ou **le Batailleur**, roi de France (v. 1081-1137). Aidé par son ministre Suger, il soumit les seigneurs d'Île-de-France. Mais il n'arriva pas à s'emparer de la Normandie. **6 1214**

Louis VII le Jeune, roi de France (1120-1180). En répudiant Aliénor d'Aquitaine (1152), qui épousa le futur roi d'Angleterre Henri II, il donna le signal de la lutte entre Capétiens et Plantagenêts, qui aboutit à la guerre de Cent Ans*. **6 1214** **6 1334**

Louis IX ou **Saint Louis**, roi de France (1214-1270). Roi trop jeune, il régna sous la tutelle de sa mère, Blanche de Castille, qui mit fin notamment à la guerre contre les albigeois*. Après sa majorité en 1242, il gouverna sagement, améliorant les finances et la justice. Pacifique, il signa le traité de Paris (1259), qui termina pour un temps le conflit franco-anglais. Vaillant chevalier, chrétien scrupuleux, il participa aux croisades* mais mourut de la peste devant Tunis lors de la huitième. Il fut canonisé en 1297. **6 1397**

Louis X le Hutin, roi de France (1289-1316). Fils de Philippe le Bel, il dut affronter des révoltes de nobles qui obtinrent des chartes fixant leurs droits et leurs immunités. Il fit exécuter sa femme, Marguerite de Bourgogne, pour adultère.

Louis XI, roi de France (1423-1483). Fils de Charles VII, roi en 1461, il affronta la noblesse féodale *(ligue du Bien public)* dont l'indépendance diminua sous son règne. Diplomate et rusé, il finit par triompher, après des années de lutte, de son redoutable adversaire, Charles le Téméraire, duc de Bourgogne. À sa mort, grâce à ses succès, Louis XI avait presque donné à la France ses frontières actuelles. **6 1335** **7 1473** **7 1625** **14 3224**

Louis XII, *dit* **le Père du peuple**, roi de France (1462-1515). Cousin de Charles VIII, il en épousa la veuve, Anne de Bretagne, pour ne pas perdre son duché. Il poursuivit les guerres d'Italie, conquit le Milanais, mais échoua à Naples et fut chassé d'Italie à la fin de son règne. Ses guerres introduisirent la Renaissance italienne en France. **14 3176**

Louis XIII, *dit* **le Juste,** roi de France (1601-1643). Il laissa sa mère, Marie de Médicis, assurer la régence jusqu'en 1617 avec son conseiller Concini qu'il finit par faire assassiner. Des troubles (révolte des seigneurs, guerre des protestants) secouèrent alors le royaume. Avec l'aide du cardinal de Richelieu, il rétablit l'ordre et abattit la puissance protestante. Artois, Roussillon et Alsace (en partie) furent rattachés à la France.

Louis XIV, *dit* **le Grand,** roi de France (1638-1715). Devenu roi, après la régence d'Anne d'Autriche et de Mazarin, Louis XIV s'avéra très vite un monarque absolu, sachant s'entourer de brillants conseillers (Colbert, Louvois, Vauban). Il réduisit la noblesse à un rôle de cour (Versailles). La guerre de Dévolution (1667-1668) et celle contre la Hollande (1672-1678) marquèrent l'apogée du règne du *Roi-Soleil*. Des revers (1701-1713) ainsi que des persécutions religieuses ternirent la fin du règne, qui fut une période heureuse pour les arts (Molière, Racine, La Fontaine...).

Louis XV, *dit* **le Bien-Aimé,** roi de France (1710-1774). Arrière-petit-fils de Louis XIV, il lui succéda à l'âge de 5 ans. À la régence de Philippe d'Orléans succédèrent le gouvernement du duc de Bourbon puis celui du cardinal Fleury (1726-1743), avant que le roi ne gouvernât personnellement. Sa politique fut souvent contradictoire, tant à l'extérieur (guerre de Sept Ans*) qu'à l'intérieur, où il soutint puis sacrifia à son entourage les ministres réformateurs (Choiseul, Maurepas...).

Louis XVI, roi de France (1754-1793). Roi en 1774, il épousa Marie-Antoinette d'Autriche. Ses ministres (Turgot, Necker) ne parvinrent pas à restaurer les finances royales. Si le succès de la guerre d'Indépendance américaine rehaussa le prestige français, il accrut encore la crise financière qui provoqua la réunion des états généraux (mai 1789). Après 3 ans de Révolution, il fut arrêté puis guillotiné.

Louis XVII, dauphin de France (1785-1795 ?). En 1792, il fut enfermé au Temple avec la famille royale. Il semblerait qu'il soit mort en prison.

Louis XVIII, roi de France (1755-1824). Frère de Louis XVI, il émigra pendant la Révolution* française (1791). Il accéda au pouvoir en 1814 et y revint après les Cent-Jours* (1815). Les ministères libéraux du duc de Richelieu et de Decazes tentèrent alors de réconcilier les Français. Mais la Restauration* fut aussi marquée par une politique de réaction ultra-royaliste.

Louis Ier de Wittelsbach, roi de Bavière (1786-1868). Très catholique et conservateur, il fut contraint d'abdiquer, en particulier à cause de l'influence qu'exerçait sur lui Lola Montes (1848).

Louis II de Wittelsbach, roi de Bavière (1845-1886). Extravagant et mélancolique, il s'enthousiasma pour Wagner,

Louis XIII en 1610,
par Justus Van Egmont.

Louis XIV, le Roi-Soleil,
gouverna la France pendant 54 ans.

Louis XVI fut décapité
le 21 janvier 1793.

Un loup mâle
peut peser jusqu'à 80 kg.

pour qui il fit bâtir un théâtre, à Bayreuth. Déposé par ses ministres et interné au château de Berg, il se noya mystérieusement.

Louis II le Germanique, roi de Germanie (804-876). Fils de Louis le Pieux, il régna à partir de 843. Il s'allia avec Charles le Chauve contre leur frère Lothaire (serments de Strasbourg*).

Louise de Savoie, régente de France (1476-1531). Épouse de Charles d'Orléans, comte d'Angoulême, et mère de François Ier. Celui-ci lui confia la régence lors des guerres italiennes.

Louisiane. État du sud des États-Unis, sur le golfe du Mexique. 125 674 km² ; 3 643 000 hab. Capitale : Baton Rouge. Ville principale : New Orleans. Agriculture et industrie fortes (pétrole, gaz, soufre). ◇ Ancienne colonie française vendue en 1803 par Bonaparte.

Louis-Philippe Ier, roi des Français (1773-1850). Fils du duc d'Orléans, d'abord partisan de la Révolution* de 1789, il émigra en Sicile. Tenu à l'écart par Louis XVIII et Charles X, il profita de la Révolution* de 1830 pour accéder au pouvoir. Il favorisa la richesse de la bourgeoisie et les progrès de l'industrie. Mais son conservatisme entraîna sa chute (Révolution* de 1848).

Louksor → Louxor

loup n. m. Mammifère canidé, à l'allure de chien berger allemand. Il mesure 80 cm de hauteur au garrot pour 60 kg. Son pelage est gris jaunâtre, ses yeux obliques et ses oreilles dressées. Il habite les forêts et les landes buissonneuses. Les loups vivent en meutes, où les couples sont constitués définitivement et dans lesquelles il existe une hiérarchie très rigoureuse.

loupe n. f. Lentille convergente de faible distance focale (foyer*). Quand on regarde un objet au travers d'une loupe, on observe alors une image agrandie et virtuelle de cet objet.

loup-garou n. m. Personnage légendaire, vagabond malfaisant qui passait pour se métamorphoser la nuit en loup. *Des loups-garous.*

Lourdes (65100). Chef-lieu de canton des Hautes-Pyrénées. 17 619 hab. *(Lourdais).* Grand centre de pèlerinage catholique, depuis les apparitions de la Vierge à Bernadette Soubirous (1858).

Louristan → Luristān

loutre n. f. Mammifère mustélidé adapté à la vie aquatique. Son pelage est brun, ses oreilles petites et ses pattes palmées. Son corps varie de 0,80 à 1,20 m de long. De nature piscivore.

Louvois (Michel LE TELLIER, *marquis* DE), homme d'État français (1639-1691). Il succéda à son père au secrétariat d'État à la Guerre et réorganisa l'armée.

Il fonda l'hôtel des Invalides et fut l'instigateur des dragonnades*.

4 925
13 3001
14 3180
Louvre (palais du). Ancienne forteresse transformée en résidence royale de Paris et qui abrite notamment, aujourd'hui, l'un des plus célèbres musées du monde. C'est une suite gigantesque de bâtiments élevés sous François Ier, Henri II, Charles IX, Henri III, Henri IV, Louis XIII, Louis XIV, Napoléon Ier et Napoléon III.

6 1247
Louxor. Ville de Haute-Égypte, au sud de Thèbes. Dû à Aménophis III puis à Ramsès II, cet ensemble architectural se compose notamment du temple d'Amon et de deux obélisques, dont l'un se dresse, depuis 1836, sur la place de la Concorde, à Paris.

Lowlands (en français *Basses-Terres*). Région déprimée du centre de l'Écosse, principal centre économique du pays, où se situent Glasgow et Édimbourg.

4 761
Loyauté ou **Loyalty** (îles). Archipel français du Pacifique, au nord-est de la Nouvelle-Calédonie dont il dépend. Trois îles (2 095 km²) : Lifou, Maré, Uvéa, constituées de calcaires coralliens. Plantations de cocotiers.

loyer n. m. Prix payé par le preneur pour l'usage d'une chose louée (propriété, immeuble, maison, local commercial, appartement). ◇ *Loyer de l'argent :* taux d'intérêt.

Loyola Ignace DE → Ignace de Loyola (saint)

5 1028
Lozère (48). Département français de la région Languedoc-Roussillon. 5 167 km² ; 74 294 hab. Chef-lieu : Mende. Sous-préfecture : Florac. Ce département de la bordure orientale du Massif central est le moins peuplé de France. L'émigration continue. Les conditions naturelles sont peu favorables (hautes terres, climat rude). L'agriculture est la ressource essentielle : élevage bovin et ovin. Mende est la seule ville dépassant 10 000 habitants.

L.S.D. Diéthylamide de l'acide lysergique. Hallucinogène puissant et très toxique. Synonyme : *lysergamide.* (Voir drogue, stupéfiant, toxicomanie.)

4 734
Luanda. Capitale de l'Angola, port sur l'Atlantique. 475 000 hab. Raffinerie de pétrole. Industries agricoles (sucreries, manufacture de tabac).

9 1973
Luang Prabang ou **Louang Prabang.** Ville du Laos, sur le haut Mékong. 44 000 hab. Ancienne résidence royale. Nombreux temples bouddhiques (XVIe-XIXe s.) et pagodes. Centre de pèlerinage.

6 1277
Lübeck. Ville de RFA, port sur la Trave, très près de la Baltique. 232 000 hab. Industries diversifiées. ◇ Fondée en 1143, elle fut au Moyen Âge la capitale de la Hanse* et eut son apogée au XIVe s.

Lubitsch Ernst, cinéaste allemand naturalisé américain (1892-1947). Un des

*Le marquis de **Louvois** fut l'un des grands ministres de Louis XIV.*

*La colonnade du **Louvre**, dessinée par Claude Perrault.*

*Le **lucane**, ou cerf-volant, est l'un des plus grands coléoptères.*

*La cathédrale Saint-Martin à **Lucques,** en Toscane.*

maîtres de la comédie musicale (*Parade d'amour*, 1929) et des comédies satiriques (*To be or not to be*, 1942).

lubrification n. f. Action de réduire le frottement entre deux pièces mobiles en interposant de la graisse, de l'huile, entre ces deux pièces. La lubrification évite aux pièces de chauffer et de s'user.
◆ **lubrifiant** n. m. Produit servant à la lubrification.

Luc (saint), disciple de saint Paul et auteur supposé du troisième Évangile (mort v. 70). Il aurait aussi rédigé les *Actes des Apôtres.*   **4** 798

lucane n. m. Coléoptère vivant sur les arbres, dont le mâle porte des mandibules en forme de grosses pinces qui lui ont valu son surnom de cerf-volant*.   **1** 195

Lucerne. Canton alpin du centre de la Suisse, creusé de profondes vallées, voué surtout à l'élevage, à l'arboriculture et au tourisme. 1 494 km² ; 290 000 hab. Chef-lieu : Lucerne (70 000 hab.), au bord du lac des Quatre-Cantons ; ville pittoresque et culturelle.   **3** 486

Lucifer. Signifie « Porte-Lumière » en latin. Nom sous lequel le démon* est souvent désigné par les Pères de l'Église.

luciole n. f. Insecte coléoptère, de 10 mm environ. Les deux derniers segments abdominaux portent des organes producteurs de lumière verte.   **1** 116
1 193

Lucky Luke. Héros d'une bande dessinée créée en 1946 par M. de Bévère et reprise avec un succès mondial par Morris et Goscinny. Cow-boy et justicier, il pourchasse les 4 frères Dalton.   **10** 2298

Luçon ou **Luzon** (île). La plus grande île des Philippines, où se situe la capitale, Manille. 108 172 km² ; 18 001 000 hab. Île montagneuse aux côtes échancrées, dans une zone de typhons dévastateurs. Riz, canne à sucre ; cuivre, chrome.   **10** 2269

Lucques. Ville d'Italie, dans le nordouest de la Toscane. 91 000 hab. Huileries. ◇ Cité prospère au Moyen Âge (draperie, soieries). Remparts (XVIe s.), cathédrale (X[e]-XVe s.). Palais médiévaux.   **10** 2245

Lucrèce, poète et philosophe latin (Ier s. av. J.-C.). Son admirable *De natura rerum* (poème) est un apport essentiel au matérialisme* antique.

Lucullus, général romain (v. 106-v. 57 av. J.-C.). Victorieux de Mithridate, contraint à la retraite, il rentra à Rome où il vécut dans le luxe.

Ludendorff Erich, général allemand (1865-1937). Chef d'état-major de l'armée allemande (1916-1918), il participa au putsch de Munich (1923).   **11** 2478

Lugano. Ville de Suisse (Tessin), sur la rive occidentale du lac de Lugano. 22 280 hab. Station climatique et touristique. Cathédrale (conçue par Bramante) ; églises (XVe et XVIe s.).   **3** 486

3 486 **Lugano** (lac de). Lac italo-suisse. 48 km². Tourisme important sur ses bords.

9 2133 **luge** n. f. Petit traîneau à patins, utilisé pour glisser sur la neige ou descendre une pente. ◇ Sport pratiqué avec des luges équipées de courroies de direction.

9 1937
12 2736
13 2981
13 3062
Lully ou **Lulli** Jean-Baptiste, violoniste et compositeur français d'origine italienne (1632-1687). Surintendant de la Musique de Louis XIV, il composa le premier opéra français *(Cadmus et Hermione)* et des ballets pour les comédies de Molière.

lumbago n. m. Douleur des vertèbres lombaires provoquée par une anomalie de l'articulation survenant après un effort ou un mouvement brusque du tronc.

lumen n. m. Unité de flux* lumineux du système international. Symbole *lm.* L'œil est sensible au dix-milliardième de lumen.

6 1382
7 1593
12 2694
13 3110
14 3318
lumière n. f. Radiation perçue par l'œil et qui nous permet de voir les objets : le Soleil, une lampe à incandescence sont des *sources de lumière.* La lumière se propage en ligne droite avec une vitesse dans le vide, ou célérité, voisine de 300 000 km/s. La *théorie particulaire* de Newton considère la lumière comme une émission de particules lancées par la source, la *théorie ondulatoire* de Huygens comme une propagation d'ondes. On admet, actuellement, que la lumière est formée d'*ondes électromagnétiques* (de longueurs d'onde comprises entre 0,4 et 0,8 μm) auxquelles sont associées des particules d'énergie ou *photons*. La *lumière invisible* correspond à l'infrarouge* et à l'ultraviolet*.

11 2444 **Lumière** Auguste et Louis, industriels français. Auguste (1862-1954) est connu pour ses travaux de biologie. Son frère Louis (1864-1948) inventa en 1894 le cinématographe. Il tourna dès 1895 de nombreux films, dont le célèbre *Arroseur arrosé* et *l'Arrivée du train en gare de La Ciotat.*

9 2020
10 2195
Lumières (siècle des). Le XVIIIe siècle, entre 1715 et 1789. À cette période se déroula en Europe occidentale le plus important mouvement intellectuel depuis l'humanisme*. Culte de la raison, goût pour la liberté et la tolérance le caractérisèrent (œuvres de Voltaire, Kant, Diderot...).

7 1589
12 2686
Lumumba Patrice, homme politique du Congo-Kinshasa (Zaïre) (1925-1961). Premier président du Congo (juin 1960), il fut destitué puis assassiné au Katanga.

2 422
13 2927
14 3297
Lune. Unique satellite naturel de la Terre. C'est une boule de 3 472 km de diamètre et de masse 81 fois plus faible que celle de la Terre. Sa surface présente une multitude de montagnes et de cratères. Des échantillons ramenés notamment par les Américains Armstrong et Aldrin (premiers hommes à y marcher en 1969) ont permis d'étudier

*Jean-Baptiste **Lully** fut le créateur de l'opéra français.*

*De 1969 à 1972, les Américains firent six voyages sur la **Lune**.*

*Joueuse de **luth** (détail d'une peinture de Van Honthorst, 1624).*

directement son sol. La Lune ne possède pas d'atmosphère. Elle tourne autour de la Terre en 27 jours 7 heures, à une distance moyenne de 384 000 km. Dans le même temps, elle fait également un tour sur elle-même et, de ce fait, nous montre toujours la même face. Nous ne voyons d'elle que la partie éclairée par le Soleil : ses différents aspects, ou phases, changent tout au long du mois lunaire (29 j 13 h).

6 1258
13 2927
lunette n. f. Appareil servant à observer des objets éloignés : *la lunette astronomique* permet l'observation des astres, les *jumelles* (ou lunettes à prismes*) et la *longue-vue,* celle des objets terrestres. ◆ **lunettes** n. f. pl. Système de deux verres placés dans une monture posée sur le nez. Les lunettes permettent de protéger les yeux (contre le soleil, les projections) ou de corriger un défaut de la vue (myopie*, hypermétropie*, presbytie*...).

2 362 **lupin** n. m. Plante herbacée vivace (famille des papilionacées), cultivée pour ses graines comestibles et comme engrais vert. Certains lupins sont ornementaux.

12 2828 **Lurçat** Jean, peintre et cartonnier français (1892-1966). Il est l'un des grands maîtres de la tapisserie moderne : *Liberté* (1943), *l'Apocalypse* (1948), *la Belle Armoire* (1962), *le Chant du Monde* (1957-1963)...

Luristān ou **Louristan.** Région montagneuse d'Iran occidental. On y découvrit en 1929, dans des tombeaux mégalithiques, une multitude d'objets de bronze du Ier millénaire av. J.-C.

4 735 **Lusaka.** Capitale de la Zambie, au sud du pays. 415 000 hab. C'est un centre commercial avec quelques industries (coton ; montage de tracteurs).

Lusitanie. Ancienne province romaine de la péninsule Ibérique. Elle comprenait le León, une partie de l'Estrémadure et le Portugal actuel.

4 924 **Lutèce.** Ville gallo-romaine qui deviendra Paris. Ancien village de Celtes, les Parisii, la cité fut conquise par les Romains en 52 av. J.-C. Elle occupait l'île de la Cité et la montagne Sainte-Geneviève (arènes, thermes de Cluny).

Luter Claude, clarinettiste et chef d'orchestre de jazz français (né en 1923). Il a joué en compagnie de Sidney Bechet* (1949 à 1954).

luth n. m. Instrument de musique ancien à cordes pincées en honneur aux XVIe et XVIIe s. ◆ **lutherie** n. f. Fabrication des instruments de musique à cordes frottées ou pincées (violon, luth...).

8 1766
8 1839
Luther Martin, théologien et réformateur allemand (1483-1546). Moine augustin, tourmenté par le problème du salut, il dénonça la vente des indulgences dans ses *95 thèses* (1517). Cet acte et ses écrits entraînèrent son excommunication de l'Église romaine (1520) et sa

mise au ban de l'Empire (1521). Initiateur de la Réforme*, Luther fut aussi un grand écrivain (traduction de la Bible en allemand, 1521-1534).

8 1845

lutte n. f. Sport de combat. Deux adversaires s'y affrontent en corps à corps, en tentant de se terrasser. On distingue la lutte libre, où les prises de bras et de jambes sont autorisées, et la lutte gréco-romaine, où seules les prises de bras sont permises.

lux n. m. Unité d'éclairement lumineux du système international. Symbole *lx*. L'éclairement normal d'une table de travail est de 40 à 100 lux.

luxation n. f. Décollement accidentel ou congénital d'un os hors de sa cavité articulaire, à la suite d'un mouvement trop ample d'une articulation.

9 1985

Luxembourg (François Henri DE MONT-MORENCY-BOUTEVILLE, *duc* DE), maréchal de France (1628-1695). Il s'illustra à la tête des armées de Hollande et de Flandres. Pour ses drapeaux gagnés à l'ennemi, on le surnomma le *Tapissier de Notre-Dame.*

6 1435

Luxembourg (grand-duché de). État d'Europe occidentale.

superficie :	2 586 km²
population :	364 000 hab. *(Luxembourgeois)*
capitale :	Luxembourg
monnaie :	francs luxembourgeois et belge
code international :	L

Pays vallonné, dont le Nord appartient aux Ardennes forestières et le Sud à l'extrême est du Bassin parisien. Agriculture faible (3 % des actifs, 3 % du produit national). L'activité principale est la sidérurgie. Un régime fiscal favorable a attiré à Luxembourg de nombreux capitaux. Le niveau de vie est un des plus hauts du monde. Membre du Benelux, de la CEE. ◇ Le grand-duché fut créé en 1815. Indépendant en 1867.

Luxembourg. Province du sud-est de la Belgique, la plus vaste (4 418 km²) et la moins peuplée (220 000 hab.). Chef-lieu : Arlon. Appartenant au massif ardennais, elle vit de l'élevage bovin et de l'exploitation forestière.

11 2532

Luxemburg Rosa, socialiste allemande d'origine polonaise (1870-1919). Opposée à la guerre de 1914, elle fonda, avec K. Liebknecht, la Ligue Spartacus (1916), devenue parti communiste en 1919. Elle fut assassinée au cours de l'insurrection de Berlin.

Luynes (Charles D'ALBERT, *duc* DE), connétable de France (1578-1621). Favori de Louis XIII, il l'encouragea à faire assassiner Concini. De 1617 à 1621, il dirigea le gouvernement, mais mourut au bord de la disgrâce.

2 362

luzerne n. f. Genre de plantes fourragères (famille des papilionacées) vivaces, à feuilles composées à trois folioles et aux grappes de fleurs colorées. Ne pas confondre avec le trèfle*.

Martin **Luther** (1529), par Lucas Cranach.

Combat de **lutte** gréco-romaine.

Le **Luxembourg.**

La chaude fourrure du **lynx** le défend parfaitement contre le froid.

Lwoff André, biologiste français (né en 1902). Ses travaux portent, notamment, sur la transmission de l'information génétique. Prix Nobel (1965).

Lyautey Louis Hubert, maréchal de France (1854-1934). Colonial, il créa le protectorat français au Maroc. Ministre de la Guerre (1916-1917), puis de nouveau résident général au Maroc, il en fut un grand administrateur (1912-1925).

7 1563

lycaon n. m. Mammifère canidé d'Afrique tropicale. Long de 90 cm sans la queue, il a un pelage bariolé noir, jaune et blanc. Il vit en bandes.

6 1344
10 2216

lycée n. m. Établissement public d'enseignement secondaire classique, moderne ou technique, préparant les élèves sortant du CES* au baccalauréat* (classes de seconde, première et terminale). ◇ *Lycée d'enseignement professionnel* (LEP) : lycée préparant au brevet* professionnel.

3 562

lycopode n. m. Plante cryptogame vasculaire semblable à une grande mousse et dont les spores (poudre de lycopode) sont utilisées en pharmacie.

Lycurgue, personnage légendaire. Entre le XIᵉ et le IXᵉ s. av. J.-C., il aurait donné à Sparte les lois sévères qui régirent sa société et son armée.

9 1990

lymphe n. f. Liquide blanchâtre, formé par le plasma filtrant à travers les parois des capillaires, puis canalisé dans les canaux lymphatiques avant de se déverser dans le sang. La lymphe se compose de 95 % d'eau, des mêmes composants que le plasma mais en proportions différentes et de nombreux lymphocytes. ◇ *Système lymphatique :* ensemble de canaux, ganglions lymphatiques et canaux chylifères, qui déversent dans la lymphe des produits de la digestion.

5 1151

lymphocyte n. m. Petit globule blanc au noyau sphérique, formé dans les ganglions lymphatiques. Présent dans la lymphe* et le sang*, il est responsable de la formation d'anticorps et intervient dans les phénomènes de rejet.

12 2725

lynchage n. m. Procédure, originaire des USA, qui consistait à exécuter sans jugement préalable ou très sommaire une personne présumée coupable. ◇ Violences qu'une foule fait subir à un individu.

lynx n. m. Mammifère carnivore félidé, au pelage tacheté jaunâtre. Haut de 70 cm au garrot, il a une touffe de poils aux extrémités des oreilles. Vit dans les forêts d'Europe du Nord et de l'Est.

9 1962

Lyon (69000). Chef-lieu du Rhône et de la région Rhône-Alpes, au confluent du Rhône et de la Saône. 418 476 hab. *(Lyonnais)* ; avec ses banlieues, près de 1 200 000 hab. : deuxième agglomération de France. Sa situation géographique en a fait très tôt une métropole culturelle, commerciale, industrielle et technique, dotée depuis 1978 d'un métro. Célèbre place Bellecour (1714). ◇ Fondée en 62 av. J.-C., ce fut déjà une grande ville sous les Romains.

7 1456 **lyophilisation** n. f. Procédé de conservation des produits alimentaires et des produits pharmaceutiques, qui consiste à congeler brutalement le produit puis à le dessécher.

Lyre (constellation de la). Groupement caractéristique d'étoiles situé dans l'hémisphère Nord. Elle contient Véga.

4 879 **lyre** n. f. Instrument de musique à cordes pincées en usage chez les Anciens.

*La cathédrale Saint-Jean, la place Bellecour, à **Lyon**.*

◇ Au figuré : inspiration poétique. *Prendre sa lyre (pour écrire des vers).*

lyrique (art). Art de composer en vers et de mettre en musique des ouvrages destinés à être chantés sur la scène d'un théâtre dit théâtre lyrique. L'opéra et l'opéra-comique sont les genres les plus représentatifs de l'art lyrique. **12** 2734 **14** 3343

lys → lis

Lysippe, sculpteur grec (IVᵉ s. av. J.-C.). Il réalisa des portraits réalistes d'Alexandre le Grand.

M

Maazel Lorin, chef d'orchestre américain d'origine slave (né en 1930). On lui doit d'admirables enregistrements d'œuvres de Prokofiev, Ravel, etc.

Mac Carthy Joseph, homme politique américain (1908-1957). Sénateur républicain, il mena, à partir de 1947, une campagne acharnée contre les citoyens suspects de communisme (Chasse aux sorcières). Le « maccarthysme » fut désavoué en 1954.

6 1365 **Macao.** Enclave portugaise (depuis 1557) en territoire chinois, face à Hong Kong. 16 km² ; 320 000 hab. (en majorité Chinois). Maisons de jeu et trafic clandestin avec la Chine. ◇ Très prospère au XVIIIe s., Macao a été peu à peu supplanté par Hong Kong.

6 1274 **macaque** n. m. Singe de la famille des cercopithèques, vivant en Asie, en Afrique du Nord et à Gibraltar. Trapu, les membres puissants, il mesure 75 cm de long. Certaines espèces sont sans queue.

10 2242 **macareux** n. m. Oiseau marin à gros bec, voisin du pingouin. Le *macareux moine d'Europe,* noir et blanc, à bec rouge, bleu et jaune, creuse des terriers.

11 2604 **MacArthur** Douglas, général américain (1880-1964). Commandant en chef allié du Pacifique, il vainquit le Japon (1945) puis commanda en Corée (1950-1951).

3 509
11 2485 **Macédoine.** Région historique des Balkans, partagée entre la Bulgarie, la Yougoslavie et la Grèce. Au IVe s. av. J.-C., les rois de Macédoine, Philippe II et Alexandre le Grand, conquirent la Grèce et une partie de l'Orient. Soumise par Rome en 148 av. J.-C. puis conquise par les Bulgares et les Byzantins, la Macédoine tomba sous le joug ottoman en 1371. Les guerres balkaniques (1912-1913) aboutirent à son partage.

Mach Ernst, physicien et philosophe autrichien (1838-1916). Ses recherches

*Le **macaque** rhésus est considéré par les hindous comme un singe sacré.*

*Les **macareux** sont les premières victimes des « marées noires ».*

en acoustique et en aérodynamique portèrent sur la vitesse du son.

Mach (nombre de). Rapport de la vitesse d'un objet en mouvement à la vitesse du son. En aviation, un nombre de Mach 1 correspond à une vitesse de 1 000 à 1 200 km/h, selon l'altitude à laquelle vole l'avion.

8 1885 **machaon** n. m. Grand papillon diurne, aux ailes jaunes tachetées de noir, bleu, rouge et pourvues de prolongements caudaux. Il est également appelé *grand porte-queue.*

Machaut ou **Machault** (Guillaume de) → Guillaume de Machaut

7 1528
7 1622 **Machiavel** (en italien, Niccolo MACHIAVELLI), écrivain et homme politique italien (1469-1527). Diplomate de la république de Florence, il s'exila lors du retour des Médicis (1512). Son maître ouvrage, *le Prince* (1513), est une défense du pragmatisme en politique.

2 478
3 488
3 601
3 675
4 730
7 1578
7 1632
9 1966
9 2096
14 3199
14 3316
14 3328 **machine** n. f. Appareil, plus ou moins complexe, alimenté par une source d'énergie, qui accomplit des tâches que l'Homme ne pourrait réaliser lui-même, ou qui en rend l'exécution plus facile (machine à écrire, machine à calculer, machine à laver, machine agricole, etc.), ou qui transforme une énergie en une autre : machine électrique (dynamo, alternateur), machine thermique (machine à vapeur), machine hydraulique (turbine). ◆ **machinisme** n. m. Emploi généralisé des machines dans l'industrie, en remplacement du travail manuel. ◆ **machine-outil** n. f. Machine pour façonner des matériaux et fabriquer des pièces métalliques. Elle est munie d'un outil dont le déplacement s'effectue automatiquement, sans l'assistance d'un homme. *Les fraiseuses et les tours sont des machines-outils.*

mâchoire n. f. Chez les vertébrés, chacune des pièces osseuses de la face formant un bec ou portant des dents. Chez l'Homme, la mâchoire supérieure fait partie du squelette de la face ; la mâchoire inférieure, ou mandibule*, permet la préhension des aliments.

3 622 **Machu Picchu.** Ancienne cité inca du Pérou, située dans les Andes. Les importants vestiges de la ville fortifiée furent découverts en 1912.

7 1476 **Mackenzie** (le). Le plus long fleuve du Canada (4 100 km). Né dans les Rocheuses, il traverse le Grand Lac de l'Esclave et se jette dans l'océan Arctique.

1 62 **McKinley** (mont). Point culminant de l'Alaska et de l'Amérique du Nord (6 194 m). Cette région a été aménagée en parc national.

Mac Laren Norman, dessinateur et cinéaste britannique (1914-1987). Il excellait dans le film d'animation d'objets : *Histoire d'une chaise* (1957).

11 2401 **Mac-Mahon** Edme Patrice (*comte* DE), maréchal et homme d'État français (1808-1893). Victorieux en Crimée, il fut vaincu à Sedan (1870). Élu président de la République (1873), il se démit en 1879 après la victoire des républicains.

5 1114 **Mâcon** (71000). Chef-lieu du département de Saône-et-Loire, sur la Saône. 39 866 hab. (*Mâconnais*). Constructions mécaniques. Marché agricole. Hôtel de ville (XVIIIᵉ s.).

1 230 **maçonnerie** n. f. Ouvrage résistant (mur, cloison, etc.) réalisé par un assemblage de briques ou de pierres, liées au moyen d'une pâte (à base de plâtre ou de ciment) qui durcit en séchant.
◆ **maçon** n. m. Ouvrier qui effectue des travaux de maçonnerie.

Mac Orlan (Pierre DUMARCHEY, *dit*), écrivain français (1882-1970). Ses romans sont nourris des souvenirs de sa vie d'aventures : *Quai des brumes* (1927), *la Bandera* (1931).

macula n. f. Petite dépression, appelée aussi tache jaune, située au pôle postérieur de la rétine. C'est la zone rétinienne où l'acuité visuelle est maximale.

4 737
4 778 **Madagascar** (république démocratique de). État insulaire de l'océan Indien.

superficie :	587 000 km²
population :	9 millions d'hab. (*Malgaches*)
capitale :	Antananarivo
monnaie :	le franc malgache
code international :	RM

Cette grande île au climat tropical est formée essentiellement de hauts plateaux. L'agriculture (riz, café, girofle, vanille, élevage bovin) occupe 90 % de la population, mélange de Négro-Africains et de Mélano-Indonésiens. ◇ Unifiée au XVIIIᵉ s., l'île accepta mal le protectorat français (1883). Une rébellion, en 1947, fut durement réprimée. Indépendante en 1960, Madagascar s'oriente, depuis 1975, vers une politique de non-alignement.

*Les ruines de **Machu Picchu**, ancienne cité inca du Pérou.*

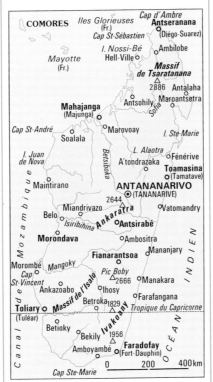
Madagascar.

*Les **madrépores** constituent l'essentiel des récifs coralliens.*

Mademoiselle (la Grande) (Anne Marie Louise D'ORLÉANS, *duchesse* DE MONTPENSIER, *dite*), fille de Gaston d'Orléans (1627-1693). Elle joua un rôle important durant la Fronde (1648-1652).

11 2607 **Madère.** Petit archipel portugais (794 km²) de l'Atlantique, au nord des Canaries. Île principale : Madeira (740 km²). 245 000 hab. Chef-lieu : Funchal. Vin (le madère, vin liquoreux). Tourisme actif.

Madison James, homme d'État américain (1751-1836). L'un des fondateurs du parti républicain, il fut président des États-Unis de 1809 à 1817.

8 1795 **Madras.** Quatrième ville de l'Inde (2 469 000 hab.), port et capitale du Tamil Nadu. Métropole de l'Inde méridionale. Cotonnades. Musée (art dravidien) ; centre universitaire.

5 983 **Madre** (sierra). Nom de trois chaînes de montagnes (sierra Madre occidentale, orientale, sierra Madre du Sud) qui encadrent les hauts plateaux du Mexique.

5 1137 **madrépores** n. m. pl. Nom courant des madréporaires, ordre de cnidaires. Ce sont des coraux, le plus souvent coloniaux, dont les squelettes externes forment les récifs et les atolls.

5 1167 **Madrid.** Capitale de l'Espagne (depuis 1561), en Nouvelle-Castille. 3 206 000 hab. (*Madrilènes*). C'est la métropole intellectuelle et économique du pays (récente et forte industrialisation). ◇ Musée du Prado, l'un des plus riches du monde.

madrigal n. m. Pièce vocale polyphonique du XVIᵉ s. *Les madrigaux de Monteverdi.* ◇ Petit poème d'inspiration galante. *Un madrigal de Voltaire.*

Maelström (le). Tourbillon d'eau situé au large de la Norvège (îles Lofoten).
◆ **maelström** (ou malstrom) n. m. Violent tourbillon marin.

Maeterlinck Maurice, écrivain belge d'expression française (1862-1949). On lui doit des poèmes symbolistes, des drames (*Pelléas et Mélisande*, 1892), des essais (*la Vie des abeilles*, 1901).

10 2244 **mafia** (la). Association secrète, développée en Sicile à partir du XIXᵉ s. et qui continue à jouer un rôle politique et économique, souvent avec l'aide d'appuis haut placés. Implantée aux États-Unis, elle y devint une puissante association de malfaiteurs.

7 1582 **magasin** n. m. Lieu couvert où l'on entrepose des marchandises, des denrées. Établissement dans lequel on vend des marchandises. ◇ *Grand magasin* : grand établissement de vente, généralement à plusieurs étages, réunissant de nombreux rayons spécialisés.

magazine n. m. Revue périodique, le plus souvent illustrée. ◇ Émission

Carte de Madagascar :
COMORES — Iles Glorieuses (Fr.) — Cap d'Ambre — Antseranana (Diégo-Suarez) — Cap St-Sébastien — I. Nossi-Bé — Ambilobe — Mayotte (Fr.) — Hell-Ville — Massif de Tsaratanana — 2886 Antalaha — Antsohihy — Maroantsetra — Mahajanga (Majunga) — Cap St-André — Marovoay — I. Ste-Marie — Soalala — L. Alaotra — Fénérive — I. Juan de Nova — A'tondrazaka — Toamasina (Tamatave) — Maintirano — ANTANANARIVO (TANANARIVE) — 2644 — Miandrivazo — Ankaratra — Vatomandry — Belo — Isiribihina — Antsirabé — Morondava — Ambositra — Mananjary — Fianarantsoa — Moromhé — Mangoky — Pic Boby 2666 — Manakara — Cap St-Vincent — Ankazoabo — Ihosy — Farafangana — Toliary (Tuléar) — Massif de l'Isalo — Betroka 1829 — Tropique du Capricorne — Betioky — Bekily 1956 — Amboyambé — Faradofay (Fort-Dauphin) — Cap Ste-Marie — 0 200 400 km — Canal de Mozambique — Betsiboka — Ivakoany — OCÉAN INDIEN

périodique, radiodiffusée ou télévisée, traitant d'un ou plusieurs sujets.

magdalénien n. m. Période de la préhistoire, à l'apogée du paléolithique supérieur (13000 à 8000 av. J.-C.), se caractérisant par un grand raffinement dans le travail de la pierre et par l'essor de la peinture (grottes d'Altamira).

6 1391 **Magdeburg.** Ville de RDA, sur l'Elbe. 273 000 hab. Centre industriel (métallurgie, céramique, chimie). ◇ L'une des principales villes de la Hanse*, elle fut un actif foyer protestant au XVIᵉ siècle.

8 1687
13 3005 **Magellan** Fernand DE, navigateur portugais (1480-1521). Au service de l'Espagne, il chercha un passage au sud de l'Amérique. Il découvrit le détroit de Magellan (1520) et aborda aux Philippines, où il périt. Son lieutenant, El Cano, rejoignit l'Espagne en 1522, réalisant le premier tour du monde.

3 621 **Magellan** (détroit de). Détroit reliant les océans Atlantique et Pacifique, au sud du continent américain (Terre de Feu). Il permet d'éviter le dangereux cap Horn*.

7 1497
12 2685 **Maghreb.** Mot arabe signifiant le *couchant*. Ensemble des pays du nord-ouest de l'Afrique (Tunisie, Algérie, Maroc). On leur adjoint parfois la Libye et la Mauritanie.

1 59 **magie** n. f. Art, science occulte qui permettrait d'obtenir des effets, des phénomènes merveilleux à l'aide de moyens surnaturels. *Magie noire :* qui a recours à l'aide supposée des démons. *Magie blanche :* magie bénéfique. (Voir sorcellerie.)

11 2597 **Maginot** André, homme politique français (1877-1932). Ministre de la Guerre (1922-1924 et 1929-1932), il donna son nom à la ligne de défense fortifiée de l'Est, dite *ligne Maginot.*

11 2468 **magistrature** n. f. Fonction de magistrat. Ce fonctionnaire est investi d'une autorité juridictionnelle (membres des tribunaux et cours), administrative (maire, sous-préfet, etc.) ou politique (ministre). ◇ *Magistrature suprême :* présidence de la République. ◇ Ensemble des magistrats. *Magistrature assise :* qui juge. *Magistrature debout :* parquet*, procureur*.

1 7 **magma** n. m. ◇ 1. GÉOL Mélange pâteux de matières minérales en fusion, qui se forme dans les zones profondes de la Terre. ◇ 2. CHIM Matière épaisse et visqueuse qui reste après l'expression des parties les plus fluides d'un mélange.

magnanerie n. f. Bâtiment destiné à l'élevage des vers à soie. Par extension, le mot est devenu synonyme de sériculture. ◆ **magnanier** n. m. Personne élevant des vers à soie. En Provence, le féminin du mot est magnanarelle.

magnésie n. f. Poudre blanche de formule MgO (oxyde de magnésium). L'ac-

Le navigateur **Magellan** sur une gravure de 1522.

Grandiose paysage du **Maghreb**, en Algérie.

Fleur de **magnolia.**

Les **Magyars** sont arrivés en Hongrie au IXᵉ siècle.

tion de l'eau la transforme en *magnésie hydratée* de formule Mg(OH)₂.

10 2225 **magnésium** n. m. Métal blanc argenté, léger (densité 1,7). Symbole *Mg*. Facilement transformable en fil et en ruban, il peut brûler à l'air avec une flamme éblouissante. Il est employé dans certains alliages légers (avions, automobiles) et dans la fabrication de poudres utilisées par les artificiers...

7 1558
13 3049 **magnétisme** n. m. ◇ 1. PHYS Branche de la physique qui étudie les propriétés des aimants. Le *magnétisme terrestre* est responsable de la direction prise par une aiguille aimantée. ◇ 2. BIOL Influence, vraie ou supposée, qu'une personne peut exercer sur une autre au moyen de son « fluide » *(magnétisme animal).*

magnéto n. f. Génératrice de courant électrique où l'induction est produite par la mise en rotation d'un ensemble d'aimants. Les magnétos sont parfois employées pour réaliser l'allumage de moteurs à explosion : on parle alors d'*allumage dynamo.*

9 2093 **magnétophone** n. m. Appareil d'enregistrement et de reproduction du son par aimantation d'une bande magnétique, ou ruban recouvert de composés métalliques en poudre susceptibles d'être aimantés.

14 3157 **magnétoscope** n. m. Appareil d'enregistrement et de reproduction sur bande magnétique du son et des images, sous forme de signal télévision. On peut enregistrer une émission de télévision, ou visionner des images filmées.

magnétosphère n. f. Enveloppe extérieure qui entoure une planète et qui est dotée d'un champ magnétique. Celle de la Terre est située au-dessus de l'ionosphère* (600 km).

magnitude n. f. Grandeur caractérisant l'éclat des astres, notamment celui des étoiles. Le nombre exprimant la magnitude est d'autant plus grand que l'éclat de l'astre est plus faible. Certains télescopes permettent de voir jusqu'à la magnitude 23 (contre 6 à l'œil nu).

magnolia n. m. Arbre ou arbuste ornemental, originaire d'Asie et d'Amérique, aux feuilles luisantes et aux grandes fleurs blanches, crème ou rouges.

10 2213 **magot** n. m. Espèce de singe d'Afrique du Nord appartenant au genre macaque. Il a une épaisse fourrure et atteint 75 cm de haut.

12 2823
13 3023 **Magritte** René, peintre belge (1898-1967). L'œuvre de ce surréaliste joue sur des rapprochements insolites, qui forment des sortes de rébus poétiques.

Magyars (les). Peuple de langue finno-ougrienne, originaire de l'Oural, qui s'établit dans la vallée du Danube au IXᵉ s. Les Occidentaux les appelèrent Hongrois.

Mahābhārata. Épopée sanskrite (VIe s. av. J.-C.-IVe s. ap. J.-C.) dont le livre VI, la *Bhagavad-Gītā,* est le texte sacré le plus répandu en Inde.

mahārādjah n. m. Titre porté par les princes indiens. Il signifie « grand roi », en sanskrit. La femme d'un mahārādjah est appelée « mahārānī ».

mah-jong n. m. Jeu chinois qui s'apparente au jeu de dominos*.

11 2571 **Mahler** Gustav, compositeur autrichien (1860-1911). Il est à la fois l'un des derniers romantiques et l'un des précurseurs de la musique moderne : symphonies, cycles de lieder.

5 1009
5 1037
12 2643 **Mahomet** ou **Muhammad,** prophète et fondateur de la religion musulmane (570-632). Selon la tradition, l'archange Gabriel lui révéla sa mission divine (610). Prêchant la loi du Dieu unique (Allah), il fut chassé de La Mecque et se réfugia à Médine (hégire, 622). Il y organisa une communauté de croyants *(umma)* puis reconquit et islamisa l'Arabie. Après sa mort, ses paroles furent réunies dans le Coran*.

1 141 **Mai** (Premier). Fête du Travail née aux États-Unis en 1884 et date fixée, en 1889, pour les manifestations internationales de revendications ouvrières. Le 1er Mai est devenu en France, depuis 1947, fête légale fériée et chômée.

12 2765 **Mai 1958** (insurrection du 13 mai 1958). Soulèvement déclenché à Alger par les partisans de l'Algérie française, auxquels se rallièrent les chefs de l'armée, les généraux Massu et Salan, et qui entraîna la fin de la IVe République. Il permit le retour au pouvoir du général de Gaulle.

12 2765 **Mai 1968** (événements de). Mouvement de contestation politique et sociale, en France. La révolte étudiante, née à Paris, déboucha sur le plus important mouvement de grèves de l'histoire moderne. Si les accords de Grenelle (hausse des salaires) puis le succès gaulliste aux élections de juin mirent fin à la crise politique, « Mai 68 » fut aussi le point de départ d'une révision plus fondamentale de nombreuses valeurs.

Maïakovski Vladimir, poète et auteur dramatique soviétique (1894-1930). Il fut l'un des plus illustres représentants du futurisme* russe *(le Nuage en pantalon,* 1912), porté par le mouvement révolutionnaire *(Octobre,* 1927).

Maigret. Personnage central des romans de Georges Simenon*, ce commissaire de police parisien donne un fidèle portrait du « Français moyen ».

maillechort n. m. Alliage de nickel, de cuivre et de zinc, blanc, dur et inaltérable, que l'on utilise notamment en orfèvrerie (couverts de vaisselle).

Maillol Aristide, sculpteur français (1861-1944). Inspirés de la statuaire

*Portrait du compositeur autrichien Gustav **Mahler.***

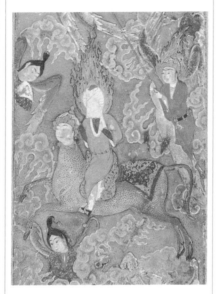

*L'ascension de **Mahomet** sur une miniature du xve siècle.*

*Manifestation d'étudiants à Paris en **mai 1968.***

*Sculpture d'Aristide **Maillol** dans le jardin des Tuileries, à Paris.*

grecque antique, ses nus féminins ont un caractère massif que tempère la grâce des attitudes.

main n. f. Partie du corps humain, faisant suite à l'avant-bras, qui s'étend du poignet aux doigts. Son squelette comprend trois parties : le *carpe*,* qui correspond au poignet, le *métacarpe,* qui comprend la paume, et les *phalanges,* qui forment 5 doigts dont l'un, le pouce, peut s'opposer aux autres. Cette possibilité fait de la main l'organe de la préhension. Sa sensibilité en fait aussi un organe du toucher.   **1** 176 **3** 489

Main (le). Rivière de la RFA, affluent rive droite du Rhin, qu'il rejoint près de Mayence, après avoir traversé Francfort ; 524 km.   **12** 2707

mainate n. m. Oiseau passériforme d'Asie du Sud-Est, au plumage sombre et à caroncules jaune vif sur la tête, recherché pour son imitation de la voix humaine.

main-d'œuvre n. f. Travail de l'ouvrier ; prix de ce travail. ◇ Ensemble des ouvriers, des salariés d'une entreprise, d'un pays. *Faire appel à la main-d'œuvre étrangère.*

Maine (la). Rivière de France (10 km), affluent rive droite de la Loire, formée par la réunion de la Mayenne et de la Sarthe (grossie du Loir). Elle passe à Angers.   **7** 1552

Maine. Ancienne province de France correspondant aux départements de la Sarthe et de la Mayenne. Érigée en comté (955), elle fut dominée par l'Angleterre (1126-1290) puis rattachée à l'Anjou. En 1481, le Maine fut réuni à la couronne de France.

Maine. État du nord-est des États-Unis (à la frontière canadienne), sur l'Atlantique. 86 027 km² ; 985 000 hab. Capitale : Augusta. État boisé (conifères alimentant l'industrie du papier). Pêche lacustre et maritime. Tourisme.   **1** 61

Maine-et-Loire (49). Département français de la région Pays de la Loire. 7 166 km² ; 675 321 hab. Chef-lieu : Angers. Sous-préfectures : Cholet, Saumur, Segré. ◇ La vallée de la Loire, au centre, est intensément cultivée (légumes, fleurs, vigne). L'ouest du département est voué à l'élevage. L'est porte des vignobles dans le Saumurois. L'industrie, installée principalement à Cholet et à Angers (constructions mécaniques et électriques, textile, alimentation), est en progrès.   **7** 1552

mainlevée n. f. Décision de justice qui fait cesser des mesures de saisie*, de séquestre*, d'hypothèque*. *Ordonner la mainlevée d'une saisie.*

Maintenon (Françoise D'AUBIGNÉ, *marquise* DE), épouse secrète de Louis XIV (1635-1719). Petite-fille d'Agrippa d'Aubigné et veuve de Scarron, elle exerça une forte influence religieuse sur le roi et la cour à partir de 1684.

2 400
4 944

maire n. m. Élu du conseil municipal, choisi par les autres conseillers municipaux pour en prendre la tête. Il représente la commune dans diverses instances, administre et gère le budget et les biens communaux ; il est aussi l'agent de l'État, notamment pour l'établissement de l'état civil, la publication et l'exécution des lois et le maintien de l'ordre. ◆ **mairie** n. f. Administration de la commune ; bureaux de cette administration ; fonction de maire.

2 319
3 672
8 1871
10 2220
10 2352

maïs n. m. Céréale de la famille des graminacées, de grande taille (2,50 m), originaire d'Amérique du Sud. Les inflorescences mâles sont placées au sommet de la tige et les femelles à l'aisselle des feuilles. Cultivé dans le monde entier grâce aux hybrides adaptés à tout climat, il sert d'aliment pour l'Homme (grains, farine, huile) et pour le bétail.

1 34
1 183
1 228
3 653

maison n. f. Construction destinée à l'habitation humaine. ◇ Établissement commercial, financier, industriel, etc. *Maison de commerce.* ◇ Établissement servant à un usage déterminé. *Maison de jeu. Maison de santé. Maison d'arrêt.* ◇ *Maison mère :* établissement originel d'une congrégation religieuse, d'un groupe industriel, dont dépendent les autres établissements ou sociétés. ◇ Service personnel d'un souverain. *Maison du roi.* ◇ Famille noble ou régnante. *Maison d'Autriche.*

maison de la culture. Centre culturel local présentant un ensemble de spectacles et d'activités artistiques. ◇ *Maison des jeunes et de la culture :* lieu de rencontre, où sont organisées diverses activités de loisirs et de culture.

14 3345

maison de retraite. Établissement où se retirent les personnes âgées qui ne travaillent plus. *Finir ses jours en maison de retraite.*

Maison-Blanche (la). Résidence, à Washington, du président des États-Unis. Elle fut construite par l'architecte français Pierre Charles L'Enfant (1792-1800).

Maistre Joseph (*comte* DE), homme politique et écrivain français (1753-1821). Émigré en 1792, il devint le théoricien de la contre-révolution : *Considérations sur la France, Du pape.*

6 1342

maître n. m. Personne qui enseigne. *Maîtresse d'école :* institutrice. *Maître d'armes :* qui enseigne l'escrime. *Maître nageur :* qui enseigne la natation. ◇ Personne qui commande, exerce une autorité, sert de modèle. *Maître spirituel.* ◇ Titre donné aux avocats, à certains officiers ministériels et à certains titulaires d'une charge. *Maître de ballet :* qui dirige un corps de ballet. *Maître d'hôtel :* qui dirige le service de la table dans un restaurant, chez un particulier. *Maître des requêtes :* titre de certains membres du Conseil d'État.

Maître de Moulins → Moulins (le Maître de)

La **Maison-Blanche,** résidence du président des États-Unis.

Le lac **Majeur** est un haut lieu touristique du nord de l'Italie.

Vue de Palma de **Majorque.**

Le **maki** catta, à la belle queue annelée, vit à Madagascar.

Majeur (lac). Lac alpin, aux confins de la Suisse et de l'Italie. 212 km². Il renferme les îles Borromées. Climat exceptionnellement doux. Tourisme.

10 2245

majorité n. f. 1 – SOC Âge, fixé par la loi, auquel une personne est majeure et jouit du libre exercice de ses droits. En France, la majorité civile et civique et la majorité pénale (responsabilité devant les tribunaux) sont fixées à 18 ans.

majorité n. f. 2 – POL Groupement de voix qui l'emporte dans un vote ou dans une assemblée. *Majorité absolue :* majorité dépassant la moitié des voix. *Majorité relative :* majorité n'atteignant pas la moitié des voix. ◇ Parti ou alliance de partis qui gouverne grâce à sa « majorité » à l'Assemblée.

11 2611

Majorque (*Mallorca*, en espagnol). La plus grande des îles Baléares*. 3 618 km² ; 400 000 hab. Ville principale : Palma de Majorque (où habitent les 3/4 de la population). Le tourisme est devenu la principale ressource. Cultures (maraîchères et fruitières) irriguées.

5 1169
14 3303

Makarios III, prélat et homme d'État chypriote (1913-1977). Archevêque, il conduisit la lutte pour l'indépendance. Il fut président de la République de Chypre de 1960 à 1977.

maki n. m. Mammifère primate du sous-ordre des lémuriens. Animal diurne, arboricole et frugivore, qui vit à Madagascar, le maki possède une longue queue.

1 142

Makwa. Capitale du minuscule État de Nauru (îlot du Pacifique), port d'exportation de phosphate vers l'Australie, le Japon, la Nouvelle-Zélande. 4 000 hab.

7 1610

Malabar (côte de). Littoral du sud-ouest de l'Inde, au pied des Ghats occidentales. Arrosée par la mousson, c'est une région très fertile.

8 1795

Malabo (anciennement *Santa Isabel*). Capitale de la Guinée équatoriale, sur la côte nord de l'île Fernando Poo. 37 000 hab.

8 1917

Malacca (presqu'île de) (ou presqu'île Malaise). Presqu'île du sud de l'Indochine, entre la mer de Chine et l'océan Indien, séparée de Sumatra par le détroit de Malacca.

10 2266

malachite n. f. Pierre d'une belle couleur verte (carbonate hydraté de cuivre), qui, taillée et polie, est utilisée en bijouterie et en tabletterie.

maladie n. f. Toute altération, temporaire ou définitive, de l'état de santé normal d'une partie ou de l'ensemble d'un individu. Les maladies sont d'origines diverses : infectieuse lorsqu'elles sont dues à un virus (grippe, poliomyélite, etc.) ou à une bactérie (pneumonie, diphtérie, etc.) ; parasitaire (paludisme, ténia, maladie du sommeil, etc.) ; fonctionnelle quand elles sont dues à une

5 1148
8 1780
8 1816
12 2778
12 2805
14 3229

défaillance d'un organe sans que ce dernier présente de lésion en rapport avec celle-ci ; chromosomique (mongolisme) ; immunitaire (allergies, asthme, eczéma, rhumatisme), etc.

12 2682 **Malaisie.** Partie de la fédération de Malaysia* située dans la péninsule de Malacca. 131 587 km² ; 11 millions d'hab. Capitale : Kuala Lumpur. Grosse production de caoutchouc et d'étain.

malaria → paludisme

4 736 **Malawi** (république du). État continental d'Afrique orientale.

superficie :	127 368 km²
population :	6 millions d'hab.
capitale :	Lilongwe
monnaie :	le kwacha
code international :	non communiqué

Formé de hauts plateaux (altitude maximale 3 030 m), l'État s'étend sur la rive occidentale du lac Malawi. Climat tropical, sauf en altitude. La population, d'origine bantoue, est essentiellement rurale. ◇ Cultures vivrières (maïs, riz) et commerciales (tabac, thé, coton). ◇ Protectorat britannique en 1891 (sous le nom de Nyassaland), le Malawi accéda à l'indépendance en 1964. Le président (à vie) H. K. Banda est soutenu par l'Afrique du Sud.

4 735 **Malawi** (lac) (ancien lac *Nyassa*). Grand lac (26 000 km²) de l'Afrique orientale, partagé entre le Mozambique, le Malawi et la Tanzanie.

9 1978 **Malaysia** (fédération de). État fédéral du Sud-Est asiatique.

superficie :	329 749 km²
population :	14 420 000 hab.
capitale :	Kuala Lumpur
monnaie :	le ringgit
code international :	MAL

État montagneux, comprenant une partie continentale (Malaisie*) et une partie insulaire (Malaysia orientale, correspondant au nord de Bornéo). Climat équatorial. La population est composée de Malais (47 %), de Chinois (37 %) et d'Indiens (11 %). ◇ Le pays recèle d'abondantes ressources : il est le 1er producteur mondial de caoutchouc, d'étain, de bois précieux et d'huile de palme, et possède en outre d'importants gisements de fer, de bauxite et, à Bornéo, d'hydrocarbures. L'industrie est peu développée, mais le gouvernement cherche à donner au pays le contrôle de ses richesses naturelles, traditionnellement aux mains de sociétés étrangères. ◇ Tôt soumis aux influences indienne, chinoise puis islamique, divisé en sultanats, le pays fut dominé, à partir du XVIe s., par les Portugais, puis par les Hollandais et enfin par les Anglais (1795). Devenu indépendant en 1957, après une longue lutte, marquée par de nombreux mouvements de révolte, il s'érigea en monarchie constitutionnelle (roi élu pour 5 ans parmi les sultans des onze États de Malaisie). En 1963 fut créée la Malaysia par la fusion de la

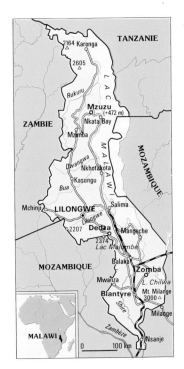

*Le **Malawi**.*

*Jour de fête nationale en **Malaysia**.*

*La **Malaysia**.*

*Pêcheurs indigènes aux îles **Maldives**.*

Malaisie, de Singapour (qui se retira en 1965 pour former un État indépendant), du Sabah et du Sarawak.

Maldives (république des). État insulaire de l'océan Indien (environ 220 îles), 298 km² ; 133 000 hab. Capitale : Malé. Archipel corallien. Population dense (émigration). Ressources : pêche, noix de coco et tourisme. ◇ Protectorat britannique de 1877 à 1965. **7** 1653 **14** 3194

mâle n. m. Individu appartenant au sexe doué du pouvoir de fécondation et qui se différencie ainsi de la *femelle*. Se dit également des végétaux lorsque les individus ou les fleurs sont unisexués. Le mâle produit des gamètes petits et mobiles (spermatozoïdes), différents des ovules.

Malé. Capitale des Maldives. 16 000 hab. C'est le seul centre urbain, situé dans l'île du même nom, d'un État comportant 220 îles habitées. **7** 1653

Malebranche Nicolas DE, philosophe et théologien français (1638-1715). Prêtre oratorien enthousiasmé par Descartes, il écrivit les *Entretiens sur la métaphysique et la religion* (1688).

Malesherbes (Chrétien Guillaume DE LAMOIGNON DE), magistrat et homme d'État français (1721-1794). Il adoucit la censure et protégea les philosophes. **9** 2021

Malevitch Kazimir, peintre soviétique (1878-1935). Ses compositions « suprématistes » sont l'une des sources de l'abstraction géométrique.

Malherbe François DE, poète français (1555-1628). Il critiqua le vocabulaire trop riche de la Pléiade* et fixa les règles d'un art qui allait devenir le classicisme*. *Consolation à Dupérier* (1599) est son ode la plus célèbre.

Mali (république du). État intérieur d'Afrique occidentale. **8** 1723 **12** 2816 **14** 3278

superficie :	1 240 000 km²
population :	7 160 000 hab. (Maliens)
capitale :	Bamako
monnaie :	le franc malien
code international :	RMM

Vaste cuvette, le Mali comprend au nord une partie saharienne, au centre une zone sahélienne, au sud une région drainée par le Niger, la seule cultivée (climat tropical humide). ◇ Ce pays, parmi les plus pauvres du monde, ne pourrait vivre sans l'aide étrangère et le rapatriement des salaires des immigrés. Économie fondée sur l'agriculture (85 % des actifs). Cultures vivrières (millet, 6e producteur mondial) et d'exportation (coton, arachide). Élevage nomade (bovin, ovin) et pêche fluviale. Une seule voie ferrée, qui relie Bamako à Dakar. ◇ L'actuel Mali fit partie du vaste empire du Mali (XIe-XVIIe s. ; brillante civilisation). Au XIXe s., les Français s'imposèrent (conquête définitive en 1898). La colonie du Haut-Sénégal devint, en 1920, le Soudan français. Après l'indépendance (1958), le pays formà avec le Sénégal la fédération du Mali (1959-1960), gardant ce nom après sa dissolution. Son chef, Modibo Keita, orienta alors le pays vers le socialisme. Il fut renversé en 1968 par une junte militaire dirigée par Moussa Traoré.

13 2942 **Mallarmé** Stéphane, poète français (1842-1898). Il s'est livré à un extraordinaire travail d'écriture, qui influença toute la littérature moderne, pour valoriser l'« univers des mots » et s'efforcer d'en faire le résumé du monde réel (*Un coup de dés jamais n'abolira le hasard*, 1897).

Malle Louis, cinéaste français (né en 1932). Observateur critique de la bourgeoisie française, il a signé de nombreux films de qualité : *Ascenseur pour l'échafaud* (1957), *les Amants* (1958), etc.

malléole n. f. Chacune des saillies, communément appelées chevilles, de la partie inférieure du tibia *(malléole interne)* et du péroné *(malléole externe)*.

12 2696 **malnutrition** n. f. Déficience ou dés-
12 2833 équilibre alimentaire qui peut entraîner des maladies. Les deux tiers de la population du globe (en Afrique, en Océanie, en Asie, en Amérique du Sud) souffrent de malnutrition.

10 2381 **Malot** Hector, écrivain français (1830-
13 2941 1907). Il est l'auteur de romans pour la jeunesse : *Sans famille* (1878), *En famille* (1893).

Malpighi Marcello, médecin anatomiste italien (1628-1694). Il fut le premier à utiliser le microscope pour l'étude des tissus humains.

11 2575 **Malraux** André, écrivain et homme
13 2942 politique français (1901-1976). Il a été
13 3109 fasciné par le destin de l'homme d'action aux prises avec l'Histoire (*la Condition humaine*, 1933) et par la vie secrète de l'art. Ministre des Affaires culturelles de 1959 à 1969.

7 1487 **malt** n. m. Orge germée artificiellement, réduite en farine, que l'on utilise dans la fabrication de la bière, du whisky.

10 2317 **Malte** (république de). État insulaire (île de Malte) de la Méditerranée, situé entre la Sicile et la Tunisie. 316 km² ; 330 000 hab. *(Maltais)*. Capitale : La Valette. Île calcaire peu élevée (258 m), qui vit surtout de ses industries (textile, confection) et du tourisme. Population très dense (émigration). ◊ L'île fut cédée à l'ordre de Saint-Jean de Jérusalem en 1530, puis aux Anglais (1800-1964), qui en firent une base stratégique.

10 2317 **Malte** (ordre souverain de). Ordre religieux et militaire. L'ordre des Hospitaliers de Saint-Jean de Jérusalem s'installa à Rhodes en 1308, puis à Malte en 1530. Reconstitué en 1798, il dirige des œuvres hospitalières.

Malthus Thomas Robert, économiste anglais (1766-1834). Sa doctrine, le *malthusianisme*, préconise la limitation volontaire des naissances comme

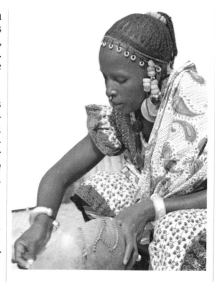

*Jeune femme du **Mali** préparant le repas dans une calebasse.*

*Le **Mali**.*

*Portrait de Stéphane **Mallarmé** (détail), par Manet.*

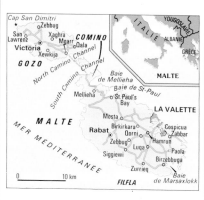

Malte.

remède à la misère, due à la surpopulation. ◊ *Malthusianisme économique* : restriction volontaire de l'expansion économique.

maltose n. m. Composé de la famille des glucides*. Peu abondant, il se trouve dans le malt*. Il peut être obtenu par hydrolyse de l'amidon*.

malvacées n. f. pl. Famille de plantes **4** 952
dicotylédones des régions tempérées et tropicales comprenant des plantes herbacées (mauve), des arbustes (cotonnier) et des arbres (baobab, fromager).

mamelle n. f. Organe glandulaire spéci- **2** 290
fique des mammifères, très développé chez la femelle. Les mamelles, dont le nombre varie entre une et six paires, sécrètent le lait nécessaire aux petits.

mamelouk n. m. Soldat de la milice **10** 2192
turque, en Égypte. Les mamelouks formèrent les oligarchies* militaires qui gouvernèrent l'Égypte et la Syrie (XIIIᵉ-XVIIIᵉ s.). En 1811, Méhémet-Ali, vice-roi d'Égypte, détruisit leur puissance.

mammifères n. m. pl. Animaux verté- **1** 12
brés dont les caractéristiques princi- **1** 149
pales sont de posséder un épiderme **2** 289
généralement couvert de poils (voir **4** 776
phanère), des glandes sécrétant du lait **5** 1180
(mamelles), deux poumons pour la **6** 1266
respiration, un cœur à quatre cavités,
un encéphale relativement développé. **9** 1942
On les répartit en 3 groupes : les *mam-* **9** 2045
mifères monotrèmes, les plus primitifs, **13** 3034
qui pondent des œufs (ornithorynque, échidné), les *marsupiaux*, dont les petits naissent sous forme d'embryons et terminent leur développement dans le marsupium, poche ventrale de la mère : ce sont les kangourous, koalas, opossums, etc. ; enfin, les *mammifères placentaires*, dont les petits sont reliés à la mère par un placenta durant leur développement fœtal : ce sont les cétacés, les carnivores, l'Homme, etc.

mammouth n. m. Éléphant fossile du **1** 5
quaternaire, adapté au froid, qui était **7** 1467
couvert d'une toison abondante et d'un duvet épais et possédait de grandes défenses recourbées. Des spécimens congelés de mammouths, très bien conservés, ont été trouvés dans les marais sibériens et en Alaska.

Man (île de). Île britannique de la mer **7** 1571
d'Irlande. 570 km² ; 56 000 hab. Ville principale : Douglas. Climat doux. Élevage, pêche et tourisme.

Man Ray, photographe, cinéaste et **12** 2824
peintre américain (1890-1976). Il fut l'un des promoteurs du dadaïsme* et participa au mouvement surréaliste.

management n. m. Ensemble des techniques d'organisation et de gestion des entreprises. ◆ **manager** n. m. Personne qui gère les intérêts d'un sportif, d'un artiste, et qui organise leurs activités.

Managua. Capitale du Nicaragua, sur le **8** 1762
lac de Managua. 500 000 hab. La ville a

subi en 1972 un tremblement de terre meurtrier.

6 1289 **Manama** ou **Menama.** Capitale de l'État de Bahreïn, dans l'île de Bahreïn. Environ 89 000 hab. Principale ville du pays, c'est essentiellement un port de cabotage.

2 451 **Manaus.** Ville du Brésil, capitale de l'État d'Amazonas, sur le rio Negro, près de son confluent avec l'Amazone. 312 000 hab. Port fluvial. Caoutchouc.

manche n. f. Partie d'un jeu ou d'un match que l'on joue en deux « manches », éventuellement suivies d'une « belle » départageant les concurrents. (Voir set.)

7 1571
10 2396 **Manche** (la). Bras de mer formé par l'Atlantique, entre l'Angleterre et la France. Elle communique avec la mer du Nord par un détroit, le pas de Calais (31 km de large). Peu profonde, poissonneuse, la Manche est l'une des mers les plus fréquentées du monde.

6 1262 **Manche** (50). Département français de la région Basse-Normandie, sur la Manche. 5 938 km² ; 465 948 hab. Chef-lieu : Saint-Lô. Sous-préfectures : Avranches, Cherbourg, Coutances. Occupant la presqu'île du Cotentin et une partie du Bocage normand, ce département est orienté avant tout vers l'élevage bovin (produits laitiers). L'industrie est peu développée (métallurgie). Tourisme côtier (Mont-Saint-Michel). Seule ville dépassant 20 000 hab. : Cherbourg.

5 1169 **Manche.** Région d'Espagne, dans le sud-est de la Nouvelle-Castille, où Cervantès fit naître son héros don Quichotte*, surnommé « de la Manche ».

7 1571 **Manchester.** Ville d'Angleterre, reliée à Liverpool par un canal. 541 000 hab. (2 700 000 hab. pour l'agglomération). C'est le plus grand centre cotonnier d'Europe (confection). Métallurgie.

3 660
7 1563
10 2243 **manchot** n. m. Nom de divers oiseaux palmipèdes des régions antarctiques, aux ailes atrophiées, inaptes au vol. Ce sont d'excellents nageurs et plongeurs.

9 1973 **Mandalay.** Ville du centre de la Birmanie, sur l'Irrawaddy. 417 000 hab. Fondée en 1857, capitale du royaume birman de 1860 à 1885. Temples bouddhiques.

2 384 **mandarin** n. m. Haut fonctionnaire de l'ancienne Chine. ◇ Péjorativement, personnage influent, attaché à ses privilèges. *Un mandarin universitaire.* ◆ **mandarinat** n. m. Ensemble des mandarins, influence qu'ils exercent.

3 550 **mandarine** n. f. Fruit du mandarinier (famille des rutacées), très parfumé et acidulé (agrume), cultivé dans les régions méditerranéennes.

mandat n. m. Pouvoir donné par une personne à une autre d'agir en son nom ; procuration*. ◇ Charge, fonction d'un représentant élu ; durée de cette fonction. *Le mandat présidentiel est de*

Les rookeries (colonies) de **manchots** regroupent des milliers d'oiseaux.

Un **mandarin** et son serviteur (fresque chinoise du VIIIe s.).

Le **mandrill** mâle se caractérise par un museau haut en couleur.

Lola de Valence, danseuse espagnole (1862), par Édouard **Manet.**

sept ans. ◇ Ordonnance* signée par le juge d'instruction. *Mandat d'arrêt.* ◇ Titre postal permettant de faire parvenir de l'argent à quelqu'un.

5 1102
6 1357
8 1713 **Mandchourie.** Ancien et vaste territoire de la Chine du Nord-Est, divisé aujourd'hui en plusieurs provinces. 1 230 000 km² ; 75 millions d'hab. Richesses agricoles et industrielles. ◇ Les Mandchous (peuple toungouse*) donnèrent à la Chine sa dernière dynastie (1644-1911). Convoitée au XIXe s. par la Russie puis au XXe s. par le Japon, ce dernier y forma l'État vassal du Mandchoukouo (1932-1945).

2 291 **mandibule** n. f. Mâchoire inférieure des vertébrés. ◇ Chacune des pièces de la 1re paire d'appendices buccaux des insectes et des crustacés, utilisées pour broyer et couper les aliments.

mandoline n. f. Instrument de musique à quatre doubles cordes qui se grattent avec un *médiator* (morceau d'écaille). Sa caisse est en forme de poire.

4 765 **mandragore** n. f. Plante herbacée de la zone méditerranéenne (famille des solanacées) qui a des propriétés narcotiques et purgatives. La forme de sa racine évoque une silhouette humaine.

1 40
10 2209 **mandrill** n. m. Genre de singe cynocéphale des forêts africaines (famille des cercopithèques). Haut de 80 cm. Sa face est pigmentée de rouge et de bleu.

mandrin n. m. Pièce tournante fixée à l'extrémité d'une perceuse. Elle est munie de mâchoires avec lesquelles on serre l'outil qui percera le trou.

Mandrin Louis, brigand français (v. 1724-1755). Personnage populaire car il s'attaquait surtout aux collecteurs d'impôts, il fut arrêté par l'armée et condamné au supplice de la roue.

manège n. m. Lieu où l'on dresse les chevaux, où l'on donne des leçons d'équitation*. ◇ Attraction foraine, où des figures d'animaux, des véhicules divers tournent autour d'un axe central. *Manège de chevaux de bois.*

9 2084
14 3313 **Manet** Édouard, peintre français (1832-1883). Le modelé plat de son *Déjeuner sur l'herbe* (1863), le violent contraste des couleurs de son *Olympia* (1863) sont des audaces formelles qui annoncent la peinture moderne.

manganèse n. m. Métal gris, de propriétés proches de celles du fer. Symbole *Mn.* Il est employé dans la préparation d'alliages (fonte, acier...) et comme antiseptique. C'est aussi un oligo-élément indispensable à l'organisme.

mangouste n. f. Petit mammifère d'Asie, d'Afrique, au pelage brun (famille des viverridés). Agile, la mangouste s'attaque aux serpents contre le venin desquels elle est naturellement plus résistante que d'autres animaux.

mangrove n. f. Formation végétale où dominent les palétuviers et qui pousse en région tropicale dans la zone côtière que la marée dégage à marée basse.

mangue n. f. Fruit à chair orangée, très sucrée et parfumée, produit par le manguier, arbre de l'Inde et de la Malaisie (famille des térébinthacées).

1 69
13 3012

Manhattan. Île des États-Unis, entre l'Hudson et l'East River. Berceau de la ville de New York, c'est le quartier des affaires et de la vie culturelle.

manichéisme. Doctrine du Persan Manès, qui se disait l'incarnation du Saint-Esprit (IIIe s. ap. J.-C.). Née d'emprunts au mazdéisme*, au judaïsme* et au christianisme*, cette religion reposait sur l'opposition fondamentale du bien et du mal.

maniérisme n. m. Style artistique qui a marqué une transition entre les différents styles de la seconde Renaissance* (Vinci, Raphaël) et le baroque*. Il fit son apparition en Italie, dans la première moitié du XVIe s. (1515 à 1540), puis, de 1540 à 1570 environ, s'étendit au reste de l'Europe. C'est avant tout un courant pictural, riche en œuvres expressives aux formes étirées et aux couleurs acides. Les Italiens Rosso, J. Romain, le Parmesan, Pontormo et les graveurs de l'école de Fontainebleau sont ses principaux représentants.

manifestation n. f. Rassemblement de personnes qui expriment publiquement une opinion, une protestation, une revendication. *Les manifestations d'étudiants de mai 1968.* ◆ **manifestant** n. m. Personne qui participe à une manifestation. *Cortège de manifestants.*

13 2970

manifeste n. m. Écrit par lequel un gouvernement, un parti politique, un mouvement artistique, littéraire, expose sa doctrine, ses conceptions, ses buts. *Manifeste du parti communiste,* de K. Marx. ◇ Liste détaillée des marchandises embarquées sur un navire.

10 2268

Manille. Capitale des Philippines, port sur la mer de Chine, dans l'île de Luçon. 1 454 000 hab. Son agglomération englobe l'ancienne capitale, Quezón City. C'est le premier centre portuaire, commercial et industriel du pays.

manille n. f. Jeu de cartes dans lequel le dix, appelé *manille,* est la carte la plus forte. L'as est le *manillon* (la carte la plus forte après le dix).

12 2777

manioc n. m. Arbrisseau des pays tropicaux (famille des euphorbiacées), dont les racines tubéreuses riches en amidon fournissent une fécule servant à fabriquer le *tapioca.*

manipulations génétiques n. f. pl. Expression désignant l'ensemble des modifications que l'on peut réaliser sur les gènes* d'un être vivant. Chez les bactéries*, on sait transmettre un gène d'un individu à un autre, greffer et même synthétiser des gènes nouveaux.

*Les buildings de **Manhattan,** au cœur de New York.*

*Encombrements dans une avenue de **Manille.***

*La course des 24 Heures du **Mans** a fait la célébrité de cette ville.*

*Une **mante religieuse** dans la position qui lui vaut son nom.*

Manitoba. Province du Canada central, sur la baie d'Hudson. 650 000 km² ; 1 022 000 hab. Capitale : Winnipeg. Région agricole, forestière et minière.

7 1477

manivelle n. f. Tige coudée deux fois à angle droit. Elle sert à faire tourner plus facilement l'axe d'un appareil : pédalier de bicyclette, moulinet de canne à pêche, cric pour soulever une auto, treuil de levage...

6 1409

Mann Anthony, cinéaste américain (1906-1967). Il est surtout connu pour ses westerns (*l'Appât,* 1952 ; *l'Homme de l'Ouest,* 1958) et ses films de guerre (*Cote 465,* 1957).

Mann Thomas, écrivain allemand (1875-1955). *Les Buddenbrooks* (1901), grande fresque sociale sur le déclin d'une famille d'armateurs, le rendit célèbre. Son chef-d'œuvre, *la Montagne magique* (1924), est un roman dont les thèmes sont la maladie, le temps qui passe et la mort. Visconti a adapté pour l'écran sa nouvelle *la Mort à Venise.*

manœuvre n. f. 1 — TECH Action, opération nécessaire pour faire fonctionner un appareil, une machine, un véhicule, un bateau... ◇ Exercice militaire (maniement des armes, mouvements de troupes). *Champ de manœuvres.*

6 1353

manœuvre n. m. 2 — SOC Ouvrier affecté à des travaux qui ne nécessitent aucune qualification professionnelle.

manomètre n. m. Appareil destiné à mesurer la pression d'un gaz ou d'un liquide. Le baromètre*, qui indique la pression de l'air atmosphérique, est un manomètre.

5 1091

Mans [Le] (72000). Chef-lieu du département de la Sarthe, sur la Sarthe. 150 331 hab. (*Manceaux*). Sa situation, entre Paris et la Bretagne, le favorise : place commerciale et industrielle. Circuit automobile depuis 1923.

7 1554

Mansart François, architecte français (1598-1666). Il est l'un des créateurs de l'architecture classique française : *château de Maisons* (1642-1651, devenu plus tard Maisons-Laffitte).

9 1937

Mansfield Katherine, écrivain néozélandais (1888-1923). Elle a laissé des recueils de nouvelles (*Félicité,* 1920), un *Journal* intime et des *Lettres.*

mante n. f. Insecte carnassier des régions chaudes (famille des mantidés). Son nom courant est *mante religieuse,* ses pattes antérieures repliées évoquant les mains d'une personne en prière.

manteau n. m. 1 — GÉOL Couche intermédiaire du globe terrestre, située entre l'écorce* et le nife*, d'une épaisseur moyenne de 3 000 km.

5 1063

manteau n. m. 2 — ZOOL Repli du tégument* qui enveloppe le corps des mollusques et qui sécrète la coquille. Il limite la cavité palléale.

4 914

Mantegna Andrea, peintre et graveur italien (1431-1506). Son dessin net, ses spectaculaires effets de perspective (*Christ mort* ; *fresques de la chambre des Époux* à Mantoue) font de lui un maître de la première Renaissance.

7 1526

Mantoue. Ville d'Italie (Lombardie), entourée de lacs. 67 000 hab. (*Mantouans*). Raffinage du pétrole. ◇ Cité fortifiée (XIVe s.) et embellie par les Gonzague*, ses maîtres de 1328 à 1708.

10 2245

manucure n. m. ou f. Personne dont le métier consiste à donner des soins de beauté aux mains, aux ongles. *Manucure attachée à un salon de coiffure.*

manuel n. m. Livre, ouvrage qui présente dans un format maniable les notions essentielles d'une science, d'un art, d'une technique... *Manuel scolaire.*

Manuel Ier le Grand, roi de Portugal (1469-1521). Souverain absolu, il jeta les bases de l'empire colonial portugais avec les voyages de Vasco de Gama et de Cabral.

manufacture n. f. Établissement où l'on fabrique des produits exigeant un haut niveau de finition. ◇ *Manufacture nationale :* établissement industriel appartenant à l'État. ◇ *Produit manufacturé :* produit fini, transformé à partir d'une matière première.

manuscrit n. m. Livre ancien qui a été écrit à la main. *Les manuscrits de la mer Morte.* ◇ Texte original écrit de la main de l'auteur, imprimé ou destiné à l'être. *La page raturée d'un manuscrit de Balzac.*

manutention n. f. Ensemble des opérations relatives à la manipulation des marchandises (emballage, transport, stockage...). ◇ *Engins de manutention :* chariots, monte-charge, grue... ◆ **manutentionnaire** n. m. ou f. Employé à la manutention.

Maoris (les). Peuple polynésien de la Nouvelle-Zélande, intégré à la vie moderne et en constante expansion. ◇ Beaux objets rituels des anciens Maoris.

4 863

Mao Tsé-toung ou **Mao Zedong,** homme d'État chinois (1893-1976). Membre du Parti communiste chinois dès sa fondation (1921), il le dirigea à partir de 1931 et au cours de la *Longue Marche* (1934-1935). Pour affronter le Japon (1937-1945), il s'allia avec les nationalistes qu'il vainquit ensuite au cours de la guerre civile (1949). Président de la République puis chef du parti communiste, il affirma son pouvoir avec la *Révolution culturelle* (1966). Sa pensée, le maoïsme, résumée dans « le petit livre rouge », fut massivement diffusée. Elle est aujourd'hui critiquée.

6 1355
11 2626
12 2813
14 3268

mappemonde n. f. Carte du globe terrestre, sur laquelle les deux hémisphères figurent côte à côte, en projection plane. ◇ *Mappemonde céleste :* carte plane du ciel.

3 628

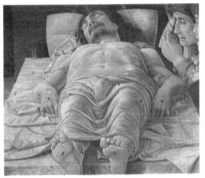

Le remarquable Christ mort d'Andrea **Mantegna.**

Affiche de propagande : le jeune **Mao Tsé-toung** instruisant le peuple.

Maquette d'un chapiteau de cirque.

Délicate opération de **maquillage** d'un acteur de théâtre, à Singapour.

Maputo (ancien *Lourenço Marques*). Capitale du Mozambique, sur l'océan Indien. 355 000 hab. Débouché du Zimbabwe, le port possède quelques industries alimentaires.

4 736

maquereau n. m. Poisson marin au corps fusiforme, très brillant, et dont le dos porte des bandes transversales sombres (famille des scombridés).

5 968

maquette n. f. Ébauche d'une sculpture, d'une composition décorative ou typographique. ◇ Représentation, en petites dimensions, d'un édifice ou d'un décor de théâtre. ◇ Modèle réduit ou grandeur nature. ◆ **maquettiste** n. m. ou f. Personne qui réalise des maquettes.

3 495

maquilleur n. m. Personne qui maquille les acteurs, au théâtre, au cinéma. ◆ **maquillage** n. m. Action de modifier l'apparence du visage, au moyen de fards, de produits colorés.

maquis n. m. 1 – GÉO Formation végétale caractéristique des sols siliceux en région méditerranéenne. Un maquis se compose de plantes buissonneuses, épineuses et odorantes.

3 546
6 1415

maquis n. m. 2 – HIST Pendant la Seconde Guerre mondiale (1940-1945), ensemble des régions rurales d'accès difficile (Savoie, Corrèze, Vercors...) où les résistants, appelés *maquisards,* se réfugiaient après leurs attaques de l'ennemi.

6 1415
11 2601

marabout n. m. 1 – ZOOL Grand oiseau d'Asie et d'Afrique. Proche de la cigogne, il a un bec et un jabot énormes. C'est un carnivore charognard.

marabout n. m. 2 – RELG Mystique musulman qui mène une vie contemplative et se livre à l'étude du Coran, devenant souvent l'interprète de la loi. ◇ Par extension, nom donné à la *koubba,* chapelle élevée sur la tombe d'un marabout.

Maracaibo. Deuxième ville du Venezuela (650 000 hab.), à l'extrémité du *lac de Maracaibo* formé par la mer des Antilles. Grand centre pétrolier du pays.

10 2232

marais n. m. Région basse où stagnent des eaux peu profondes et où se développe une végétation aquatique. On trouve des marais dans les zones mal drainées (littoral, bras mort de fleuve). ◇ *Marais salant :* bassin à proximité d'un rivage maritime où on laisse s'évaporer l'eau pour recueillir le sel.

7 1556
10 2232

Marais (le). Quartier de Paris (IIIe et IVe arrondissement). Quartier royal puis aristocratique, réputé pour son architecture : place des Vosges (1605-1612).

Marais Jean, acteur français (né en 1913). Il fut l'un des principaux interprètes de Cocteau à la scène et à l'écran (*l'Éternel Retour*, 1943).

Marat Jean-Paul, médecin, écrivain et révolutionnaire français (1743-1793). Fondateur du journal *l'Ami du peuple*

9 2155

(1789), député montagnard à la Convention, il incarnait l'extrême gauche. Il précipita la chute des Girondins mais fut assassiné par Charlotte Corday.

2 348
5 1075
14 3146
Marathon. Village de la Grèce antique, où les cités grecques remportèrent, en 490 av. J.-C., une importante victoire sur les Perses. ◆ **marathon** n. m. Course longue de 42,195 km, inscrite au programme des jeux Olympiques et commémorant l'exploit du soldat qui parcourut la distance Marathon-Athènes et mourut.

7 1518
10 2250
marbre n. m. Calcaire cristallin, souvent veiné, dont les colorations variées sont dues aux impuretés qu'il contient (oxydes*). ◆ **marbrier** n. m. Spécialiste du travail du marbre et des pierres dures.

Marc (saint), l'un des quatre évangélistes (Ier s.). Compagnon de saint Paul puis de saint Pierre, il aurait été martyrisé en Égypte. Patron de Venise.

Marc Antoine → Antoine

4 727
11 2537
Marc Aurèle, empereur romain (121-180). Successeur d'Antonin en 161, il lutta contre les Parthes (161) et les Germains (161-169). Habile administrateur, il protégea les arts et les lettres. D'abord tolérant envers les chrétiens, il les fit ensuite persécuter. Philosophe, il a laissé un recueil de *Pensées.*

Marceau François Séverin, général français (1769-1796). Il se distingua par son courage (Vendée, Fleurus, Neuwied) et mourut au combat.

Marceau Marcel, acteur français (né en 1923). Il a remis le mime* en honneur avec des spectacles qui connurent un vif succès : *le Manteau* (1951)...

7 1599
Marcel Étienne, prévôt des marchands de Paris (1316-1358). Il influença les états généraux de 1355 à 1358. Défendant les intérêts de la bourgeoisie contre Charles V, il devint, avec l'aide étrangère, maître de Paris, mais fut assassiné.

Marchais Georges, homme politique français (né en 1920). Secrétaire général du parti communiste depuis 1972, il recherche l'union avec les socialistes et signa le programme commun en 1972.

Marchand Jean-Baptiste, général et explorateur français (1863-1934). Chef de la mission Congo-Nil, il atteignit Fachoda* en 1898 mais dut se replier.

2 270
6 1236
7 1667
marchandise n. f. Objet, produit qui se vend ou s'achète. *Les marchandises comestibles sont des denrées*.* ◆ **marchand** n. m. Personne qui achète pour revendre avec bénéfice*, commerçant. ◇ *Marchand de biens* : qui achète des terres, des immeubles pour les revendre. ◇ *Valeur marchande* : valeur, prix dans le commerce. ◇ *Marine marchande* : commerce, pêche, plaisance* (par opposition à marine militaire). ◇ *Navire marchand* : cargo*.

Marat, acquitté par le Tribunal révolutionnaire, est porté en triomphe.

*Sans égaler celui de New York, le **marathon** de Paris attire la foule.*

*Le palais ducal d'Urbino, dans les **Marches**.*

*Dans les campagnes, on ne voit plus que rarement un **maréchal-ferrant**.*

5 1112
Marche (la). Ancienne province française (Creuse). ◇ Comté ayant appartenu aux Lusignan puis aux Bourbons, rattaché à la couronne en 1531. Capitale : Guéret.

2 405
marche n. f. Sport consistant en une progression pas à pas, de façon qu'un pied soit toujours en contact avec le sol. La marche donne lieu à des compétitions de fond* et de grand fond.

7 1584
marché n. m. Lieu couvert ou en plein air où des commerçants, des producteurs vendent leurs marchandises. *Le marché a lieu tous les mardis.* ◇ Circuit commercial. *Mettre un produit sur le marché.* ◇ Transactions* portant sur tels produits, tels services. *Marché du sucre.* ◇ Convention de vente, d'achat. *Conclure un marché.*

Marché commun → C.E.E.

10 2245
Marches (les). Région d'Italie péninsulaire, sur l'Adriatique. 9 692 km² ; 1 404 000 hab. Chef-lieu : Ancône. C'est surtout une région agricole (céréales, vigne) et touristique.

Marco Polo → Polo (Marco)

11 2444
13 3049
Marconi Guglielmo, physicien italien (1874-1937). Il perfectionna les communications radioélectriques (TSF). Prix Nobel de physique en 1909, avec l'Allemand Karl Ferdinand Braun.

marcottage n. m. Mode de multiplication d'un végétal aérien : on enterre un rameau, il développe des racines, puis l'ensemble est séparé de la plante mère.

2 366
Marcoule *(centre d'énergie atomique de).* Usine nucléaire, située dans le Gard, non loin du Rhône, où l'on produit du plutonium et de l'électricité.

Marcuse Herbert, philosophe américain d'origine allemande (1898-1979). Son œuvre, inspirée de Marx*, Hegel* et Freud*, est une critique des sociétés industrielles. *Éros et Civilisation* (1955). *L'Homme unidimensionnel* (1964).

marécage n. m. Terrain humide où des zones boueuses alternent avec des étendues d'eaux peu profondes. La flore marécageuse contribue à retenir l'eau.

14 3259
maréchal-ferrant n. m. Artisan dont le métier est de ferrer les chevaux. La disparition des chevaux de trait et de labour a considérablement diminué le nombre des maréchaux-ferrants.

maréchaussée n. f. Corps de cavaliers chargé de veiller à la sûreté publique et qui a pris, sous l'Ancien Régime*, le nom et les fonctions de l'actuelle gendarmerie nationale.

2 248
2 425
3 538
marée n. f. Élévation puis abaissement du niveau de la mer à intervalle régulier (une ou deux fois par jour) sous l'effet de l'attraction solaire et lunaire. La marée montante est le *flux* ou *flot.* La marée descendante est le *reflux* ou

jusant. La dénivellation entre marée haute et marée basse est le *marnage.* La zone littorale recouverte seulement à marée haute est l'*estran.*

marelle n. f. Jeu d'enfants consistant à pousser un palet dans des cases tracées sur le sol, en sautant à cloche-pied.

6 1323
10 2182
marguerite n. f. Plante ornementale de la famille des composacées dont le capitule porte des fleurs centrales jaunes et des fleurs périphériques blanches.

Marguerite d'Angoulême, reine de Navarre (1492-1549). Sœur de François Ier et épouse d'Henri d'Albret, roi de Navarre. D'esprit libéral, elle protégea les poètes (Marot), les humanistes et les réformés. Auteur de poèmes et de contes *(l'Heptaméron).*

13 2936
Marguerite de Valois *(dite* la Reine Margot), reine de France (1553-1615). Fille d'Henri II, elle épousa Henri de Navarre qui, devenu Henri IV, la répudia à cause de ses aventures galantes.

Māri. Ville de Mésopotamie, sur le moyen Euphrate (Syrie). Toute-puissante en 3000 av. J.-C., elle déclina après sa prise par le Babylonien Hammourabi (XVIIIe s. av. J.-C.). ◇ Site archéologique de Tell Harīrī.

2 400
5 1161
mariage n. m. Union légitime d'un homme et d'une femme. *Mariage civil :* seul reconnu par la loi, célébré publiquement par un officier d'état civil ; doit précéder le *mariage religieux.* Âge minimum : 18 ans pour l'homme, 15 ans pour la femme (sauf dispense du chef de l'État). Il ne peut être dissous que par la mort d'un conjoint ou le divorce*.

4 910
Mariannes (îles). Archipel volcanique du Pacifique, à l'est des Philippines, administré depuis 1947 par les États-Unis. 404 km² ; 14 000 hab. Capitale : Saipan. ◇ Bataille aéronavale en juin 1944. ◇ *Fosse des Mariannes :* la plus grande profondeur connue (11 516 m).

14 3272
Marie (sainte), mère de Jésus et épouse de Joseph*. Elle est appelée aussi *la Sainte Vierge.* Chez les chrétiens, son culte se développa dès le IVe siècle.

9 2150
Marie-Antoinette, reine de France (1755-1793). Fille de François Ier, empereur germanique, et de Marie-Thérèse d'Autriche, elle épousa Louis XVI en 1770. Impopulaire, accusée de complot avec l'étranger, elle fut emprisonnée (août 1792) puis guillotinée.

9 1929
13 2936
13 3076
Marie de Médicis, reine de France (1573-1642). Elle épousa Henri IV en 1600. Régente à sa mort (1610), elle passa sous l'influence de Leonora Galigaï et de Concini, que son fils Louis XIII fit assassiner en 1617. Révoltée contre le roi (1617-1620), elle se réconcilia avec lui (1622). Mais, jalouse de l'influence de son ancien protégé, Richelieu, sur Louis XIII, elle tenta en

*Ebih-il, intendant de **Māri** (IIIe millénaire av. J.-C.).*

*Cérémonie de **mariage** dans un temple bouddhiste au Japon.*

*L'impératrice **Marie-Thérèse d'Autriche** et son fils, le futur Joseph II.*

vain de le disgracier (journée des Dupes, 10 nov. 1630) et dut s'exiler.

Marie-Louise de Habsbourg-Lorraine, impératrice des Français (1791-1847). Fille de François II d'Autriche, elle épousa Napoléon Ier en 1810 et lui donna un fils, le roi de Rome.
10 2195

Marie-Thérèse d'Autriche, reine de France (1638-1683). Fille de Philippe IV d'Espagne, elle épousa Louis XIV (1660), dont elle eut six enfants.
8 1832

Marie-Thérèse, impératrice d'Autriche, reine de Bohême et de Hongrie (1717-1780). Elle remporta la guerre de Succession d'Autriche. Despote éclairé, elle régna avec son mari François Ier, puis avec son fils Joseph II.

Marie Ire Stuart, reine d'Écosse (1542-1587). Fille de Jacques V et veuve de François II, roi de France, elle rentra en Écosse en 1561. Renversée par les protestants (1567), elle s'exila en Angleterre où Élisabeth Ire la fit condamner à mort par un tribunal.

Marie Ire Tudor, reine d'Angleterre et d'Irlande (1516-1558). Fille d'Henri VIII, elle régna en 1553 et restaura le catholicisme. Surnommée *Marie la Sanglante,* elle persécuta les protestants et mourut très impopulaire.

Marie de France, poétesse française (seconde moitié du XIIe s.). Elle est célèbre pour ses *Fables* et ses *Lais* (lai provient d'un mot irlandais qui veut dire chanson).

Marignan. Ville d'Italie, près de Milan. 19 000 hab. ◇ Victoire de François Ier sur les Suisses (1515), donnant aux Français l'accès au Milanais.
8 1786
14 3176

marigot n. m. Région basse d'une zone tropicale humide inondable à la saison des pluies. ◇ Bras mort inondable d'un fleuve.

marihuana (ou marijuana) n. f. Stupéfiant préparé à partir de jeunes inflorescences femelles desséchées du chanvre indien. Se fume comme du tabac.
3 556

marine n. f. Art de la navigation sur mer. ◇ Ensemble des navires et des équipages qui naviguent sur mer. La marine de guerre comprend les navires de guerre : porte-avions, sous-marins ; la marine marchande, les navires de commerce et les bateaux de pêche ; la marine de plaisance, les bateaux utilisés pour les loisirs. La marine est d'un intérêt vital aux plans civil et militaire. ◆ **marin** n. m. Personne dont le métier est de naviguer en mer. ◆ **marin-pêcheur** n. m. Marin qui pratique la pêche en mer. ◆ **marinier** n. m. Personne qui conduit une péniche.
6 1352
13 2886

Mariner. Programme spatial américain de sondes destinées à étudier les planètes Mars et Vénus et qui commença dès 1962.

9 1963　**marionnette** n. f. Figurine en bois ou en carton qu'une personne dissimulée, le marionnettiste, fait gesticuler à l'aide de fils (marionnette dite *fantoche*) ou à la main (marionnette à gaine, dite *pupazzi*). *Le guignol est un théâtre de marionnettes à gaine.*

Mariotte *abbé* Edme, physicien français (v. 1620-1684). Il énonça la loi sur la compressibilité des gaz, dite *loi de Boyle*-Mariotte* (1676).

3 655　**Marius** Caius, général et homme politique romain (157-86 av. J.-C.). Tribun du peuple, il devint consul en 107 et de 104 à 100, triomphant de Jugurtha, des Cimbres et des Teutons. Sa rivalité avec Sylla* provoqua une guerre civile.

13 2940　**Marivaux** (Pierre CARLET DE CHAMBLAIN DE), écrivain français (1688-1763). Ses comédies, qui ont pour thème principal l'éclosion de l'amour (*le Jeu de l'amour et du hasard*, 1730), sont un mélange unique de vérité psychologique et d'artifice, de gaieté et d'émotion. Avec *la Vie de Marianne* (1731-1741), il a renouvelé le roman de mœurs.

marjolaine n. f. Plante herbacée aromatique (famille des labiées), originaire d'Arabie et des Indes. Utilisée comme condiment. Appelée aussi origan*.

7 1583　**marketing** n. m. Ensemble des techniques destinées à améliorer la diffusion de produits existants ou à lancer des produits nouveaux, en fonction des motivations, besoins du consommateur.

Marlborough (John CHURCHILL, *duc* DE), général anglais (1650-1722). Il triompha de la France aux Pays-Bas. Les soldats français le raillèrent dans une chanson sous le nom de *Malbrough*.

Marlowe Christopher, poète dramatique anglais (1564-1593). Ses grandes tragédies historiques (*Tamerlan*, 1587 ; *Edouard II*, 1592) annoncent le théâtre de Shakespeare.

12 2661　**Marmara** (mer de). Bras de mer entre Turquie d'Europe et d'Asie, relié à la mer Égée par les Dardanelles et à la mer Noire par le Bosphore.

marmite de géant n. f. Cavité, de forme circulaire, creusée dans le lit rocheux d'un cours d'eau par le mouvement tourbillonnaire de débris de roches charriés par le courant.

6 1405
6 1429
10 2387　**marmotte** n. f. Mammifère rongeur à pelage brun, épais. Une espèce vit en petites colonies dans les Alpes entre 1 500 et 3 000 m. La marmotte hiberne dans de profonds terriers.

marne n. f. Roche sédimentaire argileuse très riche en calcaire (plus de 35 %). Elle est utilisée pour amender les sols acides et pour fabriquer du ciment. On l'extrait de carrières à ciel ouvert ou de puits.

12 2716　**Marne** (la). Rivière de France, affluent rive droite de la Seine qu'elle rejoint

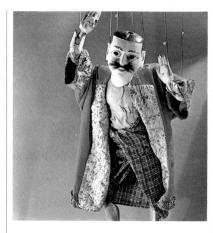

Marionnette à fils de Birmanie.

Buste du consul Caius Marius, vainqueur des Teutons et des Cimbres.

Portrait de Marivaux en 1743.

L'été, les marmottes vivent en couple ; l'hiver, elles hibernent en groupe.

près et en amont de Paris. 525 km. Née au plateau de Langres ; passe à Chaumont, Châlons-sur-Marne...

Marne (51). Département français de la région Champagne-Ardenne. 8 161 km² ; 543 627 hab. Chef-lieu : Châlons-sur-Marne. Sous-préfectures : Épernay, Reims, Sainte-Menehould, Vitry-le-François. S'étendant sur la Champagne crayeuse, c'est une riche région céréalière (grandes exploitations). Célèbre vignoble de Reims jusqu'aux environs d'Épernay. Industries variées, non négligeables. Reims regroupe plus du tiers des habitants de la région.　**12** 2716

Marne (Haute-) (52). Département français de la région Champagne-Ardenne. 6 210 km² ; 210 670 hab. Chef-lieu : Chaumont. Sous-préfectures : Langres, Saint-Dizier. Ce département correspond à la partie la plus élevée du Bassin parisien. Les plateaux calcaires portent des forêts ou des céréales. Les industries, d'ancienne tradition (métallurgie, coutellerie, travail du bois), ne suffisent pas à retenir la population.　**12** 2716

Marne (batailles de la). Victoires françaises pendant la guerre 14-18. Joffre et Gallieni remportèrent la première, grâce aux « taxis » parisiens qui transportèrent les troupes sur le front. Foch gagna la seconde, prélude de la victoire.　**11** 2477

Maroc (royaume du). État du Maghreb, sur la Méditerranée et l'Atlantique.　**7** 1498　**14** 3278

superficie :	446 550 km²
population :	20 240 000 hab. (Marocains)
capitale :	Rabat
monnaie :	le dirham
code international :	MA

Les montagnes prédominent : chaînes du Rif et des Atlas, prolongées par un plateau qui retombe à l'ouest sur une plaine assez fertile. L'extrême Sud est le domaine du Sahara. Climat humide devenant aride vers l'intérieur. Population (Arabes, Berbères) s'accroissant de 2,7 % par an. ◊ L'agriculture (50 % des actifs) produit une quantité insuffisante de céréales. Pour l'exportation, agrumes et tomates. Pêche et élevage ovin importants. Seul pays du Maghreb sans pétrole, le Maroc a en revanche des phosphates. Industries embryonnaires. Autres ressources : le tourisme et les transferts de salaires des émigrés. Le Maroc est le pays le plus pauvre du Maghreb. ◊ Peuplé de Berbères, le pays reçut l'apport des Phéniciens, des Carthaginois puis des Romains (annexion du royaume de Mauritanie en 40). Conquis et islamisé par les Arabes (VIIIᵉ s.), il connut son apogée sous les Almoravides* et les Almohades* (XIᵉ-XIIᵉ s.), maîtres de l'Andalousie. La dynastie des Alaouites régnait depuis 1660 quand la France, en 1912, les contraignit au protectorat. Les nationalistes arrachèrent l'indépendance (1956). Roi depuis 1961, Hassan II annexa le Sahara* occidental, en partie (1976) puis en totalité (1978), ce que continuent à refuser (guérilla) ses habitants soutenus par l'Algérie. La paupérisation de la majorité des Marocains et l'absolutisme royal créent des tensions politiques importantes.

maroquin n. m. Cuir de chèvre tanné et teint du côté du poil. ◆ **maroquinerie** n. f. Art, industrie de la fabrication des objets en maroquin ou en cuir fin. ◇ Magasin qui vend ces objets.

Marot Clément, poète français (1496-1544). Héritier du Moyen Âge, il a remis à la mode, avant la Pléiade*, les grands genres de l'Antiquité : l'élégie, l'épître et l'épigramme.

Marquet Albert, peintre français (1875-1947). Il est surtout connu comme paysagiste : vues de Paris, de ports, de rivières...

marqueterie n. f. Ouvrage d'ébénisterie constitué de minces plaques de bois, d'ivoire formant un motif décoratif de différentes couleurs. On en recouvre les tables, les planchers.

Marquette Jacques, missionnaire jésuite français (1637-1675). Avec Joliet, il descendit le Mississippi jusqu'à son confluent avec l'Arkansas.

4 760 **Marquises** (îles). Archipel volcanique de la Polynésie française, au nord-est de Tahiti. 1 274 km² ; 5 419 hab. *(Marquisiens)*. Chef-lieu : Atuana. Îles montagneuses. Maigres ressources (bananier, cocotier). ◇ Découvertes en 1595 ; françaises depuis 1842.

7 1496 **Marrakech.** Ville du Maroc méridional, au pied du Haut Atlas. ◇ 330 000 hab. ◇ Capitale des Almohades (XIIᵉ-XIIIᵉ s.). Belle mosquée, la Kutūbiyya (XIIᵉ s.).

2 426 **marronnier** n. m. Châtaignier greffé donnant une seule grosse graine par fruit alors que le châtaignier en donne trois. ◇ *Marronnier d'Inde* : grand arbre originaire d'Asie, à grandes feuilles composées. Il produit une graine non comestible.

14 3182 **Mars.** Dieu latin de la Guerre et de la Végétation, identifié au dieu grec Arès. Fils de Junon. La tradition le considère comme le père de Romulus et Remus.

1 103
6 1439 **Mars** (planète). Quatrième planète du système solaire dans l'ordre des distances croissantes au Soleil, après Mercure, Vénus et la Terre. Sept fois plus petite que la Terre, elle a une masse dix fois plus faible.

2 407
9 2155
13 2968
14 3301 **Marseillaise** (la). Hymne composé par Rouget de Lisle en 1792. Chanté par les fédérés marseillais (Paris, août 1792), il devint l'hymne national français en 1795 et définitivement en 1879.

2 370
6 1229 **Marseille** (13000). Chef-lieu des Bouches-du-Rhône et de la région Provence-Alpes-Côte d'Azur ; deuxième ville (878 689 hab. : *Marseillais*) et premier

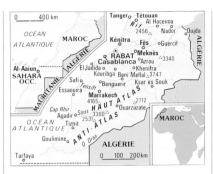

Le **Maroc.**

La place Djema'a el-Fna, au centre de **Marrakech.**

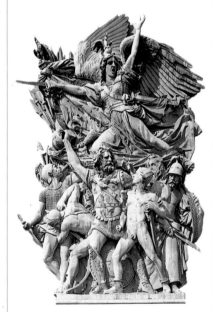

Le Départ des volontaires de 1792, de Rude, appelé aussi « la **Marseillaise** ».

Gêné au sol par ses ailes, le **martinet** se repose sur des parois verticales.

port de France (deuxième d'Europe). Importation de pétrole surtout. Nombreuses industries (pétrochimie, alimentation, chantiers navals...). Métro depuis 1978. ◇ Colonie grecque (*Massalia*) fondée au VIᵉ s. av. J.-C., très prospère du Vᵉ au IIᵉ s. av. J.-C., Marseille vit son commerce renaître grâce aux croisades (port de voyageurs et commerce avec le Levant*). Au XIXᵉ s., le canal de Suez lui donna un nouvel essor.

11 2624 **Marshall** George Catlett, général et homme politique américain (1880-1959). Chef d'état-major (1939-1945), secrétaire d'État de Truman, il conçut un plan d'assistance économique pour aider l'Europe, dit *plan Marshall* (1948).

4 911
7 1610 **Marshall** (îles). Archipel du Pacifique Nord (Micronésie), administré par les États-Unis depuis 1947. 181 km² ; 24 000 hab. Îles allemandes de 1885 à 1914, japonaises de 1920 à 1944. ◇ Expérimentations nucléaires (1946-1956) sur les atolls de Bikini et d'Eniwetok.

1 14 **marsouin** n. m. Mammifère cétacé marin, denté, de petite taille et vivant dans l'Atlantique. Très carnassiers, les marsouins suivent le sillage des navires.

2 292
4 777
8 1788
10 2235
10 2243 **marsupiaux** n. m. pl. Ordre de mammifères caractérisés par une poche ventrale, ou marsupium, qui abrite les mamelles et dans lequel l'embryon termine son développement. La plupart vivent en Australie (kangourou, koala, loup marsupial ou dasyure...), quelques-uns en Amérique du Sud (opossum...).

2 405
12 2760 **marteau** n. m. 1 — TECH Outil constitué d'un manche au bout duquel est fixée une tête en métal. Un marteau sert surtout à enfoncer des clous. — SP Sphère métallique reliée à une poignée par un fil d'acier. On la fait tourner et on la lance au loin. ◆ **marteau-pilon** n. m. Grande machine pour forger les pièces métalliques. ◆ **marteau piqueur** n. m. Outil pour casser les sols durs.

7 1634 **marteau** n. m. 2 — ANAT Osselet de l'oreille dont une partie est incluse dans le tympan, l'autre touchant l'enclume où se transmettent les vibrations.

8 1706 **marteau** n. m. 3 — ZOOL Requin des mers chaudes, long de 5 m. Sa tête aplatie possède deux pédoncules latéraux qui portent les yeux.

Martí José, patriote et écrivain cubain (1853-1895). Il est l'un des grands artisans de l'indépendance des pays d'Amérique latine.

13 2942 **Martin du Gard** Roger, écrivain français (1881-1958). Sa grande fresque romanesque, *les Thibault* (8 volumes, 1922 à 1940), est l'histoire d'une famille bourgeoise au début du XXᵉ siècle.

martinet n. m. Oiseau passereau migrateur, aux longues ailes étroites et au vol rapide. Il se nourrit d'insectes qu'il gobe en plein vol.

1 55 .**Martini** Simone, peintre italien (v. 1284-1344). Il fut avec Duccio et les frères Lorenzetti un des principaux représentants de l'école gothique siennoise du XIVᵉ s. : *Maestà* (1315).

4 758
10 2179 **Martinique** (île de la) (972). La plus méridionale des Petites Antilles, département d'outre-mer depuis 1946. 1 100 km² ; 328 566 hab. *(Martiniquais)*. Chef-lieu : Fort-de-France. ◇ Île volcanique montagneuse (montagne Pelée, 1 397 m). Étroites plaines côtières. Climat tropical, très humide. Population dense (forte émigration vers la métropole). Cultures commerciales (banane, canne à sucre, ananas). Tourisme en essor. Aide considérable de la métropole. ◇ Île colonisée par les Français à partir du XVIIIᵉ s. De nos jours, un mouvement réclame l'indépendance.

9 1955 **martin-pêcheur** n. m. Oiseau coraciadiforme, au plumage très coloré, pêchant les poissons dont il se nourrit en plongeant. Se niche en terrier.

12 2739 **martre** (ou **marte**) n. f. Carnivore mustélidé. En Europe, la martre des pins, longue de 50 cm, est brune à bavette blanche, avec une queue touffue de 25 cm.

martyr n. m. Personne qui a souffert la mort plutôt que de renoncer à la religion chrétienne, et par extension à toute religion. ◇ Personne qui est morte ou a beaucoup souffert pour une cause. *Les martyrs de la Révolution.*

10 2287
10 2341
11 2515
13 3027 **Marx** Karl Heinrich, philosophe, économiste et homme politique allemand (1818-1883). Jeune philosophe hégélien, il découvrit le matérialisme* historique et évolua vers le socialisme* (*Manifeste du parti communiste*, 1848). ◇ Établi en Angleterre (1849), il approfondit sa théorie économique (début du *Capital*, 1867) et sa réflexion historique. Membre fondateur de la Iʳᵉ Internationale (1864), il s'opposa au réformisme et à l'anarchisme de Bakounine. Sa théorie, le marxisme, démontre que les conditions de production (mode de production) sont l'élément déterminant de l'histoire et que la division du travail entraîne l'apparition des classes sociales et leur lutte (bourgeoisie contre prolétariat). Mais cette conjoncture elle-même devrait amener la fin du capitalisme.

7 1612 **Marx Brothers** (les), trio comique du cinéma américain composé de Chico (1891-1961), Harpo (1893-1964) et Groucho (1895-1977) : *la Soupe au canard* (1933), *Une nuit à l'Opéra* (1935)...

1 61 **Maryland.** État de l'est des États-Unis, sur l'Atlantique. 27 394 km² ; 3 922 000 hab. Capitale : Annapolis. Ville principale : Baltimore. Les Appalaches y retombent sur une côte très découpée. Élevage. Industries dans les ports.

7 1526 **Masaccio** (Tommaso DI SER GIOVANNI, *dit*), peintre italien (1401-1428). Il est l'un des inventeurs de la perspective et, à ce titre, inaugura véritablement la

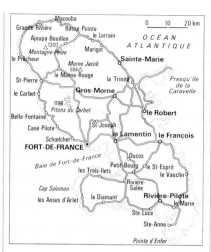

La **Martinique.**

Jusqu'en 1932, les **Marx Brothers** furent 4 : Chico, Zeppo, Groucho, Harpo.

Portrait du théoricien allemand Karl **Marx.**

Masque balinais en bois sculpté et peint.

Renaissance : fresques de la chapelle Brancacci à Florence (1424-1428).

5 1049
10 2258 **Masaïs** ou **Massaïs** (les). Peuple d'Afrique noire, vivant au Kenya et en Tanzanie. Ce sont des pasteurs nomades qui furent de redoutables guerriers.

Masaryk Tomás, homme d'État tchécoslovaque (1850-1937). Il fut l'un des fondateurs de l'État tchécoslovaque (1918) et son premier président (1918-1935).

2 248 **mascaret** n. m. Haute vague qui se forme dans l'estuaire de certains fleuves, au moment de la marée montante, et qui déferle vers l'amont à grande vitesse. (Mot d'origine gasconne.)

6 1288 **Mascate.** Capitale du sultanat d'Oman, port sur le golfe d'Oman. 6 000 hab. C'est surtout un centre administratif, le port pétrolier étant à Minal al-Fahal.

Mascate-et-Oman → Oman

maser n. m. Formé avec les initiales des mots anglais *Microwave* (micro-onde) *Amplification by Stimulated Emission of Radiations*. Cet appareil fonctionne selon les mêmes principes que le laser*, mais dans le domaine des ondes* hertziennes.

4 739 **Maseru.** Capitale du Lesotho, à la frontière de la province d'Orange (Afrique du Sud). 29 000 hab. Centre administratif et ville la plus peuplée du pays.

masochisme n. m. Perversion sexuelle qui pousse à se soumettre à une souffrance physique ou morale pour atteindre au plaisir (de Sacher-Masoch*, romancier autrichien de la fin du XIXᵉ siècle).

3 553
4 876 **masque** n. m. Objet en carton, tissu, plastique, etc., dont on se couvre la face pour se déguiser ou dissimuler son identité. Selon les peuples, les masques représentent une force surnaturelle, une divinité, un animal sacré ou le visage d'une autre personne. *Masques du carnaval.* ◇ Dispositif de protection du visage, des yeux. *Masque de soudeur, d'escrimeur. Masque de plongée sousmarine. Masque à gaz :* servant à se protéger des effets des gaz nocifs.

masque de fer (l'Homme au). Personnage demeuré inconnu, emprisonné à Pignerol puis à la Bastille de 1679 à 1703, le visage caché par un masque. On a songé à Fouquet, au comte Mattioli...

mass media → médias

1 61 **Massachusetts.** État de l'est des États-Unis (Nouvelle-Angleterre), sur l'Atlantique. 21 385 km² ; 5 689 000 hab. Capitale : Boston. Petit État très industrialisé (mécanique, électronique, textile). ◇ Cette colonie prit la tête du mouvement pour l'indépendance (1775).

8 1849 **massacre** n. m. Action de massacrer. Meurtres en masse. Le mot s'emploie surtout pour désigner le meurtre d'un groupe ou d'une population sans défense. Hérode, roi des Juifs, fit tuer les premiers-nés pour empêcher l'avènement du Messie (*massacre des Innocents*). ◊ *Jeu de massacre* : jeu forain consistant à renverser avec des balles des figurines basculantes.

massage n. m. Action de presser, pétrir avec les mains différentes parties du corps en vue d'assouplir, fortifier l'organe, diminuer une douleur. *Massage musculaire, cardiaque.*

1 159
4 900
10 2292
12 2754

masse n. f. 1 — PHYS Grandeur caractérisant la quantité de matière d'un objet. Elle se mesure avec une balance et s'exprime en kilogrammes. *Le nombre de masse d'un élément chimique est le nombre de neutrons et de protons du noyau*.*

masse n. f. 2 — SOC Ensemble d'individus considérés en dehors des structures sociales traditionnelles. *Culture de masse.* ◊ Grand nombre de gens. *Une manifestation de masse.* ◊ *Les masses* : la classe ouvrière, le peuple.

Masséna André, maréchal de France (1758-1817). Il s'illustra à Rivoli, en 1797, et à Wagram, en 1809. En 1814, il se rallia aux Bourbons.

Massenet Jules, compositeur français (1842-1912). Il est surtout connu pour ses opéras : *Manon* (1884), *Werther* (1892), *Thaïs* (1894), etc.

massif n. m. Ensemble de hautes terres ou de sommets présentant un caractère montagneux, d'aspect massif (ce qui le distingue d'une chaîne) et généralement constitué par des terrains anciens.

Massif armoricain ⟶ armoricain (Massif)

10 2396

Massif central. Ensemble de hautes terres couvrant le sixième de la superficie de la France, au centre et au sud du pays ; 1 885 m au puy de Sancy. Massif ancien, rajeuni au tertiaire.

10 2320

mastication n. f. Action de mastiquer un aliment (ou une autre substance), consistant à le broyer avec les dents et à l'imbiber de salive avant de l'avaler.

1 149
7 1467

mastodonte n. m. Grand mammifère herbivore fossile (ordre des proboscidiens*), proche de l'éléphant, muni de molaires mamelonnées, qui vécut au tertiaire et au quaternaire.

mât n. m. Longue pièce de bois ou de métal, verticale ou oblique, portant les voiles d'un navire. Les principaux mâts sont le beaupré, le mât de misaine, le grand mât et le mât d'artimon. ◆ **mâture** n. f. Ensemble des mâts et des vergues d'un navire.

matador n. m. Nom donné au torero* qui, dans une corrida, doit mettre le taureau à mort d'un coup d'épée.

2 372

match n. m. Rencontre opposant deux ou plusieurs concurrents, ou deux équi-

*Le **massacre** des Innocents sur un manuscrit du Moyen Âge.*

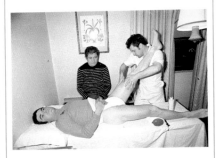

*Séance de **massage** pour Bernard Hinault.*

*Caricature de Jules **Massenet**.*

*Téléphérique du puy de Sancy, dans le **Massif central**.*

pes, dans le cadre d'une compétition ou de manière amicale. *Un match de boxe.*

matelot n. m. Homme d'équipage qui, à bord d'un navire, participe à la manœuvre et aux tâches d'entretien, sur le pont ou dans la salle des machines.

matérialisme n. m. Doctrine philosophique qui affirme que la seule réalité fondamentale est la matière*. Contraire : idéalisme, spiritualisme*. ◊ Manière de vivre de celui qui recherche uniquement des satisfactions matérielles dans l'existence.

matériel n. m. Ensemble des objets de toute nature utilisés pour un travail déterminé : matériel de manutention (grues, chariots élévateurs), matériel de transport (camions, autos), etc.

maternité n. f. État ou qualité d'une femme qui a donné naissance à un ou à plusieurs enfants. ◊ Action de porter et de mettre au monde un enfant. ◊ Hôpital ou clinique où sont donnés les soins aux femmes enceintes et où sont effectués les accouchements.

1 133
2 324
9 2078
13 3038

mathématiques n. f. pl. Science qui a pour objet l'étude des grandeurs calculables ou mesurables, leur organisation, leur quantification. Aujourd'hui, la mathématique (sing.) est devenue une science des relations entre objets abstraits, à caractère essentiellement déductif, et qui se construit par le seul raisonnement. *Mathématiques élémentaires* : étude des équations, des transformations ponctuelles, des fonctions, des coniques. *Mathématiques pures* : l'arithmétique*, l'algèbre*, la géométrie*. *Mathématiques appliquées* : l'astronomie, la mécanique. ◊ *Mathématiques modernes* : nouvelles méthodes d'enseignement des mathématiques qui tendent à se dégager du calcul. ◆ **mathématicien** n. m. Personne qui pratique ou qui enseigne les mathématiques. *Une mathématicienne.*

7 1567
7 1641

Mathias Ier Corvin, roi de Hongrie (1440-1490). Couronné en 1458, il réprima les mouvements hussites (voir Huss), défendit son pays contre les Turcs et conquit la Moravie et la Silésie. Souverain humaniste, il fonda les universités de Buda et de Bratislava.

2 302

Mathieu Georges, peintre français (né en 1921). Son art, abstrait et gestuel, est fondé sur le tracé très rapide de signes à effets calligraphiques.

1 169
1 212
2 254
2 433
3 593
7 1602
10 2292
14 3197
14 3340
14 3346

matière n. f. Ce qui constitue les objets et les êtres vivants. La matière physique est formée à partir d'atomes* et possède une masse. ◊ Substance dont une chose est faite. *La matière de cette chaussure est le cuir.* ◊ *Matière première* : produit de base, avant transformation. ◊ *Matière grasse* : substance contenant des lipides*. ◊ *Matière plastique*, ou plastique : voir plastique.

matière (complément de). Complément qui indique, au moyen des prépositions *de* et *en,* de quelle matière est fait un objet, etc. *Un tapis de laine ; un bracelet en or.*

Matignon (hôtel). Hôtel parisien construit par Jean Courtonne (1721). Il est réservé aujourd'hui à l'usage du Premier ministre et de son secrétariat.

11 2528 **Matignon** (accords). Accords signés en juin 1936 entre le patronat et la CGT. Ils reconnaissaient le droit syndical et octroyaient les congés payés et la semaine de 40 heures.

12 2819
14 3313 **Matisse** Henri, peintre français (1869-1954). Il fut l'un des principaux animateurs du fauvisme* avant d'élaborer le style simplifié (aplats de couleur sur un dessin elliptique) qui fait de lui une figure de l'art du XXe siècle.

2 448 **Mato Grosso** et **Mato Grosso do Sul.** Région naturelle et États du Brésil occidental (1,2 million de km² ; 1 597 000 hab.). C'est un plateau semi-désertique, voué à l'élevage bovin extensif. Manganèse.

matriarcat n. m. Forme de société dans laquelle la mère, la femme, joue un rôle prépondérant : elle transmet son nom aux enfants, l'héritage et la succession se font en ligne féminine, etc. Contraire : patriarcat*.

matrice n. f. 1 – ANAT Ancien nom donné à l'utérus. ◇ Gaine dans laquelle s'enfonce la racine de l'ongle. C'est la région génératrice de l'ongle.

matrice n. f. 2 – TECH Moule métallique, en creux ou en relief, très résistant, qui permet de donner une forme à une pièce (tôle de carrosserie d'automobile, etc.), de reproduire une empreinte. On pose la pièce sur la matrice et on appuie dessus avec un poinçon pour qu'elle épouse le contour de cette dernière.

8 1878 **Matsys, Massys** ou **Metsys** Quentin, peintre flamand (v. 1466-1530). Il prolongea la tradition médiévale puis modifia son style en adoptant les innovations italiennes de la Renaissance.

Matthieu (saint), apôtre et évangéliste. *L'Évangile selon saint Matthieu* s'attache à montrer en Jésus le Messie annoncé par les prophètes (Ier siècle).

maturation n. f. Ensemble de phénomènes permettant aux cellules, aux organes, etc., de passer de l'état juvénile à l'état de maturité. *La maturation d'un fruit, d'un gamète,* etc.

12 2683 **Mau-Mau.** Société secrète des Kikuyus* (Kenya), entrée en révolte en 1952 contre les colonisateurs anglais. Durement réprimée, elle fut réduite vers 1960.

13 2941 **Maupassant** Guy DE, écrivain français (1850-1893). Ses nouvelles (*Boule-de-Suif,* 1880), par leurs qualités de composition et de style, sont des modèles de

Autoportrait
de Matisse en 1918.

Saint **Matthieu**
(enluminure du IXe s.).

Jeune femme **maure,**
en Mauritanie.

L'île Maurice.

réalisme descriptif. On lui doit aussi des romans (*Une vie,* 1883 ; *Bel-Ami,* 1885).

Maupertuis (Pierre Louis MOREAU DE), astronome et mathématicien français (1698-1759). Il établit l'aplatissement de la Terre au pôle et, en physique, énonça le principe de moindre action.

Maures (les). Massif cristallin du littoral provençal (Var), entre Hyères et Fréjus ; 780 m au signal de la Sauvette. Forêts. Tourisme. **2** 364

Maures (les). Au Moyen Âge, musulmans d'Afrique métissés d'Arabes et de Berbères. Aujourd'hui, peuple islamisé du Sahara occidental, résultant de brassages de populations berbères, arabes et noires. **5** 1111

Mauriac François, écrivain français (1885-1970). Romancier chrétien des conflits du bien et du mal au sein de la bourgeoisie provinciale (*Genitrix,* 1924 ; *le Nœud de vipères,* 1932), il fut un remarquable polémiste politique. **13** 2942

Maurice (île). État insulaire de l'océan Indien (une des îles Mascareignes), à l'est de Madagascar. 1 865 km² ; 960 000 hab. (dont 68 % d'Indiens). Capitale : Port-Louis. ◇ Île volcanique, très densément peuplée, vivant de la monoculture de la canne à sucre (90 % des terres cultivées). Pays pauvre. ◇ Hollandaise de 1598 à 1715, puis française sous le nom d'île de France, elle fut anglaise de 1810 à 1968. **4** 739

Maurice de Nassau, stathouder des Provinces-Unies (1567-1625). Successeur de Guillaume Ier, son père (1584), il lutta avec succès contre la domination espagnole et fit exécuter le grand pensionnaire de Hollande.

Maurice de Saxe (*dit* le Maréchal de), général français (1696-1750). Fils de l'Électeur de Saxe et roi de Pologne Auguste II, il fut, au service du roi de France, l'un des grands généraux de son temps ; vainqueur à Fontenoy (1745). **9** 1984

Mauritanie (république islamique de). État du Sahara occidental. **12** 2814 **14** 3278

superficie :	1 030 700 km²
population :	1 680 000 hab. (*Mauritaniens*)
capitale :	Nouakchott
monnaie :	l'ouguiya
code international :	RIM

Occupé à 90 % par le désert du Sahara, ce pays, dont 80 % des actifs, en majorité nomades, travaillent dans l'agriculture (mil, palmiers, dattes, exportation d'ovins et de caprins), ne peut subvenir à ses besoins. Si le sous-sol est riche (minerai de fer à F'Derick, phosphates), l'industrie est inexistante. Mais, malgré ses mines, le pays ne survit que grâce à une aide étrangère (arabe) considérable. ◇ Peuplée d'agriculteurs noirs, la région fut occupée, à partir du IVe s., par des Berbères. Islamisée tardivement (XIIe s.), elle fut dominée, après 1400, par les Arabes Hassanes. Colonie française de 1920 à 1960, la Mauritanie occupa, de 1976 à 1979, la partie sud du Sahara occidental, revendiquée par le Front Polisario.

Mauser Wilhelm VON, armurier allemand (1834-1882). Il mit au point le fusil de guerre qui porte son nom et qui fut utilisé par l'armée allemande de 1871 à 1945.

Mausole, souverain d'Asie Mineure (mort en 353 av. J.-C.). Satrape de Carie. Sa veuve lui fit bâtir un tombeau, le « Mausolée », qui fut l'une des Sept Merveilles du monde.

mausolée n. m. Monument funéraire fastueux et de dimensions imposantes.

Mauthausen. Village d'Autriche, sur le Danube, et camp de concentration nazi où 150 000 personnes trouvèrent la mort entre 1938 et 1945.

4 955
6 1323
7 1507
mauve n. f. Plante herbacée (famille des malvacées) dont certaines espèces, à fleurs blanches, roses, etc., sont ornementales et d'autres médicinales.

maxillaire n. m. Chacun des trois os constituant les deux mâchoires. Le maxillaire inférieur constitue le squelette de la mandibule. Les deux maxillaires supérieurs, soudés, forment le squelette de la mâchoire supérieure.

maxime n. f. Pensée qui concerne le plus souvent le domaine de la morale, exprimée dans un style littéraire bref et concis. *Une maxime de Chamfort.*

8 1729
14 3178
Maximilien Ier, empereur germanique (1459-1519). Il unifia les États héréditaires des Habsbourg en obtenant les Pays-Bas et la Franche-Comté et fraya ainsi la voie à l'empire de Charles Quint.

Maximilien Ier, Électeur de Bavière (1573-1651). Allié de l'empereur Ferdinand, il remporta la bataille de la Montagne Blanche (1620).

Maximilien Ier Joseph, roi de Bavière (1756-1825). Électeur, il obtint le titre royal grâce à Napoléon (qu'il abandonna en 1813) et agrandit ses territoires au détriment de l'Autriche.

10 2337
Maximilien Ier de Habsbourg, empereur du Mexique (1832-1867). Placé sur le trône par Napoléon III (1864), il fut renversé et fusillé par les troupes nationalistes de Juárez, après le départ des Français.

maximum n. m. La plus grande valeur qu'une quantité variable puisse prendre. ◊ *Maximum d'une fonction :* valeur de cette fonction supérieure à toutes les valeurs voisines. Si la fonction est dérivable, la dérivée s'annule et change de signe.

11 2444
13 3049
Maxwell James Clerk, physicien écossais (1831-1879). Il est l'auteur de la théorie électromagnétique de la lumière.

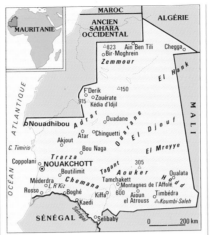

La **Mauritanie.**

Assisté d'un prêtre, **Maximilien,** empereur du Mexique, va être exécuté.

Le site d'Uxmal, au Mexique : haut lieu de la civilisation **maya.**

Portrait du cardinal **Mazarin,** par Philippe de Champaigne.

maxwell n. m. Ancienne unité de flux* magnétique. Symbole *M* ou *Mx*. Dans le système international, 1 Mx vaut un cent-millionième de weber*.

4 747
8 1725
8 1898
Mayas (les). Peuple d'Amérique centrale qui édifia une civilisation précolombienne très évoluée dont l'origine remonterait au IIe millénaire av. J.-C. et qui atteignit son apogée aux VIIe-IXe s. Ils connaissaient l'écriture hiéroglyphique et avaient acquis d'importantes connaissances astronomiques. Sites principaux : Chichén Itzá, Copán, Palenque, Uxmal. Les Mayas subsistent aujourd'hui notamment au Mexique (Yucatán) et au Guatemala.

12 2707
Mayence. (*Mainz,* en allemand.) Ville de RFA, au confluent du Main et du Rhin, capitale du Land de Rhénanie-Palatinat. 184 000 hab. Métallurgie, chimie. Cathédrale. ◊ En 1793, les Français de Kléber y furent assiégés par les Prussiens.

7 1552
Mayenne (la). Rivière de France, affluent rive droite de la Sarthe qu'elle rejoint près d'Angers pour former la Maine. 200 km. Passe à Laval.

7 1552
Mayenne. Département français de la région Pays de la Loire*. 5 175 km² ; 271 784 hab. Chef-lieu : Laval. Sous-préfectures : Château-Gontier, Mayenne. Ce département du Massif armoricain est formé de plateaux et de lourdes collines. L'économie est orientée vers l'élevage bovin (lait, viande). L'industrialisation, bien qu'en progrès, reste faible et se trouve concentrée à Laval (constructions mécaniques et électriques).

Mayerling. Village d'Autriche. Le 30 janvier 1889, on y découvrit les corps de l'archiduc héritier d'Autriche, Rodolphe, et de la baronne Marie Vetsera.

9 1928
13 3077
Mazarin (Giulio MAZARINI, *dit*), cardinal et homme d'État français (1602-1661). Né en Italie, il dut sa carrière à Richelieu. Principal ministre durant la régence d'Anne d'Autriche (1643). Sa réussite diplomatique (traités de Westphalie) ne le mit pas à l'abri de l'hostilité des grands : il fut la cible de la Fronde*, qui le contraignit un temps à l'exil (1653). Il imposa le traité des Pyrénées à l'Espagne (1659).

2 347
mazdéisme n. m. Religion de la Perse ancienne appelée aussi zoroastrisme, du nom de son fondateur, Zoroastre. Elle repose sur la lutte entre l'esprit du Mal et celui du Bien, Ahura Mazdâ.

1 84
mazout n. m. Combustible liquide obtenu par raffinage du pétrole. On l'utilise pour alimenter les chaudières des installations de chauffage.

mazurka n. f. Danse à trois temps d'origine polonaise. ◊ Morceau de musique dont le rythme est celui de la mazurka. *Les mazurkas de Chopin.*

10 2336
Mazzini Giuseppe, patriote italien (1805-1872). Il fonda une société secrète,

la « Jeune-Italie », qui fut un élément moteur du Risorgimento. L'échec de la République romaine, qu'il fonda en 1849, le contraignit à l'exil.

4 738 **Mbabane.** Capitale du royaume de Swaziland, dans le nord-ouest du pays. 24 000 hab. C'est le centre administratif et commercial d'un État essentiellement agricole.

6 1393 **méandre** n. m. Sinuosité du lit d'un fleuve, due à la faiblesse de la pente. Les méandres, qui sont plus fréquents dans le cours inférieur, se présentent généralement en série et tendent à migrer vers l'aval.

7 1483 **méat** n. m. ◇ 1. ANAT Orifice d'un conduit ; le méat urinaire est l'orifice externe de l'urètre. ◇ 2. BOT Espace, plus ou moins important, entre les cellules d'un tissu.

6 1406
14 3266 **mécanique** n. f. Science ayant pour objet l'étude des mouvements des corps et des forces qui produisent ces mouvements. ◇ Étude des machines, de leur construction et de leur fonctionnement. ◆ **mécanicien** n. m. Spécialiste en réglage et en réparation de moteurs, de machines. ◆ **mécanisation** n. f. Action d'introduire des machines pour faire un travail accompli jusque-là manuellement. ◆ **mécanisme** n. m. Ensemble de pièces, rouages, ressorts dont le mouvement produit un effet donné.

14 3330 **mécanographie** n. f. Utilisation de machines comportant des organes mécaniques pour effectuer des travaux comptables et administratifs : machines à calculer, machines pour classer ou pour trier des cartes perforées.

Mécène. Chevalier romain (v. 69-8 av. J.-C.). Ami d'Horace, de Virgile, il encouragea les arts et les lettres. ◆ **mécène** n. m. Riche protecteur des arts, lettres et sciences. ◆ **mécénat** n. m. Protection, aide accordée aux artistes.

mèche n. f. Petit cordon combustible destiné à être enflammé : mèche d'une bougie, d'un pétard. ◇ Outil en acier, placé au bout d'une perceuse, servant à percer le bois, le plâtre.

5 1011 **Mecque (La).** Ville d'Arabie Saoudite, dans l'ouest du pays, chef-lieu du Hedjaz. 367 000 hab. Patrie de Mahomet, la ville est la capitale religieuse de l'islam. Dans l'enceinte sacrée se trouve la Pierre noire, renfermée dans la Kaaba. Les musulmans doivent s'y rendre au moins une fois dans leur vie. La ville reçoit, chaque année, environ 1 million de pèlerins.

médaille n. f. Pièce de métal frappée ou fondue pour perpétuer le souvenir d'un homme éminent ou commémorer un événement marquant. ◇ Insigne donné en récompense. *Médaille militaire, de la Résistance*, etc. ◇ Petite pièce de métal que l'on porte sur soi, souvent en signe de dévotion. *Une médaille de saint Antoine.*

Méandres *tracés dans la jungle de Bornéo par le fleuve Mahakam.*

Dans un atelier de ***mécanique*** *automobile.*

Tout musulman doit en principe aller à ***La Mecque*** *une fois dans sa vie.*

Costume folklorique grec décoré de ***médailles.***

médecine n. f. Science ayant pour objet la conservation ou le rétablissement de la santé, altérée par la maladie, l'âge... Elle est exercée par les *médecins*, titulaires d'un diplôme de docteur en médecine. Elle comprend deux étapes : d'abord l'observation clinique, permettant de dresser la liste des symptômes en interrogeant et auscultant le malade et en pratiquant sur lui divers examens de manière à identifier la maladie ; la deuxième étape consiste en l'établissement d'un traitement. La médecine est une science complexe qui comprend plusieurs branches fondamentales : anatomie, histologie, physiologie, pharmacologie, etc., et qui se divise en spécialités selon l'organe soigné (cardiologie, urologie, neurologie, etc.) ou la technique utilisée (radiologie, anesthésie, etc.).

2 325
3 681
6 1423
7 1504
8 1752
8 1818
12 2670
13 2914
14 3154
14 3188
14 3236
14 3258

Mèdes (les). Peuple indo-européen installé en Iran au Xᵉ s. av. J.-C. Il renversa la domination assyrienne et constitua au VIIᵉ s. un puissant empire, qui s'étendit jusqu'en Asie Mineure et dont la capitale fut Ecbatane. Le Perse Cyrus II ruina l'Empire mède en 550 av. J.-C.

1 133

médiane n. f. Une médiane, dans un triangle, est la droite passant par un sommet et le milieu du côté opposé. Les 3 médianes se coupent en un point appelé *centre de gravité* du triangle.

médias n. m. pl. Ensemble des techniques de diffusion de masse de l'information (presse écrite, radio, télévision, cinéma, publicité), dont le support peut être le papier (presse) ou les moyens audiovisuels (télévision, cinéma).

4 925

médiation n. f. Action d'intervenir entre deux parties en litige pour parvenir à un accord amiable. ◆ **médiateur** n. m. Personne intervenant dans une médiation. ◇ Personnalité officiellement chargée de recevoir et d'examiner les plaintes déposées par les citoyens contre les abus de l'Administration.

médiatrice n. f. Ensemble des points du plan situés à égale distance de deux autres points A et B. C'est la droite qui est perpendiculaire au milieu du segment AB.

médicament n. m. Produit possédant des vertus curatives utilisé pour soigner ou prévenir une maladie. Il peut être synthétique ou naturel, être administré par piqûre, par voie orale (cachet, granulé, etc.), en pommade, etc.

8 1821
14 3155

Médicis. Famille de marchands et de banquiers qui domina la vie économique et politique de Florence du XVᵉ s. à 1737. *Cosme l'Ancien* (1389-1464) fut le premier Médicis à contrôler le pouvoir à Florence (1434) ; c'était aussi un mécène (Donatello, Brunelleschi, etc.). *Laurent* Iᵉʳ le Magnifique* (1449-1492), petit-fils de Cosme, lui succéda et se révéla un humaniste accompli. *Alexandre* (1510-1537), premier duc de Florence, fut assassiné par son cousin Lorenzino (Lorenzaccio). *Cosme Iᵉʳ* (1519-1574), premier grand-duc de Tos-

7 1628

cane (1569), conquit Lucques et Sienne. *Jean-Gaston* (1671-1737) fut le dernier Médicis à occuper le siège de grand-duc. ◇ La famille donna deux papes (Léon X, Clément VII) et deux reines de France (Catherine et Marie de Médicis).

Médicis (villa). Palais de Rome, sur le Pincio. Construite en 1544, elle héberge, depuis 1803, les pensionnaires de l'Académie de France.

médina n. f. Partie la plus ancienne d'une ville, en Afrique du Nord ; c'est aussi la ville musulmane, par opposition aux quartiers européanisés.

5 1012   **Médine.** Ville d'Arabie Saoudite (Hedjaz), à 350 km au nord-ouest de La Mecque. 198 000 hab. Deuxième ville sainte de l'islam, elle abrite le tombeau de Mahomet et de sa fille Fatima.

2 348   **médiques** (guerres). Conflits entre les Grecs et l'Empire perse qui entendait établir sa domination sur les Grecs d'Asie et d'Europe (490-479 av. J.-C.). ◇ Ces guerres se déroulèrent en trois phases : défaite des Perses à Marathon (490) ; ruine des Spartiates aux Thermopyles (480) ; victoires grecques à Salamine (480), Platées et Mycale (479).

10 2396   **Méditerranée** (la). Grande mer inté-
14 3144   rieure, communiquant avec l'Atlantique par le détroit de Gibraltar et située entre l'Afrique du Nord, l'Asie occidentale et l'Europe méridionale. Ses eaux sont tièdes, fortement salées, animées de faibles marées et peu poissonneuses. ◇ Centre du monde antique, elle perdit de son importance à la suite des grandes découvertes des XVe et XVIe s. Elle redevint une grande route maritime grâce à l'ouverture du canal de Suez (1869).

3 531   **méduse** n. f. Animal marin, translucide
5 1134   et gélatineux (ordre des cnidaires), formé d'une ombrelle portant sur sa périphérie des tentacules urticants.

meeting n. m. Réunion publique où l'on débat d'une question politique, sociale. ◇ Réunion, rencontre sportive. *Meeting aérien.*

6 1415   **mégalithe** n. m. Monument formé
14 3208   d'une ou plusieurs pierres brutes de grande taille. ◇ Les mégalithes (dolmens, menhirs) furent élevés, en Europe, à la fin du néolithique*. De beaux ensembles mégalithiques sont conservés à *Stonehenge* et à *Carnac.*

mégalomanie n. f. Surestimation de ses capacités, de sa puissance. ◇ Forme de délire dans laquelle le malade, ou *mégalomane,* manifeste un goût prononcé pour les réalisations grandioses.

1 12   **mégaptère** n. m. Cétacé long de 10 à 16 m, pesant jusqu'à 30 t, caractérisé par de longues nageoires pectorales et une bosse dorsale.

méhari n. m. Nom commun d'une race de dromadaires de selle (Afrique du

*Portrait de Cosme de **Médicis,** par Agnolo Bronzino (XVe s.).*

*Les **mégalithes** dressés de Stonehenge, dans le sud de l'Angleterre.*

*Village de pêcheurs sur les rives du **Mékong.***

*Dans la **mêlée,** les avants arc-boutés s'affrontent de toute leur puissance.*

Nord), légers, aux jambes longues et à l'allure rapide. Le *méhariste* est la personne qui monte un méhari.

Méhémet-Ali, homme d'État égyptien (1769-1849). Après avoir éliminé les mamelouks (1811), il fit reconnaître son pouvoir par Istanbul. Mais l'Angleterre freina son expansion (1840). Il est tenu pour le fondateur de l'Égypte moderne.   **10** 2358

Meiji (ère). Période de l'histoire du Japon (1867-1912), correspondant au règne de Meiji Tennō, *dit* Mutsu-Hito, marquée par la suppression du shōgunat, du régime féodal et par l'ouverture du pays à la civilisation occidentale.   **1** 202   **11** 2451

Meiji Tennō (*dit* Mutsu-Hito), empereur du Japon (1852-1912) qui ouvrit le pays aux modernisations. Durant son règne eurent lieu les guerres contre la Chine (1895) et la Russie (1904-1905) et l'annexion de la Corée (1910).   **11** 2451

méiose n. f. Mode de division de la cellule vivante affectant les cellules ayant des chromosomes identiques 2 à 2. La méiose conduit à la formation des cellules reproductrices contenant la moitié des chromosomes de la cellule initiale.   **8** 1730

Meir Golda (Golda MEYERSON, *dite*), femme d'État israélienne (1898-1978). Ministre dès 1949, elle fut Premier ministre de 1969 à sa démission, en 1974.

Mékong (le). Fleuve de la Chine du Sud-Ouest et de l'Indochine (4 180 km). Né au Tibet, il sépare la Birmanie puis la Thaïlande du Laos, draine le Kampuchéa et le Viêt-nam (vaste delta).   **8** 1713

Mélanésie (c'est-à-dire « îles des Noirs »). Partie de l'Océanie comprenant la Nouvelle-Guinée et les archipels occidentaux du Pacifique : l'archipel Bismarck, les îles Salomon, la Nouvelle-Calédonie, le Vanuatu, les Fidji, l'archipel de la Louisiade.   **7** 1609

mélanine n. f. Nom de divers pigments bruns qui colorent la peau, les cheveux et la choroïde de l'œil, très abondants chez les Noirs.   **1** 39   **4** 957   **13** 3020

Melbourne. Deuxième ville d'Australie (2 604 000 hab.), capitale de l'État de Victoria. Port actif et centre commercial important.   **2** 335

mêlée n. f. Phase de jeu du rugby dans laquelle les joueurs se regroupent autour du ballon, spontanément ou après un arrêt de jeu.   **6** 1226

mélèze n. m. Arbre conifère à feuilles caduques disposées en petits bouquets. Il atteint 35 à 40 m de haut et croît sur les versants sud des montagnes de l'Europe tempérée.   **1** 192   **5** 1066   **5** 1165

Méliès Georges, cinéaste français (1861-1938). Premier véritable metteur en scène de cinéma (env. 500 films, dont le *Voyage dans la Lune,* 1902), il inventa le truquage, les fondus, la surimpression et le studio.   **12** 2800

11 2499 mélisse n. f. Plante herbacée aromatique (famille des labiacées) dont les feuilles répandent une forte odeur de citron. On l'appelle communément citronnelle.

mélodie n. f. Succession de sons différents qui forment un air, une phrase musicale. ◇ Courte pièce pour voix avec accompagnement instrumental. *Une mélodie de Fauré.* ◇ Qualité de ce qui flatte l'oreille. *La mélodie d'un vers.*

mélodrame n. m. Drame populaire accumulant les situations exagérément dramatiques et les effets pathétiques. Né à la fin du XVIIIe s., le mélodrame fut très en vogue au XIXe siècle.

6 1290 melon n. m. Plante herbacée de la famille des cucurbitacées qui donne de gros fruits sphériques comestibles appelés melons. ◇ *Melon d'eau :* pastèque.

4 922 Melun (77000). Chef-lieu de la Seine-et-Marne, sur la Seine, au sud-est de Paris. 36 218 hab. *(Melunais).* Cité industrielle (mécanique aéronautique).

13 3037 Melville Herman, écrivain américain (1819-1891). Son chef-d'œuvre, *Moby Dick* (1851), est un roman qui peut être lu comme une histoire de chasse à la baleine ou comme une épopée à significations symboliques multiples.

3 526 membrane n. f. Structure mince et souple protégeant un organe, limitant une cavité, etc. La membrane plasmique autour de la cellule est formée de protéines et de lipides. ◇ *Membrane vivante :* mince feuille susceptible de vibrer sous l'effet d'une percussion ou d'un aimant.

membre n. m. ◇ 1. ANAT Appendice mobile, latéral, du tronc de l'Homme et des vertébrés, disposé par paire et servant à la locomotion et à la préhension. On distingue chez l'Homme les membres supérieurs et inférieurs, et chez les animaux tétrapodes les membres antérieurs et postérieurs (aile, patte). Certains vertébrés (serpents) sont dépourvus de membres. ◇ 2. SOC Chacun des éléments (personne, pays, etc.) composant un ensemble organisé. *Un membre de la famille.*

Memling ou **Memlinc** Hans, peintre flamand (v. 1433-1494). Si ses tableaux d'église reflètent l'influence de Van der Weyden, il se révèle plus personnel dans ses portraits.

12 2804 mémoire n. f. 1 – BIOL Activité biologique et psychique par laquelle l'esprit peut retenir des expériences vécues et des connaissances acquises antérieurement. *Avoir un trou de mémoire.*

5 1154 / 11 2594 mémoire n. f. 2 – TECH Dispositif servant à enregistrer, à stocker et à restituer des informations (chiffres, textes). Les ordinateurs, les machines à calculer sont munis de mémoires.

mémoire n. m. 3 – SOC Dissertation sur un sujet de science, d'érudition, que l'on

*Peinture sur bois de Hans **Memling**, maître flamand du XVe siècle.*

*Petit sphinx (4 m x 8 m) en albâtre de la XVIIIe dynastie, à **Memphis**.*

*Portrait de **Mendelssohn-Bartholdy** (aquarelle de J. W. Childe, 1829).*

présente devant un jury, une société savante. *Mémoire de maîtrise.* ◇ Écrit sommaire exposant l'essentiel d'une affaire, d'une requête.

Mémoires n. m. pl. Relation écrite d'événements dont l'auteur a été le témoin (*Mémoires* de Commynes*) ou l'acteur (*Mémoires* de Retz*).

mémorial n. m. Écrit rédigé dans le but de relater des faits remarquables dont on désire garder le souvenir. *Mémorial de Sainte-Hélène.*

Memphis. Capitale de l'Égypte pharaonique sous l'Ancien Empire, à 35 km au sud du Caire. Grand centre commercial jusqu'à la fondation d'Alexandrie, elle fut détruite par les Arabes. **1 180**

Memphis. Ville des États-Unis (Tennessee), port sur le Mississippi. 779 000 hab. Grand centre industriel. Haut lieu du jazz et du rock and roll. **1 63 / 14 3241**

ménagerie n. f. Lieu dans lequel on a rassemblé des animaux rares, soit pour les étudier, soit pour les montrer au public. *La ménagerie d'un jardin zoologique, d'un cirque.*

Ménandre, poète comique grec (IVe-IIIe s. av. J.-C.). Il a créé la comédie* de mœurs et de caractères *(l'Arbitrage),* que Plaute et Térence ont imitée. **13 2964**

Mende (48000). Chef-lieu du département de la Lozère, sur le Lot. 12 113 hab. *(Mendois).* ◇ Capitale du Gévaudan, elle fut saccagée lors des guerres de Religion. **5 1028**

Mendel Johann (en religion Gregor), biologiste et religieux autrichien (1822-1884). À partir de ses travaux sur l'hybridation végétale, il énonça les 3 lois fondamentales de la génétique, qui restèrent méconnues jusqu'en 1900. **8 1731 / 11 2445**

Mendeleïev Dmitri Ivanovitch, chimiste russe (1834-1907). Auteur, en 1869, d'une *classification périodique* des 65 éléments chimiques alors connus, qui inaugura une ère nouvelle dans la chimie. La classification actuelle, en lignes et colonnes, s'effectue selon le numéro atomique des éléments. **2 256 / 11 2445 / 13 2956**

Mendelssohn-Bartholdy Felix, compositeur allemand (1809-1847). Son œuvre participe à la fois du classicisme et du romantisme : *le Songe d'une nuit d'été* (1826, ouverture contenant la fameuse *Marche nuptiale*), *Symphonie italienne* (1833), *Concerto pour violon* (1844), etc. **11 2570**

Mendès France Pierre, homme politique français (1907-1982). Président du Conseil (1954-1955), il mit fin à la guerre d'Indochine et accorda l'autonomie à la Tunisie. Il s'opposa à de Gaulle en 1958. **12 2656 / 13 3099**

ménestrel n. m. Au Moyen Âge, musicien s'accompagnant d'un instrument et interprétant poèmes, airs à danser et chansons dans les fêtes villageoises. **2 407**

1 135
14 3208

menhir n. m. Monument mégalithique, en pierre brute ou grossièrement travaillée, enfoncé à la verticale dans le sol. Les menhirs, qui remontent au néolithique* (IIIᵉ millénaire av. J.-C.), sont soit dressés isolément, soit rangés en lignes parallèles (alignements de *Carnac**), soit disposés en cercles concentriques (*Stonehenge,* en Angleterre).

6 1313

méninge n. f. Chacune des 3 membranes entourant le cerveau et la moelle épinière. On distingue la *pie-mère* nourricière collée au tissu nerveux, l'*arachnoïde* spongieuse contenant du liquide à rôle amortisseur et la *dure-mère* fibreuse collée à la boîte crânienne.

ménisque n. m. Formation cartilagineuse présente dans certaines articulations et qui assure un parfait contact entre les surfaces articulaires. *Le ménisque du genou.*

1 226
9 2136

ménopause n. f. Arrêt de fonctionnement de l'ovaire chez la femme, entraînant la disparition des règles et s'accompagnant d'une régression des caractères sexuels. Elle a généralement lieu entre 45 et 55 ans.

Menotti Gian Carlo, compositeur italien (né en 1911). Ses opéras (*le Médium,* 1946 ; *le Téléphone,* 1947) sont d'inspiration réaliste.

9 2136
11 2493

menstruation n. f. Chute périodique de la muqueuse utérine provoquant un écoulement sanguin (*menstrues* ou *règles*) par le vagin chez les femelles mammifères. Chez la femme, les règles mensuelles qui durent de 3 à 5 jours apparaissent à la puberté* et disparaissent à la ménopause*.

mensuel n. m. Publication qui paraît tous les mois. *Revue bimensuelle :* qui paraît 2 fois par mois. (Voir journal.) ◇ Employé payé au mois. ◆ **mensualisation** n. f. Paiement au mois de salaires précédemment payés à l'heure. ◆ **mensualité** n. f. Somme payée ou reçue chaque mois.

11 2499

menthe n. f. Plante herbacée, aux fleurs roses ou blanches, courante dans les lieux humides (famille des labiacées). La menthe poivrée, riche en menthol, est utilisée en infusion ou pour aromatiser les liqueurs, les bonbons...

menuet n. m. Ancienne danse à trois temps (XVIIᵉ et XVIIIᵉ s.). ◇ Morceau à trois temps qui suit l'adagio ou l'andante d'une symphonie, d'une sonate...

Menuhin Yehudi, violoniste américain (né en 1916). Virtuose de réputation mondiale, il excelle dans l'interprétation de Bach, Beethoven, Paganini, Mendelssohn et Bartók.

5 1164

menuiserie n. f. Art de la fabrication d'ouvrages en bois (cloisons, portes, fenêtres, placards, étagères, parquets) ou de meubles en bois courant (chaises, tabourets...). ◆ **menuisier** n. m. Artisan spécialisé en menuiserie.

Quelques-uns des 2 500 **menhirs** qui font la célébrité de Carnac (Morbihan).

Les feuilles de **menthe** sont utilisées en parfumerie et en pharmacie.

Artisan au travail dans un atelier traditionnel de **menuiserie.**

Eddy **Merckx** a l'un des plus beaux palmarès de l'histoire du cyclisme.

mer n. f. Vaste étendue d'eau salée. La mer se distingue d'un océan par sa moindre surface, des plates-formes continentales plus développées, des fonds abyssaux moins profonds. Une mer bordière communique avec l'océan voisin par un passage assez large et connaît les mêmes marées *(mer du Nord).* La mer continentale, plus enserrée par les continents, communique par un détroit avec l'océan *(mer Méditerranée).* Une mer fermée est un immense lac salé, au milieu d'un continent *(mer Caspienne).* Le degré de salinité des mers est plus diversifié que celui des océans.

2 246
5 966
8 1856
14 3144

Mercator Gerard (Gerhard KREMER, dit), mathématicien et géographe flamand (1512-1594). Auteur de la première carte du monde, il inventa un système de projection dans lequel les longitudes et les latitudes sont représentées par des droites parallèles équidistantes.

3 629

mercenaire n. m. Soldat étranger à la solde d'un État. ◇ Du XIVᵉ au XVIIIᵉ s., les mercenaires, souvent d'origine génoise ou suisse, formaient les troupes d'élite des armées européennes.

Merckx Eddy, coureur cycliste belge (né en 1945). Cinq fois vainqueur du Tour de France, champion du monde, il possède le plus riche palmarès du cyclisme.

3 697

Mercure. Planète la plus proche du Soleil. Dix-huit fois plus petite que la Terre ; sa masse est 18 fois plus faible. Son relief ressemble à celui de la Lune et de Mars (cratères, plaines...).

1 101
6 1440

Mercure. Dieu romain, souvent représenté avec des ailes aux pieds, protecteur des commerçants et des voyageurs. Assimilé à l'Hermès grec.

14 3182

mercure n. m. Métal liquide gris argenté assez lourd (densité 13,6), de symbole *Hg.* Il est employé dans de nombreux appareils : baromètres, thermomètres, manomètres, contacts électriques... Avec les autres métaux, il forme des alliages appelés *amalgames**. Le mercure (notamment sa vapeur) et ses composés sont très toxiques.

12 2852

mère n. f. Femme qui a donné naissance à un ou plusieurs enfants. Le rôle de la mère a évolué avec celui de la femme, la mère partageant de plus en plus avec le père l'éducation des enfants. ◇ Femme à l'origine d'une lignée. ◇ Femelle d'un animal qui a eu des petits. ◇ Supérieure d'un couvent. ◆ **grand-mère** n. f. Mère de la mère ou du père de quelqu'un.

5 1161

méridien n. m. ◇ 1. GÉO Demi-cercle de la Terre passant par les pôles. Le méridien zéro, à partir duquel on mesure les longitudes*, passe par l'ancien observatoire de Greenwich*. ◇ 2. ASTR Demi-cercle de la sphère céleste passant par les pôles. Une *lunette méridienne* permet d'observer les astres dans le plan méridien. ◇ 3. PHYS Le méridien magnétique est le plan qui passe par le centre de la Terre et la direction d'une aiguille

12 2855

aimantée. ◇ 4. MATH Section d'une surface de révolution par un plan passant par son axe.

13 2941 **Mérimée** Prosper, écrivain français (1803-1870). Il est l'auteur de *Colomba* (1840), *Carmen* (1845), etc., nouvelles dont on admire la simplicité et la clarté du style. Sa célèbre dictée accumule les pièges orthographiques.

2 334 **mérinos** n. m. Race de mouton très estimée que l'on élève pour sa laine longue et fine. ◇ *Laine de mérinos* : étoffe faite avec cette laine.

merisier n. m. Cerisier sauvage poussant dans les forêts des zones tempérées. Son bois dur, à grain fin, est recherché pour l'ébénisterie.

merlan n. m. Poisson comestible, allongé, mou, sans barbillons, qui vit le long des côtes européennes (famille des gadidés). Sa pêche se fait au chalut*.

2 244 **merle** n. m. Oiseau passereau, proche de la grive, à plumage sombre (brunroux chez la femelle, noir chez le mâle) et au bec jaune (famille des turdidés). Il est commun dans les bois, les parcs...

merlu → colin

Mermoz Jean, aviateur français (1901-1936). Il établit en 1930 la première liaison postale aérienne au-dessus de l'Atlantique Sud. Il disparut au cours d'une liaison régulière, à bord de l'hydravion *Croix-du-Sud*.

5 969
8 1858 **mérou** n. m. Poisson carnassier des mers chaudes, à grosse tête et à chair estimée (famille des serranidés). L'espèce la plus grande (3,60 m) pèse 500 kg.

Mérovée, roi des Francs Saliens (entre 448 et 457 ?). Il participa à la victoire des *champs Catalauniques* (451) sur Attila. Il donna son nom à la dynastie des Mérovingiens.

5 1058
5 1108
13 2968 **Mérovingiens**. Première dynastie des rois francs descendants de Mérovée, dont Clovis, le petit-fils, fut le véritable fondateur. À sa mort, en 511, le royaume franc comprenait l'Austrasie, l'Aquitaine, la Bourgogne et la Neustrie, mais il fut partagé. Dagobert Ier le réunifia de nouveau. Cependant, le pouvoir réel échappa petit à petit aux souverains *(rois fainéants)* au profit des maires du palais, dont le célèbre Charles Martel. Ce fut le fils de ce dernier, Pépin le Bref, qui déposa le dernier Mérovingien, Childéric III (751).

Mers el-Kébir. Port d'Algérie, sur le golfe d'Oran. 14 000 hab. ◇ Le 3 juillet 1940, l'escadre française y fut coulée par la flotte anglaise (1 300 morts), l'amiral français ayant refusé l'alternative anglaise face aux Allemands.

Merveilles du monde (les Sept). Liste des sept ouvrages les plus remarquables de l'Antiquité et cités par le Grec Strabon dans sa *Géographie* : les pyramides

*Chassés sans discernement, les **mérous** sont devenus rares.*

*Bijou **mérovingien** (VIIe s.) en or et pierreries.*

*Chaque jour, la **mésange** engloutit son propre poids d'insectes.*

*Somptueuse parure provenant d'Ur, en **Mésopotamie**.*

de Gizeh en Égypte (toujours existantes), la statue de Zeus Olympien faite par Phidias (Grèce), les jardins suspendus de Sémiramis à Babylone, le temple d'Artémis à Éphèse, le tombeau de Mausole à Halicarnasse, le colosse de Rhodes et le phare d'Alexandrie.

mésange n. f. Oiseau passériforme insectivore, au plumage coloré (famille des paridés). Les diverses espèces, utiles à l'agriculture, sont protégées. **7** 1563

Meseta (la). Nom donné en Espagne au socle ancien occupant le centre du pays. Ce terme désigne aussi les plateaux du Maroc à l'ouest du Moyen Atlas où affleure le socle granitique et schisteux.

Mesmer Franz Anton, médecin allemand (1734-1815). Auteur de la doctrine du magnétisme animal. Il prétendait guérir toutes les maladies grâce à son « baquet magnétique ».

mésocarpe n. m. Partie médiane d'un fruit, entre l'épiderme et le noyau ou les graines. Ainsi, *le mésocarpe des drupes* et des baies est charnu. **1** 218

mésolithique n. m. Période de la préhistoire. Elle débuta vers 10000 av. J.-C. et s'acheva vers 5000 ou 4000 av. J.-C. La cueillette, la pêche et la chasse en étaient les ressources essentielles. Amélioration de la technique de la pierre taillée. Débuts du commerce.

méson n. m. Particule de matière, de masse et de charge variées et de durée de vie très brève. Ainsi, on connaît les mésons Pi ou pions (symbole π), les mésons Ka ou kaons (symbole K)...

Mésopotamie (du grec *mésos*, « au milieu », et *potamos*, « fleuve »). Région d'Asie occidentale, entre le Tigre et l'Euphrate. Elle constitue aujourd'hui la plus grande partie de l'Iraq. ◇ Durant l'Antiquité, en raison de sa fertilité et de sa situation au carrefour de routes menant en Asie, en Afrique et en Europe, elle connut de brillantes civilisations : Sumer* et Akkad* (IVe-IIIe millénaire), Babylone* (XVIIIe-XVIe s. av. J.-C.), Assyrie* (XIIe-VIIe s. av. J.-C.), la civilisation néobabylonienne (VIIe-VIe s. av. J.-C.). Puis elle subit diverses dominations, fut organisée en province romaine sous Trajan (117 ap. J.-C.) avant d'être conquise par les Arabes (en 637 de notre ère). C'est en Mésopotamie qu'apparurent, au milieu du IVe millénaire, les premiers documents écrits. **1** 126 **2** 325 **2** 392 **5** 1078 **11** 2460

mésosphère n. f. Région de l'atmosphère terrestre comprise entre 30 et 85 km d'altitude. Elle est située entre la stratosphère* et la thermosphère. **11** 2565

mésozoïque n. m. Ère géologique qui correspond à l'ère secondaire groupant le jurassique et le crétacé. Les mammifères sont apparus à cette époque.

Messager André, chef d'orchestre et compositeur français (1853-1929). Ses opérettes valent par le charme de leurs lignes mélodiques : *la Basoche* (1890), *Véronique* (1898), *Fortunio* (1907)...

messagerie n. f. Service de transport de voyageurs, de marchandises et de messages par voitures partant à jours fixes. Bureaux d'un tel service. *Les Nouvelles Messageries de la presse parisienne.*

messe n. f. Cérémonie rituelle du culte catholique, célébrée par le prêtre qui offre à Dieu, au nom de l'Église, le corps et le sang du Christ sous les espèces du pain et du vin. Depuis le concile Vatican II, l'Église de Rome a rénové la liturgie de la messe dans une volonté de simplification et de participation collective des fidèles.

Messerschmitt Willy, ingénieur et industriel allemand (1898-1978). Il construisit des avions de chasse qui furent utilisés pendant la guerre de 1939-1945. Le plus célèbre d'entre eux est le *Messerschmitt 109,* un monomoteur à hélice. Le premier avion à réaction, le *Messerschmitt 262,* fut construit en 1938 et utilisé à partir de 1944.

Messiaen Olivier, compositeur français (né en 1908). Sa foi de chrétien (*l'Ascension,* 1934), la nature (*le Réveil des oiseaux,* 1953) et l'Orient sont les sources de son inspiration.

2 251
4 796
12 2642
14 3275

Messie (le). Envoyé de Dieu pour établir le règne d'Israël (judaïsme). ◇ Sauveur appelé Christ et envoyé pour racheter les Hommes de leurs péchés (christianisme). ◆ **messianisme** n. m. Croyance en un sauveur envoyé par Dieu.

10 2245

Messine. Ville d'Italie, sur la côte nord-est de la Sicile et sur le détroit de Messine (qui sépare l'Italie de la Sicile). 267 000 hab. ◇ Tremblement de terre meurtrier en 1908.

1 156
2 269
2 311
5 1090
11 2422
12 2755
14 3296

mesure n. f. ◇ 1. MATH Évaluation d'une quantité par comparaison à une quantité donnée de même espèce prise comme unité. ◇ Nombre servant à cette évaluation. ◇ 2. MUS Division de la durée en parties égales représentées par deux barres de mesure. Le nombre de temps dans une mesure est indiqué en début de morceau. ◇ *Bureau international des poids et mesures :* bureau, situé à Sèvres (France), où sont entreposés les étalons des unités de mesure.

3 688
4 742

métabolisme n. m. Réactions biochimiques qui se déroulent dans une cellule, un organe... Les réactions anaboliques correspondent à la synthèse de substances ; les réactions cataboliques détruisent des substances pour récupérer de l'énergie chimique.

2 328

métacarpe n. m. Partie du squelette de la main située entre le carpe (poignet) et les doigts. ◆ **métacarpien** n. m. Chacun des cinq os formant le métacarpe.

métairie n. f. Domaine rural exploité par un métayer selon le système du

*La **messe** est le rite principal de la religion catholique.*

*Vue du port de **Messine** et du détroit.*

*À l'intérieur d'une grande entreprise française de **métallurgie** (Usinor).*

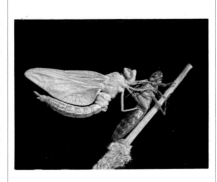
*Ultime **métamorphose** d'un insecte quittant sa nymphe.*

métayage consistant à payer le propriétaire en nature (1/3 de la production).

métal n. m. Corps simple, caractérisé par son éclat dit « métallique » et par son aptitude à transmettre la chaleur et le courant électrique. Il existe des métaux précieux, inaltérables (or, argent, platine), et des métaux natifs ou vierges (fer, cuivre...) que l'on trouve à l'état pur dans la nature. Ces derniers sont déformables (tôle, fil) et s'oxydent généralement à l'air (rouille). Les métaux ont une grande importance industrielle. ◆ **métallographie** n. f. Étude de la structure des différents métaux et alliages.

1 106
10 2222
12 2850

métalloïde n. m. Ancien nom remplacé actuellement par *non-métal.* Désigne un élément chimique qui n'a pas les propriétés d'un métal. Les non-métaux se rencontrent à l'état gazeux (oxygène, chlore...), liquide (brome) ou solide (soufre, phosphore...).

12 2850

métallurgie n. f. Ensemble des techniques utilisées pour extraire les métaux de leurs minerais, pour les affiner et pour les transformer en un produit fini commercialisable : fil, tôle, rail, etc. Ensemble des usines qui effectuent ces opérations. ◇ Extraire les métaux de leurs minerais et les affiner signifie les débarrasser de leurs impuretés par fusion ou par électrolyse. Le métal affiné est alors coulé dans des moules, ou mis en forme par forgeage au marteau-pilon ou écrasement entre les cylindres d'un laminoir. L'origine de la métallurgie remonte à environ 10 000 ans, date où elle est apparue en Chaldée. ◆ **métallurgiste** n. m. Spécialiste de la métallurgie. Ouvrier qui travaille dans la métallurgie. ◆ **sidérurgie** n. f. Métallurgie du fer.

1 106
6 1260
8 1848

métamorphisme n. m. Profondes transformations que subit une roche lorsqu'elle est soumise à des conditions de température et de pression différentes de celles de sa formation. Ainsi, l'intrusion d'une roche magmatique transforme les roches environnantes en les cristallisant ; le métamorphisme est également lié à l'orogenèse*.

métamorphose n. f. Ensemble des transformations qui permettent à une larve* de devenir un adulte. La métamorphose marque l'acquisition de la fonction de reproduction et correspond à un changement de mode et de milieu de vie *(le têtard aquatique et herbivore devient une grenouille amphibie et insectivore).* La morphologie peut être modifiée *(un ver blanc devient un hanneton).* En effet, la métamorphose met en jeu des phénomènes de destruction de tissus avec mise en place de nouveaux organes, spécifiques de l'adulte, par des cellules restées à l'état embryonnaire.

1 194
2 445
3 589
4 753
7 1489

métaphore n. f. Procédé de langage servant à désigner quelque chose par un mot ou une expression qui implique une comparaison sous-entendue. *L'aile du château. Un bras de mer.*

métaphysique n. f. Recherche philosophique du principe premier des choses. Ensemble des raisonnements abstraits, des spéculations sur des questions (la vérité, Dieu...) qui dépassent les sciences tout en étant à leur fondement.

métastase n. f. Foyer secondaire d'une maladie infectieuse ou cancéreuse, localisée à distance de la lésion initiale. Les métastases se répandent par voie sanguine ou par voie lymphatique.

2 328 **métatarse** n. m. Partie du squelette du pied située entre le tarse (cheville) et les orteils. ◆ **métatarsien** n. m. Chacun des cinq os formant le métatarse.

5 1135 **métazoaires** n. m. pl. Groupe des organismes animaux pluricellulaires (formés de plusieurs cellules), par opposition aux animaux unicellulaires (ayant une seule cellule) ou protozoaires*.

Metchnikoff Élie, microbiologiste russe (1845-1916). Disciple de Pasteur, sous-directeur de l'Institut Pasteur à Paris, il découvrit le processus de la phagocytose (1884). Prix Nobel (1908).

métempsycose n. f. Déplacement de l'âme d'un corps dans un autre corps, après la mort. Le brahmanisme repose sur cette croyance en la métempsycose.

1 100 **météore** n. m. Tout phénomène visible dans l'atmosphère terrestre : arc-en-ciel, éclair... ◆ **météorite** n. f. Fragment solide provenant de l'espace et animé d'une grande vitesse, qui s'échauffe en donnant une trace lumineuse (étoile filante ou météore) et qui tombe sur la Terre ou sur une autre planète.

3 544
9 2086
12 2762
14 3316
météorologie n. f. Étude scientifique des phénomènes atmosphériques, et plus particulièrement du climat à la surface de la Terre. Son but principal est la prévision du temps, à brève échéance, par étude de la pression atmosphérique, de la température, de l'humidité, des vents... ◆ **météorologue** ou **météorologiste** n. m. ou f. Personne qui s'occupe de météorologie.

1 43
5 1123
6 1410
8 1806
10 2273
méthane n. m. Gaz incolore de formule CH_4, assez abondant dans la nature : gaz naturel, gaz des marais, grisou des mines de houille... Il est utilisé comme combustible et comme produit de base pour la préparation de nombreuses substances organiques.

méthode n. f. Ensemble de procédés utilisés pour arriver à un résultat : *méthode de fabrication* d'un produit, *méthode d'enseignement* d'une langue. ◇ Qualité d'esprit consistant à organiser son travail avec ordre et logique. ◆ **méthodologie** n. f. Partie de la logique qui étudie les méthodes utilisées en chimie, en mathématiques...

méthyle n. m. Radical dérivé du méthane. Formule CH_3. Se trouve dans la formule de nombreux composés organiques : propane ($CH_3CH_2CH_3$),

*Appareils de mesure dans une station de **météorologie**.*

*Immense raffinerie de **méthane** et méthaniers géants aux Antilles.*

*Les tapis persans sont tissés sur des **métiers** de haute lisse.*

*Le réseau urbain du **métro** parisien s'étend sur 190 km, avec 358 stations.*

alcool (CH_3CH_2OH)... ◆ **méthylène** n. m. Radical de formule CH_2. Le *bleu de méthylène*, colorant bleu, est aussi désinfectant.

métier n. m. Occupation manuelle ou mécanique qui permet de gagner sa vie. *Le métier de menuisier. Corps de métier.* ◇ Profession quelconque, considérée par rapport au genre de travail qu'elle exige. *Écrivain qui connaît son métier. Un métier dangereux. Un homme de métier* (un professionnel, un spécialiste). ◇ Savoir-faire, habileté acquise dans l'exercice d'une profession. *Cet acteur a du métier.*

1 75
4 850
9 2097
14 3330
métier à tisser n. m. Machine servant à fabriquer les tissus et qui date du XVIIIe s. ◇ *Métier à broder :* châssis sur lequel on tend un ouvrage de couture.

9 2005 **métis** n. m. Personne dont les parents sont de races différentes. Ainsi, les *Eurasiens* (race blanche et race jaune) et les *mulâtres* (race noire et race blanche) sont des métis.

2 441 **métope** n. f. Dalle à surface sculptée séparant les triglyphes (groupe de deux cannelures et de deux demi-cannelures) d'une frise dorique.

métrage n. m. Longueur en mètres d'un film : long métrage (film dont la longueur moyenne varie entre 2 400 et 3 000 m pour une durée de projection supérieure à une heure vingt), moyen métrage, court métrage. *La plupart des films documentaires sont des courts métrages.*

1 158
12 2754
mètre n. m. Unité de longueur du système international d'unités. Symbole *m.* Le mètre était la dix millionième partie du quart du méridien terrestre dont le prototype en platine irridié est déposé au Bureau des poids et mesures du pavillon de Breteuil, à Sèvres (France). Aujourd'hui le mètre est la longueur égale à 1 650 763,73 longueurs d'onde dans le vide d'une certaine radiation du spectre du krypton (définition légale depuis 1961). Les sous-multiples du mètre sont : le décimètre *(dm)*, le centimètre *(cm)*, le millimètre *(mm)*. Les multiples : le décamètre *(dam)*, l'hectomètre *(hm)* et le kilomètre *(km)*. ◇ Objet servant à mesurer la longueur d'un mètre. ◇ *Système métrique :* ensemble, système des mesures de longueur, surface, volume ayant pour base le mètre.

1 238
5 1185
9 1980
métro n. m. (abréviation de *métropolitain*). Chemin de fer urbain partiellement ou totalement souterrain. Le métro parisien (1re ligne, Maillot-Vincennes, inaugurée en 1900), géré par la RATP, comprend le réseau urbain (15 lignes, 190 km, environ 358 stations) et le réseau régional (RER) desservant la banlieue. Il est équipé de véhicules sur pneus fonctionnant à l'électricité et peut transporter aux heures de pointe jusqu'à 400 000 voyageurs à l'heure sur le réseau urbain. Lyon, Marseille et Lille disposent maintenant d'un métro.

métronome n. m. Appareil muni d'un balancier qui bat la mesure, lorsque l'on chante ou lorsque l'on joue d'un instrument de musique.

métropole n. m. En grec *cité mère*. État d'origine des colonisateurs pour une colonie. ◊ Ville jouant le rôle de capitale régionale. En France, plusieurs métropoles d'équilibre limitent l'influence de Paris : Lyon, Marseille...

10 2260 **Metternich-Winneburg** Klemens (*prince* DE), homme d'État autrichien (1773-1859). À la tête de la diplomatie autrichienne, il fut l'artisan de l'Europe conservatrice issue du congrès de Vienne (1815). Il resta chancelier jusqu'à la révolution de 1848.

3 490 **metteur en scène** n. m. Personne qui, chargée de monter une œuvre théâtrale, fait répéter les acteurs, règle leur jeu... ◊ Cinéaste qui dirige l'ensemble des opérations artistiques et techniques du tournage d'un film.

8 1704 **Metz** (57000). Chef-lieu du département de la Moselle et de la région Lorraine, sur la Moselle. 118 502 hab. (*Messins*). Centre industriel. ◊ Importante cité gallo-romaine, mérovingienne (capitale de l'Austrasie) et carolingienne. Cathédrale (XIIIe-XVIe s.).

9 1999 **meuble** n. m. Objet pouvant être déplacé servant à l'usage ou à la décoration d'un local, d'un lieu d'habitation. *Meubles de style, de bureau, de jardin. Meubles de bois, de plastique, de métal.* ◆ **mobilier** n. m. Ensemble des meubles d'un appartement, d'une maison... ◊ *Mobilier urbain :* ensemble des équipements (bancs publics, lampadaires, kiosques, etc.) installés dans les rues.

6 1256 **meule** n. f. Pièce massive qui sert à broyer, à moudre. ◊ Disque tournant en matière abrasive pour aiguiser, polir, rectifier.

8 1700 **Meurthe** (la). Rivière de France, affluent rive droite de la Moselle ; 170 km. Née dans les Vosges, elle traverse Nancy.

8 1700 **Meurthe-et-Moselle** (54). Département français de la région Lorraine. 5 241 km² ; 716 846 hab. Chef-lieu : Nancy. Sous-préfectures : Briey, Lunéville, Toul. Au sud, le plateau lorrain est voué à l'élevage, la Woëvre à la forêt et aux céréales. Au nord, les côtes de Moselle recèlent des gisements de fer (bassins de Briey et Longwy) sur lesquels s'est installée une importante sidérurgie qui, actuellement, connaît une très grave récession.

8 1700 **Meuse** (la). Fleuve de France, de Belgique et des Pays-Bas ; 950 km. Né au pied du plateau de Langres. Delta mêlé à celui du Rhin. Voie navigable.

8 1700 **Meuse** (55). Département français de la région Lorraine. 6 220 km² ; 200 101 hab. Chef-lieu : Bar-le-Duc. Sous-préfectures :

Le **metteur en scène** Ariane Mnouchkine et sa troupe du Théâtre du Soleil.

Le centre industriel de Bogny, dans la vallée de la **Meuse**.

La cathédrale (XVIe s.) et le Sagrario (XVIIIe s.), au centre de **Mexico**.

Le **Mexique**.

Commercy, Verdun. Ce département de la partie orientale du Bassin parisien est formé de plateaux calcaires (souvent forestiers) entaillés par des vallées. Élevage bovin (lait et viande) dans l'Argonne et le Barrois. Le secteur industriel (alimentation, métallurgie de transformation) est peu développé, comme le secteur tertiaire, ce qui explique la faible densité de la population et son exode.

Mexico. Capitale du Mexique, sur le plateau central, à 2 250 m d'altitude. 8 628 000 hab. (12 millions pour l'agglomération). Premier centre industriel du pays. L'afflux des ruraux explique l'importance des bidonvilles. ◊ Ville fondée par les Aztèques en 1325, détruite par Cortés en 1521.

5 981
8 1725
14 3216

Mexique (États unis mexicains). État fédéral (république) d'Amérique latine.

5 980
8 1811
8 1899
12 2690
14 3216

superficie :	1 912 547 km²
population :	71 910 000 hab. (*Mexicains*)
capitale :	Mexico
monnaie :	le peso mexicain
code international :	MEX

État montagneux : les deux sierras Madre enserrent de hauts plateaux (1 000 m) et se rejoignent dans le Sud où des volcans dominent des bassins intérieurs élevés. Climat tropical, aride au nord, humide au sud, tempéré par l'altitude dans les bassins intérieurs où se regroupe la majorité de la population (80 % d'Indiens ou métis). Croissance démographique très forte (3,5 %). ◊ La première culture est le maïs ; pour l'exportation, le café et le coton. La balance agricole est excédentaire. Mais la grande richesse est le pétrole, découvert en 1973 dans le golfe de Campeche. Les réserves en gaz naturel (Reynosa) sont considérables. Grâce à ces hydrocarbures, la production industrielle connaît une croissance spectaculaire. ◊ Vainqueurs des Aztèques* après 1519, les Espagnols colonisèrent le pays, indépendant en 1821. Le XIXe et le début du XXe s. furent marqués par des conflits internes (politiques, sociaux, religieux) et externes avec les États-Unis qui annexèrent le Texas, la haute Californie, le Nouveau-Mexique entre 1845 et 1848. La dictature de Porfirio Díaz (1876-1911) provoqua une guerre civile dont sortit le régime actuel : socialisant (réforme agraire, nationalisations), anticlérical, à la fois démocratique et autoritaire (parti unique, le parti révolutionnaire institutionnel accueille des tendances fort diverses).

Mexique (golfe du). Mer bordière de l'Atlantique, entre les États-Unis, le Mexique et Cuba. 1 544 000 km². Le Gulf Stream y prend naissance.

5 983

Meyerbeer Giacomo (Jakob Liebmann BEER, *dit*), compositeur allemand (1791-1864). Il est l'auteur d'opéras romantiques : *les Huguenots* (1836), *le Prophète* (1849), *l'Africaine* (1865)...

10 2252 **Mezzogiorno** (le). Partie méridionale de l'Italie, au sud de Rome. Par opposition à la partie septentrionale, le Mezzogiorno se définit par un état de relatif sous-développement, héritage de siècles de domination étrangère.

mica n. m. Minéral formé de silicate d'aluminium et de potassium. Il a une structure feuilletée, un éclat métallique et résiste à la chaleur. ◆ **micaschiste** n. m. Roche métamorphisée, feuilletée, riche en mica et en quartz.

mi-carême n. f. Jeudi de la troisième semaine du Carême. Les réjouissances de ce jour interviennent au milieu des 40 jours de jeûne du carême chrétien.

Michaux Henri, poète et peintre français d'origine belge (1899-1984). Son œuvre est une interrogation à la fois drôle et angoissée sur l'« aventure d'être en vie » : *Plume* (1937)...

Michel Louise, anarchiste française (1830-1905). Elle prit part à la Commune de Paris, ce qui entraîna sa déportation en Nouvelle-Calédonie de 1873 à 1880. Elle écrivit des *Mémoires*.

Michel VIII Paléologue, empereur byzantin (1224-1282). Il reprit Constantinople aux Latins (1261), restaurant l'Empire byzantin, qu'il consolida en Occident ; il fut à l'origine des Vêpres siciliennes* (1282).

Michel Ier**,** roi de Roumanie (né en 1921). Roi de 1927 à 1930 puis de 1940 à 1947, date où les communistes le contraignirent à abdiquer.

Michel III Fiodorovitch, tsar de Russie (1596-1645). Premier tsar de la dynastie des Romanov, il fut élu en 1613 par les états généraux (le *zemski sobor*).

7 1525
13 2892 **Michel-Ange** (Michelangelo BUONARROTI, *dit*), sculpteur, peintre, architecte et poète italien (1475-1564). Créateur de génie, animé par l'idéal de la sculpture antique (*David*, 1501-1504), il atteint au sublime avec les statues de *Moïse* (1516) et des *Esclaves* (1515-1516). Ses célèbres fresques de la chapelle Sixtine (la *Création*, 1508-1512 ; *le Jugement dernier*, 1536-1541) sont d'une puissance dramatique stupéfiante.

14 3224 **Michelet** Jules, historien français (1798-1874). Professeur au Collège de France (1838) : ses cours furent des manifestes pour le libéralisme et contre le cléricalisme. Il publia une *Histoire de France*, une *Histoire de la Révolution française*...

4 802 **Michelin** (frères), industriels français. André (1853-1931) créa un guide de tourisme et des cartes routières qui portent son nom. Édouard (1859-1940) inventa en 1895 le premier pneu démontable pour automobiles.

1 61 **Michigan.** État des États-Unis, sur les Grands Lacs. 150 780 km² ; 8 875 000 hab. Capitale : Lansing. Ville principale :

*Les grandes lames de **mica** étaient jadis utilisées comme vitres.*

*Détail du Jugement dernier de **Michel-Ange** (chapelle Sixtine).*

Mickey magicien *(1937).*

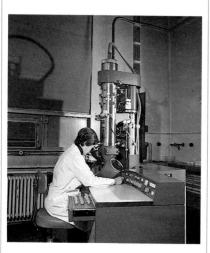

*L'industrie et la médecine utilisent des **microscopes** électroniques.*

Detroit. Plateaux et plaines, voués surtout à l'élevage laitier. Fer. Les industries (automobiles) prédominent.

Michigan (lac). Un des Grands Lacs américains (57 994 km²), relié au lac Huron par le détroit de Mackinac. Longueur : 516 km ; largeur maximale 200 km. **10** 2231

Mickey Mouse. Personnage de dessins animés créé par Walt Disney en 1928 et mis en bande dessinée dès 1930. C'est une souris ayant forme humaine, pétulante et malicieuse. **10** 2294

Mickiewicz Adam, poète, dramaturge et militant politique polonais (1798-1855). Il fut le chantre de l'indépendance nationale :*Ode à la jeunesse* (1820).

microbe n. m. Nom courant de tout être vivant microscopique. La *microbiologie* étudie bactéries et champignons inférieurs (levures, moisissures...) à l'exclusion des virus et protozoaires. Le terme de microbe concerne le plus souvent des *micro-organismes pathogènes.* **5** 1149
13 3064

microcosme n. m. Monde en réduction. ◇ Nom donné par certains philosophes à l'Homme, au corps humain considéré comme l'abrégé de la création. ◆ **macrocosme** n. m. L'Univers par opposition au microcosme.

micron n. m. Ancienne unité de longueur valant un millionième de mètre. Symbole μ (lettre *mu* de l'alphabet grec). Remplacé par le micromètre (symbole : μm). **1** 159

Micronésie («petites îles»). Ensemble d'îles du Pacifique, entre l'Indonésie et les Philippines, la Mélanésie et la Polynésie. Principaux archipels : les Mariannes, les Carolines, les Marshall, Kiribati et Tuvalu (ex-îles Gilbert et Ellice). **4** 911
7 1609

micro-ordinateur n. m. Petit ordinateur comportant un microprocesseur auquel est adjoint l'environnement nécessaire au traitement de l'information (« matériel » et « logiciel »). **5** 1155
14 3333

microphone (ou micro) n. m. Appareil utilisé pour transformer le son en vibrations électriques. Les micros sont employés dans l'amplification ou l'enregistrement d'une voix, d'une musique... **11** 2495

microscope n. m. Instrument d'optique servant à observer les objets trop petits pour être vus à l'œil nu. Il comprend un objectif* qui donne une image agrandie de l'objet observé et un oculaire* qui joue le rôle de loupe pour examiner cette image. Ces deux parties sont enfermées dans un tube fixé sur un support et éclairées par-dessous. Dans le *microscope électronique*, les électrons remplacent la lumière. **3** 644
6 1272

microsillon n. m. Sillon d'un disque phonographique de profondeur et de largeur très faibles, permettant une audition de longue durée. ◇ Disque gravé en microsillons. **9** 2092
14 3222

miction n. f. Processus physiologique assurant l'expulsion de l'urine accumulée dans la vessie. Ce phénomène est réflexe.

Middle West (abréviation « Midwest »). Région du nord des États-Unis, entre les Rocheuses et les Appalaches. La partie du Midwest située à l'ouest du Mississippi constitue la Prairie.

11 2500

Midi-Pyrénées. Région française comprenant les départements suivants : Ariège, Aveyron, Haute-Garonne, Gers, Lot, Hautes-Pyrénées, Tarn, Tarn-et-Garonne. 45 348 km² (la plus vaste des régions) ; 2 375 319 hab. Chef-lieu : Toulouse. Les régions naturelles sont très diverses, le Midi-Pyrénées étant formé d'une partie du Bassin aquitain, du Massif central et des Pyrénées. La population stagne ou régresse, sauf en Haute-Garonne. ◇ L'agriculture occupe encore une place importante. La polyculture domine. L'industrie est peu développée malgré les ressources en hydro-électricité (Pyrénées). Activités traditionnelles : textile et travail des cuirs et peaux. Toulouse est le grand centre industriel (aéronautique, électronique, chimie...) et possède d'importants complexes scientifiques.

Midlands. Région du centre de l'Angleterre. Ce fut une plaine très industrialisée dès le XVIIIᵉ s., grâce aux mines de fer (aujourd'hui épuisées) et de houille (en déclin).

7 1585

miel n. m. Matière sucrée plus ou moins épaisse, élaborée par les abeilles à partir du nectar de fleurs, du miellat de plantes, et qui contient aussi du pollen. Sa couleur blanche, jaune, parfois brune, dépend des fleurs butinées.

Mies van der Rohe Ludwig, architecte américain d'origine allemande (1886-1969). Il s'est rendu célèbre par ses constructions à ossature d'acier apparente et à façades de verre.

migraine n. f. Douleur intense siégeant le plus souvent d'un seul côté de la tête. Elle peut être accompagnée de nausées et parfois de vomissements.

7 1550
9 2080
11 2535

migration n. f. Déplacement d'un peuple, d'un groupe humain passant d'une région, d'un pays dans un autre, pour s'y établir. *Migration saisonnière* : qui s'effectue selon les saisons, vers des lieux de travail, de vacances. ◇ Déplacement en groupes qu'effectuent périodiquement certains animaux (dits *migrateurs*) pour des raisons climatiques (hirondelles) ou pour se reproduire en milieu favorable (baleines, saumons).

4 746

mikado n. m. Ancien titre de l'empereur du Japon. Le terme signifie « noble porte » et désignait, à l'origine, le palais impérial lui-même.

mil n. m. Graminée céréalière à grains très petits utilisés pour confectionner

Cité minière du Pays noir, près de Birmingham, dans les **Midlands.**

Troupeau de gnous en **migration.**

La place du Duomo, à **Milan.**

Le **milan** *est un rapace qui se nourrit surtout de proies mortes.*

des bouillies. Le mil est cultivé dans les régions chaudes (Afrique noire).

Milan. Ville du nord-est de l'Italie, chef-lieu de la Lombardie, au centre de la plaine du Pô. 1 706 000 hab. (*Milanais*). Premier centre économique et culturel d'Italie. ◇ Cité puissante sous les Sforza* (1450-1535). ◇ Célèbre théâtre lyrique de la Scala (XVIIIᵉ s.).

7 1625
10 2249
14 3342

milan n. m. Nom de divers oiseaux falconiformes vivant souvent à proximité de cours d'eau et se nourrissant d'escargots, de rongeurs, de reptiles...

8 1692

mildiou n. m. Maladie des plantes (vigne, pomme de terre, etc.) due à différents champignons entraînant le flétrissement de la plante.

8 1782
10 2221

Milet. Ancienne ville d'Asie Mineure (Turquie). Du VIIIᵉ au Vᵉ s. av. J.-C., elle fut un important centre de commerce et un foyer de culture grecque.

13 3046

Milhaud Darius, compositeur français (1892-1974). Il se distingua au sein du groupe des Six* avec *le Bœuf sur le toit* (1919).

milice n. f. Troupe, corps de police auxiliaire. *Milices communales* : chargées de la défense des villes affranchies au Moyen Âge. ◇ *La Milice* : police spéciale contre la Résistance créée sous le gouvernement de Vichy (1943-1944).

milieu n. m. 1 — MATH Point qui partage également un espace ou un temps : *le milieu de la cour, du jour.* Point qui partage un segment en deux segments superposables. Le milieu d'un segment AB est le point de la droite AB situé à égale distance de A et de B.

milieu n. m. 2 — GÉO Ensemble des facteurs physiques, chimiques, biologiques et sociaux qui environnent les êtres vivants. *Un milieu marin. Un milieu dépeuplé.* — BIOL *Milieu intérieur* : ensemble des liquides (sang, lymphe) où baignent les cellules d'un organisme.

2 280
9 2146

militant n. m. Personne qui participe activement à la défense ou à la propagation d'une idée, d'une doctrine, d'une cause... *Les militantes féministes.* ◆ **militantisme** n. m. Activité des militants d'une organisation, d'un parti...

10 2373

militarisme n. m. Opinion, tendance de ceux qui sont favorables à l'influence des militaires, de l'armée. ◇ Gouvernement qui s'appuie sur les militaires, sur l'armée, ou exercé par des militaires. *Le militarisme de l'Allemagne impériale.* ◆ **démilitarisation** n. f. Suppression ou interdiction de toute activité militaire dans une zone déterminée.

6 1350
11 2450

mille n. m. Nombre qui, dans le système de numération en base 10, vaut dix fois cent et s'écrit 1 000. ◆ **mille marin** n. m. Unité de longueur utilisée en navigation et correspondant à deux points de même longitude et dont la latitude diffère de 1 minute (1 852 m).

millénaire n. m. Période de mille ans. *Les dynasties égyptiennes du IIe millénaire av. J.-C.* ◇ Millième anniversaire d'un événement.

1 152
3 529
10 2180

mille-pattes n. m. Nom courant de nombreux myriapodes*, dont le corps allongé formé d'anneaux peut avoir jusqu'à 240 paires de pattes locomotrices. Ce sont le gloméris, la scolopendre...

Miller Henry, écrivain américain (1891-1980). Il a nourri ses romans d'épisodes fort crus tirés de sa propre vie : *Tropique du Cancer* (1934)...

8 1871

millet n. m. Nom courant de diverses plantes céréalières d'Asie et d'Afrique, à petits grains semblables à ceux du mil*.

Millet Jean-François, peintre français (1814-1875). Ses scènes de la vie paysanne, dont le célèbre *Angélus* (1859), sont à caractère réaliste. Il a fait partie de l'école de Barbizon*.

milliard n. m. Nombre correspondant à mille millions, ou dix à la puissance neuf (10^9), ou mille à la puissance trois (1 000^3) : 1 000 000 000.

million n. m. Nombre correspondant à mille fois mille : 1 000 000. ◆ **billion** n. m. Un million de millions. ◆ **trillion** n. m. Un milliard de milliards.

Milton John, poète anglais (1608-1674). Son chef-d'œuvre, *le Paradis perdu* (1667), est un poème épique en douze chants remarquable par la prodigieuse musicalité de ses vers.

11 2549

mime n. m. Spectacle de pantomime*. ◇ Art de s'exprimer par des mimiques et des gestes sans prononcer une seule parole. Le mime est un langage du corps. ◇ Acteur qui pratique cet art. *Le mime Marceau est le créateur du personnage de Bip.*

1 39
1 191
8 1835

mimétisme n. m. Aptitude de certaines espèces animales à prendre l'aspect de l'un des éléments de leur milieu. Ainsi, la sole a la couleur du sable, l'hermine devient toute blanche en hiver, certaines mouches ressemblent à des guêpes pour écarter les prédateurs...

2 362

mimosa n. m. Nom courant de divers arbres du genre Acacia (famille des mimosacées) aux fleurs jaunes, très odorantes, groupées en petites boules.

Mimoun Alain, coureur français (né en 1921). Médaillé d'argent aux jeux Olympiques de 1948 (5 000 m, 10 000 m) et à ceux de 1952 (10 000 m), il remporta le marathon en 1956.

12 2668

minaret n. m. Tour d'une mosquée*. Du haut de cette tour, le muezzin* appelle, cinq fois par jour, les fidèles musulmans à la prière.

10 2268

Mindanao. Deuxième île des Philippines par la superficie (99 311 km^2) et la

*Portrait du poète John **Milton**, auteur du célèbre* Paradis perdu.

__Minaret__ et portique de la mosquée de Samarra, en Iraq.

*Statuette en porcelaine (XVIe s.) de l'époque **Ming**.*

population (7 538 000 hab.). Ville principale : Davao. Cultures tropicales ; fer.

mine n. f. 1 – GÉOL Gisement d'un minerai utile. Ensemble des activités et des installations nécessaires pour extraire une substance minérale ou métallique du sous-sol. Une mine peut être à ciel ouvert ou souterraine. Plusieurs mines voisines forment un *bassin minier*. Près du *carreau* d'une mine (installations de surface) se dressent des *terrils* (collines formées des déblais de la mine).

4 852
7 1516

mine n. f. 2 – TECH Engin de guerre conçu de manière à faire explosion quand un homme, un véhicule ou un navire passe à proximité. ◆ **minage** n. m. Action de poser des mines. ◆ **déminage** n. m. Action d'ôter et de désamorcer des mines.

minerai n. m. Corps contenu dans un terrain et renfermant des minéraux utiles (métal par exemple) en proportion suffisante pour en permettre l'exploitation industrielle.

6 1297
13 2958

minéral n. m. Corps inorganique, solide (à une température normale), se trouvant à l'intérieur de la Terre ou à sa surface. ◆ **minéralogie** n. f. Science qui étudie les minéraux. ◇ La *chimie minérale* s'attache à l'étude de tous les éléments autres que le carbone (objet de la chimie organique) et aux combinaisons qui en résultent.

8 1863
13 2953

Minerve. Divinité romaine très vite identifiée à l'Athéna des Grecs. Déesse de la Sagesse, patronne de Rome, elle veillait à la défense des villes.

14 3182

mineur → minorité

Ming. Dynastie qui régna en Chine de 1368 à 1644. Son règne fut une période d'essor artistique et intellectuel où Pékin devint capitale (1409). La dynastie mandchoue des Ts'ing lui succéda.

4 767

Mingus Charlie (Charles, *dit*), contrebassiste et compositeur de jazz américain (1922-1979). Il est l'auteur de *Pithecanthropus erectus* (1956).

Minho. Région de l'extrémité nordouest du Portugal, à partir de laquelle s'est constitué l'État portugais du XIe au XIIIe s. Capitale : Braga.

11 2609

miniature n. f. Image peinte qui orne d'anciens manuscrits, des livres enluminés (on dit aussi enluminure*). *Miniature byzantine, médiévale, persane.* ◇ Peinture (portrait ou paysage) de très petites dimensions exécutée sur une broche, une tabatière... ◆ **miniaturiste** n. m. ou f. Peintre de miniatures.

1 55
9 1998
12 2666

minimum n. m. Valeur la plus petite que peut prendre une grandeur variable dans certaines limites. Une fonction peut avoir plusieurs minimums. Si elle est dérivable, sa dérivée s'annule et change de signe.

ministère n. m. Fonction, charge de ministre. ◊ Ensemble des services publics formant un département ministériel et dirigé par un ministre. ◊ Bâtiment, administration dépendant directement d'un ministre. ◊ Sacerdoce. ◊ *Officier ministériel* : homme de loi chargé par le ministère de la Justice de dresser des actes officiels.

ministère public. Corps de magistrats (magistrature* debout, parquet*) qui représente l'État et requiert l'exécution des lois. (Voir procureur.)

minium n. m. Oxyde de plomb, de couleur rouge orangé, dont on enduit les pièces en fer et en acier pour les empêcher de rouiller.

Minnelli Vincente, cinéaste américain (1913-1986). Il est l'auteur de comédies musicales raffinées qui sont des chefs-d'œuvre du genre : *Un Américain à Paris* (1951), *Tous en scène* (1953)...

Minnesota. État du nord des États-Unis, sur le lac Supérieur. 217 735 km² ; 3 805 000 hab. Capitale : Saint Paul. Ville principale : Minneapolis. Grande région agricole (céréales). Mines de fer.

minorité n. f. 1 – DRT État d'une personne qui, du fait de son âge, n'est pas considérée par la loi comme responsable de ses actes.

minorité n. f. 2 – SOC Groupe qui est en infériorité numérique dans une assemblée, un vote, un parti, et qui tend à former une opposition à la majorité. ◊ *Minorité nationale* : groupe national intégré à une population plus nombreuse et de culture différente.

Minotaure. Monstre fabuleux au corps d'homme et à tête de taureau, né de l'union de Pasiphaé, femme de Minos (roi de Crète), et d'un taureau.

minoterie n. f. Usine dans laquelle on moud les céréales pour en faire de la farine, à partir de méthodes industrielles. ◆ **minotier** n. m. Industriel exploitant une minoterie.

minute n. f. Soixantième partie d'une heure ou d'un degré d'angle. Symbole *mn*. ◆ **minutage** n. m. Détermination, de façon précise, de la durée d'un acte. ◆ **minuterie** n. f. Mécanisme d'une horloge qui permet de marquer les divisions de l'heure. ◊ Appareil électrique qui établit le contact durant un laps de temps donné.

miocène n. m. Troisième période de l'ère tertiaire, entre l'oligocène et le pliocène, s'étendant de − 25 à − 10 millions d'années et caractérisée par l'apparition des mammifères évolués.

Miquelon. Île française (216 km² et 626 hab.), près de Terre-Neuve, partie du département d'outre-mer de Saint-Pierre-et-Miquelon*. Elle est formée de

Kirk Douglas dans la Vie passionnée de V. Van Gogh *(1956)*, de **Minnelli.**

Portrait de **Mirabeau** en 1789, par Joseph Boze.

Têtes de **missiles** sol-air.

Anciens bateaux à aubes en Louisiane, sur le **Mississippi.**

la Grande Miquelon et de la Petite Miquelon, réunies par un isthme.

Mirabeau (Honoré Gabriel RIQUETI, *comte* DE), homme politique français (1749-1791). Quoique noble, il fut élu député du tiers état en 1789. Orateur prestigieux, il tenta, sans succès, de sauver la monarchie constitutionnelle.

mirabelle n. f. Fruit du *mirabellier*, variété de petites prunes rondes parfumées, jaunes tachées de rouge. ◊ Eau-de-vie de mirabelle.

miracle n. m. Fait extraordinaire dont la cause échappe à la raison et dans lequel on voit l'intervention de Dieu. *Miracles de Lourdes.* ◊ Pièce représentant la vie d'un saint, au Moyen Âge.

mirage n. m. Phénomène d'optique propre aux pays chauds, dû à l'échauffement et à la densité inégale de l'air, et où les objets éloignés produisent une image renversée, comme s'ils se reflétaient dans une nappe d'eau.

Miró Joan, peintre espagnol (1893-1983). Son œuvre, pleine de fantaisie surréaliste et d'humour, est l'une des plus poétiques de l'art moderne.

miroir n. m. Surface polie, et notamment verre poli et métallisé, qui renvoie la lumière dans une direction déterminée. La surface réfléchissante d'un *miroir plan* est plane, celle d'un *miroir parabolique* et celle d'un *miroir sphérique* sont courbes.

missile n. m. Engin de guerre explosif que l'on lance vers un objectif à détruire (avion, navire, blindé, etc.). Il est propulsé par un moteur-fusée et guidé automatiquement vers la cible. On appelle *missiles sol-air* ceux qui sont lancés depuis le sol en direction d'un avion, *missiles de croisière* ceux qui volent à très basse altitude.

mission n. f. Charge confiée à quelqu'un. Ensemble des personnes à qui est confiée cette charge. ◊ Communauté religieuse travaillant à l'évangélisation. ◆ **missionnaire** n. m. Prêtre ou laïc envoyé pour prêcher une religion.

Mississippi (le). Grand fleuve d'Amérique du Nord, aux États-Unis ; 3 780 km. Avec son affluent le Missouri, il draine la vaste plaine centrale américaine ; son bassin couvre 3 millions de km². Né dans le Minnesota, il se jette dans le golfe du Mexique.

Mississippi. État du sud des États-Unis, sur le golfe du Mexique. 123 584 km² ; 2 217 000 hab. (42 % de Noirs). Capitale : Jackson. Plaine vouée à la culture du coton. Hydrocarbures.

Missouri (le). Principal affluent du Mississippi (rive droite), le plus long cours d'eau d'Amérique du Nord (4 315 km), né dans les Rocheuses.

Missouri. État du centre des États-Unis. 180 456 km² ; 4 677 000 hab. Capitale :

Jefferson City. Villes principales : Saint Louis et Kansas City. Pays de plateaux et de plaines, agricole (élevage, céréales) et minier (plomb).

2 407
14 3251
Mistinguett (Jeanne BOURGEOIS, *dite*), chanteuse et actrice française (1875-1956). Elle fut la vedette de revues de music-hall à grand spectacle.

6 1224
mistral n. m. Vent violent, sec et froid, soufflant en hiver, dans la vallée du Rhône, du nord en direction des basses pressions localisées au-dessus de la mer Méditerranée.

Mistral Frédéric, écrivain français d'expression occitane (1830-1914). Il a célébré la Provence, notamment dans son fameux poème *Mireille*(1859). Fut l'un des fondateurs du félibrige (école littéraire).

3 591
mite n. f. Nom courant de divers papillons nocturnes dont les larves (chenilles) vivent dans des matières organiques (laine, cire, farine, etc.) et s'en nourrissent. On dit aussi *teigne*.

mi-temps n. f. Temps de pause séparant un match en deux périodes d'égale durée. Par extension, la mi-temps désigne chacune de ces deux périodes.

4 726
Mithra. Dieu iranien dont le culte, de nature initiatique, se répandit à Rome (Ier s.) et concurrença le christianisme en train de se répandre.

3 527
4 836
mitochondrie n. f. Organite cellulaire que l'on trouve en grand nombre dans toutes les cellules aérobies où elle assure la respiration cellulaire.

8 1730
mitose n. f. Mode de division cellulaire permettant à une cellule de donner deux cellules ayant chacune les mêmes chromosomes que la cellule initiale (mitose s'oppose à méiose*). C'est par des mitoses successives qu'un œuf donne un individu.

4 890
mitrailleuse n. f. Arme automatique à tir tendu, de petit calibre, montée sur un affût. ◆ **mitraillette** n. f. Pistolet mitrailleur, à tir par rafales.

12 2769
13 3099
Mitterrand François, homme d'État français (né en 1916). Ministre sous la IVe République, il fut l'un des protagonistes de l'Union de la gauche et reconstruisit le parti socialiste (1971). Élu à la présidence de la République en 1981.

3 493
mixage n. m. Opération consistant à regrouper sur une seule bande sonore plusieurs enregistrements effectués préalablement sur des bandes séparées, en vue de la réalisation d'un disque, de la bande sonore d'un film, etc.

Mizoguchi Kenji, cinéaste japonais (1898-1956). Ses films sont à la fois très réalistes et très poétiques : *Contes de la lune vague après la pluie* (1953), *les Amants crucifiés* (1954), etc.

Mnouchkine Ariane, metteur en scène français (née en 1939). Elle dirige la troupe du *Théâtre du Soleil*, fondée en

Saint Louis, centre culturel et industriel du Missouri.

Le dieu Mithra sacrifiant un taureau (bas-relief romain du IIIe s.).

François Mitterrand, élu président de la République française en 1981.

Modélisme : *mise à feu des réacteurs. Ne pas oublier l'extincteur !*

1964, dont le travail collectif fut apprécié à travers *les Clowns* (1969), *1789* (1970), *1793* (1972), etc.

mobile n. m. Composition artistique, formée par un assemblage de plaques suspendues reliées par des tiges et qui s'animent au souffle de l'air.

11 2477
mobilisation n. f. Ensemble des mesures et des opérations destinées à mettre sur le pied de guerre les forces militaires d'un pays et à y adapter son économie et son administration.

14 3217
Moctezuma II ou **Montezuma,** empereur aztèque (1466-1520). Il accueillit Cortés et reconnut la suzeraineté de Charles Quint. Il mourut lors du soulèvement de ses sujets.

mode n. m. 1 — LING Forme que prend le verbe selon la manière dont est présentée l'action qu'il exprime. *Le mode indicatif présente l'action comme certaine : je parle. Modes personnels :* indicatif, subjonctif, conditionnel, impératif. *Modes impersonnels :* infinitif, participe.

14 3200
mode n. m. 2 — SOC Manière dont quelque chose se présente, se fait. *Mode de vie. Mode d'emploi :* notice indiquant la manière d'utiliser quelque chose. ◆ **mode** n. f. Usage peu durable, manière de vivre, de penser, propre à une époque ou à un groupe social donné. ◇ *La mode :* mode vestimentaire ; industrie, commerce de l'habillement (principalement féminin).

mode n. m. 3 — MUS Manière d'être d'un ton musical, d'après la répartition des intervalles de la gamme à laquelle correspond ce ton. *Mode majeur, mineur.*

2 305
modelage n. m. Opération par laquelle un sculpteur façonne avec de l'argile, de la cire ou du plâtre le modèle qu'il se propose de reproduire en marbre, en bronze, etc. ◇ Maquette ainsi obtenue. *Un modelage de Carpeaux.*

modèle n. m. Chose qui doit être imitée, exemple à suivre. *Modèle d'écriture.* ◇ Personne ou objet d'après lequel travaillent un peintre, un sculpteur. ◇ *Modèle mathématique :* ensemble d'équations et de relations servant à représenter et à étudier un système complexe.

3 494
5 979
modèle réduit n. m. Reproduction à petite échelle d'un train, d'un bateau, d'un avion. Les modèles réduits de bateaux et d'avions sont souvent commandés à distance avec un émetteur radio.

3 494
modélisme n. m. Fabrication de modèles réduits que l'on fait ensuite évoluer comme les appareils réels. La pratique du modélisme demande une grande habileté et beaucoup de soin. Elle permet de se familiariser avec de nombreuses disciplines : travail du bois et du métal, électronique, etc.

Modern Jazz Quartet. Formation de jazz influencée par le style cool, constituée par le pianiste J. Lewis et comprenant K. Clarke, M. Jackson et P. Heath.

modern style (ou *art nouveau* ou *style 1900*) n. m. Tendance artistique qui renouvela en Europe, de 1884 à 1907, les différentes branches des arts décoratifs. Il marque le triomphe de la ligne sinueuse imitée des formes naturelles (tiges de fleurs, etc.) : bouches du métro parisien de Guimard, bijoux de Lalique, affiches de Mucha, etc.

modernisme n. m. Goût pour ce qui est moderne, nouveau. ◆ **modernisation** n. f. Action de rendre moderne, actuel, d'adapter quelque chose aux goûts, aux techniques modernes.

12 2819
14 3313
Modigliani Amedeo, peintre italien (1884-1920). Ses portraits et ses nus aux formes étirées se distinguent par la hardiesse et la pureté de la ligne.

module n. m. Unité de base, élément simple caractéristique d'une structure répétitive. *Un module de bibliothèque.* ◇ *Module lunaire :* élément d'un vaisseau spatial. Lors de la *mission Apollo*, il avait pour fonction de se poser en douceur sur le sol lunaire.

1 175
2 328
6 1310
moelle n. f. Partie centrale d'un organe. ◇ *Moelle osseuse :* moelle contenue dans les os. La moelle rouge, dans laquelle se forment les globules rouges (hématopoïèse), remplit les épiphyses des os longs, côtes et vertèbres. La moelle jaune, un tissu en lipides (graisse), est située au centre des os longs. ◇ *Moelle épinière :* centre nerveux situé dans le canal rachidien, faisant suite au bulbe rachidien, qui assure la transmission de l'influx nerveux entre le cerveau, les organes du tronc et les membres, ainsi que certains réflexes.

mœurs n. f. pl. Habitudes de conduite d'une personne, d'un groupe social. ◇ *Bonnes mœurs :* mœurs conformes à la norme sociale, notamment en matière sexuelle. ◇ *Attentat aux mœurs :* outrage public à la pudeur. ◇ *Police des mœurs :* service chargé de réprimer la prostitution.

11 2581
Mogadiscio ou **Mogadishu.** Capitale de la Somalie, port sur l'océan Indien. 230 000 hab. Principal centre commercial du pays.

9 2068
Mogols ou **Moghols** (Grands). Dynastie qui régna sur l'Inde de 1526 à 1858. Elle atteignit son apogée sous les règnes d'Akbar et d'Aurangzeb, qui développèrent une architecture admirable.

mohair n. m. Poil de chèvre angora, fin et long. ◇ Laine filée avec ce poil et nom de l'étoffe légère obtenue en tissant ce fil.

10 2380
Mohicans (les). Indiens algonquins d'Amérique du Nord, qui occupèrent la région entre l'Hudson et l'Atlantique.

Femme aux yeux bleus, d'Amedeo **Modigliani.**

Le sultan **mogol** *Mohammed Akbar, descendant de Tamerlan.*

Moïse, *statue de Michel-Ange ornant le tombeau du pape Jules II.*

Fenimore Cooper les célébra dans son roman, *le Dernier des Mohicans* (1826).

4 918
6 1421
7 1512
moine n. m. Religieux appartenant à un ordre monastique et vivant à l'écart du monde, seul (ermite) ou en communauté. Les moines d'une communauté observent une règle (règle de saint Benoît pour les bénédictins, etc.) et forment le clergé régulier.

2 244
moineau n. m. Oiseau passériforme long de 10 à 15 cm, au plumage brun terne. Il est granivore. On le trouve en abondance, surtout dans les villes.

11 2588
mois n. m. Chacune des douze parties de l'année civile : janvier, février, mars, avril, mai, juin, juillet, août, septembre, octobre, novembre et décembre. Chaque mois comporte 30 ou 31 jours, sauf février qui n'a que 28 jours (29 jours dans les années bissextiles).

2 251
12 2642
14 3212
Moïse, prophète et législateur du peuple hébreu (XIIIe s. av. J.-C). Sa vie est connue par la Bible*. Il libéra les Hébreux de la tutelle du pharaon et les conduisit, à travers le Sinaï, vers la Terre promise. Il leur donna les Tables de la Loi (Torah) et unifia leurs tribus autour du culte de Yahvé.

1 123
7 1487
moisissure n. f. Nom donné aux champignons n'existant que sous forme de *mycélium* et qui se développent uniquement sur les substances organiques humides ou en décomposition (pain, fruits, etc.). Ils produisent des spores en quantité énorme. Certains, tels les pénicilliums, sont utilisés pour la fabrication de fromages (roquefort, bleu...).

9 1964
moisson n. f. Action de récolter des céréales ; les céréales récoltées ; l'époque où se fait la récolte. Une même machine, la *moissonneuse-batteuse*, permet aujourd'hui, en une seule opération, de couper les céréales et d'en isoler le grain (battage).

8 1755
10 2320
molaire n. f. Chacune des dents, implantées à l'arrière de la mâchoire, dont la couronne a une surface garnie de tubercules (cuspides) aptes à broyer les aliments. Les molaires ont 4 ou 5 cuspides et 2 ou 3 racines, les prémolaires ont 2 cuspides et 1 ou 2 racines.

molasse (ou **mollasse**) n. f. Grès tendre à ciment argilo-calcaire se formant en général dans les dépressions au pied des chaînes de montagnes.

12 2798
Moldavie. Région de Roumanie et d'URSS. L'État de Moldavie, constitué au XIVe s., connut son apogée sous Étienne III (1457-1504), puis tomba sous la suzeraineté ottomane. Avec la Valachie, il forma en 1859 la Roumanie. Une partie de son territoire fut annexée par l'URSS en 1924.

9 2029
Moldavie. République d'URSS, entre le Dniestr et la Roumanie. 33 700 km² ; 3 569 000 hab. (65 % de Moldaves). Capitale : Kichinev. Plaine fertile.

mole n. f. Unité de quantité de matière. Symbole *mol.* Correspond à un système contenant $6{,}02.10^{23}$ particules : 1 mole d'atomes contient $6{,}02.10^{23}$ atomes.

môle n. m. Jetée construite à l'entrée d'un port et faisant office de brise-lames. ◇ Terre-plein bordé de quais le long desquels accostent les navires.

5 1081
10 2270
13 2955
13 2974
14 3340

molécule n. f. La plus petite portion d'un corps pur qui puisse exister à l'état libre sans que cette portion perde les caractéristiques de la substance originelle. Les molécules proviennent de l'assemblage d'atomes. ◇ *Molécule-gramme :* ancienne dénomination, remplacée par *mole*.*

9 1937
13 2939
13 2965
13 2978

Molière (Jean-Baptiste POQUELIN, *dit*), auteur dramatique et comédien français (1622-1673). Utilisant toute la gamme des effets comiques, il a donné à chacun de ses personnages le style parlé qui correspond à sa condition sociale, à son caractère, pour le faire vivre sur scène avec un maximum de vérité humaine : *les Précieuses ridicules* (1659), *le Misanthrope* (1666), *l'Avare* (1668), *le Tartuffe* (1664), *le Bourgeois gentilhomme* (1670), *les Femmes savantes* (1672), etc.

10 2245

Molise. Région de l'Italie péninsulaire, sur l'Adriatique. 4 438 km² ; 332 000 hab. Chef-lieu : Campobasso. Comprenant le revers de l'Apennin, c'est une région agricole pauvre.

3 715
4 913
5 1033
10 2203
13 2896

mollusques n. m. pl. Embranchement d'invertébrés au corps mou protégé par une coquille calcaire. Ils sont dépourvus de tout squelette et, malgré leur aspect très variable, ils présentent une remarquable homogénéité anatomique. On distingue les lamellibranches* (les moins évolués), les gastéropodes* et les céphalopodes* (très évolués).

Molotov (Viatcheslav Mikhaïlovitch SKRIABINE, *dit*). Homme politique soviétique (1890-1986). Ministre des Affaires étrangères (1939-1949 et 1953-1956).

10 2267

Moluques (îles). Archipel d'Indonésie entre la Nouvelle-Guinée et les Célèbes. 74 505 km² ; 1 589 000 hab. Chef-lieu : Amboine. Épices. Les Moluquois réclament leur indépendance.

molybdène n. m. Métal gris clair, dur. Symbole *Mo.* Utilisé dans certains alliages résistant à la chaleur (fusées), dans des filaments de lampe, etc.

moment n. m. Grandeur physique caractérisant une force qui tend à faire tourner un objet. Le *moment d'inertie* caractérise un objet qui est animé d'un mouvement de rotation autour d'un axe restant fixe.

1 183
8 1696
13 3031

momie n. f. Cadavre embaumé par les anciens Égyptiens. Grâce à l'utilisation du bitume et de bandelettes, le corps embaumé gardait un aspect assez proche de l'état vivant. *Les momies de Toutankhamon et de Ramsès II.*

*« **Molière** parle à la société »,
a dit Victor Hugo.*

Mollusques : *limace
dévorant une fraise.*

*La principauté de **Monaco**
vue de la Grande Corniche.*

*Femmes au jardin (détail),
de Claude **Monet** (1867).*

Monaco. Petite principauté (1,5 km²) de la Côte d'Azur, entre Nice et Menton. 23 000 hab. *(Monégasques).* Capitale : Monaco. Cet État est formé d'une agglomération continue, avec trois noyaux urbains : Monaco, Monte-Carlo, La Condamine. Riche, il doit sa fortune au tourisme et à son casino. ◇ Monaco (excellente base navale) tomba aux mains du Génois Grimaldi en 1297. Principauté en 1512, dans l'orbite française depuis 1865 (union douanière).

2 365

monarchie n. f. Gouvernement d'un État par un seul chef *(monarque),* roi ou empereur. *Monarchie absolue :* où le pouvoir du roi est illimité. *Monarchie constitutionnelle :* où l'autorité du souverain est limitée par une Constitution*. *Monarchie parlementaire :* où le gouvernement est responsable devant le Parlement*. ◆ **monarchiste** n. m. ou f. Partisan de la monarchie ; royaliste.

8 1876

monarchie de Juillet. Nom donné au règne de Louis-Philippe (1830-1848). Régime favorable à la bourgeoisie d'affaires, il reposait sur un suffrage censitaire très étroit. Le conservatisme de Guizot hâta la Révolution de 1848.

10 2263
13 2907

monastère n. m. Lieu où réside une communauté de moines ou de moniales. Il peut s'agir d'une abbaye, d'un prieuré, d'une chartreuse, etc. Il se compose généralement de cellules disposées autour d'un cloître.

4 918
7 1511

monde n. m. Ensemble de tout ce qui existe, l'Univers. Plus particulièrement, le système solaire avec ses planètes, leurs satellites, les étoiles... ◇ La planète où vivent les hommes, la Terre. *Faire le tour du monde.* ◇ *Ancien Monde :* désigne l'Asie, l'Afrique et l'Europe, par opposition au *Nouveau Monde* qui désigne le continent américain et l'Océanie. ◇ *Le monde :* la haute société, les classes aisées.

mondovision n. f. Système de diffusion simultanée d'émissions de télévision, dans plusieurs pays du monde à la fois, au moyen de satellites.

Mondrian Piet, peintre néerlandais (1872-1944). Il fut l'un des représentants les plus éminents et le théoricien de l'art abstrait géométrique.

2 307

Monet Claude, peintre français (1840-1926). Représentant le plus typique de l'impressionnisme*, il a souvent peint un même paysage observé à des heures différentes. Ses fameux *Nymphéas* (1899-1926) annoncent l'abstraction tachiste.

9 2084

Monge Gaspard, mathématicien français (1746-1818). Inventeur de la géométrie descriptive, il fut l'un des fondateurs de l'École normale et de l'École polytechnique.

Mongolie. Région d'Asie centrale et berceau du peuple mongol. Après avoir été dominés, du IXe s. av. J.-C. au XIIe s. ap. J.-C., par des peuples turcs, les Mongols, unifiés par Gengis khan, se lancèrent en

7 1530
7 1543
9 1949

1206 à la conquête de l'Asie. Gengis khan conquit le nord de la Chine et ses lieutenants ou successeurs le reste de ce pays, la Russie (1242) et le Proche-Orient (1260). Des principautés mongoles se maintinrent en Russie jusqu'au XVIᵉ s. À partir du XVIIIᵉ s., l'histoire des Mongols se confondit avec celle de la Russie et de la Chine.

3 558 **Mongolie** (république populaire de). État d'Asie centrale (ex-Mongolie-Extérieure).

superficie :	1 565 000 km²
population :	1 488 000 hab. *(Mongols)*
capitale :	Oulan-Bator
monnaie :	le tugrik
code international :	non communiqué

De hautes montagnes à l'ouest (Altaï, Khangaï) font place, vers l'est, à des hauts plateaux (désert de Gobi). Le climat est continental (− 30 ºC en hiver, + 30 ºC en été), aride (Gobi) ou semi-aride. La végétation la plus répandue est la steppe. ◇ L'élevage nomade des chevaux, chameaux, chèvres et moutons se sédentarise dans le cadre de coopératives. Le sous-sol renferme du lignite, du cuivre, du tungstène, du molybdène. L'aide de l'URSS, avec qui le pays fait 80 % de son commerce, est décisive pour l'équipement du pays. ◇ Province chinoise depuis 1691, la Mongolie (dite extérieure par opposition à la partie de la Mongolie restée chinoise) se proclama indépendante en 1911 et devint socialiste en 1924 ; elle choisit le camp soviétique après la rupture sino-soviétique de 1960.

6 1357 **Mongolie-Intérieure.** Région autonome du nord de la Chine. 450 000 km² ; 19 millions d'hab. (10 % de Mongols). Capitale : Houhehot (important centre sidérurgique). Région au climat rude, formée surtout de plateaux élevés. Élevage ovin. Richesses : fer et charbon.

13 2918 **mongolisme** n. m. Maladie congénitale due à un chromosome nº 21 supplémentaire. Le *mongolien* se caractérise par un aspect physique particulier (face ronde, crâne aplati, yeux bridés, mains et pieds larges et courts) et présente un retard mental plus ou moins accentué.

Monk Thelonious Sphere, pianiste et compositeur de jazz américain (1920-1982). Il fut l'un des créateurs du style be-bop.

2 275
7 1582
12 2782 **monnaie** n. f. Pièces de métal *(monnaie métallique)* et billets de papier *(monnaie fiduciaire)* ayant cours* légal, qui servent de moyens d'échange. *Monnaie scripturale :* représentée par les virements et chèques bancaires ou postaux. *Monnaie de compte :* unité monétaire qui n'est pas représentée par des pièces ou des billets *(guinée anglaise).* ◇ Différence entre la valeur d'un billet ou d'une pièce et la valeur d'une marchandise. *Rendre la monnaie.*

8 1874 **monocotylédones** n. f. pl. Classe de plantes phanérogames* angiospermes*,

*Concours de tir à l'arc un jour de fête en **Mongolie**.*

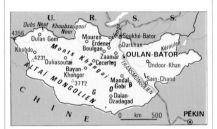

*La **Mongolie**.*

Monnaie : *décadrachme d'argent frappé en Sicile* (IVᵉ s. av. J.-C.).

*Marilyn **Monroe** en 1959.*

à graine contenant un embryon à un seul cotylédon. Les monocotylédones dériveraient des dicotylédones. Elles ne développent jamais ni bois* ni liber*. Ce sont les graminées (blé, orge, seigle...), les palmiers, les orchidacées, les liliacées, etc.

monoculture n. f. Système de production agricole fondé sur une seule culture, le plus souvent dans le cadre d'une agriculture spéculative.

Monod Jacques, médecin et biologiste français (1910-1976). Ses travaux de génétique lui valurent le prix Nobel (1965, avec Jacob et Lwoff). **13 3090**

monolithe n. m. Ouvrage formé d'un seul bloc de pierre. Une colonne, un linteau peuvent être monolithiques. Un *menhir* est également monolithique.

monologue n. m. Scène d'une pièce de théâtre dans laquelle un personnage qui est seul (ou qui croit être seul) se parle à lui-même.

monôme n. m. Expression algébrique formée par le produit de plusieurs nombres. $4a^2b$ *est un monôme égal à* $4 \times a \times a \times b$. Le produit de monômes est un monôme, ce qui en général n'est pas le cas de la somme (binôme, trinôme, polynôme).

mononucléaire n. m. Nom de divers leucocytes, ou globules blancs du sang, à gros noyau non lobé. Lorsque leur nombre augmente de façon anormale, on parle de *mononucléose.*

monopole n. m. Privilège exclusif de fabriquer, de vendre, d'exploiter certains services, que possède un individu, un groupe ou l'État. *La vente des tabacs et allumettes est un monopole d'État. Monopole de fait :* accaparement du marché par une seule entreprise.

monothéisme n. m. Croyance en un dieu unique, par opposition au polythéisme*. Le christianisme, le judaïsme et l'islam sont les trois grandes religions monothéistes. **2 252**
12 2642

monotrèmes n. m. pl. Ordre de mammifères très primitifs, caractérisés par un bec corné et des mamelles très rudimentaires. Ils pondent des œufs. Les monotrèmes (ornithorynque*, échidné*) ne se rencontrent plus qu'en Australie et en Nouvelle-Guinée. **2 294**
4 777
8 1788

Monroe James, homme d'État américain (1758-1831). Président des États-Unis (1817-1825), il énonça en 1823 la politique étrangère de son pays, dite *doctrine de Monroe.*

Monroe Marilyn, actrice américaine de cinéma (1926-1962). Sa beauté et son talent en firent une des grandes stars du cinéma : *Rivière sans retour* (1954).

Monrovia. Capitale et principal port du Liberia, sur l'Atlantique. 172 000 hab. Exportation de minerais. Raffinerie de pétrole. **10 2347**

mont n. m. Relief allongé et arrondi qui, en région plissée, correspond à la couche dure d'un anticlinal (pli dont la convexité est tournée vers le haut).

3 493
8 1920
montage n. m. Assemblage des différentes pièces qui constituent un moteur, un téléviseur, une installation de chauffage... ◇ Opération par laquelle on assemble les différentes séquences d'un film ou d'une bande sonore.

9 2155
Montagnards (les). Groupe des députés qui siégeaient sur les bancs les plus élevés à la Législative et à la Convention. Membres les plus révolutionnaires du club des Jacobins, ils s'appuyèrent sur les sans-culottes pour arracher le pouvoir aux Girondins et gouvernèrent de juin 1793 à juillet 1794. Leurs chefs étaient Marat, Robespierre, Saint-Just.

6 1426
8 1822
9 1922
14 3120
montagne n. f. Forme de relief caractérisé par une altitude élevée (au moins plusieurs centaines de mètres), une grande surface et une forte dénivellation entre le sommet et les fonds de vallée. Les montagnes s'ordonnent en chaînes. Le climat de montagne est caractérisé par un refroidissement croissant avec l'altitude et par une pluviosité souvent plus importante que dans les plaines voisines. La végétation s'étage en fonction de l'altitude.

6 1317
13 2939
Montaigne (Michel EYQUEM DE), écrivain français (1533-1592). Ses admirables *Essais* (1re édition en 1580), qu'il enrichit jusqu'à sa mort, révèlent une sagesse qui s'efforce, en s'analysant soi-même, de connaître les autres et de développer l'esprit de libre examen.

1 61
Montana. État du nord-ouest des États-Unis, à la frontière canadienne. 381 086 km² ; 694 000 hab. Capitale : Helena. État surtout montagneux (Rocheuses) et minier (cuivre très abondant, or, argent, zinc). Hydro-électricité.

12 2655
Montand Yves, chanteur et comédien français (né en 1921). Interprète de chansons de J. Prévert et J. Kosma, de F. Lemarque, etc., il a tourné dans de nombreux films à succès.

11 2500
Montauban (82000). Chef-lieu du Tarn-et-Garonne, sur le Tarn. 53 147 hab. (*Montalbanais*). Expédition de fruits et légumes. ◇ Musée Ingres.

9 1958
10 2396
13 2903
14 3122
Mont-Blanc (massif du). Massif des Alpes comportant le mont Blanc, point culminant de l'Europe (4 807 m), en France. Le mont Blanc fut vaincu en 1786. Un tunnel routier le traverse, reliant la vallée de Chamonix au val d'Aoste.

Montcalm de Saint-Véran (Louis Joseph, *marquis* DE), général français (1712-1759). Il commanda les troupes françaises au Canada et mourut en défendant Québec.

8 1828
Mont-de-Marsan (40000). ◇ Chef-lieu du département des Landes, à l'orée de la forêt landaise. 30 894 hab. (*Montois*). Industrie alimentaire (foie gras).

*Portrait de Michel Eyquem de **Montaigne.***

*Le massif du **Mont-Blanc** avec, à gauche, l'aiguille du Midi.*

*Portrait de Claudio **Monteverdi**, l'un des premiers compositeurs d'opéras.*

*Vue de **Montevideo**, la capitale de l'Uruguay.*

mont-de-piété n. m. Établissement de prêt sur gages. Appelés, depuis 1918, Caisse de crédit municipal, les monts-de-piété fonctionnent sous le contrôle du ministre des Finances.

4 800
Mont-Dore (massif du) ou **monts Dore.** Chaîne volcanique portant le point culminant du Massif central (1 885 m au puy de Sancy). Élevage. Tourisme.

2 364
Monte-Carlo. Un des noyaux urbains de la principauté de Monaco. Célèbre casino, œuvre de Charles Garnier (1879). Rallye automobile.

monte-charge n. m. Ascenseur réservé au transport des objets lourds et des marchandises et dont sont équipés certains établissements (usines, entrepôts, hôpitaux, etc.).

11 2485
Monténégro. République du sud de la Yougoslavie, sur la mer Adriatique. 13 812 km² ; 530 000 hab. Capitale : Titograd. Région montagneuse. Élevage ovin, oliviers, agrumes, tourisme. ◇ Principauté (XVe s.), puis royaume (1910) qui s'unit à la Serbie en 1918.

Montespan (Françoise Athénaïs DE ROCHECHOUART DE MORTEMART, *marquise* DE) (1640-1707). Maîtresse de Louis XIV jusqu'à l'*Affaire des poisons*, elle eut huit enfants du roi.

9 2025
13 2940
Montesquieu (Charles DE SECONDAT, *baron* DE LA BRÈDE et DE), écrivain français (1689-1755). Il critiqua les mœurs de son temps dans les *Lettres persanes* (1721), avant d'étudier les diverses formes de Constitutions (*De l'esprit des lois*, 1748).

Montessori Maria, médecin pédagogue italien (1870-1952). Fondatrice de jardins d'enfants, elle y appliqua une méthode développant l'intelligence dans toute sa spontanéité.

12 2734
Monteverdi Claudio, compositeur italien (1567-1643). Il ouvrit la voie à un style musical qui marqua la fin de la polyphonie traditionnelle (Ve livre des madrigaux) et fut l'un des créateurs de l'opéra en Italie (*Orfeo*, 1607 ; *le Couronnement de Poppée*, 1642).

12 2677
Montevideo. Capitale et principal centre industriel et commercial de l'Uruguay, port sur la rive nord du Río de la Plata. 1 400 000 hab. (près de la moitié de la population du pays).

Montezuma → Moctezuma II

7 1446
Montfort (Simon IV le Fort, *sire* DE), seigneur français (v. 1150-1218). Il mena la croisade contre les albigeois (1209) et s'empara du Languedoc.

9 2023
Montgolfier (frères DE), industriels et inventeurs français. Joseph (1740-1810) et Étienne (1745-1799) inventèrent le ballon à air chaud qui porte leur nom. La première ascension d'une montgolfière eut lieu en 1783.

11 2464 **montgolfière** n. f. Aérostat formé d'une enveloppe en tissu, en Nylon, etc., qui tire sa force ascensionnelle de l'air chaud que l'on y insuffle.

11 2598 **Montgomery of Alamein** (Bernard LAW, *vicomte*), maréchal britannique (1887-1976). Vainqueur à El-Alamein (1942), il participa au débarquement de juin 1944 en Normandie et dirigea les forces de l'OTAN (1951-1958).

13 3106 **Montherlant** (Henry MILLON DE), écrivain français (1896-1972). Apologiste de l'effort dans ses romans, il a donné à ses drames (*la Reine morte*, 1942 ; *le Maître de Santiago*, 1948) des accents de tragédie classique.

Montlhéry (91310). Ville d'Île-de-France. Ruines d'un château fort. Centre maraîcher. L'autodrome de Linas-Montlhéry est le plus important de la région parisienne.

5 1030 **Montpellier** (34000). Chef-lieu de l'Hérault et de la région Languedoc-Roussillon. 201 067 hab. *(Montpelliérains)* : expansion récente (réfugiés d'Algérie, industrialisation). ◇ Université créée en 1289, célèbre au Moyen Âge.

Montpensier (duchesse de) → Mademoiselle (la Grande)

1 97
14 3298 **montre** n. f. Petit instrument portatif qui indique l'heure et que l'on porte au poignet, dans le gousset d'un gilet, etc. L'heure est affichée avec des chiffres ou des aiguilles. Les montres sont électroniques (montres à quartz) ou mécaniques (ressorts).

8 1814 **Montréal.** La plus grande ville du Canada (Québec), sur le Saint-Laurent : 1 080 546 hab. ; 2 803 000 pour l'agglomération (près des 2/3 sont francophones). Grand centre industriel, commercial, financier et culturel. ◇ Ville fondée par les Français en 1642.

6 1263 **Mont-Saint-Michel** (Le) (50116). Commune de la Manche, sur un îlot rocheux, au fond de la baie du Mont-Saint-Michel. 80 hab. *(Montois).* Abbaye bénédictine dominée par une église abbatiale (XIᵉ-XVIᵉ s.).

7 1444 **Montségur** (09150). Commune de l'Ariège. Son château, perché sur un piton rocheux, fut l'ultime refuge des cathares. Pris d'assaut en 1244, il fut démantelé et ses occupants, massacrés.

monument n. m. Ouvrage d'architecture ou de sculpture commémorant le souvenir d'un personnage ou d'un événement. *Les monuments aux morts de la Première Guerre mondiale.* ◇ Édifice remarquable. ◇ Ce qui sert de document d'archives.

2 305 **Moore** Henry, sculpteur anglais (1898-1986). Ses œuvres, d'inspiration abstraite ou figurative, réalisent de subtils équilibres entre les pleins puissants et les vides.

Gonflées d'air chaud, les belles *montgolfières* s'élèvent dans le ciel.

Vue aérienne du **Mont-Saint-Michel** à marée basse, dominé par l'abbaye.

Salomé dansant devant Hérode (détail). de Gustave **Moreau** (1876).

Dans le temple des **mormons**, à Salt Lake City.

moraine n. f. Débris transportés puis déposés par les glaciers. On distingue les moraines *latérales* sur chaque côté de la langue glaciaire, les moraines *médianes* à la confluence de deux glaciers, les moraines *frontales* bordant l'extrémité inférieure du glacier. **4** 783 **10** 2256

morale n. f. Ensemble des principes et des règles à suivre pour faire ce qui est bien et éviter ce qui est mal. ◇ Tout ensemble de règles et de principes érigés en doctrine. *Morale épicurienne, chrétienne. Sens moral :* faculté de discerner le bien du mal. **13** 3044

Morane (frères), industriels et aviateurs français. Léon (1885-1918) et Robert (1886-1968) fondèrent, associés avec Saulnier, l'une des premières firmes de construction aéronautique.

Moravie. Région centrale de la Tchécoslovaquie. 26 095 km² ; 3 905 000 hab. Villes principales : Brno, Ostrava. Riche pays de collines : céréales, vigne, charbon, lignite. ◇ Au IXᵉ s., centre d'un grand royaume slave. **12** 2790 **14** 3116

Morbihan (56). Département français de la région Bretagne. 6 763 km² ; 590 889 hab. Chef-lieu : Vannes. Sous-préfectures : Lorient, Pontivy. Les landes de Lanvaux séparent collines et plateaux de l'intérieur, voués aux céréales pauvres (seigle, sarrasin), de la zone côtière, plus dynamique : élevage bovin, tourisme, pêche ; quelques industries (métallurgie, conserveries). Cependant, l'activité économique ne suffit pas à faire vivre la population, qui continue d'émigrer. **1** 134

More → Thomas More (saint)

Moreau Gustave, peintre français (1826-1898) ; l'un des maîtres du symbolisme*. Son œuvre abonde en étrangetés (scène à la fois érotique et mystique de *l'Apparition*, 1876) qui ont fasciné les surréalistes.

Morgan *sir* Henry, flibustier britannique (1635-1688). Aux ordres du roi Charles II, il s'empara de Panamá qu'il incendia (1671) et devint alors lieutenant-gouverneur de la Jamaïque.

Morgan (Thomas Hunt), biologiste américain (1866-1945). Il fut l'un des fondateurs de la génétique moderne. Prix Nobel de médecine en 1933.

morille n. f. Champignon ascomycète à gros pied plus ou moins haut et à tête globuleuse creusée de cavités semblables à celles d'une éponge. **1** 123

Morisot Berthe, peintre français (1841-1895). Influencée par Corot, puis par Manet, son beau-frère, elle prit une part non négligeable dans le mouvement impressionniste.

mormons (les). Membres d'une secte américaine fondée par Joseph Smith en 1830. Ils fondèrent Salt Lake City (Utah). Leurs livres sacrés sont la Bible et le *Livre des mormons*.

Morny (Charles, *duc* DE), homme politique français (1811-1865). Demi-frère de Napoléon III, il prépara le coup d'État du 2 décembre 1851 et présida le Corps législatif de 1854 à 1865.

Moro Aldo, homme d'État italien (1916-1978). Démocrate-chrétien, il fut deux fois président du Conseil. Il fut enlevé et exécuté par les Brigades* rouges.

Moroni. Capitale et port de l'État des Comores, situé dans le nord de l'île de Ngaridja. 12 000 hab. environ. Centre politique et administratif.

morphine n. f. Solide cristallisé extrait de l'opium*. Analgésique, la morphine est utilisée en médecine pour calmer la douleur. Mais elle peut être un stupéfiant dangereux provoquant des toxicomanies*. Sa transformation en héroïne est interdite.

morphologie n. f. Étude et description des formes extérieures des êtres vivants ainsi que de celles des organes les constituant. ◇ Étude typologique des formes du corps humain (relative à la santé, la personnalité...).

Morricone Ennio, compositeur italien (né en 1928). Il s'est spécialisé dans la musique de film : *Il était une fois dans l'Ouest* (1969)...

morse n. m. Mammifère carnivore marin. Long de 3 à 5 m, il ressemble à un gros phoque. Le mâle porte des défenses à la mâchoire supérieure. C'est un nageur et un plongeur excellent habitant les mers froides près des pôles.

Morse Samuel, physicien américain (1791-1872). Il inventa un télégraphe à manipulateur. ◆ **morse** n. m. Code télégraphique inventé par S. Morse : chaque lettre y est représentée par une suite de traits et de points.

mort n. f. Arrêt définitif des phénomènes caractéristiques de la vie, cessation de toutes les fonctions corporelles. Chez un être évolué, tel l'Homme, un individu est considéré mort lorsque l'activité électrique du cerveau s'arrête, même si le cœur bat.

Mort (vallée de la). En anglais *Death Valley*. Aride et profonde dépression (85 m au-dessous du niveau de la mer) des États-Unis, en Californie.

Morte (mer). Grand lac (1 015 km²), aux confins d'Israël et de la Jordanie, alimenté par le Jourdain. Particularités de ce lac : il est situé à 393 m au-dessous du niveau de la mer et il n'a pas de faune (eaux très salées).

morue n. f. Poisson de l'Atlantique Nord, au dos de couleur variable et au ventre blanc (famille des gadidés). Sa taille peut atteindre 2 m. La morue fait l'objet d'une pêche intensive, car sa chair, consommée fraîche ou séchée, est

*Ce jeune **morse** aura plus tard des défenses d'environ 1 m de long.*

*La **Mort** est souvent représentée comme un squelette ricanant.*

__Mosaïque__ byzantine (vᵉ s.) à Ravenne (Italie).

*Vue de **Moscou**. Au fond, la place Rouge.*

très nourrissante et son foie donne une huile riche en vitamines.

Morvan. Massif granitique de France, culminant à 901 m. Bordure nord-est du Massif central, c'est une région boisée, pluvieuse. Parc régional.

mosaïque n. f. Pavage ou revêtement mural fait à l'aide de petits morceaux de verre coloré, de marbre ou d'autres matériaux, qui forment par leur assemblage des compositions décoratives multicolores. *Mosaïque romaine* (Pompéi), *byzantine* (Ravenne)...

Moscou. Capitale de l'URSS, important port fluvial sur la Moskova, au centre de la plaine russe. 7 819 000 hab. (*Moscovites*). Grand foyer industriel, commercial et financier. ◇ Ce centre de la principauté de Moscou (XIIIᵉ s.) fut la capitale de l'État russe jusqu'en 1712, puis devint celle de l'URSS en 1922. Nombreux monuments, dont le Kremlin, ancien palais et citadelle impériale, siège actuel du gouvernement.

Moselle (la). Rivière de France et de RFA, affluent rive gauche du Rhin, qu'elle rejoint à Coblence ; 550 km. Elle naît dans les Vosges.

Moselle (57). Département français de la région Lorraine. 6 214 km² ; 1 007 189 hab. Chef-lieu : Metz. Sous-préfectures : Boulay-Moselle, Château-Salins, Forbach, Sarrebourg, Sarreguemines, Thionville. Élevage sur le plateau lorrain, qui couvre presque tout le département. L'industrie et les mines prédominent : charbon de Forbach et fer de Thionville ont donné naissance à des industries métallurgiques et chimiques, aujourd'hui en difficulté.

mosquée n. f. Édifice réservé au culte musulman. Une grande mosquée comprend une vaste cour à ciel ouvert et une salle de prière couverte tournée vers La Mecque*. La mosquée est flanquée d'un minaret du haut duquel, cinq fois par jour, retentit la voix du muezzin, qui convie les fidèles à la prière.

mot n. m. Son ou groupe de sons d'une langue servant à exprimer une idée intelligible pour les usagers de cette langue. *Chercher ses mots. Épeler un mot.* ◇ Lettre ou suite de lettres délimitée par deux espaces blancs. *Mot simple, mot composé.* ◇ Ce que l'on dit brièvement. *Il lui glissa un mot à l'oreille.* ◇ Parole frappante. *Citer un mot historique, un bon mot (mot d'esprit).* ◇ Courte lettre. *Écrire un mot.*

motard n. m. Motocycliste de la police, de la gendarmerie. *Cortège officiel escorté par des motards.* ◇ Motocycliste. *Rassemblement de motards.*

motel n. m. Hôtel situé au bord des grands itinéraires routiers, spécialement aménagé pour recevoir les automobilistes de passage.

motet n. m. Chant d'église à plusieurs parties. ◇ Pièce de musique vocale et religieuse sur un texte en latin qui n'est pas celui de l'office célébré.

1 19
2 476
4 832
11 2640
12 2760

moteur n. m. Appareil qui produit de l'énergie mécanique. L'énergie produite par un moteur sert à propulser un véhicule (moteur d'auto, d'avion) ou à faire fonctionner un autre appareil (moteur d'aspirateur). Un moteur consomme de l'énergie : essence (moteur d'auto), kérosène (moteur d'avion), électricité (moteur électrique), chute d'eau (moteur hydraulique). Les autos sont munies de moteurs à explosion ou de moteurs Diesel*, les avions de moteurs à réaction ou à hélice, les fusées de moteurs-fusées, capables de fonctionner en dehors de l'atmosphère terrestre.

2 308
6 1240

moto n. f. Abréviation couramment employée en parlant d'une motocyclette. ◆ **motocyclette** n. f. Engin à deux roues sans pédales, équipé d'un moteur de plus de 50 cm³. Une moto sert à se déplacer ou à faire du sport (trial, cross, vitesse). Elle possède un embrayage et un changement de vitesse, comme une auto.

2 309

moto-cross n. m. Course de motos s'effectuant sur des parcours variés et très accidentés, à l'aide d'engins adaptés.

motoculteur n. m. Appareil automoteur conduit à la main et utilisé pour les petits travaux de jardinage : désherber, retourner la terre, etc.

motoculture n. f. Utilisation du moteur comme mode de traction dans l'agriculture (à la place de la traction animale). Motoculture est synonyme d'agriculture mécanisée.

motrice n. f. Locomotive munie d'un moteur électrique ou d'un moteur Diesel* et destinée à la traction des rames, des convois...

motricité n. f. Ensemble des fonctions permettant le mouvement. *Motricité volontaire.* ◇ Faculté motrice liée à l'activité d'un système musculaire.

mots croisés n. m. pl. Jeu consistant à trouver, d'après des définitions, des mots devant s'inscrire dans une grille lue horizontalement et verticalement. Les amateurs de ce jeu sont des *cruciverbistes.*

6 1366
9 2009
9 2043

mouche n. f. Nom courant de très nombreux insectes diptères (famille des muscidés). La *mouche domestique* grise se nourrit en léchant des aliments grâce à sa trompe spongieuse. D'autres espèces de mouches piquent les animaux ou les hommes avec leur trompe rigide transmettant des maladies (*mouche tsé-tsé** ou *glossine**).

2 245

mouette n. f. Oiseau marin voisin du goéland, mais plus petit (famille des laridés). L'espèce la plus répandue en Europe, le long des grands fleuves, est la *mouette rieuse.*

moufette (ou **mouffette**) n. f. Petit mammifère omnivore de l'Amérique

Moto : concurrent de la course des 24 Heures du Mans.

La puanteur dégagée par la **moufette** est un efficace moyen de défense.

Moulin aux ailes de toile à peine déployées, à Mykonos (Grèce).

Vierge en gloire entourée d'anges, du Maître de **Moulins** (xvᵉ s.).

(famille des mustélidés) au pelage noir tacheté de blanc projetant une sécrétion anale malodorante quand on l'attaque. Synonymes : *sconse, skunks**.

mouflon n. m. Mammifère sauvage des montagnes d'Europe (famille des ovinés) dont le mâle porte de longues cornes recourbées en arrière en volutes.

14 3191

moujik n. m. Mot russe qui signifie *paysan*. Jusqu'à l'abolition du servage (1861), plus de la moitié des moujiks étaient des serfs.

9 1951
9 2027
11 2515

moule n. m. 1 – TECH Pièce creuse dont l'intérieur a la forme de l'objet à reproduire et où l'on verse du métal fondu ou du plâtre. ◆ **moulage** n. m. Reproduction d'un objet, d'une statue, à l'aide d'un moule. ◆ **mouleur** n. m. Ouvrier qui fait des moulages.

1 214

moule n. f. 2 – ZOOL Mollusque lamellibranche comestible, à coquille bleu violacé, qui vit fixé sur les rochers dans la zone de balancement des marées.

4 916
10 2201

moulin n. m. Machine qui sert à broyer les grains de céréales pour les réduire en farine ou à écraser certains fruits (olives, noix...) pour en extraire de l'huile. Les moulins d'autrefois utilisaient la force de l'eau (moulin à eau) ou l'énergie éolienne (moulin à vent). Le mouvement était transmis à une grosse roue de pierre, la meule. ◇ *Moulin à café, à légumes, à poivre :* petit appareil ménager pour moudre, écraser...

3 534
6 1256

Moulin Jean, résistant français (1899-1943). Il rejoignit le général de Gaulle à Londres et fonda le Conseil national de la Résistance (France, 1943). Trahi, il mourut victime de la Gestapo.

11 2601

Moulins (03000). Chef-lieu du département de l'Allier, sur l'Allier. 25 548 hab. *(Moulinois).* Cathédrale Notre-Dame (chœur de la fin du XVᵉ s.).

4 800

Moulins (le Maître de), peintre non identifié (fin du XVᵉ s.). Il doit son nom à un triptyque (v. 1498) conservé en la cathédrale de Moulins.

mouron n. m. Nom courant de divers petits végétaux herbacés (familles des primulacées et des caryophyllacées) à fleurs rouges ou blanches.

mousquet n. m. Ancienne arme à feu portative, ancêtre du fusil. Pour tirer, on mettait le feu à une mèche. Les premiers mousquets ont été utilisés au début du XVIᵉ siècle.

9 1987

mousquetaire n. m. Soldat armé d'un mousquet*. ◇ Au XVIIᵉ s., membre d'une des deux compagnies royales de cavaliers armés de mousquets. L'illustre *d'Artagnan* était capitaine des mousquetaires.

10 2377

mousse n. f. Classe de végétaux chlorophylliens primitifs se reproduisant à l'aide de spores*. (Voir cryptogames.)

9 1924

L'axe feuillé ne possède pas de racine. Ils sont de petite taille et constituent des touffes denses dans les lieux humides (sous-bois, bords de ruisseau...) ou très secs (mousses des toits, qui sont reviviscentes).

6 1223
8 1794

mousson n. f. Vent de l'Inde et d'Asie du Sud-Est, sec et soufflant du nord-est (du continent vers la mer) en hiver, humide et soufflant du sud-ouest (de la mer vers le continent) en été. Il est dû au déplacement vers le nord, en été, des basses pressions équatoriales.

12 2736

Moussorgski Modest Petrovitch, compositeur russe (1839-1881). Son chef-d'œuvre, *Boris Godounov* (1868-1870 ; 1870-1872), est un opéra qui, bien que typiquement russe, a ouvert la voie au *Pelléas et Mélisande* de Debussy.

moustérien n. m. Période de la préhistoire, de 70000 à 35000 av. J.-C. Appartenant au paléolithique, elle se caractérise par le travail des éclats de pierre. Apparition des rites funéraires.

6 1368

moustique n. m. Petit insecte ailé dont la larve prolifère dans les eaux dormantes. La piqûre de certains moustiques cause de vives démangeaisons. L'espèce dite *anophèle** transmet le paludisme.

5 1182
7 1451
14 3190

mouton n. m. Mammifère ruminant, bovidé, haut de 60 cm au garrot, élevé pour sa laine et sa viande. Le mâle (bélier) peut porter des cornes à section triangulaire et en hélice. Les moutons domestiques sont sobres et se contentent des pâturages les plus pauvres. Le lait de la brebis sert en fromagerie.

1 150
3 704
14 3297

mouvement n. m. 1 – PHYS État d'un objet qui se déplace. Le mouvement est relatif : un voyageur assis dans un train en marche est immobile pour ses voisins mais en mouvement pour une personne sur le quai. (Voir rotation, translation, vitesse.)

mouvement n. m. 2 – MUS Degré de vitesse avec lequel doit être exécuté un morceau de musique : *allegro* (gai, vif)... ◇ Partie d'une œuvre musicale à jouer dans un mouvement déterminé. *L'allégro de la 41e Symphonie de Mozart.*

mouvement n. m. 3 – SOC Changement social ou politique. *Un mouvement révolutionnaire.* ◇ Groupe, parti politique. *Parti du mouvement* (entre 1830 et 1848). *Mouvement des radicaux de gauche.*

6 1228
6 1254
6 1276
6 1306
6 1328
6 1345
6 1374
6 1420
7 1468
7 1508
7 1542
8 1734
14 3209

Moyen Âge (le). Période historique entre l'Antiquité et la Renaissance, s'étendant du Ve au XVe s. Le haut Moyen Âge, jusqu'à l'an 1000, débuta après les grandes invasions et la fin du monde romain. Puis vint l'Empire carolingien, dont l'éclatement correspondit à l'apparition de la féodalité* (IXe s.). Suivit une période florissante jusqu'au XIIIe s. : épanouissement de l'art roman et du gothique (cathédrales). Mais, aux XIVe-XVe s., une crise grave (peste, guerres, révoltes) secoua l'Occident médiéval. Dès lors, de grandes transformations

*Portrait de **Moussorgski** en 1881, par Repine.*

*Le **Mozambique**.*

*Le « divin » **Mozart**, par Barbara Krafft.*

(découvertes, inventions...) annonçaient l'avènement des Temps modernes.

moyenne n. f. Le milieu entre deux extrêmes. *Moyenne arithmétique :* somme des termes divisée par leur nombre. *Moyenne harmonique* de *n* nombres : inverse de la moyenne arithmétique des inverses de ces nombres. *Moyenne géométrique* de 2 nombres *a* et *b* : nombre *m* tel que *a, m, b* soient en progression géométrique. *Moyenne quadratique :* racine carrée de la somme des carrés des nombres divisée par leur nombre.

11 2422

Moyen-Orient. Expression désignant, en principe, les pays riverains de la Méditerranée orientale, de la mer Rouge et du golfe Persique, par opposition à l'Extrême-Orient. Le terme tend à se confondre avec « Proche-Orient ».

2 393
11 2454

moyeu n. m. Partie centrale de la roue d'un véhicule (automobile, moto...) traversée par l'essieu et sur laquelle sont éventuellement assemblés les rayons.

Mozambique (république populaire de). État du sud-est de l'Afrique.

4 736

superficie :	785 000 km²
population :	10 470 000 hab. (Mozambicains)
capitale :	Maputo (ex-Lourenço Marques)
monnaie :	le metical
code international :	non communiqué

L'altitude s'élève de la plaine côtière vers les plateaux de l'intérieur. Climat tropical. ◇ 65 % des actifs travaillent dans l'agriculture, regroupés en « villages communaux ». Manioc et, pour l'exportation, coton et sucre sont les principales cultures. L'industrie, déjà réduite, a régressé à cause du départ des Portugais en 1975. ◇ Découvert en 1489, puis conquis par le Portugal, le pays accéda à l'indépendance en 1975.

Mozambique (canal de). Partie de l'océan Indien située entre le continent africain (État du Mozambique) et l'île de Madagascar.

4 735

Mozart Wolfgang Amadeus, compositeur autrichien (1756-1791). Il est l'un des plus grands créateurs de l'histoire de la musique. Son génie, très précoce (Mozart composait dès l'âge de 6 ans), se manifeste dans tous les genres, notamment l'opéra : *les Noces de Figaro* (1786), *Don Giovanni* (1787), *Cosi fan tutte* (1790), *la Flûte enchantée* (1791)... Ayant porté à son apogée le classicisme musical, il annonçait dans certaines œuvres (symphonies, concertos) le romantisme de Beethoven.

12 2736
13 3091
14 3153

M.S.T. → vénériennes (maladies)

M.T.S. Abréviation de mètre-tonne-seconde. Cet ancien système d'unités est remplacé par le système international basé sur sept unités fondamentales dont le mètre, le kilogramme...

mucus n. m. Sécrétion visqueuse tapissant et protégeant les muqueuses.

Sécrété par les mucocytes, le mucus est une solution colloïdale contenant une forte proportion de mucine (protéine riche en sucres) et de sels minéraux.

3 588
7 1490
mue n. f. Changement de poil, de peau, de plumes, de cornes, qui s'opère chez certains animaux à des périodes déterminées, liées aux cycles climatiques ou sexuels, par exemple. La mue est nécessaire à la croissance des arthropodes, à la métamorphose des insectes.

muet n. m. Individu qui ne parle pas. La *mutité* (ne pas confondre avec mutisme) est due soit à une anomalie des organes de la phonation (langue, larynx, etc.) ou à une anomalie nerveuse, soit encore à une surdité* (cas des sourds-muets).

12 2669
muezzin n. m. Crieur qui, dans la religion musulmane, appelle les fidèles à la prière, cinq fois par jour, du haut du minaret d'une mosquée*.

muftī (ou muphti) n. m. Docteur de la loi musulmane, jugeant des questions de dogme et de discipline et donnant des consultations juridiques.

1 16
muge (ou mulet) n. m. Poisson comestible, vivant en bancs près des côtes de toutes les mers tropicales ou tempérées mais pondant au large.

10 2278
muguet n. m. Plante herbacée (famille des liliacées), à rhizome* vivace. Ses petites fleurs blanches, en clochette, s'épanouissent au printemps (mai).

Muhammad V ibn Yūsuf, roi du Maroc (1909-1961). Sultan du Maroc en 1927, déposé et contraint à l'exil de 1952 à 1955, il négocia l'indépendance avec la France (1956) et fut proclamé roi en 1957. Son fils Hassan II lui succéda.

mulâtre n. m. Personne née d'un Noir et d'une Blanche, ou d'un Blanc et d'une Noire. (Le féminin de mulâtre est mulâtresse.)

7 1451
mule n. f. Hybride femelle de l'âne et de la jument. Le plus souvent, la mule est stérile. Excellent animal de somme, sobre et beaucoup plus résistant que le cheval. ◇ L'hybride mâle est le mulet.

mulet → muge

3 518
Mulhouse (68000). Chef-lieu d'arrondissement du Haut-Rhin, sur l'Ill et le canal du Rhône au Rhin. 113 794 hab. (*Mulhousiens*). Centre textile ; constructions automobiles. ◇ République indépendante de 1586 à 1798.

Mulligan Gerry, saxophoniste baryton de jazz américain (né en 1927). Son quartette fut l'une des formations les plus célèbres des années 1950.

mulot n. m. Petit rongeur abondant dans les champs et les bois. Il ressemble à une grande souris (de 8 à 15 cm), à fourrure brun-roux.

multinationale n. f. Société, firme multinationale : groupe industriel, com-

*On offre du **muguet** le 1ᵉʳ mai pour porter bonheur.*

*De la taille d'une souris, le **mulot** se nourrit la nuit.*

*Barrière infranchissable, le **mur de Berlin** coupe la ville en deux.*

*Le **Mur des Lamentations**, à Jérusalem.*

mercial ou financier dont les activités s'exercent dans plusieurs États à travers le monde.

multiple n. m. Un nombre entier *a* est multiple du nombre *b* s'il existe un nombre entier *q* qui, multiplié par *b*, donne *a*. Alors, *a* est aussi multiple de *q* (12 est multiple de 4, car $12 = 4 \times 3$). 0 est multiple de tous les nombres. ◆ **multiplicande** n. m. Nombre à multiplier. ◆ **multiplicateur** n. m. Nombre par lequel on multiplie. ◆ **multiplication** n. f. Opération qui à deux nombres (multiplicande et multiplicateur) associe un troisième nombre qui est appelé produit*.

Munch Charles, chef d'orchestre français (1891-1968). On lui doit d'admirables interprétations des œuvres de Berlioz, Brahms, Bizet et Debussy.

12 2822
Munch Edvard, peintre norvégien (1863-1944). Son œuvre, dominée par le thème de l'angoisse, est très représentative de l'expressionnisme*.

11 2596
12 2707
Munich (München, en allemand). Ville de RFA, sur l'Isar, capitale de la Bavière. 1 315 000 hab. (*Munichois*). Métropole de l'Allemagne du Sud. ◇ *Accords de Munich* (29 et 30 septembre 1938) : signés par la France (Daladier), la Grande-Bretagne (Chamberlain), l'Allemagne (Hitler) et l'Italie (Mussolini), ils permirent à Hitler de démembrer la Tchécoslovaquie.

2 400
municipalité n. f. Ensemble des représentants élus d'une commune, chargés de l'administrer : le maire, ses adjoints et les conseillers municipaux forment la municipalité. *Les biens municipaux sont soumis au contrôle de la municipalité.* ◇ La commune elle-même.

muqueuse n. f. Membrane qui tapisse l'intérieur des organes creux de l'organisme communiquant directement avec l'extérieur (estomac, vessie, bouche, nez...) et sécrète du mucus*.

mur n. m. Ouvrage de maçonnerie en pierre, en brique, en béton, servant à délimiter une propriété, à soutenir la charpente d'une maison. ◇ *Mur du son :* ensemble des phénomènes aérodynamiques se produisant lorsqu'un avion évolue à une vitesse proche de celle du son (1 080 km/h à une altitude de 10 000 m).

6 1392
mur de Berlin. Mur séparant Berlin-Ouest de Berlin-Est. Il fut édifié en 1961 par les autorités de la RDA pour interdire l'émigration clandestine vers l'Ouest.

2 253
Mur des Lamentations. Mur de Jérusalem, situé dans la partie est de la ville occupée depuis 1967 par Israël. Dernier vestige du temple d'Hérode détruit en 70 par Titus, le mur est un lieu de prières pour les juifs.

2 383
14 3268
Muraille de Chine (ou Grande Muraille). Mur de fortification, long de 3 500 km, érigé dans le nord de la Chine

sous la dynastie des Ts'in (IIIᵉ s. av. J.-C.), puis rénové et achevé sous les Ming (XVᵉ-XVIIᵉ s.).

10 2191 **Murat** Joachim, maréchal de France (1767-1815). Aide de camp de Bonaparte en Italie (1796), il devint roi de Naples en 1808. Après avoir, en 1814, tenté de sauver son royaume, il fut pris et fusillé.

1 220 **mûre** n. f. Fruit comestible du mûrier, arbre (famille des moracées) dont les feuilles servent à nourrir les vers à soie. ◇ *Mûre sauvage :* fruit de la ronce ressemblant à une mûre.

5 969
8 1858 **murène** n. f. Poisson marin (ordre des apodes) à allure de serpent. Carnassier très vorace, la murène s'abrite dans les cavités des côtes rocheuses.
11 2535

5 1034 **murex** n. m. Mollusque gastéropode à coquille garnie de nombreuses pointes et dont, dans l'Antiquité, on extrayait la pourpre.
8 1858

12 2752 **Murillo** Bartolomé Esteban, peintre espagnol (1618-1682). Son œuvre comprend des compositions religieuses et des scènes de la vie quotidienne.

Murnau Friedrich Wilhelm, cinéaste allemand (1888-1931). Il est l'un des maîtres du cinéma muet expressionniste : *Nosferatu le vampire* (1922), *le Dernier des hommes* (1924), *l'Aurore* (1927)...

2 335 **Murray** (le). Principal fleuve d'Australie se jetant dans l'océan Indien. 2 574 km. Il est aménagé pour l'irrigation et l'hydro-électricité.

4 760 **Mururoa.** Atoll des îles Tuamotu, situé en Polynésie française, sur lequel se déroulent les expériences nucléaires militaires françaises.

3 532 **musaraigne** n. f. Mammifère insectivore, de très petite taille, semblable à une souris. Elle se nourrit de vers, escargots, insectes, etc.

musc n. m. Substance très odorante, extraite des glandes abdominales du chevrotain, utilisée en parfumerie. Civette, mustélidés, etc., possèdent également des glandes à musc.

muscadier n. m. Arbre tropical, originaire des îles Moluques, dont la graine, muscade ou noix muscade, très odorante, est utilisée comme condiment. Distillée, la muscade donne l'essence de muscade.

1 175 **muscle** n. m. Organe moteur des
2 326 hommes et des animaux, constitué
3 528 essentiellement de cellules contractiles
9 1991 (fibres musculaires). On distingue les
13 3069 muscles rouges striés qui se prolongent par des tendons*, les reliant aux os, et les muscles lisses qui forment, avec d'autres tissus, les parois des vaisseaux sanguins, des viscères, etc. Les muscles striés nécessitent des nerfs moteurs pour se contracter, alors que les muscles lisses des viscères se contractent spontanément. Le muscle cardiaque (ou

Le « Long Mur », ou **Grande Muraille** *de Chine, franchit monts et déserts.*

Joachim **Murat**, *ancien épicier, devint roi de Naples en 1808.*

La **musaraigne** *est le plus petit mammifère d'Europe.*

Salle des antiquités gréco-romaines du **musée** *du Louvre, à Paris.*

myocarde*) est un muscle creux se contractant automatiquement.

musée n. m. Lieu ouvert au public et
5 1006
12 2726
13 3001
dans lequel on conserve et on présente des collections d'objets qui offrent un intérêt artistique, historique ou scientifique. *Musée du Louvre, du Vatican. Musée du palais de la Découverte* (Paris). ◇ *Musée d'Art moderne :* musée consacré à l'exposition d'œuvres représentatives des divers courants de l'art contemporain. *Musée d'Art moderne de la Ville de Paris.* ◆ **muséum** n. m. Musée consacré aux sciences naturelles.

musée de l'Homme. Musée d'anthropologie et d'ethnologie (section du Muséum national d'histoire naturelle), fondé en 1937 et installé au palais de Chaillot, à Paris.

musée des Arts décoratifs. Musée de Paris installé dans une aile du Louvre. Ses admirables collections (sculptures, tapisseries, meubles, céramiques, etc.) présentent un panorama complet des techniques artistiques.

Muses n. f. pl. Divinités gréco-romaines, au nombre de neuf, protectrices des arts et des lettres : Calliope (éloquence), Clio (histoire), Érato (élégie), Euterpe (musique), Melpomène (tragédie), Polymnie (poésie lyrique), Terpsichore (danse), Thalie (comédie) et Uranie (astronomie).

Muséum national d'histoire naturelle. Établissement scientifique, fondé en 1794 à partir des collections du Jardin du roi. Il comprend notamment le Jardin des Plantes, le musée de l'Homme, le zoo de Vincennes et plusieurs laboratoires de recherche.

music-hall n. m. Établissement de spec-
2 407
13 2966
tacles où l'on donne des tours de chant, des revues à grand spectacle, etc. *L'Olympia, les Folies-Bergère sont des music-halls de Paris.* ◇ Genre de spectacle, apparu au XIXᵉ s. en Angleterre, mêlant le chant, la danse, le mime, les numéros de cirque et le théâtre. *Une revue de music-hall.*

musique n. f. Art de combiner les sons
2 260
2 407
4 879
5 1158
10 2324
12 2734
14 3150
14 3301
14 3342
en obéissant à certaines règles. *Une musique savante, populaire. La musique vocale* (celle dont le son est produit par la voix), *instrumentale* (celle dont le son est produit par un ou plusieurs instruments). *Musique tonale, atonale, modale.* ◇ Ensemble des productions de l'art musical. *Musique profane, religieuse. Musique de danse, de film. Musique classique, contemporaine, légère, de jazz.* ◇ Œuvre musicale. *Écouter un morceau de musique.* ◇ Musique écrite. *Déchiffrer, copier de la musique.* ◇ Fanfare. *La musique d'un régiment.* ◆ **musicien** n. m. Personne dont le métier est d'exécuter ou de composer de la musique. *Un orchestre de 50 musiciens. Jean-Sébastien Bach, Miles Davis sont de grands musiciens.*

11 2572
13 2941
Musset Alfred DE, écrivain français (1810-1857). Sa liaison avec George Sand, sujet de son roman *la Confession d'un enfant du siècle* (1836), lui inspira aussi les *Nuits* (1835-1837), poèmes au lyrisme souvent excessif. En revanche, il atteint à l'émotion vraie dans ses pièces : *les Caprices de Marianne* (1833), *Lorenzaccio* (1834), etc.

11 2529
11 2596
Mussolini Benito, homme d'État italien (1883-1945). Socialiste, il devint ultranationaliste en 1914. Fondateur du parti fasciste* (1919), il s'empara du pouvoir en octobre 1922. À partir de 1925, il exerça une dictature absolue et se fit proclamer *Duce*. Son alliance avec Hitler (1936) l'entraîna dans la guerre. Arrêté sur ordre du roi (1943), puis délivré par les nazis, il fut exécuté par des résistants.

11 2478
Mustafa Kemal (dit *Atatürk* : le père des Turcs), homme d'État turc (1881-1938). Militaire, il dirigea la révolution de 1919 et refusa la paix imposée par les Alliés. Vainqueur des Grecs (1923), il orienta la Turquie moderne dans une voie occidentalisée et laïque.

mustang n. m. Cheval importé d'Europe et revenu à la vie sauvage, abondant dans l'ouest des États-Unis, où il a énormément proliféré.

6 1268
mustélidés n. m. pl. Famille de mammifères carnivores, aux pattes courtes, qui possèdent des glandes anales sécrétant une substance odorante. Ce sont l'hermine, la belette, le blaireau, la moufette, la loutre, etc.

5 1012
musulman n. m. Fidèle de l'islam. Le musulman croit en un Dieu unique dont la parole, consignée dans le Coran, fut révélée au prophète Mahomet. Il vise à respecter les cinq obligations de sa foi.

5 1096
6 1292
13 3088
mutation n. f. Toute modification, accidentelle et héréditaire (transmissible aux descendants), du génome (ensemble des gènes) d'un individu, appelé alors un *mutant*. Si une mutation dominante se constate aisément, il n'en est pas de même d'une mutation récessive (silencieuse), qui peut ne pas être perçue.

mutilation n. f. Ablation accidentelle, ou consécutive à un accident, d'un organe, d'un membre, etc. L'amputation d'une main, la castration, etc., sont des mutilations. ◇ Dégradation. *Mutilation d'une œuvre d'art.*

mutinerie n. f. Révolte ouverte contre une autorité, un pouvoir établi, et notamment la hiérarchie militaire ou le commandant d'un navire. *Les mutins de la mer Noire.*

Mutsu-Hito → Meiji Tennō

mutuelle n. f. Société mutualiste, fondée sur les principes de la *mutualité*, ou système de solidarité sociale (assurance, prévoyance) fondé sur l'entraide des membres cotisants, regroupés au sein d'une même société à but non lucratif.

*Alfred de **Musset** en 1854, par Charles Landelle.*

***Musulmans** de Haute-Volta en prière.*

*La porte des Lions, dans l'enceinte cyclopéenne de **Mycènes**.*

*Couverte de poils urticants, la **mygale** est la plus grosse araignée du monde.*

mycélium n. m. Fins filaments formant l'appareil végétatif des champignons, par opposition aux appareils reproducteurs, tels les carpophores.
1 122

Mycènes. Village de Grèce, dans le Péloponnèse. Mycènes fut, du XVIe au XIIIe s. av. J.-C., le centre de la civilisation dite mycénienne. Elle fut ruinée par l'invasion des Doriens (XIIIe s.). Importants vestiges : *tholos d'Atrée.*
2 414
14 3146

mycologie n. f. Partie de la botanique ayant pour objet l'étude scientifique des champignons. ◆ **mycologue** n. m. ou f. Botaniste spécialisé dans l'étude des champignons.

mycorhize n. f. Symbiose* établie entre un champignon et une racine. Certains mycéliums pénètrent dans les racines (orchidées), d'autres forment un manchon externe (hêtre, noisetier, etc.).
1 122

mycose n. f. Nom de diverses maladies dues à des champignons parasites. On distingue les mycoses cutanées ou superficielles, les mycoses sous-cutanées et les mycoses profondes.
1 122
5 1149

myéline n. f. Substance constituée principalement de lipides, alternant avec des couches de protides et qui forme l'une des 2 gaines entourant le cylindraxe de certaines cellules nerveuses.
6 1311

mygale n. f. Grosse araignée des pays tropicaux d'Amérique du Sud, vivant dans un terrier fermé par un opercule. Sa salive venimeuse est mortelle pour un petit animal et dangereuse pour l'Homme.
4 844

myocarde n. m. Muscle creux du cœur, formé de fibres striées et anastomosées qui constituent la partie contractile de sa paroi. On distingue le myocarde auriculaire du myocarde ventriculaire.
9 1988

myopathie n. f. Nom de différentes maladies du tissu musculaire, d'origines métabolique, neurologique, etc. La myopathie peut être héréditaire.

myopie n. f. Trouble de la vue dû à un défaut du cristallin, qui forme l'image des objets en avant de la rétine. Le *myope* possède une mauvaise vision des objets lointains.
3 525

myosotis n. m. Petite plante herbacée (famille des borraginacées), à feuilles souvent velues et à nombreuses petites fleurs bleues, blanches ou roses.

myriapodes n. m. pl. Classe formée d'arthropodes terrestres, également appelés mille-pattes, dont le corps est composé d'un grand nombre de segments (jusqu'à 240) presque identiques, portant chacun 1 ou 2 paires de pattes.
10 2180
10 2234
11 2509

Myron, sculpteur grec (première moitié du Ve s. av. J.-C.). Son *Discobole*, chef-d'œuvre d'harmonie, exalte le corps en mouvement.

myrrhe n. f. Gomme résine aromatique, produite par un arbuste de la famille des térébinthacées poussant en Somalie, que l'on utilise en pharmacie.

myrte n. m. Arbrisseau méditerranéen de la famille des myrtacées, à feuilles coriaces riches en essences odorantes utilisées en parfumerie et en pharmacie.

myrtille n. f. Baie noir bleuâtre, comestible et sucrée, produite par un arbrisseau (famille des éricacées) des montagnes d'Europe et d'Amérique du Nord.

mystère n. m. 1 — RELG Culte religieux secret, dans la Grèce et l'Orient antiques. *Les mystères d'Éleusis, d'Isis.* ◇ Vérité révélée inaccessible à la seule raison, chez les chrétiens. *Le mystère de la Trinité.*

mystère n. m. 2 — LITT Forme théâtrale du Moyen Âge (XVᵉ-XVIᵉ s.). Succession de tableaux dramatiques tirés de la Bible ou de la vie des apôtres, les mystères se jouaient sur le parvis des églises. *Le Mystère de la Passion* d'Arnoul Gréban (1452) compte 34 574 vers.

mysticisme n. m. Doctrine qui admet la possibilité d'une communication intime de l'Homme avec Dieu, par la contemplation et l'extase. Thérèse d'Avila fut une grande *mystique* chrétienne.

14 3286 **mythe** n. m. Récit légendaire, populaire ou littéraire, qui met en scène les exploits d'êtres fabuleux (mythologie*).

Mythologie grecque *:* les Amours de Pâris et d'Hélène *(1789), par David.*

Mytiliculture : récolte à marée basse des moules fixées sur des bouchots.

◇ Représentation, amplifiée et déformée par la tradition populaire, de personnages, de faits historiques ou de phénomènes sociaux. *Le mythe de Napoléon.*

mythologie n. f. Ensemble des mythes* propres à une civilisation, à un peuple, à une religion, et notamment à l'Antiquité gréco-latine. La mythologie est née du besoin de représenter toute chose d'une manière concrète. À travers le récit des exploits des divinités et héros, le mythe représente une explication des phénomènes naturels et humains.   **2** 296   **2** 421   14 313E   14 318T

mythomanie n. f. Tendance maladive, plus ou moins consciente, à inventer, à fabuler ou à dire des mensonges. Certains malades mentaux et parfois certains enfants sont des *mythomanes.*

mytiliculture n. f. Élevage des moules. Les jeunes moules (naissains) sont recueillies et disposées sur un support de culture : bouchot, vase, corde.   **12** 2868

myxomatose n. f. Maladie infectieuse et mortelle des lapins. Très contagieuse, la myxomatose est due à un virus et se transmet par les puces. Véritable fléau, elle apparut en France en 1952.   **13** 2996

myxomycètes n. m. pl. Groupe d'êtres vivants rattachés aux champignons. Les myxomycètes forment des masses gluantes se déplaçant comme des amibes. Ils se reproduisent par spores.

Nabuchodonosor II, roi de Babylone
(605-562 av. J.-C.). Successeur de Nabopolassar (605). Vainqueur des Égyptiens, il prit Jérusalem et déporta les Juifs à Babylone (587).

1 131
2 253

nacre n. f. Substance dure, riche en calcaire, aux reflets irisés, recouvrant l'intérieur de la coquille de certains mollusques. *Bijoux, marqueterie de nacre.*

5 1033

Nadar (Félix TOURNACHON, *dit*), photographe, dessinateur et écrivain français (1820-1910). Il réalisa les premières photos prises du haut d'un aérostat (1858).

14 3313

nadir n. m. Point imaginaire de la sphère céleste, sur la verticale descendante, passant par le centre de la Terre et partant d'un lieu donné. Il est opposé au zénith*.

nævus n. m. Anomalie cutanée embryonnaire d'étendue limitée et d'origine congénitale. Les grains de beauté, angiomes, etc., sont des *nævi.*

Nagasaki. Grand port du Japon, sur la côte nord-ouest de Kyushu. 448 000 hab. Constructions navales ; textile. ◇ La deuxième bombe atomique y fut lancée, le 9 août 1945 (80 000 victimes).

1 205
10 2359
11 2604

nageoire n. f. Organe locomoteur et stabilisateur des animaux aquatiques (poissons, cétacés, etc.), formé d'une membrane plate tendue sur des os.

1 16
5 971

nain n. m. Individu de petite taille. Le *nanisme* est dû à une anomalie de la croissance généralement produite par une insuffisance thyroïdienne ou hypophysaire. Cette affection est parfois héréditaire.

1 226
11 2490

Nairobi. Capitale du Kenya, à 1 660 m d'altitude. 736 000 hab. Principal centre économique du pays, sur la voie ferrée Kampala-Mombasa.

11 2581

naissance n. f. Sortie de l'enfant du ventre de sa mère. L'établissement de la

1 223
14 3172

*Passionné par les aérostats, **Nadar** réalisa les premières photos aériennes.*

*La **Namibie**.*

respiration pulmonaire, la section du cordon ombilical assurant son alimentation durant la vie fœtale correspondent au commencement de la vie indépendante de l'enfant. Cependant, le bébé et les petits de certains animaux (mammifères, oiseaux, etc.) ont besoin de leurs parents pour assurer leur développement jusqu'à l'âge adulte.

naja n. m. Nom scientifique du cobra*, serpent très venimeux. Le *cobra indien* est appelé serpent à lunettes. Le *cobra royal* africain atteint 4 m.

Namib (désert du). Désert côtier du sud-ouest de l'Afrique, qui a donné son nom à la Namibie. Il atteint jusqu'à 100 km de largeur.

4 735

Namibie (jusqu'en 1968, Sud-Ouest africain). Territoire d'Afrique australe. 825 000 km² ; 1 200 000 hab. Capitale : Windhoek. Un vaste plateau retombe sur le désert côtier du Namib. Richesses minières : diamants et uranium (4ᵉ rang mondial). ◇ Colonie allemande de 1892 à 1914, confiée en 1920 à l'Afrique du Sud qui l'annexa en 1949 et y établit le régime de l'apartheid. L'ONU déchut l'Afrique du Sud de son mandat en 1978. Guérilla, conduite par la SWAPO (Organisation des peuples du Sud-Ouest africain), depuis 1974.

4 738

Namur. Province du sud de la Belgique. 3 660 km² ; 398 900 hab. Chef-lieu : Namur (100 000 hab.), au confluent de la Sambre et de la Meuse. Province surtout agricole (céréales, élevage). Industries à Namur et dans l'Ouest.

4 775

Nancy (54000). Chef-lieu de la Meurthe-et-Moselle, sur la Meurthe. 99 307 hab. *(Nancéiens).* Centre commercial, industriel et culturel. ◇ Ancienne capitale du duché de Lorraine. Célèbre place Stanislas (XVIIIᵉ s.).

8 1704

nandou n. m. Oiseau coureur d'Amérique du Sud ressemblant à une petite

3 659
5 1169

autruche. Une espèce peuple la pampa, une autre, les plateaux andins.

6 1357 **Nankin.** Ville de Chine, sur le bas Yang-tsé-kiang. 1 670 000 hab. Cité industrielle (métallurgie, chimie, textile...). ◇ Nankin fut la capitale de la Chine nationaliste de 1928 à 1949.

Nansen Fridtjof, explorateur et homme politique norvégien (1861-1930). Il explora le Groenland et fut délégué à la SDN pour les réfugiés.

4 923 **Nanterre** (92000). Chef-lieu des Hauts-de-Seine, à l'ouest de Paris. 90 371 hab. *(Nanterrois).* Industries variées, centre universitaire.

7 1555 **Nantes** (44000). Chef-lieu de la Loire-Atlantique et de la région Pays de la Loire, sur la Loire (important complexe portuaire Nantes-Saint-Nazaire-Donges). 247 227 hab. *(Nantais).* Centre commercial, industries variées.

8 1853
9 1936 **Nantes** (édit de). Édit d'Henri IV autorisant le culte réformé en France (13 avril 1598). Les calvinistes y obtinrent des garanties juridiques, politiques et militaires.

napalm n. m. Mélange gélifié d'essence et d'un dérivé organique de sodium. Très inflammable, il est utilisé dans la fabrication de projectiles incendiaires.

naphtalène n. m. Solide blanc à odeur caractéristique qui se présente en paillettes et est utilisé comme *antimite.* ◆ **naphtaline** n. f. Nom commercial du naphtalène impur.

8 1881 **Napier** ou **Neper** John, mathématicien écossais (1550-1617). Il est l'inventeur des logarithmes et de leurs applications aux calculs numériques.

10 2253
14 3147 **Naples** (en italien, *Napoli*). Ville d'Italie, chef-lieu de la Campanie, au fond du golfe de Naples. 1 225 000 hab. *(Napolitains).* Port de voyageurs et de commerce (pétrole). Grand centre industriel du *Mezzogiorno**. Tourisme. ◇ Nombreux monuments. Musée archéologique. ◇ Capitale du royaume de Naples (1282-1860).

10 2190
10 2214 **Napoléon Ier,** empereur des Français (1769-1821). Deuxième fils d'un nobliau corse, le jeune Bonaparte fut remarqué au siège de Toulon (1793). Compromis un moment pour ses sympathies jacobines, il obtint le commandement de l'armée d'Italie. Il révéla durant cette campagne (1796-1797) son génie militaire. Éloigné de Paris par l'expédition d'Égypte (1798-1799), il revint à temps pour participer au coup d'État du 18 Brumaire. Premier consul, il concentra entre ses mains tous les pouvoirs, accomplit une œuvre civile considérable (Code civil, Banque de France, centralisation du pouvoir) et rétablit la paix (paix d'Amiens, 1802). Devenu empereur des Français (mai 1804), il eut des ambitions territoriales qui se heurtèrent à la

*Excellents coureurs, les **nandous** sont incapables de voler.*

*Le port de **Nantes** vu de l'île Sainte-Anne.*

***Napoléon Ier** en 1808, par le baron Gros.*

***Napoléon III** en uniforme de général, par Hippolyte Flandrin.*

coalition des puissances européennes. La guerre d'Espagne puis la campagne de Russie (1812-1813) précipitèrent sa chute (avril 1814). Revenu au pouvoir durant les Cent-Jours, il fut définitivement vaincu à Waterloo (juin 1815) et exilé à Sainte-Hélène, où il mourut.

Napoléon II (François Charles Joseph BONAPARTE, *duc* DE REICHSTADT), roi de Rome (1811-1832). Fils de Napoléon Ier et de Marie-Louise, il vécut en Autriche après l'abdication de son père.

10 2332 **Napoléon III** (Charles Louis Napoléon BONAPARTE), empereur des Français (1808-1873). Fils de Louis, roi de Hollande, et neveu de Napoléon Ier. Élu président de la République en 1848, il perpétra un coup d'État le 2 décembre 1851 et rétablit l'empire l'année suivante. Instaurant une véritable dictature, il pratiqua une politique extérieure de prestige et favorisa l'essor économique du pays. La libéralisation qui intervint dans la seconde moitié du règne ne suffit pas à sauver le régime face au désastre militaire de Sedan (2 septembre 1870). L'empereur déchu mourut en exil.

nappe n. f. Masse étalée formant une couche d'un corps fluide (nappe d'huile), ou de matières éruptives (nappe volcanique) ou sédimentaires (nappe de charriage). Une nappe phréatique est une nappe d'eau souterraine.

narcisse n. m. Plante herbacée à bulbe (famille des amaryllidacées) dont le périanthe* porte un tube : jonquille, narcisse des poètes, etc.

Narcisse. MYTH Jeune Grec d'une grande beauté. Épris du reflet de son visage dans l'eau d'une fontaine et insensible à l'amour de la nymphe Écho, il mourut désespéré de ne pouvoir étreindre sa propre image.

narcotique n. m. Substance qui provoque l'assoupissement, la disparition du tonus musculaire et une diminution de la sensibilité nerveuse pouvant aller jusqu'à l'anesthésie.

narthex n. m. Vestibule ou portique de certaines églises, situé entre le porche et la nef.

1 14
4 820
13 2991 **narval** n. m. Mammifère cétacé de l'océan Arctique, caractérisé par le développement, chez le mâle, de l'incisive supérieure gauche, qui peut atteindre jusqu'à 2 m de long.

11 2413 **Narvik.** Port de Norvège septentrionale. 13 000 hab. Exportation du fer suédois. ◇ Violents combats navals entre Allemands et Franco-Anglais en 1940.

14 3264 **N.A.S.A.** Sigle de *National Aeronautics and Space Administration,* organisme fondé en 1958 aux États-Unis en vue de coordonner les travaux de recherche aéronautiques et spatiaux civils : exploration de l'espace, entraînement des astronautes, etc.

Nassau. Capitale de l'État des Bahamas, dans l'île de New Providence. 102 000 hab. environ, qui vivent surtout du tourisme.

Nassau. Famille de Rhénanie. Elle régna sur le duché de Nassau du XIIᵉ s. à 1866 puis sur le Luxembourg. La branche d'Orange-Nassau, à laquelle appartenait Guillaume III, roi d'Angleterre, règne depuis 1815 sur les Pays-Bas.

nasse n. f. Panier pour attraper les poissons, de forme oblongue et à ouverture conique. ◇ Filet pour capturer de petits oiseaux.

Nasser Gamal Abdel, homme d'État égyptien (1918-1970). Jeune officier, il organisa le coup d'État qui renversa le roi Farouk (1952). Après avoir écarté Neguib, il fut élu président de la République (1956), nationalisa le canal de Suez (1956) et étatisa l'économie. Il se fit le champion du panarabisme et de la cause arabe face à Israël.

Natal. La plus petite (87 000 km²) province d'Afrique du Sud, sur l'océan Indien, très peuplée (4 246 000 hab.). Chef-lieu : Pietermaritzburg. Houille.

natalité n. f. Rapport entre le nombre des naissances et celui de la population d'un pays, d'une région, pendant une période donnée. *Taux de natalité. Pays à forte natalité :* où il naît beaucoup d'enfants. ◆ **dénatalité** n. f. Diminution du nombre des naissances, baisse de la natalité.

natation n. f. Sport de la nage, apparu dans l'Antiquité au Japon, puis au XIXᵉ s. en Angleterre. Se déroulant en bassin, les épreuves opposent huit nageurs sur des distances allant de 100 m à 1 500 m, dans quatre styles de nage : la nage libre, le dos, la brasse et le papillon ; les épreuves dites « quatre nages » mêlent les quatre styles.

nation n. f. Groupe humain habitant généralement un même territoire et qui se caractérise par la conscience de son unité et par la volonté de vivre ensemble. *Hymne national :* propre à une nation. *Défense nationale :* qui concerne la nation tout entière. ◆ **nationalisme** n. m. Doctrine politique qui place les intérêts nationaux et la puissance nationale au-dessus de toute autre considération. ◆ **nationalité** n. f. État d'une personne qui appartient juridiquement à une nation déterminée. *Nationalité française. Nationalité acquise.* (Voir naturalisation.)

National Gallery. Musée de peinture de Londres, l'un des plus riches du monde : primitifs italiens, école hollandaise du XVIᵉ s., etc.

nationalisation n. f. Transfert de la propriété d'entreprises précédemment possédées par des particuliers à la collectivité. ◇ En France, les principales nationalisations eurent lieu en 1936-1938 (armement, Banque de France, chemins de fer), en 1944-1945 (houillères, gaz et électricité, etc.) et en 1981-1982 (banques, grands groupes industriels).

national-socialisme n. m. Doctrine politique exposée par Hitler dans son livre *Mein Kampf* (1925). Adoptée par le Parti ouvrier allemand national-socialiste, ou parti nazi*, elle devint la doctrine officielle de l'État allemand de 1933 à 1945. Cette théorie se fondait sur l'idée de la supériorité de la « race germanique » (dite aryenne) et de son besoin d'« espace vital », justifiant l'élimination de toutes les « races inférieures » (juifs, tsiganes).

nativité n. f. Fêtes liturgiques de la naissance de Jésus, de la Vierge, de Jean-Baptiste. ◇ *La Nativité :* la fête de Noël. ◇ Tableau représentant Jésus nouveau-né à Bethléem.

naturalisation n. f. Acte par lequel un étranger acquiert la nationalité (nation*) du pays où il réside, bénéficiant ainsi des mêmes droits que ceux qui y sont nés (nationaux).

naturalisme n. m. Mouvement artistique et littéraire de la fin du XIXᵉ s., illustré notamment par Zola, qui entendait reproduire la réalité sans interpréter les faits qui la constituent.

nature n. f. Ensemble de tous les êtres vivants, des éléments minéraux constituant l'Univers et des phénomènes qui s'y produisent. ◇ Tout ce qui, dans l'Univers, existe sans l'action de l'Homme. ◇ Ensemble des caractères fondamentaux, des propriétés qui définissent un être ou une chose. *La nature humaine. La nature du terrain.*

naturisme n. m. Doctrine qui préconise le retour à la nature dans la manière de vivre : simplicité de l'habitat et de l'alimentation, nudisme, etc.

Nauru (république de). Petit et riche (phosphates) État de Micronésie, membre du Commonwealth, indépendant depuis 1968. 21,3 km² ; 7 500 hab. Capitale : Makwa.

nautile n. m. Mollusque céphalopode des mers chaudes, connu depuis le primaire. Sa belle coquille spiralée et cloisonnée atteint 25 cm de diamètre.

nautisme n. m. Ensemble des sports se déroulant dans l'eau. Les sports nautiques se répartissent en activités pratiquées en mer, sur une embarcation (navigation de plaisance) ou sur une ou deux planches (planche à voile, surf, ski nautique) ; en eau douce, sur une embarcation (aviron, canoë-kayak, joutes nautiques) ; ou enfin directement dans l'eau, comme la natation, le plongeon et le water-polo.

Navajos ou **Navahos** (les). Indiens d'Amérique du Nord, vivant dans des réserves de l'Arizona et du Nouveau-Mexique. Ils forment le groupe indien le

*La brasse papillon est une épreuve de **natation** très spectaculaire.*

*La **Nativité** met en scène la Vierge, l'Enfant, Joseph, l'âne et le bœuf.*

*La coquille du **nautile** est divisée en compartiments qui servent de flotteurs.*

Nautisme : *course de bolides sur la Seine.*

plus important des États-Unis (environ 100 000 personnes), peu assimilé.

8 1850 **Navarre.** Province de France. Partie française du royaume de Navarre, né au IXe s. Réunie à la France au XIIIe s., elle appartenait aux Albret, avant d'être définitivement rattachée à la couronne par Henri IV.

5 1169 **Navarre.** Région d'Espagne. Partie espagnole du royaume de Navarre, réunie au royaume d'Aragon et de Castille par Ferdinand d'Aragon, au XVIe s.

11 2447 **navet** n. m. Plante bisannuelle (famille des crucifères), cultivée pour sa racine tubéreuse, violette ou blanche, qui est comestible.

1 21
2 398
10 2222
13 3112
14 3264
navette n. f. 1 − TECH Pièce d'un métier à tisser servant à passer le fil de la trame entre ceux de la chaîne. ◇ Véhicule de transport qui fait des aller et retour réguliers. ◇ *Navette spatiale :* engin servant aux vols spatiaux habités autour de la Terre. Lancée comme une fusée, elle revient sur Terre en atterrissant comme un planeur.

11 2448 **navette** n. f. 2 − BOT Nom courant de diverses plantes (famille des crucifères) voisines du colza. Les graines servent à fabriquer une huile très parfumée.

2 270
6 1279
14 3144
navigation n. f. Action de conduire un navire sur la mer (navigation maritime) ou sur les cours d'eau (navigation fluviale). ◇ Détermination de la route que doit suivre un navire, un avion. ◆ **navigateur** n. m. Membre de l'équipage d'un navire, d'un avion, chargé de calculer la position de celui-ci, de relever le chemin parcouru et de déterminer la route à suivre.

1 44
2 272
2 472
3 632
13 2982
navire n. m. Bâtiment ponté, de fort tonnage, conçu pour la navigation en haute mer : navire de guerre (porte-avions, escorteur, etc.), navire de commerce (pétrolier, cargo), navire de plaisance (paquebot). Un navire se compose d'une coque et de superstructures (les parties situées au-dessus du pont). Autrefois propulsés par des voiles, les navires sont aujourd'hui propulsés par des hélices entraînées par un moteur. ◆ **navire-école** n. m. Navire pour apprendre le métier de marin.

11 2532
12 2724
14 3211
nazisme n. m. (Voir national-socialisme.) ◇ *Parti nazi :* abréviation allemande de *national-sozialist* ou membre du parti fondé en 1920 par Adolf Hitler.

8 1912 **N'Djamena** (Fort-Lamy jusqu'en 1973). Capitale du Tchad, sur le Chari. 179 000 hab. Centrale électrique. Industrie alimentaire.

1 3
14 3115
Neandertal ou **Neanderthal.** Vallée du bassin de la Düssel, en Allemagne. ◇ Grotte où l'on découvrit, pour la première fois, les restes de l'hominien auquel elle donna son nom : *l'homme*

*Les Indiens **navajos** vivent dans des réserves, en Arizona et en Utah.*

*Lancée comme une fusée, la **navette** spatiale atterrit comme un planeur.*

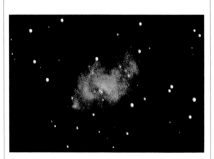

*Photographie de **nébuleuse** réalisée par la NASA.*

*Le pur profil de la reine d'Égypte **Néfertiti.***

de Neandertal. Celui-ci vécut au moustérien*. Trapu, de petite taille (1,50 m), les mâchoires importantes, il disparut vers 35000 av. J.-C.

1 61 **Nebraska.** État du centre des États-Unis, dans les Grandes Plaines. 200 017 km² ; 1 484 000 hab. Capitale : Lincoln. Grande région agricole : céréales, élevage (bovins surtout).

1 104
2 254
3 700
8 1771
nébuleuse n. f. Nuage de gaz et de poussières visible dans l'espace interstellaire et présentant un aspect diffus : *nébuleuses d'Orion, du Cygne, du Crabe...* ◇ Une *nébuleuse planétaire* est une nébuleuse ayant la forme sphérique d'une planète ; elle entoure une étoile. Une *nébuleuse extragalactique :* ancien nom utilisé pour désigner une galaxie*.

Necker Jacques, financier et homme d'État français d'origine suisse (1732-1804). Directeur général des Finances (1777-1781). Ses réformes mécontentèrent la noblesse. Rappelé en 1788, son nouveau renvoi fut la cause immédiate des troubles du 14 juillet 1789.

nécropole n. f. Grand cimetière antique. Une nécropole peut être souterraine ou à ciel ouvert. *Nécropole étrusque.*

nécrose n. f. Mort et destruction d'un tissu, dues souvent à un arrêt prolongé de l'irrigation sanguine. La *gangrène* est une nécrose.

3 503
7 1587
nectar n. m. Liquide sucré contenant du saccharose et du glucose sécrété par des formations glandulaires dites *nectaires*, situées en divers endroits des fleurs mellifères. Le nectar, qui est recueilli par les abeilles, donne le *miel*.

Néel Louis, physicien français (né en 1904). Ses travaux sur différents types de magnétisme lui valurent le prix Nobel de physique en 1970.

1 54 **nef** n. f. Partie d'une église, généralement réservée aux fidèles, comprise entre l'entrée principale ou le narthex* et le chœur. *Nef centrale, nefs latérales* (bas-côtés ou collatéraux).

8 1696
13 3033
Néfertiti *(« la belle est venue »)*, reine d'Égypte (XIVe s. av. J.-C.). Épouse d'Aménophis IV, elle était d'une grande beauté (célèbre buste au musée de Berlin).

4 856 **nèfle** n. f. Fruit du néflier, grand arbre de la famille des rosacées. Récoltées lors des premières gelées, les nèfles, à peau rugueuse, grisâtre, ne sont consommées que blettes.

8 1747 **négatif** n. m. Épreuve photographique transparente sur laquelle les parties claires et sombres sont inversées par rapport au sujet. On se sert d'un négatif pour faire des tirages photo.

négoce n. f. Activité commerciale portant sur des affaires importantes ; commerce de gros*. ◇ *Négoce de l'argent :* activité boursière. ◆ **négociant** n. m. Commerçant en gros. *Négociant en vins, en tissus.*

négociation n. f. Démarches, pourparlers en vue d'un accord. En diplomatie, les négociations précèdent l'établissement d'un traité, d'un pacte, etc. On parle aussi de négociations entre le patronat, les syndicats et l'État.

3 553 **Nègres** (les). Les personnes de race noire (terme souvent employé avec une intention péjorative). ◇ L'art nègre est l'art de l'Afrique noire, spécialement tel que l'Occident l'a découvert au début du XXᵉ s. ◆ **négrier** n. m. Personne qui se livre à *la traite des Nègres* (la traite des Nègres était un commerce qui consistait à enlever d'Afrique des Noirs pour les vendre comme esclaves aux Amériques).

Négritos (les). Populations primitives mélano-indonésiennes (Philippines, Malaysia, îles Andaman). Les Négritos ont une très petite taille.

3 555 **negro spiritual** n. m. Chant religieux des chrétiens de race noire des États-Unis. Les negro spirituals résultent de la fusion entre la tradition musicale africaine et les cantiques américains.

12 2733 **Néguev.** Région désertique du sud de l'État d'Israël, débouchant sur la mer Rouge. Cultures irriguées. Sous-sol riche : cuivre, pétrole, phosphates...

négus n. m. Titre des souverains d'Éthiopie, signifiant *« roi des rois ».* Hailé Sélassié, déposé en 1974, fut le dernier à le porter.

12 2688 **Nehru** Jawaharlāl, homme d'État indien (1889-1964). Disciple de Gandhi et président du parti du Congrès (1929), il fut Premier ministre puis président de l'Union indienne (1950-1964). Père d'Indira Gandhi.

1 184
4 782
4 865
7 1536
neige n. f. Précipitation* sous forme d'eau congelée en cristaux hexagonaux ou étoilés, souvent assemblés en flocons. La neige se forme quand la température est inférieure à 0 °C dans les couches les plus basses de l'atmosphère. La hauteur et la durée de la couche de neige en un lieu donné qualifient *l'enneigement* de ce lieu.

10 2198 **Nelson** Horatio *(vicomte),* amiral anglais (1758-1805). Il remporta sur les flottes françaises les victoires décisives d'Aboukir (1798) et de Trafalgar (1805), au cours de laquelle il trouva la mort.

9 2103
10 2203
némathelminthes n. m. pl. Embranchement de vers au corps cylindrique, non segmenté, enveloppé d'une épaisse cuticule qui impose une croissance par mues. Beaucoup de ces *vers ronds* sont parasites (ascaris, oxyure, trichine...) ; d'autres mènent une vie libre.

Nenni Pietro, homme politique italien (1891-1980). Opposant au fascisme, il

Hardi stratège, **Nelson** *(à dr.) accumula les victoires navales.*

Dans les villes, les tubes de **néon** *triomphent de la nuit.*

Le **Népal.**

Maisons et cultures en terrasses sur les pentes de l'Himalaya, au **Népal.**

dirigea le parti socialiste ; il fut vice-président du Conseil en 1945 et en 1963.

1 190
9 1955
nénuphar n. m. Nom de plusieurs plantes aquatiques (famille des nymphéacées) à feuilles flottantes et fleurs jaunes, blanches ou rouges.

1 3
14 3208
néolithique n. m. Période de la préhistoire. Elle débuta vers 8000 av. J.-C. au Proche-Orient et vers 5000 en Europe, puis se termina avec l'âge du bronze. De cette époque datent l'apparition de l'agriculture et de la céramique, l'essor des premières villes (Jéricho)...

néologisme n. m. Mot de création récente (par exemple : apesanteur) ou mot déjà répertorié, mais qu'on emploie dans un sens nouveau (créneau).

6 1410
11 2564
néon n. m. Gaz rare, incolore et inodore. Symbole *Ne.* Il est utilisé dans les tubes luminescents donnant une lumière rouge orangé.

7 1649
Népal (royaume du). État d'Asie, dans l'Himalaya, entre la Chine et l'Inde.

superficie :	140 797 km²
population :	14 millions d'hab. *(Népalais)*
capitale :	Katmandou
monnaie :	la roupie népalaise
code international :	non communiqué

Se succèdent du sud au nord : le « téraï », piémont bordant la plaine du Gange ; les plateaux et vallées profondes du moyen Himalaya, où se concentre la population ; enfin, le haut Himalaya (Everest, Annapurna). Climat de mousson au sud, sec et froid au nord. ◇ 90 % des actifs travaillent dans l'agriculture (riz, blé et jute pour l'exportation). Le niveau de vie est bas. ◇ Peuplé dès l'Antiquité de populations indiennes et tibétaines, le Népal fut unifié au XVIIIᵉ s. par des guerriers hindous (Gurkhas). Sous domination britannique au XIXᵉ s., il est, aujourd'hui, sous la dépendance de l'Inde.

néphrite n. f. Nom donné aux inflammations du rein, quelles qu'en soient les origines (infection, produits toxiques comme certains antibiotiques, etc.).

népotisme n. m. Attitude d'une personne haut placée qui profite abusivement de son influence pour procurer des emplois, des faveurs aux membres de sa famille ou à ses amis.

14 3183
Neptune. Dieu romain de l'Eau. Ses fêtes se célébraient en juillet, temps de la sécheresse. Assimilé au dieu grec Poséidon, il devint alors dieu de la Mer.

1 101
4 901
9 2145
13 3082
Neptune (planète). Huitième planète dans l'ordre des distances au Soleil. 55 fois plus grosse que la Terre, elle a une masse 17 fois plus grande. Elle possède 2 satellites.

1 175
3 523
nerf n. m. Chacun des groupements de fibres nerveuses (axones), se pré-

6 1310 sentant sous la forme d'un cordon blanchâtre, dont la propriété est de conduire l'influx nerveux d'un organe vers les centres nerveux : cerveau, moelle épinière, ganglions *(nerf sensitif)*, ou des centres nerveux vers un organe *(nerf moteur)*. Il existe de plus des *nerfs mixtes,* qui sont à la fois moteurs et sensitifs. Certains nerfs ont leurs axones recouverts de myéline*. Toute lésion d'un nerf entraîne la paralysie ou l'insensibilisation (souvent les deux), puis l'atrophie du territoire auquel ce nerf est relié.

4 725 **Néron,** empereur romain (37-68). Fils adoptif de Claude, il fut imposé comme son successeur par sa mère, Agrippine, en 54. Après un heureux début de règne, il s'adonna à un despotisme sans frein qui amena l'armée à se soulever. Abandonné de tous, Néron se suicida.

Neruda Pablo, poète chilien (1904-1973). Il a exalté la lutte des peuples d'Amérique latine contre l'oppression : *le Chant général* (1950).

13 3022 **Nerval** (Gérard LABRUNIE, *dit* Gérard DE), écrivain français (1808-1855). Il préfigure Baudelaire avec les sonnets des *Chimères* (1854) et annonce le surréalisme avec *les Filles du feu* (nouvelles, 1854) et *Aurélia* (roman, 1855).

2 303 **Nervi** Pier Luigi, architecte italien (1891-1979). Il s'est spécialisé dans la construction d'édifices en béton armé : *Palais du travail* à Turin (1961).

3 486 **Neuchâtel.** Ville du nord-ouest de la Suisse, sur le lac de Neuchâtel, chef-lieu du canton de Neuchâtel (797 km² ; 169 000 hab.). 38 784 hab. Centre horloger. ◇ Cette région jurassienne, principauté germanique de 1648 à 1857, appartint au roi de Prusse après 1707.

neurasthénie n. f. Névrose* se traduisant par une absence de tonus musculaire, des maux de tête et des insomnies, entraînant un état de grande fatigue et de tristesse.

12 2802 **neurologie** n. f. Partie de la médecine traitant les maladies du système nerveux. Les *neurologues* sont aussi fréquemment des psychiatres.

6 1311 **neurone** n. m. Cellule très différenciée formant l'unité de base du système nerveux. Un neurone comprend un corps cellulaire, un axone et une ou plusieurs dendrites. Sa propriété fondamentale est de conduire l'influx nerveux qu'il transmet à d'autres neurones au niveau des synapses*.

11 2568 **neutralité** n. f. ◇ 1. CHIM État d'un produit qui n'est ni acide ni basique. ◇ 2. POL État, situation d'un pays qui demeure volontairement à l'écart d'un conflit international.

5 1083
10 2272
13 3050 **neutron** n. m. Particule de charge électrique nulle qui se rencontre dans le noyau des atomes avec le proton*. La

*Tête en bronze de **Néron,** empereur romain.*

*Poète et militant socialiste chilien, **Neruda** reçut le prix Nobel en 1971.*

*Ce palais des Sports, à Rome, fut construit par Pier Luigi **Nervi.***

*Vue de **Neuchâtel,** avec son château et son église collégiale.*

fission* de l'uranium 235 est réalisée par capture de neutrons. ◆ **antineutron** n. m. Antiparticule du neutron. **14** 3346

Neva (la). Fleuve du nord-ouest de l'URSS. 74 km. Issue du lac Ladoga, la Neva passe à Leningrad et se jette dans le golfe de Finlande.

Nevada (sierra). Massif de l'Espagne méridionale (Andalousie), dominant le bassin de Grenade et culminant à 3 478 m au pic Mulhacén.

Nevada (sierra). Chaîne de l'ouest des États-Unis ; 4 418 m au mont Whitney. Elle s'étend sur une partie de la Californie et du Nevada. **1** 62

Nevada. État de l'ouest des États-Unis. 286 297 km² ; 489 000 hab. Capitale : Carson City. Villes principales : Las Vegas, Reno. Région de hauts plateaux arides, qui vit de l'élevage extensif (bovins, ovins) et du tourisme. **1** 61

névé n. m. Neige accumulée dans le cirque* d'un glacier et qui, par tassement, se transforme en glace. ◇ Épaisse plaque de neige, isolée et persistante.

Nevers (58000). Chef-lieu de la Nièvre, au confluent de la Loire et de la Nièvre. 44 777 hab. *(Nivernais).* Faïencerie, confiserie, constructions mécanique et électrique. Cathédrale gothique. **5** 1114

névroptères n. m. pl. Ordre d'insectes, caractérisés par un corps de petite taille, des ailes transparentes assez grandes à nervures très fines. Ils sont carnassiers, tel le fourmilion. **5** 1073

névrose n. f. Affection du système nerveux sans lésion organique. Un *névrotique,* à la différence du psychotique (voir psychose), ne présente pas d'anomalie de la personnalité. **12** 2805

New Deal *(Nouvelle Donne).* Nom donné au programme de réformes économiques et sociales développé entre 1933-1939 par Franklin Roosevelt pour lutter contre la crise aux États-Unis. **11** 2553

New Delhi. Capitale fédérale de l'Inde, au sud de Delhi*. Environ 302 000 hab. ◇ Cette ville moderne fut construite sur un plan monumental par les Britanniques de 1912 à 1931. **8** 1792

New Hampshire. État du nord-est des États-Unis (Nouvelle-Angleterre), sur l'Atlantique. 24 097 km² ; 738 000 hab. Capitale : Concord. État essentiellement montagneux, forestier et agricole (bovins, volailles). **1** 61

New Jersey. État du nord-est des États-Unis, sur l'Atlantique. 20 295 km² ; 7 168 000 hab. Capitale : Trenton. État le plus densément peuplé du pays, proche de New York, le New Jersey est très urbanisé et industrialisé. **1** 61

Newton *sir* Isaac, mathématicien, physicien et astronome anglais (1642-1727). Il **3** 706
4 900

9 2023
9 2095
13 2928
13 3042
13 3048
13 3080

est l'auteur de découvertes et de travaux d'une portée fondamentale : lois de la chute des corps *(pesanteur)*, du mouvement de la Lune et des planètes *(gravitation universelle)*, de la décomposition de la lumière blanche ; auteur d'une *théorie corpusculaire de la lumière*, il est à la base du *calcul infinitésimal* (l'infiniment petit).

2 311

newton n. m. Unité de force* du système international. Symbole *N.* Il correspond à une force qui communique à un objet de 1 kg une accélération* de 1 m par seconde carrée.

1 61
8 1815

New York. État du nord-est des États-Unis, sur les lacs Érié et Ontario et sur l'Atlantique. 128 401 km² ; 18 237 000 hab. Capitale : Albany. Ville principale : New York*. C'est un État très puissant (industrie, commerce, etc.).

1 69
13 3012

New York. La ville la plus peuplée des États-Unis et la plus grande conurbation du monde (16 680 000 hab.), dans l'État de New York, à l'embouchure de l'Hudson. 7 896 000 hab. *(New-Yorkais)*. Elle est formée de 5 ensembles, ou *boroughs* : Manhattan, Queens, Brooklyn, Richmond et Bronx. 2ᵉ port, après Rotterdam, c'est la 1ʳᵉ place financière et commerciale du monde, une grande métropole industrielle (toutes les activités y sont représentées) et un intense foyer culturel. Cité cosmopolite, New York est la première agglomération noire et juive du monde. ◇ Fondée en 1626 par les Hollandais (Neuwe Amsterdam), elle fut conquise en 1664 par les Anglais, qui la rebaptisèrent. Elle accueille le siège de l'ONU depuis 1946.

Ney Michel, maréchal de France (1769-1815). Héros des campagnes napoléoniennes (Elchingen, la Moskova), il se rallia à Louis XVIII en 1814. À nouveau aux côtés de Napoléon pendant les Cent-Jours, il fut fusillé après Waterloo.

4 840
12 2839

nez n. m. Appendice saillant situé au milieu de la face de l'Homme. Son squelette est osseux et cartilagineux. Il participe à la fonction respiratoire et, par la muqueuse tapissant l'intérieur des fosses nasales, à l'odorat. Vascularisés, poilus, sécrétant du mucus, le nez et les fosses nasales humidifient l'air inspiré.

N.F. *(norme française).* Label qui garantit la conformité d'une marque, d'un produit, aux normes françaises officielles définies par l'*AFNOR*.

9 2110

Niagara (le). Fleuve d'Amérique du Nord (54 km), frontière entre le Canada et les États-Unis ; il unit les lacs Érié et Ontario. Les célèbres chutes du Niagara (plus de 50 m de haut) fournissent de l'hydro-électricité.

12 2817

Niamey. Capitale du Niger, sur le fleuve Niger, dans le sud-ouest du pays. 150 000 hab. Centre commercial ; industrie alimentaire.

Nibelungen (Chanson des). Épopée germanique (XIIIᵉ s.). Elle raconte notam-

Newton *aurait découvert l'attraction terrestre en voyant tomber une pomme !*

Paysage grandiose des célèbres chutes du ***Niagara.***

Le ***Nicaragua.***

Le port de ***Nice,*** *au fond de la baie des Anges.*

ment les exploits et la mort de Siegfried, maître du trésor des Nibelungen.

8 1762

Nicaragua (république du). État d'Amérique centrale.

superficie :	148 000 km²
population :	2 700 000 hab. *(Nicaraguayens)*
capitale :	Managua
monnaie :	le córdoba
code international :	NIC

Hauts plateaux avec, au centre, une montagne volcanique entaillée par les lacs Nicaragua et Managua. Climat tropical. ◇ Prédominance de l'agriculture (maïs, coton, café, canne à sucre) et de l'élevage (bovins). ◇ Colonie espagnole, indépendante en 1821, le pays fut libéré de la ruineuse dictature des Somoza (1937-1979) par le Front sandiniste, que l'hostilité des États-Unis conduisit à se rapprocher de l'URSS.

2 364

Nice (06000). Chef-lieu des Alpes-Maritimes, ville principale de la Côte d'Azur. 338 486 hab. *(Niçois).* C'est surtout un centre touristique (climat doux) et commercial (fleurs) ; industries en essor. ◇ Le comté de Nice fut cédé par le Piémont à la France en 1860.

Nicée. Ancienne ville d'Asie Mineure (Turquie). Ville grecque fondée en 316 av. J.-C., capitale des empereurs byzantins de 1204 à 1261. Le concile qui s'y déroula en 325 établit la base du *Credo.*

6 1301

nickel n. m. Métal gris-blanc, brillant, dur, attiré par les aimants. Symbole *Ni.* Transformable en fil et en feuille, il est utilisé comme revêtement protecteur de métaux et dans certains alliages (fabrication de monnaie...). ◆ **nickelage** n. m. Opération qui consiste à recouvrir de nickel.

Nicolas (saint), évêque de Myre, en Lycie (IVᵉ s.). Patron des petits enfants. Son culte est très populaire en Belgique et dans le nord de la France.

10 2336

Nicolas Iᵉʳ, empereur de Russie (1796-1855). Frère d'Alexandre Iᵉʳ, il lui succéda en 1825. Souverain autoritaire et conservateur, il réprima les révolutions (Pologne, 1831 ; Hongrie, 1849). Il déclencha la guerre de Crimée.

11 2481
11 2516

Nicolas II, empereur de Russie (1868-1918). Fils d'Alexandre III, il lui succéda en 1894. Il entraîna son pays dans la guerre contre le Japon (1904-1905) puis dans la Première Guerre mondiale. La révolution de février 1917 l'obligea à abdiquer. Il fut massacré avec sa famille.

Nicolle Charles, bactériologiste français (1866-1936). Il effectua de nombreux travaux sur les maladies infectieuses (typhus, fièvre de Malte). Prix Nobel, 1928.

11 2456

Nicosie. Capitale de Chypre, dans l'intérieur de l'île. 117 000 hab. Centre commercial. ◇ Vestiges d'une enceinte vénitienne érigée en 1567. Cathédrale gothique, devenue mosquée.

Nicot Jean, diplomate et érudit français (v. 1530-1600). Ambassadeur au Portugal, il en rapporta le tabac, considéré alors comme une plante médicinale.

nicotine n. f. Alcaloïde* du tabac qui se présente sous forme huileuse. C'est, à faible dose, un excitant et, à forte dose, un poison violent. Une cigarette contient de 1 à 3 % de nicotine.

2 292
2 388
nid n. m. Abri que construisent les oiseaux pour y déposer et y couver leurs œufs. ◊ Par extension, lieu aménagé par les souris, tous les insectes sociaux (guêpes, bourdons...), divers poissons..., qui s'occupent longtemps de leurs petits ou de leurs œufs.

nidation n. f. Implantation de l'œuf dans la muqueuse de l'utérus de la femelle des mammifères, au début de la gestation.

2 450
Niemeyer Oscar, architecte brésilien (né en 1907). Il a construit le centre de Brasilia, le siège du Parti communiste français à Paris (1971), etc.

11 2445
Niepce Nicéphore, inventeur français (1765-1833). Associant une chambre noire et une plaque photosensible recouverte de bitume de Judée, il inventa la photographie en 1826.

Nietzsche Friedrich, philosophe allemand (1844-1900). Il a critiqué la métaphysique* rationaliste occidentale (*Humain, trop humain*, 1878) et les valeurs morales qui lui sont rattachées (*la Généalogie de la morale*, 1887).

5 1114
Nièvre (58). Département français de la région Bourgogne. 6 817 km² ; 239 635 hab. Chef-lieu : Nevers. Sous-préfectures : Château-Chinon, Clamecy, Cosne-Cours-sur-Loire. Il est formé de régions variées (val de Loire, Morvan, sud du Bassin parisien). L'élevage bovin pour la viande et l'exploitation des forêts sont les activités agricoles majeures. Industries peu développées, implantées le long de la vallée de la Loire. L'absence de grand centre urbain explique l'exode rural.

nife n. m. (de *ni*ckel et *fer*). Noyau de la Terre, situé à environ 2 900 km de profondeur, qui serait constitué principalement de nickel et de fer à l'état liquide.

12 2815
Niger (le). Fleuve d'Afrique occidentale. 4 200 km. Né dans le Fouta-Djalon, il se jette, après avoir décrit une large courbe, dans le golfe de Guinée par un delta. Peu navigable à cause de ses rapides, il sert à l'irrigation.

12 2817
14 3278
Niger (république du). État continental d'Afrique occidentale.

superficie :	1 267 000 km²
population :	5 150 000 hab. *(Nigériens)*
capitale :	Niamey
monnaie :	le franc CFA
code international :	NIG ou RN

Pays de plaines et de plateaux, à l'excep-

*Un exemple des audaces d'Oscar **Niemeyer** à São Paulo.*

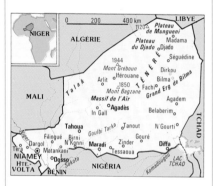

*Le **Niger**.*

***Niger** : cavaliers en costume traditionnel lors d'une fête à Niamey.*

*Le **Nigeria**.*

tion du massif de l'Aïr, le Niger est désertique au nord (Sahara), subdésertique au sud (Sahel). Le Nord est le domaine des Touaregs nomades et le Sud, celui des Haoussas. ◊ La sécheresse de 1973-1975 a décimé le cheptel (caprins, chameaux), qui est la première richesse agricole. L'État compte sur les riches mines d'uranium pour financer la modernisation de l'économie. ◊ Le Niger est une création de la colonisation française ; occupé vers 1900, son territoire fut institué colonie de l'A.-O.F. en 1922. Indépendant en 1960, le pays fut dirigé par Hamani Diori, qu'un coup d'État militaire renversa en 1974.

10 2206
Nigeria (république fédérale du). État d'Afrique occidentale.

superficie :	923 768 km²
population :	79 millions d'hab. *(Nigerians)*
capitale :	Lagos
monnaie :	le naira
code international :	WAN

L'altitude du Nigeria décroît des hauts plateaux du Nord (1 200 m) à la plaine côtière. Le pays est drainé par le bas Niger et son affluent, le Bénoué. Le climat tropical, sec au nord, connaît une saison des pluies plus longue au sud. C'est l'État le plus peuplé d'Afrique. Les ethnies principales sont : Peuls et Haoussas au nord, Ibos et Yoroubas au sud. ◊ L'agriculture a pâti du boom économique lié à la découverte du pétrole. Les exportations de cacao, palmistes, coton ont beaucoup diminué et le déficit alimentaire s'est accru. Le sous-sol (étain, niobium et surtout pétrole, qui représente l'essentiel des exportations du pays) est riche. Les industries, lourde, agro-industrielle ou mécanique, sont plus développées que dans les pays voisins, bien qu'encore insuffisantes. ◊ Issu de la colonisation britannique commencée vers 1850, le Nigeria, indépendant en 1960, a connu de vives tensions ethniques (guerre du Biafra*, 1967-1970) et plusieurs coups d'État militaires (1975, 1976, 1984).

nihilisme n. m. Négation de toute hiérarchie des valeurs. ◊ Mouvement né en Russie, au XIXᵉ s., de la lutte contre l'absolutisme tsariste (Alexandre II) et qui refusait toute autorité, toute structure sociale.

Nijinski Vaslav, danseur et chorégraphe russe d'origine polonaise (1890-1950). Il fut l'étoile et l'animateur des Ballets russes de Diaghilev.

1 179
6 1244
8 1694
14 3148
Nil (le). Fleuve d'Afrique orientale. 6 700 km. Né au nord du lac Tanganyika sous le nom de Kagera, il traverse le lac Victoria, les lacs Kioga et Mobutu, s'appelle Bahr el-Djebel dans la plaine soudanaise, Nil blanc jusqu'à Khartoum, où le rejoint le Nil bleu. Il traverse l'Égypte, qui, sans sa vallée limoneuse,

ne serait qu'un désert, et se jette par un vaste delta dans la Méditerranée.

7 1535 **nimbus** n. m. Gros nuage gris annonciateur de pluie. Le terme n'est plus utilisé actuellement que dans des composés : cumulo-nimbus, nimbo-stratus. (Voir cumulus, stratus.)

Nimègue. Ville des Pays-Bas (150 000 hab.) ◇ Les traités qui y furent signés (1678-1679) entre la France, les Provinces-Unies, l'Espagne et l'empereur consacrèrent la prééminence française en Europe.

5 1031 **Nîmes** (30000). Chef-lieu du Gard. 129 924 hab. *(Nîmois)*. Marché de vins et fruits. Industries variées. ◇ Cité romaine prospère, la ville a conservé de nombreux monuments antiques (arènes, Maison carrée, temple de Diane).

1 133 **Ninive.** Ville de l'ancienne Mésopotamie. Capitale assyrienne de 705 à 612 av. J.-C., date de sa destruction par les Mèdes. Importants vestiges archéologiques (tablettes cunéiformes).

12 2866 **Niort** (79000). Chef-lieu des Deux-Sèvres, sur la Sèvre Niortaise. 60 230 hab. *(Niortais)*. Siège de sociétés d'assurances mutuelles. Donjon du XIIe siècle.

2 381 **nirvāna** n. m. Extinction du désir et de
12 2645 la douleur, dans la pensée orientale. En atteignant le nirvāna, le bouddhiste met fin au cycle de la réincarnation.

nitrate n. m. Solide dérivé de l'acide nitrique. Les nitrates sont utilisés comme engrais pour apporter l'azote aux plantes. Ils entrent dans la composition de certains explosifs comme la *poudre noire*, mélange de soufre, de charbon et de nitrate de potassium.

4 744 **nitroglycérine** n. f. Liquide jaune et huileux, dérivé nitré de la glycérine. La nitroglycérine est un explosif violent qui entre dans la composition de la dynamite*.

niveau n. m. État d'un plan horizontal. ◇ *Niveau de la mer* : cote zéro, correspondant au niveau moyen des océans et mers à marée et à partir de laquelle sont calculées les cotes d'altitude du relief ou la profondeur des mers. *La mer Morte est à 393 m au-dessous du niveau de la mer.* ◇ *Courbe de niveau* : points de même altitude, sur une carte.

1 72 **Nixon** Richard, homme d'État améri-
12 2722 cain (né en 1913). Président des États-Unis (1969-1974), il dut démissionner à la suite du scandale du « Watergate ».

Nizan Paul, écrivain français (1905-1940). Il fut l'un des plus brillants intellectuels communistes d'avant-guerre : *les Chiens de garde* (1932).

12 2683 **Nkrumah** Kwame, homme d'État ghanéen (1909-1972). Il obtint l'indépendance du Ghana (1957), dont il devint le premier président (1960). Il fut renversé en 1966.

*Le **Nil** à Assouan, où de grands barrages régularisent son cours.*

*Les arènes romaines de **Nîmes** pouvaient contenir 24 000 spectateurs.*

*Sobriété du décor, gestes mesurés : une mise en scène du théâtre **nō**.*

*Pour beaucoup d'enfants, **Noël** signifie des cadeaux au pied du sapin.*

nō n. m. Genre théâtral japonais codifié **6** 1424
au XIVe s. et constitué par des pièces qui mêlent la poésie au mime et à la musique. Ses acteurs sont masqués.

Noailles Anna (*comtesse* MATHIEU DE), écrivain français (1876-1933). Elle est connue pour ses poèmes néo-romantiques : *le Cœur innombrable* (1901).

Nobel Alfred, chimiste suédois (1833- **11** 2443
1896). Inventeur de la *dynamite*. Il institua par testament cinq prix (physique, chimie, physiologie et médecine, littérature et paix), décernés chaque année, destinés à honorer les bienfaiteurs de l'humanité. En 1969, on y ajouta un prix de sciences économiques.

Nobile Umberto, aviateur et explorateur italien (1885-1978). En 1926, il participa avec Amundsen à la première expédition au pôle Nord en dirigeable.

noblesse n. f. Classe sociale dont les **6** 1307
membres *(nobles)* possédaient des **9** 2151
titres et des privilèges qui les distinguaient des autres citoyens. Issue de la chevalerie* (XIe s.) qui donna naissance à la *noblesse `d'épée*, la noblesse était une classe ouverte : de nombreux anoblissements furent conférés à des bourgeois exerçant des fonctions et charges publiques ou moyennant finances *(noblesse de robe)*. Supprimée en 1790, elle fut remplacée sous Napoléon Ier par la noblesse d'Empire. La noblesse n'est plus, en France, qu'une distinction honorifique.

Nodier Charles, écrivain français (1780-1844). Ses contes fantastiques (*la Fée aux miettes,* 1832) en firent un précurseur de Nerval et du surréalisme.

nodosité n. f. Petite masse globuleuse d'origine variable. Ainsi, les radicelles des légumineuses portent des nodosités riches en bactéries qui fixent l'azote atmosphérique.

nodule n. m. Petite sphère contenant du **2** 249
manganèse, du nickel, du cobalt et du **2** 437
cuivre. Les nodules tapissent le fond de certaines régions océaniques, constituant une ressource inestimable pour l'avenir.

Noé, patriarche biblique. Choisi par Dieu, selon la Bible, pour sauver du Déluge* l'espèce humaine et un couple de chaque espèce animale, il construisit l'arche* pour cette mission.

Noël. Fête chrétienne qui commémore **1** 140
tous les 25 décembre la naissance du Christ. La fête est l'occasion d'une messe de minuit. ◆ **noël** n. m. Cantique en l'honneur de la Nativité*.

nœud n. m. ◇ 1. BOT Protubérance sur le tronc d'un arbre ; point de départ d'une branche. ◇ 2. PHYS Point de déplacement nul dans un système d'ondes stationnaires. ◇ *Loi des nœuds* (Kirchhoff) : la somme algébrique des intensités des courants qui se rencontrent est nulle. ◇ 3. MAR Unité de vitesse utilisée en navigation et qui correspond à un mille* à l'heure, soit 1 852 m par heure.

9 2026
11 2661
14 3144

Noire (mer) (anciennement *Pont-Euxin*). Mer intérieure comprise entre l'URSS, la Roumanie, la Bulgarie et la Turquie. 413 000 km². Elle communique avec la Méditerranée par le Bosphore et avec la mer d'Azov par le détroit de Kertch.

1 71
2 285
4 954
5 1048
5 1158
9 2002

Noirs (les). Un des grands groupes raciaux, qui se caractérise par la pigmentation sombre de la peau. Depuis son berceau en Afrique, au sud du Sahara, la race s'est répandue en Asie, en Océanie et, par la traite des Noirs, en Amérique.

5 1002

noisette n. f. Fruit sec du noisetier, à graine comestible. Le *noisetier* (famille des bétulacées) est un grand arbrisseau des bois et des haies.

1 219
7 1505

noix n. f. Fruit du noyer, dont la graine comestible est très riche en huile. Le *noyer* (famille des juglandacées) est un grand arbre qui donne un bois d'ébénisterie très apprécié.

Nolde (Emil HANSEN, *dit* Emil), peintre et graveur allemand (1867-1956). Il fut l'un des principaux représentants de l'expressionnisme* moderne.

nom n. m. Mot qui sert à désigner un être vivant, une chose (abstraite ou concrète). *Appeler les choses par leur nom.* Le nom propre désigne un être, un lieu uniques (Pierre, Paris). Le nom commun (homme, animal, chose) est synonyme de substantif*. ◇ Appellation constituant l'identité d'un individu. *Nom de famille :* patronyme. On différencie le nom marital d'une femme (mariée) de son nom de jeune fille.

5 1010
13 2992

nomade n. m. ou f. Personne au genre de vie non sédentaire et qui vit principalement de l'élevage. ◇ Quelqu'un qui, ne souhaitant pas avoir de domicile fixe, se déplace fréquemment. ◆ **nomadisme** n. m. Genre de vie nomade pratiqué par des peuples d'éleveurs qui, dans les régions arides, se déplacent à la recherche de pâturages ou de points d'eau.

no man's land n. m. Zone qui sépare les premières lignes de deux armées ennemies. ◇ Terrain abandonné ou neutre.

2 350

nombre n. m. 1 — MATH Notion de base des mathématiques, permettant de classer les objets et de mesurer les grandeurs. À partir des *nombres entiers naturels* (0, 1, 2, 3...), symboles caractérisant une unité ou une collection d'unités formant une somme, elle connut des extensions successives. *Nombre entier relatif :* nombre entier précédé d'un signe + ou −. *Nombre rationnel :* rapport entre 2 entiers dont le deuxième est non nul (fraction). *Nombre irrationnel :* nombre que l'on ne peut pas exprimer sous forme rationnelle exacte. *Nombre imaginaire :* nombre dont le carré est négatif. *Nombre complexe :* nombre comprenant une

La plage de Mamaia en Roumanie, au bord de la mer **Noire**.

Noisettes
dans leur enveloppe.

Les danseuses ont beaucoup inspiré le peintre allemand Emil **Nolde**.

Éleveurs de bétail, les **nomades** cherchent des pâturages et de l'eau.

partie réelle et une partie imaginaire. *Nombre pair :* multiple de deux (se termine par 0, 2, 4, 6 ou 8). *Nombre impair :* nombre qui n'est pas divisible par 2. *Nombre premier :* nombre entier qui n'admet que 2 diviseurs distincts : 1 et lui-même.

nombre n. m. 2 — LING Forme prise par un nom, un adjectif ou un verbe pour signifier l'unité ou la pluralité. *Le français a deux nombres : singulier et pluriel.*

nombre d'or (le). Proportion jugée parfaite par les artistes de l'Antiquité et de la Renaissance. Égal à 1,618, il est utilisé par les architectes, les peintres et les sculpteurs.

nombril n. m. Cicatrice résultant de la section du cordon ombilical après la naissance chez l'Homme et les mammifères. Synonyme : *ombilic*.*

nonce n. m. Envoyé. ◇ Ambassadeur (nonce apostolique) du Saint-Siège accrédité auprès d'un gouvernement étranger. ◆ **nonciature** n. f. Fonction du nonce. Sa résidence et le bâtiment qui abrite ses services.

non-lieu n. m. Décision par laquelle un juge d'instruction déclare qu'il n'y a pas lieu de poursuivre une personne en justice. *Des non-lieux.*

Nono Luigi, compositeur italien (né en 1924). Dans son œuvre, d'un lyrisme vibrant, il fait passer son engagement militant. *Intolleranza* (1961).

non-violence n. f. Attitude, doctrine philosophique et politique qui refuse de répondre à la violence par la violence et prône le recours aux moyens pacifiques.

14 3325

nord n. m. Un des quatre points cardinaux, dans la direction de l'étoile Polaire. ◇ Partie du globe terrestre située dans cette direction ; partie d'un ensemble géographique qui est le plus proche du nord : *le nord de l'Asie.*

12 2854

Nord (mer du). Mer bordière de l'Atlantique, entre la Grande-Bretagne, la France, la Belgique, les Pays-Bas, la RFA, le Danemark et la Norvège. Très poissonneuse. Gisements de pétrole.

11 2412

Nord (59). Département français de la région Nord-Pas-de-Calais. 5 739 km² ; 2 520 526 hab. Le plus peuplé des départements. Chef-lieu : Lille. Sous-préfectures : Avesnes-sur-Helpe, Cambrai, Douai, Dunkerque, Valenciennes. L'agriculture, intensive (blé, betteraves, lin, houblon), est très développée. Toutefois, les industries, de tradition ancienne, dominent. La crise touchant l'exploitation houillère, le textile et la métallurgie lourde (malgré la présence de secteurs modernes comme la sidérurgie à Dunkerque) explique les difficultés économiques de ce département.

3 662

Nordistes (les). Partisans du gouvernement fédéral, installés dans les États du nord des États-Unis durant la guerre de

10 2383

Sécession* (1861-1865). L'armée nordiste triompha des Sudistes*.

7 1477 **Nord-Ouest** (Territoires du). Région arctique du Canada, entre la baie d'Hudson et le Yukon. 3 379 683 km² ; 43 000 hab. Chef-lieu : Yellowknife.

3 662 **Nord-Pas-de-Calais.** Région française regroupant les départements du Nord et du Pas-de-Calais. 12 378 km² ; 3 932 939 hab. Chef-lieu : Lille. ◇ Bordée par la mer du Nord, la région a un relief peu varié : plaine de Flandre, hauteurs de l'Artois, du Cambrésis et de l'Avesnois qui dépassent rarement 200 m. Les pluies sont assez abondantes (nombreux cours d'eau). Population dense (plus de 300 hab. au km² ; deuxième des régions pour la densité, après l'Île-de-France), qui vit à 80 % dans les villes. ◇ Bien que l'agriculture soit développée (sols fertiles : cultures variées et intensives ; pêche importante), la région est à dominante industrielle. Les activités sont diversifiées : industries textiles qui ont pour centre la conurbation Lille-Roubaix-Tourcoing ; métallurgie lourde (sidérurgie) ; automobile ; pétrochimie ; industries alimentaires ; houillères (en net déclin). Mais la région connaît une crise liée au recul des industries traditionnelles. ◇ Histoire : voir Flandre.

noria n. f. Machine tournante servant à tirer l'eau d'un puits. Elle est constituée d'une chaîne ou d'une roue sur laquelle sont fixés des godets.

6 1344 **normales** (écoles). Écoles où l'on forme les futurs instituteurs. *École normale supérieure :* grande école où l'on forme les futurs professeurs. ◆ **normalien** n. m. Élève, ancien élève d'une école normale.

Norman Jessye, cantatrice américaine (née en 1945). Soprano, remarquable interprète de Mozart, Mahler, Wagner (lieder), Weber, etc.

Normandie. Ancienne province de la France du Nord-Ouest, sur la Manche, couvrant aujourd'hui deux régions, la Basse et la Haute-Normandie. Elle appartient au Massif armoricain et au Bassin parisien. ◇ Peuplée de Celtes, la région fut conquise par les Romains, puis au Vᵉ s. par les Francs. Envahie par les Normands, elle leur fut cédée au Xᵉ s. (traité de Saint-Clair-sur-Epte, 911). Fief anglais après la conquête de l'Angleterre par son duc (1066), elle fut définitivement reconquise par les Capétiens en 1450. Le 6 juin 1944 eut lieu, sur les plages de basse Normandie, le débarquement allié, point de départ de la libération de la France.

6 1262 **Normandie (Basse-).** Région française groupant les départements du Calvados, de la Manche et de l'Orne. 17 589 km² ; 1 350 979 hab. Chef-lieu : Caen. ◇ Bordée par la Manche, la région s'étend, pour moitié, sur le Massif armoricain et sur le Bassin parisien. Climat doux et humide (nombreux cours d'eau). La

Tableau célébrant l'avance des troupes **nordistes** de Sherman en Géorgie.

Nord-Pas-de-Calais : maisons (XVᵉ s.) sur la Grand-Place d'Arras.

Noria rudimentaire en bambou utilisée au Kampuchéa (Cambodge).

Troupes américaines débarquant en **Normandie** le 6 juin 1944.

population, peu urbanisée (45 %), est surtout implantée dans le Calvados. ◇ Pays herbager, la région est l'une des plus rurales de France : élevage bovin (produits laitiers, viande), porcin et ovin ; cultures céréalières et fruitières en régression. Pêche peu développée. Tourisme côtier (Deauville, Trouville). Des industries de transformation (à Caen surtout) s'ajoutent aux activités traditionnelles : alimentation, textile, sidérurgie.

11 2628 **Normandie (Haute-).** Région française groupant les départements de l'Eure et de la Seine-Maritime. 12 318 km² ; 1 655 362 hab. Chef-lieu : Rouen. La région s'étend, de part et d'autre de la Seine, sur les plateaux occidentaux du Bassin parisien. Climat doux et humide. Littoral bordé de hautes falaises de craie. ◇ C'est une région agricole (élevage bovin, qui tend à supplanter les cultures : céréales, betterave à sucre ; pêche active à Fécamp et à Dieppe) et surtout industrielle. La primauté de l'industrie tient à l'activité portuaire de Rouen et du Havre et à la proximité de Paris. Secteurs forts : textile, métallurgie (automobile), chimie. Près de Rouen se situe le premier complexe français du raffinage de pétrole (cinq importantes raffineries).

Normands → Vikings

norme n. f. ◇ 1. SOC Règle commune servant de loi, modèle exprimant un état exemplaire. ◇ 2. MATH La norme d'un vecteur $\vec{v}$ dont un représentant est déterminé par 2 points A et B est la distance entre A et B. On note $\|\vec{v}\|$ = d(A,B). ◆ **normalisation** n. f. Établissement de normes en vue d'unifier les différents types de production. *Norme AFNOR.*

11 2417 **Norvège** (royaume de). État de l'Europe du Nord, sur l'Atlantique.

superficie :	324 219 km²
population :	4 092 500 hab. (Norvégiens)
capitale :	Oslo
monnaie :	la couronne norvégienne (krone)
code international :	N

Ce pays, partie occidentale de la péninsule scandinave, s'étend sur 1 800 km du nord au sud. Il est montagneux et forestier. Côtes très découpées (fjords). Le climat arctique s'adoucit vers le sud et sur la côte, où se concentre la population. ◇ 2 % des terres sont cultivables (orge, pomme de terre). L'économie est fondée sur l'exploitation forestière (production de papier), la pêche (4ᵉ rang mondial) et les ressources énergétiques : hydro-électricité et, depuis 1971, hydrocarbures (gisements considérables) de la mer du Nord. Niveau de vie très élevé. ◇ Comme toute la Scandinavie, la Norvège entra dans l'histoire au IXᵉ s., époque où ses habitants, les Vikings, commencèrent leurs raids. Elle connut son apogée au XIIIᵉ s. De 1319 à 1905, elle fut soit incluse dans une union des pays scandinaves, soit dominée par la Suède ou le Danemark. Elle se dota très tôt de lois sociales avancées, surtout après l'arrivée au pouvoir des travaillistes (1935).

Nostradamus (Michel DE NOSTRE-DAME, *dit*), médecin et astrologue français (1503-1566). Médecin de Charles IX. Son recueil de prédictions, *les Centuries* (1555), le rendit célèbre.

notaire n. m. Officier ministériel (ministère*), dont la charge *(notariat)* consiste à établir des actes, des contrats, pour leur donner un caractère d'authenticité, en garantir la date, en assurer le dépôt.

note n. f. Signe qui, par la position qu'il occupe sur les lignes ou dans les interlignes d'une portée*, marque la hauteur d'un son musical et, par sa forme, indique la durée de ce son. *Savoir lire les notes.* ◇ Son représenté par ce signe. *Les sept notes de la gamme (do ou ut, ré, mi, fa, sol, la, si).*

6 1281 Notre-Dame de Paris. Cathédrale de Paris, située dans l'île de la Cité. Édifiée pour le gros œuvre entre 1163 et 1245, cette cathédrale est un des chefs-d'œuvre de l'art gothique.

12 2815 Nouakchott. Capitale de la Mauritanie, près de l'Atlantique. 135 000 hab. Créée en 1957, c'est un centre commercial. Usine de dessalement de l'eau de mer.

Nougaro Claude, auteur-compositeur-interprète français de chansons (né en 1932). Il sait allier avec bonheur inspiration populaire et fantaisie verbale.

4 761 Nouméa. Chef-lieu et port de la Nouvelle-Calédonie, sur la côte sud-ouest de l'île. 56 078 hab. Usine de nickel. ◇ Ville créée en 1854.

Noureïev Rudolf, danseur et chorégraphe autrichien d'origine soviétique (né en 1938). Il est l'un des meilleurs danseurs de sa génération.

nourrice n. f. Femme qui allaite des enfants en bas âge. ◇ Femme qui, moyennant rétribution, garde chez elle des enfants qui ne sont pas les siens.

nourrisson n. m. Enfant qui n'est pas sevré. ◇ En médecine, désigne le jeune enfant jusqu'à l'apparition des premières dents.

10 2318 nourriture n. f. Ensemble des produits animaux et végétaux qu'on absorbe soit pour assimiler leur substance (produits de l'hydrolyse), soit pour charger le tube digestif (légumes verts riches en cellulose).

7 1477 Nouveau-Brunswick. Province maritime du Canada, au sud du Saint-Laurent. 73 436 km² ; 677 250 hab. (dont 1/3 d'Acadiens). Capitale : Fredericton. Travail du bois ; élevage ; ressources minières (plomb, zinc), pêche.

1 61 Nouveau-Mexique. État du sud-ouest des États-Unis. 315 113 km² ; 1 016 000

*La **Norvège**.*

*Le port de Bodö, à l'entrée du Salt Fjord, en **Norvège**.*

*La **Nouvelle-Calédonie**.*

*Danse de guerriers papous en **Nouvelle-Guinée**.*

hab. Capitale : Santa Fe. Région au climat aride et au sous-sol riche (pétrole, uranium), espagnole à partir du XVIᵉ s., mexicaine de 1821 à 1848.

nouveau-né n. m. Tout enfant qui vient de naître. On réserve ce terme aux enfants de moins de vingt et un jours (voir nourrisson).

nouvelle n. f. 1 – SOC Annonce d'un événement récent. ◆ **nouvelles** n. f. pl. Renseignements donnés par la presse, la radio, etc. ; informations*. ◇ Renseignements sur la situation, la santé de quelqu'un.

nouvelle n. f. 2 – LITT Récit littéraire qui se distingue du roman par sa brièveté et son petit nombre de personnages. *Une nouvelle de Hemingway.*

Nouvelle-Angleterre. Région du nord-est des États-Unis. Comprend les États du Maine, New Hampshire, Vermont, Massachusetts, Rhode Island et Connecticut ; peuplée de Blancs dès le XVIIᵉ siècle.

4 758 Nouvelle-Calédonie. Île et territoire français d'outre-mer, à l'est de l'Australie. 19 103 km², avec ses dépendances ; 133 233 hab. Chef-lieu : Nouméa. Île montagneuse, tropicale, riche en nickel (5ᵉ rang mondial), en chrome et en cobalt. Toutefois, 70 % des ressources proviennent de l'aide de la métropole. Les Mélanésiens (Canaques, 50 % de la population) sont nombreux à revendiquer l'indépendance, contre la volonté des Européens, maîtres de l'île. ◇ Française depuis 1853, l'île servit de colonie pénitentiaire de 1864 à 1896.

7 1477 Nouvelle-Écosse. Province du Canada, sur l'Atlantique. 55 491 km² ; 828 000 hab. Capitale : Halifax. Travail du bois ; pêche (homards) ; élevage. Sous-sol riche : charbon, fer, zinc, cuivre.

7 1481 Nouvelle-France. Nom des possessions
8 1814 françaises du Canada aux XVIIᵉ et XVIIIᵉ s. La France les perdit à la suite du traité de Paris (1763).

10 2267 Nouvelle-Guinée. Grande île équatoriale, au nord de l'Australie. 771 900 km² ; environ 4 millions d'hab. Très montagneuse (5 040 m au mont Soekarno), volcanique et forestière, l'île est habitée par des Papous. Elle vit surtout des cultures d'exportation (plantations créées par les Européens) telles que le cacao, le café, le thé et de l'exportation récente de produits miniers : or, cuivre, hydrocarbures. ◇ Découverte par les Portugais au XVIᵉ s., l'île a été disputée entre Espagnols, Anglais, Hollandais et Allemands. En 1963, l'ONU reconnut l'annexion de la partie occidentale de l'île, l'Irian, par l'Indonésie. La partie orientale, sous administration australienne à partir de 1921, est indépendante depuis 1975 sous le nom de Papouasie-Nouvelle-Guinée*.

5 1158 Nouvelle-Orléans (La) (New Orleans,
14 3240 en anglais). Deuxième port des États-Unis (Louisiane), sur le Mississippi.

594 000 hab. Marché du coton ; industries variées. Berceau du jazz.

Nouvelles-Hébrides → Vanuatu

4 862
9 2069

Nouvelle-Zélande. État d'Océanie, au sud-est de l'Australie.

superficie :	270 000 km²
population :	3 150 000 hab. *(Néo-Zélandais)*
capitale :	Wellington
monnaie :	le dollar néo-zélandais
code international :	NZ

L'État est formé de deux îles montagneuses, au climat tempéré humide. L'île du Nord, volcanique, regroupe la majorité de la population (90 % de Blancs, 10 % de Maoris). L'île du Sud est occupée par les Alpes néo-zélandaises. ◇ L'élevage est la base de l'économie du pays. Le troupeau d'ovins est le 4ᵉ du monde. Viande, laine et lait forment 80 % des exportations agricoles et procurent les 2/3 des entrées de devises. Une énergie hydro-électrique abondante alimente l'industrie, qui, bien que représentée par des secteurs modernes, reste le point faible de l'économie. Chômage et inflation, liés à la baisse des prix agricoles, expliquent que le niveau de vie, identique à celui du Royaume-Uni, stagne depuis 1975. ◇ Peuplée par les Maoris, la Nouvelle-Zélande fut découverte par le Hollandais Tasman en 1642, explorée par Cook en 1769 et colonisée par les Britanniques en 1840. Dominion britannique en 1907, indépendante au sein du Commonwealth en 1931, elle développa très tôt une législation sociale avancée.

Nouvelle-Zemble. Archipel montagneux d'URSS, dans l'Arctique, formé de deux îles, entre les mers de Barents et de Kara. 82 600 km².

8 1771

nova n. f. Étoile qui augmente brusquement d'éclat. ◆ **supernova** n. f. Étoile dont la variation d'éclat est de plus grande ampleur que celle d'une nova.

noyade n. f. Action de noyer une personne, un animal. Fait de se noyer. Le noyé subit une asphyxie, due à l'invasion des voies respiratoires par un liquide, qui entraîne la mort.

3 527
5 1063
13 3081
14 3346

noyau n. m. ◇ 1. BIOL Organite cellulaire limité par une enveloppe poreuse. Il contient l'ADN* cellulaire. ◇ 2. BOT Partie centrale dure de certains fruits charnus (drupes*). ◇ 3. GÉOL Sphère de densité très élevée, située au centre de la Terre. ◇ 4. PHYS Zone centrale de l'atome* autour de laquelle se trouvent les électrons*. Elle est constituée de nucléons* (protons*, neutrons*). ◇ 5. ASTR Partie solide située au centre de la tête d'une comète*.

7 1535
13 2977

nuage n. m. Masse de gouttes de pluie ou de cristaux de glace en suspension dans l'atmosphère. Les nuages se forment par évaporation (à partir du sol ou de l'océan), puis condensation liée à un refroidissement (dû à l'altitude ou au contact d'une surface froide). On

*Jeune Maorie devant une sculpture traditionnelle, en **Nouvelle-Zélande**.*

*La **Nouvelle-Zélande**.*

*Troupeau dans le désert de **Nubie**, au Soudan.*

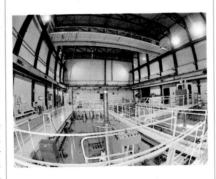

*Au cœur de la centrale **nucléaire** de Saint-Laurent-des-Eaux (Loir-et-Cher).*

classe les nuages en trois grands types : stratus*, cumulus*, cirrus*.

Nubie. Région désertique d'Afrique, s'étendant en haute Égypte et au Soudan. Elle fut conquise par les pharaons, qui élevèrent de très beaux temples dans la vallée du Nil.

11 2577

nucléaire (énergie). Énergie obtenue par modification du noyau des atomes. Deux moyens permettent de libérer cette énergie : la *fission** et la *fusion**. Actuellement, seule l'énergie de la fission contrôlée est utilisée dans les piles ou réacteurs nucléaires. Un gramme d'uranium 235 peut produire 24 000 kilowattheures, soit autant que la combustion de 2,5 tonnes de charbon.

4 946
6 1299
11 2470

nucléon n. m. Particule constitutive du noyau (proton* et neutron*). Le nombre de nucléons contenus dans un noyau forme le *nombre de masse*.

nuit n. f. Durée séparant en un lieu donné le coucher et le lever du Soleil. La longueur de la nuit varie au cours de l'année : la nuit la plus longue correspond au solstice* d'hiver (21 ou 22 décembre) dans l'hémisphère Nord.

11 2510

Nuku'alofa. Capitale de l'État insulaire de Tonga (Océanie). Elle compte 15 000 hab. et forme le principal centre urbain et économique de l'État.

7 1611

numérateur n. m. Terme d'une fraction qui exprime le nombre de parties égales de l'unité contenues dans celle-ci. Le numérateur est placé au-dessus du dénominateur*.

numération n. f. ◇ 1. MATH Représentation écrite ou parlée des nombres. Le système de numération que nous utilisons est le *système décimal,* ou système de numération à base 10. À partir de la base 11, on utilise, en plus des chiffres, des lettres. ◇ Action de nombrer, de compter ; résultat de cette action. ◇ 2. MÉD *Numération globulaire :* Détermination du nombre de globules blancs et de globules rouges contenus dans un millimètre cube de sang.

Numidie. Dans l'Antiquité, région d'Afrique du Nord (partie de l'Algérie actuelle). Les Numides, peuple berbère unifié par Masinissa, s'allièrent à Carthage puis à Rome (IIᵉ s. av. J.-C.). Conduits par Jugurtha (105), puis par Juba (46), ils se révoltèrent contre Rome mais furent battus.

numismatique n. f. Science qui étudie les monnaies, les médailles. Elle présente de nombreux intérêts : historique, religieux, artistique... ◆ **numismate** n. m. ou f. Spécialiste de numismatique.

Nungesser Charles, aviateur français (1892-1927). Pilote de chasse durant la Grande Guerre, il disparut avec son équipier Coli en tentant la traversée de l'Atlantique Nord depuis la France.

nuraghe n. m. Tour construite à l'âge du bronze*, en Sardaigne. De forme tronconique, les nuraghi sont faits d'énormes blocs de pierre (cyclopéens) ajustés sans mortier.

12 2707 **Nuremberg** (en allemand *Nürnberg*). Ville de RFA (Bavière). 484 500 hab. Grand centre industriel (constructions mécaniques et électriques ; jouets). ◇ Grande métropole commerciale et artistique du XIVᵉ au XVIᵉ s. Patrie de Dürer. Théâtre de grandes manifestations nazies, la ville fut le siège, en 1945-1946, du procès des principaux chefs nazis.

Nurmi Paavo, coureur à pied finlandais (1897-1973). Il régna, de 1920 à 1930, sur les courses de demi-fond et de fond et fut six fois champion olympique.

8 1753 **nutrition** n. f. Ensemble des processus biologiques qui assurent le développement et le maintien des fonctions vitales de tout être vivant par l'utilisation des ressources de l'environnement. On peut distinguer la *nutrition minérale* (eau, gaz carbonique, composés azotés, oxygène, oligo-éléments, etc.) de la *nutrition organique* (composés formés de carbone, oxygène, hydrogène, azote). Les animaux et certains végétaux parasites, saprophytes, exigent des composés organiques dans leurs aliments : ils sont *hétérotrophes*. À l'inverse, les végétaux *autotrophes* utilisent l'énergie lumineuse ou chimique pour synthétiser leurs constituants organiques à partir

*La Sardaigne compte environ 7 000 **nuraghi**.*

*La place du Marché et l'église Notre-Dame, à **Nuremberg**.*

d'éléments minéraux. Les animaux dépendent donc entièrement des végétaux pour leur apport en substances organiques, car leur décomposition (catabolisme) libère de l'énergie utilisée pour effectuer de nouvelles synthèses (anabolisme). (Voir métabolisme.)

nyctalopie n. f. Anomalie de la vision se caractérisant par la faculté de voir nettement la nuit, due à une hypersensibilité de la rétine qui lui fait mal supporter la lumière du jour.

Nylon n. m. Fibre synthétique à base de résine polyamide. ◇ Textile synthétique obtenu à partir de cette fibre (nom déposé). **1** 216 **12** 2770

nymphe n. f. 1 — ZOOL Nom donné aux larves d'insectes possédant des ébauches d'ailes, et qui ne deviennent fonctionnelles que chez l'adulte (imago). Les plus connues sont les pupes de mouches, les chrysalides des papillons et les nymphes nues, blanchâtres, des coléoptères*. **7** 1491

nymphe n. f. 2 — MYTH Divinité grecque des eaux, des bois et des champs. Elles avaient l'apparence de belles jeunes filles : *dryades, naïades*, etc.

nymphomanie n. f. Exagération pathologique du désir sexuel chez la femme ou certaines femelles. Elle est souvent liée à un état de surexcitation.

O

12 2764
13 3099
O.A.S. *(Organisation armée secrète).* Organisation terroriste et paramilitaire favorable à l'Algérie française. De 1961 à 1963, l'OAS s'opposa, avec violence, à l'indépendance.

2 353
oasis n. f. Dans un désert, endroit, lieu où la végétation est possible grâce à la présence de l'eau. Celle-ci provient le plus souvent d'une nappe souterraine. Un puits et des canaux permettent l'irrigation. *Les palmiers d'une oasis.*

9 2029
13 2957
Ob. Fleuve d'URSS, en Sibérie occidentale. 4 012 km. Né dans l'Altaï, il se jette dans l'Arctique, formant un golfe long de 1 000 km. Crues violentes.

13 3040
obélisque n. m. Pierre levée à base carrée, taillée en forme d'aiguille et se terminant par une pointe pyramidale. Dans l'Égypte des pharaons, il représentait un symbole solaire.

3 486
Oberland bernois. Région de Suisse (canton de Berne), entre le Rhône et l'Aar, comprenant de hauts sommets alpins (Jungfrau notamment).

obésité n. f. Excès de poids corporel par hypertrophie générale du tissu adipeux (tissu où sont stockées les graisses). ◇ État d'une personne trop grosse.

objecteur de conscience. Celui qui refuse d'accomplir son service militaire pour des raisons morales, philosophiques ou religieuses. *L'objection de conscience* est légalement reconnue en France depuis 1963.

3 644
5 1177
objectif n. m. ◇ 1. PHYS Partie d'un instrument d'optique (microscope, appareil photographique, jumelles, etc.) qui est placée devant l'objet à examiner ou à photographier et en donne une image. ◇ 2. SOC But que l'on se propose d'atteindre. *Se fixer un objectif.*

objet n. m. En grammaire, complément* du verbe (mot ou groupe de

*L'**obélisque** de Louxor fut dressé en 1836 place de la Concorde, à Paris.*

*L'**observatoire** de Lowell (Arizona) où fut découverte la planète Pluton.*

mots) désignant l'être ou la chose sur lequel s'exerce l'action du sujet, c'est-à-dire qui est l'objet de cette action. Exemple : *j'ouvre la porte.*

12 2858
obligation n. f. Engagement de faire ou de ne pas faire quelque chose. ◇ Titre représentant une fraction d'un prêt à intérêt, consenti à une société, à l'État.

oblique n. f. Droite qui n'est ni verticale ni horizontale. Droite ou plan qui coupe une autre droite ou plan sans lui être perpendiculaire. *Polyèdre oblique :* polyèdre dont les faces ne sont pas perpendiculaires aux bases.

3 642
observatoire n. m. Établissement spécialisé dans l'observation astronomique ou météorologique. ◇ L'*Observatoire de Paris,* fondé par Louis XIV en 1667 et construit par Claude Perrault, est aujourd'hui le siège du Bureau international de l'heure (horloge parlante).

obsession n. f. Pensée, sentiment, idée fixe, crainte qui s'impose à l'esprit et provoque une sensation d'angoisse. Ainsi, la névrose obsessionnelle entraîne une altération de la personnalité.

obsidienne n. f. Roche volcanique, dont l'aspect rappelle celui du verre, et qui est le plus souvent de couleur sombre. La *ponce* est une variété d'obsidienne.

obstétrique n. f. Partie de la médecine qui traite des accouchements. L'*obstétricien* veille au bon déroulement de la grossesse et de l'accouchement.

8 1747
obturation n. f. Action de boucher une cavité, accidentelle ou naturelle. Ainsi, le dentiste pratique l'obturation de la cavité d'une dent cariée pour arrêter l'infection et reconstituer la dent malade. ◇ *Obturation de l'intestin :* synonyme d'*occlusion intestinale.*

obus n. m. Projectile, tiré par un canon ou un mortier, qui explose en percutant un objectif. ◆ **obusier** n. m. Canon court, qui lance des obus de fort calibre sur des objectifs rapprochés.

5 1028
6 1317
7 1444
11 2500

oc (particule affirmative). Au Moyen Âge, mot signifiant *oui* dans les régions de France situées environ au sud de la Loire. ◇ *Langue d'oc* ou *occitan* : ensemble des dialectes parlés au sud de la Loire où *oui* se dit *oc*, et qui possèdent des caractères phonétiques différents de la langue d'oïl*.

ocarina n. m. Petit instrument de musique à vent formé d'une coque ovoïde percée de trous et dont le son évoque celui d'une flûte.

12 2855
14 3208

Occident. Ensemble des pays situés à l'ouest du continent eurasiatique. ◇ Ensemble politique constitué par les pays d'Europe de l'Ouest, le Canada et les États-Unis. Terme souvent opposé à « pays de l'Est ».

4 826
4 896

Occident (Empire d'). Partie occidentale de l'Empire romain issue du partage de l'Empire de Théodose (395). Il subsista jusqu'en 476 puis fut rétabli par Charlemagne en 800.

2 327

occiput n. m. Partie arrière de la tête située au-dessus de la nuque. L'os occipital – on dit l'occipital – est un os situé dans la partie inférieure de l'arrière du crâne et percé d'un trou permettant le passage du bulbe rachidien.

7 1444

Occitanie. Ensemble des pays de langue d'oc* situés au sud d'une ligne allant de la Gironde à Briançon et incluant le Limousin et l'Auvergne. L'Occitanie, qui développa au Moyen Âge une civilisation originale dont témoignèrent la poésie des troubadours et, au plan religieux, le catharisme, mais qui ne forma jamais un ensemble politique uni, fut peu à peu annexée par les Capétiens.

occlusion n. f. Oblitération d'un orifice ou d'un conduit. Ainsi, toute occlusion intestinale interrompt le transit des matières et des gaz.

occultisme n. m. Pratique des sciences occultes (alchimie*, astrologie*, cabale*, magie*, spiritisme*...) irrationnelle et réservée aux initiés.

occupation n. f. Fait de s'emparer d'un pays par les armes et d'y maintenir des forces militaires. *Armée d'occupation.* ◇ *L'Occupation* : période (1940-1944) pendant laquelle la France fut occupée par l'armée allemande.

O.C.D.E. (*Organisation de coopération et de développement économiques*). Groupement constitué en 1961 entre 18 États européens, les États-Unis, le Canada et le Japon pour favoriser leurs échanges économiques. Siège à Paris.

2 247
3 682
8 1856

océan n. m. Immense étendue d'eau salée séparant les continents et caractérisée par des abysses*. Il y a cinq océans : Atlantique, Pacifique, Indien, Arctique et Antarctique. Les océans se

Têtes d'**obus** dans une usine d'armement.

Occupation allemande en France : défilé sur les Champs-Élysées.

Océanographie : prise de vues par caméra flottante.

Chassé pour sa fourrure, l'**ocelot** est en voie de disparition.

distinguent des mers par une étendue et des profondeurs supérieures.

4 908
7 1609

Océanie. Une des cinq parties du monde. 8 935 124 km² ; 25 millions d'hab. L'Océanie est formée de milliers de petites îles éparpillées dans le Pacifique et de trois grands ensembles : Nouvelle-Zélande, Nouvelle-Guinée et Australie, qui, à elle seule, représente 85 % de sa superficie. La population autochtone est composée de Polynésiens et de Mélanésiens auxquels s'ajoutent les immigrants européens.

3 682
8 1856

océanographie n. f. Science qui a pour objet l'étude des mers et des océans. Elle regroupe plusieurs disciplines : biologie marine (algologie et zoologie), géologie (structure des fonds marins), chimie, physique, etc.

5 1071

ocelle n. m. Œil simple des arthropodes (insectes, crustacés). ◇ Tache ronde sur une aile d'insecte, un plumage d'oiseau. *Ocelle des ailes de papillon.*

12 2663

ocelot n. m. Félin tacheté d'Amérique centrale et du Sud, atteignant 1 m de long. Trop chassé pour sa fourrure, cet animal est menacé de disparition.

O'Connell Daniel, homme politique irlandais (1775-1847). Il se battit pour l'indépendance irlandaise et l'égalité des droits en faveur des catholiques.

ocre n. f. ◇ 1. GÉOL Variété d'argile, friable, colorée en jaune, rouge ou brun selon la nature des oxydes qu'elle contient. ◇ 2. TECH Colorant à base d'ocre, utilisé en peinture.

octave n. f. Intervalle de huit degrés qui sépare deux notes portant le même nom dans deux gammes successives.

Octobre (révolution d') ⟶ Révolution russe de 1917

13 2945

octroi n. m. Taxe perçue sur certaines marchandises, à l'entrée dans une ville. ◇ Administration prélevant cette taxe. Elle fut supprimée en 1948.

3 644

oculaire n. m. Partie d'un instrument d'optique (microscope, jumelles...) placée devant l'œil de l'observateur et permettant de regarder l'image d'un objet formée par l'objectif*.

oculiste n. m. Médecin spécialiste soignant uniquement les maladies des yeux. On parle aussi d'ophtalmologiste ou d'ophtalmologue.

ode n. f. Poème chanté de la littérature grecque ancienne. *Les odes de Pindare.* ◇ Poème lyrique composé de strophes égales par le nombre et la mesure des vers. *Les odes de Ronsard.*

12 2790

Oder. Fleuve d'Europe centrale. 848 km. Né en Tchécoslovaquie, il draine le sud-ouest de la Pologne puis sert de frontière entre ce pays et la RDA avant de se jeter dans la Baltique.

Odessa. Ville d'URSS (Ukraine), principal port de la mer Noire. 1 046 000 hab. Métallurgie ; constructions navales. Ville créée par Catherine de Russie (1796) ; grand port au XIXᵉ siècle.

Odin ou **Wotan.** Principal dieu germanique. Dieu de la Guerre, il recevait les guerriers dans le *Valhalla*. Des sacrifices humains lui étaient consacrés.

Odoacre, roi des Hérules (v. 434-493). Il s'empara de Rome et déposa l'empereur Romulus Augustule, mettant ainsi fin à l'Empire romain d'Occident (476). Il fut vaincu par Théodoric*.

odonates n. m. pl. Ordre d'insectes au corps svelte, à la tête mobile portant de très gros yeux et des pièces buccales de type broyeur. Deux paires de grandes ailes membraneuses, à nervation abondante, en font de bons voiliers. De couleurs souvent brillantes, les odonates (ou *libellules*), ainsi que leur larve aquatique, sont carnivores.

odontologie n. f. Partie de la médecine qui s'intéresse aux dents et à leurs maladies. Elle est étudiée et exercée par les *stomatologues.*

odorat n. m. Sens par lequel on perçoit les odeurs. Ce troisième sens est essentiel dans la vie de nombreux animaux, car il leur permet la recherche des aliments, la détection des congénères et des ennemis, même à des distances importantes (phéromones), la délimitation de leur territoire (urine, musc),...

Odyssée (l'). Poème épique en 24 chants attribué à Homère. Il raconte les aventures vécues par Ulysse* durant le voyage qui le ramena à Ithaque, son royaume, après la guerre de Troie.

œcuménisme n. m. Mouvement pour la réunion des Églises chrétiennes (orthodoxes, catholique, protestantes). Il fut initié par certaines Églises protestantes (1910, conférence d'Édimbourg).

œdème n. m. Infiltration au niveau d'un tissu d'un liquide analogue au sérum, se traduisant par une boursouflure localisée ou diffuse.

Œdipe. Personnage de la mythologie grecque. Il tua, sans le savoir, son père, Laïos, roi de Thèbes, et épousa sa mère, Jocaste. Lorsqu'il découvrit ses crimes, il se creva les yeux.

œdipe (ou complexe d'Œdipe) n. m. Amour porté par un enfant au parent du sexe opposé, haine portée au parent du même sexe. Selon Freud, ces sentiments, qui, chez l'enfant, sont inconscients, se résolvent normalement vers l'adolescence.

œil n. m. Organe récepteur de la vue. L'œil le plus évolué est celui des vertébrés, l'acuité la plus forte étant celle de l'Homme et celle des oiseaux rapaces diurnes. Il comprend une *cornée* transparente formant la partie antérieure,

*L'escalier d'**Odessa** où fut tournée une scène du* Cuirassé Potemkine.

Œdipe et le Sphinx *(1808),* par Ingres.

Œillets de Chine.

Jacques **Offenbach** photographié par Nadar.

derrière laquelle se trouve le *cristallin,* ou lentille permettant l'accommodation. Enfin, tapissant intérieurement la face postérieure de l'œil, la *rétine,* formée d'une multitude de cellules photosensibles, est reliée à l'encéphale par le *nerf optique.* Les yeux des insectes sont composés de nombreuses facettes : chacune donne l'image d'une petite partie de l'objet observé.

œillet n. m. Plante herbacée (famille des caryophyllacées) ornementale, aux fleurs très odorantes et aux couleurs vives et variées.

œillette n. f. Nom courant du pavot de jardin et de sa graine, très petite, qui sert à fabriquer une huile comestible, également utilisée en peinture.

œnologie n. f. Ensemble des données scientifiques et techniques concernant la fabrication, l'amélioration et la conservation des vins.

Œrsted Christian, physicien danois (1777-1851). Il découvrit l'existence du champ magnétique créé par le passage du courant électrique dans un fil. Cette découverte fut ensuite expliquée par les Français Biot, Savart et Ampère.

œrsted n. m. Ancienne unité de mesure de l'intensité de champ magnétique. Symbole Œ. Un œrsted correspond à 79,58 ampères par mètre.

œsophage n. m. Partie du tube digestif formée par un tube qui succède au pharynx et débouche dans l'estomac. Ses glandes à mucus sont très développées chez les animaux sans dents, tels les oiseaux et les reptiles.

œstrogène n. m. Nom de deux hormones, essentielles dans le cycle ovarien, qui sont synthétisées par l'ovaire et, lors de la grossesse, par le placenta.

œuf n. m. Cellule résultant de la fusion d'un gamète mâle et d'un gamète femelle (fécondation*). Synonymes : *zygote, copula.* Plus généralement, on appelle œuf le zygote et ses formations annexes : coquille de nature variable (calcaire, cornée, etc.), membranes diverses et surtout substances de réserves protéiques, tel le blanc de l'œuf des oiseaux.

œuvre n. f. Activité, travail. *Se mettre à l'œuvre.* ◇ Production artistique ou littéraire. *Une œuvre littéraire, musicale, picturale.* ◆ n. m. Ensemble des œuvres exécutées par un artiste, notamment par un peintre ou un graveur. *L'œuvre peint de Vinci, l'œuvre gravé de Goya.*

Offenbach Jacques, compositeur français d'origine allemande (1819-1880). On lui doit des opérettes pleines de verve (*la Belle Hélène,* 1864 ; *la Vie parisienne,* 1866 ; *la Périchole,* 1868) et un opéra, *les Contes d'Hoffmann.*

offensive n. f. Action d'envergure menée par une armée pour chasser l'ennemi de ses positions.

Offices (galerie des). Riche musée de Florence (Botticelli, Vinci, Raphaël...) installé dans un palais construit par Vasari de 1560 à 1580.

5 1098
8 1891
offset n. m. Procédé d'impression dérivé de la lithographie, utilisant le report sur caoutchouc. Les quotidiens, les livres de poche, etc., sont imprimés en offset.

1 53
ogive n. f. 1 – ARTS Nervure saillante qui marque l'arête d'une voûte gothique et renforce cette voûte. La croisée d'ogives est formée par deux ogives qui se croisent à la clef* de voûte. ◇ Abusivement : arc brisé. *Fenêtre en ogive.*

ogive n. f. 2 – TECH Partie avant d'un obus, d'un missile, de forme pointue et évasée. Une ogive nucléaire contient un explosif nucléaire.

1 63
Ohio. Rivière de l'est des États-Unis, affluent rive gauche du Mississippi, arrosant Pittsburgh et Cincinnati. 1 580 km. Son cours a été aménagé pour la navigation.

1 61
Ohio. État des États-Unis, sur le lac Érié. 106 765 km² ; 10 652 000 hab. Capitale : Columbus. Cette région de plaines fertiles possède à la fois une agriculture puissante (maïs, élevage bovin) et une industrie très développée.

Ohm Georg, physicien allemand (1789-1854). Célèbre pour ses travaux en électricité, il énonça en 1827 une loi fondamentale qui porte son nom.

5 1091
ohm n. m. Unité de résistance électrique du système international. Symbole Ω. Un ohm correspond à la résistance d'un conducteur soumis à une tension de 1 volt et qui est parcouru par un courant de 1 ampère d'intensité.

2 245
9 2107
oie n. f. Genre d'oiseaux ansériformes*, dont les espèces sauvages sont migratrices (été dans les pays nordiques et hiver dans le sud de l'Europe). L'oie cendrée, domestiquée, est élevée pour sa chair et son foie (foie gras).

10 2278
oignon n. m. Plante de la famille des liliacées, cultivée pour son bulbe comestible formé de feuilles charnues (tuniques) à saveur et odeur fortes et piquantes, également appelé oignon.

6 1317
7 1444
oïl (langue d'). Ensemble des dialectes que l'on parlait au nord d'une ligne Poitiers-Grenoble. Le dialecte de l'Île-de-France est devenu le français.

9 2014
Oise. Rivière de France, affluent rive droite de la Seine. 302 km. Née en Belgique, elle rejoint la Seine à Conflans-Sainte-Honorine.

9 2014
Oise (60). Département du nord de la France (région Picardie). 5 860 km² ; 661 781 hab. Chef-lieu : Beauvais. Sous-préfectures : Clermont, Compiègne, Senlis. Ce département du Bassin parisien est formé de bas plateaux et de plaines,

Les hautes voûtes en **ogive** (XIIIᵉ s.) de la cathédrale de Chartres.

Les **oies** sauvages migrent vers le sud en hiver.

Récolte des **oignons** au Brésil.

Extrêmement rare, l'**okapi** vit au Zaïre.

souvent limoneux, domaine de la grande exploitation (céréales, betterave à sucre). L'industrie est représentée par la métallurgie, la chimie, l'alimentation. La population croît à mesure que l'on se rapproche de Paris.

oiseau n. m. Classe d'animaux vertébrés tétrapodes (à 4 pattes), dont les membres antérieurs sont transformés en ailes (bras et rémiges). Les oiseaux sont caractérisés par la possession de plumes*, l'absence de dents et la présence d'un étui corné ou bec autour de la cavité buccale. Ils ont des os très légers (os pneumatiques, creux, dans lesquels se trouve un canal où circule de l'air provenant des poumons) et un métabolisme intense car le vol exige une très forte dépense d'énergie. On les divise en ratites* et carinates*. Ce sont des animaux ovipares et à sang chaud apparus à l'ère secondaire à partir de divers groupes de reptiles.
2 241
3 658
8 169
9 204
9 208
14 325

oiseau-lyre n. m. Oiseau passériforme d'Australie. De la taille d'un coq, le mâle déploie une queue splendide en forme de lyre. Synonyme : *ménure.*
2 244

oiseau-mouche → colibri

Oïstrakh David, violoniste russe (1908-1974). Il a excellé dans l'interprétation des œuvres de Beethoven, Brahms, Sibelius, Prokofiev, etc.

okapi n. m. Mammifère ruminant des forêts du Zaïre (famille des girafidés), haut de 1,60 m au garrot. L'okapi possède de grandes oreilles, un pelage brun rayé de blanc sur les pattes et la croupe.
12 283

Okhotsk (mer d'). Mer bordière de l'océan Pacifique, entre la Sibérie, la presqu'île du Kamtchatka et l'archipel des Kouriles.
9 202

Okinawa. Île principale de l'archipel des Ryukyu (Japon). Importante base militaire américaine de 1945 à 1972, l'île fut restituée au Japon en 1972.
11 260

Oklahoma. État du centre des États-Unis. 181 089 km² ; 2 559 000 hab. Capitale : Oklahoma City. État formé de plaines, gros producteur de blé ; élevage bovin. Sous-sol riche en hydrocarbures.
1 61

okoumé n. m. Grand arbre d'Afrique équatoriale donnant un bois tendre, de couleur rose, qui est utilisé dans la fabrication du contre-plaqué. C'est l'un des acajous africains.

Olav Iᵉʳ Tryggvesson, roi de Norvège (969-1000). Roi en 995, il introduisit le christianisme en Norvège. Il périt lors de la bataille de Svolder, vaincu par les Danois et les Suédois.

Olav V, roi de Norvège (né en 1903). Il exerça la régence de 1955 à 1957, date à laquelle il monta sur le trône. Il règne depuis sur la Norvège.

oléacées n. f. pl. Famille de végétaux dicotylédones, tous ligneux. L'olivier est
8 1825

cultivé pour ses fruits (olives), le frêne pour son bois. Le jasmin et le lilas sont recherchés pour leurs fleurs.

oléagineux n. m. Plante dont une huile à usage alimentaire ou industriel est extraite de graines (cacahuètes, colza, etc.) ou de certains fruits (olives, noix, maïs, etc.).

11 2512
14 3135
oléoduc (ou pipe-line) n. m. Grosse conduite servant au transport de produits pétroliers ou de gaz naturel. La longueur d'un oléoduc peut atteindre 2 000 kilomètres.

12 2839
olfaction n. f. Fonction physiologique assurant la perception et l'identification des odeurs. Chez l'Homme, l'appareil olfactif comprend surtout les fosses nasales, contenant des récepteurs sensibles aux substances volatiles véhiculées par l'air. (Voir odorat.)

oligarchie n. f. Régime politique où le pouvoir appartient à un petit nombre d'individus. Ainsi, Sparte fut un État oligarchique qui excluait les hilotes et les périèques du pouvoir.

oligocène n. m. Deuxième période de l'ère tertiaire, de − 45 à − 25 millions d'années, caractérisée par la prolifération des mammifères, des oiseaux, des angiospermes* et par l'apparition des anthropoïdes*.

oligo-élément n. m. Élément minéral qui, tel le fer, est nécessaire à la croissance et au développement des organismes vivants mais ne s'y trouve qu'en faibles quantités.

2 367
8 1825
olivier n. m. Arbre ou arbrisseau de la famille des oléacées, très répandu dans la zone méditerranéenne et cultivé pour ses fruits comestibles à noyau, les *olives*, dont on extrait une excellente huile très parfumée.

Olivier *sir* Laurence Kerr, acteur, directeur de théâtre et metteur en scène anglais (né en 1907). Il est l'un des plus prestigieux interprètes de Shakespeare sur scène et à l'écran (*Henri V*, 1945 ; *Richard III*, 1955).

4 747
Olmèques (les). Ancien peuple du Mexique dont la civilisation se développa de 1000 à 300 av. J.-C. L'art olmèque se caractérise par des têtes sculptées géantes. Ils connaissaient l'écriture.

2 421
14 3182
Olympe. Massif montagneux du nord de la Grèce, aux confins de la Macédoine et de la Thessalie (2 911 m). ◊ Pour les anciens Grecs, l'Olympe était la demeure des dieux et le siège du palais de Zeus.

5 1074
olympiade n. f. Intervalle de quatre ans séparant, dans l'Antiquité grecque (ainsi que de nos jours), des jeux Olympiques successifs.

5 1074
Olympie. Sanctuaire de la Grèce antique (Péloponnèse), qui fut le rendez-vous du monde grec et le théâtre des

Pose de plaques isolantes sur un oléoduc en Alaska.

Originaire d'Asie Mineure, l'olivier est l'arbre méditerranéen type.

Art olmèque : tête colossale dans le parc de La Venta, au Mexique.

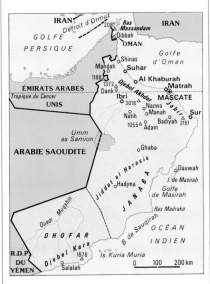

Oman.

jeux Olympiques. Ruines importantes qui datent du Ve au IIe s. av. J.-C.

2 420
5 1074
Olympiques (jeux). Rassemblement tous les quatre ans, à Olympie, des Grecs de toutes les cités pour y disputer des concours gymniques, des compétitions athlétiques et de force. Une branche d'olivier récompensait les vainqueurs. Ces jeux se tinrent de 776 av. J.-C. à 392 ap. J.-C., année où l'empereur romain Théodose les interdit pour cause de paganisme. Ressuscités par le baron Pierre de Coubertin, les premiers jeux modernes furent célébrés à Athènes, en 1896. Depuis, sous l'égide du Comité international olympique (C.I.O.), sont organisés, tous les quatre ans, des jeux d'été et, depuis 1924, des jeux d'hiver, qui forment le plus important rassemblement sportif mondial.

6 1288
Oman (sultanat d'). État du sud-est de l'Arabie. 212 457 km² ; 759 000 hab. Capitale : Mascate. Monnaie : le riyal d'Oman. ◊ Dans cet État montagneux, où l'agriculture est concentrée dans les vallées et les oasis, la richesse est produite par le pétrole, qui représente 85 % du produit national brut. ◊ L'actuelle dynastie (les Bu Sa'id), au pouvoir depuis 1750, est soutenue depuis 1891 par les Britanniques.

Oman (mer d'). Partie de l'océan Indien, entre l'Inde et l'Arabie. Elle est aussi appelée *mer d'Arabie*. Sa partie la plus étroite forme le *golfe d'Oman*.

3 504
6 1417
ombelle n. f. Type d'inflorescence où tous les axes secondaires partent, en rayonnant, du même point de l'axe principal. *L'ombelle simple du cerisier.*

6 1417
ombellifères n. f. pl. Famille de dicotylédones, généralement herbacées, caractérisées par leur inflorescence en ombelle. Certaines sont comestibles (persil, carotte, cerfeuil, fenouil, anis), d'autres vénéneuses (ciguë...).

1 222
ombilic n. m. Orifice de l'abdomen, par lequel le cordon ombilical liant le fœtus au placenta maternel passe dans la paroi abdominale du fœtus. ◊ Cicatrice laissée par le cordon coupé (*nombril*).

omble n. m. Nom de deux poissons voisins du saumon, à la chair délicate, et qui vivent dans les eaux douces. *L'omble chevalier* vit dans les lacs de montagne ; *l'omble des fontaines,* dans les eaux courantes.

10 2245
Ombrie. Région d'Italie, dans l'Apennin. 8 456 km² ; 802 000 hab. Chef-lieu : Pérouse. Olivier, vigne, bovins. Hydro-électricité ; industries à Terni. ◊ Au XVe s., école de peinture (Raphaël).

5 1039
Omeyyades ou **Umayyades.** Dynastie de califes arabes. Elle régna à Damas de 661 à 750. Son empire s'étendit de l'Indus à l'Espagne. Renversée par les Abbassides*, elle fonda l'émirat de Cordoue (756-1031).

2 328
omoplate n. f. Chacun des deux os dorsaux plats et triangulaires formant, avec

les humérus et les clavicules, les articulations des épaules.

O.M.S. *(Organisation mondiale de la santé).* Organisme de l'ONU* créé en 1948 en vue de créer les conditions « d'un état de bien-être physique, mental et social pour tout être humain ». Son siège est à Genève.

2 455
14 3189
14 3230

onagre n. m. Mammifère ongulé, intermédiaire entre le cheval et l'âne, et au pelage beige clair. Il vit à l'état sauvage dans les plaines d'Asie centrale et d'Iran.

5 1197
10 2242

once n. m. Grand mammifère félidé des montagnes d'Asie centrale. L'once a un pelage tacheté plus clair et plus laineux que celui de la panthère.

onde n. f. Mouvement résultant de la propagation d'une perturbation : un caillou qui tombe dans l'eau crée, à la surface, des cercles qui vont en s'élargissant à partir du point de chute : ce sont des ondes. Ce phénomène existe également dans le cas d'une perturbation périodique du son, de la lumière... On caractérise une onde par sa *longueur d'onde,* c'est-à-dire la distance dont elle progresse pendant la période* T : les ondes lumineuses sont comprises entre 0,4 et 0,8 µm, les ondes radio vont de 1 mm à plusieurs km.

2 267
6 1382
7 1658
8 1711
8 1775
11 2494
13 3049
13 3110

Onega. Lac d'URSS, en Carélie. 9 900 km². Il communique avec le lac Ladoga par la Svir et avec la mer Blanche par le canal Baltique-mer Blanche.

9 2028

ongle n. m. Lame dure et cornée recouvrant la partie dorsale de la dernière phalange de chaque doigt. L'ongle est sécrété par une glande épidermique. ◇ Griffe de certains animaux.

4 959

ongulés n. m. pl. Groupe de mammifères dont les doigts ont l'extrémité gainée par un étui corné ou onglon. On distingue les périssodactyles* (cheval) et les artiodactyles* (porcins). D'autres groupes tels les tubulidentés et les siréniens peuvent y être inclus.

onomatopée n. f. Caractère d'un mot dont le son imite la chose qu'il représente. ◇ Un tel mot : *atchoum, ronron, tic-tac, vlan, vroum,* etc.

Ontario (lac). Le plus oriental des Grands* Lacs, entre le Canada et les États-Unis. 18 800 km². Il est relié au lac Érié par le Niagara et à l'Atlantique par le Saint-Laurent.

1 63

Ontario. La plus riche et la plus peuplée des provinces du Canada. 1 068 852 km² ; 8 264 465 hab. Capitale : Toronto. Autre ville : Ottawa. Importantes richesses minières. Industries.

7 1477

ontogenèse (ou **ontogénie**) n. f. Science étudiant, de manière plus générale que l'embryologie, les processus permettant à un œuf de devenir un individu.

*L'**onagre** de Perse est rouge pâle en été et gris en hiver.*

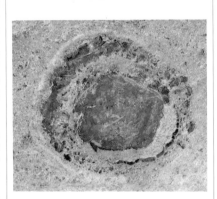

*L'« **opale** de feu », aux reflets irisés, se trouve au Mexique.*

Scène des Vêpres siciliennes, **opéra** de Verdi (1855).

*La façade du palais Garnier (1875), actuel **Opéra** de Paris.*

O.N.U. *(Organisation des Nations unies).* Organisation internationale de coopération et de sauvegarde de la paix mondiale, créée en 1945 pour succéder à la Société des Nations. Siège : New York. Principaux organes : l'*Assemblée générale,* composée de tous les États membres, chacun disposant d'une voix ; le *Conseil de sécurité* (15 membres), qui est l'organe exécutif ; le *Conseil économique et social ;* la *Cour internationale de justice,* dont le siège est à La Haye.

2 454
11 2623
13 2970
14 3189

onyx n. m. Variété d'agate*, semi-transparente, présentant des couches et des raies annulaires et concentriques de diverses couleurs.

oosphère n. f. Nom donné au gamète femelle des végétaux (correspondant à l'ovule chez les animaux) et qui peut être fécondé par le gamète mâle.

8 1874
9 1925

op. Abréviation du mot latin *opus* (œuvre) qui désigne un morceau de musique numéroté dans l'œuvre complet d'un compositeur. *Chopin op. 28.*

opale n. f. Pierre fine, opaque ou translucide, constituée de silice hydratée. Remarquable par ses reflets irisés, elle est utilisée en joaillerie.

op art (abréviation d'*optical art,* « art optique »). Nom courant de l'art non figuratif, né aux États-Unis vers 1960. Comme l'art cinétique dont il dérive, l'op art a le mouvement, réel ou apparent, pour principe de base.

openfield n. m. Paysage agraire caractérisé par des champs non clôturés, en forme de lanière, et par un type d'habitat groupé en villages.

opéra n. m. Ouvrage dramatique destiné à être joué sur une scène de théâtre avec un accompagnement orchestral et dont toutes les paroles sont chantées. *Les opéras de Wagner, de Verdi. Le livret* d'un opéra. ◇ Genre musical que constituent ces ouvrages. *L'opéra italien.* ◇ Théâtre où ont lieu les représentations de ces ouvrages. *La Scala* de Milan est un opéra. Le théâtre de l'Opéra de Paris. ◆ **opéra bouffe** n. m. Opéra dont l'action a un caractère comique très marqué (le *Mariage secret,* de Cimarosa). ◆ **opéra-comique** n. m. Drame musical lyrique dans lequel se mêlent des épisodes chantés et des scènes parlées (*Carmen,* de Bizet).

12 2734
14 3271
14 3343

Opéra (théâtre de l'). Théâtre lyrique de Paris, siège de l'Académie nationale de musique et de danse, construit par Charles Garnier de 1861 à 1875.

4 924

opération n. f. 1 — MATH Application qui à deux nombres associe un autre nombre. Exécution d'un calcul ou d'une suite de calculs portant sur plusieurs nombres. Les opérations fondamentales sont : l'addition, la soustraction, la multiplication et la division.

opération n. f. 2 — MÉD Toute action mécanique effectuée, en général par un

9 2075

chirurgien, sur un être vivant et modifiant ou amputant une partie de cet être en vue de le soigner.

opération n. f. 3 – soc Ensemble de mouvements stratégiques, de mesures prises, d'actions menées en vue d'obtenir un résultat précis. *Opération militaire.* ◇ *Opération boursière :* transaction* opérée sur des valeurs.

4 915 **opercule** n. m. Pièce rigide, mince et souvent mobile obturant un orifice. Ainsi, un poisson téléostéen* possède deux opercules obturant les ouïes* ; de même, les alvéoles d'abeilles sont operculés (fermés par des opercules de cire).

opérette n. f. Œuvre musicale, dérivée de l'opéra bouffe, écrite dans un style léger sur un sujet divertissant et où les scènes parlées, nombreuses, alternent avec les couplets chantés.

8 1835 **ophidiens** n. m. pl. Sous-ordre de reptiles dépourvus de pattes, sans paupières mobiles et sans tympan, au corps allongé de forme cylindrique et aux côtes libres. Les ophidiens sont les serpents*, souvent venimeux.

8 1858 **ophiure** n. f. Échinoderme* ayant l'as-
11 2632 pect d'une étoile de mer, formé par un corps central et par cinq bras rayonnants et animés de mouvements.

ophtalmie n. f. Nom générique de toutes les maladies inflammatoires de l'œil. Elle peut être d'origine bactérienne, virale, traumatique ou encore provoquée par un excès de lumière ultraviolette (ophtalmie des neiges).

opinion publique n. f. Ensemble des opinions, des idées, des convictions les plus répandues dans une société. ◇ *L'opinion :* le public, les gens. ◇ *Sondage d'opinion :* voir Gallup, sondage.

3 557 **opium** n. m. Suc narcotique obtenu par
10 2356 incision des capsules* de certains
13 2972 pavots et contenant des substances utilisées en pharmacie. L'opium, mâché ou fumé, provoque une euphorie suivie d'un assoupissement. Toute accoutumance peut provoquer des intoxications graves.

1 150 **opossum** n. m. Petit mammifère marsu-
3 696 pial (corps de 50 cm de long, queue
8 1790 35 cm), répandu en Amérique, recherché pour sa fourrure. Syn. : *sarigue.*

Oppenheimer Robert, physicien américain (1904-1967). Auteur de travaux théoriques sur l'atome, il dirigea l'équipe qui mit au point (1943-1945) la première bombe atomique.

opposition n. f. Partis, groupes ou personnes refusant la politique menée par la majorité au pouvoir. L'opposition est par définition minoritaire. *Opposition parlementaire.*

3 522 **optique** n. f. Partie de la physique qui
3 640 étudie les phénomènes lumineux : réflexion de la lumière sur les miroirs, for-
5 1177

Les **ophiures** peuvent vivre à plus de 4 000 m de profondeur.

Gobelet en **or** (art perse).

Expédition de caisses d'**oranges.**

L'**orang-outang** (« homme des forêts ») vit à Sumatra et à Bornéo.

mation des images dans les instruments
8 1902
d'optique, émission de rayons laser. Les
13 3048
appareils photo, les caméras, les projecteurs de diapositives, les longues-vues et les télescopes sont des instruments d'optique. ◆ **opticien** n. m. Personne qui fabrique ou vend des instruments d'optique et des verres de lunettes.

opus → op.

or n. m. Métal précieux jaune brillant.
1 109
Symbole *Au.* Il peut être facilement
2 284
transformé en feuille (jusqu'à une épais-
6 1301
seur de un dix-millième de millimètre)
8 1682
et en fil (un gramme peut donner un fil
12 2782
de plusieurs kilomètres). C'est un métal
12 2853
dense (densité environ 19), mou, bon conducteur de la chaleur et de l'électricité. Il est pratiquement inattaquable sauf par l'eau régale (mélange des acides chlorhydrique et nitrique) et le mercure (amalgame*). Ses alliages sont utilisés en bijouterie. Leurs couleurs dépendent du métal : l'or rouge contient du cuivre, l'or vert de l'argent, l'or rose du cuivre et de l'argent, l'or blanc du nickel...

orage n. m. Perturbation atmosphé-
8 1776
rique due à une rapide ascendance de l'air et provoquant la formation de cumulo-nimbus*. Elle s'accompagne de phénomènes mécaniques (vent, pluie ou grêle) et électriques (dont les éclairs et le tonnerre sont les manifestations).

oral n. m. Épreuve ou série d'épreuves orales d'un examen*, d'un concours, où le candidat est interrogé par un examinateur. *Échouer à l'oral. Passer des oraux de rattrapage.*

Oran → Ouahran

orange n. f. Fruit comestible, à saveur
3 550
acidulée (agrume), produit par l'oranger (genre Citrus), originaire d'Asie et poussant dans les régions chaudes. L'orange est une baie dont la peau sécrète des essences odorantes et dont la chair est constituée par des poils gorgés de jus.

Orange. Fleuve du sud de l'Afrique.
2 286
1 860 km. Il prend sa source dans le Lesotho et se jette dans l'Atlantique. Il est peu navigable.

Orange. Province d'Afrique du Sud.
2 286
130 000 km² ; 1 716 000 hab. Capitale : Bloemfontein. Bovins. Mines de charbon, d'or et de diamants. ◇ Fondée vers 1836 par les Boers*, elle entra en 1910 dans l'Union sud-africaine.

orang-outang (ou orang-outan) n. m.
10 2213
Grand singe arboricole des forêts de Sumatra et de Bornéo. Il est recouvert d'un pelage roux et peut atteindre 1,50 m de haut.

oratorio n. m. Drame musical à sujet religieux (parfois profane) dont la facture s'apparente à celle de la cantate. *Les oratorios de Haendel.*

orbite n. f. 1 – ANAT Chacune des deux cavités osseuses de la face, en forme de pyramide quadrangulaire, et dans laquelle se trouvent placés l'œil et ses annexes.

1 101
5 1082
14 3262

orbite n. f. 2 – ASTR Trajectoire que parcourt un astre autour d'un autre astre. C'est aussi la trajectoire des corps lancés dans l'espace par l'Homme. Les orbites des planètes autour du Soleil sont des ellipses pratiquement circulaires. *Mise en orbite d'un satellite.*

2 260

orchestre n. m. Groupe d'instrumentistes formé pour prendre part à l'interprétation d'une œuvre musicale polyphonique. *Orchestre symphonique. Orchestre de chambre. Orchestre de jazz, de danse.* ◆ **orchestration** n. f. Arrangement entre elles des différentes parties instrumentales d'une œuvre.

7 1606

orchidacées n. f. Famille de plantes monocotylédones remarquables pour la beauté de leurs fleurs. On compte environ 15 000 espèces d'orchidacées (orchis, cattleya, vanille, etc.).

7 1606

orchidée n. f. Plante monocotylédone, de la famille des orchidacées, aux fleurs ornementales irrégulières. La fécondation est assurée par les insectes.

2 340
5 1153
11 2594
13 2930
14 3314
14 3328

ordinateur n. m. Machine électronique qui effectue automatiquement et très rapidement de nombreux calculs : opérations arithmétiques, comparaisons, tris, etc. La liste des calculs à effectuer par un ordinateur est contenue dans un programme. Un ordinateur possède des mémoires où sont stockés les programmes, les données à traiter et les résultats des calculs. Les ordinateurs ont de nombreuses applications : gestion, calcul scientifique. Ils sont à l'origine du développement de l'informatique.

ordination n. f. Action de conférer le sacrement de l'ordre. L'ordre majeur confère la prêtrise et donne le droit de célébrer la messe.

ordonnance n. f. 1 – MÉD Ensemble des prescriptions faites par le médecin à un malade. ◇ Document écrit contenant ces prescriptions.

ordonnance n. f. 2 – DRT Décision émanant du président d'une juridiction ou du juge d'instruction. *Ordonnance de non-lieu.* ◇ Acte législatif émanant de l'exécutif. *Ordonnances royales :* actes législatifs des rois de France, de caractère général et s'appliquant à tout le royaume.

ordonnée n. f. Une des deux coordonnées servant à définir la position d'un point dans un plan rapporté à un système d'axes. La première coordonnée* est *l'abscisse**, la deuxième *l'ordonnée.*

ordre n. m. 1 – SOC Absence de troubles dans le fonctionnement social ; stabilité des institutions ; sécurité publique. ◇ Groupe de personnes soumises à certaines règles. *L'ordre des avocats.*

Orchestre du théâtre de la Scala, à Milan.

Délicate et raffinée :
l'orchidée.

Orfèvrerie : reliquaire (XVIᵉ s.) orné de 3 000 pierres précieuses.

◇ Commandement. *Obéir aux ordres.*
◇ *Ordre de Bourse :* mandat donné à un intermédiaire (agent de change) d'effectuer une transaction.

3 613
3 719

ordre n. m. 2 – ZOOL Division systématique, intermédiaire entre la classe et la famille. Un ordre peut comprendre un grand nombre d'*espèces* (surtout chez les arthropodes) ou être réduit à un ou deux genres (monotrèmes).

ordre n. m. 3 – RELG Un des degrés de la hiérarchie cléricale catholique. ◇ *Ordre monastique :* communauté religieuse vivant selon la même règle.

4 874
14 3208

ordre n. m. 4 – ARTS Chacun des styles architecturaux antiques que l'on distingue par la forme et le décor des colonnes, des chapiteaux et des entablements. *Ordres grecs :* dorique, ionique, corinthien ; *ordres romains :* toscan, composite.

1 61

Oregon. État du nord-ouest des États-Unis, sur le Pacifique. 251 180 km² ; 2 091 000 hab. Capitale : Salem. Ville principale : Portland. ◇ Région formée de plateaux et de montagnes (forêts). Élevage ; hydro-électricité.

7 1633
8 1819

oreille n. f. Organe de l'ouïe. L'appareil auditif des mammifères comprend trois parties : *l'oreille externe,* placée de chaque côté de la tête et formée du pavillon et du conduit du tympan ; *l'oreille moyenne,* où se situent le tympan et les osselets qui vibrent quand un son les atteint ; *l'oreille interne* (organe de l'équilibre grâce aux canaux semi-circulaires), qui transforme les vibrations sonores en influx nerveux (grâce au limaçon), influx transmis ensuite au cerveau qui les analyse.

9 1988

oreillette n. f. Chacune des deux cavités du cœur recevant le sang apporté par les veines et qui communiquent avec les ventricules.

12 2781

oreillons n. m. pl. Maladie virale et contagieuse caractérisée par une inflammation de diverses glandes (glandes salivaires essentiellement).

12 2675

Orénoque. Fleuve du Venezuela. 2 160 km. Il se jette dans l'Atlantique par un vaste delta. L'un des plus puissants fleuves du monde ; navigable ; son bassin couvre la région de la Guyane.

9 1944

orfèvrerie n. f. Art de travailler les métaux précieux pour façonner des objets d'ornement. ◆ **orfèvre** n. m. ou f. Personne qui fabrique ou qui vend des objets d'ornement en métaux précieux : *argenterie, broches en or.*

orfraie n. f. Nom courant du pygargue, aigle diurne de grande taille (2,50 m d'envergure) qui se nourrit de poissons.

organe n. m. Partie d'un être vivant remplissant une ou plusieurs fonctions. L'organe peut être placé à un niveau intermédiaire entre le tissu et l'appareil ou l'organisme. Ainsi, le foie, la rate, l'estomac sont des organes faisant partie de l'appareil digestif.

organisation n. f. Manière dont un ensemble est organisé, ou manière dont il fonctionne ; structure. *Organisation d'une soirée, d'un ministère.* ◇ Groupement, association. *Organisation syndicale. Organisation des Nations unies.*

orgasme n. m. Moment durant lequel le plaisir sexuel est le plus intense. Il coïncide généralement, chez l'homme, avec l'éjaculation.

orge n. f. Céréale (famille des graminées) dont l'épi simple, composé d'épillets, porte de longues barbes. ◇ Grain de cette céréale, cultivé pour nourrir le bétail ou pour fabriquer de la bière (malt*).

orgelet n. m. Petit furoncle en forme de grain d'orge, au bord de la paupière, dû à l'inflammation d'une glande sébacée. On dit aussi *compère-loriot.*

orgue n. m. au singulier et n. f. au pluriel. Instrument de musique à vent (soufflerie, tuyaux) et à touches (claviers), surtout en usage dans les églises. *Orgue électrique, électronique* (dépourvus de tuyaux). ◇ *Orgue de Barbarie :* instrument de musique mécanique.

orient n. m. Un des quatre points cardinaux, vers le soleil levant (synonyme de l'*est*). ◇ *L'Orient :* nom donné dans l'Antiquité à toute la partie du monde connu s'étendant à l'est de la Méditerranée ; aujourd'hui, l'Asie (Proche, Moyen et Extrême-Orient).

Orient (question d'). Nom donné à l'ensemble des problèmes posés aux puissances européennes par la décadence de l'Empire ottoman au XVIIIe et surtout au XIXe siècle.

Orient (Empire romain d'). Un des deux empires issus du partage de l'Empire romain après Théodose (395). Il survécut sous le nom d'Empire byzantin jusqu'à la chute de Constantinople (1453).

orientation n. f. 1 — SOC Direction donnée à une action. *Orientation politique.* ◇ *Orientation scolaire, professionnelle :* choix, conseils permettant d'opter pour telles études, tel métier, selon les aptitudes et les possibilités économiques. ◆ **orienteur** n. m. Conseiller en orientation scolaire et professionnelle.

orientation n. f. 2 — ASTR Détermination du lieu où l'on se trouve à l'aide des points cardinaux ou de tout autre repère.

origan n. m. Plante herbacée (famille des labiacées) proche de la menthe, appelée aussi *marjolaine.* L'espèce dont on tire un aromate vient d'Asie.

origine n. f. Groupe zoologique ou botanique dont sont issus un genre, une famille, etc., d'êtres vivants actuels. Les

*Les **orgues** (1688) de la chapelle du King's College, à Cambridge.*

***Orientation :** cartes et boussole en sont les instruments nécessaires.*

*La cathédrale Sainte-Croix et les bords de Loire à **Orléans**.*

*Ferdinand-Philippe, duc d'**Orléans**, fils de Louis-Philippe Ier, par Ingres.*

mammifères ont leur origine dans un groupe de reptiles de l'ère secondaire.

Orion (constellation d'). Groupement caractéristique d'étoiles très brillantes de la zone équatoriale.

Orléanais. Royaume franc, transformé en comté sous les Carolingiens. Rattaché à la couronne en 1626, il correspondait aux départements d'Eure-et-Loir, du Loiret et du Loir-et-Cher.

Orléans (45000). Chef-lieu du Loiret, sur la Loire. 105 589 hab. *(Orléanais).* Centre commercial (produits agricoles), industries alimentaires ; constructions mécaniques ; chimie. La banlieue (cité de La Source) bénéficie d'implantations administratives (chèques postaux) et industrielles. ◇ Jeanne d'Arc délivra la ville des Anglais en 1429.

Orléans. Nom de quatre familles princières françaises. ◇ Le premier duc d'Orléans, Philippe (1336-1375), fils de Philippe VI, mourut sans héritier. ◇ La deuxième maison d'Orléans est issue de Louis Ier, frère de Charles VI, dont le petit-fils devint roi sous le nom de Louis XII. ◇ La troisième est représentée par Gaston, frère de Louis XIII. ◇ La quatrième, issue de Philippe, frère de Louis XIV, régna avec Louis-Philippe Ier.

Orléans Charles D', poète français (1391-1465). Petit-fils de Charles V et père de Louis XII. Ses rondeaux comptent parmi les chefs-d'œuvre de la poésie courtoise.

Orléans (Gaston, *comte* D'EU, *duc* D'), fils d'Henri IV et de Marie de Médicis (1608-1660). Frère de Louis XIII et père de la Grande Mademoiselle, il prit part aux complots des « Grands » contre Richelieu, puis contre Mazarin.

Orléans (Philippe, *duc* D'), régent de France (1674-1733). Neveu de Louis XIV, il obtint la régence en 1715. En réaction contre le règne précédent, il gouverna avec l'aristocratie, mais dut concéder un pouvoir accru au Parlement.

Orléans (Louis Philippe Joseph, *duc* D'), dit Philippe Égalité, homme politique français (1747-1793). Gagné aux idées nouvelles, grand maître de la maçonnerie française, il se rallia à la Révolution et vota la mort du roi, son cousin. Il fut guillotiné sous la Terreur. Père de Louis-Philippe Ier.

Orly. Ville du Val-de-Marne. 23 866 hab. Aéroport international comprenant deux aérogares : Orly-Sud (inaugurée en 1961) et Orly-Ouest (1971).

orme n. m. Arbre de la famille des ulmacées, courant en Europe, atteignant de 20 à 30 m de haut et dont les fleurs apparaissent avant les feuilles.

Orme (Philibert DE L') ⟶ Delorme (Philibert)

Orne (61). Département français de la région Basse-Normandie. 6 103 km² ;

295 472 hab. Chef-lieu : Alençon. Sous-préfectures : Argentan, Mortagne-au-Perche. Les campagnes céréalières d'Alençon et d'Argentan séparent le Bocage normand, à l'ouest, des collines du Perche, à l'est. Ces régions vallonnées pratiquent l'élevage bovin (viande, lait). Les constructions mécaniques et électriques remplacent les activités traditionnelles (quincaillerie, dentelle).

ornithologie n. f. Partie de la zoologie qui étudie les oiseaux. L'*ornithologiste* se spécialise souvent dans un seul groupe d'oiseaux, car ceux-ci constituent une classe très vaste.

ornithorynque n. m. Mammifère monotrème d'Australie, long de 30 cm, remarquable par son bec large et plat. Il pond des œufs et vit près des cours d'eau.

orogenèse n. f. Ensemble des phénomènes géologiques qui entraînent la formation des montagnes. Ce terme est pris souvent dans un sens plus large, englobant les phénomènes géologiques qui donnent naissance à un relief.

oronge n. f. Champignon comestible, au chapeau orange, au pied et aux lamelles jaunes, appelé aussi *amanite des Césars*. ◇ *Fausse oronge* ou amanite tue-mouches : champignon vénéneux, au chapeau rouge à écailles blanches.

Orphée. Personnage de la mythologie grecque. Musicien, poète et chanteur. Sa musique lui permit d'arracher des *Enfers* sa femme morte, Eurydice. Mais, ayant enfreint l'interdiction de la regarder, il la perdit définitivement.

orphelin n. m. Enfant ayant perdu l'un de ses parents (orphelin de père, de mère) ou les deux. ◆ **orphelinat** n. m. Établissement public (*Assistance publique*) ou privé qui recueille et élève des orphelins.

orphie n. f. Poisson des mers d'Europe, long de 50 cm, aux mâchoires pointues et dentées formant un bec ; appelée aussi *bécassine* ou *aiguille de mer*.

ORSEC (plan). Sigle de l'*ORganisation des SECours.* Programme exceptionnel d'organisation des secours en cas de catastrophe (inondation, marée noire, accident ferroviaire, etc.).

orteil n. m. Chacun des doigts de pied et spécialement le gros doigt, appelé gros orteil, qui est l'homologue du pouce pour les doigts de pied.

orthodoxie n. f. Ensemble des dogmes considérés comme vrais par une Église. ◇ *Églises orthodoxes :* nom pris par les Églises orientales séparées de Rome depuis le schisme de 1054. Les Églises orthodoxes, implantées essentiellement en URSS et dans les pays des Balkans, ne reconnaissent pas les nouveautés admises par le catholicisme depuis le

Ornithologie : *ce martin-pêcheur, capturé au filet, sera bagué.*

*Excellent nageur, l'***ornithorynque*** a un bec souple et sensible.*

Orphée *jouant de la lyre (bas-relief paléochrétien).*

Orthodoxie : *rite de l'Église arménienne.*

schisme (infaillibilité pontificale, immaculée conception de la Vierge...).

orthogenèse n. f. Processus de l'évolution semblant orienté dans un sens précis. L'évolution des équidés, par exemple, tend vers la réduction du nombre de doigts.

orthogonalité n. f. Deux droites, ou deux plans, ou une droite et un plan, ou deux cercles sont dits orthogonaux s'ils se coupent selon un angle droit. ◇ *Système orthogonal :* système établi dans un repère d'axes perpendiculaires.

orthographe n. f. Ensemble des règles grammaticales et des conventions qui régissent l'écriture des mots d'une langue. *L'orthographe française.* ◇ Mise en pratique de ces règles dans un écrit. *Orthographe correcte.*

orthopédie n. f. Partie de la médecine qui a pour but de prévenir et de guérir les malformations du squelette et des muscles. Les orthopédistes peuvent pratiquer la chirurgie, poser des prothèses, des appareils, etc.

orthophoniste n. m. ou f. Personne, auxiliaire médical ou médecin, spécialisée dans le traitement des anomalies de la parole (bégaiement, zézaiement, défauts de prononciation, etc.).

orthoptères n. m. pl. Ordre d'insectes, à ailes antérieures étroites, rigides, et à ailes postérieures pliées en éventail. Les pattes postérieures, très développées, sont adaptées au saut. Ainsi, le criquet, le grillon, les sauterelles sont des orthoptères.

ortie n. f. Plante herbacée (famille des urticacées) dont les feuilles dentées et les tiges sont couvertes de poils qui se cassent au toucher et libèrent un liquide irritant.

ortolan n. m. Espèce de bruant, oiseau passériforme d'Europe, long de 16 cm, dont la gorge est jaune. Il est chassé pour sa chair savoureuse.

orvet n. m. Reptile saurien (proche des lézards), dépourvu de pattes. Il hiverne en terre et se nourrit d'insectes, de limaces... Sa queue se brise facilement.

os n. m. Organe rigide et cassant du corps des vertébrés. L'ensemble des os constitue le *squelette* ou *ossature*, qui est un appareil de soutien du corps, sur lequel s'insèrent les tendons des muscles squelettiques. On distingue les *os longs* (tibia, humérus, etc.), les *os courts* (phalanges, vertèbres, etc.) et les *os plats* (os du crâne, omoplate, etc.). Les os plats dérivent d'une membrane conjonctive qui s'ossifie, tandis que les os courts et longs sont précédés d'ébauches cartilagineuses. Le tissu osseux est formé de 30 % de substance protéique fibreuse (osséine) et de 70 % de sels minéraux, essentiellement du phosphate de calcium ; l'ensemble est mis en place par les ostéocytes, ces mêmes cellules osseuses qui réparent également les os quand ils sont brisés.

1 205

Osaka. Ville du Japon (Honshu). Port et centre industriel, deuxième ville du pays (3 156 000 hab.), elle est située au cœur d'une vaste conurbation.

oscar n. m. Récompense attribuée, à Hollywood, aux personnalités du cinéma les plus méritantes de l'année (scénario, mise en scène, interprétation...). ◇ Statuette matérialisant cette récompense.

14 3158

oscillation n. f. Mouvement d'un corps qui revient régulièrement aux mêmes endroits avec la même vitesse. ◇ **oscillographe** (ou oscilloscope) n. m. Appareil permettant d'observer l'évolution d'un phénomène. Il est utilisé en électronique, en médecine...

oseille n. f. Plante potagère (famille des polygonacées), cultivée pour ses larges feuilles à la saveur acide.

12 2846

osier n. m. Nom de divers petits saules dont les jeunes pousses, très souples, sont utilisées en vannerie et pour faire des liens.

14 3138

Osiris. Dieu des Morts, époux d'Isis, dans l'ancienne Égypte. Son culte, associé à celui d'Isis, se répandit en Grèce et dans l'Empire romain.

11 2417

Oslo (anciennement Christiania). Capitale de la Norvège, au fond d'un fjord. 462 000 hab. Premier centre industriel du pays. ◇ Fondée au XIe siècle par Harald III.

Osman Ier Gazi, sultan ottoman (1259-1326). Fondateur de la dynastie ottomane, il se déclara indépendant des Seldjoukides (1290) et prit le titre de sultan.

7 1551

osmose n. f. Phénomène de diffusion entre deux solutions de concentration différente, à travers une membrane perméable ou semi-perméable (vessie de porc, cellophane...) : si on plonge dans un verre contenant de l'eau pure un tube rempli d'eau sucrée et fermé par une membrane, l'eau du verre passe dans le tube à travers la membrane.

ossature → os

osséine → os

osselets n. m. pl. Jeu formé d'éléments (métal, plastique, etc.) en forme de petits os, que l'on lance pour les rattraper sur le dos ou la paume de la main.

Ossian. Barde écossais légendaire du IIIe s. En 1760, James Macpherson (1736-1796) publia un volume de « chants ossianiques » qui n'était qu'une libre adaptation d'un poème en langue erse (dialecte gaélique écossais).

Ostie. Port de la Rome antique. Installée à l'embouchure du Tibre, elle connut son apogée au Ier s. ap. J.-C. Importantes ruines.

*Les autoroutes traversent le centre de l'énorme cité d'**Osaka.***

*Petit marchand de paniers en **osier** aux Antilles.*

*De 1624 à 1925, **Oslo** a porté le nom de Christiania.*

*Pour d'obscures raisons, les **otaries** ont coutume d'avaler des pierres.*

ostracisme n. m. Dans la Grèce antique, bannissement prononcé pour dix ans afin d'éloigner de la cité les hommes politiques jugés dangereux par le peuple. La sentence était notée sur un tesson, ou *ostrakon*. ◇ Action d'exclure quelqu'un.

2 419

ostréiculture n. f. Élevage des huîtres. Cette technique consiste à permettre aux larves, le *naissain*, de se fixer sur un support. Les jeunes huîtres grandissent ensuite durant 2 à 4 ans dans des parcs.

3 683
12 2868

Ostrogoths (les). Peuple germanique installé au IVe s. dans le bassin du Dniepr. Vaincus par les Huns, les Ostrogoths s'établirent en Pannonie (Hongrie) après la mort d'Attila (453). Menaçants pour l'Empire d'Orient, ils furent détournés vers l'Italie, dont ils s'emparèrent sous la conduite de leur chef Théodoric (488-493). Le royaume ostrogoth ne survécut pas aux attaques des Byzantins (535-555).

5 961

Ostwald Wilhelm, chimiste allemand (1853-1932). Ses travaux sur les solutions aqueuses (une loi sur la dilution porte son nom) lui valurent le prix Nobel de chimie en 1909.

otage n. m. Personne livrée ou reçue comme gage de l'exécution d'une promesse, d'un traité. ◇ Personne retenue prisonnière afin d'obtenir ce que l'on exige ou pour se garantir d'éventuelles représailles. *Une prise d'otages.*

O.T.A.N. Sigle de l'*Organisation du traité de l'Atlantique Nord*. Alliance politique et militaire signée en 1949 par 12 États d'Europe et d'Amérique du Nord, rejoints depuis par 4 autres États. Son commandement militaire (dont la France s'est retirée en 1966) est placé sous la direction des États-Unis.

11 2625
13 3099

otarie n. f. Mammifère marin des côtes du Pacifique Sud, proche du phoque dont il se distingue par son oreille pourvue d'un pavillon et par des membres plus longs (certains mâles peuvent atteindre jusqu'à 3,50 m).

1 14

otite n. f. Inflammation aiguë ou chronique de l'oreille. On distingue, selon leur localisation, les otites externes, internes ou moyennes.

8 1818

oto-rhino-laryngologie n. f. Partie de la médecine qui traite des maladies des oreilles, du nez et de la gorge (abréviation : O.R.L.). L'*oto-rhino-laryngologiste* pratique des opérations telle l'ablation des amygdales.

Ottawa ou **Outaouais.** Rivière du Canada, affluent rive gauche du Saint-Laurent. 1 100 km. Elle arrose Ottawa et sert de frontière entre le Québec et l'Ontario.

7 1477

Ottawa. Capitale fédérale du Canada depuis 1867. 304 500 hab. Siège du Parlement, c'est une ville essentiellement administrative, abritant quelques industries (bois, papier, meubles, chimie).

7 1475

7 1640 **ottoman** (Empire). Empire formé par les souverains turcs à partir des restes de l'Empire seldjoukide (XIVᵉ s.) puis de l'Empire byzantin (1453, prise de Constantinople). Il atteignit son apogée sous Soliman le Magnifique (1520-1566), s'étendant de l'Égypte à la Hongrie. La défaite navale de Lépante (1571) et l'échec devant Vienne (1693) marquèrent la fin de son expansion. Au XVIIIᵉ s. et au XIXᵉ s., son déclin (voir question d'Orient) fut précipité par l'essor russe et celui des mouvements nationalistes balkaniques et arabes. Malgré la tentative du mouvement Jeunes-Turcs (1909-1918) de moderniser le sultanat, la défaite de 1918 aboutit au démembrement de l'empire et à la naissance de l'État turc.

5 1174 **Otton Iᵉʳ le Grand,** empereur germanique (912-973). Roi de Germanie (936), il repoussa les Hongrois (bataille de Lechfeld, 955) puis fut couronné empereur par le pape Jean XII (962), ressuscitant ainsi l'Empire romain d'Occident. Il encouragea l'évangélisation des Slaves.

O.U.A. Sigle de l'*Organisation de l'unité africaine*, créée à Addis-Abeba en 1963 par les États africains, à l'exception de la Rhodésie et de l'Afrique du Sud. Elle a pour but de renforcer leur solidarité politique, économique...

12 2817 **Ouagadougou.** Capitale de la Haute-Volta. 169 000 hab. La ville est reliée par voie ferrée à Abidjan (Côte-d'Ivoire). Industries alimentaires.

11 2435
14 3279 **Ouahran** ou **Wahran** (ancien Oran). Deuxième ville d'Algérie. 327 000 hab. Son port (3ᵉ du pays) exporte du gaz naturel et des produits agricoles.

5 1045 **Oubangui.** Rivière d'Afrique équatoriale, affluent rive droite du Congo. 1 160 km. Il sépare le Zaïre de la République centrafricaine et du Congo.

Oudinot Nicolas Charles, maréchal de France (1767-1847). Il combattit à Austerlitz, Friedland et Wagram, où il fut fait maréchal. Rallié à Louis XVIII, il devint pair de France.

oued n. m. (mot arabe). Cours d'eau intermittent des régions arides ou semi-arides. Le terme s'applique soit au cours d'eau durant la brève période où il est alimenté, soit à son lit.

12 2854 **ouest** n. m. Un des quatre points cardinaux, indiquant la direction du soleil couchant. ◇ *L'Ouest* ou *l'Occident** : dans le langage politique, désigne les États-Unis, le Canada et les pays d'Europe occidentale.

11 2581 **Ouganda** (république de l'). État continental d'Afrique équatoriale.

superficie :	236 036 km²
population :	13 220 000 hab. *(Ougandais)*
capitale :	Kampala
monnaie :	le shilling ougandais
code international :	non communiqué

Pays de hauts plateaux couverts de

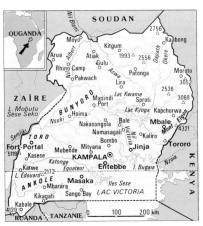

*L'**Ouganda.***

*L'**ouistiti** à pinceaux doit son nom aux poils blancs de ses tempes.*

*Dans le monastère de Gandan, près d'**Oulan-Bator**.*

*Malgré son air pataud, l'**ours** est fort agile.*

savanes. Climat équatorial. Population surtout bantoue. ◇ La gestion du dictateur Amin Dada (1971-1979) mena le pays à la faillite. L'actuel régime relance avec peine l'économie ; le café (97 % des entrées de devises), le coton, le cuivre constituent les ressources principales. ◇ Protectorat britannique à partir de 1894, indépendant en 1962, le pays vit une grande instabilité politique.

1 113
7 1633 **ouïe** n. f. 1 – ANAT Celui des cinq sens qui permet de percevoir les sons*. Chez l'Homme, l'ouïe est sensible aux sons dont la fréquence* se situe entre 16 hertz* et 20 000 hertz.

ouïe n. f. 2 – ZOOL Chez les poissons, orifice de sortie de l'eau entrée par la bouche et apportant l'oxygène aux branchies. Elle est située entre l'opercule protégeant les branchies et le corps.

10 2211 **ouistiti** n. m. Singe de petite taille. C'est un habile grimpeur, à longue queue touffue et préhensile, qui habite les forêts de l'Amérique du Sud.

3 559 **Oulan-Bator** (anciennement Ourga). Capitale de la république de Mongolie, en bordure du désert de Gobi, à 1 500 m d'altitude. 267 000 habitants.

Ouolofs ou **Wolofs** (les). Peuple noir du Sénégal, de religion musulmane. 700 000 personnes. La langue ouolof est la plus usitée du pays.

6 1224 **ouragan** n. m. Vent très violent, soufflant à plus de 118 km à l'heure. Parfois, on désigne par ce terme les vents tourbillonnants des cyclones tropicaux.

9 2028 **Oural.** Chaîne de montagnes d'URSS, culminant à 1 894 m et s'étendant sur 2 500 km, de la mer de Kara à la Caspienne. Limite traditionnelle entre l'Europe et l'Asie. Un des foyers industriels de l'URSS (riche sous-sol).

9 2028 **Oural.** Fleuve de l'URSS. 2 534 km. Il prend sa source dans la partie méridionale des monts Oural et se jette dans la mer Caspienne.

7 1476 **Ours** (Grand Lac de l'). Grand lac canadien, dans le Territoire du Nord-Ouest. 29 000 km². Il est relié au Mackenzie par la rivière de l'Ours.

10 2243
11 2614 **ours** n. m. Mammifère carnivore. L'*ours brun* est le plus connu. Sa taille va de 1,70 m de long pour l'ours d'Europe à 3 m pour le kodiak d'Amérique du Nord. L'*ours blanc* (2,70 m), le seul à être exclusivement carnivore, se nourrit surtout de poissons et vie dans les mers polaires. L'*ours des cocotiers* (Malaisie) mesure de 1,20 m à 1,40 m de long.

8 1773
9 2081
13 3100 **Ourse** (Grande et Petite). Constellations boréales, appelées aussi *Grand et Petit Chariot*. La Petite Ourse renferme l'*étoile Polaire**, proche du pôle Nord céleste.

3 531
8 1858
11 2632

oursin n. m. Animal marin, de l'embranchement des échinodermes, dont le tégument est soutenu par un squelette calcaire rigide (test) couvert de piquants mobiles. Certaines espèces sont pêchées pour leurs glandes génitales comestibles.

Oustachis (« insurgés », en croate). Mouvement nationaliste croate, fondé en 1929. Hitler ayant accordé l'indépendance à la Croatie, ils se rangèrent aux côtés des Allemands durant la Seconde Guerre mondiale.

outarde n. f. Nom de divers oiseaux des prairies et savanes d'Europe, d'Afrique, d'Australie. La *grande outarde* est le plus gros oiseau d'Eurasie (16 kg).

1 31
4 731
11 2466

outil n. m. Objet fabriqué servant à effectuer un travail. Il peut être tenu à la main (marteau, pioche, pince) ou fixé sur une machine (foret d'une perceuse, par exemple). ◆ **outillage** n. m. Ensemble des outils ou des machines-outils nécessaires à un travail ou à un métier. ◆ **outilleur** n. m. Ouvrier chargé, dans une usine, de la fabrication et de l'entretien des outillages.

ouverture n. f. Pièce de musique instrumentale par laquelle débute un ouvrage lyrique. *L'ouverture de « Carmen ».*

ouvreuse n. f. Personne qui place les spectateurs dans une salle de cinéma, un théâtre, etc.

4 850
5 1124
10 2236
10 2285

ouvrier n. m. Personne rémunérée pour exécuter un travail manuel. Travailleur manuel de l'industrie. ◇ *Ouvrier qualifié* ou *professionnel* : qui exerce un métier acquis après un apprentissage* sanctionné par un CAP*. *Ouvrier spécialisé* (OS) : qui n'a pas de qualification précise. ◇ *Classe ouvrière* : ensemble des ouvriers, par opposition au patronat*, à la bourgeoisie*.

3 515
6 1339
7 1586

ouvrière n. f. Dans les sociétés d'insectes (abeilles, fourmis), individu femelle stérile voué aux travaux de la colonie (nutrition, défense du nid, etc.).

9 2029

Ouzbékistan. République d'URSS, sur la mer d'Aral (Asie). 450 000 km² ; 11 799 000 hab. *(Ouzbeks).* Capitale : Tachkent. Plaine aride, fertilisée par l'irrigation. Riches cultures dont le coton (1er producteur du monde). Élevage de vers à soie ; moutons astrakans. Essor industriel favorisé par une grande richesse minière (pétrole, charbon, gaz naturel, uranium...).

1 217
3 501
9 2134
11 2493

ovaire n. m. ◇ 1. ANAT Organe produisant les gamètes femelles ou ovules. La femme a deux ovaires de la taille d'une amande, situés dans l'abdomen et émettant alternativement un ovule tous les 28 jours. ◇ 2. BOT Partie renflée du pistil contenant les graines qui proviennent des ovules fécondés.

ovale n. m. Courbe plane fermée imitant l'ellipse, obtenue en raccordant quatre arcs de cercle égaux deux à deux.

Les **oursins** ont une durée de vie d'environ huit ans.

La grande **outarde** ne subsiste plus que dans la péninsule Ibérique.

Dans une rue de Tachkent, en **Ouzbékistan.**

Cour intérieure de l'University College, à **Oxford.**

Ovide, poète latin (43 av. J.-C.-17 ou 18 ap. J.-C.). Il est l'auteur de poèmes licencieux *(l'Art d'aimer)* ou épiques *(les Métamorphoses)* célèbres.

5 1182
14 3190
14 3260

ovins n. m. pl. Nom, sans valeur systématique, donné au groupe formé par le mouton, le bélier, la brebis et par les espèces voisines. Souvent on parle d'ovins pour les animaux domestiques, par opposition aux bovins*.

ovinés n. m. pl. Sous-famille de bovidés, regroupant les moutons domestiques et les animaux voisins (mouflon de Corse, bighorn, etc.). Synonyme : *ovins.*

2 242

ovipare n. m. Tout animal qui pond des œufs pour se reproduire. Une partie des poissons, la presque totalité des reptiles, des insectes, les mollusques, les oiseaux, etc., sont des ovipares.

O.V.N.I. n. m. Abréviation de : *objet volant non identifié.* Objet aperçu dans l'atmosphère terrestre par certaines personnes et dont l'origine n'a, semble-t-il, pas toujours été expliquée.

8 1874
13 3089

ovocyte n. m. Cellule sexuelle contenue dans un ovaire* et qui, à la suite d'une méiose*, donnera selon les espèces de 1 à 4 ovules*.

2 463
8 1707

ovovivipare n. m. Tout animal dont les œufs se développent dans l'appareil génital de la femelle au lieu d'être pondus dès leur formation. *La vipère est ovovivipare.*

1 222
3 501
8 1730
8 1874
9 2134
11 2493
13 3086
14 3173

ovule n. m. Gamète femelle destiné à être fécondé par le spermatozoïde*. Il diffère de celui-ci par sa taille supérieure due, souvent, à un cytoplasme très riche en réserves (vitellus*) et par son immobilité. Chez les femelles de mammifère, l'ovulation, ou ponte ovulaire, se produit à intervalles réguliers durant lesquels se déroule un cycle menstruel. Chez la femme, un des deux ovaires émet un ovule tous les 28 jours : il est petit et dépourvu de réserves. Chez les oiseaux, l'ovule, très riche en vitellus, est le jaune de l'œuf.

5 1076

Owens Jesse (James CLEVELAND, *dit*), athlète noir américain (1914-1981). Il remporta 4 médailles d'or (100 m, 200 m, saut en longueur et relais 4 × 100 m) aux jeux Olympiques de Berlin, en 1936.

7 1571

Oxford. Ville d'Angleterre (109 000 hab.) célèbre pour ses collèges universitaires fondés entre le XIIe et le XVIIIe s. Cathédrale romane et gothique.

4 741

oxyde n. m. Composé chimique provenant de la combinaison de l'oxygène avec un autre élément (dioxyde de carbone ou gaz carbonique : CO_2 ; oxyde de zinc : ZnO...). ◆ **oxydation** n. f. Réaction chimique qui consiste à fixer de l'oxygène. Plus généralement, elle désigne une réaction dans laquelle il y a perte d'un ou plusieurs électrons.

4 741
4 836
6 1410

oxygène n. m. Gaz incolore, inodore et sans saveur. Symbole *O.* C'est un agent indispensable à la plupart des êtres vivants, dont il entretient la respiration et les combustions. Élément le plus répandu dans la nature, il se combine avec la plupart des corps simples. Préparé par distillation de l'air liquide, il est employé dans l'industrie pour un grand nombre de préparations, en médecine (inhalation), etc.

oxyure n. m. Ver cylindrique (némathelminthe*) blanc et long de quelques

*Aviateur muni de l'indispensable masque à **oxygène**.*

millimètres, parasite de l'intestin de l'Homme et de divers mammifères.

ozone n. m. Gaz à odeur forte caractéristique, paraissant bleu sous grande épaisseur. Formule O_3. Il existe dans l'air en faible proportion. C'est un bon désinfectant utilisé dans la stérilisation de l'eau et des aliments. On s'en sert également pour le vieillissement de bois, d'eaux-de-vie...

P

Pabst Georg Wilhelm, cinéaste allemand (1885-1967). Son œuvre mêle romantisme et réalisme : *la Rue sans joie* (1925), *Loulou* (1929), etc.

pacage n. m. Endroit où l'on fait paître les bestiaux : *mener le troupeau au pacage.* ◇ Action de faire paître les bestiaux. *Droit de pacage.*

3 574
13 2919
pacemaker n. m. Stimulateur cardiaque porté par les grands malades du cœur. Cet appareil électrique régularise les battements du cœur. (Mot anglais.)

Pachelbel Johann, compositeur et organiste allemand (1653-1706). Son œuvre pour orgue le fait considérer comme l'un des précurseurs de Bach.

pachydermes n. m. pl. Ancien ordre regroupant les mammifères à peau épaisse tels les éléphants, rhinocéros, hippopotames. ◆ **pachyderme** n. m. Couramment, nom de l'éléphant.

1 205
2 247
3 621
6 1357
9 2109
10 2267
Pacifique (océan). Le plus vaste des océans : 180 millions de km², soit 30 % de la surface du globe. Situé entre l'Asie, l'Amérique, l'Australie et la Nouvelle-Guinée, il communique par un passage resserré, le détroit de Béring, avec l'océan Arctique, au nord, et s'ouvre largement sur l'océan Antarctique, au sud. Parsemé d'îles, il est bordé de chaînes volcaniques formant la ceinture de feu et longeant les fosses marines les plus profondes (plus de 11 000 m).

11 2604
Pacifique (guerre du). L'un des théâtres d'opérations de la Seconde Guerre mondiale, opposant le Japon aux États-Unis et à la Grande-Bretagne (1941-1945). Déclenchée par l'attaque nippone sur Pearl Harbor*, elle fut marquée par de grands combats aéronavals.

pacifisme n. m. Doctrine des personnes qui prônent la recherche de la paix entre les États par des négociations, des moyens non violents. ◆ **pacifiste** n. m. ou f. Partisan du pacifisme.

*Pirogue, Papous, **pagaies**...*

*Portrait au crayon de **Paganini** par Ingres, en 1819.*

pack n. m. 1 − GÉO Banquise flottante, formée de grands plateaux (floes) morcelés, dérivant, sous l'action des courants marins et du vent, par des chenaux d'eau libre plus ou moins larges.
9 2054

pack n. m. 2 − SP Au rugby, ensemble des huit avants qui se répartissent en trois lignes de *mêlée*. Le rôle du pack est de contenir les avants adverses.
6 1227

pacte n. m. Accord, convention solennelle entre deux ou plusieurs parties, et particulièrement entre États. *Pacte d'alliance, de non-agression.*

Pacte germano-soviétique. Accord de non-agression et de partage de la Pologne conclu entre l'URSS et l'Allemagne nazie (23 août 1939).

Paestum. Ville de l'Italie ancienne, fondée par les Grecs au VIIe s. av. J.-C., devenue colonie romaine en 273 av. J.-C. Ses temples doriques sont parmi les mieux conservés.
2 475

pagaie n. f. Rame courte, en forme de pelle, tenue verticalement et utilisée pour les pirogues, les canoës et kayaks, les périssoires, etc.
10 2283

Paganini Niccolo, compositeur et violoniste italien (1782-1840). Virtuose incomparable, il fit aussi progresser la technique de son instrument.

paganisme n. m. Nom donné par les chrétiens aux cultes polythéistes vers la fin de l'Empire romain. Le terme vient de *paganus*, paysan (qui donnera le mot païen), parce que les campagnes ne furent christianisées que tardivement.

Pagnol Marcel, écrivain et cinéaste français (1895-1974). Ses comédies, évoquant un Marseille de folklore (*Topaze*, 1928 ; *Marius*, 1929 ; *Fanny*, 1931), ont été adaptées à l'écran. Il a lui-même tourné *Angèle* (1934), *César* (1936), etc., et publié ses souvenirs d'enfance (*la Gloire de mon père*, 1957). Il fut élu à l'Académie française en 1946.
2 370
13 2920
13 2942
14 3192

4 767

pagode n. f. Temple de certains pays d'Asie qui a la forme d'une haute tour couverte de toits superposés.

2 357
8 1858

pagure n. m. Crustacé décapode qui, ne possédant pas de coquille, protège son abdomen mou en se logeant dans une coquille de mollusque vide. On l'appelle communément *bernard-l'ermite*.

Pahlavi (Reza shah), empereur d'Iran (1878-1944). Officier, il renversa la dynastie qādjār en 1925 et devint shah l'année suivante. Il dut abdiquer en 1941 en faveur de son fils Muhammad Reza shah (1919-1980). Celui-ci exerça un pouvoir dictatorial pour moderniser son pays en éliminant toute opposition. Renversé par la révolution islamique en 1979, il mourut en exil.

païen → paganisme

1 75
7 1487
13 3070

pain n. m. Aliment obtenu à partir d'une pâte faite de farine, d'eau, de sel et de levure, pétrie, laissée à fermenter durant 3 ou 4 heures, puis cuite au four. Le pain, aliment peu coûteux, contient des vitamines. ◊ Forme et genre déterminés de cet aliment. *Un pain de seigle.* ◊ *Pain d'épice :* gâteau fait de farine de seigle, de sucre, de miel et d'épices.

pair (travail au). Système dans lequel une personne est nourrie mais non rémunérée par son employeur, en échange de certains services.

paix n. f. Absence d'agitation, de troubles ; tranquillité publique. ◊ Situation d'un pays qui n'est pas en guerre. ◊ *Traité de paix :* acte solennel mettant fin à un état de guerre. ◊ *Paix de Dieu :* protection, sous l'égide de l'Église, prémunissant les non-combattants des effets des guerres entre seigneurs au Moyen Âge.

7 1476

Paix (rivière de la). Rivière de l'ouest du Canada, affluent rive droite de la rivière de l'Esclave. 1 700 km.

Pa Kin ou **Ba Jin**, romancier chinois (né en 1905). Il a défendu l'idéal révolutionnaire dans sa trilogie *Famille* (1931), *Printemps* (1938), *Automne* (1940).

7 1650
14 3327

Pakistan (république islamique du). État d'Asie, sur la mer d'Oman.

superficie :	803 943 km²
population :	84 580 000 hab. *(Pakistanais)*
capitale :	Islamabad
monnaie :	la roupie pakistanaise
code international :	PAK

Adossés à l'Himalaya et aux plateaux afghans, le nord et l'est du pays sont montagneux. La population se concentre dans les vallées de l'Indus et de ses affluents (Pendjab*), fleuves qui permettent l'irrigation de ce pays aride. ◊ Pays agricole, il produit surtout du riz et du blé pour ses besoins et du coton pour l'exportation (base d'une industrie textile). Le sous-sol fournit un peu d'hydrocarbures et du charbon ; la

Pagode à Kyōto, l'ancienne capitale impériale du Japon.

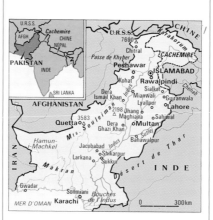

Le ***pagure***
est aussi appelé bernard-l'ermite.

Le ***Pakistan***.

Les bords de la Moselle à Cochem, dans le ***Palatinat***.

principale ressource exploitable est la houille blanche. Le niveau de vie moyen reste bas. ◊ Zone de passage, le pays a souvent été envahi, ce qui explique les particularismes et les antagonismes ethniques. Islamisé dès le VIIIᵉ s., le Pakistan a une histoire qui se fond dans celle de l'Inde jusqu'en 1947. Les États musulmans se prononcèrent alors pour la « partition », ce qui entraîna la formation du Pakistan en deux parties. Le Pakistan oriental fit sécession en 1971 (Bangladesh*). La vie politique, marquée par la rivalité avec l'Inde, reste très instable.

1 34

palafitte n. m. Habitat surélevé sur une plate-forme supportée par des pieux. Ce type de demeure existe dans les zones lacustres depuis le néolithique*.

10 2319

palais n. m. 1 − ZOOL Chez les vertébrés, paroi supérieure de la bouche, formée par la base du crâne (poissons et amphibiens) ou par la base des fosses nasales (reptiles, oiseaux, mammifères).

14 3268

palais n. m. 2 − ARCH Édifice luxueux destiné à servir de résidence à un roi, à un personnage de haut rang ou à un particulier fortuné. ◊ Vaste édifice d'utilité publique. *Le palais de justice.*

4 924

Palais-Bourbon. Siège de l'Assemblée nationale, à Paris. Cet hôtel particulier, édifié entre 1722 et 1728, accueille le pouvoir législatif depuis 1795.

13 3076

Palais-Royal. Ensemble de bâtiments édifiés en 1633 pour Richelieu (Palais-Cardinal). Légué au roi, il devint « Palais-Royal » (1643) puis fut attribué aux Orléans. Ses jardins bordent la Comédie-Française.

palan n. m. Appareil de levage, comprenant un système de poulies qui permet de soulever verticalement les charges lourdes en réduisant l'effort à fournir.

12 2707

Palatinat. Région de l'Allemagne, sur la rive gauche du Rhin. Domaine des comtes palatins, le Palatinat devint un foyer du calvinisme. Dévasté durant la guerre de Trente Ans puis par les armées de Louis XIV, il fut démantelé en 1805.

pale n. f. Chacune des pièces plates fixées sur la partie centrale d'une hélice d'avion, de bateau ou de ventilateur. Une hélice possède généralement 2, 3 ou 4 pales.

paléographie n. f. Science qui permet de déchiffrer les anciennes écritures. En France, elle s'enseigne, en particulier, à l'École des chartes.

14 3115

paléolithique n. m. Période de la préhistoire, qui s'étend de l'apparition de l'Homme au Xᵉ millénaire av. J.-C. Les civilisations humaines qui s'y succédèrent créèrent les premiers outils en pierre taillée.

6 1296

paléontologie n. f. Science qui étudie les êtres vivants ayant existé sur la

Terre avant l'époque historique. La paléontologie est fondée sur les fossiles découverts dans les sédiments.

10 2245 **Palerme.** Ville la plus peuplée de Sicile (699 000 hab.), dont elle est la capitale depuis 948. Palerme est un port actif sur la côte nord-ouest de l'île. Industries alimentaires et chimiques.

2 250
4 796
6 1329
12 2731
12 2744
Palestine. Région du Proche-Orient entre la Méditerranée, le Jourdain et le désert du Néguev. Terre d'accueil des Hébreux au XIIᵉ s. av. J.-C., elle subit la domination des Perses, des Grecs et des Romains (Iᵉʳ s. ap. J.-C.). Après la conquête arabe (VIIᵉ s.), les croisés essayèrent en vain de la « délivrer » (XIᵉ-XIVᵉ s.). De 1516 à 1918, la Palestine fit partie de l'Empire ottoman, puis fut occupée par la Grande-Bretagne. L'immigration massive de juifs venus d'Europe aboutit à son partage en 1947 et à la création de l'État d'Israël. La Palestine, revendiquée par les mouvements palestiniens, est l'une des principales causes de conflits au Moyen-Orient.

Palestrina Giovanni Pierluigi DA, compositeur italien (1525-1594). Il est l'un des maîtres de l'art polyphonique religieux : messes, motets, etc.

palétuvier n. m. Arbre des marais littoraux tropicaux (mangrove*), dont les racines, telles des échasses, soutiennent le tronc au-dessus de l'eau.

5 1165 **palissandre** n. m. Bois brun aux reflets violacés fourni par des arbres d'Asie et d'Amérique tropicales. Il est utilisé en ébénisterie et en marqueterie.

13 2953 **Palissy** Bernard, potier et savant français (v. 1510-1589 ou 1590). Il doit sa renommée à ses « rustiques figulines », poteries émaillées décorées d'animaux et de fruits en relief.

12 2751
14 3205
Palladio (Andrea DI PIETRO, *dit*), architecte italien (1508-1580). Il introduisit à Venise l'art classique de la Renaissance. Son style fit école en Europe au XVIIᵉ s. et surtout au XVIIIᵉ s. (néo-classicisme).

palladium n. m. Métal blanc, dur, aisément transformé en fil. Symbole *Pd*. Il absorbe facilement l'hydrogène. Le palladium est employé en joaillerie et comme catalyseur dans les réactions.

5 1169 **Palma** ou **Palma de Majorque.** Capitale des îles Baléares, port sur la côte sud de l'île de Majorque. 310 000 hab. Aéroport. Grand centre touristique.

palmarès n. m. Liste des lauréats d'un concours, d'une distribution de prix, d'une rencontre sportive, etc. ◊ Classement de chansons par ordre de popularité (synonyme déconseillé : *hit-parade*).

9 2017 **palmier** n. m. Nom de divers arbres monocotylédones tropicaux, dont le tronc, ou stipe, est couronné par un bouquet de feuilles non caduques. Plusieurs espèces fournissent des fruits

Rue de **Palerme.**

La Villa Rotonda, à Vicence, construite par **Palladio** vers 1550.

Temple de Baal à **Palmyre.**

Joueur roumain de flûte de **Pan.**

comestibles (dattes, noix de coco) ou d'autres produits (huile, raphia).

palmipèdes n. m. pl. Ancien ordre groupant les oiseaux, souvent aquatiques, aux pattes palmées. Cet ordre est aujourd'hui divisé en ansériformes (oies, cygnes, canards), pélicaniformes (pélicans, cormorans, frégates...), etc.

11 2455 **Palmyre.** Oasis du désert de Syrie. Hellénisée après la conquête d'Alexandre, cette oasis devint la capitale du commerce caravanier jusqu'à la fin du IIIᵉ s. Très importants vestiges.

Palomar (observatoire du mont). Situé en Californie, il renferme un télescope géant, construit en 1948, dont le miroir possède un diamètre de 5,08 m.

palombe → pigeon

4 915 **palourde** n. f. Mollusque lamellibranche comestible qui vit enfoui dans les sables côtiers fins. Sa coquille porte de fines stries. Synonyme : *clovisse**.

5 1128
5 1149
10 2232
paludisme n. m. (ou malaria, n. f.) Maladie infectieuse des pays tropicaux due à un protozoaire, le plasmodium, parasite des hématies et du foie, transmis par l'anophèle*. Cette maladie est caractérisée par une fièvre revenant régulièrement.

9 2028 **Pamir.** Région montagneuse d'Asie centrale, principalement en URSS. Des plateaux (altitude moyenne 4 500 m) sont dominés par de hauts sommets.

5 1087 **Pampa** (la). Vaste plaine herbeuse d'Argentine centrale, au sol fertile, vouée à la culture des céréales et surtout à l'élevage des bovins.

pamphlet n. m. Écrit assez bref, rédigé sur un ton violent pour attaquer un personnage connu, le gouvernement, etc. *Les pamphlets de Victor Hugo.*

3 550 **pamplemousse** n. m. ou f. Fruit comestible du pamplemoussier (famille des rutacées), dont la grosse baie jaune (10 cm environ de diamètre) se caractérise par son goût acidulé.

Pan. Dans la mythologie grecque, divinité des bergers. Les poètes en firent une des grandes divinités de la nature, souvent représentée avec des pieds et une queue de bouc et jouant de la flûte (syrinx) qu'il avait inventée.

8 1763 **Panamá** (république de). État d'Amérique centrale, sur les deux océans.

superficie :	75 650 km²
population :	1 771 000 hab. *(Panaméens)*
capitale :	Panamá
monnaie :	le balboa
code international :	PA

Cet État montagneux, bordé de plaines côtières, vit des cultures d'exportation (bananes, canne à sucre, café), des revenus procurés par sa marine marchande (pavillons de complaisance) et par le canal de Panamá*. ◇ Colonisé par les Espagnols (XVIᵉ s.), puis intégré à la Colombie indépendante, Panamá fit sécession en 1903 avec l'aide des États-Unis.

6 1250
8 1759
Panamá (canal de). Canal reliant le Pacifique à l'Atlantique à travers l'isthme de Panamá. Les travaux furent commencés en 1881 par Lesseps* et achevés en 1914 par les États-Unis. La zone du canal, cédée aux États-Unis en 1903 contre une redevance annuelle, doit redevenir panaméenne en 1999.

panaris n. m. Nom courant donné à toute inflammation aiguë d'un doigt ou d'un orteil, quelles que soient son origine, son étendue, sa profondeur.

pancrace n. m. Sport antique. Mêlant la lutte et le pugilat, il autorisait tous les coups pour ne s'achever qu'avec l'abandon de l'un des lutteurs.

1 175
10 2319
11 2492
pancréas n. m. Glande abdominale située en arrière de l'estomac. Elle est indispensable à la vie, car elle produit la plus grande partie des enzymes digestives. Le pancréas contient les îlots de Langerhans, endocrines, qui produisent l'insuline* et le glucagon.

8 1755
panda n. m. Mammifère d'Asie. Le petit panda de l'Himalaya, mesurant 50 cm, est roux. Le grand panda de Chine, noir et blanc, mesure 1,50 m ; il est menacé de disparition.

14 3229
pandémie n. f. Extension d'une épidémie pouvant atteindre la presque totalité d'un pays ou de plusieurs pays.

2 293
9 1943
pangolin n. m. Genre de mammifères insectivores (fourmis et termites) d'Afrique et d'Asie du Sud-Est, au corps couvert d'écailles. La taille du pangolin d'Afrique atteint 1,50 m.

Panhard. Famille d'ingénieurs et de constructeurs d'autos français. René (1841-1908) construisit, avec son associé Levassor, en 1891, la première automobile à essence.

Pankow. Quartier septentrional de Berlin-Est, sur la rivière Panke. Ancien siège du gouvernement de la République démocratique allemande.

panoplie n. f. Collection d'armes présentées sur un panneau. ◇ Jouet présenté sur un carton, constitué d'un déguisement et d'accessoires.

panorama n. m. Vue circulaire, ou très vaste, qu'on découvre d'une hauteur. ◇ Grand tableau circulaire représentant un paysage, peint en trompe-l'œil sur les murs d'une rotonde.

12 2808
panse n. f. Première des quatre poches de l'estomac des mammifères ruminants. ◇ Nom familier donné au ventre.

pansement n. m. Action de protéger, de panser une plaie. ◇ Éléments proté-

Panamá.

L'écluse Pedro-Miguel
sur le canal de **Panamá.**

Très rare, le grand **panda** vit en Chine
et se nourrit de pousses de bambou.

L'intérieur du **Panthéon** de Rome ;
la coupole mesure 43,40 m de hauteur.

geant la plaie. On utilise, généralement, de la gaze de coton maintenue à l'aide de bandes élastiques ou adhésives.

panthéisme n. m. Théorie philosophique et religieuse qui identifie Dieu et le monde, le Créateur et la création.

panthéon n. m. Temple grec ou romain consacré à tous les dieux : *le Panthéon de Rome fut construit par Agrippa en 27 ap. J.-C.* ◇ Ensemble des divinités d'une religion polythéiste : *le panthéon égyptien, maya, grec.*

4 925
Panthéon (le). Monument de Paris. L'église, construite par Soufflot (1764), fut transformée par la Révolution en temple dédié aux grands hommes.

6 1429
panthère n. f. Grand mammifère félidé d'Asie. Menacée de disparition, la panthère est recherchée pour sa fourrure jaune tachetée de noir. Appelée *léopard* en Afrique et *jaguar* en Amérique.

1 88
6 1219
pantographe n. m. Dispositif constitué de tiges articulées, placé sur le toit d'une locomotive ou d'une motrice électrique et captant le courant par frottement sur la caténaire*.

pantomime n. f. Jeu du mime* ; art d'exprimer les sentiments et les idées par des gestes, des mimiques, des attitudes corporelles, sans jamais avoir recours au langage oral. ◇ Pièce mimée. *Jouer une pantomime.*

panzer n. m. Nom allemand des engins blindés*. Les panzers ont joué un rôle essentiel dans les victoires de la Wehrmacht en 1939-1941.

6 1416
Paoli Pascal, patriote corse (1725-1807). Partisan de l'indépendance corse, il lutta contre Gênes puis contre la France mais fut défait en 1769.

1 38
paon n. m. Grand oiseau phasianidé*, originaire d'Asie. Le mâle se pare d'une queue immense dont les plumes, aux motifs évoquant des yeux, peuvent se redresser et faire la roue.

13 2971
papavéracées n. f. pl. Famille formée de plantes dicotylédones le plus souvent herbacées et dont le fruit est une silique ou une capsule. Ce sont les pavots, le coquelicot, etc.

papaye n. f. Fruit comestible rappelant un melon plus ou moins allongé, fourni par plusieurs espèces de papayers, arbres originaires d'Amérique centrale.

7 1468
7 1508
12 2643
14 3166
pape n. m. Évêque de Rome et chef de l'Église catholique romaine. Pierre, premier évêque de Rome, fut, selon la tradition, choisi par le Christ pour fonder son Église. Au fil des siècles, le pouvoir religieux du pape se doubla d'un pouvoir politique sur les États* pontificaux, pouvoir qui ne prit fin qu'avec l'unité italienne. Le pape est élu par les cardinaux réunis en conclave*. Il réside au Vatican*.

4 760 **Papeete.** Chef-lieu de la Polynésie française, port sur la côte nord-ouest de Tahiti. 62 735 hab. Centre administratif et touristique.

1 162
2 384 **papier** n. m. Matière constituée de
14 3196 fibres végétales enchevêtrées, étalées, séchées et présentées sous forme de feuilles. On fabrique le papier à partir d'une pâte composée de fibres de cellulose. La pâte à papier s'obtient en désagrégeant des rondins de bois ou en se servant de vieux papiers recyclés. Certains papiers de luxe sont fabriqués avec du chiffon de coton. ◊ L'invention de l'imprimerie, au XVe s., donna une impulsion considérable à la fabrication du papier, inventé par les Chinois au IIe s. ap. J.-C. et introduit en Europe par les Arabes au Xe s. ◆ **papeterie** n. f. Magasin où l'on vend des fournitures de bureau. ◊ Usine où l'on fabrique du papier.

12 2783 **papier-monnaie** n. m. Papier, billet créé par un gouvernement pour servir de monnaie, de moyen de paiement, mais qui n'est pas convertible en or.

2 361
3 588 **papilionacées** n. f. pl. Famille la plus importante des légumineuses. Herbacées (vesce, pois), arbustives (genêt, cytise) ou arborescentes (robinier), elles servent à l'alimentation humaine (légumes), animale et à la fabrication d'engrais. Certaines sont ornementales.

12 2841 **papille** n. f. Petite éminence à la surface d'une muqueuse et dans laquelle s'épanouissent les terminaisons nerveuses : *papilles gustatives linguales.*

3 588
8 1885 **papillon** n. m. Nom courant des insectes de l'ordre des lépidoptères*. Les papillons sont pourvus d'ailes couvertes d'écailles, d'antennes et d'un appareil buccal adapté à la succion du nectar des fleurs. Leurs larves, ou chenilles, dévorent à peu près toutes les matières organiques (végétaux, laine...).

9 2098
13 3049 **Papin** Denis, physicien français (1647-1714). Il inventa une marmite à vapeur fermée par une soupape, qui porte son nom. Ce physicien imagina la première machine à vapeur et construisit un bateau à vapeur et à roues.

4 909
7 1610 **Papouasie-Nouvelle-Guinée.** État de l'Océanie, partie orientale de la Nouvelle-Guinée*. 461 691 km² ; 3 080 000 hab. Capitale : Port Moresby ; monnaie : le kina. ◊ Ce pays équatorial, très montagneux au nord, peuplé de Papous (Noirs), exporte du cacao et du café. Les richesses minières commencent à être exploitées : or (5e producteur mondial) et cuivre surtout. ◊ Territoire administré par l'Australie de 1921 à 1975.

paprika n. m. Arbre, certainement originaire d'Amérique, donnant des fruits ou paprikas (piments doux) qui, broyés, fournissent un condiment.

9 1957 **papyrus** n. m. Plante originaire des bords du Nil, de la famille des cypéracées, dont l'usage comme support de

« *Papillons, petites réclames du paradis* » (Ph. Soupault).

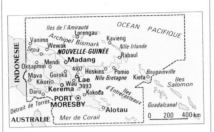

La *Papouasie-Nouvelle-Guinée.*

Statue géante de l'île de *Pâques.*

Atterrissage de précision lors d'une compétition sportive de *parachutisme.*

l'écriture se répandit dans tout le bassin méditerranéen au cours de l'Antiquité. Le ralentissement des relations avec l'Orient, au début du Moyen Âge, aboutit, en Occident, à l'abandon du papyrus au profit du parchemin.

14 3275 **Pâque** n. f. Fête juive commémorant la fuite hors d'Égypte des Hébreux et, symboliquement, la naissance du peuple juif. Ce jour-là, les juifs consomment traditionnellement du pain sans levain (pain azyme).

1 42 **paquebot** n. m. Grand navire spécialement aménagé pour transporter des passagers. Il offre le même confort qu'un grand hôtel : restaurant, piscine, salles de jeux, etc.

10 2182 **pâquerette** n. f. Petite plante commune des prairies (famille des composacées), aux fleurs (inflorescences) blanches ou rosées, du même nom, qui apparaissent aux environs de Pâques.

1 140
14 3275 **Pâques** n. m. Fête chrétienne commémorant la résurrection du Christ, le surlendemain de la crucifixion. Elle fut fixée par le concile de Nicée (325) au premier dimanche qui suit la première lune de printemps.

4 908 **Pâques** (île de). Île du Pacifique, à 4 000 km du Chili, dont elle dépend. 162 km² ; 2 100 hab. (*Pascuans*). Découverte en 1772 (le jour de Pâques) par les Hollandais, l'île possède des statues monumentales taillées dans le tuf volcanique (bustes de 10 m de haut).

14 3273 **parabole** n. f. Courbe plane, formée par l'ensemble des points situés à égale distance d'une droite (directrice) et d'un point (foyer). Dans un repère choisi, une équation de la parabole est $y = 2px$.

13 2953 **Paracelse** (Theophrastus BOMBASTUS VON HOHENHEIM, *dit*), médecin et alchimiste suisse (1493-1541). Sa théorie repose sur l'analogie de structure du monde extérieur et du corps humain.

paracentèse n. f. Opération consistant à pratiquer une ponction, pour évacuer un liquide collecté dans une cavité naturelle (tympan).

11 2462 **parachute** n. m. Dispositif formé d'une voilure en forme de calotte, de suspentes et d'un harnais de suspension, destiné à freiner la chute d'une personne ou d'un corps largué d'un avion ou d'un engin spatial. ◆ **parachutisme** n. m. Technique du saut en parachute. Depuis le premier saut à partir d'un avion, réalisé en 1912, le parachutisme s'est développé dans une double direction, militaire et civile (parachutisme sportif).

1 117
2 388 **parade nuptiale** n. f. Ensemble de comportements (gestes, attitudes, cris, etc.) exécutés par de nombreux animaux avant de s'accoupler. Cette parade est souvent spectaculaire chez les oiseaux.

paradis n. m. Séjour des élus de Dieu après la mort, en opposition à l'*enfer* et au *purgatoire*. ◇ Jardin où Dieu plaça Adam et Ève. *Le paradis terrestre.*

2 386 **paradisier** n. m. Nom de quelques poissons vivement colorés des eaux douces de l'Asie. ◇ Oiseau passereau. Synonymes : *oiseau de paradis, ménure.*

paraffine n. f. Mélange solide d'hydrocarbures* saturés, ou alcanes, de formule C_nH_{2n+2}, ayant l'aspect de cire blanche. La paraffine est obtenue à partir du pétrole et du gaz naturel.

12 2677 **Paraguay** (le). Rivière d'Amérique du Sud, affluent rive droite du Paraná. Née dans le Mato Grosso, au Brésil, elle traverse l'État du Paraguay et conflue avec le Paraná à Corrientes, en Argentine. 2 206 km ; en grande partie navigable.

12 2676 **Paraguay** (république du). État continental d'Amérique du Sud.

superficie :	406 752 km²
population :	3 200 000 hab. *(Paraguayens)*
capitale :	Asunción
monnaie :	le guarani
code international :	PY

Ce pays de plaines, tropical, drainé du nord au sud par le fleuve Paraguay et à l'est par le Paraná, a une population formée surtout d'Indiens et de métis. ◇ Des cultures de subsistance et d'exportation (coton, tabac, canne à sucre), l'élevage bovin, l'exploitation forestière ainsi que celle du potentiel hydro-électrique constituent l'essentiel de l'activité économique. ◇ Les Indiens (Guaranis) furent organisés par les jésuites, vers la fin du XVIᵉ s., en communautés autonomes, ou *réductions*, qui furent massacrées par les colons au XVIIIᵉ s. Indépendant en 1811, le pays demeura peu hispanisé. De terribles guerres (1865-1870 ; 1932-1935) l'opposèrent à ses voisins pour la récupération de territoires guaranis, en particulier le Chaco. Depuis 1954, le général Stroessner y exerce une dictature absolue.

parallaxe n. f. Angle sous lequel, depuis la Terre, on voit sur un astre une distance égale au rayon terrestre *(parallaxe diurne)* ou au rayon de l'orbite terrestre *(parallaxe annuelle).*

parallèle n. f. 1 – MATH Droites ou plans qui sont confondus ou qui n'ont aucun point en commun (parallèle au sens strict). ◆ **parallélisme** n. m. État de deux droites ou plans parallèles.

12 2855 **parallèle** n. m. 2 – GÉO Cercle parallèle à l'équateur*. Les parallèles, situés de part et d'autre de l'équateur, permettent de mesurer la latitude*.

parallélépipède n. m. Solide délimité par six parallélogrammes superposables et parallèles deux à deux. ◇ *Parallélépipède rectangle* : parallélépipède droit dont la base est un rectangle.

parallélogramme n. m. Quadrilatère dont les côtés sont parallèles deux à deux. Les côtés opposés sont superposa-

*Le **paradis** terrestre (miniature du XIIIᵉ s.).*

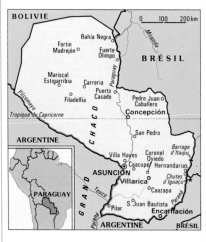

***Paradisier** ou oiseau de paradis.*

*Le **Paraguay.***

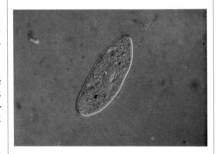

*On trouve des **paramécies** en grande quantité dans les eaux croupies.*

bles (même longueur) et les diagonales se coupent en leur milieu (centre de symétrie).

paralysie n. f. Perte ou diminution de la motricité volontaire. La paralysie présente de nombreuses variétés en fonction de son intensité (légère, totale), de sa localisation (hémiplégie, paraplégie), de son origine nerveuse ou musculaire, de son évolution... **12** 2757

Paramaribo. Capitale du Suriname, port à l'embouchure du fleuve Suriname. 152 000 hab. Exportation de produits tropicaux et de bauxite. **12** 2679

paramécie n. f. Gros protozoaire cilié, atteignant jusqu'à 0,2 mm de long. Infusoire* courant dans les eaux stagnantes, la paramécie se multiplie par division ou par conjugaison deux par deux. **9** 1955 **11** 2438

paramètre n. m. Nombre qui figure dans une expression et dont on ne précise pas la valeur. ◇ Quantité supposée variable et qui, en variant, modifie une grandeur. Dans l'équation d'une famille de courbes, la variation du paramètre permet d'obtenir toutes les courbes.

Paraná (le). Fleuve d'Amérique du Sud, qui naît au Brésil puis longe le Paraguay et l'Argentine. 3 350 km. En Argentine, il constitue avec le fleuve Uruguay le Río de la Plata*. **2** 451 **5** 1087 **12** 2677

paranoïa n. f. Psychose* caractérisée par un orgueil et une vanité démesurés, un raisonnement logique établi sur des bases fausses, de la méfiance, de la susceptibilité agressive, etc.

paraplégie n. f. Paralysie des deux membres supérieurs ou inférieurs. La tétraplégie est la paralysie qui atteint les quatre membres.

parapsychologie n. f. Étude de tous les phénomènes psychiques non expliqués (prémonition, télépathie, télékinésie...). Les scientifiques sont souvent sceptiques face à ces phénomènes. **13** 3026

parasite n. m. Être vivant qui puise les substances qui lui sont nécessaires dans l'organisme d'un autre (hôte), auquel il cause un dommage plus ou moins grave, sans cependant le détruire. *Le ténia est un parasite des vertébrés.* **1** 122 **5** 1148 **6** 1271 **7** 1450 **8** 1781

parasympathique n. m. Ensemble de nerfs innervant les viscères. Avec les nerfs orthosympathiques, auxquels ils s'opposent généralement, ils constituent le système nerveux végétatif. **6** 1312

paratonnerre n. m. Appareil formé d'une tige à extrémité pointue, reliée au sol par un câble métallique, que l'on place sur le toit d'un édifice pour le protéger contre la foudre. **13** 3049

parc n. m. ◇ 1. GÉO Clôture où l'on enferme les moutons. ◇ Terrain entouré de fossés, où l'on engraisse les bœufs. ◇ Lieu clos où l'on élève des poissons ou des coquillages. ◇ Ensemble de biens **9** 2071 **13** 2890 d'équipement, de marchandises industrielles de même nature dont dispose une population : *le parc automobile français.* ◇ 2. SOC Zone de grande étendue à l'intérieur de laquelle sont protégées les espèces animales et végétales : *parc régional, national.*

6 1420   **parchemin** n. m. Peau de chèvre, de mouton, etc., préparée pour l'écriture. Les parchemins les plus appréciés (vélins) se fabriquent à partir de peaux de veau, d'agneau ou de chevreau. ◇ Écrit rédigé sur parchemin.

parcmètre (ou parcomètre) n. m. Appareil servant à contrôler la durée de stationnement des véhicules et à en percevoir le droit.

13 2915   **Paré** Ambroise, chirurgien français (v. 1509-1590). Il s'illustra par ses travaux sur la ligature des artères et les premières autopsies pratiquées.

parenchyme n. m. Nom courant de divers tissus, généralement sécréteurs, présentant un aspect plus ou moins spongieux, tels le parenchyme rénal, le parenchyme pancréatique, etc.

5 1160   **parent** n. m. Personne avec qui il existe un lien familial. *Le père, la mère. Parent éloigné. Parent par alliance.* ◇ *L'autorité parentale* est exercée conjointement et à égalité par le père et la mère. ◆ **parenté** n. f. Lien entre des personnes ayant un ascendant* commun, ou unies par une alliance (mariage), une adoption.

paresseux → bradype

parfum n. m. Odeur agréable exhalée par une fleur, un objet, etc. ◇ Essence parfumée d'origine végétale (jasmin, rose, violette, etc.) ou substance d'origine animale (musc, ambre gris, etc.) utilisées par l'Homme comme complément de toilette. ◆ **parfumerie** n. f. Ensemble des produits de toilette parfumés. ◇ Industrie du parfum ; boutique où l'on vend des parfums.

pari n. m. Convention entre des personnes qui, soutenant des avis contraires, s'engagent à payer une certaine somme à celui qui aura raison. ◇ Jeu consistant à miser de l'argent sur les éventuels vainqueurs d'une compétition.

2 379
12 2644   **paria** n. m. Individu hors caste, privé de tous droits religieux et sociaux, dans l'Inde traditionnelle. ◇ Personne méprisée, exclue du groupe social.

pariade n. f. Saison où les oiseaux s'apparient pour l'accouplement. ◇ Nom donné à cet accouplement. Par extension, couple d'oiseaux.

4 922
5 1133
6 1281   **Paris.** Capitale de la France, sur la Seine et dans le Bassin parisien. 2 176 243 hab. *(Parisiens).* La ville forme un département (75) de la région Île-de-France, dont elle est le chef-lieu ; elle couvre 105 km². L'agglomération compte 8 196 746 hab. (5ᵉ rang mondial). Paris est le centre politique et adminis-

Parc national du Colorado.

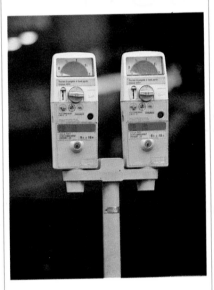

*Les **parcmètres** fleurissent dans toutes les grandes villes.*

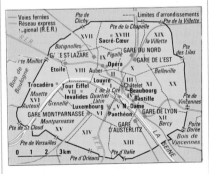

Paris.

Paris vu des tours de Notre-Dame.

tratif d'un État centralisé et un centre intellectuel et artistique important. Son rôle tertiaire (commerces et services) l'emporte sur sa fonction industrielle, qui est en déclin. ◇ La cité des Parisii, qui prit le nom de Lutèce après la conquête romaine, devint la capitale des Mérovingiens puis des Capétiens, qui l'embellirent (cathédrale Notre-Dame, Louvre, etc.). À partir du XIᵉ s., son histoire est étroitement mêlée à celle de la France.

Pâris. Héros homérique. Fils du roi de Troie, Priam, il enleva Hélène et provoqua, ainsi, la guerre de Troie. Il tua Achille d'une flèche au talon.

Paris (*prince* Henri Robert D'ORLÉANS, *comte* DE), chef de la maison de France (né en 1908). Descendant de Louis-Philippe, il tenta de jouer un rôle politique en 1942. Rentré d'exil en 1950, il est le principal prétendant au trône de France.

4 922   **parisien** (Bassin). Vaste ensemble sédimentaire, couvrant le quart du territoire français, situé entre le Massif armoricain, les collines de l'Artois, l'Ardenne, les Vosges et le Massif central.

Parker Charlie, saxophoniste de jazz américain (1920-1955). Soliste aux improvisations géniales, il est aussi l'un des créateurs du style be-bop.

parking n. m. Emplacement réservé au stationnement des véhicules. Synonyme recommandé : *parc de stationnement.* ◇ Action de parquer un véhicule ; en ce sens, *parcage* est recommandé.

Parkinson (maladie de). Maladie due à une lésion cérébrale et caractérisée par un tremblement du corps et une rigidité musculaire.

6 1207   **Parlement.** Nom collectif sous lequel on désigne les assemblées ou les chambres détentrices du pouvoir législatif : le Sénat et l'Assemblée nationale en France, le Bundestag et le Bundesrat en République fédérale d'Allemagne, les Cortes en Espagne et au Portugal, etc. ◆ **parlementarisme** n. m. Régime politique dans lequel le gouvernement est responsable devant le Parlement et peut être renversé par un vote défavorable de l'Assemblée.

parlement n. m. Sous l'Ancien Régime, première cour de justice du royaume. Le parlement de Paris tendit à utiliser son droit de remontrance au roi pour jouer un rôle politique. À la veille de la Révolution de 1789, les parlementaires formaient l'un des groupes sociaux les plus fortunés.

8 1877
8 1905   **Parlement d'Angleterre.** Nom donné à l'ensemble des deux assemblées, Chambre des lords et Chambre des communes, qui exercent le pouvoir législatif au Royaume-Uni. Son importance, notable dès le XIIIᵉ s., devint primordiale au XVᵉ s. lorsque les Communes supplantèrent la Chambre haute et contrôlèrent l'exercice du pouvoir royal. L'élection

des Communes au suffrage universel ne fut entièrement acquise qu'au début du XXᵉ siècle.

Parmentier Antoine Augustin, agronome et pharmacien français (1737-1813). Il s'attacha à répandre en France la culture de la pomme de terre.

10 2315

Parnasse. Massif montagneux de Grèce, culminant à 2 457 m. La proximité de Delphes lui conféra dans l'Antiquité le caractère d'une montagne sacrée, dédiée à Apollon et résidence des Muses.

Parnasse (le). École poétique française dont les membres, Leconte de Lisle, Heredia, Banville, etc., prônèrent, contre l'exaltation romantique, le culte de la beauté impassible.

6 1337

paroisse n. f. Circonscription ecclésiastique ayant à sa tête un curé, un pasteur. Sous l'Ancien Régime, elle formait en même temps l'unité administrative de base.

parole n. f. Langage sonore et articulé traduisant la pensée. La parole est un phénomène extrêmement complexe mettant en jeu les organes de la phonation* et des mécanismes cérébraux dont le détail reste encore mal connu.

parotide n. f. Glande salivaire située en avant de l'oreille et en arrière de la mandibule.

Parques (les). Divinités antiques du Destin, appelées Clotho, Lachésis et Atropos en Grèce, Nona, Decima et Marta à Rome, qui décidaient de la vie humaine du berceau à la tombe.

parquet n. m. Ensemble des magistrats (magistrature* debout) qui composent le ministère* public auprès des tribunaux et y requièrent l'application des lois.

parrain n. m. (fém. : marraine). Personne qui s'engage, lors du baptême, à veiller sur l'éducation religieuse d'un enfant. ◇ Celui qui préside à la cérémonie de baptême d'un navire. ◇ Celui qui introduit un nouveau membre dans un groupe. ◆ **parrainage** n. m. Caution morale du parrain.

parricide n. m. Crime de celui qui tue son père ou sa mère, ou tout autre de ses ascendants. ◇ n. m. ou f. Personne qui commet un tel crime.

parsec n. m. (de *p*arallaxe *sec*onde). Unité de distance utilisée en astronomie. Symbole *pc*. 1 pc vaut 3,26 années-lumière ou 30 837 milliards de km.

parthénogenèse n. f. Mode de reproduction* au cours duquel un ovule (ou une oosphère) se développe et donne un nouvel individu, sans qu'il ait été fécondé. Lors des phases de prolifération, les pucerons se reproduisent par parthénogenèse.

2 438

Parthénon. Temple construit sur l'Acropole d'Athènes, de 447 à 432 av. J.-C., et

Parmentier fit adopter la vaccination antivariolique dans l'armée.

Joyau de l'Acropole d'Athènes : le **Parthénon.**

Art des **Parthes :** statue en bronze d'un jeune prince.

dédié à Athéna Parthénos. C'est un chef-d'œuvre de l'ordre* dorique, dû aux architectes Callicratès et Ictinos ainsi qu'au sculpteur Phidias*. En 1802, la plupart des frises et des sculptures du Parthénon furent emportées en Angleterre par lord Elgin.

Parthes (les). Peuple guerrier et semi-nomade installé au IIIᵉ s. av. J.-C. au sud-ouest de la Caspienne. Du Iᵉʳ s. av. J.-C. au IIᵉ s., leur empire (Iran, Babylonie) résista à Rome, infligeant parfois de lourdes défaites à ses légions.

4 747

parti n. m. Organisation réunissant des personnes qui agissent en vue de buts politiques communs. *Le parti communiste, le parti social-démocrate allemand.* Son action est soutenue par ses adhérents actifs : les militants.

10 2372

participation n. f. Action de prendre part à quelque chose. *Participation à un débat.* ◇ Association des travailleurs d'une entreprise aux bénéfices de cette dernière. ◇ Détention par une société d'une part du capital d'une autre société.

participe n. m. Mot qui tient du verbe et de l'adjectif. Le participe présent est invariable *(je l'ai trouvé lisant le journal)*, sauf s'il a valeur d'adjectif *(elle est peu causante)* ; le participe passé s'accorde *(les images que j'ai vues)* ou reste invariable *(j'ai vu les images).*

particule n. f. Constituant de l'atome (électron*, neutron*, proton*...). À chaque particule correspond une antiparticule de même masse : antiélectron ou positon, antineutron...

partie n. f. Fraction d'un tout, élément d'un ensemble. ◇ 1. ANAT Tout tissu, organe, membre, etc., d'un individu. Couramment, on appelle « parties » les testicules. ◇ 2. MATH L'ensemble F forme une partie de l'ensemble E, si chaque élément de F appartient aussi à E. On dit que F est inclus dans E. ◇ 3. ARTS Un des éléments d'une œuvre, d'un spectacle. *Les trois parties d'une dissertation. La première partie d'un récital.* ◇ 4. MUS Chacune des voix, chacun des instruments dans une composition musicale. *Jouer sa partie dans un orchestre.* ◇ 5. LING Toute catégorie de mots définie par le rôle de ces mots dans les phrases, tels les sujets, les verbes, etc. ◇ 6. SP Séquence d'un jeu ou d'un match sportif, qui peut se dérouler en plusieurs manches. *Une partie de cartes, de tennis.* ◇ 7. SOC Divertissement qui se pratique à plusieurs. *Une partie de campagne, de chasse, une surprise-partie.* ◇ 8. DRT Chacune des personnes engagées dans un procès, un acte juridique (contrat, etc.). *La partie plaignante.* ◇ *Partie civile :* partie qui a subi un préjudice et en demande réparation auprès des tribunaux.

partisan n. m. Combattant volontaire appartenant à une troupe irrégulière, menant des actions de guérilla.

partition n. f. 1 – MUS Réunion, par notation superposée des mesures, de toutes les parties qui composent un morceau de musique. ◇ Composition musicale.

partition n. f. 2 – MATH Une partition d'un ensemble E est une famille de parties de E disjointes deux à deux et dont la réunion est l'ensemble E. Tout élément de E appartient donc à une et une seule de ces parties.

parturition n. f. Nom donné à l'accouchement par les voies naturelles chez la femme et à la mise bas chez la femelle des mammifères.

6 1318
8 1881
13 2939
13 3042
13 3048
14 3329

Pascal Blaise, mathématicien, physicien et écrivain français (1623-1662). On lui doit la première machine à calculer, un *Essai sur les coniques*, les lois de l'équilibre des liquides, de la pression atmosphérique, la presse hydraulique. Retiré à Port-Royal, il publia *les Provinciales* en défense des jansénistes attaqués par les jésuites. Les fragments de l'*Apologie de la religion chrétienne* publiés sous le titre de *Pensées* (1670) sont un chef-d'œuvre de la prose française.

pascal n. m. Unité de mesure de pression, équivalant à une pression exercée par une force de 1 newton sur une surface de 1 m². Symbole Pa.

3 662

pas de Calais. Détroit entre la France et l'Angleterre, reliant la Manche à la mer du Nord. Sa largeur minimale est de 31 km.

3 662

Pas-de-Calais (62). Département du nord de la France (région Nord-Pas-de-Calais). 6 639 km² ; 1 412 413 hab. Chef-lieu : Arras. Sous-préfectures : Béthune, Boulogne-sur-Mer, Calais, Lens, Montreuil, Saint-Omer. Cette région de collines et de plaines fertiles (céréales, betteraves) est bordée par la Manche (tourisme estival, pêche à Boulogne). La population, dense, est confrontée à la crise qui affecte les activités industrielles traditionnelles (extraction houillère, métallurgie lourde, textile, chimie).

Pasolini Pier Paolo, écrivain et cinéaste italien (1922-1975). Poète, romancier, il s'est rendu célèbre par des films dénonçant le monde bourgeois : *Théorème* (1969), *Salò* (1975), etc.

passeport n. m. Document délivré à ses ressortissants par l'administration d'un pays, certifiant l'identité de son détenteur pour lui permettre de circuler à l'étranger.

2 391
7 1451

passereaux n. m. pl. Dans les classifications anciennes, ordre d'oiseaux à peu près identique à l'ordre actuel des passériformes. Ce sont les moineaux, mésanges, hirondelles, alouettes, etc.

passériformes n. m. pl. Vaste ordre d'oiseaux comprenant plus de la moitié des espèces d'oiseaux existantes. Les passériformes, généralement de petite taille, sont constructeurs de nids, chan-

*Blaise **Pascal** inventa une machine à calculer à l'âge de 18 ans.*

*Pier Paolo **Pasolini** dans le Décaméron.*

*L'Enfant aux cerises (détail) (**pastel** de John Russell).*

*Louis **Pasteur** (1822-1895) étudia les fermentations.*

teurs, arboricoles ou terrestres. Leurs pattes à 4 doigts permettent le perchage, l'oiseau pouvant dormir perché. (Voir passereaux.)

passif n. m. 1 – LING Forme verbale indiquant que le sujet de la phrase subit l'action : *la souris est emportée par le chat* (forme ou voix passive) ; *le chat emporte la souris* (forme ou voix active parce que le sujet fait l'action).

passif n. m. 2 – DRT Ensemble des dettes et des charges qui pèsent sur un patrimoine (*passif d'une succession*) ou sur une entreprise industrielle ou commerciale. Contraire : actif. *L'actif et le passif constituent le bilan**.

passiflore n. f. Liane tropicale ornementale (famille des passifloracées, dites « fleurs de la Passion »). Leurs pièces florales évoquent les instruments de la Passion du Christ (couronne d'épines, clous, lance).

Passion. Les souffrances et le supplice subis par Jésus, de son arrestation à sa mort : insultes et coups, chemin de croix, crucifixion... ◇ Oratorio* ayant pour sujet la Passion du Christ.

pastel n. m. Bâtonnet constitué d'une matière colorée. ◇ Dessin en couleurs fait avec plusieurs de ces bâtonnets. De grands artistes, comme le peintre Renoir, nous ont laissé de très beaux pastels.

6 1290

pastèque n. f. Plante méditerranéenne (famille des cucurbitacées) cultivée pour ses gros fruits à chair pourpre gorgée d'eau. Synonyme : *melon d'eau*.

Pasternak Boris, écrivain soviétique (1890-1960). Son œuvre maîtresse, *le Docteur Jivago* (1957), mêle, à la manière de Tolstoï, circonstances de la vie et événements historiques.

pasteur n. m. Nomade vivant de l'élevage. ◇ Au sens figuré, le pasteur désigne un prêtre ou un clerc chargé d'âmes. Chez les protestants, le pasteur est le ministre du culte.

7 1488
11 2444
13 2917
14 3259

Pasteur Louis, chimiste et biologiste français (1822-1895). En 1856, il découvrit que la fermentation du lait ou de la bière était due à certains microbes, ce qui le conduisit à mettre au point une méthode de conservation de ces liquides : la pasteurisation. En 1879, il établit les principes de la vaccination et, en 1885, mit au point le vaccin contre la rage. Il est également l'auteur de la découverte du staphylocoque.

Pasteur (Institut). Établissement d'enseignement supérieur et de recherche, fondé par Pasteur en 1888, consacré aux sciences biologiques (biochimie, immunologie, bactériologie, parasitologie...). Il fabrique également des vaccins et des sérums.

7 1488
8 1848

pasteurisation n. f. Opération qui augmente la durée de conservation de la bière, du lait, des fromages, des cornichons, etc. La pasteurisation s'effectue en chauffant ces produits à 75 °C puis en les refroidissant brusquement.

3 620
5 1087
Patagonie. Région méridionale de l'Argentine. Ce plateau pierreux, au climat aride et froid, est peu peuplé et voué à l'élevage.

patate douce n. f. Liane tropicale de la famille des convolvulacées, cultivée en Amérique et en Asie pour ses tubercules sucrés (patates douces).

pâtes alimentaires n. f. pl. Produits alimentaires à base de farine de blé dur, préparés pour des potages ou des plats. Les nouilles, les spaghetti et le vermicelle sont des pâtes alimentaires.

4 914
patelle n. f. Mollusque gastéropode marin, comestible, à coquille conique, commun sur les rochers émergés à marée basse. Synonymes : *bernique*, *chapeau chinois*.

paternité n. f. État et qualité de père. ◇ Lien juridique unissant un père à son enfant.

Pathé Charles, industriel français (1863-1957). Il est, avec son frère Émile (1860-1937), l'un des fondateurs des industries phonographique et cinématographique françaises.

8 1817
pathologie n. f. Science qui a pour objet l'étude des maladies, la recherche de leurs causes et d'un traitement approprié. On distingue la pathologie comparée, expérimentale, générale, mentale, vétérinaire, etc.

9 2130
12 2728
patinage n. m. Sport se pratiquant sur glace ou sur route (patin à roulettes). Le patinage sur glace, exécuté sur une patinoire naturelle ou artificielle, comprend les patinages de vitesse (courses contre la montre courues sur un anneau) et artistique (ensemble de figures exécutées en patinant). ◆ **patin** n. m. Chaussure montée sur lame ou sur roulettes.

patinette → trottinette

pâtissier n. m. Commerçant qui fabrique et qui vend de la pâtisserie. ◆ **pâtisserie** n. f. Préparation sucrée de pâte en vue de la fabrication de gâteaux. ◇ Industrie de la pâtisserie ; magasin où l'on vend des gâteaux.

6 1319
patois n. m. Parler local, produit par la dégénérescence d'un dialecte* et qui n'est utilisé que pour les besoins de la vie de tous les jours par une population peu nombreuse, souvent rurale. *Patois bourguignon.*

4 887
5 1161
patriarcat n. m. Régime social, opposé au matriarcat*, dans lequel l'autorité du père est prépondérante (filiation patrilinéaire, etc.). ◇ Dignité de patriarche (chef de certaines Églises orthodoxes) ; territoire sous sa juridiction. *Le patriarcat d'Alexandrie.*

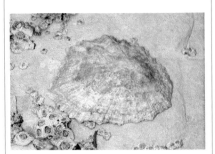

*Troupeau de moutons et gauchos dans les grandes étendues de **Patagonie.***

*La **patelle** est également appelée bernique ou chapeau chinois.*

*Le **patinage** à roulettes connaît un regain de succès.*

*La conversion de saint **Paul** (miniature d'un bréviaire du XVᵉ s.).*

patricien n. m. Citoyen romain, membre d'une famille aristocratique. Prétendant descendre des premiers Romains, les patriciens dominèrent, jusqu'au IIᵉ s. av. J.-C., la vie politique à Rome aux dépens de la plèbe.
3 608

patrie n. f. Nation, communauté politique dont on fait partie ou à laquelle on se sent lié. Pays où habite cette communauté : *notre mère patrie.* ◆ **patriotisme** n. m. Amour de la patrie. (Voir chauvinisme, nation.)
13 2968

patrimoine n. m. Biens de famille que l'on a reçus en héritage. *Gérer le patrimoine familial.* ◇ Ce qui constitue le bien commun d'une collectivité, d'un groupe humain et qui a été transmis par les ancêtres. *Patrimoine artistique d'un pays.* ◇ *Patrimoine national :* ensemble des biens de l'État.

patronat n. m. Ensemble des patrons, des chefs d'entreprise (par opposition aux employés, aux salariés). *Représentants du patronat.* ◆ **patron** n. m. Chef d'une entreprise industrielle ou commerciale privée ; employeur. *Une patronne.*
5 1125

patronyme n. m. Le nom patronymique (du grec *patrônumikos*, relatif au nom du père), c'est-à-dire le nom de famille, par opposition au prénom*.

patte n. f. Membre ou appendice locomoteur des animaux se déplaçant en marchant, trottant, grimpant, etc., et qui supporte le corps.

Patton George, général américain (1885-1945). Spécialiste des chars, il mena la IIIᵉ armée américaine de la Normandie à Metz, puis en Bohême (1944-1945).

pâturage n. m. Prairie naturelle dont l'herbe est broutée sur place par le bétail. ◇ Action et droit de faire paître les bestiaux.
5 1194

Pau (64000). Chef-lieu des Pyrénées-Atlantiques et capitale du Béarn, sur le gave de Pau. 85 766 hab. *(Palois).* Chimie (gaz de Lacq). ◇ Ancienne capitale des rois de Navarre.
8 1828

Paul (saint), apôtre (v. 5 ou 15-v. 64 ou 67). Juif converti au christianisme, il fonda de nombreuses communautés chrétiennes au cours de ses voyages en Orient et laissa des lettres, ou *Épîtres.*
10 2247

Paul III (Alexandre FARNÈSE, 1468-1549). Pape de 1534 à 1549, il prépara la Contre-Réforme en convoquant le concile de Trente (1545-1549). Il approuva la fondation de la Compagnie de Jésus (les jésuites).

Paul VI (Giovanni Battista MONTINI, 1897-1978). Pape de 1963 à 1978, il poursuivit l'œuvre réformatrice de Jean XXIII et développa l'œcuménisme* (concile Vatican II).

paume (jeu de). Jeu consistant à renvoyer une balle par-dessus un filet à

l'aide de la main ou d'une raquette.
◆ **Jeu de paume** (serment du). Serment prêté, le 20 juin 1789 à Versailles, par les députés du tiers état qui jurèrent de ne se séparer qu'après avoir adopté une Constitution..

paupérisme n. m. État permanent de grande pauvreté d'un groupe humain.
◆ **paupérisation** n. f. Appauvrissement continu d'une population.

3 523 **paupière** n. f. Chacune des membranes musculeuses qui peuvent recouvrir la partie antérieure de l'œil pour le protéger de la lumière pendant le sommeil et pour l'humidifier à l'aide des sécrétions lacrymales.

pavillon n. m. En termes de marine, drapeau placé à l'arrière d'un navire pour indiquer sa nationalité ou, hissé au sommet d'un mât, pour effectuer un signal.
◇ *Pavillon de complaisance* : pavillon porté par certains navires qui naviguent sous une nationalité d'emprunt pour bénéficier d'avantages fiscaux.

14 3259 **Pavlov** Ivan, médecin et physiologiste russe (1849-1936). Ses travaux sur les réflexes conditionnés et les régulations des sécrétions digestives lui valurent le prix Nobel en 1904.

Pavlova Anna, danseuse russe (1882-1931). Partenaire de Nijinski au sein de la compagnie des Ballets russes, elle créa *le Lac des cygnes*.

13 2972 **pavot** n. m. Genre de plantes herbacées (famille des papavéracées). Le pavot blanc d'Orient donne l'opium*, le pavot noir d'Europe l'huile d'œillette.

pays n. m. Territoire d'une collectivité politique ; nation : *les pays du tiers monde*. ◇ Région géographique, administrative : *les Pays de la Loire*. ◇ Région considérée du point de vue physique, économique, etc. : *les pays tropicaux*. ◇ Localité, village.

paysage n. m. Dessin, gravure, peinture qui représente un site naturel ou urbain. *Un paysage de Corot*. ◇ Peinture dans laquelle la représentation de la nature constitue le sujet principal.
◆ **paysagiste** n. m. ou f. Peintre de paysages. ◇ Créateur, architecte de jardins.

6 1374 **paysannerie** n. f. Ensemble des paysans, exploitants et salariés agricoles d'un pays, d'une région. Dans les pays industrialisés, l'importance numérique de la paysannerie n'a cessé de décroître depuis le XIXᵉ siècle.

6 1430 **Pays-Bas** (royaume des). État d'Europe occidentale, sur la mer du Nord.

superficie :	33 814 km²
population :	14 092 000 hab. *(Néerlandais)*
capitale :	Amsterdam
monnaie :	le florin
code international :	NL

Constituant l'extrémité occidentale de la plaine d'Europe du Nord, ce pays plat a été en partie gagné sur la mer (pol-

Le Serment du **Jeu de paume**
(tableau inachevé de David).

*Fleur et fruit de **pavot**.*

Les **Pays-Bas**.

*Maisons à pignon et canal à Amsterdam, la capitale des **Pays-Bas**.*

ders) au cours des siècles. La côte est découpée par l'estuaire de trois grands fleuves : Rhin, Meuse, Escaut. Climat océanique. La population (haut niveau de vie) est la plus dense d'Europe. ◇ L'agriculture est intensive (rendements élevés) : céréales, légumes, lin, fleurs (tulipes) ; important élevage bovin (lait, beurre, fromage). Le secteur industriel, d'ancienne tradition (taille du diamant, textile, alimentation), est aujourd'hui très développé. Toutes les branches sont représentées, malgré l'absence (à l'exception du gisement de gaz naturel de Groningue) de matières premières. Bien situé dans l'ensemble européen, membre du Benelux et du Marché commun, le pays possède le 1ᵉʳ port du monde, Rotterdam, grand centre de raffinage de pétrole, et de puissantes multinationales (Shell, Unilever, Philips). ◇ Les Pays-Bas sont une création relativement récente. Possession des ducs de Bourgogne (1384), ils passèrent aux Habsbourg à la fin du XVᵉ s. En 1579, les provinces protestantes du Nord (dont la riche Hollande), sous la direction de Guillaume d'Orange, proclamèrent leur indépendance. Devenu « république des Provinces-Unies », le pays connut, au XVIIᵉ s., un âge d'or (formation d'un grand empire colonial, épanouissement intellectuel et artistique). Le royaume, fondé par Napoléon en 1806, fut maintenu en 1815. Amputés de la Belgique en 1830 et de la plupart de leurs colonies après la Seconde Guerre mondiale, les Pays-Bas parviennent à maintenir leur prospérité.

péage n. m. Droit d'accès ou de passage sur un pont, une route, une autoroute, payé par les usagers. ◇ Poste où l'on acquitte ce droit. *S'arrêter au péage.*

1 72
11 2602 **Pearl Harbor.** Port des îles Hawaii où la flotte américaine, attaquée par surprise par l'armée japonaise (7 décembre 1941), subit de lourdes pertes, ce qui provoqua l'entrée en guerre des États-Unis.

9 2053 **Peary** Robert, explorateur américain (1856-1920). Il fut le premier à atteindre le pôle Nord, en 1909. Il reconnut l'insularité du Groenland.

3 528
4 956
5 1150
8 1818
9 1991 **peau** n. f. Tissu résistant et souple, constitué de plusieurs couches cellulaires, qui recouvre le corps des vertébrés. Il est formé de deux parties : le *derme*, tissu conjonctif profond, contient les glandes sébacées et sudoripares, les racines des poils (produites par l'épiderme), les terminaisons nerveuses, les vaisseaux sanguins et lymphatiques ; l'*épiderme*, qui le recouvre, est un épithélium dont les cellules se chargent de kératine formant la couche cornée la plus superficielle. La mélanine, pigment contenu dans les cellules cutanées, donne à la peau sa coloration et provoque, suivant ses variations, les différences de couleur de la peau. ◇ Cuir, fourrure dont on dépouille un animal. *Peau de lapin.*

8 1724
9 2108 **Peaux-Rouges** (les). Nom donné autrefois aux Indiens d'Amérique du Nord.

10 2257 Ils se teignaient en effet le visage et le corps avec de la terre ocre ou avec le suc de certains fruits.

11 2547 **pécari** n. m. Mammifère suidé d'Amérique à collier blanc, haut de 45 cm au garrot. Il vit en bande dans les forêts et ressemble à un sanglier.

pechblende n. f. Minerai renfermant une forte proportion (40 à 90 %) d'uranium et dont on extrait également le radium. Sa couleur varie du gris au noir.

1 25
4 854 **pêche** n. f. 1 — BOT Fruit comestible, à noyau, du pêcher. Sa chair est parfumée, blanche ou jaune. ◆ **pêcher** n. m. Arbre fruitier de la famille des rosacées, originaire de Chine.

1 136
3 682
4 784
4 820
7 1551
8 1871
14 3252 **pêche** n. f. 2 — SOC Action ou technique de capture et de ramassage d'animaux aquatiques, particulièrement des poissons. On distingue, en mer, la pêche *à pied* (cueillette dans les zones découvertes à marée basse), la pêche *côtière* (en vue des côtes), la pêche *hauturière* (hors de la vue des côtes, mais restant proche du port d'attache), la pêche *lointaine* (très éloignée du port d'attache). Ces deux dernières formes de pêche, qui nécessitent des moyens importants, donnent lieu à une pêche dite industrielle, alors que la pêche côtière reste essentiellement artisanale.

péché n. m. Acte conscient par lequel on contrevient à la loi divine. Le péché originel, commis par Adam et Ève, entacha toute leur postérité. Pour les catholiques, le sacrement de la pénitence permet le rachat des péchés. ◇ *Péché mortel :* qui, en opposition au *péché véniel,* entraîne la damnation du pécheur.

pectine n. f. Substance organique glucidique, contenue dans les fruits mûrs, qui, mélangée à de l'eau et cuite, fournit la gelée des confitures.

pédagogie n. f. Science de l'éducation et de l'instruction des enfants. ◇ Méthode d'enseignement. La « pédagogie nouvelle » cherche à développer la réflexion personnelle de l'élève en valorisant le travail d'équipe et en rendant l'enseignement plus vivant, grâce au recours aux enquêtes scolaires, à la pratique d'échanges et de correspondances entre classes de régions différentes et par l'usage de moyens audiovisuels.

pédérastie n. f. Attirance sexuelle d'un homme adulte pour les jeunes garçons. ◆ **pédéraste** n. m. Celui qui s'adonne à la pédérastie. Par extension, homosexuel. (Voir homosexualité.)

pédiatrie n. f. Branche de la médecine qui s'occupe de l'enfant, des maladies infantiles et de leur traitement. Le *pédiatre* suit et soigne l'enfant depuis sa naissance jusqu'à l'adolescence.

pédicule n. m. ◇ 1. BOT Support, long et grêle, de diverses plantes. ◇ 2. ANAT Ensemble (artères, veines, nerfs) reliant un organe au reste du corps.

Peau-Rouge
du Canada.

*Le **pécari** se nourrit de racines, de fruits, mais aussi de reptiles.*

*Fleurs de **pêcher** au printemps.*

Pégase
(peinture d'Odilon Redon).

pédicure n. m. ou f. Personne spécialisée dans les soins des pieds. Le pédicure traite les diverses affections des ongles, pratique des excisions de cors, soigne les durillons, etc.

pedigree n. m. Généalogie* d'un animal de race pure : chien, chat, etc. ; extrait du document qui atteste cette généalogie. *Le pedigree d'un cheval de course.*

pédologie n. f. Branche de la géologie qui étudie les caractères chimiques, physiques, biologiques des sols, leur évolution et leur répartition.

pédoncule n. m. ◇ 1. ANAT Cordon long et mince reliant 2 organes ou 2 parties d'un organe. ◇ 2. ZOOL Partie allongée portant un organe (œil) ou un organisme entier (anatife). ◇ 3. BOT Ramification de la tige d'une plante portant la fleur et le fruit.   **1** 217

Pégase. Dans la mythologie grecque, cheval ailé, né du sang de Méduse. Il permit à Bellérophon, qui le dompta, de tuer la Chimère.   **14** 3183

Pégase (constellation de). Groupement caractéristique d'étoiles, visible dans l'hémisphère Nord, dont la forme est analogue à la Grande et à la Petite Ourse*.   **8** 1773   **13** 3102

Péguy Charles, écrivain français (1873-1914). Intellectuel acquis au socialisme, il retrouva, en 1908, la foi catholique qui devint la source principale de son œuvre poétique (*Ève,* 1913) et critique (*l'Argent,* 1913).   **13** 2942

peine n. f. Sanction infligée à titre de punition ou de réparation. On distingue, en fonction des infractions commises, les peines *de police* (contravention), *correctionnelle* (délit*), *criminelle* (crime*), *afflictive et infamante* (peine privative de liberté et d'honneur), la *peine infamante* (dégradation civique), la *peine de mort.*   **11** 2469   **14** 3285

peinture n. f. Action qui consiste à appliquer de la couleur sur une surface (un mur, un plafond, etc.). Le résultat de cette action (la couche de couleur dont une surface est enduite). *La peinture en bâtiment. Attention à la peinture !* ◇ Substance colorée fluide, faite de constituants solides (pigments) délayés dans un milieu de suspension liquide (liant), qui s'étend avec un pinceau, un rouleau ou se projette avec un pulvérisateur, dit pistolet à peindre (peinture industrielle). *Peintures à l'huile, glycérophtaliques, cellulosiques, vinyliques, acryliques, etc.* ◇ *Peinture figurative :* art de figurer, de suggérer la réalité visible, ou un monde imaginaire, sur une surface plane et à l'aide de couleurs. *Peinture abstraite :* art d'organiser des couleurs sur une surface plane, sans faire référence à une réalité visible formellement identifiable. L'ensemble des œuvres créées par l'exercice de cet art. *L'histoire de la peinture, la peinture contemporaine.* ◇ Œuvre exécutée par une personne qui pratique l'art de peindre. *Une peinture de Véronèse, de*   **1** 58   **2** 302   **9** 2116   **14** 3118   **14** 3162   **14** 3336

Rubens, de Manet. Expertiser une peinture. Les principales techniques de la peinture d'art sont : la fresque*, la tempera (procédé dans lequel l'eau sert de diluant et l'œuf d'agglutinant des poudres colorées), l'aquarelle*, la gouache*, la peinture à huile (agglutinant dont l'emploi se généralise à partir du XVIᵉ s.). ◆ **peintre** n. m. Personne spécialisée dans la peinture en bâtiment. Artiste qui pratique l'art de la peinture. *Un peintre de paysages.*

2 382
4 766
6 1355
4 3268

Pékin (en chinois, **Beijing**). Capitale de la Chine, dans le nord-est du pays. Plus de 9 millions d'hab. La ville, qui est sous le contrôle direct du pouvoir central, est un grand foyer culturel, administratif, commercial et industriel (industries variées). ◇ Pékin se développa surtout dans les périodes où elle fut la capitale du pays : sous la domination mongole, puis sous les Ming et enfin, à partir de 1949, sous la République populaire.

9 1943

pelage n. m. Ensemble des poils d'un mammifère, surtout lorsque ces poils sont courts et que l'on en considère la couleur. *Ce cheval a un pelage bai.*

2 453

Pelé (Edson Arantes DO NASCIMENTO, *dit*), footballeur brésilien (né en 1940). Deux fois champion du monde (1958 et 1970) et, sans doute, le plus grand joueur de tous les temps.

1 9

Pelée (montagne). Volcan (1 397 m) de la Martinique. L'éruption du 8 mai 1902, qui s'accompagna d'une nuée ardente (nuage de cendres incandescentes), détruisit Saint-Pierre.

5 1013

pèlerinage n. m. Voyage à destination d'un lieu saint pour des motifs religieux. ◇ Le lieu qui est le but de ce voyage. *Lourdes est un grand pèlerinage marial.* ◆ **pèlerin** n. m. Personne qui fait un pèlerinage.

2 244
9 1957

pélican n. m. Nom de divers oiseaux palmipèdes de grande taille (jusqu'à 1,70 m d'envergure), dont la mâchoire inférieure est munie d'une poche membraneuse où ils emmagasinent les poissons pêchés.

Pelletier Pierre Joseph, pharmacien et chimiste français (1788-1842). Il découvrit, avec Caventou (1795-1877), la strychnine* et la quinine* (1820).

pellicule n. f. 1 – ANAT Petit morceau de peau sèche qui se détache. Les pellicules se forment notamment sur le cuir chevelu et lors des psoriasis.

3 493
5 1179
8 1746

pellicule n. f. 2 – TECH Fine couche de graisse, de peinture. ◇ Feuille mince de matière plastique enroulée, qui sert de support à la couche sensible permettant de prendre des photos ou des films.

2 420
10 2315

Péloponnèse. Presqu'île méridionale de la Grèce, rattachée au continent par l'isthme de Corinthe (percé par un canal) et comprenant la Corinthie, la Laconie, la Messénie, l'Élide, l'Achaïe, l'Argolide et l'Arcadie. Pays monta-

Le palais de l'Assemblée du peuple, à **Pékin**.

Pour pêcher, le **pélican** utilise la poche extensible située sous son bec.

Pendaison de criminels (enluminure du XVᵉ s.).

Les **péniches** assurent le transport en vrac de charbon, minerai, sable, etc.

gneux aux côtes découpées, vivant de l'élevage ovin, de la vigne et de l'olivier. ◇ La guerre du Péloponnèse (431-404 av. J.-C.) opposa Sparte à Athènes et marqua la fin de la prépondérance de cette dernière dans le monde grec.

8 1833

pelote basque n. f. Sport d'origine basque où les joueurs renvoient, alternativement, la balle contre un mur (fronton), à main nue, à l'aide d'un gant de cuir terminé par un panier (chistera)...

2 364

Pelvoux (massif du). Puissant massif cristallin des Alpes françaises (Dauphiné) ; 4 103 m à la barre des Écrins et 3 946 m à la pointe Puiseux.

pénalité n. f. Ensemble des peines établies par la loi. ◇ Sanction qui frappe un délit fiscal (fisc*) ou la non-exécution d'une ou plusieurs clauses d'un contrat.

2 374

penalty n. m. Au football, coup de pied, tiré d'un point situé à 11 m face au but, sanctionnant une faute grave commise à l'intérieur de la surface de réparation.

pendaison n. f. Action de pendre, ou de se pendre, par le cou. En Angleterre, les condamnés à mort étaient exécutés, jusqu'en 1965, par pendaison.

7 1647
8 1795

Pendjab (« pays des cinq rivières »). Région du sous-continent indien, dans le bassin de l'Indus moyen et de ses affluents, divisée entre l'Inde (États du Pendjab et de l'Hariana) et le Pakistan. Région fertile (irrigation).

pendule n. m. Tige oscillante. ◇ Petite masse suspendue à un fil oscillant sous l'action de la pesanteur. (Voir radiesthésie.) ◆ **pendule** n. f. Petite horloge à balancier vertical.

Pénélope. Femme d'Ulysse et mère de Télémaque. *L'Odyssée* décrit ses ruses pour résister aux demandes en mariage de ses prétendants.

4 829

pénéplaine n. f. Surface à peu près plane (formes très douces), de faible altitude, résultant de l'érosion d'une région plissée.

péniche n. f. Bateau fluvial à fond plat, souvent à moteur, utilisé pour le transport des marchandises sur les fleuves et les canaux.

5 1152
13 2918

pénicilline n. f. Antibiotique* isolé par Alexander Fleming*, en 1928, à partir de moisissures formées par un champignon ascomycète : le *pénicillium*. La pénicilline et ses dérivés empêchent la prolifération des bactéries.

péninsule n. f. Vaste presqu'île* s'avançant dans la mer qui l'entoure presque entièrement, sauf sur un des côtés. *L'Italie, l'Arabie sont des péninsules.*

1 174
9 2135

pénis n. m. Organe mâle de l'accouplement. C'est un organe érectile qui assure la libération du sperme dans les voies génitales femelles.

pénitencier n. m. Prison civile ou militaire où l'on purge une peine de prison, de réclusion* ou, autrefois, de travaux* forcés (bagne).

9 2047 **Penn** William, quaker anglais (1644-1718). Il fonda, en 1682, la colonie américaine de Pennsylvanie ainsi que la ville de Philadelphie, qu'il dota de lois inspirées de principes démocratiques.

2 242 **penne** n. f. Grande plume couvrant le corps (tectrice), les ailes (rémige) et la queue (rectrice) des oiseaux. ◇ Plume garnissant une flèche.

1 61 **Pennsylvanie.** État du nord-est des États-Unis. 117 412 km² ; 11 794 000 hab. Capitale : Harrisburg. Villes principales : Philadelphie et Pittsburgh. État agricole et surtout industriel (pétrole, métallurgie).

pensée n. f. 1 – BOT Plante du même genre que les violettes (famille des violacées), aux fleurs jaunes, violettes. Certaines variétés sont ornementales.

12 2803 **pensée** n. f. 2 – SOC Activité psychique consciente. ◇ Idée, réflexion, jugement produits par cette activité. ◇ Ensemble des idées, des opinions d'un individu, d'un groupe humain. *Les courants de pensée. La pensée de Jean-Paul Sartre.*

pension n. f. 1 – SOC Établissement d'enseignement privé où les élèves *(pensionnaires)* sont internes. ◆ **pensionnat** n. m. Pension, internat. ◆ **demi-pensionnaire** n. m. ou f. Élève nourri à midi (à la cantine), mais qui n'est pas logé dans l'établissement scolaire.

pension n. f. 2 – DRT Somme que l'on paie pour être logé et nourri. ◇ Allocation versée régulièrement à une personne *(pensionné)* par l'État, un organisme ou un particulier.

Pentagone. Siège du ministère et de l'état-major* des forces armées américaines, à Washington. Il doit son nom à la forme du bâtiment qui les abrite.

5 1076 **pentathlon** n. m. Sport antique comprenant cinq disciplines. Le pentathlon moderne comprend des épreuves d'équitation, de tir, de natation, d'escrime et de cross-country.

8 1822
10 2256 **pente** n. f. Inclinaison d'un versant, d'une surface, du profil en long d'un talweg*. Une *rupture de pente* est une ligne de changement brusque dans la valeur, mesurée en degrés, de la pente.

1 140 **Pentecôte** (la). Fête juive et chrétienne, célébrée 50 jours après Pâques. Les chrétiens commémorent la descente du Saint-Esprit sur les apôtres, et les juifs, la remise des Tables de la Loi.

péon n. m. Nom donné au paysan, à l'ouvrier agricole indien en Amérique latine. Sa condition est proche de celle du serf* du Moyen Âge.

5 1108 **Pépin le Bref**, roi des Francs (715-768). Il succéda à son père Charles Martel

Pensées.

*Saut à la **perche**, lors d'une compétition d'athlétisme.*

*Orchestre d'instruments à **percussion** en Indonésie.*

*La **perdrix** rouge vit sur les terrains arides.*

comme maire du palais puis, avec l'appui de la papauté, déposa le dernier Mérovingien, Childéric III (751), fondant ainsi la dynastie carolingienne. Il vainquit les Lombards et les Bavarois.

pépinière n. f. Très jeune arbre obtenu à partir d'une graine et destiné à être repiqué. ◇ Champ dans lequel le *pépiniériste* sème des graines et élève les jeunes plants avant le repiquage.

pépite n. f. Petite masse de métal natif, principalement d'or. Les pépites se rencontrent, notamment, dans le lit des cours d'eau.

10 232 **pepsine** n. f. Enzyme gastrique hydrolysant les protéines. L'estomac sécrète le pepsinogène, transformé en pepsine par l'acide chlorhydrique stomacal.

perception n. f. Action de percevoir, d'encaisser de l'argent ; recouvrement des impôts. ◇ Emploi, bureau du *percepteur,* ou agent du Trésor public chargé du recouvrement des contributions* directes et de certaines taxes*.

7 154 **perche** n. f. 1 – ZOOL Poisson carnivore des eaux douces. La perche commune, longue de 20 à 50 cm, a le dos verdâtre et, sur les flancs, des bandes transversales sombres.

2 403 **perche** (saut à la). 2 – SP Concours de saut, faisant partie des programmes d'athlétisme, qui consiste à franchir une barre en prenant appui sur une perche flexible.

2 261 **percussion** n. f. 1 – MUS Ensemble des instruments de musique dont on joue en les frappant : tam-tam, tambour, timbales, xylophone, gong, triangle, etc. ◆ **percussionniste** n. m. ou f. Musicien qui utilise un ou plusieurs instruments à (ou de) percussion.

percussion n. f. 2 – TECH Choc sur l'arrière de la cartouche d'une arme à feu. La percussion provoque le départ du coup. ◆ **percuteur** n. m. Petite tige métallique munie d'une pointe qui frappe l'arrière de la cartouche.

11 2585 **perdrix** n. f. Oiseau phasianidé trapu, à ailes courtes, vivant dans les champs. La perdrix a un plumage assez terne et mesure de 30 à 35 cm de long. C'est un gibier très recherché.

5 1161 **père** n. m. ◇ 1. BIOL Homme qui a engendré un ou plusieurs enfants. ◇ Nom que l'on donne aussi aux mâles des animaux qui ont des petits. ◇ 2. DRT Ascendant mâle au premier degré d'un ou de plusieurs enfants qu'il élève et dont il est le représentant. ◇ 3. RELG Première personne de la Trinité : Dieu le Père. ◇ Titre que l'on donne à certains prêtres ou religieux. *Un père abbé. Les Pères blancs.*

perfusion n. f. Injection intraveineuse, lente et continue, d'une quantité importante de sérum contenant ou non des médicaments.

Pergame. Ancienne ville d'Asie Mineure. Capitale d'un royaume hellénistique que le roi Attalos III légua à Rome en 133 av. J.-C. et dont subsistent d'importants vestiges (frise du Pergamon Museum, à Berlin).

13 2942 **Pergaud** Louis, écrivain français (1882-1915). Outre des histoires de bêtes, il a raconté, en termes assez crus, l'épopée campagnarde des enfants qui se font *la Guerre des boutons* (1912).

Pergolèse (Giovanni Battista PERGOLESI, *dit*, en français, (1710-1736). Il est l'auteur d'opéras (*la Servante maîtresse*, 1733), d'oratorios...

périanthe n. m. Ensemble des enveloppes florales entourant les étamines et le pistil : le calice formé par les sépales et la corolle formée par les pétales.

9 1988 **péricarde** n. m. Enveloppe du cœur, formée d'une séreuse (double membrane) et d'un sac fibreux assurant le maintien du cœur dans le thorax.

1 218 **péricarpe** n. m. Ensemble des tissus enveloppant la graine et qui constituent le fruit. Le péricarpe comprend trois couches : l'endocarpe interne, le mésocarpe médian et l'épicarpe externe. Il peut se sclérifier ou devenir charnu (akène*, gousse*, drupe*, baie*...).

2 420 **Périclès**, homme d'État athénien (495-429 av. J.-C.). Chef du parti démocratique et stratège, il domina la vie politique d'Athènes durant trente années. Contribuant à démocratiser la vie publique, impulsant de grands travaux (reconstruction de l'Acropole), il laissa une œuvre qui valut au Ve siècle le surnom de « siècle de Périclès ». À l'extérieur, il inspira une politique impérialiste qui conduisit à la guerre du Péloponnèse*. Il mourut de la peste.

périgée n. m. Point de l'orbite d'un astre ou d'un satellite le plus rapproché de la Terre. C'est le contraire de l'apogée. *Spoutnik* I, lancé en 1957, avait un périgée d'environ 270 km.

8 1830 **Périgord.** Comté français, formant aujourd'hui l'essentiel du département de la Dordogne, qui fut âprement disputé au XIVe s. (guerre de Cent Ans) par la France et l'Angleterre. Henri IV l'intégra au domaine royal.

8 1828 **Périgueux** (24000). Chef-lieu du département de la Dordogne et ancienne capitale du Périgord. 35 392 hab. (*Pétrocoriens* ou *Périgourdins*). Conserveries, chaussures. ◇ Cathédrale Saint-Front (XIIe s., restaurée).

13 3082 **périhélie** n. m. Point de l'orbite d'une planète le plus rapproché du Soleil. La Terre passe au périhélie le 2 janvier, à 147 millions de kilomètres du Soleil.

4 930 **périmètre** n. m. Contour d'une figure plane et nombre qui mesure la longueur de ce contour. Le périmètre d'un carré est 4c (c : côté), celui d'un rectangle 2(L+l) (L : longueur, l : largeur).

Le théâtre romain de Pergame.

Grand homme d'État, Périclès fut aussi le protecteur des artistes.

Troupeau d'oies dans le Périgord.

Triage, selon leur eau et leur grosseur, de perles de culture au Japon.

périnée n. m. Partie basse musculeuse de l'abdomen, comprise entre l'anus et les organes génitaux.

14 3297 **période** n. f. ◇ 1. PHYS Intervalle de temps constant qui sépare deux passages consécutifs par le même état d'un phénomène périodique. La période est égale à l'inverse de la fréquence*. ◇ 2. ASTR Temps mis par un astre pour parcourir son orbite* : pour la Terre, 365 jours un quart. ◇ 3. CHIM Temps au bout duquel la moitié d'un produit radioactif s'est désintégrée.

périodique n. m. Publication (journal*, magazine*, etc.) qui paraît à intervalles réguliers : chaque mois (mensuel), chaque semaine (hebdomadaire), etc.

2 329 **périoste** n. m. Membrane conjonctive, richement vascularisée, située autour des os. Le périoste nourrit et assure la croissance des os.

périphérie n. f. Ensemble des quartiers éloignés du centre d'une ville ou des parties excentrées d'une région. ◆ **périphérique** n. m. Appareil relié à un ordinateur et travaillant sous son contrôle (mémoire auxiliaire par exemple).

3 640 **périscope** n. m. Appareil optique permettant de voir par-dessus un obstacle. Les sous-marins sont équipés de périscopes pour observer à la surface.

2 293 **périssodactyles** n. m. pl. Ordre de mammifères ongulés dont les pattes comportent un nombre impair de doigts. Ce sont le cheval, le tapir, etc.

2 440 **péristyle** n. m. Colonnade qui délimite une cour, un jardin. ◇ Galerie formée par le mur d'un édifice et par une colonnade placée devant ce mur.

péritoine n. m. Membrane séreuse dans l'épaisseur de laquelle passe l'intestin. Son inflammation ou son infection détermine une *péritonite* qui peut nécessiter une intervention chirurgicale.

perle n. f. Sécrétion globuleuse et nacrée constituée de minces couches de calcite* déposées autour d'une impureté introduite accidentellement ou volontairement (perle de culture) dans le manteau* de divers lamellibranches*, comme la méléagrine (huître perlière des mers chaudes), la mulette, moule d'eau douce, etc.

permanganate n. m. Composé solide renfermant l'ion MnO_4^-, de couleur violette. Le permanganate de potassium ($KMnO_4$) est utilisé comme antiseptique, notamment pour purifier l'eau.

perméabilité n. f. Propriété d'un corps qui se laisse traverser par les fluides (eau notamment) : *la perméabilité d'une roche*. À l'opposé, l'imperméabilité est la propriété d'un corps qui ne se laisse pas traverser par un liquide.

1 145 **permien.** Période terminale de l'ère primaire, entre le carbonifère et le trias, caractérisée, notamment, par l'abondance des reptiles. Le permien s'étend de − 210 à 190 millions d'années.

permis n. m. Autorisation écrite délivrée par une administration et qui est obligatoire pour exercer certaines activités ou pour utiliser certains appareils. *Permis de conduire. Permis de chasse. Permis de séjour.*

12 2691 **Perón** Juan, homme d'État argentin (1895-1974). Officier devenu président de la République (1946), il mit en œuvre la doctrine « justicialiste », alliant justice sociale, nationalisme et dirigisme économique. Renversé par l'armée en 1955, il fut rappelé en 1973.

2 328 **péroné** n. m. Os long et grêle placé à la partie externe de la jambe et qui forme avec le tibia l'ossature de la jambe.

8 1899
10 2367 **Pérou** (république du). État andin de l'Amérique du Sud.

superficie :	1 285 215 km²
population :	18 278 000 hab. *(Péruviens)*
capitale :	Lima
monnaie :	le sol
code international :	PE

Les Andes (6 768 m au mont Huascarán) dominent une étroite plaine côtière ; le Nord-Est est occupé par une partie du bassin amazonien. La population (Indiens et métis) se concentre sur les hauts plateaux andins. Son niveau de vie est bas. ◇ 50 % des « actifs » vivent de l'agriculture : cultures vivrières (insuffisantes) et pour l'exportation (café, coton, canne à sucre). Pêche importante (4ᵉ rang mondial). Les produits du riche sous-sol (cuivre, or, argent, hydrocarbures, etc.) sont surtout destinés à l'exportation. La réforme agraire de 1969 n'a guère changé la structure de propriété (latifundia). Aussi les tensions sociales restent-elles très grandes. ◇ Le Pérou fut le centre de l'Empire inca*, dont la capitale était Cuzco (XVᵉ-XVIᵉ s.). Après la destruction de cet empire par Pizarro (1531-1536), la vice-royauté de Lima devint la base de départ des conquêtes espagnoles. Indépendant en 1821, dominé par l'oligarchie*, le Pérou reste secoué par des crises politiques où s'affrontent, depuis 50 ans, oligarques, réformistes et révolutionnaires.

perpendiculaire n. f. ◇ 1. MATH Droite qui fait un angle droit avec une autre droite ou un plan. ◇ 2. ARCH Variété de style gothique créée en Angleterre au XIVᵉ s. ◆ **perpendicularité** n. f. État de 2 droites perpendiculaires.

5 1031 **Perpignan** (66000). Chef-lieu des Pyrénées-Orientales et ancienne capitale du Roussillon. 113 646 hab. *(Perpignanais).* Important centre commercial (fruits, légumes, vins). ◇ Ancien palais des rois de Majorque (XIIIᵉ-XIVᵉ s.).

perquisition n. f. Recherche effectuée sur un lieu par la police intervenant

*Couple d'Indiens au **Pérou**.*

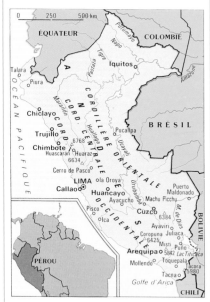

*Le **Pérou**.*

*De nombreux **perroquets** sont capables d'imiter la voix humaine.*

*La porte de Xerxès, dans les ruines de **Persépolis**.*

dans le cadre d'une instruction pour trouver tout objet utile à l'enquête.

9 1937
10 2378 **Perrault** Charles, écrivain français (1628-1703). Il intervint dans la « querelle des Anciens et des Modernes » en faisant l'éloge des créateurs de son temps, mais la postérité retint surtout l'auteur des célèbres *Contes de ma mère l'Oye* (1697).

Perret Auguste, architecte français (1874-1954). Associé à ses frères Gustave (1876-1952) et Claude (1880-1960), il fut un pionnier en matière d'utilisation du béton : *Théâtre des Champs-Élysées,* à Paris (1911).

Perrin Jean, physicien français (1870-1942). Il étudia les rayons cathodiques et mesura le « nombre d'Avogadro* ». Prix Nobel de physique en 1926. Son fils Francis (né en 1901) fut haut-commissaire à l'énergie atomique.

2 244
14 3130 **perroquet** n. m. Grand oiseau grimpeur (famille des psittacidés*), au plumage souvent vivement coloré, au fort bec arqué et aux pattes préhensiles. Il est capable d'imiter la voix humaine.

14 3130 **perruche** n. f. Nom général des petits oiseaux psittacidés*, appréciés comme oiseaux de cage, telle la jolie perruche d'Australie.

2 253
2 344
3 510
5 1039
11 2540 **Perse.** Ancien nom de l'Iran avant 1935. Peuple indo-européen, les Perses s'installèrent dans la région qui reçut leur nom au VIIᵉ s. av. J.-C. En 550, avec Cyrus le Grand, ils renversèrent la domination des Mèdes. L'Empire perse s'étendit alors de la Thrace à l'Indus et menaça les cités grecques d'Ionie. Bien organisé, cet État s'effondra cependant sous les coups d'Alexandre le Grand (331). Gouvernée par les Séleucides puis les Parthes, la Perse connut une période particulièrement brillante sous la dynastie des Sassanides (IIIᵉ-VIIᵉ s. ap. J.-C.). Conquise par les Arabes (642) et islamisée, elle subit les invasions mongoles aux XIIIᵉ-XIVᵉ s. Mais, préservant sa langue et sa culture, elle fut à nouveau gouvernée par des dynasties nationales à partir du XVIᵉ siècle.

8 1773
13 3103 **Persée** (constellation de). Groupement caractéristique d'étoiles visible dans l'hémisphère Nord. Son nom rappelle une divinité grecque, fils de Zeus.

2 345 **Persépolis.** Ancienne cité royale de l'Empire perse. Fondée par Darios Iᵉʳ (VIᵉ s. av. J.-C.), elle fut incendiée accidentellement par Alexandre le Grand (330). Ruines monumentales.

6 1419 **persil** n. m. Plante potagère (famille des ombellifères) cultivée pour ses feuilles odorantes, très divisées, utilisées comme condiment.

6 1285 **Persique** (golfe) ou **golfe Arabique.** Vaste golfe de l'océan Indien, entre l'Arabie, l'Iraq et l'Iran, relié au golfe d'Oman par le détroit d'Ormuz. Peu profond, riche en hydrocarbures.

personnalité n. f. Ce qui caractérise une personne, qui constitue son individualité (comportement, réactions, etc.) et la différencie de toutes les autres. ◇ Personnage important, par ses fonctions, sa position sociale, etc.

personne n. f. Forme prise par le verbe pour distinguer le ou les sujets qui parlent, le ou les sujets à qui l'on parle, le ou les sujets dont on parle. *Je chante* (1re personne du singulier).

personnel n. m. Ensemble des personnes employées dans une entreprise, un service, etc. *Le personnel d'une entreprise. Les délégués du personnel.*

perspective n. f. Art de représenter des objets sur une surface plane en donnant à ces objets l'apparence de leurs formes réelles et à l'espace qui les entoure l'illusion de la profondeur. *La découverte des lois de la perspective remonte à la Renaissance.*

perturbation n. f. Modification de l'état d'équilibre de l'atmosphère, qui se manifeste dans nos régions par le passage d'une dépression et qui, ailleurs, peut engendrer des cyclones.

Pérugin (Pietro VANNUCCI, *dit* le), peintre italien (v. 1445-1523). Il fut le maître de Raphaël, qui l'assista pour la réalisation des fresques du *Collegio del Cambio*, à Pérouse (1496-1500).

pervenche n. f. Nom courant d'un genre de plantes croissant dans les lieux ombragés, aux fleurs bleues, roses ou blanches. *Grande, petite pervenche.*

perversion n. f. Déviation des tendances, des instincts (surtout sexuels), due à des troubles psychiques. ◆ **pervers** n. m. Personne atteinte de perversion. *Une perverse.*

pesanteur n. f. Force exercée par la Terre sur un objet qui, soumis au *champ de pesanteur* terrestre, est entraîné vers le centre de la Terre. Elle résulte de la force de gravitation de la Terre et de la force centrifuge due à la rotation de la Terre. ◆ **apesanteur** ou **impesanteur** n. f. État d'absence de pesanteur.

peste n. f. Maladie infectieuse contagieuse due au bacille de Yersin, transmise à l'Homme par le rat, directement (morsure) ou par l'intermédiaire de puces. La peste reste endémique en Asie et en Afrique. La peste bubonique se caractérise par des ganglions tuméfiés (bubons). La peste pulmonaire se traduit par l'inflammation des poumons.

pesticide n. m. Produit chimique destiné à détruire les mauvaises herbes (herbicide), les insectes nuisibles (insecticide) ou les champignons parasites.

Pétain Philippe, maréchal et homme d'État français (1856-1951). Vainqueur à

Le Mariage de la Vierge
*(peinture du **Pérugin**).*

*Une partie de **pétanque**.*

Pétrarque *a chanté son amour pour Laure dans son* Canzoniere.

*Le **pétrel** tempête plane en silence au ras des vagues.*

Verdun (1916), il devint président du Conseil (juin 1940) et conclut l'armistice avec l'Allemagne. Chef de l'État français de 1940 à 1944, il fut condamné à mort en 1945, mais sa peine fut commuée.

pétale n. m. Nom courant de chacune des pièces florales constituant la corolle des fleurs. Les pétales sont généralement vivement colorés.

pétanque n. f. Jeu de boules, originaire de Provence ; il s'agit, pieds joints, d'envoyer des boules tout près d'une boule plus petite (cochonnet).

pétard n. m. Petite charge d'explosifs, utilisée notamment lors de fêtes, qui explose bruyamment quand on tape dessus ou quand on allume la mèche.

Peterson Oscar, pianiste de jazz canadien (né en 1925), de style « swing ». Il joue surtout en trio, accompagné d'un guitariste et d'un contrebassiste.

pétiole n. m. Partie étroite, rigide, qui relie le limbe* d'une feuille à la tige qui la porte. Feuille sans pétiole : sessile, acaule.

Petöfi Sándor, poète hongrois (1823-1849). Il fut le héros du mouvement national magyar de 1848 : *Debout, Magyar !* Son œuvre popularisa le romantisme.

pétoncle n. m. Petit mollusque lamellibranche marin à coquille presque circulaire, très commun le long des côtes, comestible mais à chair peu estimée.

Pétrarque (Francesco PETRARCA, *dit*, en français), poète et humaniste italien (1304-1374). Ses admirables *Rimes* et *Triomphes*, sonnets rassemblés dans le *Canzoniere* (1470), célèbrent la belle mais inaccessible Laure de Noves.

pétrel n. m. Nom de divers oiseaux de mer procellariiformes. Le pétrel tempête, long de 15 cm, habite les rochers de Bretagne, de Provence et de Corse.

pétrification n. f. Phénomène par lequel les corps organiques plongés dans certaines eaux (calcaires en particulier) se couvrent d'une couche minérale : *la pétrification du bois.*

pétrochimie n. f. Technique et industrie des produits chimiques dérivés du pétrole et du gaz naturel tels que caoutchoucs synthétiques, colorants, parfums, détergents, etc.

pétrographie n. f. Branche de la géologie qui étudie les roches (composition minéralogique et chimique, propriétés physiques) ainsi que leur formation.

pétrole n. m. Huile minérale naturelle formée par la décomposition de planctons en milieu marin sous l'effet de microbes anaérobies. On le trouve dans des roches poreuses de régions plissées (dites « roches magasins ») qu'il imprègne et qui sont surmontées d'une cou-

14 3133
14 3340

che imperméable. Le pétrole brut doit être raffiné pour donner des produits, de densités différentes, utilisés comme sources d'énergie (gaz butane et propane, essence, gasoil, mazout, paraffine) ou comme matières premières de la pétrochimie.

9 2121

Peugeot Armand, industriel français (1849-1915). Il fonda en 1895, avec son cousin Eugène (1844-1907), l'une des premières usines de bicyclettes et d'automobiles à essence.

7 1463
12 2814

Peuls ou **Foulbés** (les). Ethnie d'Afrique occidentale. Pasteurs semi-nomades, les Peuls habitent des régions de savane, du Sénégal au Cameroun.

8 1877

peuple n. m. Ensemble d'êtres humains vivant ou non sur un même territoire et ayant en commun une culture, des mœurs ou un système de gouvernement : *le peuple français, le peuple juif, les peuples d'URSS.* ◆ **peuplement** n. m. Action de peupler ou manière dont un territoire est peuplé.

1 192
5 1165
7 1540
12 2847

peuplier n. m. Genre d'arbres, pouvant atteindre plus de 20 m, aux inflorescences en chatons. Répandu en Europe, il est utilisé en menuiserie.

Pevsner Antoine, sculpteur et peintre français d'origine russe (1886-1962). Il est l'un des créateurs de l'art abstrait constructiviste.

peyotl n. m. Nom courant d'une cactacée du Mexique, en forme de sphère couverte de piquants et qui contient une substance hallucinogène, la mescaline.

Peyré Joseph, romancier français (1892-1968). Il est l'auteur de *l'Escadron blanc* (1931), *Sang et Lumières* (1935), *Guadalquivir* (1952), etc.

p.g.c.d. *(plus grand commun diviseur).* Le plus grand des diviseurs communs à plusieurs nombres. L'ensemble des diviseurs communs à plusieurs nombres est l'ensemble des diviseurs de leur pgcd.

11 2568

pH n. m. Abréviation de *potentiel hydrogène.* Nombre qui caractérise les solutions acides (pH inférieur à 7) et basiques (pH supérieur à 7).

11 2547

phacochère n. m. Mammifère suidé, sorte de sanglier des savanes africaines à grandes défenses incurvées et à grosse tête verruqueuse.

phagocytose n. f. Mécanisme par lequel certaines cellules absorbent et détruisent des particules, des bactéries ou des petites cellules. Les globules blancs, phagocytant cellules usées, microbes..., jouent un rôle important dans l'immunité du corps.

2 328

phalange n. f. 1 – ANAT Chacun des os articulés des doigts* et des orteils. La phalange est un segment allongé comprenant un corps et deux extrémités. Doigts et orteils comportent trois pha-

*Exploitation off shore de **pétrole** : une plate-forme de forage.*

*Les **Peuls** (ou Foulbés) sont des éleveurs semi-nomades.*

*Femelle de **phacochère** avec ses petits.*

*La lumière du **phare** est la sentinelle de la mer.*

langes, à l'exception du pouce et du gros orteil qui n'en comprennent que deux.

phalange n. f. 2 – HIST Formation de combat de l'infanterie grecque antique. Les phalanges macédoniennes, armées de lances de 6 m, formaient un bloc compact.

3 509

Phalange espagnole (la). Organisation politique espagnole, fondée en 1933 par José Antonio Primo de Rivera. Elle participa au coup d'État de 1936 et devint le parti unique du régime de Franco.

11 2575

phalanstère n. m. Dans le système imaginé par Charles Fourier, communauté de personnes qui vivent et travaillent ensemble. ◊ Lieu, domaine où vit cette communauté.

phalène n. f. Nom courant de nombreux papillons nocturnes, de taille moyenne ou petite, dont les chenilles de certaines espèces s'attaquent aux arbres et aux plantes cultivées.

1 114
6 1292

phallus n. m. Membre viril. Il est utilisé comme symbole de la différence des sexes ou comme emblème mythologique de la fécondité.

phanère n. m. Toute formation apparente produite par l'épiderme. Les plumes, les poils, les ongles, les cornes sont des phanères.

phanérogames n. f. pl. Vaste groupe de végétaux comprenant toutes les plantes qui portent des fleurs et qui se reproduisent par graines. Ce sont les angiospermes* et les gymnospermes*.

pharaon n. m. Souverain de l'Égypte antique. Ménès, unificateur du pays, fut le premier pharaon (IIIe millénaire av. J.-C.) Trente dynasties se succédèrent jusqu'à la conquête grecque et à l'avènement des Lagides (323 av. J.-C.).

1 178
8 1694
13 3028

phare n. m. Tour surmontée d'un puissant projecteur, érigée le long des côtes pour guider les bateaux pendant la nuit. ◊ Projecteur placé à l'avant d'un véhicule (auto, vélo, etc.) pour éclairer la route.

pharmacie n. f. Science dont l'objet est la composition et la préparation des médicaments. ◊ Magasin, tenu par un pharmacien, où l'on prépare, conserve et vend les médicaments ainsi que d'autres produits destinés aux soins du corps. ◊ Petit meuble ou trousse où l'on garde les médicaments usuels. ◆ **pharmacologie** n. f. Science étudiant les médicaments, leur composition, leur mode d'action, etc.

13 2918

pharynx n. m. Conduit musculo-membraneux, carrefour des voies digestives et respiratoires, qui fait communiquer la bouche avec l'œsophage et le larynx avec les fosses nasales.

1 175
4 840
10 2320

phase n. f. ◊ 1. ASTR Chacun des aspects successifs de la Lune ou des planètes au cours de leur révolution. ◊ 2. CHIM Partie homogène d'un système chimique

14 3297

(phase liquide, solide, gazeuse). ◇ 3. PHYS Une des bornes d'une prise de courant électrique. Le terme caractérise également un phénomène périodique.

phasianidés n. m. pl. Famille d'oiseaux galliformes* de taille moyenne et chez lesquels le mâle, au plumage splendide, diffère de la femelle, généralement terne. Ce sont les faisans, coqs, paons, perdrix, etc.

2 443 **phasme** n. m. Insecte à corps cylindrique ressemblant à une brindille et se nourrissant de feuilles de végétaux. Par sa couleur et sa forme, il est un modèle de mimétisme*.

2 272
14 3146 **Phénicie.** Nom donné dans l'Antiquité à une région côtière partagée actuellement entre la Syrie et le Liban. Occupée par un peuple sémitique, appelé Phéniciens par les Grecs, divisée en cités-États (Byblos, Tyr, Sidon), la Phénicie joua un grand rôle commercial et maritime dès le IIIᵉ millénaire av. J.-C., créant des colonies en Afrique (Carthage), en Espagne (Gadès). Après avoir subi la domination des Assyriens et des Perses, elle fut conquise par Alexandre le Grand (332 av. J.-C.) puis devint une province romaine. Les Phéniciens inventèrent une écriture alphabétique.

14 3289 **Phénix.** Oiseau mythologique qui, dans l'Antiquité, était le symbole de l'immortalité : semblable à un aigle, il se consume au moment de mourir et renaît de ses cendres.

phénol n. m. Solide incolore, toxique, de formule C_6H_5OH, produit industriellement à partir du benzène. Utilisé comme antiseptique, le phénol entre aussi dans la préparation de colorants, de fibres (Nylon, Tergal), etc.

phénomène n. m. Tout élément ou fait apparu dans notre milieu de vie, dans notre organisme ou dans un système chimique, physique, que nous percevons par nos sens (vue, odorat, ouïe, etc.) ou dont nous sommes conscients quelles que soient les origines de cette conscience. On caractérise un phénomène par un adjectif qui en précise la nature : *la pluie, la neige sont des phénomènes météorologiques.*

2 441 **Phidias,** sculpteur grec (Vᵉ s. av. J.-C.). Il fut chargé par Périclès de diriger les travaux d'ensemble du Parthénon et en assura la décoration sculptée : métopes représentant les combats des Centaures et des Lapithes, etc.

1 63 **Philadelphie.** Ville des États-Unis (Pennsylvanie), au sud-ouest de New York, sur la Delaware. 1 950 000 hab. Centre industriel actif (métallurgie, chimie, textile...). ◇ L'indépendance des États-Unis y fut proclamée (1776).

14 3186 **philanthropie** n. f. Amour de l'humanité ; attitude du philanthrope qui contribue par son action personnelle (dons, fondation d'œuvres, etc.) à améliorer la condition des gens.

*Mosaïque du XIIIᵉ siècle représentant le **Phénix.***

*Le Penn Center à **Philadelphie.***

*Sous **Philippe le Bel,** les papes s'installèrent à Avignon (1309).*

philatélie n. f. Art, technique de la collection des timbres-poste et, d'une manière générale, étude des timbres-poste. Le philatéliste classe les timbres par pays, par dates d'émission, par sujets, par couleurs, en les manipulant avec un soin extrême.

philharmonie n. f. Nom donné à certaines sociétés d'amateurs de musique ou de musiciens professionnels regroupés pour former un orchestre, un orphéon.

Philipe Gérard, acteur français (1922-1959). Vedette du Théâtre national populaire (*le Cid,* 1951), il tourna de nombreux films : *Fanfan la Tulipe* (1951), *Monsieur Ripois* (1954), etc.

3 509 **Philippe II,** roi de Macédoine (382-336 av. J.-C.). Roi en 356, il s'empara de la Thrace puis attaqua les colonies athéniennes, exploitant les dissensions des cités grecques pour les soumettre. En 338, il triompha de Thèbes et d'Athènes à Chéronée. Il fut assassiné au moment où il allait envahir la Perse. Son fils Alexandre le Grand lui succéda.

Philippe V, roi de Macédoine (238-179 av. J.-C.). Son alliance avec Carthage inquiéta les cités grecques, qui firent appel aux Romains. Battu à Cynoscéphales (197), il fut chassé de Grèce.

Philippe Iᵉʳ, roi de France (1052-1108). Couronné du vivant de son père, Henri Iᵉʳ, en 1059, il augmenta le domaine royal du Gâtinais, du Vexin et du Berry.

6 1217
6 1335
7 1473 **Philippe II Auguste,** roi de France (1165-1223). Sacré en 1179, il participa à la 3ᵉ croisade (1189). Il étendit le domaine royal en s'emparant des terres des Plantagenêts en Normandie, Maine, Anjou. La victoire de Bouvines sur Jean sans Terre, l'empereur et le comte de Flandre (1214) consacra le prestige de la couronne.

6 1400
7 1473 **Philippe IV le Bel,** roi de France (1268-1314). S'appuyant sur ses conseillers, il renforça le pouvoir royal. Son conflit avec Boniface VIII ne fut résolu qu'avec l'installation d'un nouveau pape, Clément V, à Avignon (1309). Il confisqua les biens des banquiers juifs et persécuta les Templiers (1307-1314).

7 1598 **Philippe VI** de Valois, roi de France (1293-1350). Devenu roi au détriment d'Édouard III d'Angleterre. Son règne fut assombri par la peste noire et les premières défaites de la guerre de Cent Ans (L'Écluse, 1340 ; Crécy, 1346).

6 1399
7 1625
14 3226 **Philippe II le Hardi,** duc de Bourgogne (1342-1404). À la Bourgogne, que lui donna son père Jean II le Bon (1363), il ajouta, grâce à son mariage, la Flandre, l'Artois et la Franche-Comté.

7 1624
14 3226 **Philippe III le Bon,** duc de Bourgogne (1396-1467). Il lutta aux côtés des Anglais contre les Armagnacs. Maître d'un immense domaine, allant de la Bourgogne aux Pays-Bas, il fut le souverain le plus puissant d'Europe.

8 1840 **Philippe II,** roi d'Espagne (1527-1598). Fils et successeur de Charles Quint (1556), il se fit le champion du catholicisme, en Espagne comme en Europe. À Lépante, sa flotte arrêta les Turcs (1571), mais il échoua en Angleterre (dispersion de l'Invincible Armada) et aux Pays-Bas, où les provinces protestantes firent sécession (1579).

Philippe IV, roi d'Espagne et de Portugal (1605-1665). Son règne marqua la fin de la prépondérance espagnole en Europe. Les Pays-Bas, le Portugal devinrent indépendants, le Roussillon et l'Artois furent cédés à la France.

Philippe V, roi d'Espagne (1683-1746). Petit-fils de Louis XIV, il devint roi en 1700. Confirmé dans ses droits par le traité d'Utrecht (1713), il favorisa la centralisation à la française.

10 2269 **Philippines** (mer des). Partie du Pacifique située entre l'archipel des Philippines et les îles Mariannes et comprenant une fosse marine (10 500 m).

10 2268 **Philippines** (république des). État et archipel d'Asie du Sud-Est.

superficie :	300 000 km²
population :	49 530 000 hab. *(Philippins)*
capitale :	Manille
monnaie :	le peso philippin
code international :	RP

Cet archipel (700 îles) montagneux comprend deux îles principales, Luçon, au nord, et Mindanao, au sud. Il est le siège d'un volcanisme actif et de fréquents séismes. Climat tropical humide. Le niveau de vie de la population (catholique à 90 %) est parmi les plus bas du monde. Malgré les richesses du sous-sol (or, argent, manganèse, cuivre, fer, etc.), l'agriculture reste la base de l'économie : riz, maïs, canne à sucre, tabac. Le Japon et les États-Unis sont les partenaires principaux du pays, dont le tourisme est en plein essor. ◇ Lieu de passage et carrefour de routes (d'où un considérable brassage ethnique), l'archipel fut partiellement islamisé avant d'être colonisé par les Espagnols (XVIᵉ s.) puis annexé par les États-Unis (1898), dont l'influence reste considérable malgré l'accession du pays à l'indépendance (1946). Le président Marcos exerce de 1965 à 1986 un pouvoir dictatorial. Les tensions politiques et sociales font de l'archipel une « poudrière ».

philologie n. f. Science qui a pour but l'étude des écrits de la langue d'un peuple ou d'une civilisation. *Philologie grecque, latine, romane, celtique, etc.* ◇ Étude des différents manuscrits et des variantes d'un texte ancien.

9 2022 **philosophie** n. f. Réflexion méthodique et critique sur l'action de l'Homme, sur ce qui peut fonder cette action et sur la possibilité de la connaissance vraie. La caractéristique essentielle de la philosophie occidentale est sa confiance dans la raison, en laquelle elle voit le moyen

Philippe IV d'Espagne (détail), par Vélasquez.

Les Philippines.

Rizières en terrasses aux Philippines.

Bébé phoque et sa mère au Groenland.

de la recherche de la vérité. La métaphysique*, la logique*, l'épistémologie (étude critique des sciences), etc., sont des branches de la philosophie. ◇ Doctrine particulière à un philosophe ou à une école de pensée. *La philosophie de Hegel, la philosophie marxiste.* ◆ **philosophe** n. m. ou f. Personne qui, à partir de ses connaissances en philosophie, élabore ou commente une doctrine représentant une conception générale du monde et pouvant fonder un comportement dans la vie.

phimosis n. m. Étroitesse anormale de l'anneau du prépuce qui empêche de découvrir le gland du pénis. Cette anomalie peut imposer une circoncision.

phlébite n. f. Inflammation aiguë d'une veine due à la formation d'un caillot, et survenant le plus souvent chez les opérés récents, les accouchées et les cardiaques. Elle siège en général dans les membres inférieurs et peut provoquer une embolie*.

9 1976 **Phnom Penh.** Capitale du Kampuchéa* (ex-Cambodge), port sur le Mékong. 1 800 000 hab. avant que les « Khmers rouges » ne déportent les habitants à la campagne, en 1975.

phobie n. f. Peur irraisonnée de certaines choses, objets, circonstances. ◇ Suffixe de mots désignant les peurs. *Claustrophobie : peur d'être enfermé.*

phonation n. f. Ensemble des phénomènes de production des sons par les organes vocaux (cordes vocales et cavités de résonance placées au-dessus du larynx).

phonétique n. f. Branche de la linguistique étudiant les sons produits par la parole (phonétique articulatoire) et leur réception auditive (phonétique acoustique). ◆ **phonème** n. m. Unité de description de l'expression phonique : le phonème *p* différencie *pot* de *lot*.

9 2092 **phonographe** n. m. Appareil de reproduction des sons par procédé mécanique. C'est l'Américain T. Edison* qui déposa en 1878 un brevet reprenant les idées du Français C. Cros*. Il s'agissait d'un rouleau sur lequel se déplaçait une pointe reliée à une membrane.

1 12 **phoque** n. m. Nom courant des mammifères pinnipèdes* dépourvus d'oreilles **10** 2242 externes apparentes. Ils mesurent de 1 à 4 m, ont une épaisse fourrure et sont amphibies. En Europe, on trouve le phoque moine, le veau marin, etc.

3 689 **phosphate** n. m. Solide dérivé de l'acide phosphorique. Les phosphates sont employés comme engrais*.

3 689 **phosphore** n. m. Solide blanc, toxique, inflammable (symbole *P*). Il émet de la **9** 2062 lumière dans l'obscurité (phosphorescence*). Soluble dans le sulfure de carbone, il se transforme par chauffage en phosphore rouge, moins réactif, utilisé dans les frottoirs de boîtes d'allumettes.

phosphorescence n. f. Émission de lumière par certaines substances (phosphore, sulfure de zinc...) après excitation, c'est-à-dire après qu'on leur a fourni de l'énergie.

photocopie n. f. Reproduction photographique en plusieurs exemplaires d'un même document, à l'aide d'une photocopieuse. ◇ Chaque document ainsi obtenu.

photoélectricité n. f. Émission d'électrons par un corps soumis à un rayonnement. Elle permet de mesurer les éclairements (cellules des appareils photo) et de produire de l'énergie électrique (piles solaires).

2 266
5 1177
8 1746
photographie n. f. Technique et art qui consistent, à l'aide d'un appareil photographique, à fixer l'image d'un objet par l'action de la lumière sur une surface sensible (pellicule, papier photo...). L'appareil photo comprend un boîtier sur lequel est fixé un ensemble de lentilles* formant l'objectif, un obturateur laissant entrer la lumière et commandé par un déclencheur, un système de visée et un diaphragme* réglable. Pour prendre une photo, il faut cadrer son sujet, mettre au point pour obtenir une image nette (réglage de distance), régler le temps de pose (durée d'ouverture de l'obturateur) et l'ouverture du diaphragme afin de doser la lumière arrivant sur la pellicule.

8 1890
photogravure n. f. Procédé de gravure photochimique, permettant de fabriquer des clichés d'impression (livres, journaux, etc.). ◇ Le cliché ainsi obtenu.

photolyse n. f. Ensemble des phénomènes de décomposition chimique sous l'action de la lumière, notamment des rayons ultraviolets.

photométrie n. f. Branche de la physique qui traite de la mesure des grandeurs relatives à la lumière (intensité*, flux*...). ◆ **photomètre** n. m. Appareil de mesure de l'intensité lumineuse.

6 1383
12 2695
13 3050
photon n. m. Corpuscule de masse et de charge nulles, de vitesse égale à celle de la lumière, transportant un quantum* d'énergie.

1 146
4 793
6 1372
7 1514
7 1541
7 1637
photosynthèse n. f. Synthèse de substances organiques (en particulier les glucides), à partir du gaz carbonique atmosphérique et de l'eau, par la chlorophylle* (pigment qui transforme l'énergie lumineuse en énergie chimique) des végétaux.

phrase n. f. Assemblage de mots qui exprime un sens complet : phrase simple ne contenant qu'une proposition *(la soupe est mauvaise)* ; complexe, contenant plusieurs propositions *(la soupe est mauvaise parce qu'elle est trop salée)* ; mot-phrase *(dehors !)*.

8 1887
phrygane n. f. Insecte névroptère, aux ailes très velues, dont la larve aquatique

*L'appareil de **photographie** orne la poitrine de maints touristes.*

*La **phrygane** aux longues antennes ressemble à un papillon de nuit.*

*Peinture grecque représentant un guerrier de **Phrygie**.*

*Édith **Piaf**, grande dame de la chanson française.*

se protège avec un fourreau de matériaux agglomérés (traîne-bûche).

Phrygie. Région du nord-ouest de l'Asie Mineure. Les Phrygiens, peuple indo-européen, y constituèrent un royaume qui demeura indépendant jusqu'à la conquête perse au VIᵉ s. av. J.-C.

9 2009
10 2328
phylloxéra n. m. Genre d'insectes voisins des pucerons (hémiptères*). Une espèce parasite les feuilles et les racines de la vigne, provoquant ainsi un dépérissement du cep.

phylum n. m. Série d'animaux, de végétaux provenant les uns des autres par l'évolution. Les vertébrés, les angiospermes sont des phylums.

physiologie n. f. Science étudiant les phénomènes et les mécanismes dont les êtres vivants sont le siège (mécanismes d'échange, fonctionnement et propriétés des organes, etc.). *La physiologie animale, végétale, humaine, cellulaire.*

physiothérapie n. f. Traitement médical effectué au moyen d'agents naturels : eau thermale, mer, air, lumière, électricité, chaleur, froid, etc.

10 2350
13 3046
physique n. f. Science qui a pour objet l'étude des propriétés générales de la matière et des lois qui en rendent compte. On distingue traditionnellement : la mécanique*, qui s'intéresse aux mouvements des objets ; l'électricité*, qui traite des charges électriques ; l'optique*, qui étudie la lumière et ses applications ; la thermodynamique*, qui énonce les rapports entre les phénomènes mécaniques et les phénomènes calorifiques. Les sciences physiques, au sens large, comprennent la physique et la chimie*, qui sont toutes deux des sciences expérimentales et traduisent sous forme mathématique les lois régissant les phénomènes qu'elles étudient. ◆ **physicien** n. m. Spécialiste de la physique. Les physiciens sont aujourd'hui spécialisés dans un domaine précis : physicien nucléaire, astrophysicien, électricien, opticien, etc.

4 932
pi n. m. Lettre de l'alphabet grec (π), représentant le nombre réel qui est le rapport constant entre la longueur d'un cercle et son diamètre. Une valeur approchée de π est 3,141 592...

12 2655
Piaf Édith (Giovanna GASSION, *dite*), chanteuse française (1915-1963). Elle fut l'interprète, au pouvoir d'émotion unique, de chansons d'amour réalistes : *la Vie en rose, Milord*, etc.

Piaget Jean, psychologue suisse (1896-1980). Il étudia le développement de la pensée et du langage chez l'enfant, en vue de parvenir à une théorie générale de la connaissance.

2 263
14 3303
14 3342
piano n. m. Instrument de musique à clavier et à cordes frappées (par des marteaux mis en mouvement par les touches du clavier). *Piano droit :* dont la table d'harmonie et les cordes sont placées verticalement. *Piano à queue :* dont

la table d'harmonie et les cordes sont placées horizontalement.

pic n. m. 1 – GÉO Montagne élevée dont le sommet rocheux présente des flancs escarpés : *le pic d'Aneto* (3 404 m), dans les Pyrénées espagnoles.

2 244 **pic** n. m. 2 – ZOOL Nom de nombreux oiseaux formant la famille des picidés. Ce sont des grimpeurs, à bec droit et pointu, capables de creuser le tronc d'un arbre.

Picabia Francis, peintre et écrivain français (1879-1953). Pionnier de l'art abstrait, il fut l'un des principaux représentants du dadaïsme*.

picador n. m. Cavalier qui, dans les corridas, fatigue le taureau à coups de pique.

9 2014 **Picardie.** Région du nord de la France, sur la Manche, formée des départements de l'Aisne, de l'Oise et de la Somme. 19 399 km² ; 1 740 321 hab. Chef-lieu : Amiens. ◇ Région de plateaux souvent limoneux, découpés par des cours d'eau (Somme, Oise), la Picardie, encore très rurale, s'urbanise rapidement en raison de la proximité de Paris. À une puissante agriculture (grandes exploitations, mécanisation : betterave, céréales, pomme de terre, hortillonnages, élevage bovin) s'ajoute aujourd'hui une industrie d'ancienne tradition et se développant surtout dans le Sud : textile, alimentation, chimie. ◇ L'ancienne province de Picardie, française depuis 1477, fut souvent ravagée par les guerres, en particulier lors de la Première Guerre mondiale.

12 2818
13 3023
13 3056
13 3109
14 3313
Picasso Pablo (Pablo RUIZ BLASCO, *dit*), peintre, graveur, sculpteur et céramiste espagnol (1881-1973). Initiateur du cubisme* (*les Demoiselles d'Avignon,* 1907), découvreur génial du collage* (*Nature morte à la chaise cannée,* 1912), il a évolué en diversifiant sa manière pour créer, à un rythme effréné, une œuvre qui manifeste un formidable instinct dramatique (*Guernica,* 1937) ou lyrique.

7 1528
7 1665
Pic de La Mirandole Jean (en italien Giovanni PICO DELLA MIRANDOLA), humaniste italien d'expression latine (1463-1494). L'étendue de son savoir est restée proverbiale.

10 2295 **Picsou.** Personnage d'une bande dessinée américaine, créé en 1947 par C. Barks. Sa richesse n'a d'égale que son avarice, devenue proverbiale.

5 962 **Pictes** (les). Nom du peuple établi en basse Écosse dans l'Antiquité. Le mur d'Hadrien, ou mur des Pictes, fut édifié par les Romains pour se défendre contre leurs assauts (122).

pie n. f. Oiseau noir ou bleu et blanc, à longue queue (famille des corvidés). La pie bavarde, commune en Europe, émet un jacassement caractéristique.

Le **picador** est un aide précieux aux ordres du torero.

Autoportrait de **Picasso** en 1907.

Onc' **Picsou** est fort près de ses sous...

Le pape **Pie VII** en 1805, par David.

Pie II (Enea Silvio PICCOLOMINI, 1405-1464). Élu en 1458, il lutta contre la pragmatique sanction de Bourges et tenta d'organiser une croisade populaire contre les Turcs.

Pie V (saint) (Antonio GHISLIERI, 1504-1572). Élu en 1566, il poursuivit la Contre-Réforme (*Catéchisme romain*), excommunia Élisabeth Iʳᵉ d'Angleterre et forma la ligue victorieuse à Lépante.

Pie VII (Barnaba CHIARAMONTI, 1742-1823). Élu en 1800, il entra en conflit avec Napoléon, qu'il avait pourtant sacré en 1804. Enlevé par l'empereur (1812), Pie VII fut interné à Fontainebleau et ne regagna Rome qu'en 1814. **10 2195** **10 2215**

Pie IX (Giovanni Maria MASTAI-FERRETTI, 1792-1878). Il s'opposa avec intransigeance aux idées modernes (*Syllabus,* 1864). Après la prise de Rome (1870), il se considéra prisonnier au Vatican. Il convoqua le concile Vatican I, qui proclama le dogme de l'infaillibilité pontificale.

Pie X (saint) (Giuseppe SARTO, 1835-1914). Élu en 1903, il s'opposa au modernisme et condamna la séparation de l'Église et de l'État en France.

Pie XI (Achille RATTI, 1857-1939). Élu en 1922, il condamna le fascisme et le nazisme bien qu'il eût signé les accords du Latran avec Mussolini, créant l'État du Vatican (1929).

Pie XII (Eugenio PACELLI, 1876-1958). Élu en 1939, il aida les victimes du nazisme, mais ne condamna pas ouvertement celui-ci. Il s'avéra surtout très anticommuniste.

pièce n. f. 1 – DRT Document écrit servant à établir une preuve, un droit. *Pièce à conviction :* tout objet attestant la réalité d'un délit.

pièce n. f. 2 – TECH Chacun des objets en bois, en métal, façonnés à la main ou à la machine, que l'on assemble pour construire une charpente, un moteur, une horloge, etc.

pièce n. f. 3 – ARTS Ouvrage littéraire (*une pièce de vers*), musical (*une pièce pour piano*) ou d'art dramatique (*une pièce de Molière, de Pirandello*).

pied n. m. 1 – ANAT Chez l'Homme, partie terminale du membre inférieur. Le pied est articulé avec la jambe au niveau de la cheville. Il forme la surface d'appui du corps sur le sol. Son squelette est formé du tarse, du métatarse et des phalanges des orteils. ◇ Chez les animaux, on appelle « pieds » les surfaces de contact avec le sol, quelles qu'en soient la nature. **2 327**

pied n. m. 2 – MATH Ancienne unité de longueur valant environ 33 cm ; unité de mesure anglo-saxonne valant 30,47 cm. ◇ *Pied à coulisse :* instrument de mesure de précision servant à mesurer le diamètre ou l'épaisseur d'un objet. **5 1090**

pied n. m. 3 – LITT Mesure d'un vers. C'est abusivement qu'on appelle pied chaque syllabe d'un vers, car le pied a une longueur courante de deux syllabes.

pied-noir n. m. Familièrement, Français d'origine européenne qui vivait en Afrique du Nord, et notamment en Algérie avant l'indépendance.

piège n. m. Dispositif pour prendre certains animaux. Il peut s'agir d'un grand trou creusé dans le sol et camouflé par des branches, de mâchoires en métal qui se referment sur l'animal, etc.

10 2245 **Piémont.** Région d'Italie du Nord. 25 399 km² ; 4 541 000 hab. *(Piémontais)*. Capitale : Turin. Les Alpes dominent des collines et des plaines drainées par le Pô. Importante industrie. ◇ Base de la maison de Savoie au XIXᵉ siècle.

9 2009 **piéride** n. f. Genre de papillons à ailes blanches tachetées ou non de noir et dont la chenille se nourrit de feuilles de crucifères (chou, navet, etc.)

7 1522 **Piero della Francesca,** peintre italien (v. 1410/1420-1492). Il est l'un des maîtres de la première Renaissance. Son art, qui marque de réels progrès en matière de perspective, mêle sensibilité et gravité : *la Légende de la Croix* (1452-1459, fresques, Arezzo).

1 31 **pierre** n. f. Corps minéral, solide et dur, que l'on trouve abondamment sur la Terre et dont on se sert, notamment, pour la construction. ◇ Morceau d'une variété de cette matière servant à un usage déterminé : *pierre à feu.* ◇ *Pierre précieuse :* minéral ayant une grande valeur, du fait de sa beauté et de sa rareté. ◇ *L'âge de la pierre :* période préhistorique caractérisée par l'usage d'outils en pierre taillée puis polie.

10 2247 **Pierre** (saint), premier des douze apôtres de Jésus. Il prêcha le christianisme à Antioche, à Corinthe puis à Rome, dont il fut, selon la tradition, le premier évêque. On suppose qu'il fut martyrisé en 64, sous Néron.

9 1952 **Pierre Iᵉʳ Alexeïevitch le Grand,** tsar de Russie (1672-1725). Prenant modèle sur l'Occident, il modernisa, autoritairement, son État (construction d'une nouvelle capitale, Saint-Pétersbourg). Vainqueur des Suédois (1709). Il acquit une partie des pays baltes.

6 1328 **Pierre l'Ermite,** prédicateur français (v. 1050-1115). Il prêcha la première croisade et mena la croisade populaire anéantie par les Turcs (1096).

Pierre de Montreuil, maître d'œuvre français (v. 1200-1266). Il fut l'un des bâtisseurs de cathédrales gothiques : Saint-Denis, Notre-Dame de Paris.

pietà n. f. Tableau ou statue représentant la Vierge assise, portant sur ses genoux le corps supplicié du Christ. *Les pietà de Michel-Ange.*

*Paysage du **Piémont**.*

***Piero della Francesca** : fresque de l'église San Francesco, à Arezzo.*

*L'une des **Pietà** inachevées de Michel-Ange.*

*Même si son aspect est peu engageant, la **pieuvre** n'est pas agressive.*

pieuvre n. f. (ou **poulpe** n. m.) Mollusque céphalopode, au corps globuleux portant 8 tentacules munis de ventouses et entourant la bouche. Le poulpe commun (envergure : de 50 cm à 3 m) vit sur les côtes rocheuses. **1** 41 / **1** 154 / **4** 918 / **8** 1860

piézo-électricité n. f. Apparition de charges électriques sur deux faces opposées de certains cristaux (quartz), sous l'action d'une contrainte (compression). ◇ Propriété que possèdent les corps où se développe ce phénomène. **14** 3299

Pif le chien. Personnage d'une bande dessinée française, créé en 1945 par R. Moreu. Ses aventures furent publiées dans les illustrés *Vaillant* et *Pif-gadget.*

pigeon n. m. Nom général des oiseaux de la famille des columbidés. Le biset, commun en Europe (pigeon des villes), est l'espèce-souche de nombreuses variétés domestiques et des pigeons voyageurs, utilisés pour porter des messages. Le ramier*, ou palombe, est un migrateur. **2** 244 / **7** 1621 / **9** 2045 / **13** 2923

pigment n. m. Substance qui donne leur coloration aux tissus animaux (hémoglobine* des globules rouges du sang, bilirubine jaune de la bile*, etc.) et végétaux (carotène* jaune orangé de la carotte, chlorophylle* verte des plantes, etc.). ◇ Le pigment désigne aussi des produits chimiques utilisés pour colorer certaines substances : l'oxyde de zinc est un pigment blanc des peintures. **1** 38 / **4** 957

pignon n. m. 1 – ARCH Partie supérieure d'un mur terminé en triangle sous un toit à deux pentes et qui supporte, à son sommet, l'une des extrémités du faîtage.

pignon n. m. 2 – TECH Disque dont le pourtour est muni de dents. ◇ Roue dentée placée sur l'axe de la roue arrière d'une bicyclette ou dans la boîte de vitesses d'une moto.

pignon n. m. 3 – BOT Graine comestible du pin parasol. ◆ **pin pignon** n. m. Nom courant du pin parasol, caractéristique de la région méditerranéenne.

Pilate Ponce, chevalier romain (Iᵉʳ s.). Procurateur de Judée de 26 à 36, il condamna à mort Jésus-Christ. Mais, selon les Évangiles, il rejeta la responsabilité de cet acte sur les Juifs. **4** 797 / **14** 3275

Pilâtre de Rozier Jean François, physicien et aéronaute français (1756-1785). Il effectua le premier voyage en montgolfière (1783) mais mourut en essayant de traverser la Manche en ballon.

pile n. f. Appareil qui transforme de l'énergie chimique, par des réactions chimiques, en énergie électrique. La première pile fut réalisée par Volta*. Une *pile atomique* transforme l'énergie nucléaire ; une *pile à combustible,* l'énergie d'une combustion. **4** 743 / **4** 834 / **13** 3049 / **14** 3249

pilori n. m. Poteau auquel on attachait, au Moyen Âge et dans les Temps modernes, les condamnés à l'exposition publique, soumis aux outrages de la foule.

pilosité → poil

4 811

pilotage n. m. Action de conduire un avion, une auto, un navire, en manœuvrant les commandes. ◆ **pilote** n. m. Personne qui conduit un avion, une auto, une moto. Personne chargée de diriger un navire lorsque celui-ci entre dans un port. ◆ **pilote automatique** n. m. Dispositif qui actionne automatiquement les commandes d'un avion (manche à balai, etc.) à la place du pilote.

1 34

pilotis n. m. Ensemble de pieux (pilots) que l'on enfonce pour supporter une habitation bâtie au-dessus de l'eau. Durant la préhistoire, cette forme de construction fut très répandue.

pilule n. f. Médicament de forme sphérique, à usage interne. La pilule se prend par voie orale. Sa substance active peut s'associer ou non avec un excipient*.

4 763

piment n. m. Nom courant de nombreux fruits de solanacées (genre Capsicum) utilisés comme condiment (poivre de Cayenne, paprika) ou comme légume (poivron).

5 1064

pin n. m. Genre d'arbres conifères dont les feuilles persistantes en aiguilles, groupées par 2, 3, 4 ou 5, forment des petits bouquets. Le pin parasol, le pin noir, le pin sylvestre, le pin maritime sont des espèces communes en Europe.

pinacothèque n. f. Nom que l'on donne à certains musées de peinture, notamment en Italie et en Allemagne. *La pinacothèque du Vatican.*

pinceau n. m. Instrument composé d'une touffe de poils fixée au bout d'un manche et qui sert à étaler des couleurs, de la colle, etc. *Un pinceau en poils de martre, de putois.*

Pindare, poète grec (518-438 av. J.-C.). Ses *Odes triomphales,* qui célèbrent les vainqueurs aux jeux helléniques, leurs cités, etc., sont le chef-d'œuvre de la poésie lyrique de la Grèce ancienne.

3 658
10 2242

pingouin n. m. Oiseau marin charadriiforme de la zone arctique, noir et blanc. Le petit pingouin, long de 40 cm, peut voler, au contraire du grand pingouin, espèce aujourd'hui disparue.

ping-pong → tennis de table

1 16
2 293

pinnipèdes n. m. pl. Sous-ordre de mammifères carnivores marins comprenant les phoques, les otaries, les morses, etc., dont les membres sont transformés en palettes natatoires. Ce sont d'excellents nageurs.

10 2377

Pinocchio. Marionnette en bois, métamorphosée en petit garçon, héros d'un roman pour la jeunesse de Collodi* que Walt Disney adapta à l'écran.

*Cabine de **pilotage** d'un avion de ligne.*

*Le **piment,** d'abord vert, devient rouge en mûrissant.*

*Le **pingouin,** excellent voilier, est incapable de marcher.*

*Dans le monde entier, des hommes fument la **pipe** ; ici, un Esquimau.*

pinson n. m. Petit oiseau passériforme, long de 15 cm, aux ailes tachées de blanc, dont le mâle a le ventre et le front roses. C'est un excellent chanteur.

6 1294
9 1945

pintade n. f. Oiseau galliforme* à plumage gris tacheté de blanc, originaire d'Afrique. L'une des espèces est élevée en Europe comme oiseau de basse-cour.

2 245
11 2584

Pinter Harold, dramaturge anglais (né en 1930). Ses pièces sont dominées par le thème des êtres dressés les uns contre les autres : *le Gardien* (1960), *No Man's Land* (1975).

Pinturicchio (Bernardino DI BETTO, *dit* il), peintre italien (1454-1513). Il eut le goût du faste décoratif : appartements Borgia, au Vatican (1493).

piolet n. m. Bâton d'alpiniste, ferré à une de ses extrémités et muni d'une petite pioche à l'autre. Le piolet sert notamment à escalader les glaciers.

pionnier n. m. Colon qui défriche et cultive les régions inhabitées. *Les pionniers de l'Amérique du Nord.* ◇ Personne qui ouvre une voie nouvelle. *Les pionniers de la science.*

pipe n. f. Objet servant à fumer, composé d'un tuyau aboutissant à un petit fourneau contenant le tabac. *Pipe en écume de mer.*

pipeau n. m. Flûte à bec, simple tube percé de trous, qui a longtemps symbolisé la poésie pastorale. « *Ronsard, sur ses pipeaux rustiques* » (Boileau).

pipe-line → oléoduc

pipette n. f. Petit tube servant à prélever un peu de liquide. On trempe la pipette dans le liquide, puis on bouche une extrémité avec un doigt.

pipistrelle n. f. Genre de chauves-souris comptant les espèces les plus petites. Une espèce (4 cm de long, 20 cm d'envergure) est commune en Europe.

2 291
10 2376

pique-nique n. m. Repas pris en plein air au cours d'une promenade ou d'une excursion. *Des pique-niques champêtres. Pique-niquer sur l'herbe.*

piqûre n. f. ◇ 1. ZOOL Petite plaie faite par l'organe piqueur ou urticant de certains animaux (abeille, scorpion, puce, méduse, raie, etc.). ◇ 2. MÉD Injection sous-cutanée, intramusculaire ou intraveineuse d'un médicament faite avec une seringue munie d'une aiguille.

6 1368
11 2506

Pirandello Luigi, écrivain italien (1867-1936). Ses romans, ses nouvelles et ses pièces de théâtre (*Chacun sa vérité,* 1917 ; *Six Personnages en quête d'auteur,* 1921) ont pour thème l'impossibilité de se connaître soi-même et, *a fortiori,* de connaître les autres.

Piranèse (Giambattista PIRANESI, *dit* en français), architecte et graveur italien

(1720-1778). Sa célèbre série d'eaux-fortes *les Prisons* (1750) décrit un monde souterrain terrifiant.

7 1550 **piranha** n. m. Genre de poissons téléostéens carnivores d'Amérique du Sud. Voraces, chassant en bancs, ils se nourrissent essentiellement de poissons.

pirate n. m. Aventurier courant les mers pour y attaquer et piller les navires de commerce. Les navires pirates, arborant souvent un drapeau à tête de mort, rendaient la navigation incertaine. La *piraterie* existe encore, notamment au large des côtes indochinoises.

2 420 **Pirée (Le).** Port et faubourg industriel d'Athènes, principal débouché commercial de la Grèce. ◇ Le Pirée fut fondé au Vᵉ s. av. J.-C.

pirogue n. f. Embarcation longue et étroite utilisée en Afrique et en Océanie. Faite d'un tronc d'arbre évidé, elle se manœuvre à la pagaie.

5 1120 **pis** n. m. Nom courant donné à l'ensemble des mamelles de divers mammifères ruminants : *le pis de la vache.*

14 3312 **Pisanello** (Antonio PISANO, *dit* il), peintre et graveur de médailles italien (v. 1395-v. 1455). Il fut l'un des plus brillants représentants de l'art médiéval courtois (*Saint Georges délivrant la princesse,* Vérone).

Pisano Nicola, sculpteur italien (v. 1220-v. 1287). Il est l'un des grands précurseurs de la Renaissance italienne (*chaire du baptistère de Pise,* 1260). Son fils Giovanni (v. 1245-ap. 1314), sculpteur et architecte, fut le maître d'œuvre de la cathédrale de Sienne.

10 2355 **pisciculture** n. f. Ensemble des techniques d'élevage des poissons comestibles. La pisciculture a pris une importance grandissante, car elle assure le repeuplement des rivières et l'approvisionnement régulier en poissons.

piscine n. f. Bassin artificiel où l'on pratique la natation et le water-polo*. *Piscine olympique* : piscine de compétition conforme aux règlements olympiques (dimensions, aménagements, etc.).

10 2226 **Pise.** Ville d'Italie, sur l'Arno. 103 000 hab.
10 2245 ◇ Grande puissance maritime du XIᵉ
13 2926 au XIIIᵉ s., la ville fut ensuite rattachée à Florence. Célèbre ensemble architectural (cathédrale, Camposanto et « Tour penchée » du XIIᵉ s.).

9 2085 **Pissarro** Camille, peintre français (1830-1903). Un des maîtres de l'impressionnisme. Il s'illustra dans tous les genres, avec une affection particulière pour les paysages (série des *Pont-Neuf*).

1 26 **pissenlit** n. m. Plante herbacée de la
8 1875 famille des composacées, à feuilles dentelées et comestibles et à fleurs en capi-
10 2182 tules jaune d'or.

Portrait de **Piranèse.**

Transport en **pirogue** sur le fleuve Niger.

Profil de médaille de la princesse d'Este, par **Pisanello.**

La cathédrale et le baptistère de **Pise** vus du haut de la Tour penchée.

pistache n. f. Graine verdâtre comestible d'une espèce de pistachier, utilisée en charcuterie, en confiserie...

piste n. f. Ensemble des traces (odeurs, empreintes, excréments, branches cassées, etc.) que laisse le passage d'un animal, d'un homme... ◇ Voie réservée à certains usages. *Piste cyclable.* ◇ Terrain aménagé pour certaines activités sportives. *Piste d'athlétisme. Piste de ski* : parcours damé et balisé réservé aux skieurs. ◇ Partie de la bande d'un film, d'une bande magnétique servant à l'enregistrement sonore.

1 217 **pistil** n. m. Appareil reproducteur
3 500 femelle de certaines fleurs. Le pistil pro-
8 1874 vient de la soudure de plusieurs carpelles qui, à maturité, donneront un seul fruit. Il comprend l'ovaire, le style et le stigmate.

4 890 **pistolet** n. m. Arme à feu, à canon court, que l'on tient à la main pour tirer. ◇ Instrument qui ressemble à cette arme et qui projette un liquide : pistolet à eau, pistolet à peinture.

6 1409 **piston** n. m. Pièce qui se déplace dans le cylindre d'une machine, d'un moteur à explosion ou dans le corps d'une pompe. ◇ Dispositif qui, en réglant le passage de l'air, permet de changer de note dans certains instruments de musique à vent. *Un cornet à pistons.*

pithécanthrope n. m. Primate aux caractères simiens et hominiens, vieux de 1,9 million d'années à 100 000 ans. Les fossiles de pithécanthrope ont été retrouvés en Asie (Chine, Java) et en Afrique. Cet hominien connaissait le feu et taillait des outils. Mais il n'est pas notre plus lointain ancêtre.

Pitoëff Georges, acteur et directeur de théâtre français d'origine russe (1884-1939). Il mit en scène et joua Ibsen, Tchekhov, Pirandello, etc.

Pitt William, homme politique anglais (1708-1778). Député whig, il fut élu Premier ministre (1756-1761, 1766-1768). Il fut l'artisan de la victoire anglaise lors de la guerre de Sept Ans.

Pitt William (*dit* LE SECOND PITT), homme d'État anglais (1759-1806). Fils du précédent, Premier ministre de 1783 à 1801, il dirigea la lutte contre la France révolutionnaire. De nouveau au pouvoir (1804), il combattit Napoléon.

7 1621 **pivert** n. m. Gros pic*, long d'environ 31 cm, au plumage vert sombre, avec un masque facial noir et une calotte rouge. Il habite les forêts d'Europe.

pivoine n. f. Plante herbacée vivace (famille des renonculacées). Des espèces sont cultivées pour leurs fleurs rouges, roses ou blanches. ◇ Nom de la fleur.

pivot n. m. ◇ 1. TECH Extrémité inférieure d'un arbre vertical tournant. ◇ Axe vertical fixe autour duquel peut tourner une pièce mobile. ◇ 2. BOT Racine principale d'une plante qui s'enfonce verticalement dans le sol.

8 1811 **Pizarro** Francisco, conquistador espagnol (1475-1541). Il conquit l'Empire inca (1531-1532) en compagnie de ses frères et d'Almagro. Après avoir fait exécuter ce dernier (1538), il fut assassiné par les partisans de son associé.

placage n. m. Opération qui consiste à recouvrir un matériau ordinaire d'une plaque d'un matériau de plus grande valeur. ◇ Mince feuille de bois précieux.

placebo n. m. Préparation dépourvue de substance médicamenteuse active, agissant par suggestion ou utilisée pour juger du facteur psychique d'un médicament.

6 1402 **placenta** n. m. Chez les mammifères supérieurs, organe qui unit le fœtus* à l'utérus maternel. Le placenta assure et contrôle les échanges (CO_2, O_2, etc.) et la synthèse des hormones.

plage n. f. 1 — GÉO Partie de la côte où viennent se briser les vagues et qui est couverte de sable ou de galets. ◇ Station balnéaire.

plage n. f. 2 — TECH Ensemble des valeurs que peut mesurer un baromètre, un voltmètre... Ainsi, la plage d'un thermomètre va de − 20 à + 50 °C. ◇ Partie dégagée du pont d'un navire.

plagiat n. m. Action de celui *(plagiaire)* qui s'approprie les idées d'autrui, qui copie les œuvres d'un auteur (écrivain, musicien...).

plaidoirie n. f. Exposé dont le but est la défense d'un accusé ou le soutien d'une cause. ◆ **plaidoyer** n. m. Devant un tribunal, discours d'un avocat pour la défense d'une personne.

plaie n. f. Toute ouverture, déchirure dans les chairs due à un agent mécanique (blessure, brûlure, abcès, intervention chirurgicale...) avec ou sans perte de substance.

plain-chant n. m. Mélodie liturgique, en latin, de l'Église catholique romaine. Il est monodique et sans accompagnement. Grégoire Ier le codifia.

4 828 **plaine** n. f. Surface continentale plane, étendue et peu élevée. *La plaine de la Beauce.* Suivant leur mode de formation, on distingue différentes sortes de plaines : sédimentaire, d'accumulation, alluviale.

plainte n. f. Dénonciation en justice d'une infraction, par la victime. *Déposer une plainte. Porter plainte.* ◆ **plaignant** n. m. Personne qui dépose une plainte en justice. *La plaignante.*

plaisance n. f. Forme de navigation que l'on pratique pour le seul plaisir de naviguer : promenade en mer ou en eau douce, croisière, pêche, compétitions nautiques. Les bateaux de plaisance

La merveilleuse **plage** de Copacabana, au Brésil.

Le calme plat n'est pas l'idéal pour la navigation de **plaisance.**

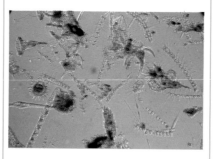

Plancton méditerranéen vu au microscope.

Utilisant les courants ascendants, le **planeur** évolue lentement.

peuvent être des barques à rames, des navires à voiles, à moteur ou mixtes.

plan n. m. 1 — MATH Surface illimitée, ensemble de points tel que toute droite qui a deux points communs avec lui y soit contenue tout entière. ◇ *Plan tangent en un point d'une surface :* plan qui contient toutes les tangentes en ce point à cette surface. ◇ *Plan méridien :* plan qui contient l'axe de révolution d'une surface de révolution.

plan n. m. 2 — TECH Image photographique, prise de vues cinématographiques déterminée par la distance qui sépare l'objectif de la scène représentée et par le cadrage. *Un visage photographié, filmé en gros plan.* ◇ Dans un film, suite d'images obtenue par une prise de vues ininterrompue.

plan n. m. 3 — POL Ensemble de directives élaborées par les pouvoirs publics concernant les orientations, les objectifs et les moyens d'une politique économique sur plusieurs années. (Voir planification.) ◇ *Le Plan :* plan économique d'une nation.   **5** 1132 **11** 2624

plan n. m. 4 — GÉO Surface plane horizontale ou inclinée. *Un plan d'eau.* ◇ Représentation graphique en projection horizontale. *Le plan d'une ville.*   **3** 628

Planchon Roger, metteur en scène, directeur de théâtre et auteur dramatique français (né en 1931). Animateur du théâtre de Villeurbanne, puis du nouveau TNP (1972).

Planck Max, physicien allemand (1858-1947). Il formula l'hypothèse des quanta, qui utilise la *constante de Planck* ($h = 6,6.10^{-34}$ joule-seconde). Prix Nobel de physique en 1918.   **11** 2444 **12** 2694 **13** 3050

plancton n. m. Terme désignant l'ensemble des organismes microscopiques qui flottent dans les mers, les lacs, etc. Ils sont incapables de lutter contre les courants. On y trouve des algues, des radiolaires, des larves, etc.   **2** 277 **2** 357 **8** 1857 **9** 1956

planète n. f. Astre non lumineux par lui-même, qui tourne autour du Soleil. À côté des neuf planètes principales, qui sont, dans l'ordre des distances au Soleil : Mercure, Vénus, la Terre, Mars, Jupiter, Saturne, Uranus, Neptune et Pluton, on connaît des petites planètes ou *astéroïdes*.* Autour de certaines planètes principales tournent des satellites naturels : la Terre en possède un (la Lune), Jupiter 12, Mars 2, etc. ◆ **planétarium** n. m. Système permettant de représenter le ciel et le mouvement des astres.   **1** 100 **5** 1062 **6** 1436 **9** 2142 **13** 3008

planeur n. m. Aéronef sans moteur, plus léger qu'un avion. Il évolue dans les airs en planant et en utilisant les ascendances atmosphériques.   **11** 2464

planification n. f. Organisation de la production, fixant des objectifs et déterminant les moyens à mettre en œuvre pour les atteindre, compte tenu de certaines priorités.

planisphère n. m. Carte sur laquelle se trouve représentée en entier et sur un même plan (deux cercles côte à côte) la sphère terrestre ou céleste.

planning n. m. Programme de fabrication, plan de travail. Synonyme recommandé : *programme*. ◇ *Planning familial* : organisation du contrôle des naissances.

Plantagenêt. Surnom de Geoffroi V d'Anjou, employé pour désigner sa descendance. Cette dynastie régna sur l'Angleterre de 1154 à 1485 et domina l'Ouest français jusqu'à la guerre de Cent* Ans.

plantain n. m. Plante herbacée (famille des plantaginacées), à feuilles en rosette et à fleurs en épi marron à étamines blanches très visibles.

plantation n. f. Action de planter un végétal (une plante). ◇ Terrain planté de végétaux de même espèce, telle une pinède, une oliveraie, etc.

plante n. f. Nom courant donné à tout végétal. ◇ Par opposition à arbre, végétal non arborescent. Le mot plante est souvent suivi d'un adjectif apportant une précision : *plantes herbacées, ligneuses, bisannuelles, cryptogames*, phanérogames**... ◆ **plant** n. m. Jeune végétal, souvent issu d'une graine, destiné à être repiqué.

plantigrade n. m. Mammifère se déplaçant en posant tout le pied au sol (le hérisson, l'ours, l'Homme, etc.). Il s'oppose à *digitigrade, onguligrade*.

plaque n. f. Selon la *théorie des plaques* (élaborée vers 1960), la lithosphère* est formée de douze grandes plaques rigides (africaine, eurasiatique, indo-australienne, pacifique, américaine, antarctique...), de 100 km d'épaisseur, et qui se déplacent latéralement sur une couche visqueuse. Ces plaques entraînent les continents qu'elles supportent, à raison de 1 cm par an environ.

plaquette n. f. Morceau de cellule véhiculé par le sang. Lors des blessures, les plaquettes déclenchent la coagulation tout en obstruant les vaisseaux lésés.

plasma n. m. ◇ 1. BIOL Liquide de base du sang dans lequel sont dispersés globules et plaquettes sanguines. C'est une solution contenant des protéines, du glucose, des sels minéraux... Ne pas confondre avec sérum*. ◇ 2. PHYS Fluide constitué exclusivement d'ions obtenus en élevant la température d'une substance de plusieurs millions de degrés.

plasmolyse n. f. Dans une cellule vivante, perte d'eau par osmose*, provoquant la rétraction du cytoplasme*. La plasmolyse peut être réversible ou irréversible.

plaste n. m. Organite cellulaire spécifique des végétaux et spécialisé dans la synthèse ou l'accumulation des glucides

*Plaque funéraire de Geoffroi **Plantagenêt**.*

*Petits jouets en **plastique**.*

*Un des « grands » du football : Michel **Platini**.*

de réserve. Les *chloroplastes*, contenant la chlorophylle, réalisent la photosynthèse, les *amyloplastes* accumulent l'amidon, etc.

plastic n. m. Explosif puissant qui a la consistance de la pâte à modeler, du mastic. On peut ainsi facilement l'appliquer sur l'objet à détruire. ◆ **plasticage** (ou plastiquage) n. m. Attentat commis en faisant exploser une charge de plastic.

plastique n. m. (ou matière plastique n. f.) Matière légère, dure et d'aspect souvent brillant, fabriquée à partir des dérivés du charbon ou du pétrole. Elle peut facilement être façonnée. On en fait toutes sortes d'objets : pots de yaourt, bouteilles, manches de couteaux, feuilles d'emballage. *Le Plexiglas et le polyéthylène sont des matières plastiques.*

Plata (Río de la). Profond estuaire des fleuves Paraná et Uruguay, séparant l'Argentine et l'Uruguay. Sur ses rives : Buenos Aires et Montevideo.

platane n. m. Grand arbre (famille des platanacées), à écorce blanc verdâtre se détachant par plaques et à feuilles alternes à cinq lobes pointus.

plateau n. m. Étendue de terres planes, d'altitude plus ou moins élevée, que les rivières entaillent de gorges profondes. En relief sous-marin, les plates-formes continentales sont aussi appelées plateaux continentaux.

plate-forme n. f. Partie d'un bouclier* où des sédiments se sont déposés en couches horizontales. ◇ Surface plane en contrebas d'une montagne, d'un continent : ainsi, la *plate-forme continentale* est un fond océanique compris entre 0 et 200 m, à pente douce.

plathelminthes n. m. pl. Embranchement de vers au corps aplati, dont le tube digestif n'a qu'un orifice : la bouche. Ce sont les planaires, des vers parasites (douve, ténia, bilharzie, etc.). Synonyme : *vers plats*.

platine n. m. 1 – CHIM Métal précieux, facilement transformé en fil. Symbole *Pt*. Il est utilisé en joaillerie, dans la fabrication de creusets, de spatules, d'électrodes et dans l'industrie chimique comme catalyseur (fabrication de l'acide nitrique...).

platine n. f. 2 – TECH Petit plateau situé sous l'objectif d'un microscope ; on place dessus les objets à examiner. ◇ Appareil pour écouter des disques. La platine se branche sur un amplificateur ; elle possède un plateau tournant à plusieurs vitesses et un bras mobile.

Platini Michel, footballeur français (né en 1955). Avant-centre ou demi, il s'est affirmé comme le meilleur joueur français de sa génération.

Platon, philosophe grec (Vᵉ s.-IVᵉ s. av. J.-C.). Il a exposé dans ses principaux dialogues une théorie rationaliste de la

405

connaissance (*Phédon, la République*) puis une doctrine du rapport entre le « monde des idées » et le monde sensible (*Parménide, Timée*) qui fondent la philosophie occidentale.

1 230 **plâtre** n. m. Poudre blanche. Quand on la mélange avec de l'eau, elle forme une pâte qui durcit rapidement. ◆ **plâtrier** n. m. Ouvrier qui prépare le plâtre et en enduit les murs, les plafonds.

13 2964 **Plaute** (Maccius PLAUTUS, *dit*), poète comique latin (IIIᵉ-IIᵉ s. av. J.-C.). Ses comédies (*Amphitryon, Aulularia*, etc.) annoncent la commedia* dell'arte.

play-back n. m. Procédé servant à donner l'illusion que l'on chante. On synchronise les mouvements de la bouche avec les paroles d'une chanson préalablement enregistrée.

3 608 **3** 653 **plèbe** n. f. Classe populaire de la Rome antique (par opposition au *patriciat*). Longtemps éloignés du pouvoir, les *plébéiens* étaient défendus par un magistrat, le *tribun de la plèbe*.

plébiscite n. m. Vote direct du peuple par lequel il est appelé, en répondant par « oui » ou par « non », à accorder sa confiance à un homme d'État. Procédé introduit en France sous la Révolution. Légalisa le coup d'État de 1851. (Terme souvent confondu avec référendum*.)

Pléiades. Groupement serré d'étoiles formant un amas* galactique, situé dans la constellation du Taureau*. ◇ Représentation mythologique des sept filles d'Atlas.

Pléiade (la). Groupe de sept poètes français du XVIᵉ s. : Ronsard, du Bellay, Baïf, Belleau, Jodelle, Pontus de Tyard et Peletier du Mans (remplacé en 1582 par Dorat). La Pléiade prit la défense du français contre le latin.

pléistocène n. m. Première période du quaternaire. Elle commence avec l'apparition de l'Homme et s'achève avec le paléolithique ; suivie par l'holocène, qui se prolonge jusqu'à nos jours.

plénipotentiaire n. m. Agent diplomatique investi de pleins pouvoirs, en vue d'une mission particulière. ◇ *Ministre plénipotentiaire :* de rang immédiatement inférieur à celui d'ambassadeur.

1 139 **Pleumeur-Bodou.** Station de télécommunications spatiales, dans les Côtes-du-Nord. Elle est utilisée pour capter les émissions provenant de satellites.

4 838 **plèvre** n. f. Membrane séreuse enveloppant les poumons et constituée de deux feuillets. ◆ **pleurésie** n. f. Inflammation aiguë ou chronique de la plèvre, accompagnée ou non d'épanchement.

1 216 **Plexiglas** n. m. Matière plastique flexible, transparente et résistante. On en fait des feuilles utilisées, par exemple, dans les maquettes d'avion.

Pli rocheux
dans les monts du Liban.

Plongée sous-marine
dans le monde du silence.

Le *plongeon* est
une discipline olympique.

Le *plongeon* catmarin peut rester
90 secondes sous l'eau.

plexus n. m. Formation constituée par un enchevêtrement de nerfs et de ganglions ou de vaisseaux. ◇ *Plexus solaire :* important centre nerveux situé en arrière de l'estomac.

pli n. m. Ondulation d'une couche de terrain, d'ampleur et de formes variables. La partie saillante est l'*anticlinal*, la partie en creux le *synclinal*. ◆ **plissement** n. m. Déformation de l'écorce terrestre qui donne naissance à un ensemble de plis. Cet ensemble de plis. *Le plissement alpin.*

plie n. f. Poisson plat, à chair très estimée, commun sur les côtes européennes (famille des pleuronectidés). La plie peut atteindre 1 m de long. Synonyme : *carrelet.*

Pline l'Ancien, écrivain latin (23 ap. J.-C.-79). Son *Histoire naturelle* est une encyclopédie des connaissances de l'époque. Il périt au cours de l'éruption du Vésuve.

Pline le Jeune, écrivain latin, neveu de Pline l'Ancien (62-v. 114). Ses *Lettres* sont précieuses pour l'étude de la société romaine de son temps.

pliocène n. m. Période terminale de l'ère tertiaire, entre le miocène et le pléistocène, qui a duré environ 10 millions d'années. La faune comptait un grand nombre des espèces actuelles.

1 109 **6** 1301 **plomb** n. m. Métal gris, mou, facilement déformable et fusible (fond à 327 ºC). Symbole *Pb.* Le plomb est employé sous forme de tuyaux (conduites d'eau et de gaz), en feuilles (revêtements des toits, gouttières...), en fils (fusibles des installations électriques), en alliages avec l'antimoine (caractères d'imprimerie, balles de fusil...), avec l'étain (alliage pour soudure), dans les accumulateurs* au plomb, etc.

plombage n. m. Remplissage de la cavité d'une dent cariée, d'un os malade par une substance inaltérable pour reconstituer la partie manquante. Son résultat.

plombier n. m. Ouvrier qui installe des lavabos, des baignoires, des éviers, qui pose des tuyaux d'eau et de gaz, qui répare les robinets, la *plomberie*...

1 81 **plongée** n. f. Action de séjourner sous l'eau. La plongée sous-marine peut se pratiquer en vue d'observations scientifiques ou comme activité de loisir, pour découvrir le monde vivant sous l'eau ou pour chasser sa faune. Le *plongeur* peut se munir d'un masque, d'un appareil respiratoire, de palmes, d'une combinaison, etc. ◆ **plongeon** n. m. Action de plonger dans l'eau. Pratiqué à partir d'un *plongeoir*, il donne lieu à un sport de compétition.

plongeon n. m. Nom courant de plusieurs oiseaux aquatiques (famille des colymbidés). Ce sont d'excellents plongeurs ayant une silhouette de canard à bec pointu.

Plotin, philosophe grec (v. 203-v. 270). Sa doctrine, exposée dans *les Ennéades,* a influencé la théologie* des débuts du christianisme*.

ploutocratie n. f. Gouvernement par les classes riches ; influence de l'argent sur le gouvernement. ◆ **ploutocrate** n. m. Homme puissant grâce à sa fortune.

7 1535 **pluie** n. f. Eau qui tombe en gouttes des nuages. C'est une précipitation* provoquée par des ascendances (mouvement de l'air de bas en haut) qui, par suite d'un refroidissement particulier (dit *adiabatique*), entraînent la condensation de la vapeur d'eau. ◇ Le mot pluie est très souvent employé pour désigner l'ensemble des précipitations liquides et solides.

2 242 **14** 3251 **plume** n. f. Phanère* spécifique des oiseaux. Les plumes couvrent le corps *(tectrices)* et constituent les ailes *(rémiges)* et la queue *(rectrices)*. Une plume comporte un axe creux (rachis) portant des barbes qui se ramifient en barbules étroitement associées, d'où une surface imperméable à l'air. On distingue les pennes*, le duvet et les filoplumes.

pluriel n. m. Forme que prend un mot pour indiquer qu'il est question de plusieurs personnes ou de plusieurs choses. *Le pluriel s'oppose au singulier*.* En français, noms et adjectifs prennent très souvent un « s » au pluriel.

13 2946 **plus-value** n. f. Augmentation de la valeur d'un bien. *Plus-value immobilière.* ◇ Selon le marxisme*, différence entre le salaire des travailleurs et la valeur des biens qu'ils produisent.

Plutarque, écrivain grec (Ier-IIe s. ap. J.-C.). Ses *Vies parallèles* des hommes illustres de la Grèce et de Rome (Démosthène comparé à Cicéron, etc.) connurent en France, du XVIe au XIXe s., un immense succès.

14 3183 **Pluton.** Surnom rituel du dieu grec des Enfers, Hadès. Pluton signifiait « donneur de richesses ». Il devint le nom du dieu des Morts, chez les Romains.

1 101 **9** 2145 **Pluton.** Planète la plus éloignée du Soleil. De masse plus faible que la Terre, elle est aussi plus petite. Elle fut découverte en 1930.

4 948 **plutonium** n. m. Métal gris clair, mou, se formant dans les réactions nucléaires. Symbole *Pu*. Élément dangereux, le plutonium est utilisé dans les bombes atomiques et dans les surrégénérateurs.

9 2107 **pluvier** n. m. Oiseau échassier, migrateur (famille des charadriidés). Le pluvier doré, au dos vert doré, hiverne dans le sud-ouest de l'Europe, au Proche-Orient et au nord-ouest de l'Afrique.

pluviosité n. f. Quantité de pluie tombée dans une région pendant un temps déterminé. ◆ **pluviométrie** n. f. Mesure (effectuée à l'aide d'un *pluviomètre*)

Masque papou orné de plumes colorées.

Vif et craintif, le pluvier doré a un cri mélancolique.

En course automobile, les pneus jouent un rôle décisif.

Edgar Poe a beaucoup influencé Baudelaire, son traducteur.

de la quantité d'eau de pluie tombée en un lieu pendant un temps donné.

P.M.U. *(Pari mutuel urbain).* Organisme créé en 1930 qui a le monopole des paris pris sur les courses de chevaux à partir de bureaux d'enregistrement établis dans toute la France.

pneu (ou pneumatique) n. m. Bande en caoutchouc résistant qui entoure la jante de la roue de certains véhicules (auto, moto, vélo...). Le pneu protège, en l'enveloppant, une chambre à air qui peut être indépendante ou non. **2** 339 **5** 1017

pneumonie n. f. Maladie infectieuse des poumons due à une bactérie. La pneumonie est caractérisée par une inflammation aiguë des poumons et par un exsudat (sang...) remplissant les alvéoles pulmonaires. **4** 840

Pô (le). Fleuve de l'Italie du Nord (652 km), né dans les Alpes, tributaire de l'Adriatique. Crues redoutables. La plaine padane est une grande région agricole et industrielle. Le Pô arrose Turin, Plaisance et Crémone. **10** 2245 **14** 3148

Podgorny Nikolaï Viktorovitch, homme d'État soviétique (1903-1983). Secrétaire du Comité central (1963) puis chef de l'État (1965), il fut destitué en 1977.

Poe Edgar Allan, écrivain américain (1809-1849). Poète et romancier subtil, il est surtout connu pour ses *Histoires extraordinaires* (traduites par Baudelaire), recueil de nouvelles où le fantastique* se mêle parfois à une intrigue policière. **13** 3024

poésie n. f. Forme d'expression littéraire fondée principalement sur l'utilisation harmonique et rythmique des mots (assemblés, mais pas nécessairement, pour former des vers) et sur l'usage de la métaphore*. *Poésie lyrique, épique...* ◇ Manière propre à un poète, à une école littéraire, de pratiquer la poésie. *La poésie de Verlaine. La poésie classique, romantique, surréaliste.* ◆ **poète** n. m. Celui qui s'adonne à la poésie. ◆ **poème** n. m. Œuvre littéraire en vers, de forme fixe (sonnet...) ou libre. ◇ Texte à caractère poétique mais qui n'est pas versifié. *Un poème en prose de Baudelaire.* **4** 878 **14** 3256

pogrom (ou pogrome) n. m. Émeute antisémite (d'abord dans la Russie tsariste) qui s'accompagnait souvent de pillages et de massacres.

poids n. m. ◇ 1. PHYS Force d'attraction exercée par la Terre sur un objet. C'est une force verticale dirigée vers le bas (vers le centre de la Terre), appliquée au centre de gravité*. Le poids s'exprime en newtons* et dépend du lieu où l'on se trouve, contrairement à la masse* qui s'exprime en kilogrammes. ◇ 2. SP Sphère de métal, de masse 7,257 kg pour les hommes et 4 kg pour les femmes, qu'il faut lancer d'un bras le plus loin possible. **1** 159 **4** 902 **7** 1679

poignard n. m. Arme constituée d'une poignée sur laquelle est fixée une lame courte, large, tranchante et au bout pointu.

2 290
4 958
5 1183

poil n. m. Filament de nature protéique (kératine), caractéristique des mammifères. Un poil est sécrété par l'épiderme (voir phanère) ; il est formé de cellules mortes très kératinisées. Un poil peut être court, fin et très souple, souvent ondulé (laine, bourre), ou long, raide et de fort diamètre (crin, jarre, cheveux, piquants du hérisson...). Le poil peut se redresser sous l'action d'un muscle horripilateur.

Poincaré Henri, mathématicien français (1854-1912). Véritable génie scientifique, il fit progresser l'analyse mathématique, la physique, l'astronomie, la philosophie des sciences...

11 2405
11 2476
11 2527

Poincaré Raymond, homme d'État français (1860-1934). Président de la République (1913-1920), puis président du Conseil (1922-1924 et 1926-1929).

poinçon n. m. Tige de métal à l'extrémité pointue qui est utilisée pour faire des trous. ◇ Tige avec une extrémité gravée. ◇ Marque laissée par cette tige sur une bague en or, sur un couteau en argent, etc.

point n. m. 1 – LING Signe de ponctuation* (.) qui, dans la langue écrite, marque la fin d'une phrase. *Point, à la ligne. Point-virgule (;). Points de suspension (...).* Par extension : *point d'interrogation (?), d'exclamation (!).*

point n. m. 2 – MATH Concept sur lequel est fondée la géométrie euclidienne : élément n'ayant pas de parties, sans dimension, premier constituant de l'espace. Un point est représenté dans un repère par ses coordonnées*. ◇ *Point d'intersection :* point où deux lignes se coupent.

point n. m. 3 – ENSG Unité de notation d'un travail scolaire, d'une épreuve d'examen ou de concours. – SOC Unité qui permet de comptabiliser les avantages de chacun dans un jeu, une compétition sportive. ◇ Unité de calcul dans un barème social. *Points de retraite.*

point n. m. 4 – TECH Piqûre que l'on fait dans une étoffe, dans du cuir, avec une aiguille enfilée avec du fil. ◇ Manière de tricoter. *Le point mousse.*

4 760

Pointe-à-Pitre. Chef-lieu d'arrondissement de la Guadeloupe, port sur l'île de la Grande-Terre. 25 312 hab. Ville ravagée en 1843 (séisme), en 1871 (incendie) et en 1928 (cyclone).

pointillisme n. m. Technique picturale consistant à poser l'un à côté de l'autre des petits points de couleurs pures. *Le pointillisme (Seurat, Signac, etc.) est aussi appelé divisionnisme.*

12 2854

points cardinaux n. m. pl. Les quatre points servant à s'orienter : le nord

Grand **poignard** du Yémen dans sa gaine de cuir.

Marché à **Pointe-à-Pitre.**

Le **pois** chiche est très cultivé dans les régions méridionales.

Poitiers fut l'un des grands centres religieux de la Gaule.

(défini par rapport à l'étoile Polaire), le sud (diamétralement opposé au nord), l'est et l'ouest (perpendiculaires à la direction nord-sud).

poire n. f. Fruit comestible du poirier, de forme allongée et à la chair parfumée. ◆ **poirier** n. m. Arbre fruitier (famille des rosacées) à fleurs blanches, originaire de l'Eurasie tempérée.

4 856

poireau n. m. Plante potagère (famille des liliacées), aux feuilles très odorantes utilisées comme légume ou pour parfumer les potages.

10 2280

pois n. m. Plante herbacée annuelle à tige grêle (famille des papilionacées) qui grimpe et s'accroche à un support grâce aux vrilles développées par les feuilles. Les graines sphériques, dites *petits pois,* sont comestibles.

2 361

poison n. m. Nom donné aux substances chimiques perturbant ou tuant un être vivant. À forte dose, un poison détermine une intoxication. À dose modérée, certains poisons sont utilisés comme médicament (digitaline, curare, strychnine, etc.).

11 2590

poisons (Affaire des). Mystérieuse affaire criminelle (sous le règne de Louis XIV) qui débuta vers 1675 avec l'arrestation de la marquise de Brinvilliers*. La *Chambre ardente* fit exécuter 34 accusés, dont des courtisans.

poisson n. m. Nom courant, sans valeur scientifique, de très nombreux animaux vertébrés aquatiques respirant par des branchies. On les divise en 3 classes : les *acanthodiens,* tous fossiles, les *chondrichtyens* ou *poissons cartilagineux* (requin, raie, divers fossiles, etc.) et les *osteichtyens* ou *poissons osseux,* les plus nombreux, tels la morue, le hareng, l'anguille, le saumon, le brochet, etc. La peau des poissons est souvent couverte d'écailles (formations osseuses mises en place par le derme). Le plus souvent, ils sont ovipares et la fécondation est externe. À l'éclosion, les jeunes sont souvent de véritables larves.

3 531
3 715
5 966
6 1275
7 1548
9 2044
10 2352

Poissons (constellation des). Groupement caractéristique d'étoiles. Une des douze constellations servant à repérer le zodiaque*.

1 105
13 3102

Poitiers (86000). Chef-lieu de la Vienne et de la région Poitou-Charentes. 82 884 hab. (*Poitevins*). ◇ Victoire de Charles Martel sur les Arabes (732) et des Anglais sur Jean le Bon (1356). Du Guesclin reprit la ville aux Anglais en 1372.

12 2866

Poitou-Charentes. Région de l'ouest de la France, sur l'Atlantique, groupant les départements suivants : Charente, Charente-Maritime, Deux-Sèvres, Vienne. 25 809 km^2 ; 1 568 230 hab. Chef-lieu : Poitiers. ◇ Relief formé de bas plateaux, de collines ou de plaines. Sols souvent fertiles. Climat océanique. Côtes basses et régularisées, ou rocheuses et découpées. Population urbanisée à 50 %, marquée par l'exode rural.

12 2866

◇ Région à vocation agricole (moyennes exploitations) : riche polyculture (blé, orge, maïs), élevage bovin. La vigne est une des meilleures ressources (vins, eaux-de-vie et surtout cognac). ◇ Secteur industriel non négligeable : industries agricoles et alimentaires, constructions mécaniques, électriques, etc. Tourisme côtier.

6 1276
13 3071
poivre n. m. Fruit du poivrier, plante grimpante originaire d'Inde. ◇ Épice, à saveur piquante, faite de ces fruits séchés : le *poivre noir* avec les fruits entiers, le *poivre blanc* avec les fruits décortiqués.

4 763
poivron n. m. Fruit d'une espèce de piment doux, originaire de l'Amérique du Sud. Vert ou rouge à maturité, il est utilisé en cuisine comme légume.

poix n. f. Substance solide, cassante à froid, mais facilement ramollie par la chaleur. Elle provient des résidus de distillation de diverses résines lors de la fabrication de la térébenthine.

poker n. m. Jeu de cartes d'origine américaine. ◇ *Poker d'as :* jeu de dés qui se joue avec 5 dés dont les faces portent des figures de cartes.

12 2855
Polaire (étoile). Étoile brillante de la constellation de la Petite Ourse*, dans le prolongement des deux étoiles arrière de la Grande Ourse*. Elle est proche du pôle céleste Nord.

polarisation n. f. État d'une vibration (comme la lumière) qui a une orientation bien déterminée. La lumière polarisée, qui traverse certaines substances dites actives, tourne soit vers la droite, soit vers la gauche. Cette propriété est utilisée pour doser ces produits.

Polaroïd n. m. Appareil photographique à développement automatique. Il suffit d'attendre quelques instants pour obtenir le résultat de la photo prise.

4 830
6 1432
polder n. m. Terre située en dessous du niveau de la mer, endiguée puis asséchée, afin de permettre sa mise en valeur. Les polders sont particulièrement nombreux aux Pays-Bas.

4 865
7 1558
9 2052
pôle n. m. ◇ 1. ASTR Chacun des deux points (pôles célestes Nord et Sud) où l'axe du monde traverse la sphère céleste. ◇ 2. GÉO Chacun des deux points où l'axe de rotation de la Terre coupe le globe terrestre (pôles géographiques Nord et Sud). ◇ *Cercle polaire :* chacun des cercles imaginaires, parallèles à l'équateur, situés près du pôle Nord ou du pôle Sud, à 66° 33' de latitude nord ou sud. ◇ 3. PHYS Chacune des extrémités (pôles positif et négatif) d'un générateur électrique : pile, accumulateur... Chacune des extrémités (pôles nord et sud) d'un aimant.

3 649
police n. f. Administration qui veille au maintien de l'ordre public et de la sécurité des citoyens (*police administrative*).

*Au Moyen Âge, le **poivre** était une monnaie d'échange.*

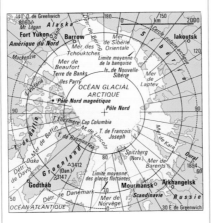

*Le **pôle** Nord.*

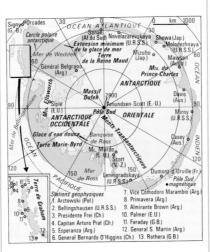

*Le **pôle** Sud.*

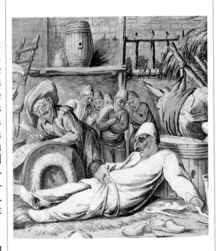

*Pulcinella à Naples, **Polichinelle** à Paris, Petrouchka à Moscou...*

◇ La *Police nationale* regroupe, depuis 1966, les services de police concernant l'ensemble du territoire. Elle s'exerce dans les villes de plus de 10 000 habitants (campagnes : voir gendarmerie), sous l'autorité du ministre de l'Intérieur. La *police judiciaire* recherche les auteurs de délits que la police administrative n'a pu empêcher. Elle exerce son activité sous le contrôle des magistrats du parquet*.

Polichinelle. Personnage grotesque du théâtre de marionnettes. Bossu par-devant et par-derrière, il ne ressemble pas au *Pulcinella* italien, qui a le nez crochu mais la taille droite.

policier (roman). Récit dans lequel sont habituellement exposées les circonstances mystérieuses d'un crime et la résolution de l'énigme posée par ce crime. Le roman policier « noir » privilégie la peinture tragique du monde des gangsters ou de l'espionnage.

10 2263
Polignac (Jules Armand, *prince* DE), homme politique français (1780-1847). Président du Conseil (1829), il décida l'expédition d'Alger et rédigea les ordonnances de juillet 1830.

12 2781
poliomyélite n. f. Maladie infectieuse, aiguë ou chronique, due à un virus qui entraîne les lésions des différentes parties de la moelle épinière, ce qui provoque des paralysies locales graves, parfois mortelles, ainsi que des atrophies musculaires souvent irréversibles. La poliomyélite étant fréquente chez l'enfant, la vaccination en est obligatoire.

polissage n. m. Opération qui consiste à rendre une surface lisse et brillante. On effectue le polissage du marbre, du verre, du bois, du cuir et des métaux au moyen de disques tournants recouverts d'une substance abrasive.

Politburo n. m. Bureau politique, un des organes de direction, avec le secrétariat, du parti communiste de l'Union soviétique. Le Politburo est élu par le comité central.

10 2372
14 3140
politique n. f. Science ou art de gouverner un État ; conduite des affaires publiques. *Faire de la politique.* ◇ Ensemble des affaires publiques d'un État, des événements les concernant et des luttes des partis. ◇ Manière de gouverner. ◇ *Sciences politiques :* étude des phénomènes relatifs à l'État, au gouvernement, aux partis politiques, etc. ◆ **politicien** n. m. Personne qui s'occupe de politique. *Un jeune politicien plein d'avenir.*

polka n. f. Danse à deux temps d'origine tchèque ou polonaise. Elle fut très populaire en France au XIXe s. ◇ Air sur lequel s'exécute cette danse.

Pollaiolo ou Pollaiuolo (Antonio BENCI, *dit* Antonio **del**), peintre, graveur, sculpteur et orfèvre italien (v. 1432-1498). Il a sculpté les tombeaux de Sixte IV et d'Innocent VIII (Saint-Pierre de Rome).

1 217
3 501

pollen n. m. Poussière colorée constituée de grains élaborés dans l'anthère des étamines des fleurs. Chaque grain, après germination, donne 2 gamètes mâles qui féconderont un ovule d'un carpelle.

1 40
7 1608

pollinisation n. f. Transport du pollen des étamines vers les stigmates d'une fleur. L'agent de transport peut être le vent, un insecte (abeille, bourdon, etc.). De la pollinisation dépend la production de graines et de fruits.

12 2824

Pollock Jackson, peintre américain (1912-1956). Il a poussé l'abstraction gestuelle jusqu'aux limites du possible en utilisant la technique du « dripping » (jets, coulures de peinture sur la toile posée à même le sol).

1 50
1 209
2 249
2 258
3 598
4 951
8 1783
9 2148
12 2786
14 3147

pollution n. f. Action de polluer, c'est-à-dire de souiller un milieu naturel en le rendant malsain et en contribuant à sa dégradation. On distingue différents types de pollution : atmosphérique, par les fumées, poussières, particules radioactives ; pollution des mers, des cours d'eau et des nappes phréatiques, par les rejets industriels et urbains, et en particulier celles des pétroliers en mer ; pollution des sols, par l'infiltration des eaux polluées et l'emploi inconsidéré des engrais chimiques et des pesticides. De plus, l'élévation de la température de l'eau (rejets des centrales thermiques et nucléaires) crée un déséquilibre écologique. La lutte contre la pollution se mène par une réglementation adaptée, l'installation d'équipements d'épuration et le contrôle permanent du degré de pollution.

polo n. m. Sport d'équipe dans lequel deux formations de quatre cavaliers essaient d'envoyer dans le but adverse une boule en bois à l'aide d'un maillet.

6 1299
7 1544
14 3270

Polo Marco, voyageur italien (1254-1324). Il parcourut l'Asie jusqu'en Chine où il demeura seize ans à la cour de l'empereur. De retour à Venise, en 1295, il émerveilla ses compatriotes par ses récits de voyage (le Livre des merveilles du monde).

12 2723
12 2792
14 3301

Pologne (république populaire de). État d'Europe du Nord.

superficie :	312 677 km²
population :	35 900 000 hab. (Polonais)
capitale :	Varsovie
monnaie :	le zloty
code international :	PL

Le pays s'étend sur la grande plaine d'Europe du Nord, sa bordure méridionale, au sud-est (Carpates) et au sud-ouest (Tatras), appartenant à la Bohême. Le climat est continental. La population comprend 71 % de catholiques, très pratiquants. ◇ 35 % des actifs sont employés dans l'agriculture, qui présente l'originalité, par rapport aux autres démocraties populaires, d'être très peu socialisée (les propriétés individuelles sont majoritaires). Rendements peu élevés. Grosse production de pomme de terre (2e rang mondial), de

Pollution de la Seine par les détersifs.

*Le **polo** est un sport d'origine asiatique.*

*Miniature (XIVe s.) du Livre des merveilles de Marco **Polo**.*

*La **Pologne**.*

seigle, de blé, de betterave à sucre. Élevage bovin, ovin et porcin important. Pêche active. ◇ La Pologne est un grand pays industriel : sous-sol riche (houille de Silésie, métaux non ferreux, sel gemme, soufre). Les principaux secteurs industriels sont la sidérurgie, les constructions mécaniques et navales, la chimie, le textile. Pour obtenir les biens de consommation dont il manque, le pays s'est beaucoup endetté, récemment, envers l'URSS et les États capitalistes, d'où une crise économique grave. ◇ Les Slaves installés sur le territoire au VIIe s. formèrent au Xe s. un premier État christianisé qui s'émietta rapidement, attaqué par ses voisins scandinaves, allemand et russe. Les États polonais qui lui succédèrent furent la proie des mêmes convoitises. Ce pays, partagé entre la Prusse et la Russie aux XVIIIe et XIXe s., fut reconstitué en 1918. Férocement opprimé par les nazis, il fut intégré à la zone d'obédience soviétique en 1945. En 1980, un grand mouvement social donna naissance à un syndicat indépendant du pouvoir (Solidarnošc), interdit en 1981.

polonium n. m. Métal radioactif, mou, jaune, rouge ou noir selon l'épaisseur, découvert en 1898 par Pierre et Marie Curie. Symbole *Po*.

Polyclète, sculpteur grec (Ve s. av. J.-C.). Ses statues d'athlète (le *Doryphore*) comptent parmi les chefs-d'œuvre de l'époque classique.

polyculture n. f. Système agricole fondé sur la culture simultanée de plusieurs productions sur une même exploitation ou dans une même région. Elle est en recul dans le monde moderne.

14 3128

polyèdre n. m. Solide délimité par des surfaces planes polygonales, au nombre minimal de quatre, appelées *faces*. ◆ **tétraèdre** n. m. Polyèdre à quatre faces triangulaires.

polyester n. m. Matière plastique dure dont on fait des coques de bateaux, des gilets pare-balles, des carrosseries d'automobiles, des tissus.

1 213

polyéthylène n. m. Matière plastique obtenue à partir d'éthylène. On en fait des poubelles, des casiers à bouteilles, des récipients souples...

5 1161

polygamie n. f. État d'une personne qui a plusieurs conjoints. *Un polygame*. La polygamie englobe la *polyandrie* (femme ayant plusieurs époux) et la *polygynie* (homme qui possède plusieurs épouses).

polyglotte n. m. ou f. Personne qui connaît et parle plusieurs langues. *Cet interprète et cette traductrice sont de remarquables polyglottes*.

4 932

polygone n. m. Figure plane fermée, formée par des segments consécutifs (côtés). *Triangle :* 3 côtés ; *quadrilatère :* 4 côtés ; *pentagone :* 5 côtés ; *hexagone :* 6 côtés ; *octogone :* 8 côtés.

1 213
13 2955

polymère n. m. Molécule géante résultant de l'assemblage de milliers de molécules. Les polymères peuvent exister à l'état naturel (cellulose*...) ou être préparés (polyéthylène*...) par des réactions de polymérisation.

4 758
4 911
7 1609

Polynésie française. Nom, depuis 1957, des anciens *Établissements français de l'Océanie.* Territoire d'outre-mer (TOM), elle comprend l'archipel de la Société (Tahiti et ses dépendances), les Tuamotu et les Gambier, les Marquises, les îles Tubuaï et l'îlot de Clipperton. 4 000 km² ; 137 382 hab. *(Polynésiens).* Chef-lieu : Papeete (Tahiti). Ces îles ont un climat tropical humide. Ressources agricoles insuffisantes, sous-sol pauvre. Tourisme en essor.

polynôme n. m. Somme algébrique de plusieurs monômes*. Si le polynôme est la somme de deux monômes, on l'appelle *binôme* ; s'il est la somme de trois monômes, on l'appelle *trinôme.*

5 1137

polype n. m. 1 – ZOOL Forme fixée des cnidaires (cœlentérés*), par opposition à la forme libre ou méduse. Le polype a la forme d'un cylindre comportant un unique orifice, entouré de tentacules et fixé par l'autre extrémité. L'hydre, l'actinie sont des polypes.

polype n. m. 2 – MÉD Tumeur portée par un pédoncule et se formant à l'intérieur des cavités naturelles. Fibreux ou muqueux, les polypes sont souvent bénins.

polyphonie n. f. Effet musical qui résulte de la superposition de plusieurs mélodies se joignant en accords consonants. ◇ Chant à plusieurs voix.

6 1344

polytechnique (École). Établissement militaire d'enseignement scientifique supérieur, fondé en 1794. Elle forme des ingénieurs des grands corps civils et militaires de l'État. ◆ **polytechnicien** n. m. Élève ou ancien élève de l'École polytechnique.

12 2643

polythéisme n. m. Religion dans laquelle on rend un culte à plusieurs dieux. La plupart des religions antiques étaient polythéistes.

12 2792

Poméranie. Région historique, bordant la Baltique. Elle fut l'enjeu de nombreux conflits entre la Prusse, la Russie, la Suède et la Pologne, avant d'être rattachée à cette dernière en 1945.

1 220
4 854

pomme n. f. Fruit comestible sucré et parfumé produit par le *pommier,* arbre ou arbuste (famille des rosacées) des régions tempérées. La pomme est utilisée comme fruit de table, en compote, en gelée ou pour faire du cidre.

4 762
8 1871

pomme de terre n. f. Nom courant d'une plante herbacée annuelle et de ses tubercules riches en amidon. Originaire d'Amérique du Sud, importée en Europe au XVIᵉ s., elle est cultivée comme aliment pour l'Homme et le bétail, et utilisée par l'industrie comme fécule.

*Lagon en **Polynésie.***

*Mᵐᵉ de **Pompadour** (1755) (pastel de Quentin de La Tour).*

*La rue principale de **Pompéi** : la via dell'Abbondanza.*

*L'architecture tubulaire du Centre G.-**Pompidou,** à Paris.*

Pompadour (Antoinette POISSON, *marquise de*), favorite de Louis XV (1721-1764). Elle protégea la carrière de Choiseul ainsi que les artistes et les écrivains (Voltaire, les Encyclopédistes).

pompe n. f. Machine utilisée pour faire circuler un fluide dans une tuyauterie, pour aspirer ou refouler le liquide d'un récipient, pour gonfler un pneu...
◆ **pompage** n. m. Action de pomper.
◆ **pompiste** n. m. Personne chargée de faire fonctionner une pompe à essence.

11 2637

Pompée, général et homme d'État romain (106-48 av. J.-C.). Victorieux en Orient, il forma le premier triumvirat avec Crassus et César (60) puis affronta ce dernier (49). Vaincu à Pharsale (48), il fut assassiné en Égypte.

3 655

Pompéi. Ancienne ville de Campanie. La cité romaine antique, détruite par une éruption du Vésuve en 79, fut dégagée de ses cendres à partir du XVIIIᵉ s. Elle forme l'ensemble urbain le mieux conservé de l'Antiquité.

3 708

Pompidou Georges, homme d'État français (1911-1974). Premier ministre du général de Gaulle (1962-1968), il fut élu président de la République en 1969.

12 2765
13 3099

Pompidou (Centre national d'art et de culture Georges-). Construit à Paris de 1972 à 1977 par R. Piano et R. Rogers, « Beaubourg » abrite une bibliothèque publique d'information, le musée national d'Art moderne, le Centre de création industrielle et l'IRCAM*.

12 2769
14 3297

pompier (ou sapeur-pompier) n. m. Homme appartenant à un corps chargé de combattre les incendies et les sinistres. Les pompiers sont des volontaires, sauf dans les grandes villes et certaines régions où il existe des corps de professionnels communaux ou militaires (Paris). L'organisation et l'entretien des services incombent aux communes, aidées par le département.

2 320

Pompon François, sculpteur français (1855-1933). Élève puis assistant de Rodin, il s'est consacré pour sa part à l'art animalier : *Ours blanc* (1922), *Cerf* (1929), *Taureau* (1933).

5 1117

ponce n. f. Roche volcanique très dure, poreuse et légère, que l'on utilise pour polir des surfaces. ◆ **ponçage** n. m. Action de polir, de décaper au moyen d'une pierre ponce et, par extension, d'un abrasif quelconque.

ponction n. f. Action de prélever par aspiration, à l'aide d'une seringue et d'une aiguille creuse, un liquide naturel ou pathologique (sang, liquide céphalorachidien, etc.), des cellules....

ponctuation n. f. Système de signes qui, dans la langue écrite, permet de distinguer les divers membres d'une phrase, de marquer des silences et des nuances d'intonation. *Signes de ponctuation : point, virgule, tiret, etc.*

Pondichéry. Ville de l'Inde, port sur la côte sud-est. 91 000 hab. ◊ Capitale des Établissements français de l'Inde jusqu'en 1956.

4 723

poney n. m. Cheval de petite taille, animal de trait ou de selle. *Un manège de poneys pour enfants.*

Ponson du Terrail Pierre Alexis *(vicomte),* romancier français (1829-1871). Il est resté célèbre pour ses romans-feuilletons, tels *les Exploits de Rocambole* (1859).

4 851
6 1252

pont n. m. ◊ 1. ARCH Ouvrage d'art en pierre, en béton armé ou en métal qui enjambe un cours d'eau, un bras de mer, un ravin ou une route, facilitant ainsi leur franchissement. Il comprend souvent plusieurs arches. ◊ 2. TECH Appareil qui transmet le mouvement moteur d'une auto ou d'un camion aux deux roues motrices.

Pont. Pays de l'Asie Mineure antique, sur le Pont-Euxin. Il fit partie de l'Empire perse, puis devint un royaume indépendant (IVe s. av. J.-C.), que Rome soumit à la mort de Mithridate VI (63 av. J.-C.).

2 389

ponte n. f. Action, pour la femelle des animaux ovipares, de donner des œufs. ◊ Ensemble des œufs qui sont pondus par une femelle en une seule fois. ◊ La ponte ovulaire s'appelle l'*ovulation.*

pontife n. m. Prêtre, dans la Rome antique. ◊ Haut dignitaire catholique. *Le pape est appelé souverain pontife.*
◆ **pontificat** n. m. Durée de fonction d'un pape.

pont-levis n. m. Pont dont on peut relever le tablier. Le pont-levis permettait, au Moyen Âge, d'isoler un château entouré de fossés.

4 922

Pontoise (95300). Chef-lieu du Val-d'Oise, sur l'Oise, formant avec Cergy la ville nouvelle de Cergy-Pontoise. 29 411 hab. *(Pontoisiens).* ◊ Cathédrale des XIIe-XVIe siècles.

pool n. m. Groupement de producteurs. *Pool du charbon et de l'acier.* ◊ Dans une entreprise, personnes faisant en commun un travail identique. *Pool de dactylos.*

2 264
2 407
10 2324

pop musique n. f. Forme anglo-américaine de musique populaire rythmée, apparue au début des années 1960. Elle intègre les éléments musicaux les plus divers : blues* et rhythm and blues, rock* and roll, folk-song*, free jazz, musiques indienne, électro-acoustique... Elle fut l'expression d'un mouvement social international des jeunes.

5 1098
12 2825

pop art n. m. Mouvement artistique d'avant-garde (1955-1965), représenté principalement par les œuvres des Américains C. Oldenburg, J. Rosenquist, R. Lichtenstein, T. Wesselmann et A. Warhol. Cet « art populaire » a sa source dans la culture des médias*.

*Le **poney** est la monture favorite des enfants.*

*Le **pont** suspendu de la Golden Gate, à San Francisco.*

*Concert de **pop musique**.*

*Les piquants du **porc-épic** se renouvellent par des mues partielles.*

pope n. m. Prêtre de l'Église orthodoxe dans les pays slaves, grecs... Un célibataire ordonné ne peut se marier. Mais un homme marié peut devenir pope.

5 1147
10 2295

Popeye le marin. Héros de bandes dessinées et de films, créé par Elsie Segar en 1929. Sa force surhumaine lui est donnée par les épinards.

Popov Aleksandr, physicien russe (1859-1906). Ses travaux en radioélectricité l'amenèrent à imaginer une antenne et à construire le premier récepteur d'ondes électromagnétiques.

7 1671
12 2646
12 2835

population n. f. Ensemble des habitants d'un pays, d'une région. La démographie* est la science qui étudie les populations. *Population mondiale* (environ 4 milliards de personnes). *Densité de population :* rapport entre la population d'un territoire donné et sa superficie. ◊ Ensemble des membres d'une classe, d'une catégorie particulière. La *population rurale, urbaine. Population active :* ensemble des personnes qui travaillent, qui exercent une profession. La population active est répartie en trois secteurs : primaire (personnes exerçant leur activité dans l'agriculture, la chasse, la pêche), secondaire (industrie) et tertiaire (services : commerce, banques, administration, armée, professions libérales, etc.).

5 1121
11 2545

porc n. m. Mammifère domestique omnivore (famille des suidés), également appelé cochon. Descendant du sanglier d'Eurasie, au corps trapu couvert de soies, à la tête terminée par un groin et aux pattes portant 4 doigts (dont 2 munis de sabots). Cet animal est élevé pour sa chair, son lard, sa peau, ses soies. Le mâle est appelé *verrat* ; la femelle, *truie* ; le petit, *goret.*

4 768
9 1997

porcelaine n. f. 1 – TECH Produit céramique non poreux, compact, translucide et de couleur blanche. On en fait des vases, des assiettes, des tasses, que l'on peut décorer de motifs colorés. La fabrication de la porcelaine a été mise au point en Chine au VIe siècle.

12 2828
14 3116

porcelaine n. f. 2 – ZOOL Mollusque gastéropode, répandu dans les mers chaudes. Elle est recherchée pour sa coquille vernie tachetée et rayée, qui atteint 8 cm.

6 1405
9 1943

porc-épic n. m. Mammifère rongeur dont le corps est couvert de piquants. Le porc-épic d'Europe, long de 65 cm, aux piquants érectiles, est nocturne.

5 1121
11 2545
14 3260

porcins n. m. pl. Famille de mammifères non ruminants dont l'aspect trapu provient de leur cou épais, ramassé et de leurs pattes courtes. Le sanglier d'Europe, souche des divers porcs domestiques, en est le type. Synonyme : *suidés*.

4 959

pore n. m. ◊ 1. ANAT Orifice, de très petite taille, situé à la surface de la peau et où aboutit le canal sécréteur d'une glande sudoripare. ◊ 2. BOT Pore d'une feuille : synonyme de *stomate*.

pornographie n. f. Obscénité littéraire ou artistique ; représentation, peinture, écrit obscène. ◆ **pornographe** n. m. Auteur, artiste qui produit des œuvres pornographiques, obscènes.

porosité n. f. État, caractère d'une roche comprenant de nombreux pores entre les grains qui la constituent : *la ponce a une grande porosité.*

porphyre n. m. Roche d'origine volcanique, très dure, de couleurs variées, formée d'une pâte feldspathique mêlée d'inclusions cristallines.

6 1302 **port** n. m. 1 – TECH Abri naturel ou aménagé sur une côte ou un cours d'eau, équipé d'installations assurant le transit des marchandises transportées par voie maritime ou fluviale. Les ports maritimes comprennent des bassins, des entrepôts pour le stockage des marchandises, des installations d'entretien pour les navires (cales de radoub) et un réseau de voies ferrées ou fluviales pour le transport des marchandises. ◊ Ville bâtie autour d'un port. ◊ *Port franc :* port où il n'y a pas de droits de douane pour les marchandises.

port n. m. 2 – SOC Action, fait de porter. ◊ Prix du transport d'un objet. *Franco de port :* port payé par l'expéditeur. ◊ *Port d'armes :* fait pour un soldat de présenter ses armes d'une façon réglementaire.

10 2175 **Port-Arthur** (en chinois, Liu-chouen). Port de Chine, en Mandchourie. Cédé à la Russie (1898), conquis par le Japon (1905), rendu à l'URSS (1945), il redevint chinois en 1954.

10 2172 **Port-au-Prince.** Capitale et port de la république d'Haïti. 494 000 hab. Centre économique du pays : sucreries, rhumeries, manufactures de tabac.

7 1610 **Port Moresby.** Capitale et port de la Papouasie-Nouvelle-Guinée, sur la côte sud-est de l'île de la Nouvelle-Guinée. 66 000 hab. Exportation de minerais.

10 2178 **Port of Spain.** Capitale et port de l'État de Trinité-et-Tobago, dans l'île de la Trinité. 117 000 hab. Exportation de sucre et de cacao.

9 1989 **porte** (veine) n. f. Veine se ramifiant en de nombreux capillaires dans le foie et amenant à ce dernier le sang issu des organes digestifs abdominaux.

1 44
13 2982 **porte-avions** n. m. Navire de guerre aménagé pour transporter des avions de combat. Il possède un pont sur lequel les avions peuvent décoller par catapultage et atterrir.

11 2545 **portée** n. f. 1 – ZOOL Ensemble des petits mis au monde par une femelle mammifère en une seule fois. Une truie peut avoir une portée de 12 gorets.

portée n. f. 2 – MUS Ensemble de cinq lignes horizontales, équidistantes et parallèles, sur lesquelles ou entre lesquelles on écrit les notes de musique.

*Le **port** de Dunkerque.*

*Marché à **Port-au-Prince**,
la capitale d'Haïti.*

*Le Clemenceau, **porte-avions**
français lancé en 1961.*

***Portrait** de Van Gogh
par lui-même, en 1889.*

portefeuille n. m. ◊ 1. POL Fonction de ministre. *Un ministre sans portefeuille :* ministre n'ayant pas de fonctions précises. ◊ 2. SOC Ensemble des effets de commerce et des valeurs mobilières d'un particulier, d'une entreprise.

Portes de Fer. Défilé du Danube entre les Carpates (Roumanie) et les Balkans (Yougoslavie). Importantes installations hydro-électriques. **11** 2485 **12** 2790 **13** 2913

portique n. m. Galerie à colonnes qui, s'appuyant généralement d'un côté sur le mur de quelque édifice, s'ouvre de l'autre côté sur un espace découvert.

Port-Louis. Capitale et port de l'État de Maurice. 141 000 hab. Principal centre économique de l'île : raffinerie de pétrole, sucreries. **4** 739

Porto. Deuxième ville du Portugal (312 000 hab.), port à l'embouchure du Douro. Commerce des vins (portos) de la vallée du Douro. **11** 2609

Porto Alegre. Ville et port du Brésil, capitale du Rio Grande do Sul, sur le lac dos Patos. 1 100 000 hab. Métropole du Brésil méridional. **2** 451

Porto-Novo. Capitale du Bénin, sur une lagune du golfe de Guinée. 104 000 hab. Reliée par voie ferrée à Cotonou. Industries alimentaires. **10** 2349 **14** 3279

Porto Rico ou **Puerto Rico.** Île des Grandes Antilles formant un État associé aux États-Unis. 8 897 km^2 ; 3 410 000 hab. *(Portoricains).* Capitale : San Juan. ◊ Cette île surpeuplée (forte émigration vers les États-Unis) vit grâce aux capitaux américains finançant les industries. Production agricole tropicale (sucre, café). ◊ Colonie espagnole puis américaine (1898-1952). **10** 2179

portrait n. m. Représentation d'une personne réalisée à l'aide du dessin, de la gravure, de la peinture ou de la photographie. Un portrait peut se réduire à un visage ou montrer un individu en entier (portrait en pied). ◆ **portraitiste** n. m. ou f. Peintre de portraits. **2** 302

portrait-robot n. m. Dessin d'un individu recherché par la police et obtenu d'après les indications fournies par des témoins. *Des portraits-robots.*

Port-Royal des Champs. Abbaye de femmes, près de Chevreuse. Foyer du jansénisme*, devenue un centre intellectuel opposé au pouvoir royal, elle attira des penseurs éminents. Mais, en butte à l'hostilité de Louis XIV, l'abbaye fut rasée en 1710.

Portugal (république du). État de la péninsule Ibérique. **11** 2606

superficie :	92 082 km^2
population :	10 millions d'hab. *(Portugais)*
capitale :	Lisbonne
monnaie :	l'escudo
code international :	P

S'étirant le long de l'Atlantique, le pays comprend, au nord du Tage, des plateaux disloqués coupés de profondes vallées et, au sud, une pénéplaine, l'Alentejo. Climat méditerranéen, aride vers le sud. Population dense, surtout dans le Nord (région de petites propriétés, le Sud étant le domaine des latifundia), rurale à 75 %. Forte émigration, principalement en direction de la France. ◇ 28 % des actifs sont employés dans l'agriculture, qui ne couvre pas les besoins nationaux. Ressources essentielles : vin (région de Porto), récolte du liège, pêche. ◇ Sous-sol pauvre. Richesse énergétique : la houille blanche. Seules industries d'importance : le textile et les produits alimentaires. ◇ La nation portugaise s'est formée dans la lutte contre les musulmans (XIIᵉ-XIIIᵉ s.). Royaume maritime, très puissant aux XVᵉ-XVIᵉ s., le Portugal se dota, à partir du XVᵉ s., d'un vaste empire colonial (dont le Brésil, indépendant en 1822), qui s'effrita peu à peu. En 1974, les dernières colonies, africaines, conquièrent leur indépendance. Devenu une république en 1910, le Portugal, soumis à la dictature de Salazar de 1933 à 1968, s'est donné un régime démocratique à la suite d'un coup d'État militaire, la « révolution des œillets » (1974). Il entre dans la CEE* en 1986.

portulan n. m. Recueil de cartes marines anciennes (XIIIᵉ-XVIᵉ s.), comportant une description des ports, établi surtout à l'époque des grandes découvertes.

2 421
14 3183
Poséidon. Dans la mythologie grecque, dieu des Mers et des Eaux. Frère de Zeus et d'Hadès, il épousa Amphitrite. On le représente armé d'un trident.

positivisme n. m. Doctrine philosophique d'Auguste Comte* et de ses disciples, selon laquelle la vérification de nos connaissances par l'expérience est l'unique critère de vérité.

12 2790
Posnanie. Province de Pologne. Devenue prussienne à l'issue du deuxième partage de la Pologne (1793), elle fut rendue à la Pologne après 1945. Sa capitale est Poznań.

posologie n. f. Étude des doses de médicaments à administrer à un malade selon son âge, son poids, son sexe, etc.

possessif n. m. Nom qui sert à désigner tel ou tel adjectif possessif (mon, ma, mes, etc.), tel ou tel pronom possessif (le mien, la mienne, etc.) ou la catégorie grammaticale du possessif.

9 2058
poste n. f. Administration chargée d'acheminer les objets de correspondance. L'administration des Postes et Télécommunications (PTT) est un service public qui possède le monopole du transport des correspondances, du télégramme et du téléphone. En dehors des opérations postales (ramassage, acheminement et distribution des lettres et colis, mandats*, communications télégraphiques et téléphoniques), elle pos-

Le **Portugal.**

Poséidon : détail d'une statue en bronze (Vᵉ s. av. J.-C.).

Poterie : de l'argile, de l'eau, un tour... et le tour de main.

sède un service de *chèques postaux* à l'usage des particuliers, collectivités, entreprises, et gère la *Caisse nationale d'épargne.*

poster n. m. Grande affiche décorative non publicitaire, sous forme d'une reproduction photographique grand format, destinée à être vendue au public.

postérité n. f. Suite des descendants d'une même origine. ◇ Ensemble des générations futures.

potager n. m. Jardin réservé à la culture de plantes à usage culinaire (légumes). Les plantes potagères sont cultivées pour leurs racines, leurs feuilles, leurs tubercules, etc.

potasse n. f. Appelée aussi *potasse caustique* ou hydroxyde de potassium, c'est un solide blanc, soluble dans l'eau (solution basique). Formule KOH. Elle est surtout utilisée dans l'industrie chimique. ◇ Engrais à base de chlorure de potassium (KCl).

potassium n. m. Métal blanc et mou, fondant vers 63 °C. Symbole *K*. Le potassium a peu d'applications, car on lui préfère le sodium*, moins onéreux.

potentiel n. m. Énergie disponible en un point d'un circuit électrique. La différence de potentiel entre deux points d'un circuit électrique s'exprime en volts* et se mesure avec un voltmètre. Les mots tension* et différence de potentiel sont synonymes.

potentiomètre n. m. Résistance électrique que l'on fait varier en tournant un bouton, pour modifier le volume sonore d'une radio, d'un téléviseur.

1 76
poterie n. f. Objet en terre ou en grès (vaisselle, décoration). ◇ Art de la fabrication de ces objets. La poterie est connue depuis le néolithique. Elle est fabriquée à partir d'une pâte d'argile façonnée sur un tour et cuite dans un four. ◆ **potier** n. m. Artisan qui fabrique des poteries.

potiron n. m. Plante potagère (famille des cucurbitacées) donnant des fruits comestibles énormes (diamètre 60 cm) à chair orangée.

6 1391
Potsdam. Ville de RDA. 115 000 hab. ◇ Ancienne résidence d'été des Hohenzollern (palais de Sans-Souci). La *conférence de Potsdam* (1945) précisa les conditions de la capitulation allemande.

Pott Percivall, médecin anglais (1714-1788). Il est connu pour ses travaux sur la tuberculose des vertèbres, maladie qui porte son nom (mal de Pott).

pou n. m. Nom donné à divers insectes hématophages (suceurs de sang), parasites externes de l'Homme et de divers animaux. Ils sont aptères, aplatis et souvent aveugles. Les oiseaux sont parasités par les mallophages, les mammifères par les anoploures.

1 2573

Pouchkine Aleksandr, écrivain russe (1799-1837). Il est le créateur de la langue littéraire russe : *Eugène Onéguine* (1833, roman en vers), *la Dame de pique* (1834, nouvelle), etc.

2 384
6 1259

poudre n. f. Substance explosive qui s'enflamme facilement et brûle rapidement. Les gaz qu'elle dégage en brûlant peuvent propulser un projectile : balle de fusil, fusée. ◆ **poudrerie** n. f. Fabrique d'explosifs. ◆ **poudrière** n. f. Autrefois, local où l'on entreposait la poudre.

10 2253

Pouilles (les). Région d'Italie méridionale, sur l'Adriatique. 19 347 km² ; 3 856 000 hab. Chef-lieu : Bari. Région de collines et de plaines calcaires (vigne, oliviers). Industries à Bari, Tarente et Brindisi.

Poulbot Francisque, dessinateur français (1879-1946). Il a créé un type de gamin gouailleur (enfant pauvre des rues de Montmartre) qui fut popularisé sous le nom de *petit poulbot*.

5 1122
6 1275
7 1562
4 3250

poule n. f. Femelle du coq et de divers autres galliformes (poule faisane). La poule est élevée pour ses œufs (290 en moyenne par an) consommés ou mis en couveuse pour obtenir coquelets, chapons et poulardes. ◊ *Poule d'eau, poule sultane :* noms courants de divers oiseaux rallidés.

Poulenc Francis, compositeur français (1899-1963). Il a incarné la tendance classique au sein du groupe des Six* : *les Biches* (1924, ballet), etc.

poulie n. f. Roue qui tourne autour d'un axe. Elle sert à transmettre un mouvement, à hisser une charge au moyen d'une corde ou d'une courroie.

poulpe → pieuvre

pouls n. m. Sensation de choc répétée (avec la même fréquence que les battements cardiaques) lorsqu'on comprime une artère. Le pouls est dû à l'onde de pression de la contraction cardiaque, et non au flux de sang artériel.

1 174
4 838
9 1991
9 2043

poumon n. m. Chacun des deux organes thoraciques assurant la respiration chez certains animaux (mammifères, oiseaux) et chez l'Homme. Les poumons humains, spongieux, mous et élastiques, sont enveloppés dans la plèvre*. Ventilés par les bronches et les bronchioles, qui se terminent par des alvéoles au niveau desquels ont lieu les échanges gazeux.

Pound Ezra, poète et essayiste américain (1885-1972). Ses *Cantos* (1919 à 1969) sont l'un des chefs-d'œuvre de la poésie contemporaine.

poupe n. f. Partie arrière d'un navire, par opposition à la proue. Le pavillon

Aleksandr **Pouchkine**.

Une **poule**, un coq :
bientôt des poulets...

Collection
de **poupées** folkloriques.

La Mort de Saphire *(détail)*,
par Nicolas **Poussin**.

indiquant la nationalité du navire est situé sur la poupe du navire.

poupée n. f. Figurine représentant un être humain. *Jouer à la poupée. Poupée de chiffon :* mannequin servant de cible au tir. ◊ Organe maintenant la pièce à travailler sur un tour, une machine-outil. *Poupée fixe, mobile.*

4 858

pourcentage n. m. Rapport d'une quantité à une autre représentée par le nombre 100. *Un quart représente en pourcentage 25 %* ou *25 p. 100.*

12 2842

pourparlers n. m. pl. Discussion préalable à un accord visant à régler une affaire. (Voir négociation.) *Être, entrer en pourparlers.*

pourpre n. f. Substance colorante rouge foncé extraite de certains mollusques gastéropodes (murex*, notamment). ◊ Dans la Rome antique, les habits teints en pourpre furent réservés à de hauts magistrats, aux généraux puis aux empereurs. Aujourd'hui, cette couleur désigne la dignité de cardinal*.

2 272

poursuite n. f. 1 − DRT Action en justice, engagée contre quelqu'un, pour faire valoir un droit, obtenir réparation d'un préjudice, etc.

poursuite n. f. 2 − SP Discipline du cyclisme sur piste. Elle oppose deux coureurs, ou deux équipes de quatre coureurs, placés à deux points opposés de la piste et qui cherchent à se rejoindre.

3 699

pourvoi n. m. Acte par lequel on demande à une autorité supérieure la réformation ou l'annulation d'une décision judiciaire. *Pourvoi en cassation*.*

pousse n. f. Jeune plante. ◊ Petite branche due à la croissance d'un bourgeon durant un certain temps : pousse du mois, pousse de l'année.

poussée n. f. Force verticale dirigée de bas en haut, qui s'exerce sur les objets plongés dans un liquide ou un gaz *(poussée d'Archimède*)*. ◊ Force de propulsion développée par un moteur à réaction ou une fusée et provoquant le mouvement vers l'avant.

10 2228

pousse-pousse n. m. Petite voiture à deux roues tirée ou poussée par un homme. *Les pousse-pousse servent de taxis en Extrême-Orient.*

3 488

Poussin Nicolas, peintre français (1594-1665). L'équilibre et l'harmonie de ses compositions (allégories, paysages...) en font l'un des grands maîtres de la peinture classique française : *les Quatre Saisons* (1660-1664).

12 2876
14 3312

pouvoir n. m. Puissance, autorité, qui permet de diriger, de gouverner. ◊ Organisme qui exerce cette autorité. Dans l'État moderne, on distingue les *pouvoirs législatif*, exécutif*, judiciaire.* ◊ Capacité légale de faire une chose ; droit, faculté d'agir pour un autre en vertu d'un mandat* qu'on a reçu. *Fondé de pouvoir :* celui qui a pouvoir d'agir pour un autre ; acte donnant un pouvoir d'agir.

pouvoirs publics n. m. pl. Ensemble des autorités constituées de l'État ; ensemble de personnes responsables de l'action de l'État (ministres, parlementaires, préfets...).

p.p.c.m. *(plus petit commun multiple).* Le plus petit des multiples communs à plusieurs nombres. L'ensemble des multiples communs à plusieurs nombres est l'ensemble des multiples de leur ppcm. *a* et *b* étant deux nombres : ppcm × pgcd = *a* × *b*.

Prado (musée du). Musée de Madrid, célèbre pour sa collection, unique au monde, de peintures espagnoles. Il renferme, en outre, des œuvres de Bosch, Dürer, Titien, Rubens...

12 2794 · **Prague** (en tchèque, **Praha**). Capitale de la Tchécoslovaquie. 1 176 000 hab. Foyer industriel et tertiaire. ◇ L'histoire du pays s'est jouée dans cette ville, prospère dès le Xᵉ s. et capitale d'Empire au XIVᵉ et au XVᵉ s. ◇ Château et quartier fortifiés du Hradčany.

10 2345 · **Praia.** Capitale et port de pêche de l'État du Cap-Vert, dans l'île de São Tiaga. 39 600 habitants.

praire n. f. Nom usuel d'un mollusque lamellibranche comestible à coquille épaisse et rugueuse *(Venus verrucosa).* Elle vit, plus ou moins enfouie, dans les sables du littoral.

2 283
5 1194 · **prairie** n. f. Surface couverte de plantes herbacées propres à la pâture. On distingue les prairies naturelles et les prairies artificielles, qui sont ensemencées par l'Homme.

Praxitèle, sculpteur grec (IVᵉ s. av. J.-C.). Il est le premier des grands sculpteurs grecs à avoir glorifié la beauté du nu féminin : *Aphrodite de Cnide* (copie au Louvre). Praxitèle travaillait le marbre.

Préalpes. Massifs sédimentaires, essentiellement calcaires, formant la bordure externe des Alpes. Les sommets y dépassent rarement 3 000 m.

précambrien n. m. Période géologique s'étendant de la formation de la Terre (il y a 4 à 5 milliards d'années) au cambrien (il y a 500 à 600 millions d'années), première période du primaire*.

précepteur n. m. Personne chargée de l'éducation et de l'instruction d'un enfant qui ne fréquente pas un établissement scolaire ; maître particulier.

préciosité n. f. Ensemble des caractères propres au mouvement précieux du XVIIᵉ s., à l'esprit (réaction contre les mœurs du temps jugées trop vulgaires) et aux manières (subtilité de l'expres-

Le centre historique de **Prague.**

Hermès *de* **Praxitèle.**

Prédation : *les lions ne dédaignent pas les petites proies...*

Prédication de saint Étienne à Jérusalem, *de Carpaccio.*

sion, raffinement des sentiments, délicatesse des façons) qu'il inspirait.

précipitation n. f. 1 – CHIM Apparition d'un solide (le *précipité*) dans une solution à laquelle on a ajouté un réactif. C'est une méthode d'analyse utilisée notamment pour identifier un produit.

précipitations n. f. pl. 2 – GÉO Eau provenant de l'atmosphère et tombant sur le sol sous des formes variées, liquide (pluie*, bruine) ou solide (grêle, grésil, neige, verglas). · **7** 153

prédation n. f. Activité des prédateurs, ou animaux qui se nourrissent de proies*. Certains forcent leurs proies à la course (guépard), d'autres se mettent à l'affût (chat). · **5** 985 · **6** 126 · **7** 145 · **8** 169 · **8** 175

prédication n. f. Action de prêcher ou de faire un sermon. ◆ **prédicateur** n. m. Ecclésiastique spécialisé dans la fonction de prononcer des sermons.

préface n. f. Texte assez court placé au début d'un livre, en vue de présenter ce dernier au lecteur. *La préface de Proust à son « Contre Sainte-Beuve ».*

préfet n. m. Haut fonctionnaire de la Rome antique. Le préfet de l'annone était chargé du ravitaillement de la ville et le préfet du prétoire dirigeait la garde impériale... ◇ En France, titre et fonction du représentant du pouvoir exécutif dans un département. Institué par Bonaparte, le préfet contrôle toute l'activité de l'administration centrale et départementale. En 1981, il a reçu la nouvelle appellation de *commissaire de la République.* · **4** 944 · **10** 2215

préfixe n. m. Particule d'une ou deux syllabes, tirée du latin ou du grec et qui, placée devant un mot appelé radical*, modifie le sens de ce mot (s'oppose à suffixe*). Ainsi, le préfixe d'origine grecque *hyper* (au-dessus de), ajouté à *tension*, forme *hypertension* (tension au-dessus de la normale). Mais beaucoup de préfixes sont sans signification : *ac* dans accident, *per* dans permettre, etc.

préhistoire n. f. Période chronologique s'étendant de l'apparition de l'Homme à la naissance de l'écriture. ◇ Science étudiant cette période. Subdivisée en périodes (paléolithique, mésolithique et néolithique), la préhistoire a recours aux techniques de la paléontologie et de l'archéologie et progresse grâce aux découvertes de fossiles, d'habitats et d'outils (silex taillés, os et ivoires travaillés). L'apparition de sépultures (40000 av. J.-C.), la naissance de l'art rupestre (sites d'Altamira, de Lascaux) et du sentiment religieux manifestent une évolution qui, aboutissant à la révolution néolithique (naissance de l'agriculture, sédentarisation et division sociale du travail), marqua la fin de la préhistoire. · **1** 1 · **1** 30 · **1** 56 · **1** 73 · **1** 106 · **2** 296 · **2** 322 · **4** 882 · **6** 1378 · **14** 3115

préhominiens n. m. pl. Sous-famille de primates hominidés réunissant les ancêtres fossiles les plus primitifs de l'espèce humaine. (Voir australopithèque, pithécanthrope, hominiens.)

prélat n. m. Haut dignitaire ecclésiastique. Les évêques, archevêques et cardinaux sont des prélats. ◆ **prélature** n. f. Dignité de prélat.

prélèvement n. m. Action de prélever un morceau de tissu, d'organe, etc., afin de l'étudier en vue d'établir un diagnostic. ◇ Les morceaux de tissu, d'organe..., qui ont été prélevés.

prélude n. m. Morceau qui sert d'introduction à une œuvre musicale. *Un prélude de Bach.* ◇ Composition libre. *Les préludes de Fauré.*

prématuré n. m. Jeune né avant terme. Chez l'Homme, enfant viable né avant le terme normal d'une grossesse. Les prématurés sont habituellement placés en couveuse.

première n. f. Première représentation d'une pièce de théâtre, d'un spectacle. *Assister à la première.* ◆ **avant-première** n. f. Présentation aux critiques, précédant les représentations publiques, d'une pièce de théâtre, d'un film, d'un récital.

prémolaire n. f. Chacune des 8 dents, au nombre de 2 par demi-mâchoire, qui sont implantées entre les canines et les molaires.

prénom n. m. Nom particulier joint au patronyme (nom* de famille), par lequel on distingue les membres d'une même famille. *Prénom usuel.*

préparation n. f. ◇ 1. CHIM Fabrication d'une substance chimique ou d'un médicament. ◇ Désigne également l'action de choisir et de disposer des produits en vue d'une expérience ou d'une observation. ◇ 2. SOC La *préparation militaire* (PM) est un enseignement militaire dispensé aux jeunes gens avant leur service national.

préposition n. f. Mot invariable qui joint deux mots en marquant le rapport qui les unit : *je vais à Rome* (rapport de lieu).

prépuce n. m. Repli de la peau recouvrant le gland de la verge. Quand le prépuce ne découvre pas le gland, on procède à une excision, ou circoncision*.

préraphaélisme n. m. Mouvement artistique anglais du XIXe s. (1848-1890). Ses représentants, Rossetti, Hunt, Millais, Burne-Jones, etc., se fixèrent pour but l'imitation des peintres italiens du quattrocento*.

presbytère n. m. Demeure du curé d'une paroisse. D'ordinaire, le presbytère se trouve à côté de l'église paroissiale ou dans son voisinage.

presbytie n. f. Trouble de la vue caractérisé par une difficulté à voir de près. Elle est due à une diminution du pou-

Les **prématurés** sont placés en couveuse dès leur naissance.

Préraphaélisme : Roméo et Juliette, de Ford Madox Brown (1867).

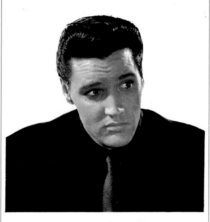

Elvis **Presley** fut le roi du rock and roll.

Dans la **presse,** au sortir des presses, le temps presse...

voir d'accommodation du cristallin. Elle apparaît souvent avec la vieillesse.

prescription n. f. ◇ 1. MÉD Recommandation, instruction faite par un médecin à un malade soit verbalement, soit par écrit (ordonnance*). ◇ 2. DRT Délai au terme duquel on ne peut plus poursuivre en justice un criminel, un délinquant, ou au terme duquel le condamné n'a plus à exécuter sa peine. Les crimes de guerre sont imprescriptibles (non susceptibles de prescription).

président n. m. Personne dirigeant les débats d'une assemblée ou d'un tribunal. *Le président de la cour d'appel ; le président du Sénat.* En politique, la charge de président est parfois honorifique : ainsi celle de *président de la République,* sous la IIIe République. Mais très souvent elle confère un pouvoir réel : le *président du Conseil* était le véritable chef du gouvernement sous les IIIe et IVe Républiques.

président de la République. Chef de l'État, dans une république. Selon les Constitutions, sa charge est essentiellement honorifique (Italie, RFA) ou lui confère la réalité du pouvoir exécutif, comme aux États-Unis ou en France sous la Ve République. ◇ Le mode d'élection d'un président peut varier : élection au suffrage universel (France, États-Unis...) ou désignation par le Parlement (Italie, RFA...). La durée du mandat diffère selon les pays.

Presley Elvis, chanteur et acteur de cinéma américain (1935-1977). Il s'est imposé, de 1955 à 1965, comme le plus célèbre des chanteurs de rock* and roll.

presqu'île n. f. Promontoire relié au continent par une étroite bande de terre : *la presqu'île de Quiberon.* Synonyme : *péninsule*.*

presse n. f. 1 — TECH Machine servant à déformer un objet, ou à y laisser une empreinte, en appuyant très fortement dessus. On utilise des presses, par exemple, pour fabriquer les carrosseries d'autos. ◇ Machine à imprimer.

presse n. f. 2 — SOC Ensemble des activités qui concernent la rédaction, la parution et la diffusion d'imprimés périodiques. ◇ Monde du journalisme. Ensemble des journaux, des périodiques. *La presse d'information.* ◇ *Agence de presse :* société collectant puis transmettant les nouvelles aux journaux. ◇ *Attaché de presse :* personne chargée des relations avec la presse, dans une administration, une entreprise... ◇ *Conférence de presse :* entretien accordé par une personnalité à plusieurs journalistes. (Voir information, journal, Renaudot, Girardin.)

pression n. f. Grandeur physique caractérisant l'action d'une force sur la surface d'un objet. Dans le système international, elle s'exprime en pascals (symbole *Pa*). ◇ *Pression atmosphérique :* pression exercée par l'air sur les objets. Elle s'exprime en bars* (1 bar vaut environ 100 000 Pa) et se mesure avec un baromètre*. Au niveau de la mer, elle est de 1 bar.

pressoir n. m. Presse servant à extraire le jus de certains fruits ou graines (raisins, pommes, etc.). ◊ Lieu où se trouve cette presse. *Pressoir à cidre.*

prestidigitation n. f. Art, technique de faire apparaître, disparaître, changer de lieu ou d'aspect des objets par des tours d'adresse ou des trucages. ◆ **prestidigitateur** n. m. Personne qui fait de la prestidigitation.

7 1455 **présure** n. f. Solution riche en enzyme coagulant le lait. ◊ Cette enzyme elle-même. Extraite de l'estomac du veau, elle est utilisée en fromagerie.

12 2783 **prêt** n. m. Action de remettre à quelqu'un une chose qui doit être rendue ; objet, somme d'argent prêtés (voir emprunt). ◆ **prêteur** n. m. Personne qui prête de l'argent à intérêt*. *Prêteur sur gages*.*

14 3203 **prêt-à-porter** n. m. Vêtement exécuté en série, par opposition aux vêtements sur mesure, mais d'une qualité supérieure au vêtement de « confection ».

2 286 **Pretoria.** Capitale administrative de l'Afrique du Sud, capitale du Transvaal. 630 000 hab. (50 % de Blancs). Centre ferroviaire.

prêtre n. m. Membre du clergé, ministre du culte d'une religion. ◊ Dans la religion catholique, clerc qui a reçu le sacrement de l'ordre. Réservée aux hommes, la prêtrise est incompatible avec le mariage.

Prêtre Georges, chef d'orchestre français (né en 1924). On lui doit d'excellentes interprétations des œuvres de Berlioz, Bizet, Gounod *(Faust)*, etc.

preuve n. f. Ce qui démontre et établit l'exactitude d'un fait, d'une chose. ◊ *Preuve par 9 :* opération par laquelle on vérifie l'exactitude d'un calcul. *Une multiplication non vérifiée par la preuve par 9 est fausse.*

prévention n. f. Ensemble des mesures prises en vue d'éviter le déclenchement ou la propagation de maladies, les accidents de la route, etc. Coûteuse, la prévention permet en fait de réaliser à terme des économies importantes. (Voir prophylaxie.)

11 2469 **prévenu** n. m. Personne, considérée comme coupable, qui comparaît devant un tribunal pour répondre d'un délit. Le terme est synonyme d'*accusé*.*

13 2943
13 3024 **Prévert** Jacques, poète français (1900-1977). Un langage parlé gouailleur et bon enfant caractérise *Paroles* (1948), *Spectacles* (1951), ses principaux recueils de poèmes. Auteur de chansons

Les pommes à cidre sont chargées dans le **pressoir.**

« Il dit non avec la tête mais il dit oui avec le cœur » **(Prévert)**.

Jeune femme en **prière** dans un temple bouddhique.

La **primevère** éclôt au printemps.

(les Feuilles mortes), il fut le scénariste des meilleurs films de Marcel Carné.

9 2087 **prévision** n. f. Action de prévoir. ◊ Ensemble d'études, notamment statistiques, établies en vue de connaître l'avenir dans un domaine déterminé. *Prévisions démographiques, économiques, météorologiques.*

7 1599 **prévôt** n. m. Nom de divers officiers et magistrats sous l'Ancien Régime. *Le prévôt des marchands dirigeait l'administration municipale de Paris au Moyen Âge.* ◊ Officier de gendarmerie de l'armée en territoire étranger. ◊ Supérieur de certains ordres religieux ; chef du chapitre d'une cathédrale.

prière n. f. Mouvement de l'âme du fidèle vers une divinité. ◊ Ensemble des formules utilisées pour s'adresser à Dieu ou aux saints.

9 2095
13 2954 **Priestley** Joseph, chimiste anglais (1733-1804). Il étudia la respiration des plantes, découvrit l'ammoniac, isola l'oxygène... Il effectua également des travaux en électricité.

primaire (ère). Ère géologique succédant au précambrien (approximativement de − 600 à − 200 millions d'années), au cours de laquelle se sont formés les terrains sédimentaires contenant les plus anciens fossiles connus.

6 1343 **primaire** n. m. Enseignement du premier degré comprenant les 5 classes précédant l'entrée en sixième. ◊ *École primaire :* lieu où cet enseignement est donné par des instituteurs*.

2 292
4 882
5 1105
10 2209 **primates** n. m. pl. Ordre des mammifères euthériens divisé en deux sous-ordres : les prosimiens (tupaï, loris, lémur...) et les simiens (singes et hominiens*). On définit les primates non pas d'après leurs caractères morphologiques, qui sont extrêmement variés, mais à partir de leurs liens phylogénétiques (évolutifs), qui sont très étroits.

primevère n. f. Plante herbacée (famille des primulacées) à feuilles en rosette, à fleurs de couleurs variées fleurissant au printemps.

primipare n. f. Qui accouche ou qui met bas pour la première fois, par opposition à multipare (ayant vécu plusieurs accouchements ou mises bas).

primitif n. m. Nom donné aux artistes (peintres surtout) européens de la période qui précéda l'époque de la Renaissance. *Primitifs italiens, français.* ◊ Terme s'appliquant à des sociétés, des peuples qui ignorent l'écriture et la civilisation mécanique et industrielle et qui ont conservé leurs structures propres (Pygmées, Bochimans...).

7 1477 **Prince-Édouard** (île du). Île basse et découpée, sur l'Atlantique, formant la plus petite province du Canada. 5 657 km² ; 119 000 hab. Capitale : Charlottetown. Pêche ; élevage ; tourisme.

Princeton. Ville des États-Unis (New Jersey), célèbre pour son université. ◇ George Washington y battit les Anglais en 1777.

7 1622

principauté n. f. Territoire auquel est attaché le titre de prince. ◇ Petit État dont le souverain porte le titre de prince. *La principauté de Monaco.*

principe n. m. Règle générale théorique ou proposition permettant d'expliquer un certain nombre de phénomènes. *Les principes de la physique.* ◇ Règle morale à laquelle se réfèrent un groupe, une personne.

printemps n. m. Période de l'année qui, dans l'hémisphère Nord, commence à l'équinoxe* de printemps (20 ou 21 mars) et se termine au solstice* d'été (21 ou 22 juin).

12 2723
12 2791

Printemps de Prague. Nom donné au mouvement de libéralisation politique qui « fleurit » en Tchécoslovaquie (janvier-août 1968) et qui fut brisé par l'intervention des troupes soviétiques.

prise n. f. Dispositif servant à brancher un appareil électrique. Une prise possède deux tiges en métal (prise mâle) ou deux trous (prise femelle). Pour brancher un appareil, on met la prise mâle dans une prise femelle.

6 1382
13 3048
14 3318

prisme n. m. ◇ 1. MATH Solide délimité par deux polygones superposables et parallèles (bases) et par des parallélogrammes (faces latérales). ◇ 2. PHYS Solide transparent, en forme de prisme triangulaire, servant à dévier ou à décomposer les rayons lumineux.

11 2469

prison n. f. Lieu où l'on enferme les condamnés à une peine privative de liberté et les prévenus* qui attendent d'être jugés. On dit aussi *maison d'arrêt.* On distingue les maisons centrales (peines de longue durée) et les maisons départementales (peines courtes). ◆ **prisonnier** n. m. Personne détenue en prison. ◆ **emprisonnement** n. m. État d'un prisonnier ; peine de prison. (Voir détention, réclusion.)

9 1958

Privas (07000). Chef-lieu de l'Ardèche. 10 638 hab. *(Privadois).* Confiserie (marrons glacés), confitures. ◇ Capitale de l'ancienne province du Vivarais.

13 2945

privilège n. m. Droit ou avantage particulier consenti à une personne ou à un groupe. La société de l'Ancien Régime reposait sur l'opposition entre les privilégiés (clergé, nobles) et les autres.

prix n. m. Valeur d'une chose, exprimée en monnaie. *Prix d'achat, de vente,* auxquels une société ou un particulier achètent, vendent une marchandise. *Prix de revient :* coût de production d'un bien. *Prix plancher, plafond :* minimal, maximal. ◇ Récompense ayant pour but d'honorer la personne qui l'emporte sur

Printemps de Prague : manifestation de soutien à Alexander Dubček.

*Gardiens de **prison**.*

*Les chenilles **processionnaires** du pin avancent à la queue leu leu.*

*Le **Proche-Orient** est en état de guerre quasi permanent depuis 1948.*

des concurrents dans une compétition : *Premier prix du Concours général. Prix littéraire* (Goncourt*, Renaudot*...), *scientifique* (prix Nobel* de chimie), etc.

probabilités n. f. pl. Partie des mathématiques qui permet de calculer la proportion de chances de réalisation d'un événement. ◇ Rapport entre le nombre de cas favorables et le nombre de cas possibles (en supposant que tous les cas soient également possibles). La probabilité d'un événement s'exprime avec un nombre compris entre 0 et 1.

7 1492
13 3042

problème n. m. Exercice ou question à laquelle on doit répondre. *Résoudre un problème :* à partir des hypothèses données dans l'énoncé du problème et en appliquant diverses lois et propriétés, on doit trouver la ou les solutions.

proboscidiens n. m. pl. Ordre de mammifères ongulés, aux narines très longues formant une trompe (proboscis) constituant un organe de préhension. Ce sont les éléphants d'Asie, d'Afrique, les mammouths, mastodontes, etc.

2 293
7 1467

procédure n. f. Ensemble des règles, des formes selon lesquelles les affaires sont instruites devant les tribunaux. *Code de procédure pénale.*

procès n. m. Différend, litige entre deux ou plusieurs parties*, porté devant un tribunal. *Procès civil, criminel. Intenter un procès.*

11 2469

processionnaire n. f. Nom donné aux chenilles de certains papillons se déplaçant en file indienne. Se nourrissant des feuilles des plantes, elles causent de graves dégâts aux cultures.

7 1619
12 2739

procès-verbal n. m. Acte par lequel un officier public constate un fait, un délit. ◇ Compte rendu écrit des travaux, des décisions d'une assemblée.

Proche-Orient. Ensemble géographique, plus restreint que le Moyen-Orient*, désignant les pays placés à la charnière des continents européen, asiatique et africain.

procréation n. f. Action de procréer, c'est-à-dire de donner la vie à un enfant. Les parents sont les *géniteurs* ou *procréateurs* de l'enfant.

procuration n. f. Pouvoir qu'une personne donne à une autre pour agir en son nom. *Signer une procuration :* acte par lequel est conféré ce pouvoir. (Voir mandat.) *Vote par procuration.*

procureur n. m. Magistrat qui dirige le parquet* et exerce les fonctions du ministère* public auprès de certains tribunaux *(procureur de la République)* ou auprès des cours *(procureur général).* (Voir réquisitoire.)

11 2469

production n. f. 1 — SOC Action de produire des biens, par opposition à consommation* ; biens produits. ◆ **productivité** n. f. Capacité de produire, de rapporter plus ou moins ; quantité de

1 169
13 2999

biens de consommation produits en un temps donné dans une usine, une exploitation agricole, etc.

3 490   **production** n. f. 2 — SPEC Fait d'assurer le financement et l'organisation matérielle d'un film, d'une émission de télévision, de radio, pour en permettre la réalisation. ◆ **coproduction** n. f. Production qui engage plusieurs producteurs. *Coproduction franco-italienne.*

produit n. m. 1 — SOC Ce que rapporte une terre, une charge... ◇ *Produit national brut (PNB)* : ensemble formé, au cours d'une année, par la production globale d'un pays (réunissant toutes les branches d'activité) et par les achats de ce pays à l'extérieur.

produit n. m. 2 — MATH Résultat de la multiplication de deux nombres. *Produit cartésien de deux ensembles E et F* (noté : $E \times F$) : ensemble de tous les couples *(a,b)* dans cet ordre, où *a* est élément de *E* et *b* est élément de *F*.

6 1344   **professeur** n. m. Personne qui enseigne une discipline, un art, une technique. *Professeur de mathématiques. Professeur d'université* : titre le plus élevé parmi les enseignants. ◆ **professorat** n. m. Fonction, métier de professeur.

profession n. f. Activité rémunératrice exercée habituellement par quelqu'un (métier*). *Profession libérale* : indépendante, non manuelle, rémunérée en honoraires*. ◇ Corps constitué par tous ceux qui exercent le même métier. ◆ **professionnel** n. m. Sportif ou artiste régulièrement rémunéré. *Une professionnelle de la scène.* Contraire : *amateur.*

profil n. m. Coupe selon un axe. ◇ *Profil longitudinal* : ligne représentant l'évolution de l'altitude du lit d'un cours d'eau. *Profil transversal* : coupe du lit d'un cours d'eau.

13 2999   **profit** n. m. Gain, bénéfice* ; bénéfice réalisé par une entreprise et qui correspond à la différence entre le prix* de vente et le prix de revient. Contraire : *perte.* ◇ *Au profit de* : au bénéfice de, pour procurer des avantages à.

profondeur n. f. Distance entre le fond et la surface : *profondeur d'un lac.* Cette profondeur étant mesurée en des points donnés, on parle de profondeur maximale, minimale ou moyenne.

9 2134
11 2493   **progestérone** n. f. Hormone de l'ovaire*, sécrétée par son corps jaune. La progestérone assure la modification de l'utérus en vue de la nidation*.

6 1343   **programme** n. m. 1 — ENSG Ensemble des matières et des sujets sur lesquels doit porter un enseignement, un examen ou un concours. *Le programme de sixième. Un programme d'agrégation.*

programme n. m. 2 — SOC Texte qui indique le contenu d'un spectacle, d'une cérémonie... ◇ Liste des émissions à

*Étudiants et **professeur** dans un amphithéâtre.*

*L'aigle est un oiseau de **proie**.*

*Dans la cabine de **projection** d'un cinéma.*

*Portrait de **Prokofiev** par Matisse (1921).*

venir, des films projetés ou des pièces jouées, publiée dans un journal.

4 869
5 1154
14 3314
14 3329   **programme** n. m. 3 — TECH Ensemble de tâches à réaliser dans un certain ordre : *programme de machine à laver.* ◇ Suite d'instructions codées précisant à un ordinateur les calculs qu'il devra effectuer et les valeurs qu'il devra comparer pour résoudre un problème donné. ◆ **programmation** n. f. Action d'établir un programme d'ordinateur. ◆ **programmeur** n. m. Personne qui établit des programmes d'ordinateur.

11 2440   **progrès** n. m. Évolution dans le sens d'une augmentation ou d'une amélioration. ◇ *Le progrès* : développement de la civilisation (sciences, institutions sociales...). ◆ **progressiste** n. m. ou f. Partisan du progrès social et politique.

progression n. f. Suite de nombres déterminés selon une règle. ◇ *Progression arithmétique, progression géométrique* : chaque nombre est la somme (le produit) du précédent et d'une constante ou raison.

1 72   **prohibition** n. f. Interdiction légale. ◇ De 1919 à 1933, la prohibition de l'alcool aux États-Unis fut appliquée sous la pression des ligues de vertu. Elle entraîna un trafic clandestin, organisé par la Maffia*.

5 986
6 1269
7 1450   **proie** n. f. Animal qu'un carnivore attrape pour se nourrir ou pour nourrir ses petits. Ainsi, les rapaces ou oiseaux de proie, les mammifères carnivores, les requins, les crabes, les araignées sont des *prédateurs.*

projectile n. m. Corps projeté avec force, de la main ou avec une arme, vers l'objectif à atteindre : pierre, flèche, balle de pistolet, obus...

3 628
6 1220   **projection** n. f. 1 — MATH Étant donné 2 droites D et D' non parallèles, la projection sur D parallèlement à D' est la transformation qui à tout point M du plan fait correspondre le point M' de D tel que (MM') et D' soient parallèles.

8 1920   **projection** n. f. 2 — TECH Action de produire une image sur un écran. *Projection de photos, d'un film.* ◆ **projecteur** n. m. Appareil servant à la projection d'images.

5 976   **projet** n. m. Ce qu'on se propose de faire. ◇ Première rédaction, première étude. ◇ *Projet de loi* : texte de loi élaboré par le gouvernement et soumis à l'approbation du Parlement*.

Prokofiev Sergueï, compositeur et pianiste soviétique (1891-1953). Il est l'un des grands maîtres de la musique néoclassique du XXe s. : *Pierre et le Loup* (1936, conte symphonique)...

10 2284   **prolétariat** n. m. Classe sociale que constituent les *prolétaires* (par opposition à bourgeois*, capitalistes* détenant le capital*), ceux qui n'ont que leur salaire pour vivre. Selon Marx*, le prolétaire ne possède que sa force de travail et, pour subsister, il est obligé de la vendre au capitalisme, qui en tire le maximum de profit*.

prologue n. m. Sorte d'introduction qui situe les personnages et l'action de certaines pièces, de certains opéras. *Le prologue d'« Esther » de Racine.*

prolongation n. f. Temps supplémentaire accordé aux joueurs d'un sport d'équipe, leur permettant de se départager, en cas d'égalité à la fin du match.

Prométhée. Titan* de la mythologie grecque, l'initiateur de la civilisation humaine. Il déroba le feu des dieux pour l'offrir à l'humanité. Pour le châtier, Zeus l'enchaîna et envoya un aigle lui dévorer le foie.

promoteur n. m. Homme d'affaires qui fait construire des immeubles en vue de les vendre ou de les louer. *Promoteur immobilier.*

promotion n. f. Nomination de quelqu'un à un emploi supérieur à celui qu'il occupe. ◇ *Promotion des ventes :* ensemble des techniques utilisées pour développer les ventes.

promulgation n. f. Publication officielle (d'une loi) par insertion dans le *Journal officiel.* Les lois sont promulguées par le président de la République.

pronom n. m. Mot qu'on met en général à la place d'un nom déjà exprimé : *est-ce que Gilles travaille ? oui, il travaille.* On distingue les pronoms personnels, possessifs, démonstratifs, relatifs, interrogatifs, indéfinis...

pronostic n. m. Jugement, opinion exprimant ce que l'on pense au sujet de quelque chose appartenant à l'avenir. *Un médecin pronostique l'évolution de la maladie. Le joueur donne un pronostic sur le match du lendemain.*

propagande n. f. Action qui vise à persuader la population de soutenir un gouvernement, une politique ou une idéologie. Par extension, toute action de persuasion en faveur d'un homme, d'une œuvre, d'un pays...

propagation n. f. ◇ 1. PHYS Façon, pour une onde ou un rayonnement, de se propager. ◇ 2. SOC Action de multiplier les espèces par reproduction. ◇ 3. RELG Le fait de répandre une croyance. Synonyme : *apostolat.*

propane n. m. Gaz incolore. Formule C_3H_8. Il est extrait du pétrole et du gaz naturel. Le propane est stocké à l'état liquide, sous pression dans des bouteilles ou des réservoirs cylindriques. On l'utilise surtout comme combustible ménager.

14 3272

prophète n. m. Celui qui révèle les volontés divines et le sort que Dieu réserve aux hommes. La Bible distingue quatre grands prophètes (Isaïe, Jérémie, Daniel et Ézéchiel) et douze petits. ◇ *Le*

*Panneau de **propagande** à la gloire de Lénine, en Tchécoslovaquie.*

*Les engins spatiaux décollent grâce à la **propulsion** à réaction.*

*Les grands yeux des **prosimiens** craignent la lumière du jour.*

Prophète : pour les musulmans, Mahomet. ◆ **prophétie** n. f. Révélation par un prophète des choses cachées. ◇ Par extension, prédiction.

prophylaxie n. f. Prévention des maladies. Elle est réalisée par l'application des règles d'hygiène, par les vaccinations, les examens réguliers même en l'absence de symptômes...

8 1821

proportion n. f. Nombres dépendant l'un de l'autre, tels que le rapport d'un nombre à celui qui y correspond directement est constant : $a/b = c/d$. ◆ **proportionnalité** n. f. État de grandeurs qui sont en proportion.

proposition n. f. 1 – LING Mot ou groupe de mots qui, formant une phrase simple (*J'ai faim. Sauvé !*) ou un élément de phrase complexe (*Je vois/que vous m'écoutez*), expriment un fait, un sentiment...

proposition n. f. 2 – DRT *Proposition de loi :* texte proposé par un ou plusieurs parlementaires pour qu'il devienne une loi après vote au Parlement*.

propriété n. f. 1 – CHIM-PHYS Ce qui appartient en propre à une substance et lui permet d'avoir une action déterminée. Les *propriétés physiques* concernent l'aspect, la conductivité, la température de fusion, etc. ; les *propriétés chimiques,* les réactions chimiques.

propriété n. f. 2 – DRT Droit de jouir, de disposer d'une chose que l'on possède. ◇ Bien-fonds qui appartient à quelqu'un. ◆ **propriétaire** n. m. ou f. Celui qui a un droit de propriété ; celui qui possède un bien loué à des locataires. ◆ **copropriété** n. f. Droit de propriété commun à plusieurs personnes.

propulsion n. f. Action de faire avancer une auto, un bateau, un avion, un missile, grâce à une poussée en avant. *Propulsion par turboréacteur, par moteur-fusée.* ◆ **propulseur** n. m. Dispositif (hélice, réacteur, etc.) capable de propulser un avion, un missile.

propylée n. m. Vestibule d'un temple. ◆ **propylées** n. m. pl. Construction à colonnes formant l'entrée de certains temples de la Grèce antique. *Les Propylées de l'Acropole d'Athènes.*

2 438

proscription n. f. Mesure judiciaire prise pour interdire à un citoyen, souvent pour des raisons politiques, de continuer à résider dans sa patrie. La proscription était pratiquée dans l'Antiquité romaine. (Voir ostracisme.)

prose n. f. Discours (parole ou texte) qui n'est pas soumis aux contraintes de versification. « *Tout ce qui n'est point vers est prose* » (Molière). *Poème en prose.* ◆ **prosateur** n. m. Auteur qui écrit en prose.

prosimiens n. m. pl. Sous-ordre de mammifères primates aux formes très diverses. Ils sont remarquables par

1 142
4 778

leurs gros yeux situés de face. Ce sont le loris, le lémur, le chirogale...

prospection n. f. Recherche systématique de richesses minérales. Ainsi, la prospection pétrolière se fait en deux temps : une approche de surface (mesure du magnétisme, de la radioactivité naturelle, etc.), puis des forages*.

9 2134   **prostate** n. f. Glande de l'appareil génital de l'homme, située sous la vessie. La prostate sécrète une grande partie du liquide spermatique.

prostitution n. f. Acte par lequel une personne prête son corps aux désirs sexuels d'autrui contre de l'argent. ◇ Fait social que constitue l'existence des prostitués. ◆ **prostitué** n. m. Personne qui fait commerce de son corps, qui se prostitue. *Une prostituée.*

protectorat n. m. Institution établie par un traité international, créant une dépendance limitée de l'État protégé à l'égard de l'État protecteur. ◇ L'État dépendant. *Le Maroc fut un protectorat français de 1912 à 1956.*

3 689
13 3065   **protéine** n. f. Nom général des grosses molécules organiques formées par l'association d'acides aminés. Elles sont fondamentales dans les cellules et participent à l'élaboration de structures (telles les membranes) ou sont des catalyseurs très actifs (les enzymes*).

8 1764
8 1850
12 2643
13 3079   **protestantisme** n. m. Ensemble des doctrines et des Églises chrétiennes nées, directement ou indirectement, de la Réforme (XVIᵉ s.). Bien que très diverses, les doctrines protestantes récusent toutes l'autorité du pape et prônent l'autorité de la Bible en matière de foi. Qu'ils soient luthériens, calvinistes, anglicans, baptistes..., les protestants croient au salut par la foi et non par les œuvres et préconisent l'examen personnel des Écritures. En revanche, leurs points de vue divergent sur la communion, le nombre des sacrements et la prédestination. Les protestants sont majoritaires en Amérique du Nord et en Europe du Nord.

prothèse n. f. Élément construit et mis en place par l'Homme en remplacement d'un organe, d'un membre, etc., pour en assurer, plus ou moins, la fonction. *Un dentier est une prothèse dentaire.*

prothrombine n. f. Protéine du plasma sanguin du groupe des globulines*. En cas de blessure, elle est transformée en thrombine, enzyme responsable de la coagulation du sang (fibrinogène).

10 2318   **protides** n. m. pl. Nom général pour tous les constituants azotés de la matière vivante formée à partir d'acides aminés. ◇ Terme désignant les 21 acides aminés eux-mêmes, ou *peptides :* les oligopeptides et les polypeptides, formés d'un petit nombre d'acides aminés (10 au maximum), et les protéines*.

protocole n. m. Ensemble des usages qui régissent les cérémonies et les rela-

Membrane, cytoplasme et noyau d'un **protozoaire.**

Proudhon et ses enfants
(détail), par Gustave Courbet.

Haute **proue** *effilée
d'un bateau de pêche à Java.*

Marcel **Proust** *en 1895,
par Jacques-Émile Blanche.*

tions officielles. ◇ *Procès-verbal** de déclarations d'une conférence internationale. *Signer un protocole d'accord.*

protohistoire n. f. Période intermédiaire entre la préhistoire et l'histoire. Le terme s'applique surtout aux civilisations (telle la civilisation celtique) où l'écriture apparut après la métallurgie et dont les documents écrits connus sont rares.

5 1022
5 1082
10 2272
13 3050
14 3346   **proton** n. m. Particule de charge électrique positive égale à celle de l'électron, qui se rencontre dans le noyau des atomes avec le neutron*. Le nombre de protons contenus dans un noyau est le *numéro atomique ;* il est égal au nombre d'électrons de l'atome.

protoplasme n. m. Cellule isolée débarrassée de sa paroi rigide (cellule végétale, bactérie, etc.). On peut obtenir ainsi des fusions entre cellules qui ne sont pas des gamètes*.

5 979   **prototype** n. m. Premier exemplaire d'un avion, d'une fusée, d'un moteur. On effectue sur lui des essais avant la fabrication en série.

3 526
5 1135
5 1149
10 2203
11 2436   **protozoaires** n. m. pl. Groupe (embranchement) d'animaux formés d'une cellule unique souvent très complexe car elle assure toutes les fonctions nécessaires à la vie. Ce sont les rhizopodes, les radiolaires, les flagellés, les ciliés, etc.

10 2286   **Proudhon** Pierre Joseph, théoricien socialiste français (1809-1865). Dénonçant d'abord la propriété et le profit capitaliste, il inclina par la suite vers une position réformiste.

proue n. f. Partie avant d'un navire, de forme pointue. La proue des anciens navires était ornementée de figures en bois sculpté, telles les licornes.

11 2525
13 2942   **Proust** Marcel, écrivain français (1871-1922). Il a génialement renouvelé l'art du récit dans une suite romanesque en 15 volumes : *À la recherche du temps perdu* (1913-1927). Selon lui, la mémoire nous rend les êtres et les choses plus vrais que le présent.

2 364   **Provence-Alpes-Côte d'Azur.** Région administrative du sud-est de la France, sur la Méditerranée, groupant les départements suivants : Alpes-de-Haute-Provence, Hautes-Alpes, Alpes-Maritimes, Bouches-du-Rhône, Var et Vaucluse. 31 423 km² ; 3 965 209 hab. Chef-lieu : Marseille. ◇ La région comprend une partie littorale au climat méditerranéen où se concentre la population, dense, et une partie intérieure montagneuse (Alpes du Sud), presque déserte sauf dans les vallées (Durance). ◇ L'agriculture (moins de 10 % des actifs) est devenue très spécialisée : fruits, primeurs, fleurs, riz. Plaines étroites à l'est, plus étendues à l'ouest (Camargue, Crau). ◇ L'industrie s'est développée récemment grâce à l'hydro-électricité des Alpes et aux importations de pétrole :

pétrochimie, complexe sidérurgique de Fos. Le tourisme est très important, qu'il soit balnéaire, culturel (festivals d'Avignon, d'Aix) ou « écologique » (parcs naturels). Marseille est le 1er port et la 2e ville de France. ◇ La Provence a une longue tradition urbaine. Elle connut diverses dominations avant d'être rattachée à la France (1481).

Provence-Alpes-Côte d'Azur : le port de Saint-Tropez.

13 3045 **proverbe** n. m. Sentence, maxime, formule figée exprimant une vérité d'expérience *(pierre qui roule n'amasse pas mousse),* un conseil *(bien faire et laisser dire)* et connue de tout un groupe social. *Proverbe chinois, arabe.*

6 1337 **province** n. f. Division administrative ou traditionnelle d'un État. *Les anciennes provinces françaises (Gascogne, Artois, etc.).* ◇ État fédéré au Canada. *Province du Québec.* ◇ *La province :* l'ensemble du pays, par opposition à la capitale. *Habiter la province.*

proviseur n. m. Fonctionnaire de l'enseignement chargé de l'administration et de la direction d'un lycée*. (Sans féminin correspondant.) ◆ **provisorat** n. m. Fonction de proviseur.

provision n. f. Ensemble de choses nécessaires ou utiles mises en réserve pour la subsistance. ◇ Somme réunie pour servir d'acompte* ou pour assurer le paiement d'un titre bancaire. *Chèque sans provision.*

proxénète n. m. Individu qui vit de la prostitution* d'autrui. Synonyme : *souteneur.* ◆ **proxénétisme** n. m. Délit qui consiste à tirer profit de la prostitution.

prud'hommes (Conseil de). Tribunal qui juge les différends individuels entre employeurs et employés. Composé de patrons et de salariés élus pour 6 ans. Divisé en sections (commerciale, industrielle, etc.). Pas de ministère* public.

Prud'hon Pierre Paul, peintre français (1758-1823). Il a évolué du classicisme vers le pré-romantisme en faisant usage du clair-obscur : *l'Enlèvement de Psyché* (1808). Il fut également un grand dessinateur.

4 856 **prune** n. f. Fruit du prunier, arbre de la famille des rosacées qui dérive du prunellier sauvage. Nombreuses variétés de prunes : quetsche, reine-claude, mirabelle... ◆ **pruneau** n. m. Prune séchée au soleil ou au four pour être conservée.

prurit n. m. Démangeaison, plus ou moins intense, sans qu'il y ait de lésion. On attribue cela à un mauvais fonctionnement des nerfs de la peau.

9 1953
9 1987
10 2338 **Prusse.** Ancien royaume allemand. Constituée de territoires conquis par les chevaliers Teutoniques (XIIIe s.), la Prusse devint un duché lorsque Albert de Brandebourg, maître de l'ordre des chevaliers Teutoniques, passa à la Réforme (1525). En 1618, les Hohenzollern héritèrent de la Prusse ; Frédéric Ier fut le premier souverain à porter

Récolte des **prunes.**

Roi d'Égypte coiffé du **pschent** *sur un bas-relief du temple d'Edfou.*

Une cure de **psychanalyse** *peut durer plusieurs années.*

le titre de roi de Prusse (1701). Devenue une puissance européenne sous Frédéric II, elle fut écrasée par Napoléon (1807). Agrandie en 1814 de la Rhénanie et de la Westphalie, la Prusse devint, sous l'impulsion de Bismarck, la force motrice de l'unification allemande (1864-1871). Elle disparut officiellement en 1934.

psaume n. m. Chacun des 150 chants sacrés qui composent l'un des livres de la Bible. ◇ Musique vocale écrite sur le texte biblique d'un psaume.

pschent n. m. Coiffure (sorte de tiare) des pharaons, qui symbolisait leur souveraineté sur les deux royaumes de Haute et Basse-Égypte. **1** 180

pseudonyme n. m. Nom d'emprunt adopté par une personne pour cacher sa véritable identité. *Voltaire est le pseudonyme de François Marie Arouet.*

psittacidés n. m. pl. Seule famille de l'ordre des psittaciformes ; ce sont des oiseaux grimpeurs au bec crochu (perroquets, perruches, cacatoès, etc.). **14** 3130

psittacose n. f. Maladie des perroquets. Elle est transmissible à l'Homme, chez lequel on observe alors des troubles pulmonaires, intestinaux, accompagnés de fièvre.

psoriasis n. m. Maladie de la peau caractérisée par des éléments arrondis formés de lambeaux de peau sèche, surtout aux coudes, genoux, cuir chevelu. **4** 959

psychanalyse n. f. Méthode de psychologie clinique et de psychothérapie fondée sur l'exploration des processus mentaux inconscients. La psychanalyse traite des névroses*, psychoses* et autres troubles psychiques. ◇ Les théories psychanalytiques ont été élaborées par Freud dès 1885. Le « complexe d'Œdipe » y tient une place primordiale. Dès 1910, des chercheurs élargirent ou modifièrent ces théories : Jung, avec la notion d'« inconscient collectif », Adler, Lacan. **12** 2805 **13** 3022

psychiatrie n. f. Partie de la médecine qui s'occupe des maladies mentales. La psychiatrie est souvent associée à la neurologie, dont elle utilise les médicaments psychotropes. Elle emploie les méthodes de la psychanalyse (évocation des souvenirs, reconstitution de situations, tests divers, etc.), de la psychologie... Chaque malade étant un cas particulier, il faut adapter les méthodes, ce qui explique la diversité des thérapeutiques (traitements). **12** 2805

psychisme n. m. Ensemble des phénomènes de la vie psychique : états de conscience et faits nerveux mentaux. *Le psychisme animal.* **12** 2805

psychologie n. f. Étude, à l'aide d'expériences, des comportements des animaux et des Hommes. Le *psychologue* est intéressé autant par les comportements individuels que par les comporte- **12** 2802 **14** 3238 **14** 3334 ments d'une population entière (psychologie sociale). Il cherche surtout à déterminer quels sont les facteurs (stimuli) qui déclenchent telle ou telle conduite pour pouvoir, par la suite, éviter ou favoriser cette conduite selon qu'elle est jugée néfaste ou profitable.

12 2805 **psychose** n. f. Nom générique des maladies mentales graves. Le malade n'est pas conscient de son état, ce qui différencie la psychose de la névrose*.

ptéridophytes n. m. pl. Embranchement de végétaux vasculaires sans fleurs, se reproduisant par spores. De taille variable : forme herbacée de 1 cm, arborescente de plus de 10 m. Ce sont les fougères, prêles, lycopodes, etc.

1 96 **ptérodactyle** n. m. Genre de ptérosaurien* aux longues mâchoires dentées formant un rostre* et dépourvu de queue. Apparu au jurassique.

1 96 **ptérosauriens** n. m. pl. Ordre des reptiles fossiles adaptés au vol grâce à une membrane alaire soutenue par le 5e doigt de la main. Leur taille pouvait varier de quelques centimètres à 8 m d'envergure. Apparus au jurassique, les ptérosauriens disparurent au crétacé*.

Ptolémée. Nom de seize souverains d'origine macédonienne qui régnèrent sur l'Égypte de 305 à 30 av. J.-C. Fondée par Ptolémée Ier Sôtêr (v. 360-283 av. J.-C.), cette dynastie prit fin avec Ptolémée XVI Césarion (47-30 av. J.-C.), fils de César et de Cléopâtre.

3 481 **Ptolémée** Claude, astronome, géographe et mathématicien grec (IIe s.). Auteur d'une *Grande Syntaxe mathématique* (ou *Almageste*) et d'une *Géographie* ; ses théories firent autorité jusqu'à la fin du Moyen Âge (Copernic*). Il imaginait la Terre fixe au centre du monde.

1 225 **puberté** n. f. Ensemble des transformations physiologiques et morphologiques affectant un jeune garçon, une jeune fille ou un animal au moment du démarrage de l'appareil génital. Dans l'espèce humaine, la puberté se produit entre 10 et 16 ans. La production de gamètes débute ; puis le psychisme, la voix, le système pileux sont modifiés par de nouvelles hormones hypophysaires.

9 2134 **pubis** n. m. Pièce osseuse qui forme la zone antérieure de l'os iliaque. ◇ Région inférieure triangulaire du bas-ventre, couverte de poils à la puberté.

public n. m. Les gens en général. *Entrée interdite au public* (aux personnes non habilitées). ◇ *En public :* en présence d'un grand nombre de personnes. Contraire : *en privé.* ◇ Ensemble des gens concernés par un artiste, un écrivain, ou leurs œuvres. *Public de connaisseurs.* ◇ *Le grand public :* tout le monde, sans distinction d'âge, de condition... ◇ Personnes qui assistent à un spectacle. Synonyme : *assistance.*

1 22
5 1098 **publicité** n. f. Ensemble des moyens employés pour faire connaître un pro-

Publicités lumineuses à Las Vegas.

*Suçant le suc des plantes, les **pucerons** dévastent les cultures.*

*Maisons à étages dans un village d'Indiens **Pueblos,** au Mexique.*

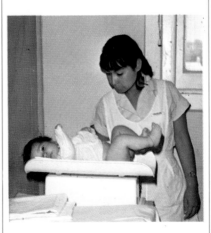

Puériculture : pesée d'un bébé dans un hôpital chilien.

duit, une entreprise, afin d'inciter les consommateurs à acheter ce produit ou à utiliser les services de cette entreprise. ◆ **publicitaire** n. m. ou f. Spécialiste de publicité commerciale auquel un annonceur a recours pour le montage et la mise en œuvre d'une campagne* de « pub ». **7 1584**

Puccini Giacomo, compositeur italien (1858-1924). Ses opéras sont les chefs-d'œuvre d'un genre qu'on appelle vérisme* : *la Bohème* (1896), *Tosca* (1900), *Madame Butterfly* (1904).

puce n. f. Nom donné à divers insectes dépourvus d'ailes, adaptés au saut et parasites de l'Homme, de divers mammifères. La puce se nourrit de sang et peut transmettre des maladies : peste, myxomatose. **6 1427** **7 1451**

puceron n. m. Petit insecte qui suce la sève des végétaux (chêne, rosier, pommier, etc.). Chez les pucerons, il y a succession de génération avec alternance de formes ailées ou non, d'hôtes et de modes de reproduction (bisexuée ou parthénogenèse). Les pucerons constituent le groupe des aphidiens.

Pueblos (les). Indiens du sud-ouest des États-Unis. Principales ethnies : Hopis et Zuñis. Ce sont des agriculteurs. Poteries remarquables, à dessins géométriques ; vannerie, tissage. **9 2111**

puériculture n. f. Ensemble de toutes les méthodes employées pour assurer un bon développement de l'enfant depuis sa naissance jusqu'à 4 ans. La *puéricultrice,* infirmière diplômée, exerce dans les maternités, les crèches.

puissance n. f. 1 – PHYS Grandeur qui caractérise la vitesse à laquelle un travail s'effectue, ou encore la quantité de travail fourni par seconde. Dans le système international, la puissance s'exprime en watts* (symbole *W*). La puissance fiscale des autos est une grandeur conventionnelle. **2 310**

puissance n. f. 2 – MATH La puissance $n^{ième}$ (où n est un entier) d'un réel a est le produit de n facteurs égaux à a. On note a^n ($2^3 = 2 \times 2 \times 2 = 8$). On lit a puissance n, n est l'exposant. Par convention, $a^1 = a$ et si $a \neq 0$ $a^0 = 1$.

puissance n. f. 3 – SOC Pouvoir d'exercer une autorité, une influence. *Puissance d'une nation :* son potentiel économique, industriel, militaire. ◇ *Les grandes puissances :* États riches et influents.

puits n. m. Trou creusé dans le sol pour recueillir de l'eau potable, pour extraire du pétrole. ◆ **puisatier** n. m. Spécialiste de la construction et de la réparation des puits d'eau potable. ◆ **puits artésien** n. m. Puits duquel sort de l'eau sous pression.

pulmonés n. m. pl. Groupe de mollusques gastéropodes respirant par un poumon. Beaucoup sont terrestres, avec ou **9 2043**

sans coquille : escargot, limace, etc. ; d'autres, aquatiques : limnée, physe, etc.

12 2878

pulsar n. m. Étoile qui tourne sur elle-même très rapidement. Elle émet de très brèves impressions captées par les radiotélescopes. Mot d'origine anglaise.

pulsation n. f. Contractions, dilatations répétées dont certains organes sont le siège. *La pulsation cardiaque, la pulsation d'une artère...*

pulsion n. f. Manifestation de l'inconscient, force à la limite de l'organique et du psychique qui pousse un individu à agir au moyen d'un objet, pour réduire un état de tension organique.

6 1429

puma (ou cougouar) n. m. Mammifère carnassier d'Amérique, au pelage beige (famille des félidés). Chassé par les éleveurs, il disparaît de divers pays.

8 1885

punaise n. f. Nom courant de divers insectes de l'ordre des hétéroptères. Certaines punaises parasitent l'Homme et les animaux *(punaise des lits)* en les piquant pour sucer leur sang.

7 1647

Punakha. Ville du Bhoutan, dont elle est la capitale d'hiver (Timphu étant celle d'été), dans une vallée où confluent des torrents himalayens.

3 632

puniques (guerres). Conflit qui opposa Rome et Carthage (*poeni* signifie carthaginois, en latin) pour la domination en Méditerranée occidentale. La première guerre punique (264-241 av. J.-C.) eut pour enjeu la Sicile et fut gagnée par Rome. La deuxième (218-201) débuta par les victoires d'Hannibal (Cannes, Trasimène) mais se conclut par la victoire du Romain Scipion l'Africain à Zama (202). La troisième (149-146) vit Rome détruire son ancienne rivale.

punk n. m. ou f. Membre d'un mouvement, apparu vers 1978, qui manifeste son rejet de la société par la dérision (tenues anticonformistes) et son goût pour une musique violente.

3 523
5 1179

pupille n. f. 1 – ANAT Orifice circulaire situé au centre de l'iris. L'ouverture de la pupille varie en fonction de l'intensité de la lumière.

pupille n. m. ou f. 2 – SOC Enfant mineur placé sous l'autorité d'un tuteur. ◇ *Pupille de l'État :* enfant orphelin ou nécessiteux, placé sous la tutelle de l'État. ◇ *Pupille de la nation :* orphelin de guerre.

12 2736

Purcell Henry, compositeur anglais (1658 ou 1659-1695). Son opéra *Didon et Énée* (1689) est un chef-d'œuvre de la musique de tous les temps.

purge n. f. Action de provoquer l'évacuation des selles par l'utilisation d'une substance ou d'un médicament appelé *purgatif*.

8 1812
8 1905

puritanisme n. m. Doctrine des puritains. Inspirés par le calvinisme et d'une grande rigueur morale, les puri-

*Le **puma** a l'ouïe très fine et il chasse la nuit.*

*Groupe de jeunes **punks** à Londres.*

*Cavaliers en costume traditionnel dans la **Puszta** hongroise.*

***Pygmées** devant leur hutte, au Cameroun.*

tains, persécutés en Angleterre, émigrèrent vers l'Amérique au XVIIe s. ou participèrent à la révolution de 1648.

4 723
10 2370

pur-sang n. m. Cheval de course d'une race créée en sélectionnant les chevaux rapides, endurants, issus du croisement de chevaux arabes et anglais.

pus n. m. Liquide généralement blanc et opaque, plus ou moins fluide, exsudé de certaines lésions. Le pus contient de nombreux leucocytes polynucléaires en plus ou moins bon état, des bactéries et diverses substances dissoutes provenant de cellules détruites.

12 2796

Puszta (la). Mot hongrois signifiant *désert*. Partie de la plaine hongroise (est et sud-est du pays), la Puszta fut inculte jusqu'au XVIIe siècle.

putois n. m. Mammifère carnivore (famille des mustélidés), long de 50 cm, au pelage brun et blanc. Il peut émettre une sécrétion anale malodorante.

putsch n. m. Coup d'État, soulèvement effectué par un groupe politique armé, en vue d'une prise de pouvoir devant mener à un changement de régime.

Puvis de Chavannes Pierre, peintre français (1824-1898). Ses compositions sont d'inspiration symboliste : fresques du Panthéon (1875-1877).

4 800

Puy (Le) (43000). Chef-lieu de la Haute-Loire, ancienne capitale du Velay, dans le fertile bassin du Puy. 25 968 hab. (*Aniciens* ou *Ponots*). ◇ Belle cathédrale romane à six coupoles.

4 800

Puy-de-Dôme (63). Département du Massif central (région Auvergne). 7 955 km² ; 594 365 hab. Chef-lieu : Clermont-Ferrand. Sous-préfectures : Ambert, Issoire, Riom, Thiers. ◇ Les fertiles Limagnes (céréales, fruits) sont encadrées à l'est et à l'ouest (massifs volcaniques) de hauteurs : élevage bovin important (viande et surtout fromage). Forte industrialisation à Thiers (coutellerie) et surtout à Clermont-Ferrand. Thermalisme actif.

puzzle n. m. Jeu de patience formé de petites pièces au contour irrégulier, que l'on doit assembler pour reconstituer une image.

pygargue n. m. Grand aigle (envergure de 2,50 m), dit *aigle de mer*, qui pêche les poissons en surface en effectuant des vols piqués rapides.

Pygmalion. Sculpteur et roi légendaire de Chypre. Auteur d'une statue de *Galatée* dont il devint amoureux et qu'Aphrodite anima et lui donna pour épouse.

2 411

Pygmées (les). Peuple, de petite taille (moins de 1,50 m), que l'on trouve en Afrique équatoriale (100 000 individus). Ces hommes de la forêt vivent de la chasse et de la cueillette. Il y a quelques Pygmées en Insulinde.

10 2321   **pylore** n. m. Orifice mettant l'estomac en communication avec le duodénum. Le pylore comporte un sphincter* régulant l'évacuation du chyme*.

3 559   **Pyongyang.** Capitale de la République démocratique de Corée. 1 500 000 hab. Sidérurgie, métallurgie, chimie, mines de charbon. Musées.

pyramide n. f. 1 – MATH Si P est un polygone et S un point non situé dans le plan de P, on appelle pyramide de base P, de sommet S, le solide délimité par P et les triangles ayant S pour sommet et pour côté opposé un des côtés de P.

1 182
1 198
8 1694   **pyramide** n. f. 2 – ARCH Monument funéraire de l'Égypte ancienne. Les pyramides édifiées à Gizeh par les pharaons Chéops, Chéphren et Mykérinos restent les plus célèbres. Par extension, on désigne ainsi les temples surélevés des Aztèques et des Mayas (Chichén Itzá, Palenque).

10 2396   **Pyrénées.** Chaîne de montagnes de France et d'Espagne, entre l'Atlantique et la Méditerranée ; 3 404 m au pic d'Aneto. ◇ Une zone axiale cristalline domine les zones nord et sud-pyrénéennes, sédimentaires. Cette zone axiale étant peu aérée, les Pyrénées sont, dans l'ensemble, difficilement franchissables.

8 1828   **Pyrénées-Atlantiques** (64). Département du sud-ouest de la France (région Aquitaine). 7 629 km² ; 555 670 hab. Chef-lieu : Pau. Sous-préfectures : Bayonne, Oloron-Sainte-Marie. ◇ Les Pyrénées occidentales, humides, dominent une région de collines séparées par des vallées. La population augmente du fait de l'industrialisation (construction aéronautique, chimie), née de l'hydro-électricité et du gaz naturel de Lacq. Tourisme important.

11 2500   **Pyrénées (Hautes-)** (65). Département du sud-ouest de la France (région Midi-Pyrénées). 4 464 km² ; 277 922 hab. Chef-lieu : Tarbes. Sous-préfectures : Argelès-Gazost, Bagnères-de-Bigorre. ◇ Les Pyrénées centrales, très montagneuses (élevage), dominent le plateau de Lannemezan. Industrialisation née de l'hydro-électricité : électrométallurgie, électrochimie, etc. Tourisme d'hiver. Afflux de pèlerins à Lourdes.

5 1028   **Pyrénées-Orientales** (66). Département du sud-ouest de la France (région Languedoc-Roussillon). 4 116 km² ; 334 557 hab. Chef-lieu : Perpignan. Sous-préfectures : Céret, Prades. ◇ La plaine du Roussillon, sur la Méditerranée (littoral bas), est dominée par les Pyrénées (près de 3 000 m au Carlitte). Les produits de l'agriculture (vigne, fruits, horticulture) permettent quelques industries. Tourisme (côte et montagne) important.

La **pyramide** de Chéops, à Gizeh : l'une des Sept Merveilles du monde.

Pyrotechnie : l'art de faire du feu pour faire briller les yeux.

« C'est un serpent **python**, c'est un serpent piteux... » (Ch. Trenet).

Pyrénées (paix des). Traité de paix franco-espagnol (1659), au terme duquel la France s'agrandit de l'Artois et du Roussillon et qui permit de conclure le mariage de l'infante Marie-Thérèse avec Louis XIV.   **9** 1987

pyrite n. f. Solide cristallisé jaune d'or ou blanc, à l'éclat métallique, que l'on trouve dans les roches. Formule FeS_2.

pyrogravure n. f. Décoration d'objets en bois ou en cuir que l'on grave à l'aide d'une pointe métallique chauffée. ◆ **pyrograveur** n. m. Personne qui fait de la pyrogravure.

pyromanie n. f. Impulsion qui pousse irrésistiblement certains individus à allumer des incendies. ◆ **pyromane** n. m. ou f. Personne qui est atteinte de pyromanie.

pyrotechnie n. f. Technique de la fabrication des feux d'artifice, des fusées de détresse, des fumigènes (création d'écrans de fumée). ◇ Technique de la mise à feu des engins explosifs, au moyen de mèches, par exemple.

Pyrrhus, roi d'Épire (v. 319-272 av. J.-C.). Après avoir échoué dans son projet de conquête de la Macédoine, il passa en Italie, mais ses victoires coûteuses en hommes (victoires à la Pyrrhus) ne lui permirent pas de battre Rome. En 275, il regagna l'Épire.

Pythagore, mathématicien et philosophe grec (VIᵉ-Vᵉ s. av. J.-C.). Il reste célèbre pour son théorème : dans un triangle rectangle, le carré de l'hypoténuse est égal à la somme des carrés des deux autres côtés. Fondateur d'un mouvement religieux et scientifique.   **3** 483   **13** 3041   **13** 3046

Pythéas, navigateur, astronome et géographe grec qui vécut au IVᵉ s. av. J.-C. Au cours de l'un de ses voyages en mer, il signala l'existence d'une île qu'il appela Thulé et qui semble devoir être l'Islande.   **3** 542

pythie n. f. Prêtresse d'Apollon qui rendait les oracles à Delphes. Les prêtres du sanctuaire interprétaient ses transes comme des prophéties.

Python. Serpent monstrueux de la mythologie grecque qui rendait les oracles à Delphes. Apollon le tua, s'empara de l'oracle et fonda les jeux Pythiques.

python n. m. Nom courant de divers serpents non venimeux des forêts d'Asie, d'Afrique, d'Australie. Le python tue ses proies en les étouffant. Le python d'Angola atteint 1,50 m, le python-tigre jusqu'à 10 mètres.   **2** 464

Qatar. Émirat de la péninsule arabique, sur le golfe Persique.

superficie :	11 437 km²
population :	200 000 hab.
capitale :	Doha
monnaie :	le riyal du Qatar
code international :	non communiqué

L'État, une presqu'île, tire ses ressources de la pêche et, surtout, du pétrole. 85 % des actifs sont des immigrés. ◇ Protectorat britannique (1868) qui est devenu indépendant en 1971.

quadrant n. m. Arc de cercle dont la mesure est 90°, soit un quart de cercle. ◇ En géométrie, chacune des portions du plan déterminées par deux axes de coordonnées perpendiculaires.

quadrige n. m. Char à deux roues tiré par quatre chevaux de front. ◇ Dans la Rome antique, les courses de quadriges, qui se déroulaient au cirque, étaient l'objet de paris acharnés.

quadrilatère n. m. Polygone ayant quatre côtés. Les principaux quadrilatères sont : le trapèze*, le parallélogramme*, le rectangle*, le carré*, le losange*.

quadrille n. m. Danse, en vogue au XIXᵉ s., qui était exécutée par des couples se faisant vis-à-vis. ◇ La musique de cette danse. *Jouer un quadrille.*

quadrupède n. m. Animal qui, tel le cheval, possède quatre pattes locomotrices. Ce terme ne s'applique cependant qu'aux vertébrés.

quai des Orfèvres (Paris). Rue abritant le siège de la police* judiciaire ainsi que le Musée des collections historiques de la Préfecture de police.

quaker n. m. Membre d'une secte protestante fondée en 1652 par George Fox, qui s'est développée surtout aux États-Unis. Les quakers, qui se soumet-

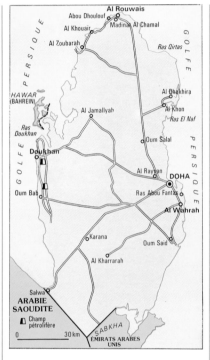

*Le **Qatar**.*

*Pyramides de **quartz**, ou cristal de roche.*

tent à l'inspiration directe de l'Esprit-Saint, pratiquent une morale rigoureuse, la prière, la solidarité et rejettent toute organisation ecclésiastique.

qualification n. f. Niveau de capacité, de formation d'un ouvrier*, d'un employé. ◇ Fait d'être admis à participer à une compétition sportive. ◆ **disqualification** n. f. Exclusion d'une compétition pour infraction aux règles.

quantum n. m. Quantité élémentaire d'énergie pouvant être échangée. C'est Max Planck* qui, en 1900, introduisit la *théorie des quanta*, en supposant que les échanges d'énergie dans la matière se faisaient par grain, ou quantum.

quark n. m. Unité de matière hypothétique qui entrerait dans la constitution des particules élémentaires à interaction forte, ou hadrons (neutrons, protons...).

quartette → quatuor

quartier n. m. Division, partie d'une ville. *Quartier populaire.* ◇ *Le Quartier latin :* quartier de Paris traditionnellement universitaire, sur la rive gauche de la Seine (Vᵉ, VIᵉ arrondissement).

quartz n. m. Variété très répandue de silice cristallisée. Le quartz est caractérisé par sa dureté (l'acier ne le raye pas) et, lorsqu'il est pur, par sa limpidité (cristal de roche). Cristallisé, il sert notamment en horlogerie.

quaternaire (ère). Ère géologique la plus récente et la plus brève, commencée avec l'apparition de l'Homme, il y a 4,1 millions d'années (selon les dernières découvertes). Cette ère comprend le pléistocène* et l'holocène, période qui s'étend jusqu'à nos jours.

quattrocento n. m. Quinzième siècle italien. Cette période fut marquée en Italie du Nord, et notamment à Florence, par le formidable épanouissement artistique de la Renaissance*.

2 262 quatuor n. m. Morceau de musique écrit pour quatre voix ou quatre instruments. *Quatuor à cordes* : œuvre pour deux violons, un alto et un violoncelle. ◇ Formation de quatre musiciens.

7 1480
8 1814 Québec. La plus vaste (1 540 681 km²) des provinces du Canada, entre la baie d'Hudson et le Saint-Laurent. 6 300 000 hab. (86 % de francophones). Capitale : Québec (177 000 hab.). Ville principale : Montréal. ◇ Grand comme 3 fois la France, le Québec fait partie du bouclier canadien auquel s'adjoint la vallée du Saint-Laurent, où se concentre la population. Climat rude mais salubre. ◇ Seconde province du Canada après l'Ontario pour le volume de sa production, le Québec possède une économie très développée. L'agriculture, longtemps dominante, est aujourd'hui supplantée par le secteur secondaire. Sous-sol très riche : fer, zinc, or, amiante, etc. L'hydro-électricité, abondante, a permis de diversifier les activités : bois, métallurgie, chimie. ◇ Explorée en 1534, puis colonisée par les Français au XVIIe s., la région, baptisée Nouvelle-France, fut conquise par les Anglais en 1759. La domination anglaise provoqua plusieurs mouvements de révolte (1837, rébellion de Papineau). Dans les années 1970, un mouvement séparatiste, incarné notamment par le parti québécois, devint majoritaire. Mais la majorité des Québécois se prononça en 1980 contre l'indépendance.

13 2943
13 3024 Queneau Raymond, écrivain français (1903-1976). Il explora, sous le masque de l'humour, des techniques d'écriture savante : *Exercices de style* (1947), *Zazie dans le métro* (1959), etc.

11 2500 Quercy. Région de France, aux confins du Massif central (causses entaillés par le Lot et la Dordogne) et du Bassin aquitain (collines).

question n. f. Torture utilisée par la justice, sous l'Ancien Régime, pour arracher des aveux. Elle fut abolie par la Révolution.

8 1897
8 1901 Quetzalcóatl. Dans le Mexique précolombien, dieu représenté sous la forme d'un serpent à plumes, qui commandait à l'air et à l'eau et animait la nature.

queue n. f. Partie postérieure, terminale, du corps des animaux, de forme et d'origine variables. Chez les mammifères, elle comporte plusieurs vertèbres ; chez les oiseaux, elle est formée de plumes appelées rectrices.

10 2269 Quezón City. Capitale des Philippines jusqu'en 1976, au nord-est de Manille. ◇ Créée en 1948, elle porte le nom du premier président de l'État.

Le Saint-Laurent gelé à **Québec.** *Au fond, le château Frontenac.*

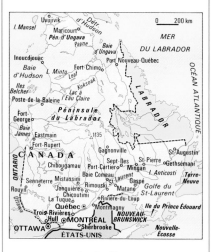
Le **Québec.**

Tête de **Quetzalcóatl,** *« serpent-plume précieuse », à Teotihuacán.*

Quito *est située à 2 850 m d'altitude, au pied d'un volcan.*

quille n. f. En marine, longue pièce allant de l'étrave à l'étambot d'un navire. La quille se trouve sous la coque. Elle assure la rigidité de la coque et supporte le navire s'il s'échoue. **2 273**

Quimper (29000). Chef-lieu du Finistère, sur l'Odet. 60 162 hab. *(Quimpérois).* Faïencerie d'art. ◇ Cathédrale Saint-Corentin (XIIIe-XVIe s.). **1 134**

Quinet Edgar, historien français (1803-1875). Professeur au Collège de France, proscrit après le coup d'État de 1851, il fut élu député en 1871.

quinine n. f. Substance chimique (alcaloïde) extraite de l'écorce du quinquina*, utilisée comme médicament pour traiter les fièvres paludéennes (paludisme, malaria, etc.). **5 1128**

quinquina n. m. Arbre tropical dont on exploite l'écorce, très riche en alcaloïdes variés utilisés comme médicaments, telle la quinine*. **5 1128**

quintal n. m. Unité de mesure des masses correspondant à 100 kilogrammes. Symbole q. Surtout utilisé en agriculture. *Dix quintaux de blé.*

quintette n. m. Morceau de musique écrit pour cinq voix ou cinq instruments. *Quintette à vents.* ◇ Formation de cinq musiciens.

Quito. Capitale de l'Équateur, à 2 850 m d'altitude, au pied du volcan Pichincha. 557 000 hab. ◇ Monuments religieux de style baroque espagnol. **10 2366**

quittance n. f. Document par lequel un créancier atteste qu'un débiteur s'est acquitté de sa dette. *Une quittance de loyer.*

Qumrân. Site de la rive nord-ouest de la mer Morte, où furent découverts les « manuscrits de la mer Morte » dus à la secte juive des esséniens (IIe s. av. J.-C.-Ier s. ap. J.-C.).

quorum n. m. Nombre minimal de membres qui doivent être réunis dans une assemblée pour que ses délibérations et ses décisions soient valables. *Le quorum est atteint.*

quotidien n. m. Journal qui paraît chaque jour, ou six jours par semaine. *Quotidien du matin, du soir.* (Voir journal, presse.) **4 751**

quotient n. m. Résultat de la division. Le produit du quotient et du diviseur, augmenté du reste, doit donner le dividende. ◆ **Q.I.** n. m. *Quotient intellectuel.* Pour les enfants, rapport de l'âge mental (évalué par des tests) à l'âge réel. Pour les adultes, test destiné à évaluer l'intelligence d'un individu. **13 3021**

R

Râ ou **Rê**. Dieu égyptien du Soleil, père mythique du pharaon. Il était généralement représenté par un corps d'homme surmonté d'une tête d'épervier supportant le disque solaire. Son culte se développa à Héliopolis (près du Caire).

Rabat. Capitale du Maroc et port sur l'Atlantique. 368 000 hab. Textile, alimentation. ◇ La ville, fondée par les Almohades* au XIIᵉ s., connut un grand essor au XVIIᵉ s. ; capitale depuis 1912.

rabbin n. m. Chef spirituel d'une communauté israélite. Le mot araméen *rabbi* signifie maître et désignait, à l'origine, un docteur de la Loi juive.

Rabelais François, écrivain français (v. 1494-1553). Son art du récit truculent, qui mêle la culture populaire et la culture savante dans un extraordinaire foisonnement verbal, fait de lui un prosateur au style inimitable : *Pantagruel* (1532), *Gargantua* (1534), *Tiers Livre* (1546), *Quart Livre* (1548 et 1552) et *Cinquième Livre* (1564), sans doute partiellement apocryphe.

Rabier Benjamin, dessinateur humoristique français (1869-1939). Spécialiste du livre illustré pour enfants, il est le créateur du canard *Gédéon* (1923).

race n. f. ◇ 1. SOC Division de l'espèce humaine fondée sur certains caractères héréditaires, physiques (couleur de la peau, etc.) et physiologiques (groupes sanguins notamment). On distingue traditionnellement trois grandes races : blanche, jaune et noire. ◇ Cette notion est aujourd'hui contestée dans la mesure où les différences génétiques existantes, telles les caractéristiques sanguines, sont peu nombreuses et peu tranchées. ◇ 2. ZOOL Subdivision d'une espèce. *Les races bovines.*

rachis n. m. Nom scientifique de la colonne vertébrale. ◇ Nom donné à l'axe central de divers organes, comme

« Le rire est le propre de l'Homme », a écrit **Rabelais**.

« La principale règle est de plaire et de toucher » (**Racine**).

l'épi des graminées, la fronde des fougères, la plume des oiseaux, etc.

rachitisme n. m. Maladie osseuse se manifestant par un défaut de minéralisation du squelette. Le rachitisme est dû à un manque de vitamine D qui a pour conséquence la non-absorption du calcium au niveau de l'intestin.

Rachmaninov Serge, compositeur et pianiste russe (1873-1943). Ses *Préludes* et son *Concerto pour piano nᵒ 2* sont d'inspiration romantique.

racine n. f. ◇ 1. BOT Organe souterrain ancrant un végétal dans le sol et assimilant, grâce aux poils absorbants et aux radicelles* qu'il porte, eau et sels minéraux du sol, nécessaires à la vie de la plante. Plus ou moins ramifiée, la racine peut servir d'organe de réserve (carotte, radis, etc.). Les tiges, les feuilles, etc., peuvent aussi développer des racines *adventives*. ◇ 2. MATH Tout nombre, ou groupe de nombres, vérifiant une équation.

Racine Jean, poète dramatique français (1639-1699). Analyste subtil des mouvements irraisonnés du cœur, il a écrit ses pièces dans une langue apparemment simple qui est la perfection même de l'art classique : *Andromaque* (1667), *les Plaideurs* (1668, son unique comédie), *Britannicus* (1669), *Bérénice* (1670), *Bajazet* (1672), *Mithridate* (1673), *Iphigénie* (1674), *Phèdre* (1677), *Esther* (1689), *Athalie* (1691).

racisme n. m. Théorie de la supériorité de certaines races* humaines sur d'autres. ◇ Dans son *Essai sur l'inégalité des races humaines* (1853-1855), Gobineau prétendit fonder l'idée que la race blanche pure, la race « aryenne » (voir Aryens), était supérieure aux autres. Cette théorie, exploitée par les pangermanistes (voir germanisme) puis par les nazis (voir nazisme), servit à justifier l'antisémitisme*, l'extermination des

Juifs, des Tsiganes, etc. ◇ Ensemble des mesures de discrimination ou des comportements, conscients ou non, appliqués à des individus d'une certaine « race » en raison de leur appartenance à celle-ci. *Racisme des Blancs à l'égard des Amérindiens*, des Noirs* en Amérique, en Afrique du Sud* (voir apartheid). *Racisme anti-arabe.*

racket n. m. Rançon que des bandits exigent de commerçants, d'industriels..., en échange de leur tranquillité ; extorsion de fonds par intimidation.

2 377
3 575
5 1092
9 2140
13 2983

radar n. m. Abréviation des mots anglais *radio detection and ranging* (détection et télémétrie par radio). Appareil permettant de déceler et de localiser un objet par réflexion d'ondes à la surface de cet objet.

rade n. f. Vaste bassin naturel ou artificiel comportant une issue libre vers la mer, propice au mouillage des navires : *la rade de Brest.*

2 270

radeau n. m. Plate-forme flottante plate, souvent constituée de pièces de bois assemblées par des cordes, utilisée notamment pour le sauvetage de naufragés. *Le radeau de la « Méduse ».*

radian n. m. Unité de mesure d'angle. Symbole *rad* (π rad = 180º). Mesure d'un angle ayant pour sommet le centre d'un cercle et interceptant un arc dont la longueur est celle du rayon.

3 601

radiateur n. m. Dispositif qui augmente la capacité de rayonnement d'un appareil de chauffage (radiateur électrique, élément de chauffage central...) ou sa capacité de refroidissement (radiateur d'une automobile).

14 3160
14 3319

radiation n. f. Ensemble de particules ou de rayons émis par une source. Les *radiations nucléaires* sont des particules de grande vitesse provenant de transformations radioactives. Une radiation est plus ou moins dangereuse selon son caractère ionisant (rayons X) ou non (lumière, ultraviolet...).

radical n. m. ◇ 1. CHIM Espèce chimique ayant un électron libre *(radical libre).* ◇ En chimie organique, désigne un groupement fonctionnel (voir méthyle). ◇ 2. MATH Signe qui se place devant la quantité dont on veut extraire la racine : $\sqrt{}$ pour la racine carrée, $\sqrt[n]{}$ pour la racine n^{ième}. ◇ 3. LING Partie d'un mot appartenant à sa racine.

11 2527

radicalisme. Doctrine politique républicaine et laïque, mais libérale en économie, incarnée en France par le parti radical-socialiste sous la IIIe et la IVe République. ◇ Doctrine philosophique prônée par les philosophes utilitaristes anglais (Stuart Mill, Bentham).

radicelle n. f. Très petite ramification d'une racine. L'ensemble des radicelles

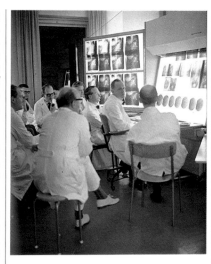

*Équipe de médecins examinant des **radiographies**.*

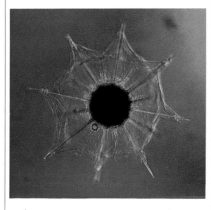

*Éléments du plancton, les **radiolaires** se nourrissent d'animalcules divers.*

*Miroirs paraboliques de **radiotélescopes**.*

constitue le *chevelu,* qui absorbe l'eau ainsi que les sels minéraux du sol.

radiesthésie n. f. Procédé de détection des sources d'eau, des maladies au moyen d'instruments réceptifs à certaines radiations, tels un pendule ou une baguette. ◆ **radiesthésiste** n. m. ou f. Personne qui exerce la radiesthésie.

radio n. f. Abréviation courante de radiodiffusion. ◇ Poste permettant de capter des émissions radiodiffusées. Une radio comprend une antenne, souvent incorporée à l'intérieur du poste, un amplificateur, un haut-parleur et des boutons de réglage : position des stations, volume sonore, choix des émissions (modulation de fréquence ou d'amplitude). ◆ **radiodiffusion** n. f. Émission par ondes hertziennes de programmes de musique, d'informations, de reportages, à partir de stations munies de grandes antennes. ◇ Organisme qui effectue cette émission. ◆ **radiophonie** n. f. Transmission des paroles, de la musique, au moyen d'ondes radioélectriques.

11 2494
13 3110

radioactivité n. f. Propriété de certains éléments de se transformer par désintégration du noyau de l'atome, en émettant divers rayonnements corpusculaires et des particules. *Radioactivité naturelle.* On distingue la radioactivité alpha (α), bêta (β) et l'émission de rayons gamma (γ). Dans les réactions nucléaires peuvent apparaître des éléments radioactifs artificiels.

4 946
11 2444
13 2956
13 3050
14 3346

radioélectricité n. f. Branche de l'électricité qui s'occupe de la transmission à distance de messages et de sons à l'aide des ondes électromagnétiques. ◆ **radioélectricien** n. m. Spécialiste de radioélectricité.

radiographie n. f. Procédé photographique utilisant les rayons X et gamma*. En permettant l'examen de la structure interne des objets et des organes humains, la radiographie a rendu plus sûr le diagnostic des maladies. ◆ **radiologie** n. f. Branche de la médecine utilisant les rayons X pour le diagnostic et le traitement de certaines maladies. ◆ **radiologiste** ou **radiologue** n. m. ou f. Médecin spécialiste de radiologie. ◆ **radioscopie** n. f. Observation, sur un écran fluorescent, de l'image d'un objet ou d'un organe traversés par des rayons X.

8 1750
12 2670
13 2918

radiolaires n. m. pl. Classe de protozoaires marins, solitaires ou coloniaux, possédant un squelette intracellulaire, siliceux, très ornementé, et des algues symbiotiques dans leur cytoplasme.

2 446

radiophare n. m. Émetteur d'ondes radioélectriques captées au moyen d'antennes mobiles et permettant à un avion ou à un navire de déterminer sa position.

radiotélescope n. m. Instrument utilisé pour déceler les ondes radio émises par

3 575
3 700

les astres. Ceux d'Arecibo (Porto Rico), Nançay (France), Jodrell Bank (Angleterre) sont parmis les plus importants.

8 1711

radiothérapie n. f. Traitement des tumeurs cancéreuses par des radiations ionisantes, comme les rayons X ou les rayons gamma*. La radiothérapie est utilisée seule ou associée avec la chirurgie et la chimiothérapie*.

11 2447

radis n. m. Plante potagère de la famille des crucifères* cultivée pour sa racine à saveur piquante (radis), rose, blanche ou noire, selon l'espèce.

11 2444

radium n. m. Métal blanc, brillant, noircissant à l'air, radioactif, découvert par Pierre et Marie Curie*. Symbole *Ra*. Le radium est utilisé comme source de rayons gamma* (curiethérapie).

2 328

radius n. m. L'un des 2 os de l'avantbras. Sa tête en cupule s'articule avec l'humérus, et son extrémité inférieure volumineuse, avec le carpe.

radon n. m. Gaz incolore, radioactif, à l'état de traces dans l'air. Symbole *Rn*. Le radon se forme par désintégration alpha (α) du radium*.

6 1305

radoub n. m. Réparation ou entretien de la coque d'un navire. Le radoub s'effectue dans une cale sèche (ou bassin vidé de l'eau qu'il contenait) où le navire repose sur sa quille.

R.A.F. (*Royal Air Force*). Armée de l'air du Royaume-Uni. Fondée en 1918, la RAF joua un rôle déterminant dans la bataille d'Angleterre (1940), où elle résista aux assauts de la Luftwaffe allemande, bien supérieure en nombre.

1 84
8 1808

raffinage n. m. Action de purifier le sucre, les métaux, le caoutchouc, le pétrole, etc., en les débarrassant des impuretés qu'ils contiennent. ◆ **raffinerie** n. f. Usine où s'effectue le raffinage du pétrole, du sucre. Les raffineries de pétrole sont souvent situées en bord de mer, près des ports.

7 1488
13 2963
14 3259

rage n. f. Maladie infectieuse due au virus rabique et qui est transmise à l'Homme par la morsure de divers mammifères (chien, chat, renard, etc.). La rage se manifeste par des signes d'excitation puis par une paralysie qui entraîne la mort. Une personne mordue par un animal suspecté d'être enragé doit être vaccinée (vaccin de Pasteur*).

6 1405

ragondin n. m. Gros rongeur, originaire d'Amérique du Sud, long de 60 cm. Bon nageur, il vit surtout dans l'eau. On l'élève pour sa fourrure épaisse.

raid n. m. Incursion rapide et de durée limitée en territoire inconnu ou ennemi. ◇ Vol d'endurance. ◇ Épreuve de vitesse, de résistance et d'endurance sur longue distance. *Raid à skis.*

raie n. f. Nom général des poissons cartilagineux (ordre des sélaciens*), à corps aplati et à nageoires pectorales

Le **ragondin** est appelé « castor des marécages ».

Ruggero **Raimondi** dans Don Giovanni, un film de Joseph Losey (1979).

Le cri puissant de la petite **rainette** peut porter à plusieurs kilomètres.

Le **raisin** frais est riche en sucre et en vitamines B et C.

développées en ailerons, telles la manta, la torpille, la pastenague, etc.

raifort n. m. Plante potagère (famille des crucifères) cultivée pour sa racine pivotante à saveur piquante appelée raifort, consommée râpée.

11 2447

rail n. m. Chacune des longues pièces de métal fixées les unes à la suite des autres et sur lesquelles roulent trains, métros et tramways. Les rails reposent en général sur des traverses.

1 92

Raimond ou **Raymond.** Nom de sept comtes de Toulouse. Raimond VI (1156-1222) fut excommunié pour avoir toléré l'hérésie albigeoise puis fut dépossédé de ses biens par Simon de Montfort (1215). Il reconquit ses terres dès 1217. Raimond VII (1197-1249) fut le dernier comte de Toulouse.

6 1331
7 1446

Raimondi Ruggero, chanteur italien d'opéra (né en 1941). Il a fait valoir ses qualités de baryton dans Mozart (*Don Giovanni*), Verdi, Puccini, etc.

Raimu (Jules MURAIRE, *dit*), acteur français (1883-1946). Il excella dans des rôles tragi-comiques interprétés au théâtre et surtout au cinéma : *Marius* (1931), *Fanny* (1932), etc.

13 2922

rainette n. f. Petite grenouille verte (4 à 5 cm de long), aux longs doigts se terminant par des ventouses lui permettant de grimper dans les arbres.

4 753

Rainier III (né en 1923). Succédant à son grand-père Louis II, il est prince de Monaco depuis 1949. Il épousa en 1956 l'actrice américaine Grace Kelly.

Rais Gilles DE, maréchal de France (v. 1400-1440). Ancien compagnon d'armes de Jeanne d'Arc, il fut exécuté pour les nombreux meurtres d'enfants qu'il commit par perversion et sadisme.

raisin n. m. Infrutescence* de la vigne dont chaque grume (ou grain) est une baie*. Le raisin est broyé puis pressé ; le jus peut être consommé tel quel (jus de raisin) ou être mis à fermenter pour obtenir du vin*.

10 2328

raison n. f. Faculté de penser, permettant à l'Homme de distinguer le vrai du faux et d'agir en conséquence. ◇ Ce qui est de devoir, de droit, de justice. *Avoir raison. Mariage de raison.* ◇ Cause, motif, sujet. *Absent pour raison de santé. La raison d'État*. Raison suffisante :* ce qui peut expliquer la production d'un phénomène (en philosophie). ◆ **raisonnement** n. m. Suite, enchaînement de jugements, d'arguments aboutissant à une conclusion.

8 1881
9 2022

Raleigh *sir* Walter, navigateur anglais (v. 1554-1618). Il explora la Virginie, d'où il rapporta des plants de tabac et de pomme de terre, puis la région des Guyanes, en Amérique du Sud.

14 3295

ralenti n. m. Régime d'un moteur tournant à une vitesse réduite. Un bon réglage du ralenti des moteurs d'auto diminue la consommation de carburant.

7 1459 **rallye** n. m. Compétition automobile, cycliste, etc., où les concurrents doivent rallier un lieu déterminé dans certaines conditions de parcours, de vitesse...

5 1013 **ramadan** n. m. Neuvième mois de l'année lunaire, dans le calendrier islamique. ◇ Jeûne rituel auquel, au cours de ce mois, se conforment les musulmans du lever au coucher du soleil.

13 3061 **Rãmãyana.** Poèmes sacrés hindous composés au Vᵉ s. av. J.-C., ayant pour thème la vie de Rãma, l'une des incarnations du dieu Vishnu*.

9 1937 **Rameau** Jean-Philippe, compositeur français (1683-1764). Son opéra-ballet *les Indes galantes* (1735), son opéra *Castor et Pollux* (1737), ses pièces pour clavecin, etc., représentent l'apogée du classicisme musical français.

rami n. m. Jeu de cartes qui se joue avec 52 cartes et un joker, et qui consiste à rassembler dans sa main des figures de poker* (carrés, séquences, etc.).

ramier n. m. Nom courant d'un grand pigeon sauvage (longueur 40 cm), dont les ailes portent une bande blanche. On le trouve dans toute l'Europe.

ramification n. f. ◇ 1. BOT Division d'un végétal en plusieurs rameaux : de la racine principale en racines secondaires et radicelles, du tronc en branches, etc. ◇ Nom de chacun de ces rameaux. ◇ 2. BIOL Mode selon lequel se divisent les nerfs, les vaisseaux. ◇ Chacune de ces divisions.

Ramon Gaston, chercheur microbiologiste français (1886-1963). Il est l'auteur de travaux sur les toxines, les anatoxines et le sérum.

Ramsay *sir* William, chimiste anglais (1852-1916). Il a découvert les gaz rares de l'air (hélium, néon, argon, krypton et xénon). Il obtint le prix Nobel de chimie en 1904.

1 178 **Ramsès Iᵉʳ,** pharaon égyptien (régna v. 1314-1312 av. J.-C.). Fondateur de la XIXᵉ dynastie, il laissa gouverner son fils Séti Iᵉʳ.

1 178 **Ramsès II,** pharaon égyptien (régna **13** 2949 v. 1298-1235 av. J.-C.). Successeur de **13** 3033 Séti Iᵉʳ, ce grand guerrier (expéditions **14** 3138 en Palestine et en Syrie contre les Hitti-**14** 3212 tes) fut aussi un grand bâtisseur (temples d'Abou-Simbel).

1 178 **Ramsès III,** pharaon égyptien (régna **13** 3031 v. 1198-1166 av. J.-C.). Souverain de la XXᵉ dynastie, il arrêta les invasions des Peuples de la mer.

1 134 **Rance** (la). Fleuve côtier de Bretagne (100 km). La Rance se jette dans la Manche par un estuaire sur lequel est installée depuis 1966 une usine marémotrice.

*Ballet javanais sur les thèmes du **Rãmãyana**.*

*Colosse de **Ramsès II** à Louxor.*

*La pagode bouddhique de Skwe Dagon, à **Rangoon**.*

*La Belle Jardinière (1507), de **Raphaël**.*

ranch n. m. Grande exploitation agricole, spécialisée dans l'élevage extensif, de la Prairie américaine.

Rangoon. Capitale et port de la Birma- **9** 1974 nie, près de l'embouchure de l'Irrawaddy. 2 055 000 hab. Centre industriel (fonderie d'étain).

ranidés n. m. pl. Famille d'animaux amphibiens* anoures* comprenant la grenouille verte, la grenouille rousse, la grenouille des fraises, etc.

rapaces n. m. pl. Ancien groupe dans **8** 1690 lequel on réunissait tous les oiseaux se nourrissant de la chair de petits mammifères, de serpents, etc., aujourd'hui divisé en *falconiformes*, ou rapaces diurnes, tels le faucon, l'aigle, le vautour, etc., et en *strigiformes*, ou rapaces nocturnes, tels le chat-huant, le harfang des neiges, l'effraie, les hiboux, etc.

rapatrié n. m. Personne ramenée ou renvoyée dans son pays. ◇ Dans un sens récent, état et statut d'une personne de citoyenneté française qui vécut dans une colonie et qui a définitivement rejoint la métropole. *Les rapatriés d'Afrique du Nord et d'Indochine.* ◆ **rapatriement** n. m. Action de rapatrier quelqu'un.

Raphaël (Raffaello SANTI ou SANZIO, **1** 84 *dit*), peintre et architecte italien (1483- **7** 1528 1520). Il a porté à son sommet de perfection formelle l'art classique de la Renaissance : *l'École d'Athènes* (1509-1511, l'une des célèbres fresques des appartements du Vatican), *Madone à la chaise* (1514-1515), etc.

raphia n. m. Palmier d'Afrique et d'Amérique dont les feuilles immenses (5 m de long) donnent des fibres servant à fabriquer des liens, des tissus *(rabane)*, de la vannerie.

rapide n. m. Partie, à forte pente, d'un cours d'eau, où le courant est violent et tourbillonnant.

rapport n. m. 1 — MATH Quotient de deux nombres ou de valeurs numériques représentant des grandeurs de même nature. Le rapport de la longueur d'un cercle à son diamètre (exprimés tous les deux avec la même unité) est le nombre π.

rapport n. m. 2 — SOC Revenu produit par un capital ou un travail. *Immeuble de rapport* : immeuble dont le propriétaire tire des revenus locatifs. ◇ Compte rendu, exposé. *Rapport financier.* ◆ **rapporteur** n. m. Personne chargée du compte rendu d'une réunion, d'un projet de loi...

rapt n. m. Enlèvement illégal d'une personne. *Les auteurs du rapt cherchent à obtenir une rançon.* On utilise parfois le terme anglais *kidnapping*.

Rã's al-Khaimah. Le plus septentrional des Émirats* arabes unis. 1 625 km² ; 57 000 hab. Capitale : Rã's al-Khaimah. Il est dépourvu de pétrole. Pêche.

rascasse n. f. Nom courant de la scorpène, poisson à grosse tête, commun en Méditerranée. Ses nageoires comportent des rayons épineux très venimeux.

Rasmussen Knud, explorateur et ethnographe danois (1879-1933). Il explora les régions arctiques et étudia la vie et les mœurs des Esquimaux.

Raspail François Vincent, homme politique français (1794-1878). Médecin gagné aux idées républicaines, il proclama la République en février 1848 et fut candidat des socialistes à la présidence en décembre.

Raspoutine (Grigori Iefimovitch NOVYKH, *dit*), aventurier russe (1872-1916). « Moine » illettré, il contribua, par sa vie de débauche et son influence sur la tsarine Alexandra, à discréditer la cour. Il mourut assassiné.

Rastadt ou **Rastatt**. Ville de RFA. ◇ Le traité mettant fin à la guerre de Succession d'Espagne y fut signé (1714). En 1799, des diplomates français y furent tués au terme de négociations avec l'Autriche.

rat n. m. Mammifère rongeur, au pelage gris ou brunâtre (famille des nuridés). Long de 20 cm environ, le rat a une queue d'un peu plus de 20 cm couverte d'écailles cornées. Il vit à proximité de l'Homme, se nourrissant des déchets produits par ce dernier. Extrêmement prolifique, le rat est un vecteur de maladies. ◇ Nom courant de divers mammifères ressemblant au rat.

rate n. f. Organe rouge vif, globuleux, de 100 g environ, situé à gauche de l'estomac des vertébrés. La rate produit des lymphocytes et détruit les hématies âgées.

Rateau Auguste, ingénieur français (1863-1930). Il inventa des pompes à haute pression, des turbocompresseurs et une turbine à gaz (1901) qui porte son nom.

rationalisme n. m. Doctrine selon laquelle tout ce qui existe est intelligible. ◇ Doctrine philosophique selon laquelle la connaissance est issue de la raison et non pas de l'expérience. Contraire : *empirisme**. ◆ **rationaliste** n. m. ou f. Partisan du rationalisme.

Ratisbonne (en allemand, *Regensburg*). Ville de RFA. 133 000 hab. ◇ Siège de la Diète d'Empire de 1663 à 1806. Victoire de Napoléon sur les Autrichiens (1809).

ratites n. m. pl. Groupe d'oiseaux à ailes réduites (inaptes au vol) et à sternum dépourvu de bréchet, tels l'autruche, le casoar, le kiwi, etc.

raton laveur n. m. Genre de mammifères carnivores d'Amérique du Nord dont la taille et le poids varient avec l'espèce. Le raton laveur est un grimpeur et un excellent nageur.

Le **rat** noir se plaît au sec et occupe volontiers les greniers.

Le **raton laveur** vit uniquement aux Amériques.

Maurice **Ravel** composa en 1928 son célèbre Boléro.

Ravenne est une belle ville riche en monuments byzantins.

rave (ou chou-rave) n. m. Variété de chou à racine blanche comestible. ◇ Nom de variétés de crucifères à racine comestible, tel le céleri-rave.

Ravel Maurice, compositeur français (1875-1937). Il a très subtilement mêlé intimisme, lyrisme et rigueur classique : *Gaspard de la nuit* (1908), *Daphnis et Chloé* (1909-1912), *Boléro* (1928), etc.

Ravenne. Ville d'Italie, en Émilie, près de l'Adriatique. 139 000 hab. Port pétrolier. Célèbres monuments byzantins à mosaïques : églises San Vitale, Sant'Apollinare Nuovo... ◇ Capitale du royaume ostrogoth sous Théodoric (Ve s.).

Ravensbrück. Village de RDA. ◇ De 1934 à 1945, un camp* de concentration, principalement réservé aux femmes, y était installé.

ravitaillement n. m. Action de fournir des vivres, ainsi que tout ce qui est nécessaire aux besoins d'une collectivité. ◇ Action de fournir du carburant à un avion, un navire, etc.

Rayleigh (John William STRUTT, *lord*), physicien anglais (1842-1919). Il découvrit l'argon, expliqua le bleu du ciel et donna une valeur au nombre d'Avogadro*. Prix Nobel en 1904.

rayon n. m. ◇ 1. PHYS Droite représentant la trajectoire de la lumière (rayon lumineux). ◆ **rayonnement** n. m. Ensemble des radiations émises par un corps. On distingue les *rayons X*, ou ondes électromagnétiques de 0,2 à 200 angströms, utilisés en radiographie ; les *rayons cathodiques* ou *bêta* (β), qui sont des électrons ; les *rayons alpha* (α), ou noyaux d'hélium ; les *rayons gamma* (γ), ondes inférieures à 0,2 angström. ◇ 2. MATH Demi-diamètre d'un cercle.

rayonne n. f. Fibre textile à base de cellulose, aussi appelée soie artificielle, utilisée jusqu'à l'apparition des textiles synthétiques.

raz n. m. Courant marin violent dans un passage étroit. ◆ **raz de marée** n. m. Très haute vague produite par un séisme *(tsunami)*, par une violente tempête ou par un cyclone, par un glissement de terrain dans la mer.

R.D.A. → Allemagne de l'Est

réaction n. f. 1 – PHYS Force qu'exerce un corps soumis à l'action* d'un autre corps. Newton* énonça le *principe de l'action et de la réaction* : si un objet A exerce une force (action) sur un objet B, celui-ci exerce sur A une force égale et opposée (réaction). – CHIM Transformation au cours de laquelle des corps chimiques *(réactifs)* disparaissent et où se forment de nouveaux *produits*.

réaction (la) n. f. 2 – SOC Ensemble des partis et des doctrines qui refusent les transformations politiques et sociales. C'est souvent un synonyme de conservatisme* et de droite*.

433

1 72 **Reagan** Ronald, homme d'État américain (né en 1911). Ancien acteur puis gouverneur de la Californie, ce républicain fut élu président des États-Unis en 1980. Réélu en 1984, contre W. Mondale.

3 490 **réalisateur** n. m. Personne qui assure l'ensemble des opérations de préparation et de réalisation d'un film, d'une émission de radio ou de télévision. ◆ **réalisation** n. f. Mise en scène (cinéma, télévision), mise en ondes (radio).

réalisme n. m. Conception littéraire et artistique selon laquelle le monde et les hommes doivent être représentés tels qu'ils sont, et non tels que peut les idéaliser l'imagination. *Le réalisme de Balzac, de Courbet.* ◆ **néoréalisme** n. m. École cinématographique italienne (1945 à 1950) dont les représentants (Rossellini, De Sica, De Santis, Lattuada) ont filmé la vie des sans-grade.

9 2074 **réanimation** n. f. Ensemble des méthodes médicales utilisées pour rétablir les fonctions vitales (respiration, circulation, excrétion, etc.).

Réaumur (René Antoine FERCHAULT DE), naturaliste et physicien français (1683-1757). Il construisit un thermomètre à alcool qui porte son nom, étudia les insectes, la trempe de l'acier....

rébellion n. f. Refus d'obéissance, révolte, résistance ouverte aux ordres de l'autorité. *Esprit de rébellion :* voir mutinerie. ◆ **rebelle** n. m. ou f. Qui refuse de se soumettre à une autorité.

1 168 **rébus** n. m. Jeu consistant à trouver dans une suite de lettres, de dessins, un mot ou une phrase représentés par homophonie (analogie des sons). *Déchiffrer un rébus.*

Récamier (Julie BERNARD, dite **Mme**), dame française (1777-1849). Célèbre pour sa beauté et son esprit, elle anima un salon illustre et brillant.

recel n. m. Action de celui *(receleur)* qui cache le produit d'un vol commis par un autre ou une personne pour la soustraire aux recherches de la police.

6 1351 **recensement** n. m. Opération qui consiste à dénombrer une population (habitants d'une ville, d'un pays, jeunes gens en âge d'effectuer leur service national, etc.). Le recensement de la population française a lieu tous les 5 ans. Il est effectué par des agents recenseurs.

réceptacle n. m. En botanique, extrémité du pédoncule floral, plus ou moins renflée, sur laquelle s'insèrent les pièces formant la fleur (sépales, pétales, étamines, carpelles).

11 2495 **récepteur** n. m. Dipôle* transformant de l'énergie électrique en autre forme d'énergie. ◇ Dispositif permettant la réception d'un signal : *récepteur téléphonique.* ◆ **réception** n. f. Action de recevoir : réception des ondes.

*Ronald **Reagan**, président des États-Unis en 1980 et en 1984.*

*Portrait inachevé de Mme **Récamier** (1800), par David.*

***Recife**, l'ancienne Pernambouc, est construite sur des îles.*

*Panneau en faïence illustrant la **Reconquista**.*

12 2837 **récession** n. f. Action, fait de retirer, de revenir en arrière. ◇ 1. ASTR Éloignement progressif des galaxies* à une vitesse proportionnelle à leur distance. ◇ 2. SOC Ralentissement de l'activité économique d'un pays.

recette n. f. Ce qui est reçu, perçu en argent par une société, un commerce... *Commerçant qui compte sa recette.* ◇ *Garçon de recette :* employé (banque, commerce) chargé d'encaisser les valeurs. ◇ Bureau d'un receveur des impôts*.

recherche n. f. Travail scientifique destiné à faire progresser les connaissances dans un domaine particulier : *une recherche médicale.* En France, le *CNRS* coordonne les travaux des spécialistes se consacrant à la recherche scientifique (chercheurs).

récidive n. f. Action de commettre à nouveau un crime, un délit pour lequel on a déjà été condamné. ◆ **récidiviste** n. m. ou f. Personne qui commet un délit, un crime en état de récidive.

récif n. m. Rocher à fleur d'eau. ◇ Relief sous-marin, dû à des végétaux (algues calcaires) ou à des animaux (coraux notamment). Parmi les récifs coralliens, on distingue l'*atoll* (récif annulaire), le *récif-barrière* (éloigné du rivage) et le *récif frangeant* (fixé au rivage).

2 451 **Recife** (anc. *Pernambouc*). Ville et port du nord-est du Brésil, capitale de l'État de Pernambouc. 1 061 000 hab. Métropole du « Nordeste », fondée en 1548.

réciprocité n. f. Caractère de ce qui est réciproque. ◇ Le *théorème réciproque* prend pour hypothèses les conclusions d'un théorème et pour conclusions les hypothèses. On considère qu'il y a alors équivalence entre les hypothèses et les conclusions.

récital n. m. Concert au cours duquel un artiste, chanteur, instrumentiste ou récitant, se produit seul. *Ce chanteur donne de nombreux récitals.*

réclusion n. f. Peine* criminelle afflictive et infamante, privative de liberté (temporaire ou perpétuelle), comportant l'obligation de travailler.

récolte n. f. Action de recueillir les produits de la terre ; ces produits recueillis. *La récolte du riz.* En général, il n'y a qu'une récolte annuelle pour chaque culture.

reconnaissance n. f. Fait de reconnaître, d'admettre comme légitime ; fait d'identifier un objet comme tel. ◇ Acte écrit par lequel on reconnaît une dette, une obligation. ◇ Opération militaire qui a pour but de s'informer sur la nature d'un terrain, d'un ennemi...

Reconquista. Reconquête de l'Espagne musulmane par les chrétiens. Commencée au VIIe s., elle s'acheva avec la prise de Grenade en 1492. **7** 1471 **14** 3209

reconstitution n. f. Action de représenter un événement tel qu'il s'est produit. *Reconstitution historique, reconstitution d'un crime.*

reconversion n. f. Adaptation des activités d'une région, d'une entreprise, d'une main-d'œuvre à de nouvelles conditions économiques, politiques, financières ou à de nouveaux besoins.

record n. m. Exploit réalisé dans un domaine déterminé. *La recette de la soirée a battu tous les records.* ◇ En sport, désigne la performance la meilleure accomplie dans une spécialité donnée. Il existe des records de vitesse, de durée, de distance, d'altitude...

recours n. m. Demande de modification ou d'annulation d'une décision administrative ou judiciaire. Le *recours en grâce** est adressé au chef de l'État.

recrutement n. m. Action d'enrôler (des soldats, des partisans), d'engager (du personnel). ◆ **recrue** n. f. Soldat nouvellement incorporé. Nouveau membre d'une société, d'un groupe. ◆ **recruteur** n. m. Personne qui cherche des recrues.

rectangle n. m. Quadrilatère dont les 4 angles sont droits. Les côtés opposés sont parallèles et de même longueur, les diagonales ont même longueur et se coupent en leur milieu* (centre).

4 932

recteur n. m. Haut fonctionnaire de l'Éducation* nationale dirigeant une académie*. ◇ Supérieur d'un établissement d'enseignement privé (jésuites). ◆ **rectorat** n. m. Fonction de recteur ; ses bureaux administratifs.

2 242

rectrice n. f. Grande plume de la queue d'un oiseau. Les rectrices forment une sorte de gouvernail.

1 175
10 2323

rectum n. m. Portion terminale du gros intestin, faisant suite au côlon et aboutissant à l'anus. Le rectum mesure de 12 à 15 cm de long.

recyclage n. m. ◇ 1. TECH Récupération de matériaux (bouteilles, vieux papiers, etc.) pour en fabriquer de nouveaux et économiser ainsi de la matière première. ◇ 2. ENSG Formation dispensée à des adultes pour mettre à jour leurs connaissances professionnelles.

4 751

rédaction n. f. Action de rédiger un texte. *La rédaction d'un rapport, d'un article.* Le texte ainsi écrit. ◇ Exercice scolaire qui consiste à traiter par écrit un sujet donné. ◇ Ensemble des rédacteurs (personnes rédigeant des articles) d'un journal, d'une encyclopédie.

reddition n. f. Fait de se rendre, de capituler, d'abandonner la lutte. *Signer une reddition sans condition.* ◇ Action de rendre. *Reddition de comptes.*

redevance n. f. Somme d'argent dont on doit s'acquitter pour bénéficier d'un service public. *Le paiement de la redevance de l'audiovisuel.*

Les **rectrices** du paon lui font une traîne somptueuse.

La **reddition** de Breda vue par Vélasquez (les Lances, *1635*).

L'orthophoniste pratique la **rééducation** du langage.

Au Pérou : « La **réforme agraire** requiert la libre participation des paysans. »

réduction n. f. ◇ 1. CHIM Réaction qui consiste à enlever de l'oxygène ou, plus généralement, dans laquelle un atome ou un ion gagne des électrons. ◇ 2. MATH Remplacement d'une figure géométrique par une autre, semblable mais plus petite. ◇ Remplacement d'une expression par une autre, équivalente (réduction de fractions au même dénominateur). ◇ 3. TECH Action de réduire, de reproduire à une échelle plus petite. *La réduction d'une photocopie.* ◇ 4. MÉD Opération consistant à remettre en place un os luxé ou fracturé, ou un organe déplacé. *La réduction d'une hernie, d'une fracture.*

rééducation n. f. Ensemble des procédés destinés à faire récupérer l'usage de fonctions lésées à la suite d'une infirmité, d'une maladie, d'un accident. *La rééducation d'un paralysé, d'un aveugle.*

référendum n. m. Procédure de consultation par vote, associant directement les citoyens à l'élaboration des lois. Le référendum, courant en Suisse, a été introduit en France par les constitutions de 1946 et de 1958. ◇ Consultation des membres d'une collectivité.

6 1205
11 2610
13 2906

réflexe n. m. Réaction automatique et indépendante de la volonté d'un organisme vivant à une excitation sensorielle. Cette réaction peut être une contraction musculaire, une sécrétion... On distingue les réflexes *innés* des réflexes *conditionnés*, ou acquis.

6 1314

réflexion n. f. Modification de la direction d'une onde lumineuse, sonore..., à la rencontre d'une surface réfléchissante : *un miroir* réfléchit la lumière*, c'est-à-dire qu'il la renvoie dans une direction déterminée.

8 1902

reflux n. m. Mouvement de la mer se retirant à marée descendante. ◇ Au cours d'une distillation, renvoi des vapeurs dans le liquide distillé.

2 248

Réforme (la). Mouvement religieux et schisme du christianisme au XVIe s. qui donna naissance au protestantisme. Préparée par les transformations économiques, sociales et culturelles, la Réforme fut provoquée par la rupture de Martin Luther avec Rome (1520). Elle s'étendit ensuite à l'Alsace (Bucer), à la Suisse et à la France (Zwingli, Calvin), au Royaume-Uni et à l'Europe centrale. Elle fut la cause de conflits politiques souvent sanglants (guerres de Religion*).

8 1766
12 2643
12 2746
14 3210

réforme n. f. Changement introduit en vue d'améliorer progressivement les institutions politiques, les mœurs, etc., d'une société. ◆ **réformisme** n. m. Doctrine politique se donnant pour but de changer la société capitaliste par des réformes, en excluant le recours à des méthodes révolutionnaires.

8 1764

réforme agraire. Ensemble de mesures visant à une redistribution de la terre, de manière à donner au paysan la jouissance du sol qu'il cultive et à développer la production agricole.

5 1177 **réfraction** n. f. Modification de la direction d'une onde passant d'un milieu à un autre : quand une onde lumineuse arrive sur un lac, une partie pénètre dans l'eau et change de direction *(réfraction)*, l'autre subit la *réflexion**.

refrain n. m. Suite de mots ou de phrases répétée à la fin de chaque couplet d'une chanson, ou des strophes de certains poèmes (rondeau).

5 1055 **réfrigération** n. f. Refroidissement d'un objet, d'un liquide, par des moyens artificiels. ◆ **réfrigérateur** n. m. Appareil électroménager dans lequel on conserve des denrées périssables en les réfrigérant.

réfringence n. f. Propriété des substances transparentes de produire la réfraction* de la lumière. La réfringence élevée du diamant explique le grand éclat de cette pierre.

réfugié n. m. Personne qui a quitté son pays d'origine pour fuir un danger (guerre, invasion, persécution politique, catastrophe naturelle, etc.). *Accorder l'asile à un réfugié politique.*

9 1941 **régate** n. f. Course de bateaux ; désigne une compétition d'aviron ou certaines épreuves de yachting se déroulant en mer.

Régence (la). Gouvernement de Philippe d'Orléans pendant la minorité de Louis XV (1715-1723). Période de liberté des mœurs, elle fut marquée par les prétentions politiques de la noblesse (polysynodie), par l'échec financier du système de Law (1716-1720) et la mise sur pied de la Quadruple-Alliance (1718).

9 1929 **régence** n. f. Fonction de *régent* (chef du gouvernement durant la minorité, l'absence ou la maladie d'un souverain). *Marie de Médicis assura la régence du royaume à la mort d'Henri IV.*

régénération n. f. 1 – BIOL Phénomène physiologique permettant la reconstitution naturelle d'un tissu, d'un organe, d'un membre qui a été détruit.

régénération n. f. 2 – CHIM Technique utilisée pour réactiver un catalyseur. ◆ **régénérateur** n. m. Appareil de régénération. ◆ **surrégénérateur** n. m. Réacteur nucléaire régénérateur.

régie n. f. ◇ 1. DRT Mode de gestion d'une entreprise publique. *Une régie d'État.* Entreprise publique ainsi gérée. ◇ 2. SPEC Service du matériel d'un théâtre ou d'un studio. ◇ Cabine d'un studio à partir de laquelle est dirigée la prise de vue et de son. ◆ **régisseur** n. m. Personne responsable d'une régie.

9 2152 **Régime (Ancien).** Nom donné au système politique en vigueur en France avant 1789. L'expression, utilisée dès

Réfrigération : certaines denrées se conservent ainsi plusieurs mois.

Cours d'alphabétisation accélérée pour des **réfugiés** *d'Extrême-Orient.*

Régate : « Pare à virer ! »

Henri IV confie la **régence** à Marie de Médicis, *par Rubens.*

1790, voulait signifier que le changement intervenu avec la Révolution était radical et irréversible.

régime n. m. 1 – DRT Ordre, constitution, forme d'un État ; manière de le gouverner. *Régime présidentiel.* ◇ Ensemble des dispositions réglementaires ou légales qui régissent certaines institutions. *Régimes matrimoniaux.*

régime n. m. 2 – TECH Vitesse à laquelle tourne un moteur d'auto, d'avion : *bas régime* (ralenti), *régime économique.* – GÉO Manière dont coule un cours d'eau : *régime torrentiel.* ◇ Mode d'évolution de certains phénomènes météorologiques périodiques : *régime des moussons.*

14 3238 **régime** n. m. 3 – SOC Utilisation raisonnée de la nourriture selon les règles de la diététique, adaptées aux besoins de chaque individu. *Un régime de sportif de haute compétition.*

régime n. m. 4 – BOT Grosse grappe formée par les fruits des bananiers, de certains palmiers. *Un régime de bananes, un régime de dattes.*

6 1352 **régiment** n. m. Corps militaire composé de plusieurs bataillons, escadrons ou groupes et commandé par un colonel. *Régiment d'infanterie.* ◇ *Partir au régiment :* dans le langage familier, rejoindre l'armée pour y être incorporé.

4 944 **région** n. f. Étendue de pays possédant des caractéristiques, notamment géographiques et humaines, lui conférant son unité. ◇ Division territoriale administrative englobant plusieurs départements. *Région de programme :* chacune des 22 divisions du territoire national qui servent de cadre aux plans* régionaux de développement économique et social et d'aménagement du territoire. Le gouvernement est représenté par le *commissaire de la République* (ex-préfet*) ; le *conseil* régional*, lui-même assisté du *comité économique et social*, administre la région. ◆ **régionalisation** n. f. Décentralisation* du pouvoir central et des activités politiques, économiques et administratives vers les régions. ◆ **régionalisme** n. m. Doctrine politique tendant à accorder une certaine autonomie aux régions.

6 1337

registre n. m. 1 – DRT Livre dans lequel on note des faits ou des actes dont on veut conserver la trace, le souvenir. *Registres d'audiences d'un tribunal. Registres publics d'état civil.*

registre n. m. 2 – MUS Chacune des parties principales de l'échelle musicale (réunion des sons que l'on peut apprécier à l'oreille, du plus grave au plus aigu) : *le registre grave, moyen, aigu.*

règle n. f. 1 – TECH Instrument allongé, plat ou de section carrée, en bois, en métal ou en matière plastique, souvent muni de graduations. *Une règle sert à tracer des lignes droites.*

règle n. f. 2 – SOC Prescription ou groupe de prescriptions que l'on doit observer. *Règles de la morale. Papiers en règle :* conformes aux prescriptions légales. ◇ Ensemble des conventions propres à un jeu, à un sport. ◇ Ensemble des préceptes disciplinaires d'un ordre religieux.

règlement n. m. Ensemble de règles*, de prescriptions. Texte écrit de ces règles. *Règlement intérieur d'un lycée.* ◇ Décision émanant d'une autorité administrative. *Règlement de police.* ◆ **réglementation** n. f. Action de réglementer ; ensemble de règlements.

règles → menstruation

réglisse n. f. Nom de diverses plantes de la famille des papilionacées, dont les racines contiennent une substance rafraîchissante et douce au goût.

*Les sucs de **réglisse** concentrés apaisent les maux d'estomac.*

Regnard Jean-François, auteur dramatique français (1655-1709). Il doit nombre de ses procédés comiques à Molière : *le Légataire universel* (1708).

3 612
3 719

règne n. m. Période pendant laquelle s'exerce le pouvoir d'un souverain. ◇ Domination, influence d'une personne, d'un groupe, d'une chose. *Le règne de la justice.* ◇ Chacune des grandes divisions que l'on distinguait autrefois dans la nature. *Règne minéral, végétal et animal.*

réhabilitation n. f. Action de rendre ses droits à une personne qui en avait été déchue par suite d'une condamnation. *La réhabilitation d'un condamné.*

11 2452
11 2533

Reich (*empire*, en allemand). Nom donné au Saint Empire romain germanique (962-1806), ou Ier Reich, puis à l'Empire fondé par Bismarck (1871-1918), ou IIe Reich, enfin au régime nazi (1933-1945), ou IIIe Reich.

Reich Wilhelm, psychanalyste américain d'origine autrichienne (1897-1957). Il tenta de rapprocher marxisme et freudisme et prôna la libération sexuelle (*la Fonction de l'orgasme*, 1927 ; *la Lutte sexuelle des jeunes*, 1932).

Reichstadt (duc de) → Napoléon II

12 2716

Reims (51100). Chef-lieu d'arrondissement de la Marne. 181 985 hab. (Rémois). Ville industrielle en plein essor (vins de Champagne, constructions mécaniques, chimie...). ◇ Célèbre cathédrale gothique (XIIe-XIIIe s.).

*Saint Nicaise et l'Ange au sourire de la cathédrale de **Reims**.*

1 177
7 1483
8 1819
9 1991

rein n. m. Chacun des deux organes sécrétant l'urine. Les reins sont situés dans la région lombaire, de part et d'autre de la colonne vertébrale, et sont liés à la paroi dorsale. Ils comportent chacun un million de néphrons environ qui filtrent le plasma sanguin, élaborent l'urine en réabsorbant diverses substances (eau, protéines, glucose, sels miné-

*L'énorme **reine** des termites peut pondre 36 000 œufs par jour.*

*Le **relais** 4 x 400 m est une épreuve olympique.*

raux) et en sécrétant des déchets (urée, acide urique...) à l'aide de longs tubules très fins. L'urine est évacuée par les uretères. Les maladies des reins (inflammation ou *néphrite**, lésions, calculs*) perturbent ces fonctions.

réincarnation n. f. Nouvelle incarnation dans un corps différent, par survie de l'âme. C'est une des croyances fondamentales de l'hindouisme*.

3 515
6 1338
7 1586

reine n. f. Femelle pondeuse chez les insectes sociaux (abeilles, guêpes, termites, fourmis). Son rôle consiste à pondre des quantités énormes d'œufs qui donneront les futures reines, les ouvrières, les soldats, les mâles... On la nomme également « mère ».

Reinhardt Jean-Baptiste (*dit* Django), compositeur et remarquable guitariste de jazz français (1910-1953), d'origine tsigane.

rejet n. m. ◇ 1. MÉD Processus immunologique, consécutif à la greffe d'un organe, qui aboutit à la destruction du greffon par l'organisme du receveur. ◇ 2. BOT Nouvelle pousse d'une plante émise par une souche.

2 404

relais n. m. ◇ 1. PHYS Dispositif électrique qui modifie automatiquement le fonctionnement de circuits électriques. Il est utilisé dans les commandes à distance, la signalisation... ◇ 2. SP Course d'équipe où les coureurs se succèdent en se transmettant un bâtonnet appelé « témoin ».

relation n. f. Dans un ensemble mathématique, liaison entre certains couples d'éléments : entre les éléments d'un ensemble E et d'un ensemble F, on définit une propriété telle que, pour tout couple (x élément de E et y de F), ou bien ce couple vérifie la propriété (x est en relation avec y : xRy), ou bien ce couple ne vérifie pas cette propriété.

relations publiques. Ensemble des moyens mis en œuvre par un organisme, une entreprise, afin d'informer le public de ses activités et de favoriser son rayonnement.

relativité n. f. Théorie élaborée par Einstein*, sous la forme, d'abord, de la *relativité restreinte* (1905), puis de la *relativité générale* (1916). C'est l'une des bases de la pensée scientifique actuelle : la vitesse de la lumière est constante et ne peut être atteinte par un objet.

9 2038
10 2293
13 2928
13 3051

relief n. m. 1 – GÉO Saillie (montagne, colline, etc.) à la surface du globe. On distingue notamment les reliefs *structuraux* (formes définies surtout par la structure) et les reliefs *d'érosion*.

relief n. m. 2 – ARTS Ouvrage sculpté dont les formes apparaissent plus ou moins en saillie sur un fond plat. *Un bas-relief**, un haut-relief (dont les formes sont presque entièrement détachées du fond). ◇ Caractère d'une image qui donne l'impression de la profondeur.

religion n. f. Ensemble des pratiques, rites et croyances qui définissent les rapports que l'Homme entretient avec une ou plusieurs divinités. Les premières religions polythéistes apparurent vers 40 000 ans av. J.-C. ; le culte monothéiste, au Iᵉʳ millénaire av. J.-C.

Religion (guerres de). Conflits opposant catholiques et protestants français (1562-1598). Persécutés sous Henri II, les calvinistes se révoltèrent après le massacre de Wassy (1562). La lutte prit vite un caractère sanglant (nuit de la Saint-Barthélemy, 24 août 1572). Les épisodes les plus marquants en furent l'assassinat du duc de Guise, chef de la Ligue*, suivi de celui du roi Henri III (1589). L'abjuration au protestantisme du nouveau roi Henri IV (1593) puis l'édit de Nantes (1598) mirent fin à ces guerres qui dévastèrent le royaume.

relique n. f. Partie du corps d'un saint ou objet lui ayant appartenu. Gardées dans des *reliquaires,* les reliques sont vénérées par les fidèles qui en attendent, souvent, l'accomplissement de leurs vœux.

reliure n. f. Assemblage des feuillets d'un livre, par couture ou par collage, et mise en place de la couverture du livre.
◆ **relieur** n. m. Personne spécialisée dans la fabrication de reliures.

remake n. m. (anglicisme). Version nouvelle d'un film ou d'une œuvre. *Le remake de « King Kong ».*

rémanence n. f. Persistance de l'aimantation dans une substance magnétique alors que la cause responsable de cette aimantation a disparu.

Rembrandt (Rembrandt Harmenszoon VAN RIJN, *dit*), peintre et graveur hollandais (1606-1669). Il a fait un usage magistral et quasi systématique du clair-obscur, pour unifier dans ses œuvres les formes et l'espace qui les environne : *la Leçon d'anatomie* (1632), *la Ronde de nuit* (1642), *Bethsabée* (1654), *le Bœuf écorché* (1655), etc.

remède n. m. Substance, préparation employées pour lutter contre une maladie. Synonyme courant : *médicament.*

remembrement n. m. Regroupement, par échanges, de propriétés rurales morcelées afin de rendre les domaines plus facilement exploitables. Développées à partir de 1940, les opérations de remembrement s'effectuent à l'échelle de la commune, à l'initiative des exploitants, des propriétaires (échanges individuels) ou des pouvoirs publics (commissions communales établissant des équivalences de terres).

rémige n. f. Grande plume très résistante. Les rémiges, fixées aux membres antérieurs, forment les surfaces portantes des ailes des oiseaux.

remonte-pente n. m. Appareil qui permet aux skieurs de remonter une pente,

*Précieux **reliquaire** carolingien du pied de saint André.*

*Autoportrait de **Rembrandt** à l'âge de vingt-huit ans.*

***Remorqueur** : une « Abeille » dans le port de Saint-Nazaire.*

*Accusé de propager la rage, le **renard** est chassé sans merci.*

sans quitter leurs skis, en s'accrochant à des perches fixées à un câble mobile.

rémora n. m. Poisson téléostéen marin, long de 60 cm. Sa tête porte, dorsalement, une ventouse qui lui permet de se fixer à la coque d'un navire, sous un requin... On dit aussi *poisson-pilote.*

remorquage n. m. Action de traîner un navire ou une auto à l'aide d'un câble.
◆ **remorque** n. f. Véhicule sans moteur traîné par une auto, par un camion.
◆ **remorqueur** n. m. Bateau muni d'un puissant moteur, servant à remorquer les navires de haute mer.

rempart n. m. Levée de terre ou muraille épaisse entourant une place fortifiée, une ville, un château fort. Pour pénétrer dans la place, les assaillants étaient obligés de démolir les remparts ou de les escalader.

rémunération n. f. Paiement d'un travail, d'un service. Le terme est synonyme de *rétribution*, de *salaire*. *Travailler contre rémunération.*

Remus → Romulus

Renaissance (la). Nom donné à une période de transformation et de renouvellement des mœurs, des idées et des arts en Europe occidentale, au XVᵉ et au XVIᵉ s. Ce renouveau, associé aux innovations techniques (imprimerie) et à la redécouverte, dans de nombreux domaines, de l'Antiquité gréco-latine, que l'on se mit à étudier et à imiter avec fureur, prit en Italie, et notamment à Florence, la forme d'une véritable révolution artistique (dôme de la cathédrale par Brunelleschi*, peintures de Botticelli*). Le centre de la Renaissance se déplaça ensuite vers Rome, où les papes attirèrent les plus grands artistes : Bramante (basilique Saint-Pierre), Michel-Ange (chapelle Sixtine), Raphaël (chambres et loges du Vatican)... Au XVIᵉ s., le mouvement, qui toucha tous les arts, se répandit peu à peu en Espagne, en Allemagne, en Flandre et surtout en France où s'établit Léonard de Vinci (châteaux de la Loire, château du Louvre, école littéraire de la Pléiade...). Contemporaine des débuts des Temps modernes, la Renaissance traduisit l'abandon ou le déclin des modes de vie et de penser du Moyen Âge.

Renan Ernest, écrivain français (1823-1892). Il étudia les phénomènes religieux d'un point de vue rationaliste. (Voir rationalisme.) Dans sa monumentale *Histoire des origines du christianisme* (1863-1881), il insista notamment sur la personnalité historique de Jésus.

renard n. m. Mammifère carnivore canidé répandu dans le monde entier. Le renard d'Europe, long de 90 à 130 cm dont 30 à 40 cm de queue touffue, a le museau pointu, les oreilles dressées et la fourrure rousse. Il est actuellement massacré, car on l'accuse de propager la rage.

Renard Jules, écrivain français (1864-1910). Romancier et dramaturge réaliste (*Poil de carotte*, 1894, adapté au théâtre en 1900), il a également tenu un *Journal* (1887-1910).

Renaud Madeleine, actrice française de théâtre et de cinéma (née en 1900). Elle dirige, avec son mari, J.-L. Barrault*, la compagnie qu'ils ont créée (1947).

Renaudot Théophraste, médecin et journaliste français (1586-1653). Il créa le journal *la Gazette* en 1631. ◇ Un prix littéraire porte son nom.

Renault Louis, mécanicien et industriel français (1877-1944). Il contribua, dès 1899, au développement de l'industrie automobile. Ses usines furent nationalisées en 1945.

René Ier le Bon, duc d'Anjou et roi de Naples et de Sicile (1409-1480). Vaincu par les Aragonais, il leur abandonna ses terres italiennes en 1442. Retiré en Provence, dont il devint comte, il se consacra aux arts.

renne n. m. Mammifère cervidé des régions nordiques (Scandinavie, Sibérie...). Le renne atteint 120 cm au garrot. Son pelage est de couleur variable, le plus souvent grisâtre. Mâle et femelle portent tous deux des bois.

Rennes (35000). Chef-lieu de l'Ille-et-Vilaine et de la région Bretagne, dans le bassin de Rennes. 200 390 hab. (*Rennais*). Industries récentes (automobiles). ◇ Ancienne capitale du duché de Bretagne, puis siège du parlement de Bretagne.

Renoir Auguste, peintre français (1841-1919). Il fut, avec Monet, le fondateur de l'impressionnisme* (*la Grenouillère*, 1869 ; *la Loge*, 1874) puis adopta la manière vaporeuse à laquelle se rattachent ses admirables nus et portraits féminins (*les Grandes Baigneuses*, 1883-1885).

Renoir Jean, cinéaste français (1894-1979). Plusieurs de ses films comptent parmi les chefs-d'œuvre du « 7e art » : *la Grande Illusion* (1937), *la Règle du jeu* (1939), *le Carrosse d'or* (1952). Il est le fils du peintre Auguste Renoir.

renonculacées n. f. pl. Famille de plantes, le plus souvent herbacées, dont la renoncule (bouton-d'or) est le type. De nombreuses espèces aux fleurs de formes variées sont ornementales : l'ancolie, l'anémone, la pivoine, etc.

rentabilité n. f. Caractère de ce qui est rentable, de ce qui rapporte un revenu, un bénéfice satisfaisant. *La rentabilité d'une opération.*

rente n. f. Revenu fourni par un capital. ◇ Pension*. *Rente viagère* (viager*). ◇ Emprunt de l'État donnant droit à un intérêt contre remise de coupons. ◆ **rentier** n. m. Personne qui a des rentes.

Rennes attelés à des traîneaux en Laponie.

L'abbaye Saint-Georges (1670), à **Rennes.**

Jeunes Filles au piano, par Auguste **Renoir.**

Reproduction : accouplement de rhinocéros.

répertoire n. m. Liste des pièces jouées dans un théâtre et qui s'y donnent encore. *Le répertoire de l'Odéon.* ◇ Ensemble des œuvres qu'un comédien, un chanteur, etc., interprète habituellement. *Le répertoire de Charles Trenet.*

répétition n. f. Action de jouer, en l'absence du public, une pièce de théâtre, un morceau de musique..., pour régler et parfaire son interprétation. *Les comédiens sont en répétition.*

replay n. m. Mot anglais qui signifie « rejouer ». ◇ Possibilité de repasser une bande magnétique en revenant en arrière. ◇ Match rejoué.

report n. m. Action de reporter le total d'une colonne ou d'une page sur une autre. ◇ Technique de gravure reportant un dessin sur une pierre.

reportage n. m. Article de journal, film, émission de radio ou de télévision à caractère documentaire, écrit ou réalisé par un journaliste à partir d'informations recueillies sur place. ◆ **reporter** n. m. Journaliste qui fait des reportages.

représentation n. f. Action de jouer en public une pièce de théâtre. ◇ Fait d'agir au nom de quelqu'un, de représenter des électeurs dans une assemblée. ◆ **représentant** n. m. Personne désignée ou élue pour agir au nom d'une ou plusieurs personnes. ◇ Personne qui traite des affaires pour une maison de commerce.

répression n. f. Action de réprimer, d'empêcher que quelque chose de nuisible ne se développe. *La répression du banditisme.* ◇ Fait d'arrêter par la violence un mouvement collectif. *La répression d'une manifestation de rue.*

reprise n. f. Partie d'un match sportif, suivie d'un temps de repos. Le terme est notamment utilisé en boxe (round), en escrime, en équitation, etc.

reproduction n. f. 1 – BIOL Fonction physiologique par laquelle un être vivant assure sa descendance. ◇ La *reproduction sexuée* commence avec la production de gamètes mâles et femelles qui s'unissent 2 à 2 lors de la fécondation et donnent naissance à un zygote, départ d'un nouvel individu. La *reproduction asexuée* s'effectue sans intervention de gamètes, par scissiparité* des animaux, ou par bouturage, greffage, marcottage des plantes.

reproduction n. f. 2 – TECH Action de reproduire un document original en un ou plusieurs exemplaires par divers procédés : impression, photographie... ◇ Action de reproduire les sons enregistrés sur disque, sur cassette.

reptation n. f. Mode de locomotion des animaux terrestres dépourvus de pattes et qui se déplacent en s'accrochant au sol à l'aide de poils, écailles, etc.

reptiles n. m. pl. Classe d'animaux vertébrés tétrapodes, au corps couvert d'écailles épidermiques cornées. Ils pondent des œufs dans le sol et ne les couvent pas. Certains reptiles sont pourvus de membres, comme les crocodiles, tortues, lézards ; d'autres, tels les serpents, se déplacent par reptation*.

république n. f. Forme de gouvernement dans lequel le peuple exerce la souveraineté, directement ou par l'intermédiaire de représentants élus pour une période déterminée et responsables devant la nation. *La République française* fut proclamée 5 fois depuis 1792. ◆ **républicain** n. m. Partisan de la république. ◇ Aux États-Unis, membre du parti du même nom.

République (Première). Régime politique de la France de septembre 1792 à mai 1804. Institué par la Convention au lendemain de la chute de la royauté, le premier régime républicain prit fin avec la proclamation du Ier Empire.

République (Deuxième). Régime politique de la France de février 1848 à décembre 1852. La IIe République débuta après la Révolution de février qui renversa Louis-Philippe. De tendance sociale, elle devint conservatrice après les « journées de Juin » et l'élection de Louis Napoléon Bonaparte comme président. Celui-ci prit le pouvoir par le coup d'État de 1851 qui mena au Second Empire.

République (Troisième). Régime politique de la France de 1870 à 1940. Fondée après la chute du Second Empire, au milieu des troubles de la guerre franco-allemande, la IIIe République ne fut consolidée qu'après la démission de Mac-Mahon (1879). Résistant aux crises provoquées par l'affaire Dreyfus et la guerre de 1914, elle s'effondra en 1940, victime de la guerre mais aussi de ses faiblesses : instabilité, conservatisme.

République (Quatrième). Régime politique de la France de 1944 à 1958. Il entreprit la reconstruction et la modernisation de l'économie au lendemain de la guerre. Mais l'instabilité ministérielle, facilitée par la prédominance du pouvoir législatif, et surtout les conflits coloniaux (Indochine, Algérie) précipitèrent la fin du régime, renversé par le coup d'État d'Alger.

République (Cinquième). Régime politique de la France depuis 1958. Sa Constitution établit le pouvoir présidentiel. Président jusqu'en 1969, Ch. de Gaulle mit fin à la guerre d'Algérie. Sous la présidence de G. Pompidou (1969-1974) se poursuivit une forte croissance économique qui céda la place à la crise sous V. Giscard d'Estaing. Ce dernier fut battu, en 1981, par un candidat socialiste, F. Mitterrand.

répulsion n. f. Résultat de forces qui éloignent deux corps l'un de l'autre.

*Le scinque, ou « poisson de sable », est un **reptile**.*

*Emblème révolutionnaire de la **République**.*

*Fleurs de **résédas** sauvages.*

*La **résine** qui coule des pins s'appelle « gemme ».*

Ainsi, il y a répulsion entre deux objets chargés d'électricité de même signe.

requête n. f. Demande écrite adressée au président d'un tribunal. *Requête en divorce.* ◇ *Maître* des requêtes* : rapporteur au Conseil d'État.

requiem n. m. Prière de la liturgie catholique pour les morts. ◇ Morceau de musique composant une messe des morts. *Le « Requiem » de Mozart.*

requin n. m. Nom général des sélaciens*, poissons marins puissants à nage très rapide. Carnivores, ce sont des prédateurs très voraces. Leur taille varie de 50 cm à 15 m.

réquisition n. f. Fait, pour une autorité civile ou militaire, d'imposer à une personne, une collectivité, une prestation de services ou la mise à disposition de certains biens (vivres, etc.).

réquisitoire n. m. Discours du ministère* public par lequel il demande l'application de la loi. *Le réquisitoire précède les plaidoiries des avocats.*

réseau n. m. ◇ 1. SOC Ensemble de lignes et de voies de communication d'une région : réseaux téléphonique, électrique, ferroviaire, routier, aérien... ◇ 2. PHYS Lame sur laquelle sont gravés des milliers de traits parallèles et équidistants (jusqu'à 1 500 traits par mm). Un réseau décompose la lumière blanche en ses lumières colorées, comme un prisme. Il est utilisé pour analyser la lumière. ◇ *Réseau hydrographique* : ensemble des fleuves et rivières drainant un bassin fluvial.

réséda n. m. Genre de plantes dicotylédones aux fleurs parfumées, mellifères, jaunes, rouges ou brunes. Une espèce, la *gaude,* donne un colorant jaune.

réserve n. f. Quantité de choses que l'on a à sa disposition en cas de besoin. *Réserves pétrolières. Réserves monétaires* : ce qu'un pays possède, en or et en devises. ◇ Ensemble des citoyens mobilisables pour renforcer, si besoin est, l'armée active. ◇ Local où sont stockées des marchandises. ◇ Étendue de forêt où on laisse les arbres croître en futaie. *Réserve naturelle* : territoire où les plantes, les animaux sont protégés par des mesures spéciales.

réservoir n. m. Récipient dans lequel on garde en réserve un liquide (eau, essence), dans l'attente d'un usage.

résidu n. m. Substance qui reste au terme d'une série de transformations chimiques et physiques subies par un produit.

résine n. f. Matière visqueuse et odorante sécrétée par divers végétaux, notamment les résineux (pin, cèdre, épicéa...). Térébenthine, myrrhe, encens..., sont des résines. ◇ Toute matière organique utilisée comme base de fabrication d'une matière plastique.

8 1846 **résistance** n. f. Grandeur physique caractérisant un conducteur électrique et s'exprimant en ohms*. Elle peut désigner le conducteur lui-même. ◇ Force qui s'oppose à un mouvement. *Résistance de l'air.* ◇ *Résistance des matériaux :* science qui étudie les éléments d'une construction.

11 2601
13 3097 **Résistance** (la). Nom donné aux mouvements de lutte clandestine contre l'occupant nazi (voir Seconde Guerre mondiale). La Résistance française, après l'appel lancé par de Gaulle le 18 juin 1940, se fédéra en 1943 au sein du CNR. À dominante communiste et gaulliste, elle contribua efficacement à la défaite de la Wehrmacht. Les mouvements de résistance de Yougoslavie et de Grèce parvinrent à libérer eux-mêmes leur territoire du joug nazi.

Resnais Alain, cinéaste français (né en 1922). Il a contribué au renouveau cinématographique des années 1960 avec *Hiroshima mon amour* (1959) et *l'Année dernière à Marienbad* (1961).

résonance n. f. Augmentation de l'amplitude d'un phénomène vibratoire sous l'action d'une impulsion de fréquence* voisine : ainsi, la caisse en bois des instruments de musique entre en résonance par vibration des cordes.

1 176
4 836
7 1488
8 1819
9 2041
14 3156 **respiration** n. f. Action de respirer et fonction assurant l'alimentation des organes en oxygène et l'excrétion du gaz carbonique. La respiration est assurée par les poumons, où ont lieu les échanges gazeux entre le sang et l'air, la cage thoracique et les voies aériennes permettant la ventilation pulmonaire.

ressort n. m. Pièce élastique, le plus souvent en acier. Un ressort se déforme quand on exerce un effort sur lui. Il reprend sa forme initiale quand l'effort cesse. *Ressort de montre, ressort de suspension d'auto...*

6 1297
8 1868 **ressource** n. f. Richesses, moyens matériels dont dispose un pays. La plupart des ressources naturelles (sauf les ressources agricoles et en eau douce) ne sont pas renouvelables. Les ressources en énergie et en minerais sont particulièrement limitées : la nécessité de les préserver commence à s'imposer depuis quelques années.

13 3074 **restaurant** n. m. Établissement public où l'on sert des repas moyennant paiement. ◆ **restaurateur** n. m. Personne qui tient un restaurant. ◆ **restauration** n. f. Métier de restaurateur.

5 1008 **restauration** n. f. Action de remettre en état les parties détériorées d'une œuvre d'art, sans nuire à l'authenticité de cette œuvre. *La restauration d'un tableau, d'un meuble de style, d'un château,* etc.

10 2260 **Restauration** (la). Nom donné à la période où la monarchie fut rétablie en France au profit des Bourbons (1814-1830). Après l'interruption des

Résistance française : colonne de maquisards en Haute-Savoie.

Alain Resnais au cours d'un tournage.

Travail de restauration en Thaïlande.

Détail d'un retable en bois sculpté du XVᵉ siècle.

Cent-Jours, le règne de Louis XVIII se poursuivit jusqu'en 1824. Conservateur et autoritaire, son frère Charles X, en dépit d'un succès colonial (Algérie), précipita la chute d'un régime impopulaire. (Voir Révolution de 1830.)

reste n. m. Un des résultats obtenus dans une division (l'autre étant le quotient). Différence entre le dividende et le produit du diviseur par le quotient.

7 1680 **résultante** n. f. ◇ 1. MATH Somme géométrique de 2 vecteurs. ◇ 2. PHYS La résultante d'un système de forces agissant sur un solide est la force qui, agissant seule, produirait le même effet que toutes les forces ensemble.

résultat n. m. Ce qui résulte d'un ou plusieurs calculs, la solution d'un problème. *Le résultat d'une opération ou d'une suite d'opérations.* ◇ Bilan d'un compte, solde des profits et des pertes, des recettes et des dépenses.

6 1232 **résurgence** n. f. Réapparition à l'air libre des eaux qui s'étaient infiltrées dans les reliefs calcaires. *La résurgence du Doubs.*

retable n. m. Panneau décoratif, peint ou sculpté, en bois, pierre, albâtre ou métal précieux, placé verticalement derrière l'autel d'une église. *Le retable de Saint-Marc (Venise).*

rétention n. f. Accumulation d'un produit solide, liquide ou gazeux dans un conduit ou une cavité qui devrait normalement l'évacuer.

retenue n. f. Chiffre que l'on réserve lors d'une opération arithmétique (addition, soustraction, multiplication, division) et qui servira au calcul des chiffres de la colonne suivante.

11 2482 **Rethondes.** Commune de l'Oise. 504 hab. ◇ Dans une clairière proche de Rethondes ont été signés les armistices du 11 novembre 1918 et du 22 juin 1940.

3 522
5 1179 **rétine** n. f. Membrane interne de l'œil tapissant la choroïde* et sensible à la lumière. La rétine est formée par une couche de cellules pigmentaires, puis par les cellules photoréceptrices (bâtonnets, cônes) et enfin par des neurones dont les prolongements forment le nerf optique.

retombées radioactives. Déchets radioactifs qui, libérés lors d'une explosion nucléaire aérienne, retombent lentement à la surface du globe depuis les hautes couches de l'atmosphère.

retraite n. f. État d'une personne qui n'exerce plus aucune activité professionnelle et qui touche une pension. Cette pension. *Cotisations qui donnent droit à une retraite. Âge de la retraite.* ◆ **retraité** n. m. Personne qui est à la retraite. *Une retraitée.*

retransmission n. f. Émission de radio ou de télévision : concert, pièce de théâtre, épreuve sportive. Elle est diffusée depuis l'endroit où a lieu le spectacle, le match.

rétribution n. f. Somme d'argent versée en échange d'un travail, d'un service rendu. (Voir salaire, traitement, rémunération.) *Rétribuer un travail. Rétribuer une personne.*

rétrofusée n. f. Moteur-fusée qui sert à ralentir progressivement un engin spatial, par exemple lorsqu'il atterrit sur la Lune. Sa poussée est dirigée dans le sens du déplacement de l'engin.

rétrospective n. f. Exposition qui rassemble des œuvres d'un artiste ou d'un groupe d'artistes depuis ses débuts. *Une rétrospective Rodin. La rétrospective des impressionnistes.*

rétroviseur n. m. Petit miroir qui permet au conducteur d'une automobile, d'une moto, d'un camion, de voir la route derrière lui sans avoir à se retourner.

Retz (Paul DE GONDI, *cardinal* DE), homme politique et écrivain français (1613-1679). Arrêté pour avoir participé à la Fronde*, il s'évada et s'exila à Rome (1654). Il est l'auteur de *Mémoires* aux portraits étonnants.

4 758 **Réunion** (la) (974). Île (autrefois île *Bourbon*) de l'océan Indien, à l'ouest de Madagascar, formant un département français d'outre-mer. 2 510 km² ; 515 814 hab. (70 % de Noirs). Chef-lieu : Saint-Denis. ◇ Île volcanique et montagneuse (3 069 m) au climat tropical. La population, concentrée sur la plaine côtière, s'accroît vite (chômage élevé, malgré l'aide importante de la métropole). ◇ Ressources principales : canne à sucre, vanille, plantes à parfum. ◇ Colonie française de 1642 à 1946 ; les Noirs y furent « importés » d'Afrique.

réussite n. f. Jeu de cartes solitaire qui consiste à combiner des cartes selon certaines règles, utilisé parfois comme procédé de divination.

12 2804
13 3026 **rêve** n. m. Combinaison d'images, de représentations résultant de l'activité psychique et qui apparaissent dans le sommeil profond. Les rêves permettent de diminuer les tensions psychiques, car ils simulent des situations que l'individu éveillé ne peut pas envisager pour diverses raisons. ◇ Production idéale ou chimérique de l'imagination. *Poursuivre un rêve.*

révélateur n. m. Solution de produits chimiques qui, par action sur une pellicule impressionnée, fait apparaître l'image visible correspondante. C'est le développement*.

revendication n. f. Action de revendiquer. Réclamation de ce que l'on considère comme son droit, son bien, son dû en matière politique, sociale... *Revendications salariales.*

13 2945 **revenu** n. m. Ce que perçoit une personne ou une collectivité au titre de son

Rétroviseur
de poids lourd.

La Réunion.

Les pentes ravinées des volcans de la Réunion forment des cirques.

L'exécution de Charles Ier achève la 1re révolution d'Angleterre.

activité (salaire, etc.) ou de ses biens (rentes, loyers, etc.). ◇ *Impôt sur le revenu :* frappant les revenus annuels des contribuables et calculé à partir de leur *déclaration* de revenus.*

réverbération n. f. Phénomène de réflexion de la lumière, de la chaleur, du son. ◇ Persistance du son dans une salle par réflexion sur les parois, après émission (réverbération phonique).

13 3023 **Reverdy** Pierre, poète français (1889-1960). Son œuvre est une méditation sur l'« impalpable réalité » du monde : *Plupart du temps* (1945).

réversibilité n. f. Qualité d'une transformation physique ou chimique qui peut, à tout instant, par légère modification, évoluer en sens inverse, c'est-à-dire revenir en arrière. Les transformations réelles (vitre qui se brise, par exemple) sont irréversibles.

revêtement n. m. Matériau dont on revêt le mur d'une maison pour le protéger ou le décorer : papier peint, tissu, carreaux de faïence, plaques de bois, enduit, peinture, etc. Carrelage, moquette que l'on pose sur le sol d'une maison.

14 3305 **révision** n. f. Nouvel examen dans le but de corriger, modifier, mettre au point. *Révision d'une loi, d'un contrat.* ◇ Nouvel examen et, éventuellement, annulation de la décision d'une juridiction par une juridiction supérieure. *Révision d'un procès.*

révolte n. f. Soulèvement contre l'autorité établie (insurrection*, rébellion*). *Révolte de paysans* (jacquerie*), *de soldats* (mutinerie*). ◆ **révolté** n. m. Insurgé, mutin, rebelle.

1 105
6 1436
9 2142 **révolution** n. f. 1 − ASTR Mouvement d'un astre qui repasse à son point de départ. Ainsi, l'année est la durée mise par la Terre pour effectuer une révolution autour du Soleil.

10 2236 **révolution** n. f. 2 − SOC Transformation brusque, voire violente, d'un système politique ou d'une société. *Révolution bourgeoise, prolétarienne, socialiste. Révolution culturelle.* ◇ *Révolution industrielle :* mutation économique et sociale par laquelle l'Europe occidentale entra, au XIXe siècle, dans l'ère industrielle.

8 1904 **révolutions d'Angleterre.** Ensemble des mouvements de lutte contre la royauté (XVIIe s.). La Grande Rébellion, ou révolution puritaine menée par Cromwell (1641-1651), aboutit à l'exécution du roi Charles Ier (1649). La Seconde Révolution (dite « Glorieuse ») fut entreprise par les anglicans contre le roi catholique Jacques II (1688-1690), renversé au profit de Guillaume d'Orange.

9 2150
13 2906 **Révolution française** (la). Ensemble des mouvements révolutionnaires qui se succédèrent en France, de 1789 à 1799, et qui abolirent l'Ancien Régime*. Fruit des tensions sociales et

de la crise financière de l'Ancien Régime, l'année 1789 vit la proclamation de l'Assemblée constituante, la prise de la Bastille (14 juillet), l'abolition des privilèges (4 août) et la Déclaration des droits de l'Homme et du citoyen (26 août). La guerre avec l'Autriche et la Prusse (1792) précipita la chute de Louis XVI et la proclamation de la République (22 septembre 1792) qui, pour échapper à la menace étrangère et intérieure (révolte vendéenne), se soumit à la dictature révolutionnaire des « Montagnards », maîtres de la Convention, de juin 1793 à juin 1794. La chute de Robespierre marqua le retour à une république bourgeoise et modérée (*Directoire**) dont l'incapacité financière et militaire facilita le coup d'État de Bonaparte et la mise en place d'un régime autoritaire (*Consulat**).

10 2262
13 2907

révolution de 1830. Mouvement révolutionnaire qui renversa les Bourbons. Les ordonnances réactionnaires du gouvernement Polignac provoquèrent une agitation de l'opposition libérale. Mais l'intervention du peuple de Paris (journées des 27, 28 et 29 juillet, dites les « Trois Glorieuses ») aboutit à la fuite de Charles X et à l'intronisation par la Chambre de Louis-Philippe d'Orléans.

10 2262

révolution de 1848. Insurrection des 22, 23 et 24 février 1848. Dans une période de crise économique, la clôture d'une campagne d'opposition libérale, dite des banquets, interdite par le gouvernement, fut le détonateur d'une insurrection parisienne qui renversa Louis-Philippe et fonda la Deuxième République*.

11 2481
11 2514

révolution russe de 1917. Ensemble des mouvements révolutionnaires qui aboutirent à la chute du régime tsariste et à l'instauration de l'URSS. ◇ Les énormes pertes causées par la guerre mondiale et la misère provoquèrent des insurrections, la mise en place d'assemblées, ou soviets, et l'abdication du tsar (révolution de Février). Le gouvernement modéré de Kerenski poursuivit la guerre. Mais les bolcheviks, conduits par Lénine et Trotski, qui demandaient la paix et le partage des terres, après être devenus majoritaires dans les soviets, prirent le pouvoir (révolution d'Octobre) et instaurèrent le premier régime socialiste de l'histoire.

6 1361
12 2813
14 3269

révolution culturelle (Grande). Mouvement de contestation idéologique et politique, en Chine, de 1966 à 1969. Présenté comme une tentative de révolution permanente luttant contre les tendances « bourgeoises » représentées par le président Liou Chao-chi, ce fut, en fait, une reprise en main du pouvoir par Mao Tsé-toung, appuyé sur les jeunes « Gardes rouges ».

revolver n. m. Pistolet muni d'un cylindre tournant, appelé *barillet*, dans lequel on met les balles. Quand on tire, le barillet tourne d'un cran.

Révolution française : Louis XVI fut guillotiné le 21 janvier 1793.

Révolution russe :
affiche à la gloire de l'armée rouge.

Autoportrait de sir Joshua **Reynolds.**

Château fort en **Rhénanie-Palatinat.**

revue n. f. Publication périodique dont les articles, les comptes rendus ont trait le plus souvent à un domaine bien défini. *Une revue scientifique, littéraire, financière...* ◇ Spectacle de variétés, de music-hall. *La revue des Folies-Bergère.*

Reykjavik. Capitale de l'Islande, port sur la côte sud-ouest de l'île. 85 000 hab. Importante escale maritime et aérienne. Industries dérivées de la pêche (conserveries de morue, de hareng). — **11** 2416

Reynolds *sir* Joshua, peintre anglais (1723-1792). Il fut le portraitiste favori de la haute société britannique : *Lord Heathfield* (1787).

R.F.A. → Allemagne de l'Ouest

Rh → rhésus

rhénan (Massif schisteux). Massif primaire de RFA, prolongeant l'Ardenne, drainé par le Rhin et ses affluents (Moselle). Plateaux peu élevés (400-800 m) et pauvres. La vie se concentre dans les riches vallées. — **12** 2707

Rhénanie. Région d'Allemagne fédérale, sur le Rhin. Française de 1793 à 1814, puis prussienne. Démilitarisée à la suite du traité de Versailles (1919), elle fut réoccupée par Hitler en 1936. — **12** 2707

Rhénanie-du-Nord-Westphalie. Land de l'ouest de la RFA. 34 057 km² ; 17 193 000 hab. (État le plus peuplé du pays). Capitale : Düsseldorf. Comprenant notamment la Ruhr (bassin houiller) et les plaines du Rhin, ce Land est riche et très industrialisé. — **12** 2707

Rhénanie-Palatinat. Land de l'ouest de la RFA. 19 837 km² ; 3 633 000 hab. Capitale : Mayence. La vie économique est localisée dans les vallées du Massif schisteux rhénan : vignoble, chimie, constructions mécaniques. — **12** 2707

rhéostat n. m. Appareil pour régler l'intensité d'un courant électrique. On tourne une manette qui frotte sur des plots en métal, ce qui fait varier la résistance électrique du rhéostat.

rhésus n. m. ◇ 1. ZOOL Singe macaque du nord de l'Inde, ayant servi dans l'étude des groupes sanguins. ◇ 2. MÉD *Facteur Rhésus* (ou *rhésus*) : agglutinogène existant dans les hématies de 85 % des sangs humains (rhésus positif) et créant une incompatibilité sanguine envers ceux qui en sont dépourvus (rhésus négatif). — **9** 1992 **13** 2919

rhétorique n. f. Art de bien parler ; art de la mise en forme du discours afin que celui-ci atteigne un maximum d'efficacité. ◇ *Figure de rhétorique :* procédé de langage destiné à rendre la pensée plus frappante. ◇ Au sens péjoratif, style emphatique, pompeux.

Rhin (le). Fleuve de l'Europe du Nord-Ouest (1 320 km), tributaire de la mer du Nord. Né dans les Alpes suisses (Grisons), il draine l'Alsace, la RFA, passant — **3** 518 **12** 2706 à Bâle et dans le Massif schisteux rhénan (« trouée héroïque »), avant de couler en plaine aux Pays-Bas. Navigable, le Rhin est la première voie de circulation de l'Europe occidentale et une puissante artère économique.

3 518 **Rhin (Bas-)** (67). Département français (région Alsace). 4 787 km² ; 915 676 hab. Chef-lieu : Strasbourg. Sous-préfectures : Haguenau, Molsheim, Saverne, Sélestat-Erstein, Wissembourg. Ce département de la plaine d'Alsace comprend, en outre, une partie du plateau lorrain et des Vosges. Population particulièrement dense, qui vit d'une agriculture variée et de qualité (vigne, tabac, houblon, élevage, etc.) et surtout de l'industrie (alimentation, textile, etc.) grâce à l'hydro-électricité et aux raffineries de pétrole. Fort secteur tertiaire.

3 518 **Rhin (Haut-)** (68). Département français (région Alsace). 3 523 km² ; 650 372 hab. Chef-lieu : Colmar. Sous-préfectures : Altkirch, Guebwiller, Mulhouse, Ribeauvillé, Thann. Ce département s'étend sur une partie des Vosges et de la plaine d'Alsace. La densité de population est élevée. L'agriculture (vigne, céréales, houblon, etc.) est largement supplantée par l'industrie (automobile, mécanique, textile), qui bénéficie de mines de potasse et d'un équipement hydro-électrique et nucléaire important.

9 1942 **rhinocéros** n. m. Grand mammifère périssodactyle* herbivore d'Afrique et d'Asie dont le nez porte une ou deux cornes. Certaines espèces atteignent 4 m de long et un poids de 2,5 tonnes.

rhino-pharynx n. m. Partie supérieure du pharynx qui se situe en arrière des fosses nasales. ◆ **rhino-pharyngite** n. f. Maladie courante chez les enfants et qui se caractérise par l'inflammation de la muqueuse du rhino-pharynx.

3 563 **rhizome** n. m. Tige rampante souter-
4 907 raine de certaines plantes (fougères, ortie). Cet organe de réserve porte des racines et émet des tiges aériennes dans sa partie supérieure.

11 2437 **rhizopodes** n. m. pl. Super-classe groupant les protozoaires capables d'émettre des pseudopodes préhensiles et locomoteurs. Ce sont les amibes, les foraminifères, les radiolaires.

1 61 **Rhode Island.** État du nord-est des États-Unis (le plus petit : 3 144 km²), densément peuplé (946 000 hab.), très urbanisé. Capitale : Providence.

10 2315 **Rhodes** (île de). Île grecque de la mer Égée, près de la Turquie. 1 404 km² ; 62 000 hab. Chef-lieu : Rhodes. Île montagneuse et calcaire ; tourisme. ◇ Puissante dans l'Antiquité, elle fut un bastion de la chrétienté, gouvernée par les chevaliers de Rhodes de 1309 à 1523.

4 737 **Rhodes** Cecil, homme d'affaires et colonisateur anglais (1853-1902). Il utilisa

*Le rocher de la légendaire Lorelei, sur la rive droite du **Rhin**.*

*Le poids du **rhinocéros** noir peut atteindre 2,5 tonnes.*

*Pittoresque ruelle médiévale à **Rhodes**.*

*Les **rhododendrons** craignent un ensoleillement trop intense.*

ses compagnies commerciales pour étendre l'influence britannique en Afrique du Sud.

Rhodésie → Zimbabwe

rhodium n. m. Métal blanc ressemblant au chrome et au cobalt. Symbole *Rh*. Le rhodium est utilisé en joaillerie, dans des alliages avec le platine...

rhododendron n. m. Plante arbustive de montagne (famille des éricacées), aux feuilles persistantes et aux fleurs roses, blanches, pourpres ou violacées. **6 1427** **7 1540**

rhodophycées n. f. pl. Groupe d'algues généralement marines, appelées *algues rouges* pour leur pigment rouge dominant. Une espèce donne la gélose, une autre est un aliment apprécié en Asie.

Rhône (le). Fleuve de Suisse et de France (812 km, dont 522 en France), tributaire de la Méditerranée. Né dans le massif du Saint-Gothard, il franchit le Léman, entre en France en traversant le Jura, passe à Lyon et coule vers le sud, arrosant Valence, Avignon, Arles. Peu navigable, il est aménagé : irrigation, hydro-électricité. **2 366** **9 1959** **14 3148**

Rhône (69). Département français (région Rhône-Alpes). 3 249 km² ; 1 445 208 hab. Chef-lieu : Lyon. Sous-préfecture : Villefranche-sur-Saône. L'Ouest est occupé par les monts du Lyonnais et du Beaujolais (élevage et, sur les versants bien exposés, vins de qualité) ; l'Est correspond à la vallée de la Saône et du Rhône. 80 % de la population (forte densité : 444 hab. au km²) sont groupés dans l'agglomération lyonnaise, qui a un secteur secondaire (textiles modernes, chimie, pétrochimie, etc.) et tertiaire très développé. **9 1958**

Rhône-Alpes. Région de l'est de la France groupant les départements suivants : Ain, Ardèche, Drôme, Isère, Loire, Rhône, Savoie, Haute-Savoie. 43 698 km² ; 5 015 961 hab. Chef-lieu : Lyon. ◇ Cette vaste « région » n'a pas d'unité physique. Elle comprend la bordure orientale du Massif central, la majeure partie des Alpes françaises, la bordure méridionale du Jura, le fossé d'effondrement drainé par le Rhône. La majorité de la population se regroupe dans les bassins et dans les vallées ; l'essor démographique profite surtout aux villes, dont Lyon, Grenoble, Saint-Étienne, Valence, Annecy, Roanne, Chambéry. ◇ Économie puissante. L'élevage bovin prédomine en agriculture. Autres productions : vins, fruits, volailles. Le secteur industriel a bénéficié de l'hydro-électricité et des importations d'hydrocarbures. Industries diversifiées, servies par l'excellence des voies de communication. **9 1958**

rhubarbe n. f. Plante herbacée vivace, aux larges feuilles dont on consomme les pétioles charnus cuits et sucrés. Sa racine est un des plus vieux laxatifs.

rhum n. m. Eau-de-vie obtenue par fermentation et distillation des produits extraits de la canne à sucre (jus, sirop, mélasse). *Rhum de la Martinique.*

rhumatisme n. m. Nom de diverses affections très douloureuses, généralement localisées aux articulations de même qu'aux tissus mous qui les entourent. Les rhumatismes peuvent être dégénératifs, infectieux, allergiques, etc.

4 840 **rhume** n. m. Inflammation aiguë des voies respiratoires. ◇ *Rhume de cerveau* (coryza) : affection des muqueuses nasales. ◇ *Rhume des foins :* réaction allergique périodique, revenant à la floraison des graminées.

11 2609 **Ribatejo.** Région du Portugal, drainée par le Tage, zone de transition entre la Beira et l'Alentejo, formée de terrasses et de plaines. Région agricole.

12 2752 **Ribera** José DE, peintre espagnol (1591-1652). Il fit carrière en Italie, où il subit diverses influences (le Caravage), avant d'élaborer le style réaliste qui est le sien : *le Pied-Bot* (1642).

6 1217
6 1335 **Richard Ier** (dit Cœur de Lion), roi d'Angleterre (1157-1199). Roi en 1189, il participa à la 3e croisade (1190). Fait prisonnier par l'empereur Henri VI, il dut payer une forte rançon pour sa libération. Il mourut en combattant, au cours de sa lutte contre Philippe Auguste.

Richard II, roi d'Angleterre (1367-1400). Roi de 1377 à 1399, il dut affronter la révolte populaire de Watt Tyler. Son autoritarisme entraîna la révolte d'Henri de Lancastre, qui le renversa.

6 1318
8 1841
9 1929
13 3076 **Richelieu** (Armand Jean DU PLESSIS, *cardinal* DE), homme d'État français (1585-1642). Protégé de Marie de Médicis, puis ministre de Louis XIII de 1624 à sa mort, Richelieu établit la prépondérance française en Europe (victoires sur l'Autriche et l'Espagne). Il affermit l'autorité royale face à l'aristocratie et aux protestants (prise de La Rochelle, 1628) et accrut le rôle de l'État.

richesse n. f. Ressource d'une région ou d'un État, que l'on trouve en abondance. *Les hydrocarbures constituent la seule richesse des États du golfe Persique.* Ressource qui s'avère primordiale.

12 2776 **ricin** n. m. Grande plante herbacée (famille des euphorbiacées*), originaire de l'Asie. *L'huile de ricin,* extraite des graines de ricin, sert de purgatif.

4 933 **Riemann** Bernhard, mathématicien allemand (1826-1866). Il développa l'étude des fonctions, le calcul intégral, l'idée d'une géométrie non euclidienne, dite *elliptique.*

Riemenschneider Tilman, sculpteur allemand (v. 1460-1531). Il a prolongé le

Le cardinal de **Richelieu,** par Philippe de Champaigne.

« On n'est pas sérieux, quand on a dix-sept ans » (**Rimbaud**).

Ding ! Premier round sur le **ring**.

La splendide baie de **Rio de Janeiro** avec, au fond, le Pain de Sucre.

style médiéval dans le XVIe s. : *retable du Saint-Sang* à Rothenburg, *tombeau d'Henri II* à Bamberg (1499-1513).

Riesener Jean-Henri, ébéniste français d'origine allemande (1734-1806). Il a créé les plus beaux meubles de style Louis XVI.

7 1496 **Rif.** Chaîne côtière du Maroc septentrional, peu pénétrable, siège d'une guerre (1920-1926) des troupes franco-espagnoles contre Abd el-Krim.

12 2877 **Rigaud** Hyacinthe (Hyacinthe RIGAU Y ROS, *dit*), peintre français (1659-1743). Il fut, avec Nicolas de Largillière, le plus grand portraitiste du règne de Louis XIV : *Bossuet* (1702).

Rilke Rainer Maria, poète autrichien (1875-1926). Son œuvre est une interrogation, à la fois angoissée et sereine, sur la mort : *les Cahiers de Malte Laurids Brigge* (1910), *Élégies de Duino* (1923), *Sonnets à Orphée* (1923), etc.

13 2941
13 3023 **Rimbaud** Arthur, poète français (1854-1891). Adolescent révolté, il a affirmé son génie poétique dans une œuvre (achevée à vingt ans) où la création verbale « délirante » est inséparable du désir de « changer la vie » (les modes traditionnels de pensée) : *Poésies* (1870-1872), *les Illuminations* (1872-1875), *Une saison en enfer* (1873).

rime n. f. Arrangement de sons identiques (sons homophones) à la fin de deux vers. On appelle rimes masculines celles où l'accent tombe sur la dernière voyelle (sort/port) et rimes féminines celles où l'accent tombe sur l'avant-dernière voyelle (ondée/année).

Rimski-Korsakov Nikolaï, compositeur russe (1844-1908). Il est célèbre pour le brio de l'orchestration de ses poèmes symphoniques (*Capriccio espagnol,* 1887 ; *Schéhérazade,* 1888), pour son opéra *le Coq d'or* (1907-1909) et pour la réorchestration d'œuvres de ses contemporains.

8 1842 **ring** n. m. Estrade entourée de trois rangs de cordes où se déroulent les combats de boxe ou les démonstrations de catch.

2 448 **Rio de Janeiro.** Ville et premier port du Brésil, capitale du Brésil jusqu'en 1960. 4 261 000 hab. (*Cariocas*). Débouché des États miniers, elle possède de nombreuses industries. La ville s'étend le long de la baie de Guanabara, dominée par des pitons abrupts (Pain de Sucre). Bidonvilles (*favelas*).

2 451 **rio Grande** (le) ou **rio Bravo.** Fleuve d'Amérique né dans les Rocheuses. 2 900 km. Frontière partielle entre les États-Unis et le Mexique.

4 840 **rire** n. m. Expiration saccadée, plus ou moins bruyante, accompagnée de

contractions involontaires des muscles de la face. Le rire traduit l'état de gaieté d'un être humain. Il peut être volontaire ou réflexe.

10 2262
14 3344

Risorgimento. Mot italien signifiant *résurrection*. Le Risorgimento désigne le mouvement nationaliste, idéologique et politique qui aboutit à la formation de l'unité italienne, de 1815 à 1870. Dans un sens plus large, ce terme décrit la renaissance artistique et intellectuelle de l'Italie au XVIIIe siècle.

14 3124

rite n. m. Ensemble des cérémonies en usage dans une religion ; règles régissant la pratique d'un culte particulier. *Le rite du baptême.* ◇ Pratique à caractère sacré (symbolique ou magique). *Les rites africains d'initiation.* ◇ Coutume sociale. *Le rite du sapin de Noël.*

Rivera Diego, peintre mexicain (1886-1957). Il est l'auteur de fresques à thèmes socio-politiques inspirées par la peinture précolombienne : décoration du Palais national de Mexico (1934).

rivet n. m. Petite tige en métal pour assembler deux pièces. Elle a une extrémité renflée et une extrémité lisse que l'on aplatit avec un marteau.

4 806
6 1393

rivière n. f. Cours d'eau d'importance moyenne se jetant dans un fleuve (dans le sens courant du terme). Au sens étroit, cours d'eau d'importance moyenne ou faible, drainant un bassin hydrographique assez réduit pour lui assurer un régime simple, et se jetant, éventuellement, dans la mer.

6 1286

Riyad ou **Riad.** Capitale de l'Arabie Saoudite, située au centre de l'État. 667 000 hab. Important centre politique, commercial et d'affaires.

3 668
8 1871

riz n. m. Graminée céréalière des régions chaudes. Le riz exige pour croître d'avoir les racines et la base de la tige immergées. On inonde donc les rizières juste avant de repiquer les pieds de riz. Pour moissonner, on assèche les rizières. Le riz, nourriture de base des populations sud-asiatiques, peut être consommé brut (le son est très riche en vitamine B) ou débarrassé de ce son (riz poli, riz blanc, etc.).

Roberval (Gilles PERSONNE ou PERSONIER DE), physicien et mathématicien français (1602-1675). Il a donné son nom à une balance : *la balance Roberval.*

9 2157

Robespierre Maximilien DE, homme politique français (1758-1794). Avocat en 1781, Robespierre fut député de l'Artois aux états généraux (1789). Influencé par Rousseau, il imposa ses idées aux Jacobins et fit éliminer les Girondins de la Convention. Il put alors exercer sa dictature (1794) sur le Comité de salut public. Renversé le 9 thermidor an II (27 juillet 1794), il fut guillotiné le lendemain.

Robin des Bois *(Robin Hood).* Héros légendaire saxon du Moyen Âge, symbole de la résistance populaire aux Nor-

*Sarclage du **riz** en Chine.*

Robespierre, *l'« Incorruptible ».*

*Le vieux port de **La Rochelle**.*

*Montagnes **Rocheuses** : le parc national de Jasper, au Canada.*

mands. Il inspira des écrivains (Walter Scott) et des cinéastes (Michael Curtiz).

Robinson Crusoé. Héros du roman de Daniel Defoe*. Il symbolise la lutte de l'Homme seul contre la nature et pour les valeurs civilisatrices.

10 2380

robot n. m. Machine automatique, commandée par un ordinateur. Elle est capable de se déplacer, de saisir des objets au moyen de pinces et de bras articulés, de se servir d'outils pour effectuer certains travaux pénibles, dangereux ou fastidieux, comme le soudage de carrosseries d'automobiles.

4 868
6 1235
14 3315

Rochambeau (Jean-Baptiste DE VIMEUR, *comte* DE), maréchal de France (1725-1807). Il commanda les 6 000 hommes envoyés pour aider les Américains au cours de leur guerre d'Indépendance (1781).

roche n. f. Matériau de l'écorce terrestre formé d'un agrégat* de minéraux. On distingue : les roches *endogènes*, venant du plus profond de la croûte terrestre, consolidées en profondeur (roches intrusives ou plutoniques) ou en surface (roches effusives ou volcaniques) ; les roches *exogènes*, provenant de la destruction des continents (roches sédimentaires) ; enfin, les roches *métamorphiques* (métamorphisme*).

8 1866
14 3122

Rochefort Henri (Henri, *marquis* DE ROCHEFORT-LUÇAY, *dit*), journaliste et homme politique français (1831-1913). Il attaqua violemment l'Empire dans son journal *la Lanterne.*

Rochelle (La) (17000). Chef-lieu de la Charente-Maritime, sur l'Atlantique. 78 231 hab. *(Rochelais).* Port de pêche et de commerce grâce à son avant-port de La Pallice (industries). ◇ Citadelle protestante, réduite après un dur siège (1627-1628) par Richelieu.

12 2868
13 3079

Roche-sur-Yon (La) (85000). Chef-lieu du département de la Vendée. 48 156 hab. *(Yonnais).* Haras national. ◇ Ville *(Napoléon-Vendée)* créée par Napoléon Ier.

7 1552

Rocheuses (montagnes). Système montagneux de l'Ouest de l'Amérique du Nord (de l'Alaska au Mexique), dominant les Grandes Plaines et, à l'ouest, des plateaux intérieurs. Nombreux sommets dépassant 4 000 m.

1 62
14 3244

rock and roll (ou rock) n. m. Musique populaire à rythme rapide, née aux États-Unis vers 1955 sur la base d'emprunts au rhythm and blues noir et à la musique rurale des Blancs. (Voir pop musique.)

2 264
10 2324
13 3063

Rockefeller John Davison, industriel américain (1839-1937). Surnommé « le roi du pétrole », fondateur de la *Standard Oil*, il distribua une partie de son immense fortune à des institutions.

rococo n. m. Nom donné à un genre d'ornementation en vogue au XVIIIe s. et caractérisé par un foisonnement de formes contournées. Le rococo divise les historiens d'art : il est considéré comme

10 2189

une forme tardive du baroque* par les uns, comme un style autonome par les autres. *Les fastes du rococo* (salon ovale de l'hôtel de Soubise).

8 1841
13 3077
Rocroi (08230). Chef-lieu de canton des Ardennes (arrondissement de Charleville-Mézières). 2 789 hab. ◇ Fortifications achevées par Vauban. En 1643, la bataille de Rocroi vit la victoire de Condé sur l'infanterie espagnole.

rodage n. m. Action de faire fonctionner un moteur neuf à vitesse réduite, pour permettre un ajustage progressif, par polissage mutuel, des pièces mobiles en contact. Période de cet ajustage.

4 722
5 1088
rodéo n. m. Fête donnée à l'occasion du marquage du bétail aux États-Unis. Au cours d'un rodéo, les cow-boys rivalisent dans des jeux comme la maîtrise d'une monture (cheval ou taureau) non domestiquée. ◇ Ce jeu lui-même.

11 2500
Rodez (12000). Chef-lieu de l'Aveyron, sur l'Aveyron, ancienne capitale du Rouergue. 26 346 hab. *(Ruthénois)*. ◇ Cathédrale (XIIIe-XVIe s.).

Rodin Auguste, sculpteur français (1840-1917). Créateur puissant de formes en mouvement, il donna à ses œuvres une force expressive qui évoque irrésistiblement le dynamisme de la vie : *le Penseur* (1880), *le Baiser* (1886), *les Bourgeois de Calais* (1889), etc.

7 1565
Rodolphe de Habsbourg, archiduc d'Autriche (1858-1889). Fils unique de François-Joseph, il se suicida à Mayerling en compagnie de sa maîtresse, la jeune Marie Vetsera.

5 1045
Rodolphe ou **Turkana** (lac). Grand lac d'Afrique orientale, dans les plaines du nord du Kenya. 8 600 km². Ses eaux sont salées.

Rohan Édouard, *prince* DE, cardinal français (1734-1803). Évêque de Strasbourg, il se trouva compromis dans l'« affaire du Collier de la reine ». Il émigra durant la Révolution.

4 887
8 1877
roi n. m. Chef d'État qui exerce, généralement à vie, le pouvoir souverain, en vertu d'un droit héréditaire ou, plus rarement, électif (royauté*, monarchie*). *Le Roi Très Chrétien :* le roi de France. ◆ **reine** n. f. Épouse d'un roi ; souveraine d'un royaume.

14 3272
Rois (mages). Les trois rois qui, d'après l'Évangile, vinrent adorer Jésus à Bethléem. Ils se nommaient Melchior, Gaspard et Balthazar et avaient été guidés par une étoile.

1 178
13 3033
Rois (vallée des). Site archéologique d'Égypte, au nord de Deir el-Bahari, près de Thèbes. Nécropole des pharaons du Nouvel Empire (de Thoutmès Ier à Ramsès XI), le site a livré de fabuleux trésors, dont celui de Toutankhamon. Très belles peintures.

4 926
Roissy-en-France. Commune au nord-est de Paris. ◇ En 1973, il y fut mis en

Le **rodéo** fait revivre aujourd'hui le folklore des cow-boys.

Sculpture d'Auguste **Rodin** dans le jardin des Tuileries, à Paris.

Figurines péruviennes représentant les **Rois** mages.

Art **roman** : église (XIIe s.) de Saint-Nectaire, en Auvergne.

service l'aéroport Charles-de-Gaulle, un des plus grands d'Europe ; il possède deux aérogares.

roitelet n. m. Petit oiseau passériforme, au bec fin et pointu, au plumage brun verdâtre et dont la tête porte une couronne de plumes jaunes ou orangées.

5 1111
Roland, héros légendaire de la geste de Charlemagne. Chef de l'arrière-garde de l'armée carolingienne, il fut tué par les Vascons, ancêtres des Basques, à Roncevaux. La *Chanson de Roland* (XIIe s.) l'immortalisa.

13 2942
Rolland Romain, écrivain français (1866-1944). Il est l'auteur de drames historiques (*Danton*, 1901), de biographies (*Beethoven*, 1903), de romans (*Jean-Christophe,* 1904-1912), etc.

Romains → Rome

10 2381
roman n. m. 1 — LITT Poème ou récit en prose du Moyen Âge écrit en langue romane. Le *Roman de la Rose.* ◇ Ouvrage de fiction écrit généralement en prose et dans lequel l'auteur met en scène et « fait vivre » des personnages qui suscitent l'intérêt du lecteur par leurs aventures, certains traits de leur caractère, le milieu social où ils évoluent, etc. *Les romans de Balzac. Un roman policier, d'anticipation.* ◆ **romancier** n. m. Auteur de romans. *Une romancière.*

9 2113
14 3209
roman n. m. 2 — ARTS Style architectural et ornemental (orfèvrerie, enluminure, art de la fresque, etc.) qui s'est développé dans les pays d'Europe occidentale du Xe au XIIe s. Il s'est imposé surtout par des constructions religieuses (églises, abbayes), symboles de la puissance du monachisme (Cluny, Cîteaux) au début du Moyen Âge. L'architecture romane, d'une grande clarté de formes, présente, en France, une grande variété selon les régions : roman provençal (Saint-Trophime d'Arles), d'Auvergne (cathédrale du Puy), du Poitou (Saint-Savin), bourguignon (Vézelay), du Val de Loire (Saint-Benoît-sur-Loire), normand (abbaye aux Dames, à Caen), etc. Cette architecture offre aussi des caractéristiques très diverses suivant les pays : Angleterre (Durham), Allemagne (Trèves), Espagne (León), Italie (Brescia, Pise). Quant à la sculpture, elle concentre l'essentiel de sa force expressive dans les chapiteaux historiés et les portails (tympans à Moissac, Autun, Conques).

3 487
romanche (ou **roumanche**) n. m. Langue d'origine romane, parlée dans le canton des Grisons*, en Suisse, et qui fut reconnue, en 1938, comme quatrième langue officielle de la Confédération helvétique.

6 1316
romanes (langues). Ensemble des parlers, anciens ou actuels, issus du latin populaire qui était en usage dans la Romania (les pays romanisés). Au sens large, toutes les langues qui proviennent du latin : le français, l'italien, l'espagnol, le roumain, etc.

9 1952
11 2518

Romanov (famille). Famille qui régna en Russie de 1613 à 1917. Elle dut son nom à Roman, beau-père d'Ivan le Terrible. Cette famille accéda au pouvoir avec Michel III. Le dernier tsar Romanov, Nicolas II, mourut assassiné.

11 2569
14 3283
14 3302

romantisme n. m. Ensemble de mouvements littéraires et artistiques qui s'épanouirent, à travers l'Europe, entre 1774 et 1850 environ, rejetant rationalisme* et classicisme* pour exalter le *moi*, la vie émotionnelle, voire l'épanchement sentimental. Le romantisme s'imposa d'abord en Angleterre (poésies de Wordsworth, Coleridge, Keats, Byron, Shelley) et en Allemagne (philosophie de Fichte et Schelling, poésie des frères Schlegel, de Hölderlin, de Novalis, etc.), puis se manifesta en France (Lamartine, Vigny, Hugo, Musset), en Italie (Leopardi, Manzoni), etc. Sur le plan artistique, le romantisme marqua principalement un renouveau de la peinture française (Géricault, Delacroix). En musique, il est représenté par Beethoven, Schubert, Schumann, Brahms, Berlioz, Chopin, Liszt, Weber...

7 1506
11 2498

romarin n. m. Arbrisseau méditerranéen (famille des labiées), à petites fleurs bleu-violet et à feuilles persistantes, odorantes, utilisées comme condiment et en infusion.

2 253
3 582
3 606
3 630
3 652
3 676
3 708
4 724
4 745
4 769
4 822
4 846
4 896
4 940
10 2251
11 2536
14 3166
14 3208

Rome. Capitale de l'Italie, sur le Tibre. 2 898 000 hab. (*Romains*). Chef-lieu du Latium et résidence du pape (cité du Vatican). Les services administratifs l'emportent sur les industries. Pèlerinages et tourisme procurent d'importantes ressources. ◇ Fondée au VIIIe s. av. J.-C., Rome devint le centre du plus vaste empire qu'ait connu l'Antiquité européenne. Au cours de l'ère républicaine (v. 509-27 av. J.-C.), elle conquit l'Italie puis les pays du Bassin méditerranéen. Sous Auguste, qui instaura l'Empire, la « paix romaine » s'étendit de la Manche à la mer Rouge et du Danube au Sahara. Au puissant et prospère Haut-Empire succéda le Bas-Empire (192-476), marqué par les invasions barbares, les guerres civiles et de graves difficultés économiques. En 395, l'Empire fut scindé en Empire d'Occident et en Empire d'Orient, lequel subsista jusqu'en 1453 (voir Byzance). Après la chute de l'Empire d'Occident, au Ve s., la ville déclina et ne retrouva son prestige, au Moyen Âge, qu'avec la montée progressive de la puissance des papes. Ceux-ci transformèrent son visage au XVIe s. En 1870, Rome fut occupée par l'armée italienne et devint la capitale du royaume.

11 2598

Rommel Erwin, maréchal allemand (1891-1944). Il se distingua à la tête de l'*Afrikakorps** (1941-1942) puis en Normandie. Compromis lors du complot de juillet 1944 contre Hitler, il se suicida.

3 583

Romulus. Fondateur légendaire de Rome. Fils de Mars, il fut allaité par une louve avec son frère **Remus,** puis recueilli par des bergers. Après avoir fondé Rome (723 av. J.-C.), Romulus tua son frère, qui l'avait nargué.

Romanov : l'assassinat de Dimitri, fils d'Ivan IV le Terrible, en 1591.

*La place d'Espagne et l'église de la Trinité-des-Monts, à **Rome.***

*Les jumeaux **Romulus et Remus** allaités par la louve (bronze, V^e s av. J.-C.).*

*Portrait de Pierre de **Ronsard.***

ronce n. f. Plante arbustive épineuse (famille des rosacées) des bois et des haies, à petites fleurs blanches et à fruits comestibles noirs (*mûres*).   **4** 854

Ronconi Luca, metteur en scène de théâtre italien (né en 1933). Ses spectacles (*Orlando furioso*, 1970) visent à intégrer les spectateurs à l'action.

ronde n. f. Inspection, visite de surveillance et de sécurité effectuée selon un circuit (dans un camp militaire, une usine, une maison, etc.).

ronde-bosse n. f. Sculpture exécutée en plein relief et dont on peut, par conséquent, faire le tour (par opposition à bas-relief* et haut-relief). *Les rondes-bosses de Maillol.*

rongeurs n. m. pl. Ordre de mammifères qui se caractérisent par la présence, à chaque maxillaire, d'une paire d'incisives à croissance indéfinie, taillées en biseau, et par l'absence de canines et de prémolaires. Ce sont le mulot, le rat, le castor, l'écureuil... Les *lagomorphes* (lapins), à 4 incisives par maxillaire, forment un autre ordre.   **2** 293   **6** 1402

Ronsard Pierre DE, poète français (1524-1585). Imitateur assez froid de Pindare (*Odes*, 1550-1552), il a déployé tout son génie verbal dans la poésie amoureuse (*les Amours*, 1552 à 1578) et épique (*Hymnes*, 1555-1556). Il fut le principal animateur de la Pléiade*.   **6** 1317   **13** 2939

Röntgen Wilhelm Conrad, physicien allemand (1845-1923). Il découvrit, en 1895, un rayonnement inconnu qu'il appela alors *rayons X*. Prix Nobel de physique en 1901.   **13** 2918

röntgen n. m. Unité de dose de rayonnement ionisant. Symbole *R*. On évalue les doses radioactives reçues par l'Homme en *rem* (röntgen équivalent *man*).

Roosevelt Franklin Delano, homme d'État américain (1882-1945). Président démocrate des États-Unis (1932-1945), il lutta contre la crise par la politique du « New Deal » puis engagea son pays dans la Seconde Guerre mondiale. Il participa, avec Staline et Churchill, à la conférence de Yalta.   **11** 2620   **13** 3097

Roosevelt Theodore, homme d'État américain (1858-1919). Vice-président, il devint président à la mort de McKinley (1901) et fut réélu en 1904. Il pratiqua une politique étrangère impérialiste.

rorqual n. m. Nom courant des baleines à fanons pourvues d'une nageoire dorsale : *la grande baleine bleue, le rorqual à bec.* Synonyme : *balénoptère.*   **1** 13   **13** 3035

Rorschach Hermann, psychiatre suisse (1884-1922). Le *test de Rorschach* est fondé sur l'étude de l'interprétation, par le malade, d'une série de taches de formes et de couleurs données.

rosace n. f. Motif ornemental en forme de rose ouverte. ◇ Grande baie circu-   **1** 53

448

laire, ornée de vitraux, typique des églises gothiques. On dit aussi *rose*.

rosacées n. f. pl. Importante famille de plantes dicotylédones aux formes variées : herbacée (fraisier), arbustive (rosier), arborescente (poirier, cerisier...). Les rosacées sont cultivées pour leurs fleurs et leurs fruits.

rose n. f. Fleur du rosier, arbrisseau épineux de la famille des rosacées comptant beaucoup d'espèces. De nombreuses variétés de roses ont été créées par hybridation à partir de l'églantier ou rosier sauvage d'Europe.

rose des vents. Dessin en étoile à 32 branches porté sur les compas, cartes marines, etc., et indiquant les points cardinaux et intermédiaires.

rose des sables (ou rose des déserts). Cristaux lenticulaires de gypse (jaune ou rose) ressemblant à une rose et localisés dans certains déserts.

roseau n. m. Plante herbacée aquatique à tige droite (famille des graminées). Par extension, nom donné à des plantes lui ressemblant, telle la massette.

rosée n. f. Ensemble de fines gouttelettes qui se déposent sur les objets durant la nuit et qui proviennent de la condensation de la vapeur d'eau des couches inférieures de l'atmosphère.

Roses (guerre des Deux-) → Deux-Roses (guerre des)

Rosette (pierre de). Fragment d'une stèle découverte en Égypte en 1799, datée de 196 av. J.-C. et portant une inscription en deux langues et trois écritures (hiéroglyphique, démotique et grecque); ce qui permit à Champollion* de déchiffrer les hiéroglyphes (1822). Elle est conservée au British Museum, à Londres.

Rosi Francesco, cinéaste italien (né en 1922). Ses films, politiquement engagés à gauche, ont souvent la forme d'une enquête : *Salvatore Giuliano* (1961), *Main basse sur la ville* (1963), *l'Affaire Mattei* (1971), *Lucky Luciano* (1973), *Cadavres exquis* (1975), etc.

Ross *sir* John, navigateur britannique (1777-1856). Explora les mers arctiques et localisa le pôle magnétique Nord.

Rossellini Roberto, cinéaste italien (1906-1977). Il fut l'un des promoteurs du néoréalisme avec *Rome, ville ouverte* (1945), *Paisà* (1946) et *Allemagne année zéro* (1948). (Voir réalisme.)

Rossi Constantin (*dit* Tino), chanteur français (1907-1983). La séduction de sa voix de ténor léger s'exerça sur plusieurs générations.

rossignol n. m. Oiseau passériforme à plumage brun-roux terne, habitant les haies, bois et fourrés. Il se caractérise par son chant nocturne.

Rosace de la cathédrale d'Orvieto, en Ombrie (Italie).

« Sur tout parfum j'aime la rose » (Ronsard).

Le rossignol mâle cesse de chanter pour participer au nourrissage des petits.

Les journaux à grand tirage sont imprimés par des rotatives.

Rossini Gioacchino, compositeur italien (1792-1868). Ses opéras, riches en inventions mélodiques et rythmiques, sont un sommet de l'art lyrique italien du XIX⁰ s. : *le Barbier de Séville* (1816), *la Pie voleuse* (1817), *le Comte Ory* (1828), *Guillaume Tell* (1829), etc.

Rostand Edmond, écrivain français (1868-1918). Ses pièces exaltent la générosité du cœur : *Cyrano de Bergerac* (1897), *l'Aiglon* (1900), *Chantecler* (1910).

Rostand Jean, biologiste français (1894-1977). Il fit, en solitaire, de nombreux travaux sur la tératologie (science des malformations congénitales) et la parthénogenèse*.

Rostock. Ville et principal port de la RDA, sur la Warnow. 205 000 hab. avec son avant-port Warnemünde, sur la Baltique. Constructions navales.

Rostov-sur-le-Don. Ville et port d'URSS, sur le Don, près de la mer d'Azov. 921 000 hab. Important centre industriel et commercial.

rostre n. m. Appendice pointu, plus ou moins rigide, porté par certains animaux : il s'agit soit d'un éperon placé entre les yeux de certains crustacés, soit de pièces buccales d'insectes, tels les punaises et les pucerons.

Rostropovitch Mstislav, violoncelliste soviétique (né en 1927). Grand interprète de Brahms, Chostakovitch..., il est aussi chef d'orchestre.

Rota Nino, compositeur italien (1911-1979). Auteur de symphonies, de cantates, etc., il est surtout connu pour ses musiques des films de Fellini : *la Strada, Huit et demi, les Clowns*, etc.

rotation n. f. ◇ 1. PHYS Mouvement d'un solide qui tourne autour d'un axe fixe *(axe de rotation)* : la rotation de la Terre sur elle-même s'effectue en 23 h 56 min. ◇ 2. MATH Transformation, dans un plan, d'un point M en M', tel que OM = OM', O étant un point fixe.

rotative n. f. Presse à imprimer munie de cylindres tournants. La rotative sert à imprimer les journaux à grand tirage et à les plier. La vitesse avec laquelle elle imprime est considérable.

Rothschild Meyer Amschel, banquier allemand (1744-1812). Il fut l'ancêtre d'une famille de financiers qui fonda de puissantes banques en Angleterre et en France.

rotifères n. m. pl. Embranchement d'animaux métazoaires microscopiques, dont la taille ne dépasse pas 0,5 mm, vivant en général en eau douce. Leur corps transparent est caractérisé par un organe cilié, l'organe rotateur, souvent en forme de couronne.

rotin n. m. Tige du rotang, utilisée par les vanniers. Le rotang est une liane (famille des palmiers) de l'Asie tropicale, longue parfois de 300 m.

4 816
14 3247
rotor n. m. Partie tournante d'un moteur électrique, d'un alternateur (la partie immobile est appelée *stator**). ◇ Grande hélice à plusieurs pales qui tourne au-dessus d'un hélicoptère.

6 1304
Rotterdam. Ville des Pays-Bas, sur le delta du Rhin et de la Meuse, à 30 km de la mer. 601 000 hab. Premier port du monde, le plus important débouché de l'Europe industrielle du Nord-Ouest. Gros importateur d'hydrocarbures, de minerais et de céréales.

2 328
rotule n. f. Petit os situé sur la face antérieure du genou, la rotule maintient les tendons des muscles extenseurs de la jambe, les empêchant de glisser sur le côté du genou.

Rouault Georges, peintre français (1871-1958). Coloriste inspiré par le tragique de la vie et la foi chrétienne, il s'exprima dans un style expressionniste qui évoque l'art du vitrail.

Roublev ou **Roubliov** Andreï, moine russe, peintre d'icônes (v. 1360-1430). Son œuvre marque l'apogée de la peinture médiévale en Russie : *la Trinité* (v. 1408), *le Sauveur* (début XVe s.), icônes d'autel.

1 77
1 126
4 732
6 1257
6 1406
roue n. f. Pièce circulaire qui tourne autour d'un axe. Elle sert à faire rouler sur le sol une brouette, une auto... ◇ *Roue motrice :* roue entraînée par le moteur. ◇ *Roue libre :* roue entraînant un mécanisme sans être entraînée par lui. ◇ La roue a été inventée il y a un peu plus de 5 000 ans.

11 2630
Rouen (76000). Chef-lieu de la Seine-Maritime, capitale de la région Haute-Normandie, port fluvial sur la Seine. 105 083 hab. *(Rouennais)*. Industries variées. ◇ Capitale du duché de Normandie, elle devint française en 1204.

6 1247
6 1285
14 3213
Rouge (mer). Golfe long et étroit du nord-ouest de l'océan Indien, séparant l'Afrique de l'Arabie. Il communique avec la Méditerranée par le canal de Suez et avec le golfe d'Aden par le détroit de Bab al-Mandab.

2 245
rouge-gorge n. m. Oiseau passériforme, long de 13 cm, à plumage brun terne, sauf la gorge et la poitrine qui sont rouge brique.

12 2780
rougeole n. f. Maladie virale contagieuse atteignant surtout les enfants, qui se manifeste d'abord par une affection des muqueuses (yeux, nez, bouche, gorge) puis par l'apparition d'une multitude de petites taches rouges sur la peau.

5 969
rouget n. m. Nom de divers poissons marins, comestibles, de couleur rouge ou rosée. Le rouget barbet vit en Méditerranée sur les fonds sableux, le surmulet préfère les zones rocheuses.

*Icône dite de « la Trinité » (v. 1408) d'Andreï **Roublev**.*

*Le Gros-Horloge, à **Rouen**.*

*Le **rouge-gorge** chante en gonflant la poitrine pour chasser les intrus.*

*La **Roumanie**.*

Rouget de Lisle Claude, officier français (1760-1836). Son *Chant de guerre pour l'armée du Rhin*, composé en 1792 à Strasbourg, devint *la Marseillaise**.   **9** 2155

rouille n. f. ◇ 1. CHIM Oxyde* de fer hydraté donnant un solide roux qui se forme par action de l'air humide à la surface du fer. ◇ 2. BOT Maladie des céréales provoquée par des champignons microscopiques et se manifestant par des taches jaunes ou brunes.   **2** 258

roulette n. f. Jeu de hasard dans lequel le gagnant est désigné par l'arrêt d'une petite boule sur une des cases numérotées d'un plateau tournant.

roulis n. m. Balancement latéral d'un bateau, provoqué par la houle. Quand il y a du roulis, l'un des côtés du bateau monte et l'autre descend.

roulotte n. f. Voiture ou remorque, aménagée en habitation, utilisée par les nomades ou les membres de professions itinérantes : gens du cirque, forains...

Roumanie (république socialiste de). État du sud-est de l'Europe.   **12** 2798

superficie :	237 500 km²
population :	22 400 000 hab. *(Roumains)*
capitale :	Bucarest
monnaie :	le leu (pluriel : lei)
code international :	R

Les Carpates, chaîne tertiaire peu élevée, culminant à 2 544 m, forment un arc de cercle enserrant le plateau de Transylvanie et dominant les grandes plaines de Moldavie à l'est, de Valachie au sud. Les cours d'eau sont tributaires du Danube, qui se jette par un delta dans la mer Noire. Le climat est continental. ◇ Pays agricole, la Roumanie est le premier producteur européen de maïs et un exportateur de viande. Grâce au pétrole et au gaz naturel, les besoins énergétiques sont presque couverts. L'industrialisation, entreprise depuis 1945, se caractérise par la construction de grands combinats. La Roumanie, membre du Comecon*, manifeste sa volonté d'indépendance en développant ses relations avec les pays occidentaux. ◇ Le pays des Daces, fortement latinisé aux IIe-IIIe s. (province romaine), fut divisé, pendant des siècles, en trois principautés, Moldavie, Valachie et Transylvanie, qui durent lutter sans cesse contre les visées annexionnistes des Russes, des Turcs, des Hongrois et des Autrichiens. Unifiée entre 1857 et 1918, la Roumanie fut dirigée, de 1941 à 1944, par un dictateur pronazi que renversa une insurrection animée par les communistes. En 1948, le pays devint une démocratie populaire.

round n. m. Reprise d'un combat de boxe ou d'un match de catch. En boxe, le round dure trois minutes, suivies d'un temps de repos d'une minute.   **8** 1843

Rousseau Henri (*dit* le Douanier), peintre français (1844-1910). Il a révélé, dans ses œuvres, des qualités de coloriste généralement absentes chez les peintres autodidactes, appelés « naïfs ».

9 2021
13 2940
13 3092

Rousseau Jean-Jacques, écrivain suisse (1712-1778). Il dénonça les méfaits de la civilisation (*Discours sur l'origine de l'inégalité*, 1755), prôna dans *Julie ou la Nouvelle Héloïse* (1761) et dans *Émile* (1762) un ordre social « naturel » et exposa les principes de la démocratie (*Du contrat social*, 1762). Génie anxieux, il s'est raconté dans les *Confessions* (œuvre posthume publiée en 1782).

rousserolle n. f. Petit oiseau passériforme d'Europe, d'Asie et d'Afrique, vivant souvent dans les roseaux et se nourrissant de larves aquatiques.

8 1707
10 2376

roussette n. f. Nom courant de grandes chauves-souris d'Afrique, d'Asie. ◇ Petit squale, ou chien de mer, à peau tachetée, commun dans les mers d'Europe.

5 1028

Roussillon. Ancienne province française, correspondant au département des Pyrénées-Orientales. Rattachée au royaume d'Aragon en 1172, elle devint française à la suite du *traité des Pyrénées*, conclu en 1659.

2 458
5 1184
6 1252
13 3052

route n. f. Voie de circulation terrestre carrossable, construite en dehors des agglomérations. Par extension, itinéraire suivi par un courant commercial (*route de la soie*), touristique (*route du soleil*, *route du vin*), etc. Une route comprend la chaussée, surface où roulent les véhicules, les accotements et les fossés. Son profil transversal est généralement en dièdre*.

Roux Émile, médecin français (1853-1933). Élève de Pasteur, il mit au point le sérum antidiphtérique et dirigea l'Institut Pasteur à partir de 1904.

royalty n. f. Redevance payée à un inventeur, un auteur, un éditeur, un propriétaire de gisement de pétrole, etc. Synonyme recommandé : *redevance*.

Royaume-Uni → Grande-Bretagne

4 887

royauté n. f. Dignité de roi*, de reine. Régime monarchique dans lequel le souverain est un roi ou une reine. *La Révolution de 1789 marqua en France la chute de la royauté.* ◆ **royaume** n. m. État gouverné par un roi, une reine. ◆ **royalisme** n. m. Attachement à la royauté, au régime monarchique. ◆ **royaliste** n. m. ou f. Partisan du roi, de la royauté. (Voir monarchie.)

11 2583

Ruanda ou **Rwanda** (république du). État d'Afrique centrale, sous l'équateur.

superficie :	26 338 km²
population :	5 100 000 hab. (*Ruandais*)
capitale :	Kigali
monnaie :	le franc ruandais
code international :	RWA

Petit pays montagneux, au climat équatorial tempéré par l'altitude, densément peuplé et exclusivement agricole. Exportations de café. ◇ Colonisé par l'Alle-

« La nature a fait l'Homme bon, mais la société le déprave » (J.-J. **Rousseau**).

Le **Ruanda**.

Rubens a représenté ainsi sa femme Hélène Fourment et un de leurs enfants.

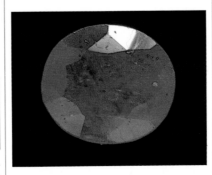

Le **rubis** oriental, très recherché, est plus rare que le diamant.

magne (1907) puis par la Belgique (1923), il accéda à l'indépendance en 1962.

6 1285

Rub'al-Khali. Désert de sable situé au sud-est de la péninsule Arabique, en Arabie Saoudite, aux confins du Yémen, des Émirats arabes et de l'Oman.

12 2751

Rubens Petrus Paulus, peintre flamand (1577-1640). Son œuvre, produit d'un métier incomparable mis au service d'une véritable fureur de peindre, est une contribution capitale à l'art baroque* : *le Combat des Amazones* (1617), *le Coup de lance* (1620), etc.

12 2780

rubéole n. f. Maladie virale épidémique et très contagieuse se traduisant par des éruptions cutanées et une inflammation des ganglions. Très dangereuse pour le fœtus d'une femme enceinte.

5 1126

rubiacées n. f. pl. Famille de plantes dicotylédones surtout tropicales. Les espèces des pays tempérés sont herbacées (gaillet) et celles des tropiques sont ligneuses (caféier, quinquina...).

3 655

Rubicon. Fleuve italien. Dans l'Antiquité, le Rubicon séparait l'Italie de la Gaule cisalpine. En le franchissant, en 49 av. J.-C., Jules César déclencha la guerre civile.

rubidium n. m. Métal blanc argent, mou, fondant facilement (39 °C). Symbole *Rb*. Le rubidium possède des propriétés très proches de celles du potassium.

Rubinstein Artur, pianiste américain d'origine polonaise (1886-1982). Il fut l'un des plus brillants interprètes de Chopin et de Schumann.

rubis n. m. Pierre précieuse (alumine cristallisée) transparente, d'un rouge vif. Le rubis oriental (couleur cramoisie) est le plus estimé et le plus rare des rubis. On le trouve surtout en Birmanie.

7 1585

ruche n. f. Habitation des abeilles, naturelle ou construite par l'Homme. Nom donné également à l'ensemble formé par les abeilles, leur habitation et leurs productions (cire, miel, pollen).

Rude François, sculpteur français (1784-1855). Son œuvre mêle classicisme et romantisme : *la Marseillaise* (1833-1835, arc de triomphe de l'Étoile).

rue n. f. 1 – soc Voie bordée de trottoirs et de maisons, dans une ville, un village, permettant la circulation des véhicules et le cheminement des piétons. Selon les pays, les rues portent un nom (par exemple celui d'un personnage historique) ou un numéro.

rue n. f. 2 – bot Genre de plantes herbacées à odeur désagréable (famille des rutacées).

6 1225

rugby n. m. Sport d'équipe dont les règles ont été fixées en 1846 à Rugby, en Angleterre. Il oppose deux équipes de 15 joueurs qui cherchent à déposer un ballon ovale, porté à la main, derrière la ligne de but adverse, ou à l'envoyer par un coup de pied entre deux poteaux. Répandu surtout dans les pays britanniques et en France, il a donné naissance à une variante, le *jeu à XIII*.

10 2338 **Ruhr.** Région du nord-ouest de la RFA, comprenant le premier bassin houiller d'Europe, autour duquel s'est édifié un des principaux centres industriels du globe. Les industries lourdes (métallurgie, chimie) dominent. ◇ Près de 6 millions d'hab. se concentrent dans une énorme conurbation* comprenant Essen, Dortmund, Düsseldorf...

ruines n. f. pl. Vestiges d'édifices détruits par les hommes ou par le temps. ◇ État de ce qui se dégrade ou s'écroule. *La ruine d'une banque.*

ruissellement n. m. Écoulement superficiel des eaux de pluie ou de fonte des neiges sur un versant. On distingue le ruissellement diffus (en fine pellicule), en rigoles et, dans les régions arides, le ruissellement en nappe.

rumba n. f. Danse d'origine afro-cubaine dont la mélodie, répétée indéfiniment, comporte huit mesures à 2/4.

rumen n. m. La plus grande poche de l'estomac des ruminants, dans laquelle l'herbe s'accumule avant que l'animal ne rumine. Synonyme : *panse*.

12 2808
12 2830 **ruminants** n. m. pl. Sous-ordre de mammifères artiodactyles* dont l'estomac et le tube digestif sont adaptés à la rumination et comprenant les cervidés, les girafidés, les bovidés, etc. La rumination permet à l'animal d'absorber puis de mastiquer une forte quantité d'herbe qu'il remastique après que les micro-organismes de la panse ont digéré la cellulose.

4 927 **Rungis** (94150). Commune du Val-de-Marne où est établi, depuis 1969, un marché-gare d'intérêt national qui a remplacé les Halles* de Paris.

Russell Bertrand, philosophe et mathématicien anglais (1872-1970). L'un des initiateurs de la logistique*, il fut un militant ardent de la paix et des droits de l'Homme.

9 1948
14 3232 **Russie.** Nom de l'empire des tsars avant la Révolution de 1917 ; aujourd'hui, nom de la plus vaste des républiques d'URSS. ◇ Le premier État russe naquit avec la principauté de Kiev (fin IXᵉ s.), qui unifia les Slaves orientaux et, vers 988, introduisit le christianisme (adoptant le rite orthodoxe au XIᵉ s.). Conquise par les Mongols (XIIIᵉ-XIVᵉ s.), la Russie fut libérée, entre le XIVᵉ et le XVIᵉ s., par les princes de Moscou qui assurèrent ainsi leur suprématie sur ceux de Kiev. Ils instaurèrent une monarchie héréditaire, adoptant en 1547 le titre de tsar. La dynastie des Romanov (1613-1917) fut principalement représentée par Pierre Iᵉʳ le Grand,

*Prise de balle en touche au **rugby**.*

*Paysage industriel à Dortmund, dans le bassin de la **Ruhr**.*

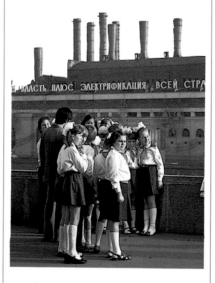

*Jeunes « pionniers » à Moscou, capitale de la RSFS de **Russie**.*

*Coup de soleil (détail, v. 1660), de Jacob Van **Ruysdael**.*

Catherine II, Alexandre Iᵉʳ, Alexandre II, Alexandre III et Nicolas II. Elle fut renversée par la Révolution* de 1917, qui donna naissance à l'URSS*. ◇ La République socialiste fédérative soviétique russe occupe la majeure partie de l'URSS. 17 075 000 km² ; 130 079 000 hab. (dont 83 % de Russes). Capitale : Moscou. Elle comprend la Russie d'Europe, densément peuplée, qui regroupe 30 % du potentiel industriel, et la Russie d'Asie s'étendant jusqu'aux rives du Pacifique et intégrant la majeure partie de la Sibérie.

Russie blanche → Biélorussie

russule n. f. Genre de champignons basidiomycètes à chapeau de couleur vive (rouge, jaune-vert, brun violacé). Certaines espèces sont comestibles.

2 387 **rut** n. m. Période d'activité sexuelle des mammifères, au cours de laquelle les femelles et les mâles se réunissent pour s'accoupler.

rutabaga n. m. Variété de choux dont la racine tubérisée à chair orange, parfumée, est consommée comme légume. On le cultive en terrain pauvre.

3 551 **rutacées** n. f. pl. Famille de plantes dicotylédones à feuilles possédant des poches à essence aromatique tels les rues, les agrumes (oranger, citronnier, pamplemoussier...).

Rutebeuf, poète français (mort v. 1285). Il s'est, l'un des premiers, affranchi des conventions de la poésie courtoise : *le Miracle de Théophile.*

ruthénium n. m. Métal dur et cassant. Symbole *Ru*. Il est utilisé comme catalyseur. L'un de ses dérivés, le rouge de ruthénium, est employé en teinturerie.

13 3050 **Rutherford of Nelson** Ernest *(lord)*, physicien et chimiste anglais (1871-1937). Il expliqua la radioactivité et établit que les particules alpha sont des noyaux d'hélium. Prix Nobel en 1908.

12 2753 **Ruysdael** ou **Ruisdael** Jacob VAN, peintre hollandais (v. 1628-1682). Ses ciels d'orage, ses tempêtes en mer font de lui l'un des plus grands paysagistes hollandais du XVIIᵉ siècle.

Rwanda → Ruanda

10 2324 **rythme** n. m. Retour à intervalles réguliers des temps forts et des temps faibles dans une phrase musicale, un vers, un texte de prose, etc. En musique, le rythme est fonction de la mesure*, de l'accentuation et du tempo (vitesse moyenne d'exécution d'un morceau). *Marquer le rythme.* ◇ Mouvement périodique, cadencé. *Rythme cardiaque.*

Ryukyu. Archipel japonais, entre Kyushu et Taiwan, formant la province d'Okinawa (chef-lieu : Naha). 2 245 km² ; 993 000 hab. Bases navales et aériennes de l'armée américaine.

Saarinen Eero, architecte et designer finlandais (1910-1961). Ses édifices aux formes courbes sont spectaculaires.

2 252
6 1284

Saba (royaume de). Ancien royaume du sud-ouest de l'Arabie (actuel Yémen), très prospère entre le VIIIe s. av. J.-C. et le VIe s. ap. J.-C. La reine de Saba se serait rendue à Jérusalem, attirée par la sagesse de Salomon.

12 2642

sabbat n. m. Repos que la loi de Moïse prescrit aux juifs d'observer le samedi, 7e jour de la semaine. ◇ Assemblée nocturne de sorciers et de sorcières dans les croyances médiévales.

2 352

sable n. m. Roche sédimentaire meuble, formée de grains (de 0,02 à 2 mm). On classe les sables suivant leur composition (sable quartzeux quand le quartz* domine, sable feldspathique) ou suivant leur origine (sable marin, sable fluviatile...). ◇ *Sables mouvants* : sables humides dans lesquels s'enfonce le pied ; sables secs que le vent déplace.

sabot n. m. 1 – ZOOL Étui corné enveloppant la dernière phalange des doigts des mammifères ongulés* (cheval, bœuf, porc...) et sur lequel ils marchent.

sabot n. m. 2 – TECH Chaussure de bois. ◇ *Sabot de Denver* : grosse pince utilisée par les services de police pour bloquer l'une des roues d'un véhicule.

sabotage n. m. Détérioration ou destruction volontaire d'une machine, d'un véhicule, d'une voie ferrée, d'un pont..., par incendie, au moyen d'explosifs... ◆ **saboteur** n. m. Personne qui commet un sabotage.

10 2394

sabre n. m. Arme blanche dont la lame est tranchante d'un seul côté. ◇ Arme utilisée en escrime. Sa lame est plate, non coupante et flexible.

sac n. m. Cavité limitée par une paroi membraneuse. Ainsi, le *sac vocal* de la

*Sorcières en **sabbat** vues par Goya.*

*Sentinelle tunisienne portant le **sabre** au clair.*

grenouille mâle, du singe hurleur... Ainsi, les *sacs polliniques* d'une étamine qui contiennent le pollen...

saccharose n. m. Solide blanc, très soluble dans l'eau, de la famille des glucides*. Il est présent dans la racine de betterave, la tige de canne à sucre...

Sacco et Vanzetti (affaire). Affaire judiciaire américaine. L'exécution (1927) de deux anarchistes, Nicola Sacco et Bartolomeo Vanzetti, condamnés pour meurtres, provoqua l'indignation, car leur culpabilité était douteuse.

sacerdoce n. m. Dignité et fonction du ministre d'un culte. Dans l'Église catholique, le prêtre, l'évêque, le cardinal et le pape exercent un sacerdoce.

Sacher-Masoch Leopold VON, écrivain autrichien (1836-1895). Son roman *Vénus à la fourrure* (1870) évoque un érotisme appelé depuis masochisme*.

sacre n. m. Consécration d'un prêtre qui devient évêque. ◇ Cérémonie religieuse par laquelle un souverain reçoit le caractère sacré lié à sa fonction. *Le sacre de Napoléon Ier*.

sacrement n. m. Signe concret et efficace de la grâce divine. ◇ Dans l'Église catholique, il existe sept sacrements : le baptême, la confirmation, l'eucharistie, le mariage, l'ordre, la pénitence et le sacrement des malades (que l'on appelait extrême-onction avant 1963).

2 297

sacrifice n. m. Offrande, faite à une divinité, d'une victime ou d'autres présents. ◇ *Le saint sacrifice* : la messe, qui, dans le culte catholique, renouvelle sur l'autel le sacrifice de Jésus sur la Croix.

sacristie n. f. Salle attenante à une église où l'on range les habits sacerdotaux et les objets du culte. ◆ **sacristain** n. m. Personne chargée de la sacristie.

sacrum n. m. Pièce osseuse constituée par les 5 vertèbres sacrées soudées et située à la base de la colonne vertébrale, entre les 2 os iliaques et à la partie postérieure du bassin.

6 1245
12 2741

Sadate Anouar el-, homme d'État égyptien (1918-1981). Successeur de Nasser (1970), il signa un traité de paix avec Israël (1979). En octobre 1981, il fut assassiné par des extrémistes musulmans lors d'un défilé militaire.

13 2940
13 3023

Sade Donatien Alphonse François (*marquis* DE), écrivain français (1740-1814). Son œuvre illustre ce qu'on a appelé le *sadisme,* perversion sexuelle dans laquelle l'érotisme* est lié au plaisir de faire souffrir autrui.

10 2338

Sadowa. Village de Tchécoslovaquie. La victoire décisive que la Prusse y remporta sur l'Autriche (1866) confirma la suprématie prussienne en Allemagne.

safari n. m. Terme désignant une expédition de chasse en Afrique noire. ◇ *Safari-photo :* excursion dans une réserve naturelle, destinée à photographier ou à filmer les animaux.

safran n. m. Synonyme de crocus*. ◇ *Safran des prés :* nom usuel du colchique. ◇ Poudre jaune servant de condiment, de colorant, tirée des stigmates du crocus.

saga n. f. Conte du Moyen Âge scandinave inspiré de faits historiques ou de légendes héroïques. *La saga des rois de Norvège.* ◇ Suite d'aventures romanesques. *La Saga des Forsyte.*

sagaie n. f. Javelot muni d'un fer pointu, utilisé comme arme de jet pour la chasse ou pour le combat guerrier par certaines peuplades primitives, en Afrique notamment.

sage-femme n. f. Auxiliaire médicale dont la fonction est la surveillance des grossesses (cours d'accouchement sans douleur) et l'accouchement.

1 105
13 3101

Sagittaire (constellation du). Groupement d'étoiles au centre de la Galaxie*. C'est l'une des 12 constellations servant à repérer le zodiaque.

sagouin → ouistiti

2 353
14 3277

Sahara (le). Désert le plus vaste du monde, en Afrique. La faiblesse des précipitations est due aux hautes pressions résidant en permanence au-dessus du tropique du Cancer, qui traverse le Sahara. Le relief comprend des massifs montagneux (Tibesti, Hoggar, Aïr), des plateaux pierreux (les regs), des plaines couvertes de dunes (Grand Erg). Le sous-sol est riche (pétrole, minerais). Des éleveurs nomades (Touaregs, Maures) parcourent le désert.

12 2686
14 3278

Sahara occidental. Territoire de l'ancien Sahara espagnol. 266 000 km² ; 76 000 hab. (*Sahraouis*). ◇ En 1976, le

*Anouar el-**Sadate** signa en 1979 un traité de paix avec Israël.*

*Le **safari**-photo tend heureusement à remplacer les expéditions de chasse.*

*Scène de vie quotidienne au **Sahel,** autour d'un point d'eau.*

*À Paris, plus de 3 000 protestants furent tués à la **Saint-Barthélemy.***

Sahara occidental fut partagé entre le Maroc et la Mauritanie. Mais un mouvement armé, le Front Polisario, soutenu par l'Algérie, proclama l'indépendance de l'État sahraoui et mena une guérilla contre le seul Maroc, la paix ayant été signée avec la Mauritanie en 1979.

12 2814
14 3280

Sahel (le). Région de steppes arides, sur la bordure sud du Sahara. Elle tend actuellement à se transformer en désert. En 1973, les États du Sahel ont perdu la moitié de leur cheptel.

saignée n. f. Opération qui consiste à extraire d'une veine une certaine quantité de sang. Le prélèvement peut aussi se faire sur les capillaires par des ventouses ou, jadis, par des sangsues*.

Saigon → Hô Chi Minh-Ville

saillie n. f. Accouplement des mammifères domestiques. Aujourd'hui, pour l'élevage, la saillie est souvent remplacée par l'insémination artificielle.

saint n. m. Personne canonisée après sa mort par l'Église, car reconnue digne d'un culte public universel, en raison de la perfection de sa foi et de sa vie chrétiennes. Le saint peut être mort pour sa foi (martyr) ou avoir mené une vie exemplaire (missionnaire, religieux...).

8 1839
8 1850
13 2935

Saint-Barthélemy (la). Massacre des protestants, à Paris, dans la nuit du 23 au 24 août 1572. Les 3 000 morts de cette nuit sanglante provoquée par Charles IX, Catherine de Médicis et les Guises ranimèrent la guerre civile.

3 486
10 2396

Saint-Bernard. Cols des Alpes. ◇ *Le Grand-Saint-Bernard* (2 473 m) relie la Suisse à l'Italie. Doublé d'un tunnel routier de 5 826 m. Hospice de Saint-Bernard-de-Menthon (Xᵉ s.). ◇ *Le Petit-Saint-Bernard* (2 188 m) relie la Tarentaise au Val d'Aoste. Couvent.

1 134

Saint-Brieuc (22000). Chef-lieu des Côtes-du-Nord, sur la Manche. 51 399 hab. (*Briochins*). Essor industriel récent (métallurgie). ◇ Cathédrale Saint-Étienne reconstruite aux XIVᵉ-XVIIIᵉ siècles.

6 1344
6 1351

Saint-Cyr. École spéciale militaire établie en 1808 à Saint-Cyr-l'École (Yvelines) et transférée en 1946 à Coëtquidan. Depuis 1966, un collège militaire a été installé dans ses bâtiments.

6 1215

Saint-Denis (basilique). Église abbatiale (XIIᵉ-XIIIᵉ s.), devenue basilique puis cathédrale (1966). Elle est l'un des premiers grands édifices de style gothique. À partir de Saint Louis, elle devint le lieu de sépulture des rois de France.

4 761

Saint-Denis (97400). Chef-lieu du département de la Réunion, port sur la côte nord de l'île. 109 588 hab. Manufacture de tabac, sucreries, distilleries.

10 2175

Saint-Domingue. Capitale de la république Dominicaine, sur la côte sud de l'île d'Haïti. 671 000 hab. Exportation de sucre, café, cacao.

Sainte-Beuve Charles Augustin, écrivain français (1804-1869). Il s'imposa comme historien (*Port-Royal*, 1840-1859) et comme critique littéraire (*Causeries du lundi*, 1851-1862).

10 2199 **Sainte-Hélène.** Île britannique de l'Atlantique Sud, à environ 1 800 km des côtes de l'Angola. ◇ Elle fut le lieu d'internement de Napoléon I{er} de 1815 à sa mort, en 1821.

10 2177 **Sainte-Lucie.** État des Petites Antilles, au sud de la Martinique. 616 km² ; 100 000 hab. Capitale : Castries. Plantations de bananiers et tourisme. État associé au Royaume-Uni.

7 1468 **Saint Empire romain germanique.** Nom de l'empire fondé par Otton I{er} le Grand (962) et dissous en 1806. Affaibli par la lutte avec la papauté (XI{e}-XII{e} s.) et réduit au monde germanique, l'Empire devint le bien des Habsbourg et une simple fiction politique détruite par Napoléon I{er}.

Saintes-Maries-de-la-Mer. Bourg de la côte camarguaise. 2 045 hab. ◇ En mai, pèlerinage des gitans dédié à sainte Sara (servante noire des saintes Marie-Jacobé et Marie-Salomé, parentes du Christ).

sainteté n. f. Caractéristique de celui ou de ce qui est saint. ◇ *Sa Sainteté, Votre Sainteté* : titre donné au pape depuis le XII{e} siècle.

9 1958 **Saint-Étienne** (42000). Chef-lieu du département de la Loire, sur le Furan. 206 688 hab. (*Stéphanois*). Centre métallurgique qui s'est développé au XIX{e} s. sur un bassin houiller et s'est spécialisé dans les armes et cycles. Textile.

10 2379
13 2943 **Saint-Exupéry** Antoine DE, aviateur et écrivain français (1900-1944). Ses récits, inspirés par son expérience de pilote de ligne, exaltent le dépassement de soi-même dans le service des autres : *Vol de nuit* (1931), *Terre des hommes* (1939), *le Petit Prince* (1943).

3 486
4 918 **Saint-Gall.** Canton du nord-est de la Suisse. 2 016 km² ; 384 500 hab. Chef-lieu : Saint-Gall. Ce canton montagneux vit du tourisme et de l'industrie. Le chef-lieu s'est édifié autour d'une puissante abbaye bénédictine, fondée en 720.

10 2177 **Saint George's.** Capitale de l'État de Grenade (Petites Antilles), sur la côte sud-ouest de l'île. 27 300 hab. Port exportant cacao et noix muscade.

3 486
14 3122 **Saint-Gothard.** Massif des Alpes suisses (3 197 m au Pizzo Retondo). Le col du Saint-Gothard (2 112 m), joignant Zurich à Milan, est doublé par un tunnel ferroviaire de 15 km, situé à 1 115 m d'altitude.

5 1169 **Saint-Jacques-de-Compostelle.** Ville du nord-ouest de l'Espagne. 71 000 hab. ◇ Au Moyen Âge, célèbre pèlerinage consacré à saint Jacques le Majeur, la légende voulant que son corps ait été déposé miraculeusement en ce lieu.

Saint-Just fut le théoricien du régime de la Terreur.

La vieille ville de **Saint-Malo** est protégée par des remparts.

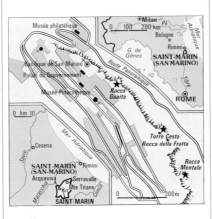

Saint-Marin.

La plus grande église de la chrétienté : **Saint-Pierre de Rome.**

Saint-Jean-d'Acre → Acre

Saint-John Perse (Alexis SAINT-LÉGER LÉGER, *dit*), diplomate et poète français (1887-1975). Son œuvre est animée d'un grand souffle lyrique : *Anabase* (1924), *Exil* (1942), *Amers* (1957).

9 2155 **Saint-Just** Louis Antoine, révolutionnaire français (1767-1794). Député montagnard, partisan d'une république égalitaire, il fut l'« Archange » de la Terreur*. Malgré sa réussite en tant que commissaire aux armées, il fut exécuté avec Robespierre.

10 2177 **Saint Kitts-Nevis.** État des Petites Antilles, indépendant depuis 1983, membre du Commonwealth.

7 1477 **Saint-Laurent.** Grand fleuve d'Amérique du Nord, émissaire des Grands* Lacs. 3 800 km depuis le lac Supérieur. Long estuaire. Accessible huit mois par an aux navires de mer.

6 1262 **Saint-Lô** (50000). Chef-lieu du département de la Manche, sur la Vire. 24 792 hab. (*Saint-Lois*). Centre agricole. ◇ La ville fut bombardée en 1944.

1 136 **Saint-Malo** (35400). Sous-préfecture de l'Ille-et-Vilaine, sur l'embouchure de la Rance. 47 324 hab. (*Malouins*). Port florissant du XVI{e} au début du XX{e} s. De nos jours, centre touristique.

10 2245 **Saint-Marin** (république de). Petit État enclavé dans l'Italie, au sud-ouest de Rimini. 61 km² ; 20 000 hab. Capitale : San Marino. ◇ Autonome au IX{e} siècle.

7 1555 **Saint-Nazaire** (44600). Ville sur la rive droite de l'estuaire de la Loire, avant-port de Nantes. 68 947 hab. (*Nazairiens*). Construction navale.

12 2868 **Saintonge.** Ancienne province de France, correspondant à une partie des départements de la Charente-Maritime et de la Charente. Capitale : Saintes. ◇ Province anglaise de 1152 à 1371.

Saint-Pétersbourg → Leningrad

4 825
7 1525
14 3166 **Saint-Pierre de Rome.** Célèbre basilique de la cité du Vatican*. Bramante, Raphaël, Michel-Ange, Maderno contribuèrent successivement à son édification (XVI{e} s.). Nombreuses œuvres d'art.

4 758 **Saint-Pierre-et-Miquelon** (97500). Archipel de l'Atlantique, au sud de Terre-Neuve ; département français d'outremer. 242 km² ; 6 041 hab. Chef-lieu : Saint-Pierre, sur l'île Saint-Pierre (26 km² ; 5 415 hab.). Pêche, conserveries et tourisme. ◇ Français au XVII{e} s., l'archipel fut plusieurs fois pris par l'Angleterre, avant restitution définitive à la France en 1814.

Saint-Saëns Camille, compositeur et organiste français (1835-1921). On apprécie surtout ses *concertos* et sa *Symphonie n° 3 avec orgue*.

6 1329 **Saint-Sépulcre** (le). Emplacement où, selon la tradition, le Christ fut enseveli.

◊ La basilique qui s'y élève (XIXᵉ s.) est un lieu de pèlerinage de la chrétienté*.

Saint-Siège n. m. Ensemble des organismes administratifs *(curie romaine)* qui secondent le pape.

Saint-Simon (Claude Henri DE ROUVROY, *comte* DE), philosophe et économiste français (1760-1825). Ses idées sur l'économie, base de l'ordre social (*Système industriel,* 1820-1823), en font l'un des grands socialistes utopistes du XIXᵉ s., promoteur du *saint-simonisme*.

Saint-Simon (Louis DE ROUVROY, *duc* DE), mémorialiste français (1675-1755). Ses *Mémoires* (publiés en 1829) sont une peinture très vivante de la fin du règne de Louis XIV et de la Régence.

10 2177 **Saint Vincent et Grenadines.** État des Antilles, indépendant en 1979, membre du Commonwealth.

saisie n. f. Acte par lequel un créancier frappe d'indisponibilité les biens de son débiteur. ◊ Mesure par laquelle une administration (douanes, contributions) s'empare provisoirement d'une chose faisant l'objet d'une contravention.

1 26
2 468
11 2511
saison n. f. Chacune des quatre divisions de l'année d'environ trois mois : printemps, été, automne et hiver. Chaque saison provient du mouvement de la Terre autour du Soleil : elle correspond à l'intervalle de temps séparant le passage du Soleil d'un équinoxe* à un solstice* ou d'un solstice à un équinoxe.

5 1107 **sajou** (ou sapajou, ou capucin) n. m. Petit singe arboricole des forêts vierges d'Amérique du Sud, à longue queue préhensile et au pelage brun.

9 2029 **Sakhaline** (île). Île soviétique du Pacifique. 87 000 km² ; 616 000 hab. Île montagneuse et volcanique, boisée. Ressources : pêche, houille et pétrole.

6 1335 **Saladin Iᵉʳ,** sultan fondateur de la dynastie ayyūbide (1138-1193). Régnant sur l'Égypte et le Proche-Orient, il reprit Jérusalem aux croisés (1187) mais perdit la côte de Palestine (1191).

salaire n. m. Rémunération qu'un employé reçoit régulièrement de son employeur en échange de son travail. ◊ *Salaire de base :* sur lequel sont calculées les prestations sociales (SMIC*). ♦ **salarié** n. m. Qui reçoit un salaire.

1 38
4 753
6 1429
salamandre n. f. Nom de divers petits amphibiens urodèles, terrestres, vivipares, dont la peau noire marbrée de jaune sécrète une substance corrosive.

5 1169 **Salamanque.** Ville d'Espagne, dans le León, sur le Tormes. 134 000 hab. Céramique, cuir, tourisme. ◊ Monuments (Moyen Âge, Renaissance, époques classique et baroque) ; université célèbre.

2 348
14 3146
Salamine. Île grecque proche d'Athènes. ◊ En 480 av. J.-C., la flotte grecque, commandée par Thémistocle, y infligea une défaite décisive à la flotte perse de

*Le **sajou**, ou cébus capucin, passe sa vie dans les arbres.*

*La **salamandre** sécrète par les pores de son cou un venin très toxique.*

*La Plaza Mayor de **Salamanque**, la plus belle place baroque d'Espagne.*

*Vue aérienne de la région du **Grand Lac Salé**.*

Xerxès Iᵉʳ. Cette victoire grecque mit fin à la seconde guerre médique.

salangane n. f. Genre de martinets* des côtes de l'Extrême-Orient, aux longues ailes et à queue courte. Son nid fait d'algues et de salive est consommé dans la cuisine chinoise sous le nom de « nid d'hirondelle ».

12 2686 **Salazar** (António DE OLIVEIRA), homme d'État portugais (1889-1970). Président du Conseil (1932-1968), il imposa un régime autoritaire et corporatif.

1 62 **Salé (Grand Lac).** En anglais *Great Salt Lake.* Marécage salé des États-Unis, dans l'Utah. Il s'étend sur 4 690 km². Secte des mormons installée sur ses rives depuis le XIXᵉ siècle.

12 2844 **salicacées** n. f. pl. Famille de plantes caractérisées par leurs fleurs en chatons. Le plus souvent, ces chatons sont pendants chez les peupliers mais généralement dressés chez les saules.

11 2613 **salicorne** n. f. Plante du littoral (famille des chénopodiacées), aux feuilles réduites à des écailles charnues, qui pousse sur les vases salées.

saline n. f. Établissement industriel de production de sel (gemme ou marin). Ce sel est obtenu soit en extrayant le sel gemme, soit en faisant évaporer des eaux saturées de sel (marais salants).

salique (loi). Code civil et pénal relatif aux Francs Saliens. Un des articles, qui excluait les femmes de la succession à la terre salique, fut utilisé plus tard pour refuser aux femmes la succession au trône de France.

10 2319 **salive** n. f. Liquide sécrété par les 3 paires de glandes salivaires : sublinguales, sous-maxillaires, parotides. Le volume sécrété par jour est de 1 à 1,5 l chez l'Homme, de 50 à 100 l chez les herbivores (bovidés). La salive est constituée de 99 % d'eau. Elle agit sur les aliments par cette eau en les humectant et par ses enzymes (la principale, l'amylase, hydrolyse l'amidon en maltose).

Salluste (Caius Sallustius Crispus), historien latin (86-v. 35 av. J.-C.). Protégé de César, il se retira après sa mort, écrivant notamment les *Histoires...*

salmonellose n. f. Infection due à une bactérie (genre *Salmonella*) touchant les animaux domestiques et l'Homme. La thyphoïde*, la paratyphoïde sont des salmonelloses.

salmonidés n. m. pl. Famille de poissons téléostéens marins et fluviaux dont le corps allongé est de section plus ou moins ronde. Ce sont les saumons, ombles, truites, éperlans...

7 1610 **Salomon** (îles). Archipel du Pacifique, à l'est de la Papouasie-Nouvelle-Guinée, dont dépend la partie occidentale. La partie orientale (ex-britannique) a accédé à l'indépendance en 1978. 28 446 km² ; 197 000 hab. Capitale : Honiara.

Salomon, roi des Hébreux, fils de David et de Bethsabée (v. 970-931 av. J.-C.). Bâtisseur du Temple de Jérusalem, il porta la puissance d'Israël à son apogée, épousant la fille du pharaon et s'alliant avec le roi de Tyr.

salon n. m. Réunion de gens de lettres, d'artistes, etc., au domicile d'une dame de la haute société des XVIIᵉ, XVIIIᵉ et XIXᵉ s. *Le salon de Mlle de Scudéry.*

Salon n. m. Présentation, souvent annuelle, d'œuvres exécutées par des artistes vivants. *Le Salon d'automne.* ◇ Exposition périodique de produits de l'industrie, de l'agriculture, etc. *Le Salon de l'automobile, le Salon nautique.*

Salonique → Thessalonique

salpêtre n. m. Nom du nitrate* de potassium naturel (KNO_3). Entre dans la composition de certains explosifs. ◇ Nom donné aux dépôts calcaires qui se forment sur les murs humides.

salsifis n. m. Plante potagère (famille des composées). Une espèce est cultivée pour sa racine comestible. Le salsifis noir est la *scorsonère.*

saltimbanque n. m. Jongleur, acrobate, bateleur itinérant qui se produit sur les places publiques, dans les foires. *Les comédiens furent longtemps considérés comme des saltimbanques.*

salubrité n. f. Qualité de ce qui est salubre, c'est-à-dire favorable à la santé. ◇ *Mesures de salubrité publique :* mesures prises par l'Administration dans l'intérêt de l'hygiène* publique.

Salvador (république du). État d'Amérique centrale, sur le Pacifique.

superficie :	21 041 km²
population :	4 660 000 hab. *(Salvadoriens)*
capitale :	San Salvador
monnaie :	le colón
code international :	ES

Plaines littorales et plateaux intérieurs. Maïs et café, coton. ◇ Indépendant en 1821, le pays connut des dictatures, appuyées au XXᵉ s. par les États-Unis.

Salzbourg. Ville d'Autriche, sur la Salzach. 137 000 hab. Industrie, tourisme. ◇ Patrie de Mozart, en l'honneur duquel a lieu un important festival de musique annuel.

Samarie. Capitale du royaume d'Israël depuis sa fondation (880) jusqu'à sa destruction par Sargon II d'Assyrie (721 av. J.-C.). ◇ *Samaritains :* nom des colons babyloniens qui s'y installèrent.

Samarkand. Ville d'URSS (depuis 1868), en Asie centrale (Ouzbékistan), dans une oasis. 312 000 hab. ◇ Tamerlan en fit sa capitale. Mosquées et mausolées à coupoles du XIVᵉ au XVIIᵉ siècle.

samba n. f. Danse populaire brésilienne sur un rythme à deux temps syncopé.

El Salvador.

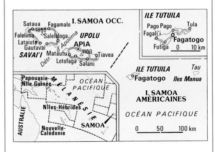

Cavalier nippon en costume traditionnel de samouraï.

Les îles Samoa.

Hautes maisons et minarets à Sanaa, au pied du djabal Nuqum.

Les écoles de samba animent les fêtes du carnaval de Rio de Janeiro.

Samoa. Archipel d'Océanie. ◇ Les *Samoa orientales* ou *américaines* (197 km² ; 27 000 hab.) sont administrées, depuis 1951, par un gouverneur dépendant de Washington. ◇ Les *Samoa occidentales* forment un État (1962), membre du Commonwealth (1970). 2 842 km² ; 155 000 hab. Capitale : Apia. Îles volcaniques et boisées, telles Savaii et Upolu. Exportation de noix de coco et de cacao. Aide étrangère.

samouraï (ou **samurai**) n. m. Membre de la classe des guerriers, dans l'organisation shōgunale du Japon avant 1868. Le samouraï était, dans le Japon féodal, au service d'un seigneur, le *daimyō.* L'ère Meiji, tournant le Japon vers l'Occident, mit fin au dernier shōgunat.

sampan (ou **sampang**) n. m. Bateau à fond plat utilisé en Chine et au Japon. Au milieu du sampan est construit un abri en bambou tressé soutenu par des arceaux.

Samson. Personnage biblique, juge d'Israël (XIIᵉ s. av. J.-C.). Doué d'une force prodigieuse grâce à sa chevelure, il triompha des Philistins. Mais Dalila le trahit en le rasant et en le livrant.

Sanaa ou **Sana.** Capitale de la république arabe du Yémen du Nord, à 2 380 m d'altitude, au centre du pays. 448 000 habitants.

sanatorium n. m. Établissement de cure situé dans un site climatique déterminé, en montagne ou au bord de la mer notamment. On y soigne les malades atteints de la tuberculose.

sanctuaire n. m. Endroit le plus saint d'un temple, d'une église, où s'accomplissent les cérémonies liturgiques. ◇ L'église elle-même.

Sand George (Aurore DUPIN, *baronne* DUDEVANT, *dite*), écrivain français (1804-1876). La pitié sociale et la nature lui inspirèrent des romans champêtres (*la Mare au diable,* 1846) qui restent le meilleur de son œuvre abondante. Elle laissa un *Journal intime* et une volumineuse *Correspondance.*

San Francisco. Ville et port des États-Unis, en Californie. 716 000 hab. Principal port de la côte ouest ; industries liées aux activités portuaires. Raffinage du pétrole. ◇ Fondée en 1776 par les Espagnols, américaine depuis 1846.

sang n. m. Liquide (rouge chez l'Homme et les vertébrés) circulant dans des vaisseaux clos (artères et veines) ou dans des lacunes (sinus artériels et veineux). Le rôle le plus connu du sang est l'approvisionnement des tissus en oxygène et en éléments nutritifs, ainsi que le transport du gaz carbonique et des déchets cellulaires vers les organes excréteurs. Le sang des vertébrés est une suspension d'hématies*, de leucocytes* et de plaquettes* dans le

7 1621
11 2546
plasma*. Les caractères immunologiques du sang permettent de définir les groupes sanguins (A, B, 0, Rhésus*...) dont on doit tenir compte avant d'effectuer des transfusions de sang.

sanglier n. m. Genre de porc sauvage. Il a une grosse tête dont le museau, ou *groin*, sert à fouir, les canines formant des défenses. Il peut peser jusqu'à 350 kg pour 1,80 m de long.

7 1656
sangsue n. f. Nom courant de vers annélides des eaux stagnantes qui, grâce à une ventouse buccale, se fixent sur la peau et sucent le sang.

14 3339
sanguine n. f. Crayon pourpre fabriqué avec de l'hématite* rouge. ◇ Dessin réalisé à l'aide de ce crayon. *Les sanguines de Fragonard.*

8 1762
San José. Capitale du Costa Rica, au centre du pays, à 1 135 m d'altitude. L'agglomération compte 428 000 hab. Centre commercial (coton, café).

8 1761
San Salvador. Capitale du Salvador, à 700 m d'altitude, au pied du volcan San Salvador (1 950 m). 379 000 hab. Centre commercial ; industrie textile.

9 2154
sans-culotte n. m. Partisan de la Révolution française de 1789 qui portait, au lieu de la culotte aristocratique, le pantalon des hommes du peuple. *Les sans-culottes.*

sanskrit n. m. Langue de l'Inde qui, longtemps avant l'ère chrétienne, servit à rédiger les textes sacrés du brahmanisme. Seul son usage liturgique s'est maintenu jusqu'à nos jours.

sansonnet → étourneau

5 1165
santal n. m. Petit arbre parasite des racines d'autres arbres. Cultivé pour son bois, il est aussi utilisé en parfumerie pour son odeur pénétrante.

8 1750
santé n. f. État de tout être vivant, et en particulier de l'Homme, caractérisé par le bon équilibre de l'organisme et l'absence de maladie. La médecine préventive (vaccinations, examens de dépistage...), l'amélioration des conditions de travail, de vie sont des facteurs du maintien de la santé.

10 2369
Santiago. Capitale du Chili, à 500 m d'altitude, au pied des Andes, dans la Vallée centrale. 3 070 000 hab. (plus du quart des Chiliens). ◇ Centre industriel, commercial et culturel du Chili.

10 2172
Santiago de Cuba. Port de Cuba, sur la côte sud-est. 259 000 hab. Industries alimentaires. ◇ En 1898, victoire navale des États-Unis sur l'Espagne.

Santos-Dumont Alberto, aviateur brésilien (1873-1932). Ce pionnier de l'aviation établit en 1906 le premier record du monde de distance (220 m en 21 s).

2 451
São Francisco (le). Fleuve du Brésil. 3 161 km. Né dans le Minas Gerais, il se

*Une mère **sanglier** et son petit marcassin.*

*Étude à la **sanguine** de Watteau.*

***Sans-culottes** dansant autour des symboles révolutionnaires.*

***São Paulo** est la métropole économique du Brésil.*

jette dans l'Atlantique. Nombreuses chutes. Équipements hydro-électriques.

9 2118
Saône (la). Rivière de France, affluent rive droite du Rhône. 480 km. Née dans le seuil de Lorraine, elle rejoint le Rhône à Lyon. Son débit est régulier et abondant.

9 2118
Saône (Haute-) (70). Département de la région Franche-Comté, dans l'est de la France. 5 360 km² ; 231 962 hab. Chef-lieu : Vesoul. Sous-préfecture : Lure. Encadré à l'est par le Jura et le sud des Vosges, à l'ouest par le plateau de Langres, le département, au climat humide et assez froid, est formé de plaines et de plateaux d'altitude moyenne, voués à la polyculture et à l'élevage. L'industrie est peu développée.

5 1114
Saône-et-Loire (71). Département de la région Bourgogne, dans l'est de la France. 8 575 km² ; 571 852 hab. Chef-lieu : Mâcon. Sous-préfectures : Autun, Chalon-sur-Saône, Charolles, Louhans. À l'ouest, Autunois, Charolais (forêt, bovins) et Mâconnais (vignes) ; à l'est, la Bresse (polyculture, volaille). ◇ L'industrie est importante dans la vallée de la Saône (Chalon, Mâcon) et sur le bassin houiller du Creusot-Montceau-les-Mines (métallurgie, verre, bois).

2 451
São Paulo. Ville du Brésil, la plus peuplée du pays. 5 922 000 hab. Principal centre économique du Brésil. ◇ Fondée en 1554, la ville doit sa fortune à la culture du café au XIXe siècle.

8 1917
São Tomé e Príncipe (république démocratique de). État insulaire du golfe de Guinée, au large du Gabon, formé de deux îles, São Tomé (836 km²) et Príncipe (128 km²). 964 km² ; 74 000 hab. Capitale : São Tomé. Climat équatorial. Les ressources principales sont le cacao, le café, l'huile de palme et le coprah. ◇ Cet État est une ancienne colonie portugaise qui a accédé à l'indépendance en juillet 1975.

sapajou → sajou

sapeur-pompier → pompier

saphir n. m. Pierre précieuse de couleur bleue, transparente. Comme le rubis, c'est une variété de corindon (alumine cristallisée, roche la plus dure après le diamant).

Sapho ou **Sappho,** poétesse grecque (fin VIIe s.-début VIe s. av. J.-C.). Elle a célébré la passion amoureuse dans des *Odes* d'une facture admirable.

1 192
3 616
5 1064
5 1164
sapin n. m. Grand arbre (40 m à 50 m de haut) gymnosperme, résineux à feuilles en aiguilles et cônes dressés (pommes de sapin). ◇ Nom donné à divers conifères, tel l'épicéa.

saponaire n. f. Plante herbacée de la famille des caryophyllacées, aux fleurs jaunes ou roses. Sa racine est riche en saponine, autrefois utilisée comme savon.

saponification n. f. Action d'une base (soude* ou potasse*) sur un corps gras (huile, graisse...), afin d'obtenir des savons et un sous-produit, la glycérine* ou glycérol.

Sapporo. Ville du Japon, chef-lieu d'Hokkaido, au sud-ouest de l'île. 1 010 000 hab. Centre industriel (métallurgie, textiles).

saprophyte n. m. Être vivant se nourrissant de petites molécules provenant de matières organiques en décomposition. ◇ Ainsi, les champignons, la plupart des bactéries sont des saprophytes.

Saragosse. Ville d'Espagne (Aragon), sur l'Èbre. 547 000 hab. Centre agricole, industries mécaniques, chimiques, textiles. ◇ Royaume arabe indépendant au XIᵉ s., la ville fut reconquise par Alphonse Iᵉʳ en 1118.

Sarajevo. Ville de Yougoslavie, capitale de la Bosnie-Herzégovine. 244 000 hab. ◇ L'assassinat à Sarajevo, le 28 juin 1914, de l'archiduc d'Autriche François-Ferdinand déclencha la Première Guerre mondiale.

sarbacane n. f. Long tube qui sert à lancer des projectiles tels que billes, flèches... On lance le projectile en soufflant à une extrémité du tube.

sarcophage n. m. Cercueil antique, le plus souvent en pierre. Souvent sculptés, les sarcophages égyptiens, grecs, romains ou étrusques constituent de précieux documents historiques.

sarcopte n. m. Acarien* parasite des mammifères et de l'Homme. La femelle, qui dépose ses œufs dans les galeries creusées sous la peau, provoque la gale.

Sardaigne. Île et région d'Italie, en Méditerranée occidentale. 24 090 km² ; 1 582 000 hab. *(Sardes).* Plateaux et moyennes montagnes. ◇ L'élevage ovin et les cultures (céréales, vignes), l'exploitation de quelques gisements (charbon, plomb, zinc) et le tourisme ne suffisent pas à nourrir la population. Forte émigration. ◇ L'île a subi de nombreuses invasions. En 1718, elle fut rattachée au Piémont.

sardine n. f. Poisson téléostéen marin, vivant en bancs et atteignant 25 cm de long. Sa pêche est intensive. Les sardines se consomment fraîches, salées, fumées, séchées ou en conserve.

sargasse n. f. Genre d'algue brune, fixée ou flottante, dont l'accumulation forme une sorte de prairie marine.

Sargasses (mer des). Vaste zone de l'Atlantique Nord, à l'est des Bermudes, qui se caractérise par l'abondance des sargasses qui, par endroits, couvrent entièrement l'océan. Les anguilles viennent y pondre leurs œufs.

Sargon II, roi d'Assyrie (m. en 705 av. J.-C.). Après avoir usurpé la royauté

L'église Notre-Dame-du-Pilier (fin XVIIᵉ s.), à **Saragosse.**

Depuis peu, le tourisme a transformé la Costa Smeralda de **Sardaigne.**

La **sarigue,** ou opossum, est très agile dans les arbres.

Jean-Paul **Sartre** a refusé, en 1964, le prix Nobel de littérature.

(722), il annexa Israël, soumit la Phrygie, Chypre et la Babylonie (709). Pour affirmer avec éclat sa puissance, il fit édifier une nouvelle capitale, Dur-Sharrukîn (actuelle Khursabâd).

sarigue → opossum

sarrasin n. m. Céréale de sol pauvre, aux fruits farineux (famille des polygonacées). Le sarrasin, ou *blé noir,* est cultivé en Asie et dans certaines régions d'Europe.

Sarrasins (les). Nom donné par les chrétiens d'Europe aux musulmans durant le Moyen Âge. Du VIIIᵉ au Xᵉ s., les raids sarrasins entretinrent l'insécurité sur les côtes méditerranéennes.

Sarre. État de RFA, au nord de la Lorraine. 2 567 km² ; 1 089 000 hab. Capitale : Sarrebruck. Houille, industries lourdes. ◇ Sous administration française de 1919 à 1935, puis de 1947 à 1957.

Sarrebruck. Ville de RFA, capitale de la Sarre, sur la Sarre. 203 000 hab. Centre houiller, sidérurgique et chimique. ◇ Monuments baroques.

sarriette n. f. Plante herbacée aromatique (famille des labiées) dont les feuilles, très odorantes, sont utilisées comme condiment.

Sarthe (la). Rivière de France. 285 km. Née dans le Perche, elle rejoint la Mayenne et le Loir pour former la Maine ; affluent rive droite de la Loire.

Sarthe (72). Département français de la région Pays de la Loire. 6 206 km² ; 504 768 hab. Chef-lieu : Le Mans. Sous-préfectures : La Flèche, Mamers. C'est une région de bocage peu accidentée, aux sols variés, souvent argileux et sableux. L'agriculture s'oriente vers l'élevage (bovins, porcins, volailles). L'industrie (mécanique, électrique, électronique) se concentre au Mans dont l'essor a permis d'enrayer le mouvement de dépopulation du département.

Sarto Andrea del, peintre italien (1486-1530). Élève de Piero di Cosimo, influencé par le Pérugin*, il représente, dans ses fresques et ses portraits, le classicisme florentin.

Sartre Jean-Paul, philosophe et écrivain français (1905-1980). Il a souvent illustré sa pensée philosophique (voir existentialisme) dans des romans (*la Nausée,* 1938) ou des drames (*Huis clos,* 1944). Homme de gauche, il fut solidaire, en 1968, de la révolte étudiante.

sas n. m. Compartiment étanche, formé de deux portes qui ne doivent pas être ouvertes ensemble, et qui permet de mettre en communication deux milieux dont les pressions sont différentes.

Saskatchewan. Province du centre du Canada. 651 900 km² ; 926 000 hab. Capitale : Regina. Cette riche région agricole de la Prairie (à bordure forestière), où domine le blé, possède d'importants gisements de pétrole et de potasse.

4 747 **Sassanides** (les). Dynastie perse qui renversa les Parthes Arsacides (224) et constitua un empire s'étendant du Khorassan à la Mésopotamie, qui se maintint jusqu'à l'invasion arabe (651).

1 19
1 100
2 265
2 396
2 422
7 1661
9 2088
12 2702
14 3263

satellite n. m. Corps céleste gravitant autour d'une planète : *la Lune est le seul satellite naturel de la Terre.* ◇ Un *satellite artificiel* est un engin qui a été placé, au moyen d'une fusée ou d'une navette spatiale, sur une orbite* autour de la Terre ou d'une autre planète. C'est le 4 octobre 1957 que l'URSS lança le premier satellite artificiel, *Spoutnik* I*. ◆ **satellisation** n. f. Ensemble des opérations assurant la mise sur orbite d'un satellite artificiel.

Satie Erik, compositeur français (1866-1925). Il a créé des œuvres d'une grande simplicité mélodique, claires et souvent pleines d'humour : *Trois Gymnopédies* (1890, pièces pour piano), *Parade* (1917, ballet), etc.

satire n. f. Œuvre de la littérature latine critiquant les mœurs publiques. ◇ Poème (XVIIe s.) ou écrit (moderne) dans lequel l'auteur raille les ridicules de ses contemporains.

saturation n. f. ◇ 1. PHYS Action d'amener une solution, un dispositif, etc., au maximum de ses possibilités : *aimanter à saturation, dissoudre à saturation...* ◇ 2. CHIM Transformation des liaisons* multiples d'un composé organique en liaisons simples : l'éthylène $CH_2 = CH_2$ donne l'éthane $CH_3 - CH_3$.

14 3181 **Saturne.** Divinité romaine identifiée au Cronos des Grecs. Chassé du ciel par Jupiter, Saturne se réfugia dans le Latium où son règne correspondit à l'âge d'or.

1 101
9 2144
13 2928
13 3081

Saturne. Planète visible à l'œil nu, environ 850 fois plus grosse que la Terre et de masse 95 fois plus grande. Elle est entourée d'anneaux.

saturnisme n. m. Intoxication par le plomb et par ses dérivés, reconnue comme maladie professionnelle. Sa forme aiguë provoque des troubles intestinaux.

3 718
7 1506
11 2499

sauge n. f. Genre de plantes (famille des labiées) dont il existe de nombreuses espèces dans les pays chauds et tempérés. La sauge a des propriétés aromatiques et médicinales.

1 192
3 503
7 1505
12 2845

saule n. m. Genre d'arbres et d'arbrisseaux (famille des salicacées) aux fleurs en chatons. Les saules blanc et pleureur sont répandus en Europe.

4 807
7 1549

saumon n. m. Poisson téléostéen atteignant jusqu'à 1,50 m de long, dont la chair rose orangé est très estimée. Le saumon de l'Atlantique naît dans les rivières d'Europe.

*Art **sassanide** : bas-relief (IIIe s.) de Naqsh-i-Roustem.*

*Dernière mise au point par la NASA d'un **satellite** artificiel.*

*L'anneau caractéristique de **Saturne** a un diamètre de 285 000 km.*

*La région de Beaufort, en **Savoie**, vit de la forêt et de l'élevage.*

sauna n. m. Bain de sudation d'origine finlandaise, pris dans une cabine dont l'air est chauffé à une température de 70 à 120 °C. ◇ Établissement où l'on prend ce bain.

8 183 **sauriens** n. m. pl. Sous-ordre des reptiles. Les sauriens sont généralement des ovipares tétrapodes, au corps couvert d'écailles, tels le lézard, le gecko...

Saussure Ferdinand DE, linguiste suisse (1857-1913). Ses *Cours de linguistique générale* (1916) sont à l'origine de la linguistique* structuraliste et fondent la sémiologie* moderne.

1 187
1 216
2 402
11 2400

saut n. m. Mouvement brusque d'extension par lequel le corps se projette en haut, en avant, etc., en quittant le sol. *Le saut en hauteur, à la corde.* ◇ Fait de se laisser tomber d'un endroit élevé.

7 1490 **sauterelle** n. f. Insecte orthoptère, souvent de couleur verte, aux pattes postérieures adaptées au saut. L'organe de ponte de la femelle (oviscapte) est en forme de sabre. Le mâle possède un appareil stridulant.

14 3156 **sauvetage** n. m. Action de sauver, de tirer quelqu'un ou quelque chose d'un danger. *Gilet, ceinture, bouée de sauvetage.* ◆ **sauveteur** n. m. Personne qui participe à un sauvetage.

3 577
5 1194
7 1463

savane n. f. Formation végétale composée de hautes herbes et, parfois, d'arbres dispersés. La savane se rencontre dans les zones tropicales bénéficiant de saisons de pluies assez longues.

2 322 **savant** n. m. Personne qui a beaucoup de connaissances dans une matière scientifique donnée : *savant en mathématiques, savant en histoire...*

9 1958 **Savoie.** Province de l'est de la France. Capitale : Chambéry. ◇ Les Burgondes s'y installèrent au Ve s. Le comté (puis, en 1416, duché) de Savoie, agrandi du Piémont et du comté de Nice aux XIIIe-XIVe s., fut, à partir du XVIe s., de plus en plus tourné vers l'Italie. En 1860, la Savoie fut rattachée à la France.

9 1958 **Savoie** (73). Département de la région Rhône-Alpes. 6 028 km²; 323 675 hab. Chef-lieu : Chambéry. Sous-préfectures : Albertville, Saint-Jean-de-Maurienne. Département montagneux englobant, d'ouest en est, les Préalpes (Bauges, Chartreuse), le Sillon alpin (Combe de Savoie), des massifs centraux (Beaufortin) et la zone intra-alpine (Vanoise). L'agriculture (élevage, sylviculture) recule devant l'industrie de pointe (aluminium, électrochimie). Essor du tourisme (sports d'hiver).

9 1958 **Savoie** (Haute-) (74). Département de la région Rhône-Alpes. 4 388 km²; 494.505 hab. Chef-lieu : Annecy. Sous-préfectures : Bonneville, Thonon-les-Bains, Saint-Julien-en-Genevois. Région montagneuse s'étendant à l'ouest sur les Préalpes (Chablais, Bornes) aérées par les cluses de l'Arve et du Fier, à l'est sur les massifs centraux (Mont-Blanc). Élevage bovin. Prospérité récente grâce à l'industrie (mécanique de précision), au tourisme (Chamonix), au thermalisme.

9 2061 **savon** n. m. Produit servant à la toilette et au nettoyage, obtenu par l'action de la soude ou de la potasse sur un corps gras (huile d'olive...). Le savon dissout les graisses. ◆ **savonnerie** n. f. Usine où l'on fabrique des savons.

7 1629 **Savonarole** Jérôme (en italien Girolamo SAVONAROLA), religieux italien (1452-1498). Prêchant la rigueur morale, il s'opposa aux Médicis et instaura à Florence un pouvoir à la fois théocratique et démocratique. Excommunié par le pape, il fut arrêté et brûlé vif.

5 961
5 1110
Saxe. Région d'Allemagne dont le nom vient de celui du peuple saxon, soumis par Charlemagne (797). Le duché de Saxe (843) fut le berceau de la dynastie impériale d'Otton Ier, puis fut divisé au XIIIe s. Devenu Électeur d'Empire en 1356, le duc de Haute-Saxe, roi de Pologne au XVIIe s., obtint la dignité royale en 1806, avant d'intégrer son royaume au Reich allemand (1871-1918). La Saxe est aujourd'hui rattachée à la RDA.

12 2707 **Saxe (Basse-).** État du nord de la RFA. 47 423 km² ; 7 265 000 hab. Capitale : Hanovre. Agriculture pauvre sauf dans les Börde. Grâce aux importantes ressources du sous-sol (potasse, fer, pétrole, lignite), l'industrie y est très diversifiée (constructions automobiles, navales, électromécaniques).

6 1323
6 1427
saxifragacées n. f. pl. Famille de plantes herbacées et d'arbustes des climats tempérés ou froids. Il existe de nombreuses espèces ornementales : saxifrage, hortensia, deutzia, seringa.

2 263 **saxophone** n. m. Instrument de musique à vent en cuivre, à clefs, à anche simple et à bec, inventé vers 1845 par Adolphe Sax. ◆ **saxophoniste** n. m. ou f. Musicien jouant du saxophone (alto, ténor...).

12 2735
14 3343
Scala (théâtre de la). Opéra de Milan, construit en 1778 et reconstruit en 1949. C'est l'une des plus prestigieuses scènes lyriques du monde.

scalp n. m. Chevelure et cuir chevelu arraché au crâne de l'ennemi vaincu par les Indiens d'Amérique. Ce trophée témoignait de la valeur des guerriers.

scalpel n. m. Petit couteau à lame fine, pointue et très tranchante servant à disséquer les cadavres.

11 2412 **Scandinavie.** Région d'Europe du Nord comprenant les deux États, Suède et Norvège, qui s'étendent sur la péninsule scandinave proprement dite, et le Danemark, très proche par sa civilisation et son histoire des deux États précédents. On y ajoute, parfois, l'Islande (du fait de

Moine fanatique, **Savonarole** s'opposa aux Médicis et au pape.

Plongeur revêtu d'un **scaphandre.**

Dans l'Égypte ancienne, le **scarabée** était un symbole d'immortalité.

Sceaux chinois des XVIIe et XVIIIe siècles.

son peuplement) et la Finlande (pour des raisons de proximité géographique).

scanner n. m. Appareil de télédétection à rayons X. En médecine, le scanner permet d'obtenir l'image des diverses parties d'un organe. En imprimerie, il sert à effectuer la sélection des couleurs d'un document à reproduire.
5 1093
12 2670
13 2918

scaphandre n. m. Équipement hermétiquement clos que revêtent les plongeurs pour aller sous l'eau ou les astronautes quittant un véhicule spatial en orbite autour de la Terre. ◆ **scaphandrier** n. m. Plongeur équipé d'un scaphandre relié à la surface ou autonome.
3 687

scarabée n. m. Genre d'insectes coléoptères dont les élytres colorés ont des reflets métalliques. Le scarabée se nourrit de fumier.
1 181
1 195
8 1757

scarification n. f. Incision superficielle de l'épiderme pour une vaccination ou pour provoquer une cuti-réaction. ◇ Incision de l'écorce d'un arbre pour arrêter la circulation de la sève.

scarlatine n. f. Maladie contagieuse causée par un streptocoque et caractérisée, à ses débuts, par une forte fièvre et une angine rouge, puis par l'apparition de rougeurs qui se généralisent. Fréquente chez les enfants, la scarlatine est soignée par la pénicilline.
12 2780

Scarlatti Alessandro, compositeur italien (1660-1725). Ses œuvres lyriques annoncent les opéras de Mozart. Son fils Domenico (1685-1757) est l'auteur de pièces pour clavecin qui sont des chefs-d'œuvre d'invention harmonique.

sceau n. m. Cachet que l'on applique sur de la cire molle pour marquer un document officiel : lettre, diplôme. ◇ Marque faite avec ce cachet. ◆ **scellé** n. m. Bande de papier ou d'étoffe dont les extrémités sont marquées d'un sceau officiel et qui est apposée sur la porte d'un local dont on interdit l'entrée.
4 887

scénario n. m. Plan d'une pièce de théâtre, d'un roman. ◇ Représentation écrite, comprenant descriptions des scènes et dialogues, du sujet d'un film, à partir de laquelle sera établi le découpage*. Les scénarios de Jacques Prévert. ◆ **scénariste** n. m. ou f. Auteur de scénarios de films.
3 490

scène n. f. Partie d'un théâtre où les acteurs jouent la comédie. Il entre en scène au deuxième acte. ◇ Le théâtre. Cette actrice est passée de la scène à l'écran. ◇ L'une des parties d'une pièce de théâtre qui composent un acte. La deuxième scène du premier acte. ◇ Lieu où se passe l'action d'une pièce. La scène est située à Venise.
11 2549

scénographie n. f. Étude et pratique des arts du spectacle. ◇ Technique des aménagements intérieurs des théâtres, notamment de la scène.

sceptre n. m. Bâton de commandement, signe du pouvoir suprême. Avec la cou-
4 887

ronne, le sceptre est, depuis l'Antiquité, l'un des attributs ordinaires du pouvoir royal ou impérial.

3 486 **Schaffhouse.** Ville de Suisse, chef-lieu du canton du même nom, au nord-est du pays. 36 000 hab. ◇ Le canton, dont les industries (métallurgie) se concentrent à Schaffhouse, est drainé par le Rhin. Hydro-électricité.

13 2954 **Scheele** Carl Wilhelm, chimiste suédois (1742-1786). Il découvrit de nombreux composés minéraux et organiques : chlore*, glycérine*...

Schelling Friedrich Wilhelm Joseph VON, philosophe allemand (1775-1854). Il a cherché, par son système d'idéalisme objectif, influencé par le romantisme, à réconcilier la réalité du monde extérieur et celle de la vie intérieure.

schéma n. m. Dessin qui représente d'une manière simplifiée un circuit électrique, une figure mathématique, une machine... et qui permet de mieux comprendre leur fonctionnement. ◆ **schématisation** n. f. Action de schématiser.

Schiaparelli Giovanni, astronome italien (1835-1910). Il fit de nombreuses observations sur les étoiles filantes et sur la planète Mars*.

11 2572 **Schiller** Friedrich VON, écrivain allemand (1759-1805). Ami de Goethe et, comme lui, grand poète lyrique (*Ballades,* 1797), il fit de l'idée de liberté le thème central de ses drames historiques : *les Brigands* (1782), *Intrigue et Amour* (1784), *Don Carlos* (1787), *Wallenstein* (1796-1799), etc.

7 1511
12 2643 **schisme** n. m. Scission, rupture entre les fidèles d'une Église. L'histoire du christianisme fut marquée par deux schismes majeurs. ◇ *Schisme d'Orient.* De 863 à 867, l'Église d'Orient refusa de reconnaître l'autorité du pape ; en dépit d'une réconciliation passagère, la rupture définitive intervint en 1054, séparant l'Église orthodoxe de l'Église catholique romaine. ◇ *Grand schisme d'Occident.* Pour des raisons essentiellement politiques, l'Église vit s'opposer deux (puis, à partir de 1405, trois) papes rivaux de 1378 à 1417. ◇ L'islam connut également plusieurs mouvements schismatiques : chiite, ismaélite...

8 1866 **schiste** n. m. Roche sédimentaire de structure feuilletée. Le schiste résulte de la déshydratation et de la compression d'une argile. Plus généralement, on appelle schiste toute roche sédimentaire ou métamorphique se fractionnant en feuilles.

schizophrénie n. f. Psychose* caractérisée par une dissociation des fonctions psychiques, avec perte d'unité de la personnalité et du contact avec la réalité, entraînant un repli sur soi de l'individu.

12 2707 **Schleswig-Holstein.** État du nord de la RFA. 16 578 km² ; 2 584 000 hab. Capitale : Kiel. S'étendant sur la grande plaine d'Europe du Nord, la région est

*Le donjon médiéval de **Schaffhouse.***

*Portrait de **Schiller** en 1793.*

***Schubert** composa plus de six cents lieder.*

Un extrait des aventures des Peanuts, *de Charles **Schulz.***

surtout agricole. ◇ Longtemps rattachés au Danemark, les duchés de Schleswig, Holstein et Lauenburg furent annexés par la Prusse en 1866.

Schliemann Heinrich, archéologue allemand (1822-1890). Helléniste autodidacte, il consacra sa fortune à retrouver les cités homériques. En 1870, il découvrit les ruines de Troie puis, en 1874, celles de Mycènes. **2** 414

schlitte n. f. Traîneau autrefois utilisé dans les Vosges pour descendre le bois dans la vallée et glissant sur une voie en pente faite de rondins de bois.

Schmidt Helmut, homme d'État allemand (né en 1918). Social-démocrate, il fut ministre puis, de 1974 à 1982, chancelier de la RFA.

Schola cantorum. École de musique créée à Paris en 1894 par Charles Bordes, Vincent d'Indy et Alexandre Guilmant. On y enseigna le chant liturgique puis la musique profane.

Schönberg Arnold, compositeur autrichien (1874-1951). Il s'affranchit du système tonal (*Pierrot lunaire,* 1912) pour fixer le dodécaphonisme* dont procèdent ses œuvres les plus révolutionnaires : *Suite pour piano opus 25,* etc. **12** 2736

Schopenhauer Arthur, philosophe allemand (1788-1860). Sa doctrine propose un idéal d'anéantissement des passions humaines, proche de la mystique bouddhique : *le Monde comme volonté et comme représentation* (1818).

Schubert Franz, compositeur autrichien (1797-1828). Son génie mélodique s'est manifesté dans des lieder (*la Belle Meunière,* 1823 ; *le Voyage d'hiver,* 1826), des pièces pour piano, des quatuors et des symphonies (*Symphonie « inachevée »,* 1822) qui sont des chefs-d'œuvre de la musique romantique. **11** 2570

Schulz Charles M., dessinateur humoristique américain (né en 1922). Il est le créateur de la célèbre bande dessinée des *Peanuts* (1950). **10** 2298

Schuman Robert, homme politique français (1886-1963). Député démocrate-chrétien, président du Conseil (1947-1948), ministre des Affaires étrangères, il fut l'artisan de la création de la CECA*. **12** 2655 **14** 3211 **14** 3320

Schumann Robert, compositeur allemand (1810-1856). Génie romantique par excellence, il a exprimé dans ses œuvres l'intimité d'un « moi » douloureusement perturbé : pièces pour piano, lieder (*les Amours du poète),* concertos, symphonies, musique de chambre, etc. **11** 2570

Schwarzkopf Elisabeth, cantatrice allemande naturalisée anglaise (née en 1915). Soprano, elle est une grande interprète de Mozart et de Schubert.

Schweitzer Albert, pasteur, théologien, médecin, organiste et musicologue français (1875-1965). Médecin missionnaire, **8** 1816 il fonda un hôpital à Lambaréné (Gabon). Prix Nobel de la paix (1952).

3 487 **Schwyz.** Ville du centre de la Suisse, dans les Préalpes, et chef-lieu du canton du même nom. 12 194 hab. Le canton vit surtout de l'élevage bovin et du tourisme. ◇ Tôt en lutte contre les Habsbourg, il donna son nom à la Suisse.

sciatique n. f. Affection due à une irritation du nerf sciatique ou de ses racines. La sciatique, dont les causes sont diverses (hernie discale, rhumatisme...), se caractérise par une très vive douleur.

2 434 **scie** n. f. Instrument formé d'une lame, droite ou circulaire, munie de dents pointues et tranchantes, qui est utilisé pour couper le bois, le métal... ◆ **sciage** n. m. Action de scier. ◆ **scierie** n. f. Usine où l'on pratique le sciage du bois.

1 160
2 322
5 1008
8 1880
9 2094
11 2440
science n. f. Ensemble méthodiquement organisé de connaissances précises relatives à un domaine particulier : *sciences physiques, sciences naturelles, sciences humaines.* ◇ *Science infuse :* science que l'on possède sans l'avoir acquise par l'étude ou l'expérience. ◆ **scientifique** n. m. ou f. Spécialiste d'une science ; chercheur, savant.

6 1234
7 1617
10 2296
14 3262
science-fiction n. f. Genre littéraire ou cinématographique qui vise à représenter une réalité future en se fondant sur les connaissances scientifiques actuelles ou en faisant des hypothèses à partir de celles-ci. Le récit de science-fiction moderne s'organise autour de notions telles que l'espace, la vie extra-terrestre... Ses maîtres sont aussi des écrivains de valeur : H.G. Wells, G. Orwell, R. Bradbury, I. Asimov...

3 635 **Scipion l'Africain,** homme politique et général romain (235-183 av. J.-C.). Descendant de l'illustre *gens Cornelia,* très jeune, il fut proconsul en Espagne. Devenu consul (205), il porta en Afrique la guerre contre Carthage et vainquit Hannibal à Zama, en 202.

11 2437 **scissiparité** n. f. Mode de reproduction asexuée qui consiste en une division longitudinale de l'animal en 2 individus sensiblement identiques. Elle est fréquente chez les protozoaires*.

sclérose n. f. Durcissement d'un organe ou d'un tissu, dû au développement exagéré du tissu conjonctif. *Artériosclérose.* ◇ *Sclérose en plaques :* sclérose touchant le système nerveux.

3 523 **sclérotique** n. f. Membrane fibreuse, résistante, protectrice, formant l'enveloppe externe de l'œil. La sclérotique constitue le blanc de l'œil.

6 1343 **scolarité** n. f. Fait de fréquenter l'école. *La scolarité est obligatoire de 6 à 16 ans.* ◇ Durée des études. *Prolonger la scolarité.* ◆ **scolarisation** n. f. Action de pourvoir un pays, une région... en établissements scolaires. ◇ Fréquentation des écoles. *Taux de scolarisation d'un pays.*

*Le canton de **Schwyz** a donné son nom à la Suisse.*

*La **scolopendre** a vingt et une paires de pattes.*

*À l'origine, le **scooter** était une simple patinette à moteur.*

*Le venin des **scorpions** agit à la manière du curare.*

scolastique n. f. Enseignement philosophique, étroitement lié à la théologie chrétienne, donné dans les universités du Moyen Âge. La scolastique s'est inspirée de la philosophie d'Aristote*, réinterprétée par les théologiens.

scoliose n. f. Déviation latérale de la colonne vertébrale. Chez l'enfant et l'adolescent, elle est le plus souvent due à de mauvaises postures. Selon sa gravité, le traitement va de la simple rééducation au port de corset, puis à la pose d'un plâtre et à la chirurgie.

scolopendre n. f. ◇ 1. BOT Grande fougère aux frondes entières, courante dans les lieux humides et ombragés. ◇ 2. ZOOL Genre de mille-pattes venimeux des pays méditerranéens et des régions tropicales. **10** 2181

sconse → skunks

scooter n. m. Motocyclette munie d'un cadre permettant au conducteur de conduire assis et non à califourchon. Un scooter a des roues de petit diamètre. **6** 1241

scorbut n. m. Maladie due à une carence alimentaire en vitamine C. Le scorbut se caractérise par des hémorragies, la chute des dents, des troubles intestinaux... Il frappe les collectivités dont l'alimentation est à base de conserves (marins), de lait stérilisé... **3** 550 **3** 691

score n. m. Décompte des points marqués par chaque équipe ou adversaire au cours d'un match. Le score final permet de désigner le ou les vainqueurs.

scorie n. f. ◇ 1. TECH Résidu solide et compact qui résulte de la combustion ou de la fusion de certaines matières : métaux, minerais... ◇ 2. GÉOL Matière volcanique provenant du refroidissement d'une coulée de lave. **1** 9

scorpion n. m. Nom courant donné aux arachnides* dont l'abdomen apode se termine par un dard venimeux défensif (ordre des scorpionidés). Seuls les grands scorpions d'Afrique et d'Amérique infligent des piqûres mortelles pour l'Homme. **4** 842 **11** 2506

Scorpion (constellation du). Groupement d'étoiles formant la huitième constellation des régions du zodiaque*. **1** 105 **13** 3101

Scotland Yard. Quartier général de la police criminelle britannique. Par extension, désigne la police d'État de Grande-Bretagne, fondée à Londres en 1829.

Scott Robert Falcon, explorateur britannique (1868-1912). Il atteignit le pôle Sud en 1912, peu après R. Amundsen, mais périt au retour avec ses quatre compagnons.

Scott *sir* Walter, écrivain écossais (1771-1832). Ses romans historiques (*Ivanhoé,* 1820 ; *Quentin Durward,* 1823...) exercèrent une grande influence sur les romantiques français. **10** 2381 **11** 2572 **14** 3224

scoutisme n. m. Mouvement éducatif fondé en 1908 par le général anglais Baden-Powell afin de développer les qualités morales et sportives des adolescents et des enfants. Le scoutisme, qui réserve une grande place à la vie en commun, est organisé en associations nationales, religieuses ou laïques.

Scrabble. Jeu de société, inspiré des mots croisés, consistant à former des mots sur une grille à l'aide de jetons portant une lettre.

1 167
5 1026
13 3030
13 3038

scribe n. m. Dans l'Antiquité, fonctionnaire chargé de la retranscription des actes publics, civils ou religieux. Dans une société où l'écriture était un savoir peu répandu, les scribes formaient un groupe social puissant.

script n. m. Scénario* détaillé d'un film (cinéma ou télévision), comportant toutes les indications techniques (scènes numérotées) et les dialogues.

3 492

scripte n. f. Assistante du metteur en scène d'un film, chargée de noter tous les détails des prises de vues nécessaires à la réalisation.

9 2135

scrotum n. m. Couche externe de l'enveloppe (ou bourse) des testicules, formée d'une peau mince, plissée, fortement vascularisée.

11 2611

scrutin n. m. Vote émis au moyen de bulletins déposés dans une urne ou enregistré par une machine électronique. ◇ Ensemble des opérations de vote. Il existe plusieurs sortes de scrutins : *public, secret, majoritaire, proportionnel...*

2 305
3 555
4 872
9 2116
13 2893
13 3058

sculpture n. f. Art de créer des formes (volume dans l'espace ou relief*) en les figurant dans un matériau dur. On distingue deux grandes techniques de sculpture : l'une qui consiste à enlever (taille), c'est-à-dire à dégager les formes d'un bloc de pierre, d'une pièce de bois..., l'autre qui consiste à ajouter (modelage), c'est-à-dire à façonner une substance malléable (argile) en une forme donnée. À ces deux techniques s'ajoutent d'une part le moulage, reproduction en saillie des formes qu'un moule prévu pour recevoir du plâtre, du stuc, de la cire... représente en creux, et d'autre part le procédé de la fonte (coulage d'un métal en fusion tel que le bronze), apparenté à la technique du moulage. ◇ Art religieux ou profane universel, la sculpture a pris le corps humain comme modèle privilégié dans presque toutes les civilisations. Elle peut, qu'elle soit figurative ou abstraite, s'intégrer à l'architecture (sculpture ornementale) ou s'en distinguer en tant que statuaire (statues en pied, statues équestres, bustes).

Scythes (les). Peuple semi-nomade originaire d'Iran. Établis du VIIIᵉ au IIᵉ s.

*Le **scoutisme** : former « des citoyens joyeux et utiles » (R. Baden-Powell).*

Sculpture *maorie traditionnelle en Nouvelle-Zélande.*

*Guerre de **Sécession** : la bataille de Gettysburg, le 3 juillet 1863.*

*La **sécheresse** est dramatique dans les régions à sous-sol perméable.*

av. J.-C. au nord de la mer Noire, les Scythes lancèrent des raids de cavalerie ravageurs contre la Perse et l'Assyrie.

S.D.N. *(Société des Nations).* Organisation internationale créée en 1919 par le traité de Versailles pour assurer le maintien de la paix. Elle fut remplacée en 1945 par l'ONU.

11 248?
13 297C

Sébastopol. Ville et port d'URSS sur la mer Noire, en Crimée. 283 000 hab. Constructions navales. ◇ Elle subit deux sièges fameux : en 1854-1855 par les Franco-Anglais (guerre de Crimée) et en 1942 par les Allemands.

9 202?

sébum n. m. Substance grasse, onctueuse, sécrétée par les glandes sébacées. Le sébum lubrifie et protège les poils et la peau.

4 958

Sécession (guerre de). Guerre civile aux États-Unis (1861-1865). Provoquée par la question de l'esclavage et par des antagonismes économiques, elle mit aux prises les États du Sud (esclavagistes) et ceux du Nord, qui finirent par l'emporter. L'esclavage fut aboli et le Nord devint prépondérant dans l'Union.

10 2382

sécheresse n. f. Absence ou grande rareté des précipitations. ◇ État de ce qui est sec.

14 3278

Second Empire → Empire (Second)

secondaire n. m. 1 – GÉOL Ère géologique qui s'étend approximativement de – 230 à – 75 millions d'années, entre le primaire et le tertiaire. Le secondaire est caractérisé par d'importants dépôts sédimentaires, par l'apparition (et l'apogée) des reptiles géants et par celle des premiers mammifères.

secondaire n. m. 2 – ENSG Enseignement secondaire ou du second degré, qui fait suite à l'enseignement primaire*. Il se répartit en un 1ᵉʳ cycle (de la sixième à la troisième ; voir collège) et un 2ᵉ cycle (de la seconde à la classe terminale ; voir lycée).

6 1343

Seconde Guerre mondiale → Guerre mondiale (Seconde)

seconde n. f. ◇ 1. PHYS Unité de temps du système international définie par rapport aux propriétés électroniques de l'atome de cæsium* *(Cs)* ; soixantième partie de la minute. Jusqu'en 1965, la définition de la seconde était liée au mouvement de la Terre autour du Soleil. Symbole *s*. ◇ 2. MATH Unité d'angle valant 1/60 de minute. Symbole : ".

1 158
14 3297

secours n. m. Aide, assistance apportées à quelqu'un en danger, dans le besoin. ◇ *Premiers secours* : gestes à effectuer immédiatement pour soulager un blessé, un malade. ◇ *Poste de secours :* lieu équipé de tout ce qui est nécessaire pour donner les premiers soins.

14 3154
14 3186

◆ **secourisme** n. m. Assistance de premiers secours aux blessés et aux malades. La formation des *secouristes* est assurée par la Protection civile et la Croix-Rouge.

secrétaire n. m. ou f. Personne chargée d'assister quelqu'un dans son travail. Dans une entreprise, personne chargée de rédiger et frapper des lettres, des documents... ◆ **secrétaire d'État** n. m. ou f. En France, membre du gouvernement placé sous l'autorité d'un ministre. ◆ **secrétariat** n. m. Poste, fonction de secrétaire.

11 2491

sécrétion n. f. Phénomène physiologique par lequel certains tissus produisent une substance qui est déversée dans le sang (*sécrétion endocrine* : les hormones) ou évacuée par un canal excréteur (*sécrétion exocrine* : urine, bile...). Le phénomène est comparable chez les végétaux (latex, résine). ◇ Nom de la substance ainsi produite.

secte n. f. Petit groupe de croyants dissidents partageant des convictions minoritaires au sein d'une religion. Par exemple, les esséniens formaient une secte juive qui, dès le IIe s. av. J.-C., préfigurait le christianisme.

secteur n. m. 1 — MATH Surface plane formée par la portion d'un disque limité par deux rayons et par l'arc de cercle qu'ils interceptent. L'aire d'un secteur circulaire est obtenue en multipliant l'aire du disque par la mesure en degrés de l'arc et en divisant par 360.

1 171

secteur n. m. 2 — SOC Subdivision d'une zone urbaine, d'une région ; subdivision du réseau de distribution de l'électricité. ◇ Ensemble des activités économiques de même nature. *Secteurs primaire, secondaire, tertiaire.* (Voir population.) ◇ *Secteur public* : ensemble des entreprises qui dépendent de l'État, par opposition au *secteur privé.*

section n. f. Ensemble des points communs à deux surfaces. La section plane d'un cône (intersection d'un cône et d'un plan) est une ellipse, une parabole ou une hyperbole.

sécularisation n. f. Passage d'une communauté religieuse, ou de ses biens, à la vie laïque. La Constitution civile du clergé de 1790 sécularisa les terres de l'Église, en France.

13 3052

sécurité n. f. Situation dans laquelle aucun danger n'est à redouter. Ensemble de mesures ou de dispositifs pour assurer la sécurité. *Poste de sécurité.* ◇ *Sécurité routière* : mesures visant à assurer la sécurité des usagers de la route.

12 2654
13 3097

Sécurité sociale. Ensemble des organismes créés en 1945, assurant les individus contre les risques liés à la maladie, à la maternité, à la vieillesse... La Sécurité sociale est fondée sur le principe de la solidarité nationale.

10 2339

Sedan (08200). Sous-préfecture du département des Ardennes. 24 535 hab.

*Équipe de **secours** évacuant un blessé sur une civière.*

***Secte :** cérémonie spirite à Brasilia.*

*Napoléon III, vaincu à **Sedan,** livra 83 000 soldats français aux Prussiens.*

*Les souverains **séfévides** ont construit mosquées et palais à Ispahan.*

(Sedanais). ◇ Napoléon III y capitula en 1870 devant la Prusse. En 1940, la Wehrmacht y perça les lignes françaises.

sédatif n. m. Type de médicament employé pour modérer l'activité exagérée d'un organe ou d'un système. Synonyme : *calmant.*

sédentaire n. m. ou f. Personne attachée à un lieu fixe. *Peuples sédentaires.* Contraire : *nomade.* ◇ État, fait qui se passe, s'exerce dans un même lieu. *Vie, emploi sédentaire.*

sédimentation n. f. 1 — GÉOL Accumulation, au fond de l'océan ou d'un lac, de débris d'origine minérale ou animale. Selon les conditions et le milieu dans lesquels elle se produit, la sédimentation est à l'origine de terrains sédimentaires calcaires, marneux, argileux, sableux... *Le Bassin parisien et le Bassin aquitain sont de grands bassins sédimentaires.*

4 829

sédimentation n. f. 2 — MÉD Formation d'un dépôt de globules rouges dans le plasma. La *vitesse de sédimentation,* qui s'accroît dans les maladies infectieuses ou inflammatoires, permet de formuler un diagnostic.

Séféris Gheórghios (Gheórghios SEFERIADIS, *dit*), poète grec (1900-1971). Il a célébré les valeurs spirituelles de la Grèce ancienne (*Mythologie,* 1935).

Séfévides ou **Safavides** (les). Dynastie persane qui régna de 1502 à 1736. Elle imposa ses croyances chiites aux Persans et parvint, notamment sous Abbās Ier (1587-1629), à donner un grand prestige à la Perse, tout en résistant aux attaques ottomanes.

11 2544

segment n. m. 1 — MATH Ensemble des points d'une droite compris entre deux points appelés extrémités du segment. ◇ *Segment de droite orienté* : segment sur lequel un sens est choisi.

segment n. m. 2 — TECH Chacune des minces bagues métalliques qui entourent le piston du moteur d'une auto, d'une moto. Si les segments sont usés, le moteur n'a plus de compression. — ANAT Partie d'un organe.

segmentation n. f. Ensemble des premières divisions cellulaires que subit l'œuf, après la fécondation, et qui conduit à la formation d'une boule de cellules pleine, appelée *morula.*

Segovia Andrés, guitariste espagnol (1893-1987). Il domina son époque par sa virtuosité et son influence sur la technique de la guitare classique.

ségrégation n. f. Séparation des individus d'un groupe humain selon l'âge, le sexe, la race, etc. ◇ *Ségrégation raciale* : séparation réglementée des groupes raciaux dans certains pays. (Voir apartheid, racisme.) ◆ **ségrégationnisme** n. m. Politique de ségrégation raciale.

2 288

Seguin Marc, ingénieur français (1786-1875). Il construisit les premières lignes de chemin de fer. Il est l'inventeur d'un modèle de chaudière dont furent équipées les locomotives.

Ségur (Sophie ROSTOPCHINE, *comtesse* DE), femme de lettres française (1799-1874). Ses récits, écrits pour inculquer aux enfants les principes rudimentaires de la morale, connurent un immense succès : *les Malheurs de Sophie* (1864), *le Général Dourakine* (1866)...

3 532
4 915
8 1858
seiche n. f. Genre de mollusques céphalopodes* marins, comestibles, dont le corps est bordé par une nageoire continue. Lorsqu'elle est menacée, la seiche rejette, par l'entonnoir de sa poche ventrale, une encre noire pour camoufler sa fuite. (Voir sépia.)

seigle n. m. Céréale aux épis barbus, résistante au froid, poussant sur sol pauvre (famille des graminées). Différentes variétés sont cultivées pour la farine (pain de seigle) ou pour la paille utilisée pour pailler les chaises, pour couvrir les toits de chaume... ◊ *Maladie du seigle* : charbon, ergot, rouille...

5 1142
6 1376
seigneur n. m. ◊ 1. HIST Au Moyen Âge, possesseur d'un fief, d'une terre, auquel d'autres personnes prêtaient serment de fidélité en échange de sa protection. Le système seigneurial assurait aux seigneurs des revenus (cens sur la terre) et des droits (corvées imposées aux paysans). Par extension, le terme s'appliqua aux nobles. ◊ 2. RELG *Le Seigneur* : Dieu.

1 172
sein n. m. Chacune des deux parties antérieures et supérieures du thorax humain où se situent les mamelles. Chez l'homme, ils sont rudimentaires, sans fonction. Chez la femme, les seins se développent à la puberté (sous l'action d'hormones ovariennes) et durant la grossesse. À l'accouchement, ils sécrètent le colostrum puis le lait dans des glandes mammaires indépendantes.

4 923
11 2628
Seine (la). Fleuve de France, qui draine le Bassin parisien. 776 km. Née sur le plateau de Langres, à 471 m d'altitude, la Seine passe à Troyes, à Montereau, à Paris et, après de grands méandres, à Rouen. Elle se jette dans la Manche par un estuaire. Son régime est régulier et le trafic fluvial est important en aval de Paris.

4 922
Seine-et-Marne (77). Département de la région Île-de-France, à l'est de Paris. 5 917 km² ; 887 112 hab. Chef-lieu : Melun. Sous-préfectures : Meaux, Provins. ◊ S'étendant sur le plateau de la Brie, le département est formé de riches terres agricoles limoneuses, portant des céréales, des betteraves à sucre, associées à l'élevage bovin (viande, fromages). L'industrie (mécanique, électrique, verrerie) progresse dans les vallées de la Seine et de la Marne.

11 2628
Seine-Maritime (76). Département de la région Haute-Normandie, dans l'ouest de la France. 6 278 km² ;

Illustration des Malheurs de Sophie, *de la comtesse de* **Ségur.**

La **Seine** *vue du Château-Gaillard, aux Andelys.*

Maison détruite par un **séisme** *en Indonésie.*

Sur le gisement de **sel** *gemme de Taoudeni, en Afrique.*

1 193 039 hab. Chef-lieu : Rouen. Sous-préfectures : Dieppe, Le Havre. ◊ Sur les riches terres du pays de Caux, céréales, betteraves, colza et bovins ; sur les sols argileux du pays de Bray (nord-est), bovins. Mais la région doit sa vitalité à sa situation entre Paris et Le Havre (2e port français). La population et les industries se concentrent dans la basse Seine (raffinerie de pétrole, chimie). Pêche et tourisme sur la côte.

4 922
Seine-Saint-Denis (93). Département de la région Île-de-France, au nord-est de Paris. 236 km² ; 1 323 974 hab. Chef-lieu : Bobigny. Sous-préfecture : Le Raincy. ◊ Créé en 1964, le département est industrialisé en proche banlieue (métallurgie, chimie) ; dominante résidentielle au-delà, sauf près de l'aéroport Charles-de-Gaulle, qui attire les industries. L'urbanisation étant achevée, la population n'augmente plus.

4 937
14 3219
séisme n. m. Secousse de l'écorce terrestre, d'intensité variable mesurée sur l'échelle M.S.K. (Medvedev-Sponheuer, Karnik). L'appareil permettant de mesurer cette intensité est un *sismographe* ou *séismographe*. La partie de la géologie* spécialisée dans l'étude des séismes s'appelle la *sismologie* ou *séismologie*.

S.E.I.T.A. (*Société d'exploitation industrielle des tabacs et allumettes*). Organisme public gérant depuis 1935 la production et la commercialisation des tabacs et allumettes (monopole d'État).

2 247
3 593
3 690
7 1485
7 1521
8 1864
sel n. m. Solide cristallisé, incolore, soluble dans l'eau, utilisé pour l'assaisonnement des aliments. C'est du chlorure de sodium, de formule $NaCl$. Dans la nature, il se trouve dissous dans l'eau de mer *(sel marin)* ou sous la terre *(sel gemme)*. Plus généralement, un sel est un composé solide à structure ionique.
◆ **salinité** n. f. Teneur en sel d'une solution : celle de l'eau de mer est d'environ 30 grammes par litre.

8 1705
sélaciens n. m. pl. Ordre des poissons cartilagineux. Deux groupes : *requins* aux fentes branchiales latérales et *raies* à fentes branchiales ventrales.

Seldjoukides ou **Saldjūqides** (les). Dynastie turcomane issue de Saldjūq (Xe-XIIIe s.). Au XIe s., au faîte de sa puissance, le sultanat seldjoukide s'étendait de la mer Égée au Turkestan et comprenait la Perse et une partie de l'Empire byzantin. Son émiettement, sous la pression mongole (XIIIe s.), correspondit à l'essor des Ottomans*.

2 318
6 1292
8 1869
sélection n. f. 1 – BIOL Phénomène naturel par lequel, selon Darwin, seules les espèces les plus aptes pour subsister et se reproduire dans leur milieu peuvent survivre. La *sélection naturelle* joue un rôle fondamental dans l'évolution*. Pour l'agriculture et l'élevage, l'Homme sélectionne les races animales et végétales selon leur rendement.

sélection n. f. 2 – SP Choix des membres d'une équipe ou, lorsque le nombre en est limité, choix des participants à une compétition. ◆ **sélectionneur** n. m. Personne chargée d'effectuer la sélection des joueurs, la composition des équipes.

sélénium n. m. Solide d'aspect variable selon son mode de préparation (gris, rouge, noir...). Symbole *Se*. Il est utilisé dans les cellules photoélectriques.

Séleucides (les). Dynastie hellénistique de Syrie. Fondée vers 305 av. J.-C. par Séleucos Ier Nikator, cette dynastie édifia un empire qui s'étendait sur la Mésopotamie, l'Asie Mineure, la Bactriane... Ruiné par des luttes intérieures et réduit à la Syrie, il fut annexé par Rome vers 64 av. J.-C.

self-inductance (ou self, ou inductance propre) n. f. Grandeur caractéristique d'un circuit électrique renfermant une bobine. Notée *L*, s'exprime en henrys*.

self-service n. m. Libre-service ; magasin, restaurant, station-service où l'on se sert soi-même.

6 1255 **selle** n. f. Siège en cuir que l'on met sur le dos d'un cheval, d'un mulet, pour les monter plus commodément. ◆ **sellerie** n. f. Endroit où l'on range les selles. ◆ **sellier** n. m. Personne qui fabrique des selles ou qui les vend.

selles n. f. pl. Ensemble des matières fécales provenant de la transformation du chyme*. Elles sont évacuées par le gros intestin au niveau de l'anus.

11 2588 **semaine** n. f. Période de 7 jours, dont le dimanche (consacré au Seigneur dans la religion chrétienne) est considéré soit comme le 1er, soit comme le dernier jour. ◇ *Semaine sainte :* précédant Pâques*. ◇ Période considérée relativement au temps de travail, aux jours ouvrables. *Semaine de 39 heures.*

sémantique n. f. Partie de la linguistique qui a pour objet l'étude du langage du point de vue du sens. Elle intéresse la polysémie (pluralité de sens d'un mot), l'homonymie, les relations entre signifiant et signifié...

sémaphore n. m. Poste établi sur la côte à partir duquel on peut communiquer par signaux optiques avec les navires. ◇ Signalisation sur une voie ferrée indiquant que la voie est libre ou, au contraire, occupée.

9 1966 **semence** n. f. Nom donné à toute partie d'un végétal qui, contenant au moins une graine, peut être semée (ce peut être une graine, un fruit, un morceau d'infrutescence...). Les semis sont effectués à la main (à la volée) ou à l'aide d'un semoir dosant exactement la quantité de semences.

semestre n. m. Période de 6 mois consécutifs. *Une année comprend 2 semestres. 1er semestre :* janvier à juin ; *2e semestre :* juillet à décembre. ◇ *Revue semestrielle :* qui paraît chaque semestre.

Séleucides : statuette d'albâtre d'Ishtar, déesse de l'Amour.

Une **selle.**

Le **sémaphore** d'Ouessant a dû sauver bien des marins.

Dispersion mécanique des **semences** en Picardie.

semi-conducteur n. m. Substance intermédiaire entre un conducteur et un isolant. On utilise les semi-conducteurs pour fabriquer les composants électroniques : diodes, transistors. *Le silicium est un semi-conducteur.* **3** 572

séminaire n. m. ◇ 1. RELG Établissement religieux qui prépare les jeunes gens (séminaristes) à entrer dans les ordres. ◇ 2. SOC Groupe de travail ou d'études en commun. Réunion de spécialistes sur des questions touchant leur spécialité.

sémiologie n. f. ◇ 1. MÉD Partie de la médecine qui étudie les signes des maladies. ◇ 2. SOC Science étudiant tous les signes (langues, codes, symboles...) au sein de la vie sociale.

sémiotique n. f. Théorie générale des signes et des systèmes de signes au sein de la vie sociale : codes, systèmes de signaux auditifs ou visuels, symboles, langues...

Sémites (les). Nom donné à un groupe de peuples originaires du Moyen-Orient et qui ont joué un rôle important dans l'histoire : les Assyro-Babyloniens, les Phéniciens, les Hébreux, les Arabes. ◇ Nom donné aux Juifs. ◆ **antisémite** n. m. ou f. Personne hostile aux Juifs. **1** 130

Sempé Jean-Jacques, dessinateur humoristique français (né en 1932). Il fait la satire des mœurs de la « société de consommation » : *le Petit Nicolas...*

sénat n. m. Nom donné aux assemblées politiques les plus importantes, chez différents peuples, à diverses époques. *Le sénat de la Rome antique* avait, sous la République, un pouvoir souverain. *Le sénat d'Athènes, le sénat de Venise.* ◇ En France, sous le Consulat, le Premier et le Second Empire, conseil dont le rôle était de veiller au respect de la Constitution. ◇ De nos jours, le Sénat est l'une des deux assemblées délibérantes de certaines nations (France, États-Unis, Italie...). Ainsi, le *Sénat français* est l'une des deux assemblées dont les *sénateurs,* élus au suffrage indirect pour 9 ans, sont supposés être plus modérés que les députés. Second personnage de la République, le président du Sénat est élu pour 3 ans. Le Sénat siège au palais du Luxembourg, à Paris. **3** 585 **3** 608 **6** 1207

Sénégal (le). Fleuve d'Afrique occidentale. 1 700 km. Il naît de la réunion du Bafing et du Bakhoy et se jette dans l'Atlantique par un delta. Peu navigable. **10** 2342

Sénégal (république du). État d'Afrique occidentale, sur l'Atlantique. **10** 2344

superficie :	196 722 km²
population :	5 800 000 hab. *(Sénégalais)*
capitale :	Dakar
monnaie :	le franc CFA
code international :	SN

Le pays est une vaste cuvette sédimentaire drainée au nord par le Sénégal, au centre par la Gambie et au sud par la Casamance. Le climat tropical s'assèche du sud au nord. La population, où dominent les Ouolofs, se concentre dans la vallée du Sénégal et sur la côte. ◇ Pays agricole du Sahel, le Sénégal connaît des difficultés graves liées à la sécheresse. 85 % des terres sont cultivées en millet (autoconsommation) ou en arachide (exportation). Le sous-sol est riche en phosphate. Les industries sont liées à l'agriculture (huileries). Le commerce s'effectue surtout avec la France. ◇ Reconnu à partir du XVe s. par les Européens, le pays ne fut colonisé qu'au XIXe s. par les Français, qui l'intégrèrent en 1902 à l'Afrique-Occidentale française. Indépendant depuis 1960. Abdou Diouf succéda à Senghor en 1981.

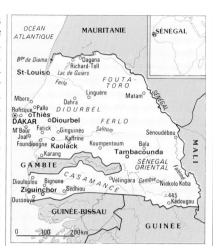

Le **Sénégal.**

13 3108 **Sénèque,** philosophe et auteur tragique latin (v. 4 av. J.-C.-65 ap. J.-C.). La morale de ses *Dialogues* et de ses tragédies est celle d'un stoïcisme* dont s'est souvenu Montaigne.

sénescence n. f. Ensemble des processus d'affaiblissement irréversible des capacités physiques et intellectuelles d'une personne, dus au vieillissement.

3 555 **Senghor** Léopold Sédar, homme d'État sénégalais (né en 1906). Agrégé de grammaire et poète (*Éthiopiques,* 1956), il fut président du Sénégal de 1960 à 1981 puis se retira volontairement.

sénilité n. f. État d'une personne âgée, caractérisé par l'affaiblissement des capacités physiques, intellectuelles et des fonctions organiques.

Sennett Mack, cinéaste et acteur de cinéma américain (1884-1960). Il est le véritable créateur (1912) du film burlesque aux États Unis : *Keystone Cops...*

3 522
4 956
7 1633
12 2838
sens n. m. Chacune des facultés de percevoir les sensations auditives, visuelles, olfactives, tactiles et gustatives, grâce aux organes des sens, et d'établir ainsi des relations avec le monde extérieur. Les sensations, phénomènes psychiques, peuvent être externes ou internes (fatigue, faim, soif...).

5 1019 **sensibilité** n. f. ◇ 1. BIOL Ensemble des fonctions sensorielles informant l'organisme sur le monde extérieur, sur lui-même. ◇ 2. ANAT Propriété de tout élément anatomique (tissu, organe...) d'être excité par une stimulation. ◇ 3. TECH Capacité d'un appareil à détecter les faibles variations d'une grandeur. ◆ **sensibilisation** n. f. Phénomène immunologique en réponse à la présence de certains corps étrangers (allergie).

sensualité n. f. Caractère et attachement d'une personne pour les plaisirs des sens, et plus particulièrement pour les plaisirs sexuels.

sentence n. f. Décision de justice, jugement rendu par une autorité compétente. *Sentence arbitrale. Prononcer une sentence de mort.*

3 559 **Séoul** ou **Kyŏngsong.** Capitale de la Corée du Sud, au nord-ouest du pays.

Léopold **Senghor,** homme politique et poète francophone de la négritude.

L'animation des rues de **Séoul.**

Guerre de **Sept Ans :** la Bataille de Lutzelberg (détail), par Demahis.

6 890 000 hab. Centre commercial et industriel important. ◇ Éprouvée lors de la guerre de Corée*, la ville fut reconstruite.

sépale n. m. Nom de chacune des pièces florales du calice d'une fleur. Généralement verts, les sépales peuvent être colorés comme les pétales (tulipe, lis). **1** 217 **3** 500

séparation n. f. État de ce qui est disjoint. ◇ *Séparation de biens :* régime matrimonial dans lequel chacun des époux gère ses propres biens. ◇ *Séparation de corps :* situation légale de deux époux vivant séparément.

séparatisme n. m. Volonté des habitants d'une région de séparer celle-ci de l'État dont elle fait partie. En Espagne, le séparatisme basque débouche sur le terrorisme que l'État tente de combattre en accordant un statut d'autonomie.

sépia n. f. Matière brunâtre colorante que sécrète la seiche*, qui la rejette pour camoufler sa fuite. ◇ Colorant fabriqué autrefois avec cette matière, remplacé actuellement par d'autres colorants.

Sept Ans (guerre de). Conflit qui opposa l'Angleterre et la Prusse à la France, l'Autriche et leurs alliés (1756-1763). Battue en Allemagne (Rossbach, 1757), au Canada (1760) et en Inde (1761), la France, par le traité de Paris (1763), céda le Canada, la Louisiane et l'Inde. La Prusse, par le traité d'Hubertsbourg (1763), garda la Silésie.

septennat n. m. Fonction d'une durée de 7 ans. ◇ Durée du mandat du président de la République française (Constitutions de 1875, 1946 et 1958).

septicémie n. f. Infection grave générale de tout l'organisme, caractérisée par la présence dans le sang de germes pathogènes provenant d'un foyer d'infection initial, pouvant créer de nouveaux foyers.

Septime Sévère, empereur romain (146-211). Général d'origine africaine, il fut porté au pouvoir par ses troupes (193). Monarque absolu, il défendit l'Empire contre les Barbares. Il introduisit les cultes orientaux en Occident. **4** 727

sépulcre n. m. Tombeau. ◇ *Saint-Sépulcre* : tombeau du Christ à Jérusalem que les chrétiens cherchaient à délivrer des Sarrasins lors des croisades.

sépulture n. f. Action de mettre (un mort) en terre, inhumation*. ◇ Lieu où l'on enterre un mort, monument funéraire. *Les pyramides d'Égypte sont les sépultures des pharaons.* **14** 3116

séquelle n. f. Complication, suite, plus ou moins transitoire ou permanente, d'une maladie contractée antérieurement ou d'un accident.

séquence n. f. ◇ 1. RELG Chant en latin qui, dans certaines messes, suit le graduel et l'alleluia. ◇ 2. SOC Série de cartes (trois au moins) de même couleur et dont les valeurs se suivent. ◇ 3. SPEC Suite de scènes cinématographiques qui forment un sens complet.

séquestration n. f. Délit ou crime consistant à détenir illégalement une personne. ◆ **séquestre** n. m. Dépôt d'une chose litigieuse en main tierce jusqu'au règlement de la contestation.

3 616
4 904
5 1069

séquoia n. m. Conifère géant de Californie. Certains arbres, protégés dans des réserves, atteignent plus de 100 m de haut et ont plus de 2 000 ans.

4 783
13 2904

sérac n. m. Irrégularité volumineuse à la surface d'un glacier, produite par des cassures dans la glace là où la pente s'accentue.

11 2485

Serbie. Une des républiques fédérées de Yougoslavie. 55 968 km² ; 5 457 000 hab. *(Serbes).* Capitale : Belgrade. Région montagneuse qu'aère le bassin de la Morava. ◇ Le royaume de Serbie, dominé par les Turcs du XIVᵉ au XIXᵉ s., s'intégra en 1918 au royaume des Serbes, Croates et Slovènes, puis, en 1929, à celui de Yougoslavie. En 1945, la Serbie devint l'une des républiques de l'État yougoslave.

séreuse n. f. Membrane composée de deux feuillets enveloppant, tapissant certains organes. Les plèvres autour des poumons, le péritoine enveloppant les viscères abdominaux sont des séreuses.

serf → servage

sériciculture n. f. Élevage des vers à soie. Production de la soie naturelle. ◆ **sériciculteur** n. m. Personne qui pratique l'élevage des vers à soie.

série n. f. Succession, suite, ensemble de même nature. *Une série de timbres.* ◇ 1. MATH Étant donné une suite de nombres, on appelle série la suite définie par la somme des *n* premiers termes de cette suite. ◇ 2. CHIM Groupe de corps composés présentant certaines ressemblances mais se distinguant par une différence constante. ◇ 3. SP Catégorie. ◇ *Séries éliminatoires :* suites d'épreuves où seuls les premiers sont qualifiés.

sérigraphie n. f. Procédé d'impression sur du papier. On utilise un tissu de soie rendu imperméable, sauf à l'endroit du texte à imprimer. On encre le tissu et on l'applique sur le papier.

serin n. m. Petit oiseau passériforme (famille des fringilidés), à la queue un peu fourchue. Une espèce, le *serin des Canaries,* a un plumage jaune vif.

seringue n. f. Petite pompe coulissant dans un tube et servant à injecter des liquides dans l'organisme ou à en extraire, en prélever.

sermon n. m. Discours prononcé en chaire pour instruire et exhorter mora-

*Les **séquoias** peuvent atteindre 140 m de hauteur.*

*Une petite ferme en **Serbie**.*

*Le **serin** niche à faible hauteur dans des feuillages très denses.*

*Les **serrures** anciennes sont des chefs-d'œuvre de ferronnerie.*

lement les fidèles. *Les sermons de Bossuet.* ◇ Dans un sens péjoratif, discours ennuyeux ; remontrance.

sérologie n. f. Science qui étudie les sérums, leurs propriétés. Les modifications que présente le sérum* lors de différentes maladies permettent ainsi de faire un diagnostic.

serpent n. m. Nom courant des reptiles du sous-ordre des ophidiens*. Certains sont venimeux : vipère, naja, crotale... ; parmi les autres, la couleuvre, le python, le boa... Les serpents, sourds et exclusivement carnivores, sont tous dépourvus de pattes et se déplacent par reptation. Leur longueur varie d'une dizaine de centimètres (serpent-minute) à une dizaine de mètres (anaconda). Leur corps est couvert d'une peau cornée écailleuse.

2 462
10 2352

serpentaire n. m. Genre d'oiseaux falconiformes huppés, hauts sur pattes. Le serpentaire vit en Afrique tropicale et se nourrit de serpents.

Serpollet Léon, ingénieur français (1858-1907). Il perfectionna les chaudières des locomotives à vapeur (1881) et construisit un tricycle fonctionnant avec un moteur à vapeur (1887).

serre n. f. ◇ 1. BOT Abri vitré clos où sont cultivés les végétaux devant être protégés du froid. ◇ 2. ZOOL Griffe non rétractile, très acérée, spéciale aux rapaces, qui s'en servent pour saisir et emporter les proies en vol (s'emploie alors surtout au pluriel). ◇ 3. TECH Action de presser le raisin et certains fruits. *Première serre.*

2 317
8 1692

serrure n. f. Dispositif qui permet de fermer à clé un tiroir, la porte d'une maison, d'un coffre-fort. ◆ **serrurier** n. m. Personne qui fabrique des clés, qui répare les serrures. ◆ **serrurerie** n. f. Profession du serrurier.

3 601

sertissage n. m. Action d'enchâsser une pierre précieuse dans une monture. ◇ Assemblage de deux pièces de métal par pliage à froid.

sérum n. m. Nom courant du sérum sanguin, partie du sang qui se différencie du plasma* par l'absence de la fibrine*. ◇ *Sérum artificiel ou physiologique :* solution de chlorure de sodium isotonique au plasma, administrée dans les cas de déshydratation. ◇ *Sérum thérapeutique :* sérum, provenant d'animal immunisé ou vacciné, utilisé contre une maladie infectieuse, un venin...

5 1151

servage n. m. Condition des serfs. Système économique et social du régime féodal reposant sur la main-d'œuvre servile. ◇ Le sort du *serf,* personne sans liberté individuelle, était d'être soumis à une série de contraintes : corvées au seigneur, paiement de redevances soit pour cultiver sa terre, soit pour hériter... En recul en Occident dès le XIVᵉ s., le servage subsista cependant en Russie jusqu'en 1861.

5 1113
5 1143
6 1375
9 1951

serval n. m. Mammifère félidé d'Afrique, à grandes oreilles et au pelage fauve foncé tacheté de noir. Il peut dépasser 50 cm de hauteur au garrot.

services n. m. pl. Activités économiques qui ne produisent pas de biens concrets et qui constituent le secteur tertiaire. (Voir population.) ◇ *Services publics* : différentes branches d'administration d'un État.

sésame n. m. Plante dicotylédone gamopétale, originaire d'Asie tropicale, très anciennement cultivée pour ses graines, qui fournissent de l'huile.

session n. f. Temps pendant lequel siège une assemblée, un tribunal. *Session parlementaire.* ◇ Temps pendant lequel un jury d'examen est en fonction. *Passer un oral de rattrapage à la session d'octobre.*

set n. m. Manche* d'une partie de tennis, de tennis de table ou de volley-ball. La balle de set peut décider de l'attribution du set.

seuil n. m. ◇ 1. GÉO Passage peu élevé faisant communiquer deux régions d'altitude comparable. *Le seuil du Lauragais.* ◇ Zone surélevée au fond d'une rivière, d'un océan. ◇ 2. BIOL Intensité au-delà de laquelle un phénomène fait réagir un être vivant. *Le seuil auditif.*

Seurat Georges, peintre français (1859-1891). Il est le plus parfait représentant du pointillisme* : *Un dimanche d'été à la Grande-Jatte* (1884-1886).

4 905
6 1386
7 1540
sève n. f. Solution complexe circulant dans les végétaux. La sève brute est une solution de sels minéraux pompée dans le sol par les racines. Les vaisseaux la conduisent aux feuilles, qui l'enrichissent *(sève élaborée)* en produits organiques nutritifs.

Sévères (les). Dynastie romaine (193-235). D'origine africaine, la dynastie fondée par Septime Sévère compta les empereurs Caracalla, Geta, Élagabal et Sévère Alexandre. Durant cette période, le droit romain fut à son apogée.

13 2940
Sévigné (Marie DE RABUTIN-CHANTAL, *marquise* DE), épistolière française (1626-1696). Elle écrivit pendant plus de trente ans des *Lettres*, chef-d'œuvre de la littérature française, qui sont une source de renseignements précieux sur la vie au XVIIᵉ siècle.

5 1169
Séville. Ville d'Espagne, en Andalousie, sur le Guadalquivir. 594 000 hab. ◇ Musulmane de 712 à 1248, grand centre du commerce maritime au XVIᵉ s. Alcazar (XIIᵉ-XVIᵉ s.) ; cathédrale (XVᵉ s.).

sevrage n. m. Remplacement de l'allaitement par une alimentation plus solide et variée. ◇ Action de priver un toxicomane de drogue (désintoxication*).

9 1996
Sèvres (Manufacture nationale de). Manufacture de porcelaine dont la créa-

*Le **serval** peut capturer des oiseaux au vol par des bonds de 2 m de haut.*

*Portrait de Mᵐᵉ de **Sévigné**, par Mignard.*

*L'Alcazar de **Séville** fut résidence royale après la Reconquista.*

*Officier de marine faisant le point à l'aide d'un **sextant**.*

tion remonte à Louis XV. Elle est renommée pour sa production à pâte dure.

12 2866
Sèvres (Deux-) (79). Département de la région Poitou-Charentes, dans l'ouest de la France. 6 000 km² ; 342 812 hab. Chef-lieu : Niort. Sous-préfectures : Bressuire, Parthenay. Au nord (Massif armoricain), région de bocage vouée à l'élevage bovin. Au sud, plaine calcaire céréalière. Peu d'industries (alimentation, textile, mécanique). À l'écart des grands axes, sans grande ville, c'est une zone d'émigration.

9 2136
sexe n. m. Organes, conformations, comportements distinguant l'homme de la femme, un mâle d'une femelle, et qui leur confèrent un rôle spécifique lors de l'accouplement*. Sexe est souvent synonyme de pénis (sexe mâle) ou de vulve et vagin (sexe femelle). La *sexologie*, science très récente, étudie la physiologie* et la pathologie* de l'accouplement (des rapports sexuels) dans l'espèce humaine. En biologie*, on distingue le sexe génétique ou chromosomique, déterminé lors de la fécondation*, du sexe anatomique dû aux hormones contrôlant l'organogenèse.

6 1279
12 2855
sextant n. m. Instrument utilisé par les marins pour déterminer leur position en mer. Il est muni d'une lunette et d'un sixième de cercle gradué pour mesurer la hauteur du Soleil au-dessus de l'horizon.

2 385
9 2134
sexualité n. f. Ensemble de tous les caractères physiques, physiologiques, psychologiques propres à chaque sexe. ◇ Ensemble des phénomènes et des comportements relatifs à l'instinct sexuel et à sa satisfaction.

4 739
Seychelles. État de l'océan Indien, à 1 100 km au nord-est de Madagascar, formé de 88 îles. 376 km² ; 58 000 hab. Capitale : Victoria. Membre du Commonwealth. Îles volcaniques tropicales. Coprah, vanille, cannelle. ◇ Colonie française au XVIIIᵉ s., anglaise au XIXᵉ s., indépendante depuis 1976.

11 2528
S.F.I.O. (*Section française de l'Internationale ouvrière*). Sigle qui désigna le Parti socialiste français fondé en 1905. La SFIO subit la scission, au congrès de Tours, des communistes (1920). Elle prit le nom de PS en 1971.

7 1527
7 1625
Sforza (les). Dynastie milanaise, fondée par un condottiere. Elle détint le duché de Milan de 1450 à 1535. Vaincue à Marignan, elle dut finalement céder ses possessions à la France.

S.G.D.G. (*sans garantie du gouvernement*). Formule par laquelle le gouvernement dégage sa responsabilité quant à la valeur de l'invention ou du produit breveté.

11 2541
shah (ou chah) n. m. Titre du roi de Perse, puis du souverain de l'Iran moderne, avant la révolution islamique. ◇ Titre des empereurs moghols.

8 1908
13 3108
14 3253

Shakespeare William, poète dramatique anglais (1564-1616). Dramaturge de génie, il a mêlé événements historiques, bonheurs et malheurs de l'amour dans des tragi-comédies truculentes (*la Mégère apprivoisée*, 1593 ; *Henri IV*, 1597...) ou des drames tumultueux (*Roméo et Juliette*, 1595). Ses pièces les plus sombres (*Hamlet*, 1600 ; *Othello*, 1603 ; *le Roi Lear*, 1605 ; *Macbeth*, 1606) montrent l'homme en conflit avec ses semblables et aux prises avec la fatalité.

Shanghai → Chang-hai

S.H.A.P.E. *(Supreme Headquarters Allied Powers in Europe).* Quartier général des forces armées des alliés signataires du pacte de l'Atlantique Nord (OTAN*). Depuis le départ de la France de l'OTAN (1967), le SHAPE siège en Belgique.

Sharjah. Un des Émirats* arabes unis, sur le golfe Persique. 2 500 km² ; 125 000 hab. Capitale : Sharjah.

Shaw George Bernard, écrivain irlandais (1856-1950). Ses pièces de critique sociale sont d'une ironie mordante : *Candida* (1894), *Pygmalion* (1912)...

11 2572

Shelley Percy Bysshe, poète anglais (1792-1822). Ami de Byron, il eut comme lui une vie agitée qui inspira ses grands poèmes lyriques : *l'Ode au vent d'ouest* (1820)... Sa femme, Mary (1797-1851) est l'auteur de *Frankenstein**.

shérif n. m. Premier magistrat d'un comté, en Grande-Bretagne, chargé de la police, du recouvrement des impôts, de l'exécution des jugements... ◇ Chef de la police d'un comté, aux États-Unis.

Sherlock Holmes. Héros des romans policiers de Conan Doyle. Ce détective triomphe du crime grâce à l'implacable logique de ses déductions.

Sherpas (les). Peuple du Népal qui pratique la transhumance. ◇ Employé comme nom commun, le mot *sherpa* désigne un porteur, un guide de montagne dans l'Himalaya.

7 1570

Shetland ou **Zetland.** Archipel du Royaume-Uni, au nord de l'Écosse. 1 425 km² ; 19 000 hab. Chef-lieu : Lerwick. Pêche, ovins. ◇ Le *shetland* est une laine d'Écosse.

1 205

Shikoku ou **Sikok.** La plus petite des quatre îles principales du Japon, au sud de Honshu. 18 778 km² ; 4 244 000 hab. Île montagneuse et forestière.

12 2645

shintō (ou **shintoïsme**) n. m. Religion officielle du Japon jusqu'en 1945, fondée sur le culte des ancêtres (de la race, de la lignée impériale, de la famille) et sur la vénération des forces de la nature.

1 211

shogun n. m. Nom donné aux chefs militaires du Japon qui, sous l'autorité nominale de l'empereur, détinrent le pouvoir effectif de 1192 à 1868 (date de la révolution qui les renversa).

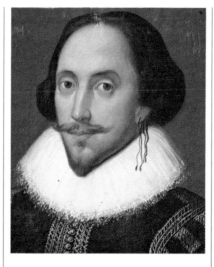

*L'œuvre de **Shakespeare** est célèbre et encore jouée dans le monde entier.*

***Sherpas** népalais lourdement chargés.*

*Sculpture à la mémoire de **Sibelius** à Helsinki (Finlande).*

*Un château du xvᵉ siècle domine le golfe de Castellammare, en **Sicile**.*

show n. m. Spectacle de variétés le plus souvent construit autour d'une vedette de la chanson ou d'un animateur célèbre. *Le show Aznavour.* ◆ **show-business** (ou show-bizz, terme plus familier) n. m. Ensemble des professions du spectacle. *Le monde du show-business.*

shunt n. m. ◇ 1. PHYS Dérivation placée sur un appareil électrique pour en diminuer l'intensité qui le traverse. ◇ 2. MÉD Dérivation d'un circuit naturel. *Le shunt du courant sanguin.*

sial n. m. Nom utilisé autrefois pour désigner la partie supérieure de l'écorce terrestre, celle qu'on appelle maintenant la croûte continentale. Le nom vient de *si*licate d'*al*uminium.

siamois n. m. Chacun ou chacune des jumeaux ou jumelles naissant attachés l'un à l'autre par une partie homologue du corps. Certains siamois, une fois opérés, peuvent vivre séparément.

Sibelius Jean, compositeur finlandais (1865-1957). Son œuvre est celle d'un symphoniste d'inspiration nationaliste *(Finlandia)* ou néo-romantique.

9 1951
13 2957

Sibérie. Région de l'URSS (située surtout en république de Russie) occupant l'Asie septentrionale, de l'Oural au Pacifique et des chaînes d'Asie centrale à l'océan Arctique. 12 millions de km² ; 25 millions d'hab. ◇ Climat continental froid. Toundra*, taïga* et steppe*. ◇ Sous-sol très riche (charbon, pétrole, métaux, diamant).

sibylle n. f. Dans l'Antiquité, femme qui passait pour avoir reçu d'une divinité le don de prédire l'avenir. Le nom vient d'une prêtresse d'Apollon.

Sica Vittorio DE, acteur et cinéaste italien naturalisé français (1901-1974). Il est l'un des maîtres du néoréalisme : *le Voleur de bicyclette* (1948)...

10 2252

Sicile. Île italienne de la Méditerranée. 25 708 km² ; 4 936 000 hab. *(Siciliens).* Capitale : Palerme. Le Nord est montagneux, l'Est volcanique (Etna). Ailleurs, collines ou plateaux calcaires. ◇ Blé dans l'intérieur ; agrumes, légumes, vigne sur la côte. Potasse et pétrole. Industrie chimique. Tourisme. Émigration intense. ◇ L'histoire de l'île est une succession d'invasions.

Siciles (Deux-) → Deux-Siciles (royaume des)

1 110
9 2011

sidérurgie n. f. Métallurgie du fer et de ses alliages (fonte, acier). ◇ Industrie qui pratique cette métallurgie. Une usine sidérurgique comprend notamment des hauts fourneaux pour fabriquer la fonte, une aciérie pour produire l'acier, et des laminoirs.

2 272

Sidon (aujourd'hui Saïda, au Liban). Ancienne ville de Phénicie, port prospère 2 000 ans av. J.-C. En 1856, on y découvrit une nécropole dont l'exploration (1887) livra de nombreuses tombes royales.

siècle n. m. Durée de 100 ans. ◇ Période de 100 ans comptée à partir d'un moment choisi. *XX*ᵉ *siècle après J.-C.* ◇ Période historique marquée par un événement, un personnage. *Siècle de Louis XIV. Siècle des Lumières* (XVIIIᵉ).

3 656
6 1332
7 1601

siège n. m. ◇ 1. HIST Opération militaire consistant, pour une armée, à s'installer autour d'une place forte pour la prendre. ◇ *État de siège :* régime exceptionnel où la responsabilité du maintien de l'ordre passe à l'autorité militaire. ◇ 2. SOC Lieu où réside une autorité ; adresse légale d'une société.

Siegfried. Héros de la mythologie germanique. Maître du trésor des Nibelungen*, il fut assassiné, puis vengé par sa femme. Sa légende date du VIᵉ siècle.

Siemens Werner VON, ingénieur et industriel allemand (1816-1892). Auteur de nombreuses réalisations : première grande ligne télégraphique européenne, première locomotive électrique...

6 1348

Sienne. Ville d'Italie, en Toscane. 65 000 hab. ◇ Aux XIIIᵉ-XIVᵉ s., important centre bancaire et artistique (Duccio, Lorenzetti, Martini...). Cathédrale (XIIᵉ-XIVᵉ s.) ; églises gothiques ; place del Campo, en éventail. Pinacothèque.

sierra n. f. Nom donné aux chaînes de montagnes dans les pays de langue espagnole (dans les pays de langue portugaise, on emploie le terme *serra*).

10 2347

Sierra Leone (république de). État d'Afrique occidentale.

superficie :	71 740 km²
population :	3 470 000 hab.
capitale :	Freetown
monnaie :	le leone
code international :	WAG

Population sur la plaine côtière. Climat tropical. Exportations : café, cacao et diamant (7ᵉ rang mondial). ◇ *Freetown* (ville des esclaves libérés) fut créée en 1786 par les Anglais, installés au XVIIᵉ s. Indépendance en 1961.

10 2194

Sieyès Emmanuel-Joseph, homme politique français (1748-1836). Vicaire général, il fut célèbre pour sa brochure *Qu'est-ce que le tiers état ?* (1789). Il appuya le coup d'État du 18-Brumaire.

Sigismond de Luxembourg, roi de Hongrie et empereur germanique (1368-1437). Roi de Hongrie par son mariage (1387), il fit brûler Jean Huss (1415), mena une croisade en Bohême, dont il devint roi (1419), puis se fit élire empereur (1433). Il légua tous ses biens aux Habsbourg.

Sigismond Iᵉʳ Jagellon (*dit* le Vieux), roi de Pologne (1467-1548). Grand-duc de Lituanie puis roi de Pologne (1506), il repoussa les Russes, soumit la Prusse

Le centre historique de **Sienne.**

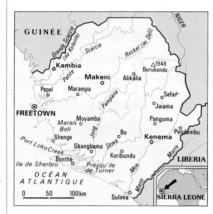

La **Sierra Leone.**

Signal : *de jour, la marine a souvent recours à des drapeaux.*

Un diable emporte une damnée (fresque de **Signorelli** *à Orvieto).*

orientale et fit de Cracovie un centre de la Renaissance.

Sigismond II Auguste Jagellon, roi de Pologne (1520-1572). En 1548, il succéda à Sigismond Iᵉʳ, son père, et réussit à étendre son pouvoir sur les pays Baltes (Livonie, fusion de la Pologne avec la Lituanie). Sa tolérance favorisa la Réforme.

sigle n. m. Suite d'initiales servant d'abréviation. Ainsi : ONU (*Organisation des Nations unies*), SNCF (*Société nationale des chemins de fer français*)...

signal n. m. Geste, coup de sifflet, sonnerie, appel de phares, pour avertir d'un danger, d'un départ... ◇ Grandeur électrique qui transporte une information (sons, musique). ◇ Signe inscrit sur un panneau. ◆ **signalisation** n. f. Signaux facilitant la circulation des autos, des trains, des bateaux...

1 45
1 93
1 167
2 300
8 1778
13 3052

signature n. f. Nom d'une personne, qu'elle écrit de sa propre main pour affirmer la sincérité, l'authenticité d'un document, pour engager sa responsabilité ; action de signer. *Signature d'un traité.* ◆ **signataire** n. m. ou f. Personne ayant signé un document.

signe n. m. Geste que l'on fait avec la main, avec la tête, pour dire quelque chose. ◇ Symbole qui indique si un nombre est positif (+) ou négatif (−), ou qui représente une virgule, un point, un son... ◇ Subdivision du zodiaque : signe de la Balance, des Poissons...

1 166
2 300
2 351
9 1947

Signorelli Luca, peintre italien (v. 1445-1523). Sa manière, notamment le dessin savant des corps nus, annonce Michel-Ange : *Jugement dernier* (fresques d'Orvieto, 1499-1504)...

Signoret Simone, actrice française (1921-1985). Figure remarquable au cinéma, de *Casque d'or* (1952) à *La Vie devant soi* (1977), elle fut aussi un auteur à succès (*La nostalgie n'est plus ce qu'elle était,* 1976 ; *Adieu Volodia,* 1985).

Si-kiang ou **Xijiang** (le). Fleuve du sud de la Chine. 2 100 km. Il naît dans les montagnes du Yunnan et se jette dans la mer de Chine, près de Canton.

6 1357
14 3269

Sikkim. État de l'Inde, dans l'Himalaya. 7 107 km² ; 315 000 hab. Capitale : Gangtok. État montagneux au climat de mousson. La population se concentre dans les bassins. Culture de céréales (riz, maïs, blé) et de cardamome pour l'exportation. ◇ Petit royaume créé par les Tibétains (1641), placé sous protectorat britannique (1890) puis indien (1950), avant d'être intégré à l'Union indienne (1975).

8 1795

Silésie. Région du sud de la Pologne et du nord de la Tchécoslovaquie. Sur son bassin houiller s'est développée une puissante industrie sidérurgique. ◇ La

12 2792

région fut longtemps disputée entre la Bohême, la Prusse et la Pologne.

1 31
7 1516
14 3116

silex n. m. Roche sédimentaire siliceuse dure, en forme de rognons dispersés dans des calcaires. Le silex se casse en arêtes tranchantes et produit des étincelles par friction.

silice n. f. Oxyde de silicium, de formule SiO_2. Le quartz cristallisé, l'opale amorphe sont des silices. ◆ **silicate** n. m. Sel de l'acide silicique. Les silicates (argiles, micas...) sont les minéraux les plus abondants sur la Terre.

3 572
12 2852

silicium n. m. Solide d'aspect métallique, dur et cassant. Symbole *Si*. C'est un semi-conducteur* utilisé dans les transistors*, les diodes*, etc.

silicone n. f. Nom générique de dérivés du silicium contenant des atomes d'oxygène et des groupements organiques. Les silicones se présentent sous forme d'huiles, de résines...

silicose n. f. Maladie pulmonaire professionnelle due à l'inhalation prolongée de poussière de silice ou d'autres substances, tel l'amiante.

1 218

silique n. f. Fruit sec, caractéristique des crucifères et s'ouvrant, arrivé à maturité, par 4 fentes. La silique du chou ou de la giroflée est allongée, celle de la bourse-à-pasteur, courte.

silo n. m. Grande tour dans laquelle on emmagasine des céréales, des betteraves à sucre, pour les conserver. ◇ Fosse creusée dans le sol d'où sont lancés à la verticale des missiles à longue portée. ◆ **ensilage** n. m. Action d'emmagasiner des produits dans un silo.

silure n. m. Genre de poissons marins ou d'eau douce, à peau nue. Sa tête porte de longs barbillons. Le poisson-chat est un silure.

silurien n. m. Troisième période de l'ère primaire, précédant le dévonien, caractérisée par l'apparition des premiers vertébrés (poissons cuirassés).

sima n. m. Ancien nom donné à une zone du globe terrestre comprise entre le nife* et le sial*. Le sima est caractérisé par la présence de *si*licium et de *magnésium*.

Simenon Georges, écrivain belge de langue française (né en 1903). Le commissaire Maigret est le héros de bon nombre de ses romans policiers.

simiens n. m. pl. Sous-ordre de mammifères primates. Les simiens se divisent en huit familles : les singes, comprenant sept familles, et les hominiens*.

Simon Michel, acteur français d'origine suisse (1895-1975). Il affirma son étonnante personnalité dans de nombreux films (*Drôle de drame*, 1937...).

6 1224

simoun n. m. Vent violent, chaud et sec, qui souffle dans les régions désertiques

Silos à grains
dans le port du Havre.

La péninsule du **Sinaï**
photographiée par satellite.

Singapour.

Contraste des architectures
dans une rue de **Singapour**.

du Sahara, de l'Arabie et de l'Iran, soulevant des tempêtes de sable.

simples n. f. pl. Nom général désignant les fleurs des champs et des bois. Les simples forment la matière de base de l'herboristerie*. Le bleuet, le coquelicot... sont des simples.

3 486

Simplon (le). Col des Alpes suisses reliant le Valais et le Piémont, à 2 009 m d'altitude. Deux tunnels ferroviaires, de 19 km chacun, font communiquer l'Italie et la Suisse.

13 2933

simulateur n. m. Appareil équipé des instruments de bord et des commandes d'un avion, d'un engin spatial... et permettant de s'initier à son fonctionnement en simulant un vol.

2 251
14 3212

Sinaï (le). Presqu'île montagneuse et désertique d'Égypte, sur la mer Rouge. ◇ Occupé par Israël en 1967, le Sinaï fut entièrement restitué en 1982, à la suite du traité de paix israélo-égyptien.

sinanthrope n. m. Hominien dont les fossiles, remontant à 500 000 ans, ont été découverts en Chine en 1921. Proche du pithécanthrope, il se tenait debout, connaissait le feu et les outils.

Sinatra Frank, chanteur et acteur de cinéma américain (né en 1915). Il est l'un des plus fameux chanteurs de charme (crooners) du monde.

9 1979

Singapour (république de). État insulaire d'Asie, au sud de la Malaisie.

superficie :	581 km²
population :	2 360 000 hab.
capitale :	Singapour
monnaie :	le dollar de Singapour
code international :	SGP

La ville, qui couvre un tiers de l'île, compte 1 800 000 Chinois, des Malais, des Indiens. Premier port d'Asie. Industries de pointe (chimie, électricité, électronique...). ◇ Singapour, anglaise en 1819, malaysienne en 1963, devint indépendante en 1965.

4 880
4 883
5 1105
6 1274
10 2209

singe n. m. Nom courant des mammifères primates du sous-ordre des simiens. On les divise en platyrhiniens, ou singes du Nouveau Monde, tels le sapajou, le saki, l'atèle, le ouistiti..., et en catarhiniens, tels le macaque, le gibbon, le chimpanzé, le gorille, l'orangoutang..., nommés également singes de l'Ancien Monde. Les singes vivent en troupes dont l'organisation sociale est très poussée.

singulier n. m. Forme que prend un mot pour indiquer qu'il n'est question que d'une seule personne, d'un seul animal ou d'une seule chose. *Le singulier s'oppose au pluriel*.

Sinn Féin (en gaélique « Nous seuls »). Mouvement irlandais fondé en 1902. À partir de 1916, il entama la lutte armée (voir I.R.A.) contre la Grande-Bretagne mais se divisa après l'indépendance (1921). Il reparut en 1968 en Ulster.

sinus n. m. 1 — MATH Dans un triangle rectangle, le sinus d'un angle aigu est le rapport de la longueur du côté opposé à celle de l'hypoténuse.

sinus n. m. 2 — ANAT Cavité irrégulière située dans certains os, en particulier les os du crâne et de la face. ◆ **sinusite** n. f. Inflammation ou infection de la muqueuse des sinus de la face.

12 2733 **sionisme** n. m. (de « Sion », colline de Jérusalem). Doctrine et mouvement pour le retour des Juifs en Palestine. Relancé par T. Herzl à la fin du XIXᵉ s., ce projet se concrétisa par un mouvement d'immigration vers la Palestine appuyé par la Grande-Bretagne (1917) et aboutit, après la Seconde Guerre mondiale, à la création de l'État d'Israël (1948).

1 71 **Sioux** (les). Groupe de peuples amérindiens des plaines d'Amérique du Nord. Un de leurs chefs, Sitting Bull, conduisit la résistance contre les Blancs vers 1860.

siphon n. m. Tube en forme de U renversé, utilisé pour transvaser un liquide. ◇ Tube coudé deux fois, qui permet d'évacuer un liquide mais empêche le dégagement de gaz : *siphon d'évier*. ◇ Bouteille ou carafe d'eau gazeuse sous pression.

Siqueiros David Alfaro, peintre mexicain (1896-1974). Il a célébré l'affranchissement des peuples d'Amérique latine dans d'immenses fresques expressionnistes (*Polyforum culturel*, Mexico).

14 3290 **sirène** n. f. 1 — MYTH Divinité grecque de la mer. Les sirènes attiraient par leurs chants les marins sur les récifs, puis les dévoraient. Au Moyen Âge, elles furent représentées sous la forme d'un être mi-femme, mi-poisson.

sirène n. f. 2 — TECH Appareil produisant un son par vibration d'un jet d'air périodiquement interrompu.

1 17
2 293 **siréniens** n. m. pl. Ordre de mammifères herbivores, aquatiques, au corps massif atteignant 4 m de long et dont les membres sont transformés en nageoires. Ce sont les lamantins* et les dugongs*.

13 3104 **Sirius.** Étoile de la constellation du Grand Chien. C'est la plus brillante des étoiles et l'une des plus proches de la Terre (8,7 années-lumière).

6 1224 **sirocco** n. m. Vent très chaud et très sec qui souffle du Sahara, chargé de poussière, vers l'Algérie, la Tunisie et la Sicile.

sirop n. m. Solution liquide et concentrée de sucre, aromatisée ou additionnée de substances médicamenteuses. *Sirop de citron, de groseille. Sirop pectoral.*

7 1603 **sisal** n. m. Fibre textile, très résistante, tirée des feuilles d'un agave. Le sisal est

*Femmes **sioux** revêtues du costume traditionnel.*

*En Ile-de-France, **Sisley** fut séduit par la lumière, le ciel et l'eau.*

*Prouesse acrobatique en **skate-board**.*

*Depuis quelques années, le **ski** est devenu un sport de masse.*

cultivé au Mexique, en Afrique, en Indonésie, et sert à fabriquer des cordes.

9 2085 **Sisley** Alfred, peintre anglais de l'école française (1839-1899). Il fut l'un des maîtres paysagistes de l'impressionnisme* : *Inondations à Port-Marly* (1878).

Siva → Çiva

Six (groupe des). Groupe de six compositeurs français (Auric, Durey, Honegger, Milhaud, Poulenc, Tailleferre) formé en 1918. Les Six étaient anti-romantiques et anti-impressionnistes.

12 2744 **Six Jours** (guerre des). Troisième conflit israélo-arabe (5-10 juin 1967). La victoire éclair d'Israël sur la coalition des États arabes lui permit d'occuper le Sinaï, le territoire de Gaza, la Cisjordanie et le Golan.

13 2892
14 3169 **Sixtine** (chapelle). Chapelle du Vatican, construite à la demande de Sixte IV (1473-1481) par Giovanni de Dolci et décorée par des fresques de Ghirlandaio, Botticelli et Michel-Ange (*le Jugement dernier*).

1 83
12 2729 **skate-board** (ou skateboard) n. m. Sport, jeu consistant à évoluer et à exécuter des figures sur une planche à roulettes. ◇ Cette planche à roulettes.

sketch n. m. Scène brève, généralement dialoguée, de ton humoristique, jouée au théâtre, au music-hall ou intégrée à un film. ◇ *Film à sketches* : film formé d'une succession de sketches.

1 184
10 2283 **ski** n. m. Patin recourbé à l'avant, en bois, en métal ou en plastique, servant à glisser sur la neige. Connu, dans les pays nordiques, dès la préhistoire, le ski a pris sa forme actuelle au XIXᵉ s., époque où est également apparu le sport du même nom. On distingue le ski nordique, qui comprend notamment les épreuves de fond et le saut, et le ski de descente, ou ski alpin. ◆ **ski nautique** n. m. Sport nautique sur skis, où le skieur est tiré par un canot.

10 2282 **skiff** n. m. Embarcation armée en couple, c'est-à-dire équipée de deux rames. Le skiff est l'un des bateaux classiques des épreuves d'aviron.

11 2485 **Skopje** ou **Skoplje**. Ville du sud-est de la Yougoslavie, capitale de la Macédoine, sur le Vardar. 312 000 hab. Sidérurgie. ◇ Victime d'un grave séisme en 1963.

skunks (ou sconse) n. m. Nom donné à la fourrure de moufette. Les meilleures peaux proviennent des pays froids : nord des États-Unis, Canada, Patagonie.

1 185 **slalom** n. m. Épreuve de ski alpin consistant pour le skieur à passer entre des portes formées de piquets. On distingue le slalom *spécial*, au parcours sinueux, et le slalom *géant*.

3 542
14 3209 **Slaves** (les). Groupe de peuples originaires du nord des Carpates (entre le Dniepr et la Vistule), apparu au Iᵉʳ millénaire av. J.-C. et qui occupe, actuelle-

ment, l'Europe centrale et orientale. Les Slaves orientaux (Russes, Ukrainiens, Biélorusses) sont orthodoxes. Les Slaves occidentaux (Polonais, Tchèques, Slovaques) sont catholiques ou protestants. Les Slaves du Sud se partagent en orthodoxes (Bulgares, Serbes) et catholiques (Croates, Slovènes).

12 2794 **Slovaquie.** République fédérée de Tchécoslovaquie, à l'est du pays. 49 014 km² ; 4 815 000 hab. Capitale : Bratislava. Région montagneuse (Carpates) et forestière. ◇ Longtemps dominée par les Habsbourg, elle fut intégrée à la Tchécoslovaquie en 1918. État fédéré depuis 1968.

11 2485 **Slovénie.** République fédérée de Yougoslavie, au nord-ouest du pays. 20 215 km² ; 1 753 000 hab. Capitale : Ljubljana. Région développée grâce à l'hydro-électricité et à un sous-sol riche (houille, mercure, plomb...). ◇ Elle fut possession habsbourgeoise de 1278 à 1918.

slow n. m. Danse à pas glissés, sur une musique de tempo lent à deux ou quatre temps. ◇ Air sur lequel s'exécute cette danse.

Sluter Claus, sculpteur bourguignon d'origine hollandaise (v. 1340-1405 ou 1406). Son œuvre *(Puits de Moïse)* opère une transition entre le style médiéval et celui de la Renaissance.

Smetana Bedřich, compositeur et pianiste tchèque (1824-1884). Son poème symphonique *Ma patrie* (1874-1879) renferme l'air célèbre de *la Moldau.*

S.M.I.C. *(salaire minimum interprofessionnel de croissance).* Salaire* minimum perçu, aux termes de la loi, par un travailleur. *Relèvement du SMIC.*

9 2025 **Smith** Adam, économiste écossais (1723-1790). Chef de file de l'école libérale, il fonda ses conceptions sur l'idée que l'intérêt personnel est le moteur de l'activité économique et qu'il rejoint l'intérêt général.

Smith Bessie, chanteuse américaine (1894-1937). Elle est l'une des plus grandes interprètes de blues de l'histoire du jazz *(Saint Louis blues...).*

6 1411 **smog** n. m. Brouillard dense, mêlé de fumée, des régions industrialisées. Mot anglais formé par la contraction des mots *smoke* (fumée) et *fog* (brouillard).

12 2661 **Smyrne.** Ancien nom d'Izmir*, sur la mer Égée. Colonisée par les Grecs au XIe s. av. J.-C., Smyrne fut au Ve s. l'une des grandes cités d'Asie Mineure. Elle devint ottomane en 1424.

11 2528 **S.N.C.F.** *(Société nationale des chemins de fer français).* Société créée en 1937 pour exploiter les lignes de chemin de fer situées sur le territoire français. Elle appartient totalement à l'État depuis 1982.

*Maison Renaissance à Košice, capitale de la **Slovaquie**-Orientale.*

*Détail du Puits de Moïse sculpté par Claus **Sluter**, à Dijon.*

*Dans le port de **Smyrne**, qui s'appelle aujourd'hui Izmir.*

*Îles de la **Société** : Moorea est une des îles du Vent.*

soc n. m. Lame triangulaire tranchante placée à l'avant d'une charrue. Le soc creuse des sillons dans la terre lors du déplacement de la charrue. **1** 74

social-démocratie n. f. Dénomination du parti socialiste dans certains pays, notamment en RFA et dans les pays scandinaves. ◇ À l'origine synonyme de socialisme, le terme désigna, après la Première Guerre mondiale, un courant socialiste réformiste et parlementaire, récusant le marxisme*.

socialisme n. m. Nom donné à diverses doctrines économiques et politiques qui préconisent la disparition de la propriété privée des moyens de production et d'échange et l'appropriation de ceux-ci par la collectivité. ◇ Nées au XIXe s., inséparables de l'essor du capitalisme, les doctrines socialistes privilégièrent soit le rôle de l'État (Lassalle), soit l'association des producteurs (Fourier, Owen...). À partir de 1848, Marx* et Engels* exposèrent un *socialisme scientifique*, ou marxisme, qui voit dans le socialisme le dépassement du capitalisme et un stade transitoire menant au communisme*. Les courants socialistes actuels se situent par rapport à ces trois conceptions. ◆ **socialisation** n. f. Appropriation de la propriété privée par la collectivité. **10** 2287 **11** 2403 **12** 2720

Société (îles de la). Archipel de la Polynésie française. 1 647 km² ; 117 703 hab. Chef-lieu : Papeete. Il est formé des îles du Vent (Tahiti, Moorea) et des îles Sous-le-Vent (Bora Bora, Tahaa, etc.). ◇ Découvert par les Anglais, il fut annexé par la France en 1887. **7** 1611

société n. f. Ensemble des individus unis par des liens durables et organisés, généralement régis par des institutions. ◇ Cet ensemble défini dans le temps et l'espace. *La société française du XIXe s.* ◇ Groupe de personnes réunies par des activités, des intérêts communs. *Une société de musique.* ◇ Association de personnes qui mettent quelque chose en commun dans l'intention d'en partager les bénéfices et à laquelle la loi reconnaît une personnalité morale. **5** 1161 **6** 1338

Société des Nations → S.D.N.

Société protectrice des animaux → S.P.A.

sociologie n. f. Science des phénomènes sociaux. Le terme « sociologie » est apparu avec A. Comte (1836), mais une pensée sociologique existait déjà chez Platon et Aristote. Avec E. Durkheim* (1894), la sociologie se conçut comme une science autonome. Deux approches prédominent : la sociologie d'observation (enquêtes, statistiques...) et la sociologie critique (élaboration scientifique d'un modèle social). Des branches spécialisées étudient des phénomènes particuliers : sociologie du travail, sociologie politique...

socle n. m. Terrain ancien, précambrien ou primaire, ayant subi un métamorphisme*. Aplani par l'érosion, il affleure (bouclier canadien) ou est recouvert par des sédiments.

3 483 **Socrate,** philosophe grec (v. 470-399 av. J.-C.). Sa vie et sa doctrine nous sont connues à travers les écrits de ses disciples, notamment Platon, qui a développé son idée fondamentale d'une morale fondée sur la raison. Condamné à mort, il dut boire la ciguë*.

12 2851 **sodium** n. m. Métal blanc et mou, brillant quand il vient d'être coupé, se ternissant à l'air. Symbole *Na*. Répandu dans la nature à l'état de chlorure et de nitrate, le sodium entre dans la préparation de nombreux produits.

Sodome. Ancienne ville de Palestine détruite au XIXe s. av. J.-C. par un séisme et, selon la Bible, à cause des mœurs dissolues de ses habitants.

10 2267 **Soekarno** ou **Sukarno** Achmed, homme
12 2809 d'État indonésien (1901-1970). Il proclama l'indépendance de l'Indonésie (1945), dont il fut le président jusqu'à son renversement en 1966.

11 2488 **Sofia.** Capitale de la Bulgarie, à l'ouest du pays. 1 035 000 hab. ◇ Petite ville turque de 1396 à 1878, année où elle devint capitale de la Bulgarie.

2 384 **soie** n. f. Fibre textile souple et brillante
5 999 provenant du cocon dans lequel la che-
7 1604 nille du bombyx* du mûrier (ver à soie) s'enferme pour se transformer en papillon. ◇ Étoffe faite avec cette fibre.

soja n. m. Plante grimpante, originaire d'Asie (famille des papilionacées), dont la graine oléagineuse, riche en protéines et en glucides, est un excellent aliment pour l'Homme et le bétail.

sol n. m. ◇ 1. GÉOL Couche meuble, d'épaisseur variable, à la surface de l'écorce terrestre, résultant de la transformation des roches superficielles (roches mères) sous l'action de divers processus physiques, chimiques et biologiques. ◇ 2. CHIM Solution colloïdale dépourvue de rigidité.

4 762 **solanacées** (ou **solanées**) n. f. pl. Famille de dicotylédones herbacées, arbustives, des pays tropicaux et tempérés. La tomate, la pomme de terre, le tabac, la belladone, etc., sont des solanacées.

solarium n. m. Emplacement ou établissement aménagé pour prendre des bains de soleil ou pour s'exposer aux rayons ultraviolets.

1 28 **soldanelle** n. f. Plante herbacée des régions montagneuses (famille des primulacées), à fleurs violettes. ◇ Liseron rose, commun sur les sables et rochers du littoral.

6 1351 **soldat** n. m. Homme ou femme qui, dans le cadre d'une armée*, est équipé et instruit par l'État pour assurer la défense du territoire. ◇ *Simple soldat :* militaire non gradé des armées de terre et de l'air.

*Le centre de **Sofia**, avec l'église Alexandre-Nevski.*

*La Chine est le premier producteur mondial de **soie**.*

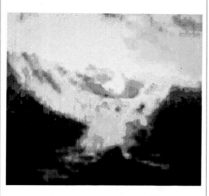

*Le **Soleil** connaît des phénomènes tels que taches et protubérances.*

*On trouve des **solfatares** au Chili, en Italie, en Islande, à Java...*

Soldat inconnu (le). Combattant français, d'identité non connue, décédé pendant la guerre de 1914-1918 et inhumé (1921) sous l'Arc de Triomphe pour y représenter les morts de la guerre.

sole n. f. 1 – ZOOL Poisson téléostéen   **5** 968
marin au corps aplati, dont la chair est très estimée. La sole commune atteint 60 cm.

sole n. f. 2 – TECH Partie inférieure d'un four métallurgique sur laquelle on place le métal en fusion. ◇ Fond d'un bateau plat.

soléaire n. m. Muscle profond du mollet assurant, avec les jumeaux, l'extension du pied. Le tendon inférieur du soléaire appartient au tendon d'Achille.

Soleil n. m. Étoile autour de laquelle   **1** 100
gravitent les planètes, et en particulier   **2** 281
la Terre qui en reçoit lumière et cha-   **3** 538
leur. C'est une énorme boule de gaz   **5** 988
composée surtout d'hydrogène et d'hé-   **6** 1369
lium dont le volume atteint 1,3 million   **12** 2855
de fois celui de la Terre, et la masse   **13** 2928
330 000 fois. Situé à une distance de   **13** 3080
149,6 millions de km, le Soleil tourne   **14** 3318
sur lui-même en 25 jours environ. Sa température est de 5 800 °C en surface et de 15 millions au centre.

solénoïde n. m. Bobine de fil électrique   **7** 1560
enroulé régulièrement sur un cylindre et qui, parcourue par un courant électrique, se comporte comme un barreau aimanté droit.

Soleure (en allemand, Solothurn). Ville   **3** 486
et canton du nord de la Suisse, dans le Jura. 17 708 hab. (224 000 pour le canton). Les principales activités du canton sont l'élevage bovin, la polyculture et l'horlogerie.

solfatare n. f. Terrain formé de soufre   **1** 10
cristallisé provenant d'émissions gazeuses chaudes échappées des fissures d'un cône de volcan après une éruption.

solfège n. m. Étude de la notation de la musique et des principes qui coordonnent les signes employés, à la fois sous le rapport du son (intonation) et sous celui de la durée (mesure). ◇ Livre expliquant les principes de la musique et de sa notation.

Solferino. Village d'Italie, au sud du lac   **10** 2336
de Garde. ◇ Le 24 juin 1859, les troupes franco-piémontaises commandées par Napoléon III y remportèrent une importante victoire sur l'armée autrichienne.

solide n. m. ◇ 1. PHYS État de la matière   **8** 1862
dans lequel les particules composant un corps sont dans des positions fixes. Un solide a une forme propre (sauf s'il est en poudre) et un volume déterminé. ◇ 2. MATH Portion d'espace bien délimitée. ◆ **solidification** n. f. Passage d'un liquide à l'état solide. C'est le phénomène inverse de la fusion*.

Soliman II le Magnifique, sultan otto-   **8** 1839
man (1494-1566). Sous son règne, l'Em-   **14** 3179
pire ottoman connut son expansion

maximale. Grand législateur et bâtisseur, il fut l'allié de François Iᵉʳ contre Charles Quint.

12 2836 **Soljenitsyne** Alexandre, écrivain soviétique (né en 1918). Emprisonné puis expulsé d'URSS, il dénonce dans ses écrits le régime soviétique (*l'Archipel du Goulag*, 1976).

solo n. m. Morceau de musique ou passage musical exécuté par un seul instrumentiste ou interprété par un seul chanteur, dit *soliste*. *Un solo de batterie. Les solos d'Ella Fitzgerald.*

10 2232
10 2301 **Sologne** (la). Région du sud du Bassin parisien, située dans une boucle de la Loire. Le sol argileux et sableux est occupé par des forêts et des étangs. Importantes réserves de chasse.

2 418 **Solon,** homme d'État athénien (v. 640-558 av. J.-C.). Par son œuvre législative, il prépara les réformes démocratiques de Clisthène.

11 2511 **solstice** n. m. Époque de l'année où la déclinaison* du Soleil est maximale (solstice d'été, 21 ou 22 juin) ou minimale (solstice d'hiver, 21 ou 22 déc.).

Solti *sir* Georg, chef d'orchestre britannique d'origine hongroise (né en 1912). Il est un grand interprète de Verdi, Richard Strauss et Wagner.

solubilité n. f. Capacité d'une substance à se dissoudre dans un liquide : la solubilité du chlorure de sodium (sel*) dans l'eau est, à 20 °C, de 358 grammes par litre.

solution n. f. 1 – CHIM Mélange homogène, à une seule phase*, résultant de la dissolution* d'un produit appelé *soluté* dans un liquide appelé *solvant*.

solution n. f. 2 – MATH Réponse à une question, à un problème. ◇ Système de valeurs des inconnues permettant de résoudre une ou plusieurs équations.

solvabilité n. f. État d'une personne qui a les moyens de payer ce qu'elle doit à ses créanciers. ◆ **insolvabilité** n. f. État d'une personne qui n'est pas en mesure de faire face à ses engagements financiers. *Une insolvabilité chronique.*

solvant n. m. Substance qui peut en dissoudre une autre appelée *soluté*. Les solvants sont utilisés comme diluants ou comme dégraissants.

soma n. m. Nom donné à l'ensemble des cellules non reproductrices d'un organisme, par opposition à l'ensemble des cellules reproductrices ou *germen*.

11 2580 **Somalie** (république démocratique de). État du nord-est de l'Afrique.

superficie :	637 657 km²
population :	4 900 000 hab. *(Somaliens)*
capitale :	Mogadiscio ou Mogadishu
monnaie :	le shilling somalien
code international :	non communiqué

Soliman II *le Magnifique est aussi surnommé le Législateur.*

Soljenitsyne *a fait connaître le goulag au monde entier.*

*La **Somalie**.*

*Le cours de la **Somme** est en partie bordé d'étangs et de marais.*

Formé, au nord, de plateaux et, au sud, de plaines, ce pays semi-aride vit de quelques cultures (bananiers) et surtout de l'élevage (ovins, chèvres, chameaux). ◇ État créé en 1960 par l'union des Somalies italienne et britannique.

sommation n. f. Mise en demeure faite à un débiteur. ◇ Ordre donné dans les formes établies. *Les trois sommations réglementaires de la sentinelle.*

somme n. f. Résultat de l'addition de plusieurs nombres ou de plusieurs grandeurs. ◇ *Somme algébrique :* suite d'additions et de soustractions portant sur des nombres. ◇ *Somme géométrique de vecteurs :* résultante de leur composition.

9 2014 **Somme** (la). Fleuve du nord de la France, en Picardie, qui se jette dans la Manche. 245 km. La Somme passe à Saint-Quentin et Amiens.

9 2014 **Somme** (80). Département français de la région Picardie. 6 170 km² ; 544 570 hab. Chef-lieu : Amiens. Sous-préfectures : Abbeville, Montdidier, Péronne. Région de plaines et de bas plateaux souvent limoneux, vouée à de riches cultures de blé et de betteraves associées à l'élevage bovin. Le textile régresse au profit de la métallurgie. Industries alimentaires (sucreries, conserveries). Le littoral est peu actif (pêche, tourisme).

12 2803 **sommeil** n. m. État physiologique d'un individu qui dort. Le sommeil est un état normal périodique durant lequel la vigilance est plus ou moins complètement abolie. On distingue le *sommeil lent* (tonus musculaire et réflexes diminués, rythmes cardiaque et respiratoire faibles et réguliers) du *sommeil paradoxal* ou *profond* (tonus musculaire aboli, mouvements oculaires rapides et activité de rêve intense).

sommet n. m. ◇ 1. GÉO Partie la plus élevée d'une montagne. *Le sommet de l'Everest, point culminant du globe.* ◇ 2. MATH Point de rencontre des deux côtés d'un angle. Le sommet d'une courbe est le point où la courbure est maximale ou minimale.

somnambulisme n. m. État d'une personne qui, pendant son sommeil, effectue inconsciemment et automatiquement certains actes coordonnés (notamment la marche) qu'elle accomplit habituellement à l'état conscient.

somnifère n. m. Nom général des substances qui, tels les barbituriques, l'opium, provoquent le sommeil quand on les introduit dans l'organisme.

8 1774
9 2089
14 3223 **son** n. m. 1 – PHYS Impression produite sur l'oreille par vibration de l'air sous l'effet d'une source sonore. Le son se transmet dans les solides, les liquides et les gaz (dans l'air, il se propage à la vitesse de 340 m/s à 20 °C), mais pas dans le vide. L'oreille humaine perçoit les sons de fréquence* comprise entre

16 et 20 000 hertz*. De part et d'autre de ces fréquences, les sons sont inaudibles pour l'oreille humaine ; on parle alors d'*infrasons** et d'*ultrasons**.

7 1634
9 2127

son n. m. 2 — BOT Nom de l'enveloppe des céréales après le broyage des grains et l'extraction de la farine. Le son est utilisé pour nourrir les animaux.

2 267
2 377
9 2141

sonar n. m. Appareil de détection des sous-marins en plongée, des bancs de poissons. Le sonar émet des ultrasons qui se réfléchissent sur les obstacles qu'ils rencontrent. L'écho est capté par un récepteur d'ultrasons.

sonate n. f. Composition musicale divisée en trois ou quatre mouvements et écrite pour un, deux, voire trois instruments. *Une sonate pour piano.*

sondage n. m. 1 — MÉD Introduction d'une sonde (instrument chirurgical flexible ou rigide, en forme de tube présentant ou non un canal central) dans une cavité naturelle ou accidentelle, pour effectuer des soins ou établir un diagnostic.

sondage n. m. 2 — GÉOL Action de creuser le sol pour déterminer la nature des couches de terrain rencontrées. On prélève dans l'ouverture ainsi pratiquée des échantillons de sol appelés *carottes*. Les carottes sont ensuite analysées dans un laboratoire.

sondage n. m. 3 — SOC Enquête menée auprès d'un certain nombre de personnes représentatives d'un ensemble social en vue de déterminer leur opinion ou d'obtenir des renseignements statistiques. (Voir opinion publique.)

10 2266

Sonde (îles de la). Archipel d'Indonésie formé des grandes îles (Sumatra, Java) et des petites îles de la Sonde (Bali, Lombok, Flores, Timor).

4 767

Song. Dynastie nationale chinoise qui régna de 960 à 1279. Elle créa dans la Chine du Sud une civilisation brillante. L'empire des Song fut renversé par les Mongols et Koubilaï s'empara de la capitale Hang-tcheou.

Songhaïs ou **Sonrhaïs** (les). Ethnie d'Afrique occidentale (Mali). ◇ Le royaume songhaï atteignit son apogée au XVe s. et disparut en 1591.

sonnet n. m. Poème à forme fixe de quatorze vers de même mesure disposés en deux quatrains à rimes embrassées et deux tercets. *Les sonnets de Ronsard, de Baudelaire, de Mallarmé.*

sono n. f. Abréviation courante de *sonorisation,* ou installation pour diffuser de la musique dans une salle de concerts, une discothèque...

sophisme n. m. Raisonnement trompeur mais d'apparence logique. S'attachant à démontrer comment l'emporter, dans un débat d'idées, sur l'adver-

*Succédant aux Tang, les **Song** ont favorisé un art vraiment chinois.*

*La chapelle de la **Sorbonne** a été construite de 1635 à 1653.*

*Masque de **sorcier** bambara du Mali.*

***Soudage** de deux tronçons d'un oléoduc.*

saire, les sophistes enseignaient la philosophie dans la Grèce antique.

Sophocle, poète tragique grec (v. 495-406 av. J.-C.). Avec lui, la tragédie grecque s'épanouit en devenant une étude de caractères. Il mit notamment en scène des héros qui, face aux dieux, se révoltent et agissent en pleine liberté de conscience : *Antigone, Œdipe roi, Œdipe à Colone, Électre...*

3 481
13 3107

soprano n. m. La plus haute des voix de femme (ou de jeune garçon). ◇ n. m. ou f. Celui, celle qui a cette voix. *Les sopranos (ou soprani) wagnériennes.*

sorbier n. m. Arbre à feuilles composées (famille des rosacées). Le sorbier domestique (ou cormier) produit des fruits comestibles orangés (sorbes ou cormes).

Sorbonne (la). Établissement d'enseignement supérieur de Paris abritant des instituts rattachés à différentes universités*. ◇ Fondée par Robert de Sorbon en 1257, elle jouit au Moyen Âge d'une grande autorité en matière religieuse.

6 1344

sorcellerie n. f. Ensemble des pratiques magiques du sorcier. ◇ Le statut de la sorcellerie est variable selon les époques et les pays. Dans l'Occident chrétien (notamment aux XVe, XVIe et XVIIe s.), les sorciers furent traqués par les tribunaux ecclésiastiques.

sorgho n. m. Céréale de la famille des graminées, cultivée dans les pays chauds pour ses grains. Le sorgho est également utilisé comme fourrage.

S.O.S. Suite de trois lettres de l'alphabet Morse, choisie comme signal de détresse. Ce signal peut être émis par un navire, un avion en perdition...

sou n. m. Monnaie valant la 20e partie du franc ou 5 centimes. ◇ Familièrement, argent de peu de valeur. ◇ *Machine, appareil à sous :* appareil où l'on joue des pièces de monnaie.

Souabe. Région d'Allemagne méridionale, partagée aujourd'hui entre la Bavière et le Bade-Wurtemberg. ◇ Ancienne province romaine de Réthie, puis duché (capitale : Augsbourg), elle fut démantelée par le traité de Westphalie (1648).

souci n. m. Nom courant d'une plante de la famille des composacées. Une espèce est cultivée pour ses capitules jaunes ornementaux à propriétés médicinales. ◇ *Souci des marais :* populage.

soucoupe volante n. f. Objet volant en forme de disque. Les soucoupes volantes sont classées parmi les objets volants non identifiés (OVNI*).

soudage n. m. Action d'assembler deux morceaux de métal en les chauffant avec un fer à souder, un chalumeau. ◆ **soudure** n. f. Alliage* servant à souder deux pièces de métal. ◆ **soudeur** n. m. Spécialiste du soudage.

Soudan (république démocratique du). État d'Afrique orientale.

11 2578
14 3278

superficie :	2 505 813 km²
population :	18 690 000 hab. *(Soudanais)*
capitale :	Khartoum
monnaie :	la livre soudanaise
code international :	non communiqué

Le pays est une vaste dépression correspondant au bassin du haut Nil. Le climat, désertique au nord, est tropical au sud. La population, divisée en musulmans arabisés du Nord et Noirs animistes ou chrétiens du Sud, se concentre dans la riche plaine de la Gezireh. ◇ Pays agricole (80 % des actifs), aux possibilités peu exploitées. Les céréales (sorgho, millet) sont consommées sur place alors que le coton est exporté. L'élevage, souvent nomade (chameaux, bovins), est important. L'industrie reste embryonnaire. ◇ Ancienne Nubie, occupée au VIIᵉ s. par les Arabes qui vécurent pendant des siècles du trafic des esclaves noirs, le pays, conquis par l'Égypte en 1820, fut un condominium égypto-britannique de 1899 à 1951. Il accéda à l'indépendance en 1956. L'un de ses problèmes majeurs demeure l'antagonisme entre les populations du Nord et du Sud.

9 2061 **soude** n. f. Solide blanc, soluble dans l'eau, appelé aussi hydroxyde de sodium ou *soude caustique.* Formule NaOH. ◇ *Cristaux de soude :* nom commercial du carbonate de sodium (Na_2CO_3).

1 108
12 2758
soufflerie n. f. Installation en forme de tunnel dans laquelle on teste sur des maquettes l'aérodynamisme de modèles d'autos, d'avions. L'air y est introduit par un gros ventilateur.

souffleur n. m. Personne qui a pour tâche de remédier aux déficiences de mémoire des comédiens en leur soufflant leur texte. *Le trou du souffleur.* ◇ Ouvrier spécialisé qui travaille le verre par soufflage.

7 1521 **soufre** n. m. Solide jaune citron en poudre *(fleur de soufre)* ou en blocs cylindriques *(soufre en canon).* Symbole *S.* Le soufre est utilisé dans la préparation de l'acide sulfurique, des allumettes, dans le soufrage des vignes...

soufisme n. m. Tendance mystique de l'islam. Valorisant la vie intérieure, ce mouvement, né au VIIIᵉ s., rejette l'interprétation littérale du Coran.

7 1499 **souk** n. m. Mot d'origine arabe qui désigne un marché couvert, dans les pays arabes.

soulèvement n. m. Mouvement collectif et massif de révolte contre un pouvoir, une autorité ; insurrection*.

Soult (Jean de Dieu, *dit* Nicolas), maréchal de France (1769-1851). Après s'être illustré durant les guerres de l'Empire, il fut ministre sous Louis XVIII et sous Louis-Philippe.

*Le **Soudan**.*

*Usine de production de **soufre** au Chili.*

*Les **souris** prolifèrent en tous lieux et sous tous les climats.*

*Le Redoutable est un **sous-marin** nucléaire lance-missiles.*

soupape n. f. Pièce métallique mobile qui sert à obturer un orifice. Les soupapes d'un moteur d'auto ouvrent et ferment alternativement les orifices d'admission et d'échappement.

13 3022 **Soupault** Philippe, écrivain français (né en 1897). D'abord dadaïste, il contribua à la naissance du surréalisme* (*les Champs magnétiques,* 1920, en collaboration avec André Breton).

4 807
6 1393
source n. f. ◇ 1. GÉO Point de jaillissement ou d'émergence à la surface du sol de l'eau du sous-sol. *La source d'un cours d'eau :* l'endroit où il naît. ◇ 2. PHYS Objet émettant des ondes sonores, lumineuses, électriques, etc. ; lieu d'où proviennent ces ondes *(source sonore).* ◆ **sourcier** n. m. Homme qui possède le pouvoir de découvrir des sources souterraines avec un pendule, une baguette.

12 2757 **sourd** n. m. Personne qui ne peut entendre par suite d'une anomalie nerveuse ou mécanique des organes de l'audition. La surdité de naissance entraîne une impossibilité d'apprendre à parler (mutité) : on dit alors un *sourd-muet.* Un *malentendant* souffre d'une déficience de l'ouïe, sans être sourd.

6 1402 **souris** n. f. Genre de petits mammifères rongeurs. La souris domestique d'Eurasie, répandue dans le monde entier, vit dans les habitations humaines et se nourrit des aliments de l'Homme.

souscription n. f. Engagement qu'une personne *(souscripteur)* prend de fournir une somme d'argent pour contribuer à une dépense, pour acheter un ouvrage à sa parution... ◇ Somme versée par le souscripteur.

sous-ensemble n. m. Dans un ensemble E, un ensemble F est un sous-ensemble de E (ou partie) si tout élément de F est élément de E. On dit que F est inclus dans E ; on note F ⊂ E.

4 911 **Sous-le-Vent** (îles). Groupe d'îles des Petites Antilles, situées au large de la côte du Venezuela, sous juridiction néerlandaise (Curaçao, Aruba, Bonaire) ou vénézuélienne.

Sous-le-Vent (îles). Îles de la Polynésie française, faisant partie de l'archipel de la Société*. 474 km² ; 16 000 hab. Elles comprennent les îles Bora Bora, Huahine, Maupiti, Raïatea, Tahaa.

4 946
13 2886
sous-marin n. m. Navire de guerre submersible conçu pour naviguer sous l'eau. Il est équipé de ballasts* que l'on remplit d'eau au moment de la plongée.

sous-préfecture n. f. Subdivision d'un département administrée par un *sous-préfet.* Synonyme : *arrondissement*.* Le sous-préfet représente le commissaire de la République (préfet*) du département ; il exerce un pouvoir de tutelle* auprès des communes.

sous-sol n. m. Partie de l'écorce terrestre comprenant les couches profondes du sol situées au-dessous de la couche de terre arable. ◇ Étage souterrain d'une construction.

soustraction n. f. Opération qui à deux nombres associe leur différence : ainsi, à deux nombres a et b on associe le nombre c tel que $a = b + c$. On note $c = a - b$. Faire la soustraction $a - b$ revient à faire l'addition de a et de l'opposé de b. Ainsi : $a - b = a + (- b)$.

Soutine Chaïm, peintre français d'origine lituanienne (1894-1943). Homme tourmenté, il transposa ses angoisses dans des œuvres expressionnistes fiévreusement travaillées en pleine pâte.

souverain n. m. Personne, instance qui, dans un État, possède le pouvoir suprême. Selon les régimes*, il s'agit d'un monarque, d'une assemblée ou du peuple. ◆ **souveraineté** n. f. Autorité suprême.
4 887

soviet n. m. En russe, conseil de délégués des ouvriers, des paysans et des soldats. Les soviets apparurent durant les révolutions russes de 1905 et de 1917. Par la suite, dénomination des assemblées représentatives en URSS. Le parlement de l'URSS, ou *Soviet suprême*, est composé de deux chambres égales en droit : le Soviet de l'Union et le Soviet des nationalités, représentant les républiques fédérées ou autonomes. Il élit un présidium (le président de ce dernier devient le chef de l'État) et nomme le gouvernement.
11 2516

sovkhoze n. m. Grande exploitation agricole d'État, en URSS (en moyenne : 20 800 ha). Le sovkhoze sert de ferme modèle. (Voir kolkhoze.)
11 2531
13 2958

S.P.A. *(Société protectrice des animaux).* Association dont le but est de protéger les animaux contre les mauvais traitements et de recueillir ceux qui sont abandonnés dans des refuges où ils attendent d'être adoptés.

Spallanzani Lazzaro, biologiste italien (1729-1799). Il est l'auteur de travaux sur la digestion, la reproduction, la circulation et les micro-organismes.

Spartacus, chef de la plus grande et de la dernière révolte d'esclaves contre Rome (mort en 71 av. J.-C.). Pendant deux ans (73-71), à la tête de dizaines de milliers d'hommes, Spartacus tint l'armée romaine en échec, avant d'être vaincu par Crassus, en Lucanie, dans une bataille où il trouva la mort.
4 853

Spartakus ou **Ligue Spartakus.** Groupe de socialistes allemands, conduits par Karl Liebknecht et Rosa Luxemburg, qui s'opposèrent, à partir de 1914, à la politique belliciste du parti social-démocrate. Les spartakistes fondèrent en décembre 1918 le parti communiste allemand. Ils participèrent à l'insurrection de Berlin (janvier 1919), réprimée par les dirigeants sociaux-
11 2532

*Il ne reste rien de la puissante **Sparte**, rivale d'Athènes.*

*Cristal de **spath**.*

*La **spatule** blanche migre en colonies et hiverne en Afrique tropicale.*

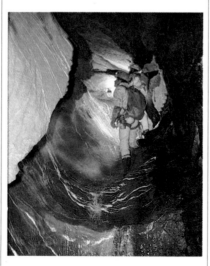

*Les **spéléologues** sont les alpinistes des profondeurs.*

démocrates et au cours de laquelle furent assassinés Liebknecht et Luxemburg.

Sparte. Ville de la Grèce ancienne, dans le sud du Péloponnèse. Fondée par l'union de plusieurs villages au IXe s. av. J.-C., Sparte, sous la conduite d'une aristocratie (les « Égaux »), était un État oligarchique. Rivale d'Athènes (guerre du Péloponnèse : 430-404 av. J.-C.), elle lui ravit la place de « première cité grecque », au début du IVe s. av. J.-C., avant d'être vaincue par Thèbes. Elle fut conquise par Rome en 146 av. J.-C. Admirateurs des valeurs militaires, les Spartiates étaient réputés pour leur courage.
2 416

spasme n. m. Contraction involontaire, intense et passagère d'un muscle, d'un groupe musculaire.

spath n. m. Nom donné à divers minerais pierreux qui ont en commun une structure lamellaire, présentant des facettes brillantes.

spatule n. f. Oiseau échassier à bec aplati, élargi à son extrémité. Il construit son nid près de l'eau, dans les roseaux ou dans les arbres (saule).

speaker n. m. Président de la Chambre des communes, en Grande-Bretagne. ◇ Présentateur à la radio, la télévision. *Une speakerine.*

spécimen n. m. Être, chose considéré comme représentatif de son espèce, de sa catégorie. *Spécimens d'une variété de roses.* ◇ Exemplaire d'un livre offert gratuitement.

spectacle n. m. Représentation d'une pièce de théâtre, d'un film, d'un ballet... *Aller au spectacle. Un spectacle de cirque.* ◇ Ensemble des activités qui concernent le théâtre, le music-hall, le cinéma, la télévision, etc. *Le monde du spectacle.*

spectre n. m. Image obtenue par la décomposition d'une lumière par un prisme* ou un réseau*. La décomposition de la lumière blanche produit un arc-en-ciel. ◆ **spectroscopie** n. f. Étude de la lumière et d'autres rayonnements à l'aide de leurs spectres.
6 1382
14 3160
14 3318

spéculation n. f. Opération financière ou commerciale, par laquelle on espère gagner de l'argent en jouant sur les fluctuations des cours du marché. ◆ **spéculateur** n. m. Personne qui se livre à la spéculation.

spéculum n. m. Instrument utilisé par les médecins pour élargir certaines cavités du corps (nez, vagin) afin de pouvoir les explorer plus aisément.

spéléologie n. f. Science qui a pour but l'étude des cavités et des cours d'eau souterrains. ◇ Exploration scientifique ou sportive de ces cavités, de ces cours d'eau (*spéléologie exploratoire*). ◆ **spéléologue** n. m. ou f. Personne spécialisée en spéléologie.
6 1232

7 1537   **spermaphytes** n. m. pl. Grand groupe systématique réunissant tous les végétaux à graines. Synonyme : *phanérogames*. Ce sont les gymnospermes (sapin, cèdre, pin...), les angiospermes dicotylédones (chêne, hêtre...) et monocotylédones (blé, lis...).

1 222
8 1730
9 2135
13 3086
14 3173   **sperme** n. m. Liquide épais, blanchâtre, émis par le mâle lors de l'accouplement. Il est composé d'un liquide nutritif sécrété par les glandes génitales (vésicules séminales, prostate, glandes de Cowper) et de spermatozoïdes. ◆ **spermatozoïde** n. m. Gamète* ou cellule reproductrice mâle comportant une tête formée par le noyau, un segment intermédiaire et un long filament ou flagelle qui lui permet de se déplacer.

9 1927   **sphaigne** n. f. Genre de grandes mousses composant l'ordre des sphaignales, présentes essentiellement dans les marais. Leur décomposition engendre les tourbières à sphaignes.

sphère n. f. Ensemble des points de l'espace situés à la distance R (rayon) d'un point fixe (centre). ◇ Figure engendrée par la rotation d'un cercle autour de l'un de ses diamètres. L'aire de la sphère est $4\pi R^2$ et son volume $4/3\ \pi R^3$ (où R est le rayon et $\pi = 3,14...$).

7 1483   **sphincter** n. m. Muscle circulaire dont la contraction obture un conduit naturel. *Sphincter de l'anus, sphincter vésical* (à la sortie de la vessie)...

1 182   **sphinx** n. m. 1 — MYTH Monstre à tête d'homme et à corps de lion, dans la mythologie égyptienne. Les statues le représentant, telle celle de Gizeh, gardaient les monuments funéraires. ◆ **Sphinx** (le). Adopté en Grèce, ce personnage fabuleux y fut représenté avec une tête de femme et des ailes. Le Sphinx joua un grand rôle dans la légende d'Œdipe.

3 591   **sphinx** n. m. 2 — ZOOL Grand papillon nocturne ou crépusculaire. L'une des espèces, le sphinx tête-de-mort, se nourrit du miel des ruches.

Spinoza Baruch, philosophe hollandais (1632-1677). Disciple très libre de Descartes, il élabora un système dans lequel il identifie Dieu à la nature (panthéisme*) et où il considère que l'Homme doit s'élever de la croyance vers la connaissance. Il est l'auteur d'une morale (*l'Éthique*, 1661-1665), de traités de philosophie politique, etc.

spirale n. f. Courbe plane décrite par un point qui tourne autour d'un point fixe O (pôle) tout en s'en éloignant régulièrement. ◇ Courbe non fermée formée d'arcs de cercle raccordés.

spire n. f. Tour de fil d'une bobine* ou d'un solénoïde*. ◇ Ensemble des tours d'une coquille.

spirille n. m. Nom générique des germes bactériens en forme de longs fila-

*Lions couchés, les **sphinx** égyptiens ont le visage d'un pharaon.*

*Les **sphinx** sont de gros papillons crépusculaires.*

*Paysage enneigé du **Spitzberg** au mois d'août.*

*L'île de Skopelos, dans les **Sporades** du Nord.*

ments enroulés en hélice. Les spirilles provoquent une maladie, la spirillose.

spiritisme n. m. Science occulte qui affirme la survivance de l'âme après la mort et admet la possibilité d'une communication entre les vivants et les esprits des défunts. ◆ **spirite** n. m. ou f. Adepte du spiritisme.

spiritualisme n. m. Doctrine philosophique qui considère l'esprit comme une réalité distincte et indépendante de la matière et qui en proclame la supériorité. ◆ **spiritualité** n. f. Ce qui a trait à la vie de l'esprit ou de l'âme.

Spirou. Journal belge pour enfants, fondé en 1938. Jijé puis Franquin (1946) y publièrent une bande dessinée dont le héros portait le même nom.

Spitzberg ou **Spitsberg.** Archipel norvégien de l'océan Arctique. 62 000 km² ; 3 000 hab. Chef-lieu : Longyearbyen. Mines de charbon. Tourisme en été.   **9** 2055

Split. Port de Yougoslavie, en Croatie, sur l'Adriatique. 152 000 hab. Constructions navales. ◇ Dioclétien* y fit construire un immense palais, noyau de la ville actuelle.   **11** 2485

spongiaires n. m. pl. Groupe (embranchement) d'animaux pluricellulaires, primitifs et généralement marins (éponges). Les spongiaires vivent fixés sur des supports variés.   **5** 1134 **10** 2203

sponsor n. m. Entreprise industrielle ou commerciale qui, moyennant publicité, donne à un sportif les moyens de pratiquer son sport.

Sporades. Îles de la mer Égée, appartenant à la Grèce. On distingue les Sporades du Nord (Skiathos, Skopelos, etc.), au large de l'île d'Eubée, et les Sporades du Sud, ou Dodécanèse (Samos, Rhodes, etc.), vers la Turquie.   **10** 2315

sporange n. m. Chez les végétaux cryptogames, organe produisant des *spores*. Ainsi, les sporanges de fougère sont observables sous les feuilles.   **3** 563

spore n. f. Organe pluricellulaire ou unicellulaire formé par divers êtres vivants pour se propager. Les champignons, algues, fougères, diverses bactéries produisent des spores.   **1** 123 **3** 562

sport n. m. Ensemble des activités physiques qui donnent lieu à des jeux ou à des exercices individuels ou collectifs régis par des règles précises et qui sont pratiqués soit sous forme de compétitions, soit librement. Le sport est apparu avec les premières formes de civilisation et fut d'abord associé à des manifestations religieuses, comme les jeux Olympiques dans la Grèce antique, ou servait d'entraînement à la guerre. Au XIXe s., en Europe, puis dans le monde entier, il devint l'une des principales formes de loisirs d'une civilisation urbanisée.   **14** 3236

Spoutnik (en russe, *compagnon de route*). Nom donné par les Soviétiques à leurs premiers satellites artificiels. *Spoutnik I,* lancé le 4 octobre 1957, fut le premier satellite à tourner autour de la Terre.

3 608

S.P.Q.R. (*Senatus populusque Romanus*). Devise de Rome, signifiant *le sénat et le peuple romain.* Elle désignait le sénat et les comices qui détenaient le pouvoir dans la Rome républicaine. Cette formule resta en usage sous l'Empire.

sprint n. m. En athlétisme ou en natation, désigne les épreuves de vitesse (100 m, 200 m). Dans les autres épreuves, ou dans d'autres sports (cyclisme, automobile), allure maximale, adoptée surtout en fin de course.

8 1706

squale n. m. Autre nom des requins. Les squales se caractérisent par leur corps fusiforme se terminant par une queue robuste. Ce sont d'excellents nageurs.

squame n. f. ◇ 1. ZOOL Nom scientifique des écailles. ◇ 2. MÉD Nom donné aux lamelles épidermiques qui se détachent de la surface de la peau. La desquamation est caractéristique de certaines maladies cutanées.

squatter n. m. Pionnier qui se fixait dans les contrées non encore occupées des États-Unis. ◇ Personne qui occupe illégalement un logement vacant.

1 175
2 326
3 530
9 2138

squelette n. m. Ensemble des éléments durs sur lesquels s'insèrent les muscles d'un animal. Le squelette peut se trouver à l'extérieur du corps et former une carapace (arthropodes*) ou se trouver à l'intérieur (vertébrés*). Le squelette humain est formé de 200 os environ, plus ou moins liés par des articulations. On distingue la colonne vertébrale (squelette axial ou rachis*) à laquelle s'attache le squelette appendiculaire (celui des appendices, c'est-à-dire des jambes et des bras) par l'intermédiaire des 2 ceintures scapulaire et pelvienne (épaules et bassin). La tête s'organise autour du squelette céphalique.

7 1652

Sri Lanka (république de) (*Ceylan* jusqu'en 1972). État insulaire d'Asie.

superficie :	65 610 km²
population :	14 270 000 hab *(Ceylanais)*
capitale :	Colombo
monnaie :	la roupie
code international :	CL

Située au sud-est de l'Inde, l'île est formée de plaines côtières et de plateaux entourant un massif central. Climat de mousson. La population (80 % dans le sud-ouest) compte des Cinghalais (72 %) et des Tamils. ◇ Pays agricole (55 % des actifs). Le riz occupe les plus grandes surfaces mais ne suffit pas à la consommation. Exportation d'hévéa et surtout de thé (2e exportateur mondial). Peu d'industrie. ◇ Successivement portugaise, hollandaise et britannique, l'île accéda à l'indépendance en 1947. Elle

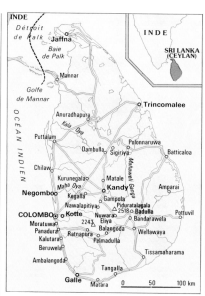

Sri Lanka.

*Portrait de Mme de **Staël** avec sa fille.*

Pour se souvenir : les **stalactites** tombent, les stala<u>g</u>mites mon<u>t</u>ent.

***Staline** se faisait appeler « le petit père des peuples ».*

cessa d'être dominion britannique en 1972 et prit son nom actuel.

11 2533

S.S. Sigle de *Schutz Staffel.* Police militaire du parti nazi créée en 1925. Dirigés par Himmler, les SS gardaient les camps de concentration. Ils constituaient aussi des unités militaires de combat *(Waffen SS).*

5 1074

stade n. m. Mesure de longueur dans la Grèce antique. ◇ Enceinte ou terrain aménagé pour la pratique des sports en plein air. Le stade peut être entouré de gradins réservés aux spectateurs.

10 2216

Staël (Germaine NECKER, *baronne* DE), écrivain français (1766-1817). Fille de Necker. Romancière d'inspiration préromantique (*Corinne,* 1807), elle fit connaître en France la culture germanique (*De l'Allemagne,* 1810).

Staël Nicolas DE, peintre français d'origine russe (1914-1955). Ses compositions en aplats de couleurs vives sont souvent à mi-chemin entre l'abstraction et la figuration. Il s'est suicidé.

stage n. m. Période d'études pratiques que les candidats à certaines professions doivent effectuer. *Stage pédagogique* (enseignants). ◇ Période de formation ou de perfectionnement dans une spécialité. ◆ **stagiaire** n. m. ou f. Personne qui fait un stage.

stakhanovisme n. m. Méthode, utilisée en URSS et dans les pays socialistes, destinée à augmenter le rendement du travail et qui est fondée sur le principe d'émulation.

2 259
6 1233
13 2975

stalactite n. f. Concrétion calcaire attachée à la voûte d'une cavité souterraine, due au suintement d'eaux de pluie saturées de carbonate de calcium et soumises à évaporation.

stalag n. m. (abréviation de l'allemand *Stammlager,* camp de base). Nom des camps de prisonniers non-officiers en Allemagne au cours de la Seconde Guerre mondiale.

2 259
6 1233

stalagmite n. f. Concrétion calcaire en forme de colonne, se dressant sur le sol d'une grotte et généralement sous une stalactite* (qu'elle peut rejoindre) : leur formation est d'ailleurs semblable.

11 2530
11 2620
12 2720

Staline (Joseph Vissarionovitch DJOU-GATCHVILI, *dit*), homme d'État soviétique (1879-1953). Vieux militant bolchevik, secrétaire général du parti communiste (1922), il prit le pouvoir à la mort de Lénine (1924). Éliminant ses adversaires (Trotski) et usant de la force (déportations) pour collectiviser et industrialiser l'URSS, il vainquit Hitler. Le « stalinisme », dénoncé du vivant de Staline par l'opposition de gauche, fut critiqué après sa mort par Khrouchtchev.

11 2602

Stalingrad. Ville d'URSS, sur la Volga (jusqu'en 1925, Tsaritsyne ; depuis 1961, Volgograd). La victoire remportée par l'armée soviétique, après des combats meurtriers (été 1942 - février 1943), devant Stalingrad marqua la fin de l'avancée allemande et le début de la contre-offensive soviétique sur le front de l'Est.

standard n. m. 1 – SOC Modèle, type, norme de fabrication fixés à l'intérieur d'une entreprise pour caractériser un produit, une méthode de travail, une quantité à produire... ◇ *Standard de vie* : niveau de vie. ◆ **standardisation** n. f. Uniformisation de tous les éléments d'une production.

standard n. m. 2 – TECH Dispositif permettant de relier au réseau téléphonique urbain les différents postes intérieurs d'une entreprise, d'une administration, etc. ◆ **standardiste** n. m. ou f. Téléphoniste affecté à un standard.

Stanislas Iᵉʳ Leszczyński, roi de Pologne (1677-1766). Roi en 1704, renversé en 1709, il revint sur le trône en 1733. Chassé par les Russes en 1736, il obtint en compensation Bar et le duché de Lorraine et fit de Nancy un centre artistique et littéraire.

Stanley (John ROWLANDS, *sir* **Henry Morton**), explorateur britannique (1841-1904). Après avoir retrouvé Livingstone, il explora le Congo, qu'il colonisa (1885) pour le compte de la Belgique.

6 1272

staphylocoque n. m. Genre de bactéries, de forme sphérique, se groupant de façon caractéristique en grappe de raisin. Les staphylocoques se développent sur les muqueuses et téguments et provoquent des furoncles, anthrax, abcès divers... Le *staphylocoque doré* est souvent pathogène, les autres espèces le sont beaucoup moins.

starter n. m. ◇ 1. TECH Dispositif intégré au carburateur, destiné à faciliter le démarrage d'un véhicule équipé d'un moteur. ◇ 2. SP Personne chargée de donner le départ d'une course hippique ou d'une course à pied.

starting-block n. m. Mot anglais signifiant *bloc pour partir*. Désigne les cales utilisées par les coureurs pour améliorer leur appui au départ.

stase n. f. Ralentissement important ou arrêt de circulation d'un liquide dans l'organisme : du sang (surtout dans les veines : *stase veineuse*), du contenu de l'intestin (*stase intestinale*)...

statique n. f. Partie de la physique qui étudie les relations entre les forces (action et réaction) qui s'exercent sur un objet en équilibre. En ce sens, la statique s'oppose à la dynamique*. L'électricité statique est étudiée en électrostatique*.

7 1492
13 3042

statistique n. f. Branche des mathématiques appliquées qui a pour objet d'établir des tableaux de données numériques et de les étudier, afin d'en déduire certains renseignements, et notamment la loi de probabilité* d'un phénomène. ◇ Tableau de données numériques

Stanislas Iᵉʳ a embelli la ville de Nancy.

Starting-block : « À vos marques ! Prêts ? Partez ! »

Armé d'épines osseuses, le **stégosaure** *pouvait mesurer 7 m de long.*

« L'amour a toujours été pour moi la plus grande des affaires » (**Stendhal**).

concernant l'état ou l'évolution d'un phénomène. *Statistiques économiques.* ◆ **statisticien** n. m. Spécialiste de la statistique.

stator n. m. Partie fixe d'un moteur électrique, d'un alternateur, à l'intérieur de laquelle tourne la partie mobile, appelée rotor*.

statu quo n. m. État actuel des choses, situation actuelle. *Des statu quo.* ◇ *Maintenir le statu quo* : ne rien changer, laisser les choses en l'état.

statue n. f. Figure sculptée en ronde* bosse et qui représente un homme, une femme, un animal ou un personnage allégorique. *La statue de la Liberté.* ◆ **statuaire** n. f. Art de faire des statues. *La statuaire du Moyen Âge.*

statut n. m. Loi, règlement, ordonnance. ◇ Au pluriel, textes qui régissent le fonctionnement d'une société* civile ou commerciale, d'une association... ◇ Situation d'une personne résultant de son appartenance à un groupe régi par des dispositions particulières.

stéarine n. f. Substance grasse présente dans les graisses animales (bœuf, mouton...), de la famille des lipides*. C'est un composé de la glycérine* et de l'acide stéarique $C_{17}H_{35}COOH$.

1 95

stégosaure n. m. Dinosaure* quadrupède, herbivore, qui mesurait 6 à 7 m de long et portait le long de l'épine dorsale deux rangées de plaques osseuses.

Steinbeck John, écrivain américain (1902-1968). Ses plus beaux romans ont pour thèmes la misère et la revendication sociale en milieu rural : *Des souris et des hommes* (1937), *les Raisins de la colère* (1939)...

Steinberg Saul, dessinateur humoristique américain d'origine roumaine (né en 1914). Sa vision du monde est d'une ironie mordante : *All in Line* (1945).

Steinlen Théophile Alexandre, dessinateur, lithographe et peintre français d'origine suisse (1859-1923). Il fut sensible à la misère populaire.

13 2940

Stendhal (Henri BEYLE, *dit*), écrivain français (1783-1842). Il a su admirablement s'observer (*Vie de Henry Brulard*, 1890 ; *Souvenirs d'égotisme*, 1892), et l'auto-analyse des sentiments caractérise aussi les héros de ses romans (*le Rouge et le Noir*, 1830 ; *la Chartreuse de Parme*, 1839). Sa prose est un modèle de style rapide et clair.

sténodactylo n. m. ou f. Personne dont le métier est de dactylographier des textes avec une machine à écrire et qui sait aussi prendre en sténographie* les textes qui lui sont dictés.

sténographie n. f. Procédé d'écriture rapide à l'aide de signes qui représentent des sons. ◆ **sténographe** (ou **sténo**) n. m. ou f. Personne qui pratique la sténographie. ◆ **sténotypie** n. f. Sténographie effectuée avec une machine à écrire spéciale, appelée *sténotype*.

8 1846 **Stephenson** George, ingénieur anglais (1781-1848). Ses travaux sur les locomotives à vapeur permirent la mise en service en 1825 du premier train de voyageurs, de Stockton à Darlington (16 km). Il mit au point le prototype de la locomotive moderne.

5 1194 **steppe** n. f. Formation végétale constituée d'un tapis discontinu d'herbes rases ou de buissons. Les steppes sont caractéristiques des zones aux climats tropicaux et continentaux semi-arides.

stercoraire n. m. Oiseau des mers polaires, au bec crochu et au plumage foncé. Il attaque les autres oiseaux pour prendre leurs proies. Synonyme : *labbe*.

stère n. m. Ancienne unité de volume équivalant à un mètre cube, utilisée pour mesurer le volume du bois de chauffage empilé. Symbole *st*.

9 2080 **stéréophonie** (ou stéréo) n. f. Procédé de prise de son et de reproduction (par radio, magnétophone, disque), qui reconstitue la disposition spatiale des différentes sources sonores. La prise de son se fait avec deux micros et la restitution par deux enceintes.

stéréoscope n. m. Appareil optique dans lequel l'observation de deux photographies d'un même sujet donne l'impression d'une seule image en relief.

stérilet n. m. Dispositif anticonceptionnel. Il est mis en place à l'intérieur de l'utérus par un médecin. La présence du stérilet empêche l'implantation de l'œuf dans la paroi utérine.

8 1848 **stérilisation** n. f. Destruction des germes, des microbes présents dans un milieu. Elle s'effectue par chauffage, par action de rayons ultraviolets, d'antiseptiques, etc. ◇ Action de rendre impropre à la reproduction. ◆ **stérilisateur** n. m. Appareil servant à la stérilisation.

14 3173 **stérilité** n. f. État d'un être humain ou d'un animal qui est inapte à se reproduire. ◇ Par extension, état d'un sol qui produit des végétaux chétifs, d'un végétal qui ne fructifie pas...

Sternberg Josef VON, cinéaste américain d'origine autrichienne (1894-1969). Son chef-d'œuvre, *l'Ange bleu* (1930), révéla Marlène Dietrich, qui tourna encore avec lui de nombreux films : *Shanghai Express* (1932), *l'Impératrice rouge* (1934)...

9 2081 **sterne** n. f. Genre d'oiseaux proches de la mouette, au plumage clair avec un capuchon noir, aux ailes longues et étroites, à la queue souvent fourchue.

2 328 **sternum** n. m. Os plat impair et médian, situé sur la face antérieure du thorax et sur lequel s'articulent les vraies côtes et les clavicules. Le sternum est terminé, à sa partie inférieure, par l'appendice xiphoïde cartilagineux.

*La petite **sterne** est aussi appelée « hirondelle de mer ».*

*Aux Samoa, **Stevenson** fut surnommé Tusitala, c'est-à-dire « le Conteur ».*

*Karlheinz **Stockhausen** travaillant une composition au magnétophone.*

*Le centre historique et le port de **Stockholm**.*

stéthoscope n. m. Appareil permettant d'écouter les bruits qui sont produits par le cœur, l'air circulant dans les bronches, etc. Toute anomalie acoustique peut être alors signe de maladie.   **8** 1816 **13** 2918

Stevenson (Robert Louis BALFOUR), écrivain écossais (1850-1894). Il est l'auteur de romans d'aventures (*l'Île au trésor*, 1883) et d'un récit d'épouvante (*Dr. Jekyll et Mr. Hyde*, 1886) d'une grande qualité littéraire.   **10** 2380

steward n. m. Maître d'hôtel, garçon de service à bord des paquebots, des avions. *Des stewards en uniforme.* Pour une femme, l'équivalent est *hôtesse*.

stigmate n. m. 1 − BOT Partie renflée du pistil*, située au sommet du style*. C'est sur le stigmate que le grain de pollen* germé pénètre dans le pistil.   **3** 501 **8** 1874

stigmate n. m. 2 − ZOOL Orifices thoraciques, abdominaux par lesquels s'ouvrent les trachées respiratoires chez les insectes et les arachnides.

stimulateur cardiaque (ou pacemaker*) n. m. Appareil électrique qui stimule les battements du cœur de certains malades cardiaques.   **3** 575

stimulus n. m. Nom donné à tout agent capable de provoquer la réaction d'un système excitable. Les stimuli peuvent être externes (lumière, son, etc.) ou internes, telles les hormones*.

stock n. m. Ensemble des marchandises en réserve. *Stock d'un magasin. Être en rupture de stock :* cesser d'être approvisionné. ◇ Ensemble des produits finis ou semi-ouvrés, des matières premières qui sont la propriété d'une entreprise. *Gestion des stocks.* ◇ Réserve.

Stockhausen Karlheinz, compositeur allemand (né en 1928). Son œuvre, l'une des plus représentatives du XXe s., mêle souvent sons enregistrés et timbres traditionnels (*Momente*, 1962).

Stockholm. Capitale de la Suède, sur les îles et presqu'îles du détroit qui unit le lac Mälaren à la Baltique. 661 000 hab. Port actif et centre économique du pays. ◇ Résidence du roi et centre administratif ; université ; musées.   **11** 2418

stoïcisme n. m. Philosophie de Zénon de Citium (fin IVe s. av. J.-C.) et de ses disciples. Le principe essentiel des *stoïciens* est que la morale est le but suprême de la philosophie. Soumis aux lois implacables de l'Univers, l'Homme est obligé de vivre conformément à la nature, sa seule vertu consistant à accepter l'« ordre des choses » avec fermeté et grandeur d'âme.

stolon n. m. Tige adventive rampante. Le stolon, à son extrémité, développe des racines et des feuilles formant un nouveau pied. Ainsi, le fraisier se développe en formant des stolons.

stomate n. m. Groupe de cellules épidermiques des végétaux régulant la circulation de l'air entre les espaces internes des feuilles et l'atmosphère.

stomatologie n. f. Partie de la médecine s'occupant des maladies des gencives, des dents, de la bouche en général. Le *stomatologiste* est un médecin spécialiste en stomatologie.

strabisme n. m. Défaut de parallélisme des yeux ; déviation de l'un ou des deux yeux vers l'intérieur (*strabisme convergent*) ou vers l'extérieur (*strabisme divergent*).

Strabon, géographe grec (v. 58 av. J.-C.- entre 21-25 ap. J.-C.). Il est l'auteur d'une célèbre *Géographie*, qui décrit tous les pays alors connus.

Stradivarius ou **Stradivari** Antonio, luthier italien (v. 1644 ou 1648-1737). Il est le plus célèbre de tous les fabricants de violons. Environ 400 de ses instruments ont été conservés.

3 521 **Strasbourg** (67000). Chef-lieu du département du Bas-Rhin et capitale de la région Alsace, sur l'Ill et le Rhin. 252 264 hab. (*Strasbourgeois*). Grand port fluvial. Industries métallurgiques et alimentaires. ◇ Siège d'organisations européennes (Conseil de l'Europe, Parlement européen).

5 1173
6 1316 **Strasbourg** (serments de). Traité d'alliance entre Charles le Chauve et Louis le Germanique ligués contre leur frère Lothaire (842). Ces serments sont les premiers textes connus écrits en allemand et en français.

stratégie n. f. Art de coordonner, de mener les opérations dans une guerre, dans la défense d'un pays. ◇ Art de mener une opération. *Stratégie électorale.* ◆ **stratège** n. m. Personne compétente en matière de stratégie.

stratification n. f. Disposition de matériaux en strates (c'est-à-dire en couches sédimentaires parallèles), qui se superposent un grand nombre de fois dans le même ordre.

stratigraphie n. f. Partie de la géologie* consacrée à l'étude des rapports qui existent entre les différentes strates (couches sédimentaires), soit dans le temps (établissement d'une chronologie), soit dans l'espace (configuration des anciens continents).

strato-cumulus n. m. Banc, nappe ou couche de nuages sombres, situés généralement à une altitude comprise entre 1 000 et 2 000 m.

11 2565 **stratosphère** n. f. Couche de l'atmosphère* située entre la troposphère* et la mésosphère*, c'est-à-dire entre 10 et 30 à 50 km environ. Cette région est caractérisée par une température relativement stable.

7 1535 **stratus** n. m. Couche assez uniforme de nuages bas, gris, formant un voile continu. Les stratus peuvent se transformer en brume ou en neige fine.

Le quartier de la « Petite France », à **Strasbourg**.

Richard **Strauss** a dirigé les plus grands orchestres d'Europe.

Giorgio **Strehler**.

E. von **Stroheim** en prince russe dans Folies de femmes (1921).

Strauss Johann II, compositeur autrichien (1825-1899), fils de Johann Ier (1804-1849). Ses valses viennoises (*le Beau Danube bleu*, 1867) sont les plus célèbres du genre. Il composa également des opérettes (*la Chauve-Souris*, 1874). **13** 2911

Strauss Richard, compositeur allemand (1864-1949). Il a su allier audace d'écriture musicale et références au classicisme : poèmes symphoniques (*Till Eulenspiegel*, 1895) ; opéras (*Salomé*, 1905 ; *le Chevalier à la rose*, 1911).

Stravinski Igor, compositeur russe, naturalisé français puis américain (1882-1971). Il fut un très grand novateur en matière de rythme et d'harmonie : *Petrouchka* (1911), *le Sacre du printemps* (1913), *Histoire du soldat* (1918)... **12** 2736

Strehler Giorgio, acteur et scénographe italien (né en 1921). Il est surtout connu pour ses mises en scène de théâtre au Piccolo Teatro de Milan (Shakespeare, Goldoni, Tchekov, Brecht) et d'opéra à la Scala.

streptocoque n. m. Genre de bactéries à coque sphérique. Les streptocoques se groupent en chaînettes sinueuses très caractéristiques. Ils sont souvent pathogènes (*streptococcie*). **6** 1272

streptomycine n. f. Antibiotique, tiré d'une moisissure, utilisé pour combattre de nombreuses maladies, notamment la tuberculose.

Stresemann Gustav, homme d'État allemand (1878-1929). Chancelier (1923) puis ministre des Affaires étrangères (1923-1929), il contribua à créer un climat de détente entre la France et l'Allemagne (pacte de Locarno, 1925).

stress n. m. Ensemble des perturbations nerveuses, hormonales, etc., dont l'organisme est le siège à la suite d'une agression (choc, froid, peur...).

strigiformes n. m. pl. Ordre d'oiseaux rapaces nocturnes caractérisés par la position des yeux, tournés vers l'avant, et par leurs serres emplumées. Ce sont les hiboux, les chouettes, les effraies. **8** 1691

Strindberg August, écrivain suédois (1849-1912). Ses récits autobiographiques (*le Plaidoyer d'un fou*, 1888 ; *Inferno*, 1897) et ses drames (*Mademoiselle Julie*, 1888...) sont l'écho de terribles tourments intérieurs.

stroboscope n. m. Appareil permettant d'observer « au ralenti » un objet en mouvement périodique rapide. Un stroboscope électronique est constitué d'une lampe flash émettant de brefs éclairs lumineux. **14** 3298

Stroheim Eric VON, cinéaste et acteur américain d'origine autrichienne (1885-1957). Réalisateur maudit de films grinçants (*Folies de femmes*, 1921 ; *les Rapaces*, 1923), il a joué de nombreux rôles d'officier allemand aristocratique (*la Grande Illusion*, 1937).

18 **Stromboli.** Île de l'archipel des Éoliennes (nord de la Sicile), formée par le volcan Stromboli. 926 m. Un *volcan strombolien* est celui où alternent, dans le cône, couches de laves et de scories.

strontium n. m. Métal jaune conservé sous le pétrole. Symbole *Sr*. Utilisé sous forme de nitrate* pour colorer les flammes en pourpre (pyrotechnie).

Strozzi. Famille florentine. Riches banquiers, les Strozzi furent, au cours du XVᵉ s., les principaux rivaux des Médicis.

structuralisme n. m. Courant de pensée issu de la théorie linguistique de Saussure* et selon lequel un fait de langue, de société... doit être étudié non comme un ensemble d'éléments isolables, mais comme un système d'éléments en relation. Les travaux de Lévi-Strauss en ethnologie*, de Lacan en psychanalyse*, d'Althusser pour le marxisme relèvent du structuralisme.

structure n. f. ◇ 1. CHIM Agencement des différents atomes formant une substance donnée. *Structure de la matière.* ◇ 2. GÉOL Disposition des couches géologiques. Agencement des différentes parties d'une roche. ◇ 3. MATH Propriétés d'un ensemble* résultant des opérations qui y sont définies. ◇ 4. SOC Manière dont les différentes parties d'un discours, d'un système économique, d'une société... s'organisent les unes par rapport aux autres et prennent sens au travers de l'ensemble qu'elles forment.

strychnine n. f. Alcaloïde extrait de la noix vomique, fruit d'un arbre tropical. Toxique, c'est un excitant puissant, voire mortel à forte dose.

8 1904
14 3292 **Stuart.** Famille écossaise qui régna sur l'Écosse (1371-1714) et sur l'Angleterre (1603-1688, puis 1702-1714). Les partisans des Stuarts (Jacobites) tentèrent de reconquérir la couronne au cours du XVIIIᵉ siècle.

10 2188 **stuc** n. m. Matériau constitué par un mélange de chaux et de poudre de marbre. Le stuc, utilisé pour des moulures décoratives, imite le marbre.

studio n. m. Ensemble de locaux équipés pour l'enregistrement d'émissions de radio, de télévision, ou le tournage de scènes de cinéma. *Film réalisé en studio.* ◇ Atelier de photographe.

stūpa (ou stoupa) n. m. inv. Monument funéraire construit sur des reliques du Bouddha ou de personnages vénérés en Inde, au Tibet ou en Indochine.

3 556 **stupéfiant** n. m. Substance médicamenteuse extraite de divers végétaux (pavot, chanvre indien...). L'usage prolongé des stupéfiants entraîne accoutumance et dépendance. (Voir toxicomanie.)

12 2707 **Stuttgart.** Ville de RFA, capitale du Bade-Wurtemberg, sur le Neckar. 590 000 hab. Port fluvial et grand centre industriel (construction automobile).

*Toujours actif, le **Stromboli** s'élève à 926 m d'altitude.*

*Détrôné en 1688, Jacques II **Stuart** se réfugia auprès de Louis XIV.*

*Enfilade de **stūpa** du temple de Borobudur, à Java.*

*Paysage vallonné de la province de **Styrie**, en Autriche.*

style n. m. 1 — ARTS Manière d'écrire propre à un auteur, à un genre littéraire... « *J'abhorre le style contourné* » (Stendhal). *Le style oratoire.* ◇ Caractères généraux des œuvres d'un artiste, d'une époque, d'une civilisation. *Le style de Giotto. Le style Louis XV.* **2 306** **14 3206**

style n. m. 2 — BOT Partie du pistil des fleurs, le plus souvent longue et effilée, surmontant l'ovaire et se terminant par le stigmate.

style n. m. 3 — TECH Poinçon en métal qui était utilisé dans l'Antiquité pour écrire sur des tablettes de cire. ◆ **stylet** n. m. Poignard possédant une petite lame très pointue.

stylo n. m. Porte-plume comprenant une réserve d'encre et une extrémité pointue, formée d'une plume, d'une bille ou d'une pointe feutre.

Styrie. État du sud-est de l'Autriche. 16 385 km² ; 1 192 000 hab. Capitale : Graz. Région montagneuse industrielle en raison d'un riche sous-sol. ◇ Possession des Habsbourg dès le XIIIᵉ siècle. **8 1895**

Styx (le). Fleuve des Enfers dans la mythologie grecque. Le fait d'y être trempé rendait invulnérable. **14 3183**

suaire (saint). Linceul dans lequel fut enseveli le corps du Christ. ◇ Une relique, conservée à Turin, serait ce linceul sur lequel on distinguerait les traits du Christ miraculeusement imprimés sur le tissu.

Suárez Adolfo, homme politique espagnol (né en 1932). Chef du gouvernement centriste de 1976 à 1981, il conduisit la transition du franquisme au régime parlementaire.

subconscient n. m. Partie du psychisme dont l'individu n'est pas conscient en permanence mais qui influe sur son comportement en affleurant sous forme d'idées, de souvenirs, etc.

subjonctif n. m. Mode* d'un verbe qui présente l'action que ce verbe exprime comme douteuse, éventuelle : *je souhaite que vous restiez, je doute qu'il ait lu ce livre, je regrettais que tu fusses parti.*

sublimation n. f. Passage direct d'une substance de l'état solide à l'état gazeux ou vapeur : le naphtalène* et le paradichlorobenzène, utilisés comme antimites, abandonnés à l'air libre, passent directement à l'état gazeux.

submersible n. m. Dénomination des premiers sous-marins. Aujourd'hui, les termes *sous-marin* et *submersible* sont synonymes.

substantif n. m. Terme synonyme de nom*, qui sert à nommer les êtres animés (*Paul, enfant, chat*), les objets (*chaise*), les actions (*démolition*), les sentiments (*gaieté*), les idées (*liberté*)...

substitut n. m. Magistrat* du parquet* qui supplée le procureur* de la République, le procureur général ou les avocats généraux.

substitution n. f. Réaction chimique dans laquelle un atome ou un groupe d'atomes d'une molécule est remplacé par un autre : ainsi le passage du méthane* CH_4 au chlorométhane CH_3Cl se fait par substitution d'un H par un Cl.

substrat n. m. Couche inférieure existant sous une couche plus récente : *le substrat d'une nappe.* ◇ Parler supplanté par un autre parler mais dont l'influence sur ce dernier est sensible. *Le substrat latin du français.*

subvention n. f. Somme versée par l'État, une collectivité locale, un organisme, etc., à une collectivité publique, une association, un individu, pour lui permettre d'entreprendre ou de poursuivre une activité d'intérêt général.

subversion n. f. Action de troubler, de renverser l'ordre politique et social existant ; action de bouleverser les valeurs établies au plan des idées, des mœurs, des règles artistiques.

suc n. m. Liquide organique susceptible d'être extrait de tissus animaux ou végétaux. ◇ Produit de la sécrétion de glandes digestives. *Suc pancréatique.*

succédané n. m. Produit destiné à être utilisé en lieu et place d'un autre. Synonyme : *ersatz. La margarine est un succédané du beurre.*

succession n. f. Transmission, par voie légale, des biens et des droits d'une personne décédée à ceux qui survivent, ou *successeurs.* ◇ Biens ainsi transmis, héritage. *Partage d'une succession.*

Succession d'Autriche (guerre de). Conflit qui opposa la Prusse, soutenue notamment par la France et l'Espagne, à l'Autriche, soutenue par l'Angleterre et les Provinces-Unies (1740-1742), pour la succession de l'empereur Charles VI. La Prusse obtint la Silésie (1742), alors que la France, malgré la victoire de Fontenoy, abandonna ses conquêtes.

Succession d'Espagne (guerre de). Conflit qui opposa une coalition européenne à la France et à l'Espagne (1701-1714). Provoquée par l'accession au trône de Philippe V, petit-fils de Louis XIV, cette guerre se termina par les traités d'Utrecht (1713) et de Rastatt (1714).

Succession de Pologne (guerre de). Conflit qui opposa la France, l'Espagne, la Sardaigne et la Bavière à l'Autriche et à la Russie (1733-1738). Le traité de Vienne (1738) confirma Auguste III de Saxe sur le trône de Pologne et donna Bar et la Lorraine, à titre viager, à l'ex-roi Stanislas Leszczyński.

succion n. f. Action d'aspirer un liquide avec la bouche. La succion est un réflexe chez le nourrisson.

*Guerre de la **Succession d'Autriche** : la bataille de Fontenoy, en 1745.*

*Le Brésil est le premier producteur mondial de **sucre** de canne.*

*Statue de Antonio José de **Sucre**, héros de l'Amérique du Sud.*

***Sudistes** : J. Davis fut, en 1861, président des États confédérés du Sud.*

succursale n. f. Établissement commercial ou financier dépendant d'un autre. *Succursales d'une banque. Magasin à succursales multiples.* (Voir filiale.)

sucre n. m. Produit alimentaire de saveur très douce fabriqué à partir de la betterave sucrière ou de la canne à sucre et se présentant sous diverses formes : sucre en morceaux, en poudre, cristallisé. Le jus sucré de la betterave et de la canne à sucre doit être purifié, concentré, filtré et raffiné pour devenir consommable. ◆ **sucrerie** n. f. Usine où l'on fabrique du sucre. ◇ Aliment, friandise très sucrés : bonbon, confiture.

Sucre Antonio José DE, général vénézuélien (1795-1830). Libérateur du Pérou et de l'Équateur (1824), il fut président de la Bolivie en 1826 puis de la Colombie en 1830. Il mourut assassiné.

Sucre. Capitale constitutionnelle de la Bolivie (le siège du gouvernement est La Paz), située dans les Andes, à 2 800 m d'altitude. 63 000 hab.

sud n. m. Celui des points cardinaux indiqué par la direction du Soleil à midi dans l'hémisphère Nord. ◇ *Le Sud :* partie du globe, ou d'une région, située vers le sud. ◇ Le terme est parfois synonyme de *tiers* monde,* la plupart des pays pauvres étant situés dans l'hémisphère Sud.

sud-africaine (République ou Union) → Afrique du Sud

sudation n. f. Sécrétion abondante de sueur produite par les glandes sudoripares. La *sueur,* ou solution salée contenant divers déchets du métabolisme, est émise par les pores de la peau. Son évaporation joue un rôle important dans la régulation de la température du corps.

Sudètes (monts des). Rebord est de la Bohême. ◇ La minorité de langue allemande qui y était installée (25 % de la population) servit de prétexte à Hitler, en 1938, pour annexer la région, qui fut rendue à la Tchécoslovaquie en 1945.

Sudistes n. m. pl. Soldats confédérés, partisans des États esclavagistes du sud des États-Unis durant la guerre de Sécession* (1861-1865).

Sud-Ouest africain → Namibie

Sue Eugène (Marie-Joseph, *dit*), écrivain français (1804-1857). Il est l'auteur de romans-feuilletons à caractère social : *les Mystères de Paris* (1842-1843), *le Juif errant* (1844-1845), etc.

Suède (royaume de). État d'Europe du Nord, dans la péninsule·scandinave.

superficie :	449 964 km²
population :	8 280 000 hab. *(Suédois)*
capitale :	Stockholm
monnaie :	la couronne suédoise (krona)
code international :	S

Un socle précambrien, modelé par la glaciation quaternaire (collines morainiques, lacs) et s'abaissant progressivement vers la Baltique, compose l'essentiel du relief. Le climat, subpolaire au nord, s'adoucit un peu vers le sud. La population, sauf quelques milliers de Lapons au nord, urbanisée à 80 %, est concentrée sur les côtes méridionales. ◇ Pays riche dont l'agriculture occupe peu de place (5 % des actifs), la Suède possède une pêche active et surtout une forêt (59 % du sol) alimentant une industrie dynamique (28 % de la pâte à papier européenne). Le sous-sol riche, surtout en fer de haute teneur, favorise le développement d'une industrie de qualité (sidérurgie, constructions mécaniques). C'est le pays du monde où l'État pratique la plus importante redistribution des revenus. ◇ Après l'épopée des Vikings* (IXe-Xe s.), la Suède se christianisa (XIIe s.). De 1397 à 1523, elle fit partie de l'Union de Kalmar, l'unissant à la Norvège et au Danemark. Redevenue indépendante (dynastie des Vasa), elle se rallia au luthéranisme et s'affirma au XVIIe s. une grande puissance européenne, grâce à Gustave* II Adolphe. Au XIXe s., Charles XIV* (dynastie des Bernadotte) inaugura l'ère du libéralisme politique qui, en un siècle, fit de la Suède un pays à haut niveau de vie, doté très tôt d'une législation politique et sociale très avancée. Cette évolution fut renforcée au XXe s. par la domination, de 1932 à 1976 et depuis 1982, du parti social-démocrate.

Suétone, historien latin (v. 69-v. 125). Secrétaire d'Hadrien, il eut accès aux archives impériales qui lui permirent d'écrire les *Vies des douze Césars,* biographies détaillées des empereurs.

sueur → sudation

6 1247 **Suez.** Ville et port d'Égypte, au débouché sud de canal de Suez. 330 000 hab. ◇ Raffineries de pétrole, chimie.

6 1247
6 1250 **Suez** (canal de). Canal de 161 km, traversant l'isthme de Suez (Égypte) et joignant la Méditerranée à la mer Rouge. ◇ Un premier canal existait sous les pharaons. L'idée fut reprise par F. de Lesseps qui fit construire le canal actuel (1859-1869). Géré par une compagnie internationale, il fut nationalisé par Nasser en 1956. Sa fermeture, de 1967 à 1975 (guerres israélo-arabes), réduisit son importance économique.

12 2744
14 3147

suffixe n. m. Particule d'une ou deux syllabes, placée après le radical* d'un mot et qui détermine le rôle de ce mot comme partie du discours en formant des noms (éventail, soupirail), des adjectifs (tardif, oisif), des verbes (téléphoner, exploiter) ou des adverbes (simplement, fortement). Le suffixe dépend ainsi de la notion grammaticale de dérivation. Il s'oppose à préfixe*.

11 2610
13 2905 **suffrage** n. m. Vote par lequel on exprime son choix, dans une élection, une délibération. ◇ Mode de votation. *Suffrage universel :* régime où tous les citoyens sont électeurs. *Suffrage direct :* système où le candidat est élu directe-

La **Suède** est couverte de forêts parsemées de lacs.

La **Suède**.

Les **suffragettes** anglaises furent les premières militantes féministes.

ment par les électeurs. *Suffrage indirect :* système où l'élu est choisi par des représentants eux-mêmes élus.

suffragette n. f. Nom donné en Angleterre aux femmes qui militaient pour obtenir le droit de vote. Le mouvement fut particulièrement actif de 1903 à 1917.

Suffren de Saint-Tropez Pierre André DE (*dit* le bailli de Suffren), amiral français (1729-1788). Bailli de l'ordre de Malte, il servit en Amérique et s'illustra aux Indes (1782-1783), où il affronta avec succès les escadres anglaises.

Suger, moine français (v. 1081-v. 1151). Conseiller de Louis VI et de Louis VII, il fut régent de 1147 à 1149 et favorisa l'essor du pouvoir royal. Il fit bâtir la basilique de Saint-Denis. **6 1215**

Suharto, homme d'État indonésien (né en 1921). Après avoir renversé Soekarno, il devint chef du gouvernement (1966) puis président de la République (1968).

suicide n. m. Action de se donner volontairement la mort. *Tentative de suicide.* ◆ **suicidé** n. m. Personne qui s'est donné la mort.

suidés n. m. pl. Famille de mammifères ongulés omnivores. Ce sont le sanglier, le potamochère, le pécari, le phacochère, le porc ... (Voir porcins.) **11 2545**

suif n. m. Graisse animale provenant de certains animaux ruminants (bœuf, mouton). Le suif est utilisé dans le traitement du cuir.

suint n. m. Matière grasse sécrétée par la peau des animaux à laine, dont elle imprègne et assouplit les poils et dont elle imperméabilise la toison. **12 2772**

Suisse ou **Confédération helvétique.** État alpin d'Europe centrale. **3 484**

superficie :	41 293 km²
population :	6 350 000 hab. (Suisses)
capitale :	Berne
monnaie :	le franc suisse
code international :	CH

Trois ensembles se succèdent du sud au nord : les Alpes, qu'aèrent les hautes vallées du Rhône, du Rhin, de l'Inn ; le Mittelland, collines de molasses* et de lacs (Léman, Constance) ; puis le versant sud du Jura. La population appartient à quatre groupes linguistiques (allemand, français, romanche, italien). ◇ L'agriculture est défavorisée par le relief. Mais l'industrie possède de nombreux atouts, malgré l'absence de richesses minières : une longue tradition (horlogerie, bois, alimentation) et, surtout, des capitaux abondants, car la Suisse est depuis longtemps une grande place financière (statut de neutralité depuis 1815, régime bancaire). L'industrie (métallurgie, chimie), d'une haute technicité, reste compétitive. La Suisse possède le niveau de vie le plus élevé du monde (mis à part les émirats du golfe Persique). ◇ Les communautés urbaines obtinrent aux XIIᵉ-XIIIᵉ s. d'importantes franchises des empereurs. Elles entrèrent alors en lutte contre les Habsbourg* pour leur indépendance. Trois d'entre elles signèrent, en 1291, un « pacte perpétuel », acte de naissance de la Confédération. En 1386, les Habsbourg reconnurent son indépendance. En 1848, la Suisse se dota d'une Constitution qui en fit un véritable État fédéral, formé aujourd'hui de 23 cantons.

sujet n. m. Mot ou groupe de mots qui, dans une phrase, représente la personne, l'animal, la chose perçue par la pensée et accomplissant l'action que le verbe exprime. Les *légumes* cuisent. Le *chien* court. *Paul* lit.

Sulawesi (îles) ⟶ Célèbes (les)

5 1152 **sulfamide** n. m. Nom générique des substances organiques de synthèse contenant des atomes de soufre et d'azote. Les sulfamides sont utilisés comme médicaments pour le traitement du diabète* et de nombreuses maladies infectieuses.

sulfate n. m. Solide dérivé de l'acide sulfurique. Les sulfates sont utilisés dans l'agriculture, dans l'industrie du papier... ◆ **sulfatage** n. m. Épandage sur les feuilles de végétaux d'une solution de sulfate de cuivre.

sulfure n. m. Produit provenant de la combinaison du soufre avec un autre élément : la pyrite* FeS₂ est un sulfure naturel de fer.

8 1853
13 2937 **Sully** (Maximilien DE BÉTHUNE, *baron* DE ROSNY, *duc* DE), homme politique français (1560-1641). Protestant, il combattit aux côtés d'Henri IV puis devint son surintendant des Finances (1598-1610). Il mena une politique active autant qu'économe.

Sully Prudhomme (René François Armand PRUDHOMME, *dit*), poète français (1839-1907). Ses poèmes intimistes (*les Solitudes*, 1869 ; *les Vaines Tendresses*, 1875) sont restés célèbres. Prix Nobel de littérature en 1901.

sultan n. m. Titre de certains princes musulmans, et notamment, jusqu'en 1922, du souverain de l'Empire ottoman*. ◆ **sultanat** n. m. Dignité de sultan. ◇ État gouverné par un sultan.

10 2266 **Sumatra.** La plus grande île d'Indonésie. 473 606 km² ; 20 813 000 hab. Villes principales : Medan, Palembang. Climat équatorial. Forêt dense. ◇ Riz, hévéas, palmiers à huile, sisal, café. La grande richesse de l'île est le pétrole.

1 128
1 164
5 1079 **Sumer.** Région de Mésopotamie où s'installèrent, au IVᵉ millénaire av. J.-C., les Sumériens, populations d'origine iranienne. Ils créèrent la première civilisation urbaine (Lagash, Ur, Uruk) et inventèrent l'écriture. Bien que dominés par des peuples sémites (empire

*La **Suisse**.*

*Maisons du pays batak, à **Sumatra**.*

***Sumer** : Étendard d'Ur, « la paix » (début du IIIᵉ millénaire av. J.-C.).*

*Mousse à 13 ans, puis corsaire, **Surcouf** fut ensuite armateur.*

d'Akkad, v. 2400 av. J.-C.) puis soumis par le Babylonien Hammourabi (v. 1700 av. J.-C.), ils léguèrent leurs dieux aux autres peuples de la région.

Sun Yat-sen, homme d'État chinois (1866-1925). Fondateur du parti révolutionnaire, le *Kuomintang,* il fut élu président de la République chinoise (1921) et s'allia aux communistes pour rétablir l'autorité de l'État.
11 2451

superficie n. f. Étendue d'une surface ; nombre qui mesure cette surface. *La superficie de la France est de 551 000 km².* ◇ Connaissance imparfaite des choses. *S'arrêter à la superficie :* ne pas aller au fond des choses.
4 930

Supérieur (lac). Le plus occidental et le plus vaste des Grands Lacs, partagé entre le Canada et les États-Unis. 82 380 km² ; 600 km de long, 260 km de large. Il est relié au lac Huron par la rivière Sainte-Marie.
1 63

Superman. Héros, aux pouvoirs fabuleux, d'une bande dessinée américaine créée par J. Siegel et J. Schuster en 1938 et adaptée à l'écran à partir de 1980.
10 2296

supermarché n. m. Magasin de grande surface (entre 400 et 2 500 m²), organisé en libre-service et proposant une grande variété de produits.
7 1584

superstition n. f. Fait de croire que certains actes, certains objets annoncent ou attirent la chance ou la malchance. ◇ Déformation du sentiment religieux dû à un attachement étroit et formaliste pour certains aspects de la religion, du sacré.

Supervielle Jules, écrivain français (1884-1960). Son sens du merveilleux s'est exprimé dans des contes (*le Voleur d'enfants,* 1926), des pièces (*Robinson,* 1949) et des poèmes (*Naissances,* 1951).

suppléant n. m. Personne qui remplace quelqu'un dans ses fonctions. *Un juge suppléant.* ◆ **suppléance** n. f. Fonction de suppléant.

suppositoire n. m. Préparation médicamenteuse ovoïdale, conique, solide, destinée à être introduite dans le rectum par l'anus.

surate (ou sourate) n. f. (mot arabe). Chapitre du Coran. Les surates, d'inégale longueur, sont au nombre de 114.
5 1013

Surcouf Robert, corsaire français (1773-1827). Il pourchassa les navires de commerce anglais sous la Révolution (1795-1800) et sous l'Empire (1807-1808). Grâce aux bateaux capturés, en particulier dans la mer des Indes, il devint un riche armateur.
1 134

surdité ⟶ sourd

sureau n. m. Arbuste aux petites fleurs blanches et aux fruits noirs ou rouges (famille des caprifoliacées). Ses usages thérapeutiques sont très étendus.
1 220

9 1940 **surf** n. m. Sport dérivé d'un exercice pratiqué à Hawaii, consistant à se maintenir, accroupi ou debout, sur une planche que le *surfeur* doit placer sur la crête de vagues déferlantes.

4 930 **surface** n. f. Contour d'une partie limitée d'espace (partie extérieure d'un corps). ◇ *Surface de révolution :* surface engendrée par une courbe qui tourne autour d'une droite (axe de révolution). *Surface développable :* surface que l'on peut appliquer dans un plan. *Surface réglée :* surface engendrée par une droite se déplaçant suivant une loi.

surfusion n. f. Phénomène par lequel un liquide, refroidi en dessous de sa température de congélation*, reste à l'état liquide : ainsi, l'eau peut rester liquide en dessous de 0 ºC.

5 1055 **7** 1457 **surgélation** n. f. Congélation, effectuée très rapidement et à basse température, d'une denrée périssable. Elle conserve aux produits alimentaires toute leur saveur. ◆ **surgelé** n. m. Produit alimentaire ayant subi la surgélation.

12 2679 **Suriname** ou **Surinam** (république du) (anc. Guyane néerlandaise). État d'Amérique du Sud, sur la côte atlantique.

superficie :	163 265 km²
population :	400 000 hab. (Surinamais)
capitale :	Paramaribo
monnaie :	le florin du Suriname
code international :	SME

Climat équatorial (forêt dense). La canne à sucre décline au profit du riz, de la banane. La bauxite reste la principale richesse (5e rang mondial). ◇ Le Suriname est indépendant depuis 1975.

6 1405 **surmulot** n. m. Rat originaire d'Asie, répandu dans le monde entier. Omnivore, le surmulot préfère les aliments carnés (souris, volailles, poissons...). Il est appelé couramment *rat d'égout*.

surnaturel n. m. Phénomène qui ne relève pas de causes naturelles. ◇ *Le surnaturel :* le sacré, le religieux.

12 2822 **13** 3022 **13** 3059 **surréalisme** n. m. Mouvement littéraire et artistique qui, succédant au dadaïsme*, se manifesta vers 1922 pour affirmer la prééminence de l'irrationnel (rêve, ingénuité de l'instinct, sens du merveilleux, etc.) sur la pensée rationnelle. Son principal animateur fut André Breton. Mais il eut aussi pour adeptes Aragon, Soupault, Eluard, Desnos, Char, Prévert, Péret, etc. De 1923 à 1939, par-delà les ruptures de tous ordres, ces contestataires du « littéraire » le rendirent prodigieusement fécond au plan poétique. La peinture (Ernst, Dalí, Miró, Magritte), la photographie (Man Ray) et le cinéma (Buñuel) surréalistes ont exercé un irrésistible pouvoir de fascination.

sursis n. m. Remise à une date ultérieure. ◇ *Prison avec sursis :* dispense d'exécution d'une peine, accordée sous

*Le **surf** se pratique sur des vagues restant à la limite du déferlement.*

*Le **Suriname**.*

*Le **surmulot**, ou rat d'égout, propage bactéries et virus.*

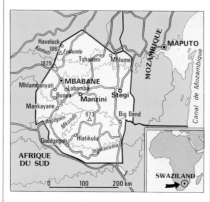

*Le **Swaziland**.*

condition. ◇ *Sursis d'incorporation* (à l'armée) : accordé à un étudiant jusqu'à la fin de ses études.

11 2543 **Suse.** Ancienne ville de l'Élam (aujourd'hui en Iran). Détruite par Assurbanipal (646 av. J.-C.), elle devint la capitale de l'Empire achéménide (palais de Darios Ier).

suspense n. m. Attente anxieuse, voire angoissée, de l'issue dramatique d'un film, d'une pièce de théâtre ou d'un roman (histoires policières). *L'art de ménager un suspense.*

sustentation n. f. Action de soutenir. ◇ *Polygone de sustentation :* courbe fermée formée par tous les points d'un corps solide reposant sur un plan.

suture n. f. Opération consistant à réunir à l'aide de fils ou d'agrafes les lèvres d'une plaie ou les extrémités d'un tendon sectionné, en vue de favoriser la cicatrisation.

7 1610 **Suva.** Capitale et port principal des îles Fidji, sur la côte sud-est de l'île de Viti Levu. 63 000 hab. Exportation de sucre et d'or.

5 1138 **suzerain** n. m. Dans le système féodal, seigneur ayant concédé un fief à un vassal. (Voir chevalerie, féodalité, fief, vassal.) ◆ **suzeraineté** n. f. Qualité de suzerain. ◇ Droit d'un État sur un autre État qu'il protège.

svastika n. m. Symbole indien, en forme de croix coudée. En sens inverse, elle devint la « croix gammée », emblème du parti nazi.

4 738 **Swaziland** (royaume du). Petit État du sud-est de l'Afrique.

superficie :	17 363 km²
population :	500 000 hab.
capitale :	Mbabane
monnaie :	le lilangen
code international :	SID

Plateaux au climat tropical. Maïs, canne à sucre. Grandes richesses minières (amiante, fer, houille). ◇ Protectorat britannique de 1902 à 1968, le Swaziland accéda à l'indépendance en 1968.

10 2380 **Swift** Jonathan, écrivain irlandais (1667-1745). Son célèbre chef-d'œuvre, *les Voyages de Gulliver* (1726), qui a l'attrait d'un conte fantastique et d'un roman d'aventures, est aussi une violente satire de l'Angleterre et de ses institutions.

swing n. m. Effet de balancement (tension puis détente) qui confère à de nombreux styles de jazz* une qualité rythmique particulière.

sycomore n. m. Espèce d'érable*, répandu en Europe, aux petites fleurs jaune-vert en grappes pendantes (famille des acéracées). Synonymes : *érable-sycomore, faux platane.*

2 336 **Sydney.** Ville et port d'Australie, sur la côte sud-est. Capitale de la Nouvelle-Galles du Sud. 2 936 000 hab. Importation de pétrole ; exportation de laine et de céréales. Métallurgie, chimie, textile.

3 655 **Sylla** ou **Sulla** (Lucius Cornelius), général et homme d'État romain (138-78 av. J.-C.). Consul en 88, il conquit Athènes puis écrasa les partisans de Marius*, son ancien rival (86). Nommé dictateur perpétuel (82), il réforma les institutions puis abandonna subitement le pouvoir.

syllabe n. f. Lettre ou groupe de lettres qui se prononce d'une seule émission de voix. *Bon* est un mot d'une syllabe (monosyllabique), *amer* est composé de deux syllabes (*a* et *mer*), *vérité* a trois syllabes (*vé-ri-té*), etc.

sylviculture n. f. Exploitation des arbres et arbrisseaux forestiers. Le *sylviculteur* assure également l'entretien de la forêt : abattage d'arbres malades ou trop vieux, reboisement...

1 122 **symbiose** n. f. Phénomène d'association
7 1448 de deux êtres vivants, d'espèces diffé-
13 3011 rentes, profitant l'un de l'autre. Un lichen est formé d'un champignon et d'une algue symbiotes. Les ruminants* vivent en symbiose avec les protozoaires qui digèrent la cellulose de l'herbe.

2 300 **symbole** n. m. 1 – CHIM MATH PHYS Convention par laquelle on représente par un signe une chose ou une opération. ◇ *Symbole chimique :* élément ou corps simple généralement représenté par l'initiale majuscule du nom (carbone : *C*) complétée, dans certains cas, par une lettre minuscule (chlore : *Cl*).

symbole n. m. 2 – RELG Formule par laquelle l'Église catholique résume l'essentiel de ses croyances.

symbolisme n. m. Mouvement littéraire et artistique de la fin du XIXᵉ s., né en réaction au naturalisme*. S'inspirant surtout de Mallarmé, les poètes symbolistes (Moréas, Maeterlinck...) firent usage des mots non pour exprimer mais pour suggérer sentiments et idées. Le symbolisme pictural (G. Moreau...) est une quête de l'inexprimable.

1 177 **symétrie** n. f. Disposition régulière
1 190 d'objets semblables autour d'un axe,
2 446 d'un centre. ◇ *Symétrie centrale,* par rapport à un point O (centre de symétrie) : transformation géométrique qui à tout point M du plan fait correspondre le point M' tel que O soit le milieu du segment [MM']. ◇ *Symétrie axiale,* par rapport à une droite D (axe de symétrie) : transformation géométrique qui à un point M associe le point M' tel que D soit la médiatrice du segment [MM'], ou, si M est un point de D, M et M' soient confondus (on dit alors que M est invariant).

6 1312 **sympathique** (le). n. m. Une des deux grandes parties du système nerveux végétatif. Le sympathique, ou *ortho-sympathique,* est généralement stimu-

Le grand pont de **Sydney** *et, à gauche, l'Opéra.*

Sylviculture : *vue aérienne d'un « peuplement » de conifères.*

Symbolisme : *Poète mort porté par un centaure, de Gustave Moreau.*

Syndicat : *manifestation de la CGT chez Citroën, à Aulnay.*

lateur, à l'opposé du *parasympathique,* dont l'action est modératrice.

2 261 **symphonie** n. f. Morceau de musique composé pour grand orchestre. *Une symphonie de Beethoven.* C'est au milieu du XVIIIᵉ s. qu'apparut la symphonie en quatre mouvements, construite sur le plan de la sonate.

8 1818 **symptôme** n. m. Manifestation particulière provoquée dans l'organisme par une maladie. Un symptôme peut être observé par le médecin, décrit par le malade...

12 2642 **synagogue** n. f. Lieu de réunion et de prière des israélites. ◇ *La Synagogue :* ensemble des fidèles juifs ; la religion juive.

6 1311 **synapse** n. f. Structure complexe assurant la liaison entre deux neurones et grâce à laquelle l'influx nerveux peut passer de l'un à l'autre.

synchronisation n. f. Action de faire coïncider deux mouvements. Action de faire coïncider les sons et les images d'un film. ◆ **synchronisme** n. m. Égalité des vitesses de rotation de deux organes mécaniques, des fréquences de balancement de deux objets.

synclinal n. m. Partie concave (c'est-à-dire en creux) d'un pli* simple. Un *anticlinal* est la partie convexe d'un pli simple : un synclinal est donc encadré par deux anticlinaux.

syncope n. f. 1 – MÉD Perte de connaissance brutale, complète, avec souvent arrêt respiratoire, causée par un arrêt ou un ralentissement de courte durée du cœur, une hypotension brutale...

syncope n. f. 2 – MUS Forme rythmique produite par la prolongation d'un temps fort sur un temps faible. Son rôle est important dans le jazz.

5 1124 **syndicat** n. m. Association, groupement
10 2287 de personnes pour la défense d'intérêts
11 2403 professionnels communs. *Syndicat ouvrier, syndicat d'artisans.* ◇ *Syndicat d'initiative :* organisme chargé de promouvoir le tourisme dans une commune, une région. ◆ **syndicalisme** n. m. Ensemble du mouvement syndical, de ses doctrines et de ses activités. ◇ En France, le syndicalisme se développa au XIXᵉ s., en même temps que la grande industrie. Légalisé en 1884 (loi Waldeck-Rousseau), il s'organisa sur le plan national (création des bourses du travail puis de la CGT*, 1895) et s'étendit à diverses professions et catégories professionnelles (apparition, après 1918, de syndicats d'employés, de patrons...). Bien que ne regroupant qu'une partie de l'ensemble des salariés, il joue aujourd'hui un rôle important dans la vie sociale, économique et politique du pays.

14 3230 **syndrome** n. m. Ensemble des symptômes caractéristiques se produisant durant certaines maladies, mais dont les causes peuvent être diverses.

synode n. m. Dans l'Église catholique, assemblée d'ecclésiastiques réunie au niveau d'un diocèse*. Dans l'Église réformée, assemblée de délégués des consistoires*.

synonyme n. m. Mot qui possède à peu près la même signification qu'un autre mot : *périlleux* et *dangereux* ; *captif* et *prisonnier*. Si l'on fait abstraction de la nuance de sens et si le contexte le permet, les synonymes sont interchangeables.

synovie n. f. Substance fluide, sécrétée dans une articulation par la membrane synoviale et lubrifiant cette articulation. *Épanchement de synovie.*

syntaxe n. f. Partie de la grammaire qui étudie les règles régissant la construction des phrases dans une langue donnée. Elle examine la fonction du mot dans la phrase (sujet, complément, etc.), les phénomènes d'interaction entre les mots (par exemple, l'accord de l'adjectif), l'ordre des termes, etc.

synthèse n. f. 1 — SOC Exposé méthodique des éléments essentiels d'une question. ◇ Opération intellectuelle qui permet d'aller du simple au composé, de l'élément à l'ensemble. Contraire : *analyse**.

2 257 | **synthèse** n. f. 2 — CHIM Suite de transformations chimiques permettant de préparer une substance complexe à partir de produits plus simples : la synthèse de l'eau (H_2O) se fait à partir d'un atome d'oxygène (O) et de deux atomes d'hydrogène (H).

2 264
8 1710 | **synthétiseur** n. m. Appareil électronique permettant de reproduire, en studio ou en concert, toutes sortes de sons : musiques, paroles, bruit de la mer...

syphilis n. f. Maladie infectieuse inoculable et contagieuse due à une bactérie (tréponème). Elle peut être héréditaire, transmise par contact ou par transfusion. Sa première manifestation est un chancre* apparaissant généralement au niveau des organes génitaux.

10 2245 | **Syracuse.** Ville et port de Sicile. 123 000 hab. ◇ Colonie grecque fondée en 734 av. J.-C., elle imposa son influence aux autres cités grecques d'Italie sous Denys l'Ancien (405-367).

9 2028 | **Syr-Daria** (le). Fleuve d'URSS. 2 860 km. Né au Kirghizistan sous le nom de Naryn, il traverse le sud aride du Kazakhstan et se jette en mer d'Aral.

*Le théâtre grec (Ve s. av. J.-C.) de **Syracuse**, en Sicile.*

*La **Syrie**.*

*Bédouins dans le désert de **Syrie**, près de Palmyre.*

*Les fortifications et le port de **Szczecin**.*

Syrie (république de). État du Proche-Orient, sur la Méditerranée.   **11** 2457

superficie :	185 180 km²
population :	9 310 000 hab. *(Syriens)*
capitale :	Damas
monnaie :	la livre syrienne
code international :	SYR

Un vaste plateau calcaire désertique que parcourt, à l'est, l'Euphrate est séparé de la dépression du Rhāb et de l'étroite plaine côtière par les chaînes du djebel Ansarieh, de l'Anti-Liban et de l'Hermon. La population se concentre dans les montagnes et le Rhāb. ◇ La production agricole, formée à l'est de l'élevage (ovins) et à l'ouest de cultures irriguées (coton, agrumes, céréales), reste insuffisante. L'État contrôle l'industrie (alimentation, raffinage du pétrole). L'aide soviétique et les redevances sur les oléoducs qui traversent son territoire ont permis de financer de grands travaux (barrage de Tabka). Produisant peu de pétrole, la Syrie reçoit des pays arabes producteurs une aide importante, motivée par sa situation en première ligne dans le conflit israélo-arabe (le budget militaire représente 40 % du produit national). ◇ Zone de passage, la Syrie a connu de nombreuses occupations depuis l'Antiquité. Ottomane dès 1516, elle passa sous mandat français de 1920 à 1941, date de son accession à l'indépendance. Les difficultés suscitées par le conflit israélo-arabe (occupation du Golan, 1967) ont provoqué de nombreux coups d'État qui, depuis 1963, ont porté au pouvoir différentes fractions du parti socialisant Baa'th. À partir de 1976, la Syrie intervint militairement au Liban.

système n. m. Ensemble organisé d'idées scientifiques, philosophiques... (Voir théorie.) ◇ 1. POL Régime, théorie politiques. *Les systèmes socialistes.* ◇ 2. ANAT Groupe d'organes assurant une fonction physiologique. *Le système digestif.* Synonyme : *appareil.* ◇ 3. BIOL Ensemble de molécules, d'êtres vivants... *Le système enzymatique.* ◇ 4. ASTR Groupe d'étoiles, de planètes... *Le système solaire.* ◇ 5. TECH Groupe de machines, d'appareils... assurant une fonction. *Un système d'ordinateurs.*   **13** 3080

systole n. f. Phase de contraction du cœur et des artères. (Voir diastole.)

Szczecin (en allemand, Stettin). Ville et port de Pologne, à l'embouchure de l'Oder. 376 000 hab. Constructions navales, sidérurgie.   **12** 2790

T

tabac n. m. Grande plante herbacée (1 à 2 m de haut) originaire d'Amérique (famille des solanacées), cultivée pour ses feuilles longues et larges contenant un alcaloïde* toxique : la *nicotine*. La quantité de nicotine varie selon les variétés de tabac. En France, la culture du tabac est réglementée et très surveillée. ◇ Préparation obtenue avec les feuilles de cette plante une fois séchées et légèrement fermentées.

Tabarly Éric, navigateur français (né en 1931). Il remporta, en 1964 et en 1976, la course transatlantique en solitaire sur ses bateaux *Pen-Duick*.

Table ronde (chevaliers de la). Héros de la littérature courtoise du Moyen Âge (romans de Chrétien* de Troyes...). Parmi les plus célèbres chevaliers de l'ordre de la Table ronde (créé par le roi Arthur), il faut citer Gauvain, Lancelot, Yvain et Perceval.

tableau n. m. ◇ 1. ARTS Œuvre picturale exécutée sur un support mobile (panneau de bois, toile tendue sur un châssis...). *Un tableau de chevalet*. ◇ 2. SOC Panneau prévu pour recevoir un avis, une annonce... *Tableau d'affichage*. ◇ 3. TECH Support réunissant des instruments de mesure, de contrôle et de signalisation. *Un tableau de bord*. ◇ 4. ENSG Panneau installé dans une classe et sur lequel on écrit avec une craie. *Un tableau noir*.

Tables de la Loi (les). Selon la Bible, les deux tables de pierre remises par Dieu à Moïse sur le mont Sinaï et sur lesquelles étaient gravés les dix commandements divins ou *décalogue*.

tabou n. m. Mot polynésien. Interdiction religieuse appliquée à ce qui est sacré. ◇ Être, objet, terme ou comportement interdit par la morale.

Tachkent. Ville d'URSS, capitale de l'Ouzbékistan. 1 700 000 hab. ◇ Ville-oasis, grand centre universitaire, com-

*Un champ de **tabac** au Honduras.*

*Dans une maison de thé à Douchanbe, au **Tadjikistan**.*

mercial, industriel (coton, mécanique). Métropole de l'Asie centrale soviétique.

tachycardie n. f. Augmentation anormale du rythme cardiaque ayant des origines diverses : infectieuse, nerveuse, toxique, cardio-vasculaire...

tachymètre n. m. Appareil utilisé pour mesurer la vitesse de rotation d'un moteur, d'une machine. Le compte-tours d'une auto, d'une moto, est un tachymètre.

Tacite, historien latin (v. 55-v. 120). Maître de la prose latine, au style dense et concis, il est l'auteur des *Annales*, des *Histoires*, du *Dialogue des orateurs...*

tact n. m. Sens du toucher ; celui des cinq sens caractérisé par la perception d'excitations mécaniques. En effet, des récepteurs situés dans la peau réagissent à ses déformations dues à des pressions.

tactique n. f. Art de mener une opération militaire limitée. (Voir stratégie.) ◇ Conduite adoptée, moyens employés pour obtenir quelque chose. ◆ **tacticien** n. m. Expert en tactique ; personne qui manœuvre habilement.

Tadjikistan. République fédérée d'URSS, en Asie centrale. 143 100 km² ; 2 900 000 hab. *(Tadjiks, Ouzbeks).* Capitale : Douchanbe. ◇ Région montagneuse (Pamir). Riches cultures dans les vallées irriguées (coton). Industries prospères.

tænia → ténia

Tage. Le plus long fleuve de la péninsule Ibérique (1 006 km). Né en Aragon, il traverse le Portugal et rejoint l'Atlantique dans la baie de Lisbonne.

Tagore Rabindranāth, écrivain indien (1861-1941). Il a abordé tous les genres, mais c'est surtout son œuvre de poète mystique (*l'Offrande lyrique*, 1913) qui l'a fait connaître en Occident.

4 760 **Tahiti.** La plus grande et la plus peuplée des îles de la Polynésie française. 1 042 km² ; 95 604 hab. Chef-lieu : Papeete. ◇ Île volcanique entourée d'un récif corallien. Ressources principales : noix de coco, tourisme. ◇ Depuis 1964, la France y a installé le Centre d'expérimentation du Pacifique.

8 1714
9 2030 **taïga** n. f. Formation végétale, forêt toujours verte de conifères (épicéa, mélèze, pin, sapin), caractéristique des climats continentaux froids (Sibérie, nord de la Scandinavie, Canada).
13 2959

taille n. f. 1 – ANAT Dimensions du corps de l'Homme ou des animaux, et en particulier sa hauteur ; stature. ◇ Chez l'Homme, partie la plus étroite du tronc, entre les côtes et le bassin.

taille n. f. 2 – BOT Coupe de branches d'arbres, d'arbustes exécutée pour favoriser leur croissance, améliorer leur production de fleurs, de fruits...

taille n. f. 3 – TECH Action de couper certaines choses. Façon dont est taillé le diamant, la pierre. ◆ **tailleur** n. m. Artisan, ouvrier qui taille.

13 2945 **taille** n. f. 4 – HIST Sous l'Ancien Régime, impôt direct qui était dû par les roturiers et dont les nobles et les clercs étaient exempts. La taille était calculée essentiellement sur la fortune foncière et fut supportée, en fait, par les masses paysannes.

Taine Hippolyte, philosophe et historien français (1828-1893). Pour lui, le milieu, la race et le temps déterminent les œuvres artistiques et les faits historiques (*Origines de la France contemporaine*, 1875-1893).

6 1363 **T'ai-pei, Taibei** ou **Taipeh.** Capitale de Taiwan, au nord de l'île. 2 004 000 hab. Centre administratif, commercial et industriel. Musée (peintures chinoises).

T'ai-p'ing ou **Taiping.** Mouvement politique et religieux chinois contre la dynastie mandchoue. Partie de la paysannerie (1851), la révolte fut écrasée par les troupes impériales (1864).

6 1362 **Taiwan** ou **T'ai-wan,** anciennement Formose. État insulaire d'Asie.

superficie :	36 169 km²
population :	15 852 000 hab. (Chinois)
capitale :	T'ai-pei
monnaie :	le nouveau dollar de Taiwan
code international :	RC

Île au sud-est de la Chine continentale. Climat de mousson. ◇ Forte industrie (capitaux américains et japonais, main-d'œuvre abondante et peu chère). ◇ État créé en 1949 par Chang Kaï-chek*, réfugié sur l'île après la victoire communiste en Chine continentale.

8 1863 **talc** n. m. Solide, commercialisé en poudre, le plus souvent blanc, onctueux au toucher et tendre. C'est un silicate de magnésium.

*Fleurs, paréo, bois sculpté, palmiers : une image touristique de **Tahiti**.*

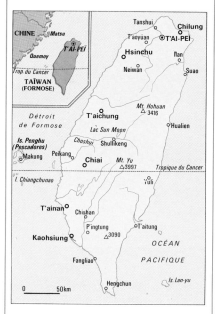

Taiwan.

*Habile politicien, **Talleyrand** fut surnommé « le Diable boiteux ».*

*Jeunes **tambours** membres d'une clique danoise.*

talion n. m. Punition en rapport à un dommage. ◇ *Loi du talion :* code selon lequel on inflige à un coupable le châtiment correspondant au tort qu'il a commis (« œil pour œil, dent pour dent »).

talisman n. m. Objet sur lequel sont gravés des signes consacrés, auquel on attribue des vertus magiques. Synonymes : *porte-bonheur, amulette, grigri*. (Voir superstition.)

talkie-walkie → walkie-talkie

talle n. f. Tige secondaire qui se développe au pied de la tige principale. ◆ **tallage** n. m. Émission de talles, notamment au printemps, par les céréales.

10 221 **Talleyrand-Périgord** Charles Maurice DE, homme politique français (1754-
10 226 1838). Évêque avant 1789, il soutint les débuts de la Révolution. Ministre des Relations extérieures de 1797 à 1807. Ayant trahi Napoléon, il représenta la France au congrès de Vienne.

Tallien Jean-Lambert, homme politique français (1767-1820). Député montagnard, il contribua à la réaction thermidorienne sous l'influence de sa femme, Mme Tallien, qui fut surnommée *Notre-Dame de Thermidor.*

12 2642 **Talmud.** D'un mot hébreu *(étude).* Ensemble des commentaires sur la loi mosaïque qui fixe l'enseignement des grandes écoles rabbiniques (IIe au VIe s.). Ouvrage essentiel du judaïsme*.

talweg (ou **thalweg**) n. m. Ligne imaginaire joignant les points les plus bas d'une vallée. Dans une vallée drainée, le talweg est le lit du cours d'eau.

tamanoir n. m. Le plus grand des fourmiliers, à pelage sombre et blanc, long de 130 cm avec une queue de 90 cm. Il habite l'ouest de l'Amérique du Sud et se nourrit de termites.

10 2211 **tamarinier** n. m. Grand arbre (20 à 25 m de haut) cultivé dans les régions chaudes pour son ombrage, ses fruits. ◆ **tamarin** n. m. Fruit du tamarinier, aux propriétés laxatives.

tamaris n. m. Arbre ou arbuste à fleurs roses ou blanches et à feuilles en écailles. Le tamaris est commun sur les côtes et ornemental dans les jardins.

2 263 **tambour** n. m. 1 – MUS Instrument de musique à percussion composé d'une caisse cylindrique tendue de peau sur ses deux fonds. On frappe l'un des fonds avec deux baguettes pour le faire résonner. *Un roulement de tambour.* ◇ Personne qui bat du tambour.

2 338 **tambour** n. m. 2 – TECH Pièce cylindri-
3 595 que tournante sur laquelle s'enroule un câble, une feuille de papier. ◇ Pièce cylindrique creuse contre laquelle viennent s'appliquer les garnitures d'un frein*.

Tamerlan ou **Tīmūr Lang,** chef turc (1336-1405). Vainqueur des Mongols (1363), de l'Iran (1381-1387), des Tatars (1387-1396) et des Ottomans (1402), il édifia un empire éphémère qui s'étendit de l'Inde à la mer Noire.

Tamils → Tamouls

tamis n. m. Instrument pour trier le sable, la farine. Il est muni d'un grillage ou d'une tôle perforée de trous de même grosseur. ◆ **tamisage** n. m. Action de faire passer par un tamis.

Tamise (en anglais, *Thames*). Fleuve anglais. 336 km. Il passe à Oxford, Londres et se jette dans la mer du Nord par un large estuaire. Trafic fluvial intense ; vallée très industrialisée.

Tamouls ou **Tamils** (les). Peuple mélano-indien de l'Inde du Sud-Est et du Sri Lanka qui parle le *tamoul* (langue non indo-européenne).

tam-tam n. m. Gong* chinois en bronze martelé. ◇ Tambour à cylindre en bois en usage chez les peuples d'Afrique noire. *Le son des tam-tams de brousse.*

Tanagra. Village de Grèce où de fines statuettes de terre cuite (IVe-IIIe s. av. J.-C.) furent découvertes dans des nécropoles (fin XIXe s.). ◆ **tanagra** n. m. Figurine de terre cuite.

Tananarive → Antananarivo

tanche n. f. Poisson d'eau douce européen, comestible (famille des cyprinidés). La tanche vit sur les fonds vaseux des étangs.

Tang ou **T'ang.** Dynastie qui régna en Chine de 618 à 907. Stabilité, prospérité, tolérance religieuse et bel essor artistique marquèrent cette période.

Tanganyika (lac). Grand lac navigable d'Afrique orientale. 31 900 km². Long de 650 km, situé à 782 m d'altitude, il a une profondeur maximale de 1 435 m.

tangente n. f. Droite n'ayant qu'un seul point commun avec une courbe (position limite d'une sécante). ◇ *Tangente d'un angle du triangle rectangle :* rapport du côté opposé au côté adjacent.

Tanger. Port du Maroc, sur le détroit de Gibraltar. 188 000 hab. Sa situation géographique explique qu'elle fut souvent occupée par des puissances commerciales. ◇ Ville internationale de 1923 à 1956. Port franc depuis 1962.

tango n. m. Danse d'origine argentine, sur un rythme plutôt lent à deux temps. ◇ Air sur lequel s'exécute cette danse.

tanière n. f. Caverne ; lieu souterrain qui sert de refuge aux bêtes sauvages. ◇ Habitation retirée. Logis misérable.

tanin (ou **tannin**) n. m. Substance contenue dans l'écorce de certains arbres (chêne, châtaignier) et utilisée pour le tannage* des peaux.

Tamerlan se proclama l'héritier et le continuateur de Gengis khan.

*Le paisible cours de la **Tamise** près d'Oxford.*

*Joueurs de **tam-tam** à Sri Lanka.*

*Finesse et élégance d'une statuette de **Tanagra**.*

tank n. m. Citerne d'un pétrolier. ◇ Nom donné par les Anglais à partir de la guerre de 1914-1918 aux chars de combat, aux blindés.

tanker n. m. Mot anglais désignant un navire-citerne aménagé pour le transport des combustibles liquides : pétrole, gaz naturel liquéfié. Préférer les termes *pétrolier, butanier, méthanier...*

tannage n. m. Opération qui consiste à transformer les peaux en cuir, en les rendant imperméables et imputrescibles à l'aide de tanins*. ◆ **tanneur** n. m. Personne qui effectue le tannage des peaux. ◆ **tannerie** n. f. Lieu où l'on tanne les peaux.

Tanner Alain, metteur en scène de cinéma suisse (né en 1929). Ses films mêlent l'humour à la description d'une grisaille quotidienne aliénante : *Charles mort ou vif* (1969), *la Salamandre* (1971), *Retour d'Afrique* (1972)...

tantale n. m. 1 − ZOOL Nom donné à deux genres de grandes cigognes d'Amérique, d'Afrique et d'Asie, aux rémiges* et à la queue noires.

tantale n. m. 2 − CHIM Métal blanc argent, brillant, dur, réfractaire. Symbole *Ta*. Il est utilisé dans la fabrication de composants électroniques et pour les implants chirurgicaux.

Tantale. Roi légendaire de Lydie. Pour avoir servi son fils en festin aux dieux, il fut condamné à subir dans les Enfers la soif et la faim perpétuelles au milieu d'eaux fuyant ses lèvres et d'arbres dont les fruits se dérobaient à sa main. D'où l'expression : *supplice de Tantale.*

tantrisme n. m. Ensemble de doctrines et de rites appartenant soit à l'hindouisme*, soit au bouddhisme* et dont les textes canoniques (les *tantras*) exposent le culte de la Çakti, qui est l'aspect féminin de Çiva.

Tanzanie (république unie de). État fédéral d'Afrique orientale.

superficie :	945 087 km²
population :	18 510 000 hab. *(Tanzaniens)*
capitale :	Dar es-Salaam
monnaie :	le shilling tanzanien
code international :	EAT

La partie continentale est un ensemble de hauts plateaux coupés de fossés d'effondrement et dominés par des volcans (pic Uhuru). Climat tropical aride à l'intérieur. Population (Bantous*) concentrée dans la plaine côtière (où se trouve Dar es-Salaam) et dans la partie insulaire (Zanzibar, Pemba). ◇ Regroupés en villages communautaires autogérés, les paysans (85 % des actifs) produisent mil, sorgho, manioc pour la consommation et, pour l'exportation, coton, café, sisal et clous de girofle (monopole presque mondial). Peu de mines et d'industries. La Tanzanie importe deux fois et demie plus qu'elle n'exporte. ◇ Ancienne possession britannique, le pays fut indépendant en 1961. Il fusionna avec Zanzibar et Pemba (1964) et prit le nom de Tanzanie. En 1965, J. Nyerere instaura un régime socialiste.

6 1361
12 2645
14 3268
taoïsme n. m. Religion populaire chinoise. Fondé par le philosophe Lao-tseu (VIe s. av. J.-C.), le taoïsme mêle la libération mystique de l'individu au culte des ancêtres, à celui des esprits et à des croyances diverses.

6 1367
7 1451
taon n. m. Genre d'insectes diptères, de la taille d'une grosse mouche. La femelle pique les mammifères (dont l'Homme) pour sucer leur sang.

tapir n. m. Mammifère herbivore et frugivore de Malaisie et d'Amérique tropicale. Sa tête est prolongée par une courte trompe mobile.

tapis n. m. Pièce d'étoffe épaisse, de forme régulière, destinée à être étendue sur le sol, à des fins décoratives. ◆ **tapissier** n. m. Personne qui fait des tapisseries*. Personne qui s'occupe de décoration intérieure.

1 55
9 1996
tapisserie n. f. Tissu d'art réalisé à la main à l'aide d'un métier à tisser. Sur ce métier, des fils de laine, de soie, qui ont des teintes différentes, sont entrelacés au moyen d'une navette. De nos jours, une tapisserie reproduit presque toujours un dessin en couleurs représenté sur un carton, sorte de maquette fournie par l'artiste ou peintre-cartonnier. *Tapisseries des Gobelins* (haute lice), *d'Aubusson* (basse lice).

tarasque n. f. Monstre légendaire dont sainte Marthe aurait délivré la ville de Tarascon. La représentation de ce dragon fait partie du folklore provençal.

11 2500
Tarbes (65000). Chef-lieu des Hautes-Pyrénées, sur l'Adour. 54 055 hab. *(Tarbais)*. Industries électriques, aéronautiques. ◇ Capitale de la Bigorre. Cathédrale romane et gothique.

tare n. f. 1 – PHYS Masse placée sur l'un des plateaux d'une balance lors de la pesée d'un objet posé sur l'autre plateau.

tare n. f. 2 – MÉD Anomalie physique ou psychique diminuant les capacités fonctionnelles d'un organisme, la résistance aux maladies. *Tare héréditaire.*

tarentelle n. f. Danse populaire du sud de l'Italie, au rythme vif et rapide. ◇ La musique de cette danse.

4 845
tarentule n. f. Grosse araignée, appelée également *araignée-loup,* commune en Europe méridionale.

tarière n. f. Appendice sexuel abdominal porté par les femelles de certains insectes et servant à introduire les œufs dans le milieu de ponte.

tarif n. m. Tableau indiquant le prix de certaines marchandises, le montant de

La **Tanzanie.**

Les **tapirs** peuvent atteindre 2 m de long et peser 300 kg.

Tapisserie à semis de fleurs et de petits animaux.

Figure d'un jeu de **tarot** du XVIIIe siècle.

certains droits, de certains services. ◇ Prix, montant indiqué sur un tel tableau. ◆ **tarification** n. f. Action de fixer le prix de certains travaux.

Tarn (le). Rivière de France, affluent rive droite de la Garonne. 375 km. Né au sud du mont Lozère, le Tarn creuse des gorges profondes dans les Causses.
11 2500

Tarn (81). Département de la région Midi-Pyrénées, dans le sud-ouest de la France. 5 758 km² ; 339 345 hab. Chef-lieu : Albi. Sous-préfecture : Castres. ◇ L'Est appartient au sud-ouest du Massif central (Ségala, Montagne Noire) et pratique l'élevage bovin et ovin (fromage). L'Ouest, partie du Bassin aquitain, se consacre à une polyculture où domine le blé. Les industries sont en difficulté (travail des peaux à Mazamet, textile à Castres).
11 2500

Tarn-et-Garonne (82). Département de la région Midi-Pyrénées. 3 718 km² ; 190 485 hab. Chef-lieu : Montauban. Sous-préfecture : Castelsarrasin. ◇ Région agricole. Le bas Quercy, à l'est, pratique l'élevage et la polyculture. La Lomagne, à l'ouest, cultive du blé. La partie vitale est la vallée de la Garonne (où conflue le Tarn), riche plaine alluviale : blé, maïs, légumes, fruits (prunes, pommes, pêches, raisins).
11 2500

tarot n. m. (ou tarots n. m. pl.) Jeu de 78 cartes* de grand format, utilisé pour jouer et en cartomancie.

Tarpéienne (roche). Crête rocheuse, au sud-ouest du Capitole, à Rome. Sous la République, les condamnés à mort y étaient précipités dans le vide.

Tarquin l'Ancien, cinquième roi de Rome selon la tradition (v. 616-v. 579 av. J.-C.). D'origine étrusque ou grecque, il combattit les Latins et les Sabins et fit bâtir, à Rome, le Forum, le Cirque, les égouts (Cloaca maxima).
3 586

Tarquin le Superbe, septième et dernier roi de Rome (v. 534-v. 509 av. J.-C.). Sa tyrannie dressa contre lui les nobles romains, qui soulevèrent le peuple. Ils l'exilèrent et fondèrent la République.
3 587

tarse n. m. 1 – ANAT Massif osseux formant la partie postérieure du pied de l'Homme et des pattes des mammifères. Sur la partie postérieure se trouvent l'astragale et le calcanéum, sur la rangée antérieure cinq os juxtaposés.
2 328

tarse n. m. 2 – ZOOL Dernier segment de la patte des insectes, composé de plusieurs articles (5 au maximum).
1 144

tarsiens n. m. pl. Sous-ordre de primates très nombreux à l'ère tertiaire. Le *tarsier*, petit primate aux mœurs nocturnes, arboricole d'Asie, aux très grands yeux, aux pattes postérieures adaptées au saut, est l'unique représentant actuel des tarsiens.
1 144
5 1106

Tartares → Tatars

tartre n. m. Dépôt solide laissé par le vin dans les tonneaux. ◇ Calcaire déposé par l'eau dans les chaudières, les canalisations, les casseroles... ◇ Dépôt jaunâtre sur les dents, que l'on enlève par *détartrage*.

1 80
10 2296
10 2380

Tarzan. Héros créé par le romancier E.R. Burroughs (1914). Le cinéma puis la bande dessinée (1927) popularisèrent ses exploits de justicier de la jungle.

Tasman Abel Janszoon, navigateur hollandais (1603-1659). Il découvrit en 1642 l'île qui porte son nom (la Tasmanie) et la Nouvelle-Zélande.

2 335

Tasman (mer de). Mer bordière de l'océan Pacifique, séparant la Tasmanie et la côte est de l'Australie et de la Nouvelle-Zélande.

2 335

Tasmanie. État insulaire d'Australie, au sud-est de celle-ci. 68 000 km² ; 403 000 hab. Capitale : Hobart. Climat tempéré. Élevage (bovins, ovins) ; cultures fruitières. ◇ Découverte en 1642 par le Hollandais Tasman.

Tasse (Torquato TASSO, en français **le**), poète italien (1544-1595). Sa *Jérusalem délivrée* (1575, publiée en 1581) est un chef-d'œuvre de la poésie épique.

6 1381

tassili n. m. Grand plateau gréseux, au Sahara. Les peintures rupestres du tassili des Ajjer, dans le Hoggar (6000 à 500 av. J.-C.), sont célèbres.

9 1949

Tatars (les). Population non slave, la plus nombreuse d'URSS (en 1970, 5 931 000 personnes). D'origine turque ou mongole (longtemps appelés *Tatares*), ils vivent surtout sur la moyenne Volga (république des Tatars).

Tati Jacques (Jacques TATISCHEFF, *dit*), cinéaste et acteur français (1907-1982). Ses effets comiques sont fondés sur l'observation de la vie quotidienne : *les Vacances de M. Hulot* (1953)...

5 1197

tatou n. m. Nom courant de divers mammifères insectivores pourvus d'une carapace osseuse en plaques dont le dos peut comporter de 3 à 11 bandes, selon l'espèce.

4 959
13 2972

tatouage n. m. Dessin indélébile imprimé sur le corps (par piqûre, scarification*, brûlure...). Pratique ancienne, encore en vigueur chez certains peuples et chez les soldats, marins...

12 2792
12 2794

Tatras ou **Tatry** (les). Massif montagneux le plus élevé des Carpates* et situé à l'ouest de la chaîne (2 663 m), aux confins de la Tchécoslovaquie et de la Pologne.

Tatum Arthur (*dit* **Art**), pianiste de jazz américain (1910-1956). Il a marqué l'histoire du jazz par ses qualités de virtuose et d'improvisateur.

1 153
9 1944
10 2235

taupe n. f. Petit mammifère insectivore, au pelage brun. La taupe vit dans des galeries souterraines qu'elle creuse avec

Jacques **Tati** dans Mon oncle, qu'il réalisa en 1958.

Le **tatou** à 9 bandes creuse un terrier profond de 3,50 m.

Un tel **tatouage** transforme l'individu en fresque vivante.

La **taupe**, en creusant ses galeries, dévaste les jardins.

ses pattes antérieures fouisseuses. Chassée par les jardiniers alors qu'elle détruit beaucoup d'insectes nuisibles.

taureau n. m. Nom du bovin mâle, par opposition au bœuf, mâle castré. De nombreuses races sont élevées pour la reproduction, les courses de taureaux...

1 236
12 2807

Taureau (constellation du). Groupement d'étoiles contenant les Pléiades*. Une des 12 constellations servant à repérer le zodiaque*.

1 105
13 3103

tauromachie n. f. Art de combattre les taureaux dans une arène*. Cet art, codifié en Espagne au XVIIIe s. (corrida*), est pratiqué par un matador* assisté de toreros, de picadors et de banderilleros. Le taureau, provoqué, doit devenir furieux. Alors seulement le matador, l'excitant une dernière fois avec sa *muleta* (étoffe rouge), peut le tuer d'un coup d'épée entre les épaules.

Taurus. Chaîne montagneuse de Turquie, bordant la Méditerranée sur la côte méridionale (3 734 m à l'Ala Dag). L'Anti-Taurus la prolonge au nord-est.

12 2661

taux n. m. Dans un calcul d'intérêts, valeur de l'intérêt annuel pour 100 F (s'exprime en pourcentage). ◇ *Taux de croissance :* pourcentage exprimant l'accroissement de l'activité économique d'un pays. ◇ *Taux de change :* rapport de convertibilité entre les monnaies. *Taux d'escompte :* taux d'intérêt pratiqué par les organismes de crédit.

taxe n. f. Prix fixé par l'autorité publique pour des marchandises, pour certains services... ◇ Imposition frappant l'usager d'un service public ; redevance*. ◇ Contribution, impôt. *Taxes municipales* (au profit des communes). TVA*. ◆ **détaxe** n. f. Diminution, suppression d'une taxe. ◆ **surtaxe** n. f. Majoration d'une taxe, taxe supplémentaire. (Voir impôt, contribution, fisc.)

taxi n. m. Voiture conduite par un chauffeur professionnel et que l'usager loue pour des trajets plutôt courts. ◆ **taximètre** n. m. Compteur indiquant le prix d'une course en taxi en fonction du temps et de la distance parcourue.

1 239

taxidermie n. f. Art de traiter et préparer les animaux morts pour leur donner l'apparence de la vie. Synonymes : *naturalisation, empaillage.*

Taylor Brook, mathématicien anglais (1685-1731). Le développement d'une fonction en série* de Taylor permet de calculer certaines valeurs.

Taylor Frederick Winslow, ingénieur et économiste américain (1856-1915). ◆ **taylorisme** n. m. Ensemble de méthodes d'organisation et de rationalisation du travail en usine, dues à Taylor.

Tazieff Haroun, géologue français (né en 1914). Auteur d'ouvrages scientifiques et réalisateur de documentaires sur sa spécialité : les volcans. Nommé secrétaire d'État à la Prévention des

1 6

risques naturels et technologiques majeurs en juillet 1984 (gouvernement de Laurent Fabius).

9 2028 **Tbilissi** (ancienne *Tiflis*). Ville d'URSS, capitale de la Géorgie. 1 042 000 hab. ◇ Fondée au IVᵉ-Vᵉ s. ; conquise par les Russes en 1801. Cathédrale du VIᵉ s.

10 2230 **Tchad** (lac). Grand lac d'Afrique centrale. États riverains : Nigeria, Niger, Cameroun, Tchad. Superficie variable (10 000 à 25 000 km²). Pêche.

8 1912
14 3278 **Tchad** (république du). État d'Afrique centrale, riverain du lac Tchad.

superficie :	1 284 000 km²
population :	4 310 000 hab. *(Tchadiens)*
capitale :	N'Djamena (autrefois Fort-Lamy)
monnaie :	le franc CFA
code international :	non communiqué

Pays s'étendant sur la cuvette du Tchad, bordé au nord et à l'est de massifs montagneux. Climat désertique au nord (Sahara), tropical sec au centre, plus humide au sud. ◇ Population formée de deux groupes rivaux : au nord, ethnies arabisées (islam), pasteurs semi-nomades vivant de l'élevage ; au sud, Noirs animistes ou chrétiens, sédentaires et cultivateurs. État parmi les plus pauvres d'Afrique. ◇ Influence arabe forte dans le Nord dès le XIᵉ s. Colonisation française fin XIXᵉ s. L'indépendance est acquise en 1960. Tombalbaye, président de 1960 à 1975, malgré l'aide militaire française, ne put réduire la rébellion des tribus du Nord. Depuis 1980, de violents conflits secouent le pays, partiellement occupé par des troupes libyennes.

11 2571 **Tchaïkovski** Petr Ilitch, compositeur russe (1840-1893). Ses célèbres ballets symphoniques (*le Lac des cygnes, Casse-Noisette*), son *Concerto nº 1 pour piano*, ses six symphonies, ses opéras... témoignent d'une sorte de génie lyrique, parfois un peu facile...

Tchang Kaï-chek → Chang Kaï-chek

11 2483
12 2794 **Tchécoslovaquie** (république socialiste de). État d'Europe centrale.

superficie :	127 869 km²
population :	15 150 000 hab. *(Tchécoslovaques)*
capitale :	Prague
monnaie :	la couronne tchécoslovaque
code international :	CS

Trois grandes régions : à l'ouest, la Bohême (plateau drainé par l'Elbe) ; au centre, le sillon de Moravie (collines et plaines) ; à l'est, la Slovaquie (Carpates occidentales). Climat continental. État fédéral (États tchèque, groupant la Bohême et la Moravie, et slovaque) peuplé de Slaves, Tchèques fixés dans le premier État et Slovaques fixés en Slovaquie (langue différente). Niveau de vie le plus élevé (avec la RDA) au sein des démocraties populaires. ◇ Économie socialiste. Agriculture intensive, presque entièrement collectivisée (ne couvre pas les besoins nationaux) : céréales, pomme de terre, betterave sucrière. Éle-

Haroun **Tazieff** *(accroupi, à droite) et son équipe, sur le volcan Erebus.*

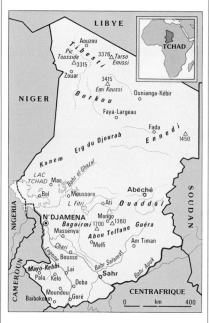

Le **Tchad.**

Une vue de Český Krumlov, en **Tchécoslovaquie.**

La **Tchécoslovaquie.**

vage bovin et porcin. Ressources minières variées (charbon, lignite, fer, argent...), tôt exploitées. Industrie diversifiée. Secteurs forts : sidérurgie, métallurgie de transformation, chimie, textile, alimentation. ◇ En 1918 (démembrement de l'empire des Habsbourg) est créée la république de Tchécoslovaquie (réunion de la Bohême et de la Slovaquie). La présence d'une forte minorité allemande dans les Sudètes* sert les buts de Hitler, qui occupe la région en 1938, après les accords de Munich, puis, de 1939 à 1945, la totalité du pays. En 1948, victoire communiste. Avec Dubček, en 1968, le régime se libéralise : c'est le « printemps de Prague » auquel Moscou met fin (intervention militaire).

Tchekhov Anton Pavlovitch, écrivain russe (1860-1904). Le caractère insipide et triste de la vie des « petites gens » est le thème principal de ses nombreuses nouvelles (*la Maison à mezzanine*, 1896) et de ses pièces de théâtre (*Ivanov*, 1887 ; *la Mouette*, 1896 ; *Oncle Vania*, 1897 ; *la Cerisaie*, 1903).

Tcheou (les). Dynastie royale chinoise (1111-249 av. J.-C.). Durant cette période, la féodalité atteignit son apogée puis s'effondra. La civilisation des Tcheou perpétua celle des Chang.

Tcherenkov Pavel Alekseïevitch, physicien soviétique (né en 1904). Il a étudié les ondes émises par une particule rapide. Prix Nobel de physique en 1958.

Tebaldi Renata, cantatrice italienne (née en 1922). Soprano au timbre admirable, elle s'est imposée par ses interprétations de Puccini et de Verdi.

technique n. f. Procédé utilisé pour fabriquer des objets, pour façonner une matière : *technique de tissage de tapis, technique de la pierre taillée...* ◇ Application de connaissances scientifiques pour produire industriellement des biens et des produits utilitaires : *technique aéronautique...* ◇ Les techniques se sont prodigieusement développées à partir du XIXᵉ s. grâce à l'emploi généralisé de la machine à vapeur. Ce développement s'est poursuivi au XXᵉ s., grâce à l'électricité, à l'électronique puis à l'informatique. ◆ **technicien** n. m. Personne spécialisée dans une technique : *technicien en électronique.*

1 160
2 322
6 1254
9 2094
10 2353
11 2440
12 2785

technocratie n. f. Pouvoir, influence des *technocrates*, techniciens qui, en raison de leurs compétences techniques, imposent leur pouvoir aussi bien dans le domaine industriel et économique que dans le domaine politique et social.

technologie n. f. Étude des outils, des méthodes et des matériaux de construction utilisés dans les diverses branches de l'industrie. ◇ Ensemble des règles d'utilisation de ces matériaux. ◇ Technique particulièrement complexe : *technologie nucléaire, spatiale...*

4 889
9 2096
10 2353

teck (ou tek) n. m. Bois rouge-brun dur, dense, imputrescible, tiré d'arbres

5 1165

d'Asie du Sud-Est (famille des verbénacées). Utilisé en ébénisterie et pour la construction des bateaux.

4 938
14 3194
tectonique n. f. Étude de la structure acquise par les roches et les couches de terrain après leur formation, par suite des mouvements subis par l'écorce terrestre. ◇ Par extension, l'ensemble de ces mouvements.

2 242
tectrice n. f. Nom donné aux plumes recouvrant le corps des oiseaux et formant la partie antérieure des ailes.

Te Deum n. m. Hymne d'action de grâces de la liturgie catholique. ◇ Composition musicale sur les paroles latines de cette hymne. Le « Te Deum » de Charpentier, de Verdi.

8 1763
Tegucigalpa. Capitale du Honduras, dans le sud montagneux du pays (à 1 000 m d'altitude). 274 000 hab. Cette ville a détrôné Comayagua comme capitale en 1880.

tégument n. m. 1. ANAT Ensemble des tissus protecteurs constituant le revêtement externe du corps d'un animal. La peau des vertébrés est un tégument. ◇ 2. BOT Enveloppe protectrice d'un ovule, d'une graine.

11 2541
Téhéran. Capitale de l'Iran, sur le versant sud de l'Elbourz, à 1 150 m d'altitude. 4 496 000 hab. Peu d'industries. ◇ Capitale de la Perse depuis 1788, elle comptait 200 000 habitants en 1922. Son développement fut lié à la politique centralisatrice de Reza shah Pahlavi*, après 1925.

3 591
teigne n. f. ◇ 1. ZOOL Genre de papillons de petite taille, de couleurs ternes, dont les chenilles, très nuisibles, se nourrissent de matières animales ou végétales. Teigne de la farine. Teigne domestique ou mite*. ◇ 2. MÉD Dermatose du cuir chevelu due à des champignons et pouvant entraîner la chute des cheveux.

Teilhard de Chardin Pierre, théologien, philosophe et paléontologue français (1881-1955). Formé par les jésuites, il fit en Chine des fouilles qui le poussèrent à concilier évolutionnisme* et religion.

7 1505
teinture n. f. Action de teindre, d'imprégner d'une matière colorante. ◇ Cette matière. ◆ **teinturier** n. m. Commerçant qui se charge de nettoyer les vêtements ou de les teindre. ◆ **teinturerie** n. f. Industrie de la teinture. Magasin du teinturier.

tek → **teck**

12 2733
Tel-Aviv. Principale ville et métropole économique d'Israël, sur la côte méditerranéenne. 800 000 hab. avec Jaffa. ◇ Fondée en 1909, elle a été le centre d'accueil de l'immigration juive.

télécommande n. f. Commande à distance du fonctionnement d'un appareil,

Usine de **teinture** de la laine.

Tel-Aviv, fondée en 1909, a été le port d'immigration en Palestine.

Pleumeur-Bodou, en Bretagne, est un centre de **télécommunications** spatiales.

« Chasse » photographique au **téléobjectif.**

d'un modèle réduit d'avion, de bateau, d'auto. ◇ Mécanisme (souvent émetteur d'ondes radio) effectuant cette action.

9 2059
12 2698
télécommunication n. f. Toute transmission, émission ou réception de signes, de signaux, d'écrits, d'images, de sons ou de renseignements de toute nature, par fil, radioélectricité, optique ou autres systèmes électromagnétiques (d'après l'Union internationale des télécommunications, UIT). Plus simplement, c'est l'ensemble des moyens de communication à distance. Pour transmettre la parole, on utilise le téléphone* ; pour des écrits, le télégraphe* ou le télex* ; pour des programmes radiophoniques ou de télévision, les radiocommunications. Les télécommunications utilisent aussi l'informatique (téléinformatique, télématique*).

9 2059
télégraphie n. f. Transmission de messages écrits à distance. La télégraphie sans fil (TSF*) utilise les propriétés des ondes électromagnétiques pour transmettre des messages sonores. ◆ **télégraphe** n. m. Appareil permettant de transmettre rapidement à distance des messages écrits. ◆ **télégramme** n. m. Texte écrit transmis par télégraphie.

téléguidage n. m. Guidage à distance d'un missile, d'un modèle réduit de bateau, d'avion, effectué en manœuvrant par télécommande* ses organes de direction.

Telemann Georg Philipp, compositeur allemand (1681-1767). Il a abordé tous les genres, faisant preuve surtout d'invention mélodique : concertos pour trompettes, suites, sonates...

Télémaque. Héros de la mythologie grecque. Fils d'Ulysse et de Pénélope, il partit à la recherche de son père puis l'aida à s'affirmer roi d'Ithaque.

télématique n. f. Ensemble des moyens de communication qui combinent l'emploi des réseaux de télécommunications (téléphone, télévision) avec celui de l'informatique (ordinateur).

télémètre n. m. Instrument utilisé pour mesurer la distance d'un point éloigné par un procédé optique ou radioélectrique. Les radars* sont des télémètres.

3 644
téléobjectif n. m. Objectif* photographique de grande distance focale et de faible ouverture, utilisé pour photographier des objets souvent très éloignés.

téléostéens n. m. pl. Super-ordre de poissons osseux dont le squelette est entièrement ossifié. Il comprend la plupart des poissons actuels : anguille, saumon, lotte, morue, perche, gardon, thon...

télépathie n. f. Phénomène de communication à distance par la pensée entre des personnes. Synonyme : transmission de pensée. La télépathie est étudiée dans le cadre de la parapsychologie*.

1 239
11 2410

téléphérique n. m. Moyen de transport utilisé en montagne pour monter sur un sommet. Il se compose de deux cabines suspendues à des câbles aériens et qui se déplacent en sens inverse : quand l'une monte, l'autre descend.

5 1187
9 2059
12 2699
13 3049

téléphone n. m. Ensemble des dispositifs permettant de transmettre le son, d'échanger une conversation entre deux personnes éloignées l'une de l'autre. Un poste téléphonique comprend un microphone* vibrant au son de la voix, un écouteur* reconstituant les vibrations ainsi qu'un système (clavier, cadran) permettant de composer les numéros d'appel. ◇ C'est en 1876 que l'Américain G. Bell* mit au point le premier appareil transportant la voix humaine à travers une ligne électrique.

3 641
5 989
8 1880
13 3048
13 3100
14 3264

télescope n. m. Instrument d'observation utilisé en astronomie*. Il comporte un miroir concave qui concentre la lumière en son foyer* et joue le rôle d'objectif*. Actuellement, le plus grand télescope du monde est en URSS, à Zelentchoukskaïa, dans le Caucase ; le diamètre de son miroir est de 6 mètres.

12 2703

téléscripteur n. m. Machine à écrire sur laquelle s'inscrivent des textes envoyés par des correspondants éloignés : cours de la Bourse, dépêches d'agences de presse, informations météo...

télésiège n. m. Remonte-pente* comportant un siège suspendu à un câble unique sans fin et sur lequel peuvent s'asseoir de une à trois personnes.

téléski n. m. Appareil (remonte-pente) utilisé par les skieurs pour monter en haut des pistes. Il est muni de perches attachées à un câble mobile.

5 1187
7 1657
10 2204

télévision n. f. Transmission à distance d'images d'objets fixes ou animés et du son les accompagnant. On transforme les images optiques en signaux électriques que l'on reconvertit ensuite en images visuelles. ◆ **téléviseur** n. m. Appareil récepteur de télévision. Il comporte un *canon à électrons** qui émet des électrons suivant le signal de l'antenne, un *écran* fluorescent plus ou moins lumineux selon le nombre d'électrons reçus, un *système de déviation* qui agit sur le faisceau d'électrons de telle sorte qu'il balaie l'écran 25 fois par seconde et qu'il décrive 625 lignes horizontales. Par suite de la persistance des impressions lumineuses sur la rétine, on voit l'ensemble des positions du spot qui forme l'image. Un téléviseur couleur reconstitue la couleur à partir du vert, du rouge et du bleu. Il y a 3 canons à électrons et chaque point de l'écran est formé de 3 pastilles émettant de la lumière rouge, verte ou bleue.

9 2059
12 2703

télex n. m. Système de transmission de textes par un réseau analogue au réseau téléphonique. Le texte à transmettre est tapé sur une machine à écrire. Il s'inscrit à l'autre bout de la ligne sur une autre machine à écrire.

*Cabine de passagers d'un **téléphérique** de montagne.*

*Newton a réalisé le premier **télescope** en 1671.*

*Fabrication de postes de **télévision** au Brésil.*

***Temple** d'Hephaïstos, dit Théséion (Vᵉ s. av. J.-C.), à Athènes.*

Tell (Guillaume) → Guillaume Tell

12 2702

Telstar. Satellite artificiel de télécommunication lancé le 10 juillet 1962. Il permit la première retransmission télévisée en direct entre Pleumeur-Bodou* (France) et Andover (États-Unis).

témoignage n. m. Déposition, relation d'un fait, d'un événement par une personne pour éclairer la justice. ◆ **témoin** n. m. Personne qui a vu ou entendu quelque chose. ◇ Personne qui atteste l'exactitude de certains actes. ◇ Bâtonnet que les coureurs se transmettent en course de relais*.

2 430

température n. f. Grandeur physique permettant d'apprécier la sensation de chaud ou de froid : un objet est plus chaud qu'un autre si sa température est plus élevée. La température traduit l'agitation thermique de la matière : les particules constituant un objet chaud sont très agitées, celles d'un objet froid sont peu agitées. La température est mesurée par un thermomètre* gradué en général en degrés Celsius (ºC). Dans le système international, l'unité légale de température est le kelvin* (température absolue), tel que − 273 ºC = 0 K.

tempête n. f. Violente perturbation atmosphérique, sur terre ou sur mer : vent fort, souvent accompagné de pluie.

1 128
2 440
4 874

temple n. m. Édifice consacré au culte d'une divinité. *Le temple de Jupiter.* ◇ Édifice consacré au culte protestant. ◇ *Le Temple :* édifice religieux construit au VIᵉ s. av. J.-C. par Salomon à Jérusalem.

6 1401

Templiers (les). Ordre religieux et militaire des chevaliers de la milice du Temple. Créé en 1119 pour défendre les pèlerins en Terre sainte, il se replia en Occident après la perte de Jérusalem. Devenu riche et puissant, il fut persécuté par Philippe le Bel (1307-1314) et interdit par le pape Clément V (1312).

3 705
9 2040
14 3296

temps n. m. ◇ 1. MATH Grandeur physique mesurant la durée. *L'unité de temps est la seconde.* ◇ 2. LING Forme que prend la terminaison d'un verbe pour indiquer que l'action ou l'état exprimé par ce verbe est présent, passé ou futur : *il déjeune ; il déjeunait, il déjeuna ; il déjeunera.* ◇ 3. MUS Division de la mesure servant à régler le rythme. *Mesure à deux, à trois, à quatre temps.*

2 330

tendon n. m. Cordon fibreux, blanc et résistant par lequel un muscle est fixé à un os. ◆ **tendinite** n. f. Inflammation d'un tendon due à un rhumatisme ou à un traumatisme.

Tène (La). Site archéologique situé à l'extrémité orientale du lac de Neuchâtel, en Suisse. Ce lieu a donné son nom au second âge du fer (« civilisation de La Tène », de 450 à 50 av. J.-C.).

5 1045

Tenerife ou **Ténériffe.** La plus vaste des îles Canaries (Espagne). 2 352 km² ; 500 000 hab. Chef-lieu : Santa Cruz de Tenerife. Île volcanique. Tourisme.

9 2103 **ténia** (ou **tænia**) n. m. Nom d'un genre de vers plats (plathelminthes*), parasites de l'Homme et des vertébrés. Le ténia armé, ou ver solitaire, parasite l'Homme. Il mesure de 2 à 6 m de long ; sa tête *(scolex)* porte 4 ventouses et une double couronne de crochets.

1 63 **Tennessee** (le). Rivière des États-Unis, affluent rive gauche de l'Ohio, prenant sa source dans les Appalaches. 1 600 km. Son cours fut régularisé et rendu navigable par 27 barrages.

1 61 **Tennessee.** État du centre-est des États-Unis. 109 412 km² ; 3 924 000 hab. Capitale : Nashville. Ville principale : Memphis. Situé entre les Appalaches et le Mississippi, cet État, malgré le développement de l'industrie, reste à dominante agricole.

4 934 **tennis** n. m. Sport dérivé du jeu de paume dans lequel deux (pour le simple) ou quatre joueurs (pour le double) se renvoient à tour de rôle une balle, à l'aide de raquettes, par-dessus un filet. Le terrain, ou court, est un rectangle de 23,77 m de long et de 8,23 m (ou 10,97 m pour le double) de large, dont la surface est en gazon, en terre battue ou en matériaux synthétiques. Les parties se jouent en 2 ou 3 sets* gagnants.

tennis de table n. m. Sport dérivé du tennis, familièrement appelé *ping-pong*. Le court y est remplacé par une table de 2,74 m de long sur 1,52 m de large, située à 76 cm du sol. La balle est en celluloïd et la raquette est recouverte de mousse. La partie se joue en 2 ou 3 sets gagnants de 21 points minimum.

8 1725
8 1900 **Tenochtitlán.** Capitale des Aztèques, fondée en 1325, détruite en 1521 par Cortés. Sur son emplacement fut construite la ville de Mexico.

tenon n. m. Partie saillante d'une pièce de bois destinée à être enfoncée dans la partie creuse *(mortaise)* d'une autre pièce de bois pour les assembler entre elles.

ténor n. m. Voix d'homme la plus haute, c'est-à-dire la plus aiguë. ◇ Chanteur qui a cette voix. *Enrico Caruso fut un ténor célèbre.*

9 1989 **tension** n. f. 1 — MÉD Résistance qu'une paroi de l'organisme oppose aux liquides ou aux gaz contenus dans une cavité, un conduit. *Tension vasculaire. Hypertension* : augmentation de la tension. *Hypotension* : diminution de la tension.

3 594 **tension** n. f. 2 — PHYS Différence de potentiel* (d.d.p.) entre deux points d'un circuit électrique. Elle s'exprime en volts*. La *tension superficielle* est une grandeur utilisée pour expliquer les phénomènes de capillarité*.

tentacule n. m. Appendice mobile, plus ou moins long, formant l'organe tactile, préhensile et locomoteur des cœlentérés, céphalopodes...

*Le barrage de Norris, sur le **Tennessee.***

*Le joueur de **tennis** Yannick Noah.*

*L'allée des Morts et la pyramide du Soleil, à **Teotihuacán.***

*Une termitière-cathédrale de **termites** belliqueux en Haute-Volta.*

8 1725
8 1898
8 1901 **Teotihuacán.** Site archéologique, au nord-est de Mexico, qui donna son nom à une importante civilisation précolombienne (de 300 av. J.-C. à 650 ap. J.-C.). Nombreux monuments : les pyramides de la Lune et du Soleil, les temples de Quetzalcóatl...

térébenthine n. f. Résine* extraite de certains conifères et térébinthacées (pin maritime, sapin...). Sa distillation donne l'essence de térébenthine et un résidu, la colophane.

13 2964 **Térence** (Publius Terentius Afer, *dit*), poète comique latin (v. 190-159 av. J.-C.). Ses comédies (*l'Hécyre, Phormion, les Adelphes,* etc.) se caractérisent par leur finesse et leur élégance.

terme n. m. Mot, expression. *Le terme exact.* ◇ Tournure (au pluriel). *« Ah ! qu'en termes galants... »* (Molière). ◇ Mot d'un vocabulaire particulier. Un *terme technique.* ◇ Élément essentiel d'une phrase. *Le sujet et l'attribut sont les termes de la proposition.*

terminal n. m. Appareil relié à un ordinateur et placé généralement à distance. Il est équipé d'un clavier permettant d'envoyer à l'ordinateur les données à traiter et d'un écran ou d'une machine à écrire (imprimante) permettant de recevoir résultats et réponses.

6 1275
6 1340 **termite** n. m. Insecte social aux pièces buccales broyeuses. Les termites sont surtout abondants dans les pays chauds. Certains creusent des galeries dans le bois, d'autres édifient des nids protégés par un monticule *(termitière).*

terrain n. m. ◇ 1. GÉOL Ensemble de roches de même nature affleurant à la surface et constituant un relief. *Terrain argileux, accidenté...* ◇ 2. SP Lieu où se déroule une épreuve sportive. *Terrain de football.*

11 2474 **terrarium** n. m. Enceinte close, aménagée pour l'élevage et l'étude d'animaux terrestres (batraciens, reptiles, araignées...) dont on a reconstitué le milieu naturel.

terrasse n. f. ◇ 1. GÉO Dans une vallée, replat sur un versant correspondant à un ancien fond de vallée, avant la reprise de l'érosion par le cours d'eau. ◇ 2. TECH Levée de terre plane soutenue par un muret. ◇ 3. ARTS Surface horizontale d'un socle de statue.

1 1
2 265
10 2233
11 2428 **terre** n. f. ◇ 1. GÉOL Dans le langage courant, désigne la matière du sol* (au sens pédologique ou agronomique) ; des épithètes viennent généralement préciser sa nature, ses aspects, etc. : *terre calcaire, légère...* ◇ 2. GÉO Sol propice à une culture : *terre à blé.* ◇ 3. TECH Terme désignant des argiles utilisées par l'industrie : *terre réfractaire.*

5 1062
7 1670
11 2510 **Terre** n. f. Planète du système solaire située à 149,6 millions de kilomètres du Soleil, habitée par l'Homme. C'est une

boule légèrement aplatie (diamètre équatorial : 12 756 km, diamètre polaire : 12 713 km) qui tourne sur elle-même en 23 h 56 mn 4 s, entraînant la succession des jours et des nuits. Sa rotation autour du Soleil en 365 jours un quart est responsable des saisons et détermine la durée de l'année. La Terre s'est formée il y a environ 5 milliards d'années. Elle possède un seul satellite naturel : la Lune.

3 621
13 3006
Terre de Feu. Archipel prolongeant le sud de l'Amérique du Sud, dont il est séparé par le détroit de Magellan. Montagneux, au climat froid et humide, cet archipel est partagé entre le Chili et l'Argentine.

7 1477
Terre-Neuve. Province du Canada se composant de l'île de Terre-Neuve (112 300 km²) et du nord-est du Labrador*. 404 517 km² ; 557 700 hab. Capitale : Saint-Jean. Forêt et pêche active (morue, hareng, saumon). ◇ Les marins français *(terre-neuvas)* jouirent du privilège de la pêche sur la côte nord jusqu'en 1904.

9 2156
Terreur (la). Nom donné à deux périodes de la Révolution française. *La première Terreur :* massacres de septembre 1792 et arrestation du roi, provoqués par l'avance prussienne. *La seconde Terreur* (sept. 1793-juill. 1794) : période pendant laquelle le Comité de salut public fit condamner et souvent guillotiner de nombreux suspects (loi des suspects, mise en place du Tribunal révolutionnaire...).

Terreur blanche (la). Nom donné aux vengeances sanglantes des royalistes contre les révolutionnaires. La première Terreur blanche, en 1795, se développa surtout dans le Sud-Est. La seconde suivit la défaite de Waterloo (1815).

terrier n. m. Refuge, abri creusé par certains animaux (lapin, renard...) dans la terre. ◇ Chien du groupe des dogues chassant les animaux à terrier.

2 387
territoire n. m. ◇ 1. GÉO Étendue de terre occupée par un groupe humain. ◇ 2. DRT Étendue de terre dépendant d'une juridiction : État, commune... ◇ 3. ZOOL Zone qu'un animal ou un groupe d'animaux de même espèce se réservent, en interdisant son accès à leurs congénères. La surface de cette zone varie en fonction des besoins de l'espèce.

7 1476
Territoires du Nord-Ouest. Partie septentrionale du Canada située entre le Yukon et la mer du Labrador. 3 379 307 km² ; 42 600 hab. Chef-lieu : Yellowknife. Sous-sol riche (or, radium, uranium, pétrole).

terrorisme n. m. Ensemble d'actes de violence (attentats, enlèvements...) auxquels ont recours certaines organisations politiques pour prendre le pouvoir ou parvenir à leurs buts. ◇ Régime de violence établi par un gouvernement pour conserver ou exercer le pouvoir.

*La planète **Terre**.*

*Vue du port de Saint-Jean, la capitale de **Terre-Neuve**.*

*Village typique du canton suisse du **Tessin**.*

*Les **tests** ne sont qu'une des méthodes de la psychologie.*

tertiaire n. m. Ère géologique succédant au secondaire et précédant le quaternaire. Ayant débuté il y a 70 millions d'années, le tertiaire se caractérisa notamment par le développement des mammifères et des oiseaux et la formation des montagnes du cycle alpin.

tesla n. m. Unité de champ magnétique du système international. Symbole *T*. Il fut ainsi appelé en hommage aux travaux du physicien yougoslave Nikola Tesla (1857-1943).

Tessin. Canton de Suisse, sur le versant sud des Alpes, à la frontière italienne. 2 811 km² ; 263 500 hab. Chef-lieu : Bellinzona. ◇ Agriculture très développée, industries électrochimiques nées de l'hydro-électricité ; tourisme autour des lacs Majeur et de Lugano.
3 486

test n. m. 1 − ZOOL Enveloppe qui protège l'organisme de certains animaux (diatomées, oursins, etc.).
11 2633

test n. m. 2 − SOC Épreuve servant à évaluer les aptitudes intellectuelles ou physiques d'un individu ou à déterminer les caractéristiques de sa personnalité. *Tests d'orientation scolaire, professionnelle.* − MÉD Épreuve permettant d'évaluer les capacités fonctionnelles d'un organe ou d'un système d'organes ; appellation de divers examens biologiques ou de laboratoire.
12 2803

testament n. m. Acte par lequel une personne exprime ses dernières volontés et dispose des biens qu'elle laissera en mourant. *Testament authentique :* dicté à un notaire devant témoins*. *Testament olographe :* écrit, daté et signé par le testateur.

Testament (Ancien et Nouveau). Les deux parties de la Bible chrétienne. L'*Ancien Testament* correspond à la Bible juive, avec quelques différences, alors que le *Nouveau Testament* relate la vie du Christ (quatre *Évangiles*), à laquelle s'ajoutent les *Actes des Apôtres*, les *Épîtres* et l'*Apocalypse*.
2 251

testicule n. m. Glande génitale mâle dont les fonctions sont la production des spermatozoïdes et la synthèse de l'hormone mâle (testostérone).
1 174
9 2135

Tet (fête du). Fête vietnamienne du nouvel an. Sa date, située entre le 20 janvier et le 19 février, varie avec le cycle lunaire.

tétanos n. m. Maladie infectieuse due à une toxine sécrétée par un bacille se développant dans une plaie extérieure souillée. Le tétanos, qui est prévenu par un vaccin et soigné par un sérum, se caractérise par des contractures musculaires très douloureuses. ◇ Contraction musculaire normale : le tétanos physiologique mobilise les fibres musculaires striées pour aboutir à une contraction musculaire normale.

têtard n. m. Larve aquatique des amphibiens, à respiration branchiale. Sa grosse tête comprend la tête, le thorax
4 753

et l'abdomen. Les têtards éclosent au printemps et deviennent adultes à l'automne, après s'être métamorphosés.

tête n. f. ◇ 1. ANAT Partie supérieure de l'Homme et antérieure de nombreux animaux où sont concentrés les principaux centres nerveux et les principaux organes des sens ainsi que la bouche. Chez les primates, la tête comprend le crâne et la face dont les deux yeux sont orientés vers l'avant (chez les autres vertébrés, les yeux sont latéraux). ◇ 2. TECH Partie sensible d'un appareil d'enregistrement, de lecture, de mesure... *La tête de lecture d'un électrophone.*

tétée n. f. Chez le nouveau-né, action de sucer le lait du sein (ou, pour les animaux, de la mamelle) de sa mère, ou d'une tétine en caoutchouc mise sur un biberon contenant du lait.

14 3128   **tétraèdre** n. m. Polyèdre limité par quatre faces triangulaires. ◇ *Tétraèdre régulier :* dont les faces sont des triangles équilatéraux.

tétralogie n. f. Ensemble de quatre pièces, dans le théâtre grec antique. ◇ *Tétralogie :* titre donné aux quatre opéras de Wagner qui composent le cycle de *l'Anneau du Nibelung.*

4 729   **4** 826   **tétrarchie** n. f. Province antique gouvernée par un tétrarque. ◇ Le système de la tétrarchie fut utilisé par Dioclétien pour partager le pouvoir impérial entre quatre tétrarques : Maximien, Constance Chlore, Galère et lui-même (293).

11 2584   **tétras** n. m. Grand oiseau galliforme des pays tempérés et froids de l'hémisphère Nord. Le grand tétras, ou coq de bruyère, est en voie de disparition.

6 1334   **7** 1469   **Teutoniques** (chevaliers). Ordre religieux et militaire fondé en 1198 en Terre sainte. Composé de nobles allemands, il fusionna en 1237 avec les chevaliers Porte-Glaive, christianisa et colonisa la Prusse au XIIIe s., constituant un vaste État, étendu jusqu'en Lituanie. L'extension de l'ordre fut arrêtée par les Polonais (1410), avant d'être brisée par la conversion de son grand maître au luthéranisme (1525).

Teutons (les). Peuple de Germanie. Avec les Cimbres, les Teutons envahirent la Gaule mais furent vaincus par Marius en 102 av. J.-C.

1 61   **Texas.** Vaste État des États-Unis, sur le golfe du Mexique. 692 402 km² ; 11 197 000 hab. Capitale : Austin. Villes principales : Dallas, Houston. ◇ Vaste plaine au climat subtropical ou continental. Coton, céréales, élevage bovin. La grande richesse est le pétrole (50 % de la production du pays). ◇ Possession espagnole puis mexicaine, le Texas fut indépendant (1836-1845) avant d'être annexé par les États-Unis.

texte n. m. Suite des mots, des phrases qui forment un écrit. *Le texte d'une loi, d'un roman...* ◇ Fragment d'une œuvre. *Une explication de texte.*

*Le grand **tétras**, ou coq de bruyère, a une queue en éventail.*

*Riche État pétrolier, le **Texas** garde intact le souvenir des cow-boys.*

*La **Thaïlande**.*

textile n. m. Matière utilisée pour fabriquer les tissus : coton, laine, lin (textiles naturels), rayonne (textiles artificiels, fabriqués chimiquement à partir de produits naturels), Nylon, Tergal, Rhovyl (textiles fabriqués à partir de produits chimiques de synthèse). ◇ Ensemble de l'industrie textile.

6 1259   **7** 1603   **9** 2097   **12** 2770   **14** 3202

Thaïlande (Siam avant 1939 et de 1945 à 1949) (royaume de). État de l'Asie du Sud-Est.

9 1978

superficie :	514 000 km²
population :	48 130 000 hab. *(Thaïlandais)*
capitale :	Bangkok
monnaie :	le baht
code international :	T

La vaste plaine du Ménam, densément peuplée, est entourée de plateaux et de chaînes du système himalayen, qui se prolongent dans la péninsule malaise. Climat de mousson. Population rurale en majorité, vivant misérablement. ◇ Le pays est un des grands exportateurs mondiaux de denrées agricoles (riz, caoutchouc, manioc) et s'avère très riche en étain. Un important gisement de gaz naturel commence à être exploité. Le développement du secteur industriel (industries alimentaires et de main-d'œuvre : textile, confection, matières plastiques) est tributaire des capitaux japonais. ◇ Les Thaïs, venus au VIIIe s. du Yunnan, se libérèrent de la tutelle khmère au XIIIe s., fondant un royaume qui dut lutter contre les convoitises de ses voisins, puis des Français et des Anglais. Devenu monarchie constitutionnelle en 1932, le pays s'allia au Japon de 1939 à 1945. L'après-guerre fut marquée par l'influence croissante des États-Unis, l'implantation de maquis communistes et par une grande instabilité politique (coups d'État militaires). Bastion du capitalisme occidental et japonais, la Thaïlande subit le contrecoup des événements d'Indochine.

thalamus n. m. Partie du cerveau formée de deux noyaux ovoïdaux. Le thalamus est un très important centre réflexe. Synonyme : *couches optiques.*

thalassothérapie n. f. Méthode de traitement de diverses maladies, fondée sur l'utilisation du climat marin, de l'eau de mer froide ou chaude, des algues et des boues marines...

13 2952   **13** 3041   **13** 3046   **Thalès,** philosophe et mathématicien grec (fin du VIIe s.-début du VIe s. av. J.-C.). Il fut un précurseur de la science rationnelle et de la géométrie. ◇ *Théorème de Thalès :* des droites parallèles déterminent sur des sécantes des segments proportionnels.

thalle n. m. Appareil végétatif de certaines plantes (champignons, algues, lichens) ne possédant pas de tige, de feuilles, de racines véritables.

thallium n. m. Métal blanc, mou, facilement transformé en feuille ou en fil. Symbole *Tl.* Utilisé dans la fabrication de certains verres d'optique.

thallophytes n. m. pl. Grand groupe de végétaux caractérisés par leur appareil végétatif simple, le thalle*, tels les champignons, les algues, les lichens.

thalweg → talweg

Thant Sithu U, homme politique birman (1909-1974). De 1961 à 1971, date à laquelle il se retira, il fut secrétaire général de l'ONU.

Thatcher Margaret, femme politique britannique (née en 1925). À la tête du parti conservateur depuis 1975, elle fut nommée Premier ministre en 1979.

5 1127 **thé** n. m. Feuilles du théier séchées, torréfiées (thé vert) et, pour certaines variétés, fermentées (thé noir). ◇ Infusion aromatique, tonique pour le système nerveux, obtenue avec le thé. ◆ **théier** n. m. Arbre proche du camélia, haut de 10 à 12 m. Il est maintenu en culture à 1 ou 2 m afin de faciliter la cueillette des jeunes pousses. Le théier est cultivé en Chine, en Inde...

3 483
4 876
8 1909
11 2548
13 2964
14 3254
théâtre n. m. Construction de pierre de la Grèce et de la Rome antiques, constituée par une enceinte à gradins étagés et disposés soit en cercle, soit en demi-cercle faisant face à une scène. *Les théâtres grecs d'Épidaure et de Ségeste.* ◇ Édifice à l'intérieur duquel on joue des œuvres dramatiques, on donne des spectacles. *La salle, les coulisses d'un théâtre.* Ce spectacle lui-même. ◇ Groupe de comédiens qui forment une troupe, une compagnie théâtrale. *L'Illustre-Théâtre de Molière.* ◇ Art du comédien, profession de l'acteur. *Renoncer au théâtre.* ◇ Genre littéraire qui, pour développer une action dramatique, exposer une intrigue, etc., implique la rédaction d'un texte en forme de dialogues destinés à être dits sur scène par des acteurs. *Il a écrit des romans avant d'aborder le théâtre.* ◇ Littérature dramatique. *Le théâtre contemporain. Une pièce de théâtre. Le théâtre radiophonique.* ◇ Ensemble des œuvres dramatiques d'un pays, d'une époque, d'un peuple, d'un auteur. *Le théâtre médiéval, élisabéthain ; le théâtre espagnol, japonais (nō*, kabuki*) ; le théâtre de Sophocle, de Shakespeare, de Racine.* ◇ Art de mettre en scène ou de jouer une tragédie*, un drame*, une comédie*... Synonymes : *art dramatique, dramaturgie.*

Théâtre national populaire (T.N.P.). Théâtre fondé en 1920 et subventionné par l'État, en vue d'offrir à un large public des spectacles de qualité. Son audience fut particulièrement grande sous la direction de Jean Vilar (1951-1963).

1 178 **Thèbes.** Ville de l'Égypte ancienne, sur le Nil (à 700 km au sud du Caire). Elle connut son apogée sous le Nouvel Empire, lorsque les princes thébains en firent la capitale de l'Égypte unifiée (1580-1085 av. J.-C.). Temples d'Amon* à

*La cueillette du **thé** en Indonésie.*

Théâtre : Farceurs français et italiens (1670).

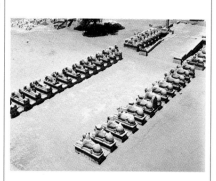

*L'allée des sphinx à tête de bélier à Karnak, sur le site de **Thèbes**.*

*Mosaïque byzantine de Ravenne : l'impératrice **Théodora**.*

Louxor* et Karnak* ; tombes de la vallée des Rois* et de la vallée des Reines.

Thèbes. Ville de Grèce, en Béotie. Sous l'impulsion d'Épaminondas, elle s'imposa comme la « première cité » grecque face à Sparte (371-362 av. J.-C.). Alexandre la détruisit en 335 av. J.-C. Son nom est associé au cycle d'Œdipe*. **2** 474 **14** 3136

théisme n. m. Doctrine, indépendante de toute religion, fondée sur l'existence d'un Dieu unique, personnel, qui régit toute chose.

thème n. m. ◇ 1. LITT, ARTS Sujet, idée fondamentale ou essentielle d'une œuvre, d'un discours, etc. *Le thème de l'absurde chez Camus.* ◇ 2. ENSG Texte à traduire dans une langue que l'on veut apprendre. *Thème latin, allemand.* ◇ 3. MUS Motif mélodique qui est l'objet de variations.

Thémistocle, homme d'État athénien (v. 525-v. 460 av. J.-C.). Il fit d'Athènes une grande puissance maritime (fortifications du port du Pirée, développement de la flotte) et vainquit les Perses à Salamine (480). Il fut banni à la fin de sa vie.

théocratie n. f. Forme de gouvernement dans laquelle le pouvoir, censé émaner directement de Dieu ou d'une divinité, est exercé par ses représentants sur terre : caste sacerdotale, souverain...

théodolite n. m. Instrument utilisé en astronomie et en topographie pour mesurer des angles. Un théodolite se compose de deux cercles gradués et d'une lunette de visée orientable. **2** 269

Théodora, impératrice byzantine (?-548). Femme de Justinien Ier, elle exerça une grande influence sur ses décisions. En l'empêchant de fuir lors de la sédition de Nika, en 532, elle lui permit de conserver son trône. **5** 992

Théodoric le Grand, roi des Ostrogoths (v. 454-526). Élevé à Constantinople, il conquit l'Italie et la Dalmatie. Il tenta, sans succès, de rapprocher les Romains et les Goths. **5** 961

Théodose Ier le Grand, empereur romain (v. 347-395). Empereur en 379, il élimina tous ses rivaux (394) et fut le dernier empereur à avoir régné seul. Par l'édit de Thessalonique (380), il fit du christianisme la religion officielle de l'Empire. **4** 827

théologie n. f. Étude des questions religieuses menée de façon méthodique et fondée sur les textes sacrés, les dogmes et la tradition. ◇ Doctrine théologique particulière. *La théologie de saint Augustin.* **6** 1423 **7** 1664

Théophraste, philosophe grec (v. 372-v. 287 av. J.-C.). Il fut l'élève de Platon et d'Aristote. La Bruyère a traduit ses *Caractères,* dont il s'inspira. **13** 3008

théorème n. m. Énoncé d'une propriété mathématique que l'on démontre par un raisonnement logique à partir de certaines hypothèses (incluses dans l'énoncé du théorème) et d'autres théorèmes ou propriétés.

théorie n. f. Connaissance abstraite (opposée à *pratique*). ◇ Ensemble d'idées, d'opinions sur un sujet particulier. ◇ Système de lois, de principes sur lequel repose l'explication d'un phénomène. ◆ **théoricien** n. m. Personne qui s'attache à la connaissance abstraite (opposé à *praticien, expérimentateur*).

8 1816

thérapeutique (ou thérapie) n. f. Partie de la médecine traitant des moyens capables de guérir ou de soulager les malades. *La thérapeutique tissulaire.* Synonyme : *traitement.*

Thérèse d'Ávila (sainte), religieuse espagnole (1515-1582). Réformatrice avec Jean de la Croix de l'ordre du Carmel, elle retraça dans ses ouvrages son itinéraire spirituel et mystique (*le Château intérieur*, 1577-1588).

Thérèse de l'Enfant-Jésus (sainte), religieuse française (1873-1897). Son entrée au carmel de Lisieux à quinze ans, son humilité et sa mort précoce la rendirent célèbre (canonisée en 1925).

thermalisme n. m. Utilisation thérapeutique des eaux de source des stations thermales. La composition chimique et les propriétés de leurs eaux confèrent à chaque station des caractéristiques leur permettant de traiter certaines maladies chroniques. ◇ Ensemble des stations thermales et de leur exploitation.

3 708
4 803
4 846

thermes n. m. pl. Bains publics dans l'Antiquité gréco-romaine. Pourvus de piscines chaudes et froides, les thermes étaient non seulement des lieux d'hygiène, mais aussi des lieux de rencontre.

9 2157

thermidor an II (journées des 9 et 10). Journées des 27 et 28 juillet 1794 qui virent la chute et l'exécution de Robespierre, Saint-Just... Le coup de force des thermidoriens mit fin à la Terreur et à la Convention montagnarde.

thermie n. f. Ancienne unité d'énergie. Symbole *th*. En unité du système international, une thermie vaut 4,18 millions de joules*.

thermochimie n. f. Branche de la chimie relative à l'étude des quantités de chaleur qui accompagnent les réactions chimiques.

thermocouple n. m. Ensemble de deux métaux différents soudés entre eux à leurs extrémités. Le thermocouple est notamment utilisé pour mesurer les hautes températures.

2 430
2 476
10 2351
13 3049
14 3246

thermodynamique n. f. Branche de la physique et de la chimie qui étudie les relations entre les phénomènes thermiques (température, quantité de chaleur) et les phénomènes mécaniques (mouvement, travail, force).

Thermalisme :
l'une des « buvettes » de Vichy.

L'arrestation de Robespierre
*le 10 **thermidor an II.***

***Thermie** : vue partielle de*
l'usine thermique de Martigues.

L'église de Porta Panaghia
*(XIIIᵉ s.), en **Thessalie.***

thermolyse n. f. Déperdition de chaleur chez l'animal. Elle est due en partie à l'évaporation de l'eau à la surface de la peau.

thermomètre n. m. Instrument de mesure de la température. La plupart des thermomètres usuels (en France, thermomètre Celsius) sont fondés sur la dilatation des liquides. Le point 0 °C correspond à la température de la glace fondante, le point 100 °C à la température de l'eau bouillante. ◆ **thermométrie** n. f. Détermination, évaluation de la température.

2 430
5 1091
8 1847
9 2088

Thermopyles (les). Défilé de Grèce, en Thessalie. En 480 av. J.-C., durant la seconde guerre médique, Léonidas et trois cents Spartiates se sacrifièrent à cet endroit pour empêcher l'avance de l'armée perse.

Thermos n. f. Bouteille isolante maintenant durant plusieurs heures un liquide chaud ou froid à sa température initiale (nom déposé).

thermostat n. m. Appareil servant à régler automatiquement la température, utilisé dans les fours, les systèmes de chauffage central, etc.

thèse n. f. Proposition, opinion, théorie que l'on tient pour vraie et que l'on s'attache à défendre. ◇ *Roman, film à thèse :* œuvre illustrant une thèse philosophique, politique... ◇ Ouvrage présenté devant un jury universitaire pour l'obtention d'un doctorat*.

Thessalie. Région de l'est de la Grèce, sur la mer Égée, dominée au nord par le mont Olympe, à l'ouest par la chaîne du Pinde. 13 929 km² ; 660 000 hab. Ville principale : Lárissa. Plaine fertile (fruits, céréales).

10 2315

Thessalonique ou **Salonique.** Ville et port du nord de la Grèce, sur le golfe du même nom formé par la mer Égée. 346 000 hab. Raffinerie de pétrole, pétrochimie, métallurgie. ◇ Ville fondée en 316 av. J.-C., turque de 1430 à 1913.

10 2315

Thiers Adolphe, homme d'État français (1797-1877). Journaliste libéral, il soutint Louis-Philippe et fut à deux reprises président du Conseil (1836, 1840). Après 1848, il s'opposa en vain à l'ascension de Louis Napoléon Bonaparte. Revenu au pouvoir en 1871, il écrasa la Commune et devint président de la République, mais fut renversé en 1873 par les conservateurs.

10 2339
11 2401
13 2907

Thimbu ou **Timphu.** Capitale d'été du royaume du Bhoutan (la capitale d'hiver est Punakha). 3 000 hab. La ville est située dans la vallée du Wong.

7 1647

Thimonnier Barthélemy, inventeur français (1793-1857). Il mit au point la première machine à coudre, appelée « couso-brodeur », qu'il fit breveter en 1830.

Thomas Becket (saint), prélat et homme politique anglais (1118-1170).

505

Conseiller d'Henri II et archevêque de Canterbury, il s'opposa à la politique religieuse du roi, qui le fit assassiner.

7 1665
13 2953
Thomas d'Aquin (saint), théologien italien (1225-1274). Sa pensée, enseignée à la Sorbonne et exposée dans la *Somme théologique* (1266-1273), exerça une influence considérable et lui valut le titre de « docteur de l'Église ».

7 1529
7 1664
Thomas More (saint), humaniste et homme politique anglais (1478-1535). Ami d'Érasme et auteur de l'*Utopie*, il fut chancelier du royaume. Son opposition au divorce d'Henri VIII lui valut d'être décapité.

thomisme n. m. Doctrine théologique de saint Thomas d'Aquin et de ses disciples. Le thomisme vise à concilier la foi chrétienne et la raison, le dogme et les apports de la logique d'Aristote. Il inspira au XXe s. un mouvement philosophique appelé néothomisme.

13 3050
Thomson *sir* Joseph John, physicien anglais (1856-1940). Il mesura le rapport de la charge à la masse de l'électron (1897) et inventa le spectrographe de masse.

Thomson (sir William) → Kelvin

5 968
13 3084
thon n. m. Grand poisson comestible des mers chaudes et tempérées. Les thons (thon rouge, qui peut atteindre 5 m de long, thon blanc ou germon, thon commun...) sont l'objet d'une pêche intensive.

Thora → Torah

thorax n. m. ◇ 1. ANAT Partie supérieure du tronc, située entre le cou et l'abdomen, dont elle est séparée par le diaphragme. La cage thoracique est limitée par les douze vertèbres dorsales, le sternum et les douze paires de côtes. ◇ 2. ZOOL Partie du corps succédant à la tête, chez certains animaux. Chez les crustacés, le thorax est soudé à la tête. Chez les insectes, il est formé par trois métamères.

12 2654
13 3097
Thorez Maurice, homme politique français (1900-1964). Secrétaire général du parti communiste français (1930-1964), il fut ministre d'État et vice-président du Conseil (1945-1947).

thorium n. m. Métal gris-blanc, mou, aisément transformable en fil. Symbole *Th*. Il est utilisé sous forme d'oxyde (thorine) ou allié à d'autres métaux.

1 182
14 3136
Thot. Dieu égyptien représenté avec un corps d'homme et une tête d'ibis ou de babouin. Il était considéré comme le dieu du Savoir et du Langage.

Thoutmès ou **Thoutmôsis Ier,** pharaon égyptien (v. 1530 av. J.-C.). Fils et successeur d'Aménophis Ier, il étendit son pouvoir sur la Syrie et franchit l'Euphrate.

Thoutmès ou **Thoutmôsis III,** pharaon égyptien (v. 1504-1450 av. J.-C.). Grand

*L'assassinat de **Thomas Becket** (manuscrit du XIIe s.).*

*Le Triomphe de saint **Thomas d'Aquin,** par Benozzo Gozzoli (XVe s.).*

***Thons** rouges dans la halle aux poissons de Palerme.*

conquérant, il mena 18 expéditions en Asie, occupant la Palestine et la Syrie jusqu'à l'Euphrate.

Thrace. Région côtière de l'est de la péninsule balkanique, partagée entre la Bulgarie, la Grèce et la Turquie. ◇ Elle fut occupée au IIe millénaire av. J.-C. par les Thraces, peuple indo-européen.

thriller n. m. Roman ou film bâti sur une intrigue policière ou fantastique qui a pour but, à travers ses scènes angoissantes, de faire « frémir ».

thrombine n. f. Enzyme provoquant la coagulation sanguine par la transformation du fibrinogène en fibrine*.

9 1991
thrombose n. f. Formation d'un caillot dans un vaisseau sanguin ou dans une cavité du cœur.

Thucydide, historien grec (v. 460-400 av. J.-C.). Auteur de l'*Histoire de la guerre du Péloponnèse*, il rompit avec la conception traditionnelle du récit historique en éliminant le recours à la mythologie et en expliquant les causes et les conséquences des événements.

Thulé. Station polaire du Groenland, aménagée en base militaire en 1945 par les États-Unis. Depuis 1952, ces derniers y ont installé des bombardiers équipés d'armes atomiques.

3 484
Thurgovie. Canton du nord-est de la Suisse, sur le lac de Constance. 1 006 km² ; 183 000 hab. Chef-lieu : Frauenfeld. Région de collines. Cultures et industries dans les vallées.

12 2707
Thuringe. Région du sud de la RDA formée de massifs boisés et du bassin de Thuringe, riche en sel et en potasse. Ville principale : Erfurt. Industries textiles, optiques, mécaniques.

5 1069
thuya n. m. Arbre conifère surtout cultivé à des fins ornementales (haies). Le bois de certaines espèces est utilisé en menuiserie.

thym n. m. Plante vivace odorante (famille des labiacées) des régions tempérées. Les feuilles du *thym commun* sont utilisées comme condiment.

thymus n. m. Organe situé à la base du cou. Très développé chez l'enfant, le thymus régresse à la puberté. Il a une double fonction, endocrinienne et immunitaire (synthèse de lymphocytes).

11 2491
thyroïde n. f. Glande endocrine située à la base du larynx et formée de deux lobes allongés réunis par un isthme. Les hormones thyroïdiennes jouent un rôle essentiel dans le contrôle de la croissance et du métabolisme et dans la détermination des métamorphoses. Les dérèglements de la thyroïde sont dus à une sécrétion excessive ou insuffisante.

6 1356
Tianshan ou **T'ien-chan.** Chaîne de montagnes d'Asie centrale, en URSS et en Chine. Elle s'étend sur 2 000 km d'est en ouest (7 439 m au pic Pobiedy).

4 725 **Tibère,** empereur romain (v. 42 av. J.-C.-37 ap. J.-C.). Adopté par Auguste, il lui succéda (14 ap. J.-C.) et poursuivit sa politique de consolidation de l'Empire. Les dernières années de son règne furent marquées par les complots et un régime de terreur.

12 2731 **Tibériade** ou **Génésareth** (lac de). Lac du nord-est de l'État d'Israël, traversé par le Jourdain. 200 km². Situé à 200 m au-dessous du niveau de la mer.

8 1911 **Tibesti.** Massif cristallin et volcanique **14** 3278 du nord du Tchad, dans le Sahara. 3 415 m à l'Emi Koussi. Le Tibesti est peuplé par les Toubous.

6 1356 **Tibet.** Région autonome du sud-ouest **10** 2255 de la Chine. 1 221 000 km² ; 1 892 000 hab. Capitale : Lhassa. Région de hauts plateaux (3 000 m) et de hautes chaînes de montagnes (K'ouen-louen, Transhimalaya). Climat très sec et froid. Élevage de yacks, chèvres, moutons ; culture de céréales et légumes. ◇ Théocratie lamaïque (voir lamaïsme) sous protectorat chinois (XVIIIᵉ s.), le Tibet devint une région de la Chine en 1951.

2 328 **tibia** n. m. Le plus volumineux des deux os de la jambe. Il s'articule avec le fémur et, par son extrémité inférieure élargie, avec l'astragale, os du tarse.

3 582 **Tibre** (le). Fleuve d'Italie. 405 km. Né au **14** 3166 mont Fumaiolo (à 1 268 m), dans l'Apennin, le Tibre passe à Rome et se jette dans la mer Tyrrhénienne, près d'Ostie.

tic n. m. Mouvement convulsif et répétitif, résultant de la contraction involontaire d'un ou de plusieurs muscles, notamment du visage.

T'ien-chan → Tianshan

10 2187 **Tiepolo** Giambattista, peintre et gra- **14** 3313 veur italien (1696-1770). Ses fresques sont les ultimes chefs-d'œuvre de l'art baroque vénitien du XVIIIᵉ s. : *Histoire d'Antoine et Cléopâtre* (1747).

tiercé n. m. (ou « pari tiercé »). Forme de pari mutuel dans lequel il faut, pour gagner, désigner les 3 premiers chevaux d'une course. (Voir PMU.)

9 2151 **tiers état.** Terme qui désigne l'ordre **13** 2905 formé, sous l'Ancien Régime, par l'ensemble des hommes libres (paysans, artisans, bourgeois...) n'appartenant pas aux deux ordres privilégiés de la noblesse et du clergé.

11 2525 **tiers monde** n. m. Ensemble des pays **12** 2688 dont l'économie est peu développée, par **12** 2812 opposition aux deux autres groupes **12** 2834 d'États industrialisés : le monde capitaliste et le monde socialiste.

4 904 **tige** n. f. ◇ 1. BOT Partie d'une plante **7** 1540 portant les feuilles, les bourgeons à feuilles et à fleurs qui donneront les fruits. On distingue les tiges *aériennes* et *souterraines.* ◇ 2. ZOOL Partie mince et plus ou moins cylindrique d'un organe. *Tige pituitaire de l'hypophyse.*

*Paysage du **Tibesti**, au Tchad.*

*Une rue de Lhassa, la capitale du **Tibet**.*

*Originaire de Sibérie, le **tigre** est le plus gros des félins.*

*Autoportrait de Jacopo Robusti, dit le **Tintoret**.*

tigre n. m. Mammifère carnassier **1** 38 (famille des félidés) au pelage jaune **1** 116 rayé de noir. Huit sous-espèces, rares et **12** 2848 partout menacées, peuplent les régions froides et chaudes d'Asie, d'Indonésie.

Tigre (le). Fleuve d'Asie, en Mésopota- **1** 127 mie. 1 950 km. Il naît en Turquie, draine **11** 2461 l'Iraq, passe à Bagdad et forme avec l'Euphrate le Chatt al-Arab, qui se jette dans le golfe Persique.

tilleul n. m. Arbre des régions tempérées (famille des tiliacées), aux feuilles simples, dont les fleurs parfumées donnent une infusion calmante.

Tilsit (traités de). Le premier traité (7 juillet 1807), entre Napoléon Iᵉʳ et Alexandre Iᵉʳ, prévit l'adhésion de la Russie au Blocus continental. Par le second (9 juillet), la Prusse perdait la Westphalie et Varsovie.

timbale n. f. Instrument de musique à percussion composé d'un demi-globe de cuivre couvert d'une peau tendue sur laquelle on frappe avec des mailloches.

timbre n. m. 1 – SOC Cachet, marque **9** 2059 d'une administration, d'une maison de commerce. *Apposer son timbre sur un document.* ◇ Vignette attestant le paiement d'un droit, d'une cotisation. *Timbre fiscal.*

timbre n. m. 2 – MUS Qualité particulière d'un son qui permet de reconnaître la nature d'une source sonore. *Le timbre d'une voix, d'une cloche.*

timbre-poste n. m. Vignette adhésive, **9** 2059 émise par l'administration des postes (en France, les PTT) et destinée à payer le port d'une lettre ou d'un paquet confié à la poste. ◇ Le timbre-poste apparut en France en 1849 (avant cette date, le port était payé par le destinataire). La valeur financière des timbres-poste est garantie par l'État. Diversement illustrés (effigies de personnages célèbres, monuments...), ils font l'objet de collections. (Voir philatélie.)

timon n. m. Pièce de bois placée à l'avant d'une voiture, d'une charrue, et à laquelle on attelle les bêtes de trait. ◆ **timonerie** n. f. Partie couverte de la passerelle de navigation d'un navire. ◆ **timonier** n. m. Marin qui tient la barre du gouvernail.

Timphu → Thimbu

Tīmūr Lang → Tamerlan

Tintin. Personnage d'une célèbre bande **10** 2299 dessinée, créé par Hergé en 1929. Tintin est un jeune reporter-détective que suit partout le petit chien Milou, son fidèle compagnon d'aventures.

Tintoret (Jacopo ROBUSTI, *dit* il **Tintoretto,** en français **le**), peintre italien (1518-1594). Ses « éclairages » dramatiques et l'ordonnance audacieuse de ses compositions en font un grand maître de l'école vénitienne du XVIᵉ s.

4 845
7 1451
tique n. f. Acarien* parasite du chien, du mouton, du bœuf et de divers animaux sauvages dont il suce le sang. La femelle, ancrée dans la peau, ne se laisse tomber sur le sol que lorsqu'elle est gorgée de sang.

14 3308
tir n. m. Action, art de lancer une arme de trait ou un projectile au moyen d'une arme. *Tir à l'arc, à l'arbalète, au pistolet.* ◇ Direction, trajectoire suivies par le projectile. *Régler le tir.* ◇ Ensemble de projectiles envoyés. *Tir d'artillerie.* ◇ *Stand de tir :* emplacement aménagé pour tirer sur des cibles. *Tir forain.* ◇ *Champ de tir :* terrain militaire aménagé pour tirer à distance réelle avec des armes de guerre. ◇ Dans les jeux de ballon, action d'envoyer avec force le ballon vers le but.

8 1747
tirage n. m. Action de reproduire un texte, une image, sur une feuille de papier. ◇ Épreuve ainsi obtenue : *tirage d'une photo en noir et blanc.*

7 1677
Tirana. Capitale de l'Albanie, au centre du pays. 192 000 hab. Industries mécaniques, textiles, alimentaires. ◇ Musée d'archéologie et d'ethnographie.

Tirso de Molina (Fray Gabriel TÉLLEZ, *dit*), moine et dramaturge espagnol (v. 1583-1648). Sa pièce *le Trompeur de Séville* (v. 1625) est le premier en date des don* Juan de la littérature.

4 851
tissage n. m. Action de fabriquer des tissus, en entrecroisant des fils textiles à la main ou avec un métier à tisser. ◆ **tisserand** n. m. Artisan qui fabrique des tissus. ◆ **tissu** n. m. Surface souple et résistante formée par l'entrelacement de fils textiles. On en fait des vêtements, des nappes, des serviettes...

3 528
tissu n. m. En anatomie, assemblage de cellules de même espèce (semblablement différenciées) spécialisées dans l'accomplissement d'un rôle déterminé. Les animaux ont des épithéliums, des conjonctifs, du tissu musculaire, nerveux, du sang... Les végétaux ont des tissus conducteurs (bois, liber...), des parenchymes.

Tisza (la). Rivière d'Europe centrale (1 300 km). Née dans les Carpates, elle passe en URSS, Roumanie et Hongrie, avant de rejoindre le Danube (rive gauche) en Yougoslavie.

10 2225
titane n. m. Métal à l'éclat gris brillant, résistant à la corrosion naturelle. Symbole *Ti.* Il est utilisé dans l'industrie chimique (peintures), en aéronautique sous forme d'alliages...

14 3181
Titans. Divinités de la mythologie grecque. Fils et filles d'Ouranos (le Ciel) et de Gaia (la Terre), ils furent vaincus par Zeus, qui les précipita dans le Tartare pour diriger seul le monde.

3 681
Tite-Live, historien latin (64 ou 59 av. J.-C.-17 ap. J.-C.). À partir des anciennes annales de Rome, il élabora son *His-*

*Méthode de **tissage** rudimentaire dans l'Himalaya.*

*Indien péruvien sur le lac **Titicaca**.*

*La Vierge au lapin (1530), de **Titien**.*

*Bassin de la villa d'Hadrien, près de **Tivoli**.*

toire de Rome, inachevée, en 142 livres dont 35 nous sont parvenus.

Titicaca. Lac d'Amérique du Sud (8 340 km²), dans les Andes, aux confins du Pérou et de la Bolivie, à 3 812 m d'altitude ; profondeur maximale 280 m. **3** 621

Titien (Tiziano VECELLIO, *dit* en français), peintre italien (v. 1490-1576). Coloriste de génie qui innova en privilégiant la dynamique de la touche (*la Vénus d'Urbino*, 1538), il a donné à l'école vénitienne un rayonnement considérable.

Tito (Josip Broz, *dit*), homme d'État yougoslave (1892-1980). Chef de la résistance communiste au nazisme, il devint chef du gouvernement à la Libération (1945), puis président de la République (1953). En rupture avec l'URSS (1948), il fut un des leaders des pays non alignés. **11** 2485 **11** 2603 **12** 2688 **12** 2809

titre n. m. 1 — DRT Acte, document établissant un droit, une qualité. *Titre de propriété. Titre universitaire.* ◇ Valeur négociable en Bourse. ◇ Dignité, qualification honorifique. *Titre de duc, de président.* **12** 2858

titre n. m. 2 — CHIM Ce qui caractérise la quantité de substance d'une solution : le *titre massique* est le rapport de la masse d'un constituant à la masse de la solution. ◆ **titrage** n. m. Détermination du titre d'une solution.

titulaire n. m. ou f. Personne qui possède une fonction garantie par un titre. Contraire : *auxiliaire*, *suppléant*. ◆ **titularisation** n. f. Action de nommer quelqu'un titulaire d'une charge.

Titus, empereur romain (39-81). Fils de Vespasien, il fut vainqueur de la Judée. C'est sous son règne, marqué par de grands travaux (Colisée, thermes...), que l'éruption du Vésuve (79) détruisit Pompéi. **4** 725

Tivoli. Ville d'Italie, proche de Rome. Lieu célèbre de villégiature, on y trouve les villas de l'empereur Hadrien et les jardins de la villa d'Este* (XVIᵉ s.)...

T.N.T. n. m. Abréviation de *trinitrotoluène*. Solide jaune utilisé comme explosif, seul ou en mélange. Est aussi appelé *tolite* (n. f.).

Tobago (île) ⟶ Trinité et Tobago

toboggan n. m. Traîneau bas muni de deux patins. ◇ Piste inclinée sur laquelle on descend assis pour s'amuser. ◇ Viaduc provisoire pour la circulation automobile.

Tobrouk. Port de Libye, en Cyrénaïque. ◇ En 1941-1942, de violents combats y opposèrent les forces britanniques et les troupes allemandes et italiennes. **7** 1497

toccata n. f. Composition musicale de forme libre, de caractère généralement brillant, écrite pour un instrument à clavier. *Une toccata de J.-S. Bach.*

Tocqueville (Charles Alexis CLÉREL DE), historien et homme politique français (1805-1859). Il écrivit deux ouvrages essentiels : *De la démocratie en Amérique ; l'Ancien Régime et la Révolution.*

toge n. f. ◇ 1. HIST Vêtement d'apparat, en étoffe de laine drapée, que les Romains portaient par-dessus la tunique, en symbole de la citoyenneté. ◇ 2. SOC Robe de magistrat, de professeur...

Togliatti Palmiro, homme politique italien (1893-1964). Secrétaire général du parti communiste, ministre de la Justice (1945-1946), il prôna la déstalinisation dès 1956.

Togo (république du). État d'Afrique occidentale, sur le golfe de Guinée.

superficie :	56 785 km²
population :	2 710 000 hab. *(Togolais)*
capitale :	Lomé
monnaie :	le franc CFA
code international :	TG

Le pays est formé de plateaux, coupés des monts du Togo. Climat tropical humide au sud (forêt), sec au nord (savane). La population est formée de plusieurs ethnies, dont les Éwés. ◇ L'agriculture occupe 70 % des actifs. Cultures vivrières (maïs, manioc, riz) et commerciales (cacao, café). La seule richesse du sous-sol est le phosphate. Industrie pratiquement inexistante (le cacao est exporté en fèves, le phosphate en minerai : aucun traitement sur place). L'aide internationale représente 25 % du produit national. ◇ Colonie allemande au XIXᵉ s., le Togo fut placé, en 1922, sous protectorat français par la SDN*. Le pays accéda à l'indépendance en 1960.

toile n. f. ◇ 1. TECH Tissu de fils (lin, coton, chanvre) dont on fait les voiles d'un voilier, les tentes de camping. ◇ *Toile cirée :* toile imperméabilisée. ◇ 2. ARTS Pièce de toile fixée sur un cadre de bois et destinée à être peinte. Tableau réalisé sur ce support.

toison n. f. Ensemble des poils épais et laineux de certains animaux (moutons, chèvres, chameaux...). Les toisons sont utilisées pour fabriquer fils et tissus.

Toison d'or. Dans la mythologie grecque, toison d'un bélier ailé. Détenue par le roi de Colchide et protégée par un dragon, elle fut le but de l'expédition de Jason* et des Argonautes*. Il semblerait que cette légende évoque des expéditions grecques en mer Noire...

toit n. m. Partie supérieure d'une maison. Le toit protège la maison contre la pluie, la neige. Il est fait de tuiles, d'ardoises, de chaume, etc. ◆ **toiture** n. f. Ensemble du toit et de la charpente qui le supporte.

Tokyo ou **Tōkyō** (*Edo* jusqu'en 1868). Capitale du Japon, sur l'île d'Honshu. 8 700 000 hab. (dans l'agglomération : 12 000 000 d'hab.). Située au fond de la

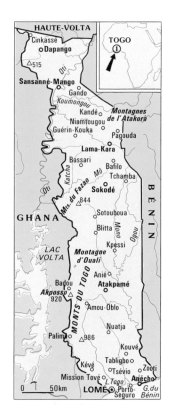

*Le **Togo**.*

*Le centre commercial de **Tokyo**.*

*Le remarquable site de **Tolède**, dans une boucle du Tage.*

*Les **tomates** sont très riches en vitamines A, B, C et K.*

baie de Tokyo, la ville est la métropole économique et culturelle du pays. Deuxième agglomération du globe après New York, elle est capitale depuis 1868.

tôle n. f. Mince plaque de métal dont on fait les carrosseries d'automobiles, les boîtes de conserve... Elle est fabriquée dans un laminoir. ◆ **tôlerie** n. f. Travail de la tôle, pour réparer une carrosserie, par exemple.

Tolède. Ville du centre de l'Espagne, sur le Tage. 54 000 hab. Nombreux monuments (Xᵉ-XVIIIᵉ s.). ◇ Capitale des Wisigoths*, puis centre du cuir et de l'acier sous les Omeyyades, elle fut reconquise en 1085 par les chrétiens qui en firent la capitale de la Castille.

tolite → T.N.T.

Tolstoï Lev Nikolaïevitch (*dit* en français **Léon**) (*comte*), écrivain russe (1828-1910). La vérité de la description des conflits historiques et humains, la finesse des analyses psychologiques font de ses romans *Guerre et Paix* (1865-1869) et *Anna Karenine* (1877) des chefs-d'œuvre incontestés.

Toltèques (les). Peuple de l'ancien Mexique. Installés à Tula au Iᵉʳ s., les Toltèques s'illustrèrent par la qualité de leur architecture et leurs sculptures, avant d'être vaincus et supplantés par les Chichimèques (1168).

tomahawk (ou tomawak) n. m. Hache de guerre qu'utilisaient autrefois les Indiens d'Amérique du Nord. Ils la lançaient contre leurs adversaires.

tomate n. f. Plante herbacée annuelle (famille des solanacées) cultivée pour ses fruits rouges (tomates). Importée d'Amérique centrale par les Espagnols, la tomate servit d'ornement avant que l'on découvrît ses multiples possibilités culinaires.

tombe n. f. Lieu où est enterré un mort ; fosse recouverte d'un tertre, d'une dalle (*pierre tombale*), d'un monument. ◆ **tombeau** n. m. Sépulture* monumentale d'un ou plusieurs morts, monument funéraire. ◇ *Mise au tombeau :* sculpture, peinture représentant la mise au tombeau du Christ.

tombola n. f. Loterie* dans laquelle les numéros sortants gagnent des lots en nature. *Tombola d'une kermesse.*

tome n. m. Division d'un ouvrage distincte de sa division en volumes. *Le quatrième tome de la « Correspondance » de Mallarmé comprend deux volumes.* ◇ Par extension : volume.

ton n. m. 1 – MUS Hauteur des sons émis par la voix ou par un instrument de musique. *Donner le ton* (le *la*). ◇ Intervalle entre deux notes qui se suivent dans la gamme*. *Ut et ré sont séparés par un ton. Le ton majeur. Le ton mineur.* ◆ **tonalité** n. f. Ensemble des lois qui permettent la formation des gammes. — SOC Mode*. *De bon ton.*

ton n. m. 2 – ARTS Nuance d'une même couleur. *Peindre ton sur ton.* ◊ Valeur d'une teinte sous le rapport de l'intensité, de l'éclat. *Ton chaud, ton froid.*

Tonga (anciennes *îles des Amis*). État d'Océanie, dans le Pacifique Sud.

superficie :	699 km²
population :	92 000 hab.
capitale :	Nuku'alofa
monnaie :	le paanga
code international :	non communiqué

Îles volcaniques ou coralliennes. Manioc, coprah, bananes. ◊ Protectorat britannique en 1901; indépendant en 1970.

Tonkin. Région septentrionale du Viêtnam. Montagnes encadrant le delta densément peuplé du fleuve Rouge. ◊ Inclus dans l'Annam en 1802, le Tonkin fut sous protectorat français de 1885 à 1941.

Tonlé Sap. Lac du centre du Kampuchéa. Recueillant les eaux du Mékong, lors de ses crues, par la rivière Tonlé Sap, il passe alors de 3 000 km² à 10 000 km².

tonne n. f. Unité de mesure de masse équivalant à 1 000 kilogrammes. Symbole *t.* ◆ **mégatonne** n. f. Un million de tonnes *(Mt).* Cette unité sert à évaluer la puissance d'une bombe en comparant les énergies dégagées par l'explosion de la bombe et de 1 Mt de TNT*.

tonneau n. m. 1 – TECH Récipient de forme cylindrique, limité à chaque extrémité par un fond plat et destiné à contenir un liquide. Ses flancs sont constitués de planches de bois (douves) assemblées par des cerceaux.

tonneau n. m. 2 – PHYS Unité (d'origine anglo-saxonne) servant à mesurer la jauge d'un navire, c'est-à-dire son volume intérieur. Elle vaut 2,83 mètres cubes. ◆ **tonnage** n. m. Capacité intérieure d'un navire. Cette valeur s'exprime en tonneaux.

tonnerre n. m. Bruit de roulement accompagnant la foudre*. Il est dû aux ondes de choc qui se forment le long de l'éclair*.

tonte n. f. Action de tondre la laine des moutons, le gazon. ◆ **tondeuse** n. f. Appareil muni d'une lame tournante pour couper le gazon, la laine, etc.

topaze n. f. Gemme de couleur jaune, ayant une grande dureté, utilisée en joaillerie. Les vraies topazes sont des silicates d'aluminium fluoré.

topinambour n. m. Plante herbacée de grande taille (famille des composées), dont les tubercules servent d'aliment à l'Homme et au bétail.

topographie n. f. Représentation graphique d'un lieu, indiquant la position, la forme et les dimensions des éléments concrets fixes et durables existant à la surface du sol, c'est-à-dire le relief (oro-

*Village flottant sur le **Tonlé Sap**, le « Grand Lac » du Cambodge.*

*Lecture des rouleaux de la **Torah** à Jérusalem.*

*Le nouvel hôtel de ville de **Toronto**.*

*La **torpille** ocellée paralyse ses proies par une décharge électrique.*

graphie) et les marques de l'activité humaine (maisons, routes, champs...).

toponymie n. f. Branche de la linguistique qui étudie les noms de lieu, et plus particulièrement l'origine ou l'étymologie des noms géographiques.

Topor Roland, dessinateur français (né en 1938). L'humour noir préside à ses dessins, à ses textes, à ses films d'animation (*la Planète sauvage*, 1973).

Torah ou **Thora** (la). Du mot hébreu signifiant *loi.* Nom donné dans le judaïsme aux cinq premiers livres de la Bible ou *Pentateuque.* La Torah contient l'essentiel de la loi mosaïque.

torche n. f. Flambeau grossier fait d'une matière inflammable (paille, bois...). ◊ Dans l'Antiquité, le bois résineux, ou enduit de poix, fournissait les torches, utilisées comme l'un des rares moyens d'éclairage de l'époque.

tore n. m. Solide engendré par la rotation d'un cercle autour d'une droite. Cette droite, appelée axe du tore, appartient au plan de ce cercle mais ne passe pas en son centre. Un anneau a la forme d'un tore.

torero n. m. Nom donné à tous ceux qui font profession de combattre les taureaux dans l'arène. Il s'applique souvent à tort au seul matador*.

tornade → cyclone

Toronto. Deuxième ville du Canada, capitale de l'Ontario et port sur le lac Ontario. 633 318 hab. (2 803 000 dans l'agglomération). ◊ Important centre industriel, financier et commercial.

torpille n. f. 1 – MAR Engin autopropulsé, chargé d'explosifs, destiné à la destruction de navires ennemis. ◊ Bombe aérienne munie d'ailettes. ◆ **torpilleur** n. m. Petit navire de guerre qui lance des torpilles. ◊ Marin chargé de cette manœuvre. ◆ **contre-torpilleur** n. m. Navire de guerre rapide escorteur de convois.

torpille n. f. 2 – ZOOL Poisson sélacien, sorte de raie, aux nageoires circulaires possédant un organe qui fonctionne comme un appareil électrique servant à paralyser ses proies et à se défendre.

Torquemada Tomás DE, dominicain espagnol (1420-1498). Inquisiteur général (1483), il se signala par son fanatisme, bannissant les juifs et ordonnant plusieurs milliers d'exécutions.

torréfaction n. f. Action de faire griller des grains secs (café, cacao...) afin de développer leur arôme. La torréfaction s'effectue dans des récipients tournants.

torrent n. m. Cours d'eau de montagne. Le torrent se caractérise par un débit irrégulier et un très fort travail d'érosion dus à la raideur des pentes, à la soudaine concentration des pluies d'averses et des fontes de neige.

13 3048 **Torricelli** Evangelista, physicien et mathématicien italien (1608-1647). Il mit en évidence la pression atmosphérique avec le dispositif dit de l'*expérience de Torricelli,* base du baromètre*.

5 978 **torsion** n. f. Déformation d'un objet par suite de la rotation d'une de ses extrémités. Ce phénomène se rencontre couramment dans les machines avec arbre* de transmission. Un *pendule de torsion* comprend une masse suspendue à une tige métallique et qui oscille.

torticolis n. m. Toute position anormale de la tête et du cou d'origines diverses. Le plus souvent, ce terme désigne une torsion douloureuse du cou d'origine musculaire.

6 1201
10 2243 **tortue** n. f. Nom courant des reptiles tétrapodes dont le corps est protégé par une carapace osseuse recouverte de corne et un plastron ventral de même nature. Animaux terrestres, marins ou d'eau douce, les tortues sont herbivores, carnivores ou piscivores. De nombreuses espèces étant chassées pour leur carapace ou leur chair, elles sont menacées de disparition. (Voir chéloniens.)

torture n. f. Supplice physique infligé à quelqu'un pour le punir ou lui faire révéler ce qu'il veut cacher. Utilisée par la justice, avant 1789, pour obtenir des aveux *(la question*),* elle est aujourd'hui pratiquée notamment par certains régimes dictatoriaux.

Tory → Whig et Tory

3 567 **Toscane.** Région péninsulaire d'Italie, sur la mer Tyrrhénienne. 23 000 km² ; 3 600 000 hab. Capitale : Florence. ◇ Drainée par l'Arno, la région comprend l'Apennin toscan, des collines et la plaine de la Maremme. ◇ La Toscane connut son apogée aux XVᵉ-XVIᵉ s., grâce aux Médicis*.

14 3345 **Toscanini** Arturo, chef d'orchestre italien (1867-1957). Ses interprétations des œuvres de Beethoven, Verdi, etc., sont célèbres. Il dirigea la Scala*.

total n. m. Assemblage de plusieurs parties formant un tout. Somme trouvée, résultat d'une addition ou d'une suite d'additions. ◆ **totalisation** n. f. Action de faire un total, de trouver le résultat. ◆ **totalisateur** n. m. Machine qui donne le résultat.

totalitarisme n. m. Système, doctrine politique d'un État totalitaire, dans lequel la totalité des pouvoirs appartient à un parti unique, qui ne tolère aucune opposition.

totem n. m. Animal supposé être l'ancêtre d'un clan chez certains peuples primitifs. Objet d'un culte* et de tabous*, le totem règle les relations familiales avec les autres clans. Selon Freud, le *totémisme* est à l'origine de la morale.

Touamotou → Tuamotu

*La **tortue** géante des Galapagos est une espèce protégée.*

***Totem** indien au Canada.*

*Guerriers réputés, les **Touaregs** veulent préserver leurs traditions.*

*L'énorme bec du **toucan** est très léger et ne le gêne pas pour voler.*

5 1044
11 2434
13 2992
14 3281 **Touaregs** (les). Peuples nomades vivant dans le sud du Sahara. Les Touaregs sont environ un million, de religion musulmane et parlent une langue berbère. Ils vivaient autrefois de l'élevage des chameaux et des tributs prélevés sur les agriculteurs des oasis.

2 244 **toucan** n. m. Oiseau d'Amérique du Sud, caractérisé par un bec énorme mais léger, aux couleurs éclatantes variant en fonction de l'espèce.

1 113
4 956 **toucher** n. m. ◇ 1. ANAT Celui des 5 sens qui permet de percevoir par contact, palpation les propriétés physiques des objets (température, dureté...). ◇ 2. MÉD Méthode d'exploration manuelle de certaines cavités naturelles.

12 2814 **Toucouleurs** (les). Peuple de 300 000 individus établis au Sénégal principalement et, dans une moindre mesure, en Guinée. Ils sont de religion musulmane.

Tou Fou ou **Du Fu**, poète confucianiste chinois (712-770). Sa manière d'écrire n'est pas impulsive comme celle de son ami taoïste Li Po*, elle est une recherche très originale des mots : *Chanson du vieux cèdre, la Rivière sinueuse.*

Toukhatchevski Mikhaïl, maréchal soviétique (1893-1937). Ancien officier tsariste, chef d'état-major de l'armée rouge (1924), accusé de trahison par Staline en 1937, il fut fusillé mais réhabilité en 1961.

2 364 **Toulon** (83000). Chef-lieu du département du Var, sur la Méditerranée. 181 405 hab. *(Toulonnais).* ◇ Préfecture maritime ; base navale, premier port militaire français en Méditerranée.

11 2503 **Toulouse** (31000). Chef-lieu du département de la Haute-Garonne et de la région Midi-Pyrénées, sur la Garonne. 354 289 hab. *(Toulousains).* ◇ Centre agricole, commercial et industriel (aéronautique). ◇ Capitale du puissant comté de Toulouse au Moyen Âge.

13 3056
14 3313 **Toulouse-Lautrec** Henri DE, peintre et affichiste français (1864-1901). Son dessin, d'une vigueur de trait exceptionnelle, témoigne du souci qu'il eut de « faire vrai et non idéal ». Nain boiteux, il vécut dans une grande misère morale.

8 1714
9 2030
9 2104
13 2959 **toundra** n. f. Formation végétale des régions subpolaires, où dominent mousses, lichens et bouleaux nains, où le sol est gelé en profondeur, mais où les rennes trouvent leur pâture, l'été. Succède à la taïga aux latitudes élevées.

Toungouses ou **Toungouzes** (les). Peuple disséminé en Sibérie orientale (environ 100 000 individus), parlant des dialectes apparentés au mongol et au turc.

toupie n. f. Jouet de forme arrondie, muni d'une pointe. Si l'on fait tourner rapidement la toupie, elle reste alors en équilibre sur sa pointe.

tour n. f. 1 — ARCH Construction de forme variable (ronde, carrée) dont la hauteur est considérable par rapport à la base. Elle peut être isolée *(tour penchée de Pise)* ou faire corps avec un bâtiment *(les tours d'une cathédrale).* ◇ Immeuble de bureaux ou d'habitation très élevé. *La tour Montparnasse, à Paris.*

tour n. m. 2 — TECH Machine-outil pour façonner des objets de bois, de métal. La pièce à façonner tourne sur elle-même. ◇ Instrument à plateau tournant qu'utilise le potier pour modeler l'argile avant de la cuire. ◆ **tourneur** n. m. Ouvrier qui façonne des objets sur un tour.

tour de France n. m. Depuis l'Ancien Régime, les *compagnons,* membres de sociétés de métiers, entreprennent un *tour de France* pour se perfectionner dans leur art. ◆ **Tour de France.** Course cycliste par étapes, créée par Henri Desgrange en 1903 ; réservé surtout aux professionnels, il se dispute chaque année sur une distance de 4 000 km environ.

Touraine. Ancienne province de France, de part et d'autre de la vallée de la Loire, correspondant au département d'Indre-et-Loire*. Capitale : Tours. ◇ Région au climat doux. ◇ Résidence des rois de France sous la Renaissance (nombreux châteaux).

tourbe n. f. Matière de couleur variable (noire, brune, grise...), formée de végétaux incomplètement décomposés *(tourbières).* La tourbe, au faible pouvoir calorifique, est exploitée pour essayer de remplacer la houille*.

Touré Sékou, homme d'État guinéen (1922-1984). Il conduisit son pays à l'indépendance (1958) en rompant avec la France et adopta une politique extérieure neutraliste.

Touring Club de France *(T.C.F.).* Association fondée en 1890 pour le développement du tourisme français, la protection des monuments et l'aménagement des sites.

tourisme n. m. Activité de loisir consistant à voyager pour son agrément. ◇ Ensemble des services, des activités liés à l'organisation des déplacements des touristes. *Office du tourisme.* ◇ *De tourisme :* d'usage privé. Contraire : *militaire, commercial.* ◆ **touriste** n. m. ou f. Personne qui fait du tourisme. ◇ *Classe touriste :* ancienne seconde classe (paquebots, avions...).

tourmaline n. f. Pierre de couleur noire, rouge, verte ou bleue, utilisée en joaillerie. On la trouve dans des roches volcaniques ou métamorphiques.

tournage n. m. ◇ 1. TECH Action de façonner un objet sur un tour*. ◇ 2. SPEC Action d'enregistrer avec une caméra et des micros les différentes

*L'arrivée du **Tour de France** à Paris, en 1981.*

*« Soleil en terre, **tournesol**... »* (Robert Desnos).

*Bien que disputé à « armes courtoises », le **tournoi** pouvait être mortel.*

*Le pharaon **Toutankhamon** régna à Thèbes au XIVe siècle av. J.-C.*

séquences d'un film. Le tournage d'un film s'effectue en studio ou en extérieur. Il est dirigé par un metteur en scène.

tournée n. f. Voyage effectué pour donner un spectacle de ville en ville et suivant un itinéraire fixé. *La tournée d'une compagnie théâtrale.*

Tournefort (Joseph PITTON DE), voyageur botaniste français (1656-1708). Il établit la première classification du règne végétal, fondée sur la nature des fleurs.

tournesol n. m. Nom courant de diverses plantes dont la fleur semble s'orienter vers le Soleil, notamment le genre Helianthus (famille des composacées), aux graines oléagineuses.

tournoi n. m. Au Moyen Âge, simulacre de combats entre chevaliers armés de lances inoffensives. Codifié vers le XIIe s., le combat courtois permettait au chevalier d'illustrer sa valeur en présence de sa dame qui portait ses *couleurs.* Ces joutes cessèrent au XVIe siècle.

Tours (37000). Chef-lieu de l'Indre-et-Loire, sur la Loire. 136 483 hab. *(Tourangeaux).* Centre commercial (vins) et industriel. ◇ Cathédrale (XIIIe-XVIe s.). En 1920, congrès qui vit la scission de la SFIO* et la naissance du PCF.

tourteau n. m. 1 — ZOOL Nom commun d'un gros crabe comestible à grosses pinces. Il est très commun sur les côtes atlantiques.

tourteau n. m. 2 — SOC Aliment pour le bétail, riche en matières azotées, formé de graines d'oléagineux après extraction de l'huile. ◇ Gâteau ou pain rond.

tourterelle n. f. Nom de divers oiseaux proches du pigeon (famille des columbidés). La tourterelle rieuse n'existe plus que comme oiseau domestique.

Tourville (Anne DE COTENTIN, *comte* DE), amiral français (1642-1701). Il combattit les pirates barbaresques, vainquit en 1690 la flotte anglo-hollandaise mais fut battu à la Hougue (1692).

Toussaint Louverture (François-Dominique TOUSSAINT, *dit),* homme politique et général haïtien (1743-1803). Esclave noir, il aida le gouvernement français à abolir l'esclavage à Haïti (1794). Ayant proclamé l'indépendance de l'île (1800), il fut arrêté sur ordre de Bonaparte (1802) et mourut en prison.

Toutankhamon, pharaon égyptien (règne v. 1354-1346 av. J.-C.). Gendre et successeur d'Akhenaton, il fut contraint de rétablir le culte d'Amon. Sa tombe, presque intacte, fut découverte en 1922.

toux n. f. Expiration brusque, saccadée et bruyante, volontaire ou réflexe, et souvent due à l'irritation des voies respiratoires. La toux peut résulter aussi d'affections gastriques, hépatiques...

toxicité n. f. Caractère de toute substance (poison, venin) capable de tuer un être vivant. ◇ *Coefficient de toxicité* : dose minimale à partir de laquelle une substance est mortelle. ◆ **toxicologie** n. f. Science qui étudie les produits toxiques, leur mode d'action et les remèdes à leur opposer.

toxicomanie n. f. Intoxication chronique ou périodique engendrée par la consommation de médicaments et de substances toxiques (drogue*), entraînant chez le sujet un état d'accoutumance et de dépendance psychique ou physique. ◆ **toxicomane** n. m. ou f. Personne atteinte de toxicomanie.

toxine n. f. Substance toxique sécrétée par les bactéries et par divers agents infectieux (champignons...) et qui provoque la formation d'anticorps.

trachée n. f. Conduit reliant le larynx aux bronches, comprenant, dans sa paroi, des anneaux cartilagineux. Son inflammation, ou *trachéite*, déclenche la toux. Lorsqu'elle est obstruée, on pratique une trachéotomie. Synonyme : *trachée-artère*.

tract n. m. Feuille polycopiée ou imprimée, distribuée en vue de faire de la propagande. Le tract est notamment utilisé par les syndicats et les partis.

tracteur n. m. Véhicule à moteur équipé de deux grandes roues arrière munies de crampons permettant de rouler en terrain meuble. Le tracteur sert notamment à tirer des machines utilisées dans les travaux agricoles.

traction n. f. Action de tirer sur l'extrémité d'un objet, d'un ressort, pour l'allonger. ◇ Action de tirer un véhicule : traction d'une charrue par un cheval, un bœuf (traction animale), un tracteur (traction mécanique) ; traction d'un train par une locomotive électrique (traction électrique).

trade-union n. f. Association syndicale de travailleurs d'une même industrie, en Grande-Bretagne. ◇ Issues des associations ouvrières constituées au XVIIIᵉ s., les trade-unions furent reconnues en 1824. Elles se développèrent surtout à partir de 1880 et contribuèrent à fonder le Labour Party.

tradition n. f. Opinion, coutume, connaissances transmises de génération en génération. ◇ Ensemble des vérités, des doctrines, des pratiques relatives à une religion qui sont transmises de siècle en siècle. ◆ **traditionalisme** n. m. Attachement aux notions et valeurs transmises par la tradition.

traduction n. f. Version d'un ouvrage, d'un texte dans une langue autre que celle où il a été écrit. ◆ **traducteur** n. m. Auteur d'une traduction. *Une traductrice de romans anglais.*

Trafalgar. Cap d'Espagne, proche de Gibraltar. ◇ Le 21 octobre 1805, la

***Tracteur** labourant sur le plateau du Larzac (Aveyron).*

*La mort de Nelson, vainqueur de la bataille de **Trafalgar**.*

*Le **traîneau** attelé de chiens est encore très utilisé en Alaska.*

***Traite des Noirs** : torture des esclaves sur une gravure du XVIIIᵉ siècle.*

flotte anglaise de Nelson (qui mourut au cours du combat) y écrasa la flotte française et assura ainsi son hégémonie.

trafic n. m. Circulation des véhicules sur une route (trafic routier), une ligne de chemin de fer (trafic ferroviaire), une ligne maritime (trafic maritime) ou une ligne aérienne (trafic aérien). ◇ Importance de ce mouvement de circulation. ◇ Commerce illicite plus ou moins clandestin. *Trafic de drogue. Trafic d'influence.* ◆ **trafiquant** n. m. Personne qui se livre à un trafic.

tragédie n. f. Pièce de théâtre en vers qui a pour personnage central un héros (ou une héroïne) placé dans une situation de conflit violent avec l'ordre social, familial, etc., et dont le drame personnel, né de cette situation de conflit, ne présente généralement d'autre issue que la mort. *Tragédies de Sophocle, de Shakespeare, de Racine.* ◆ **tragi-comédie** n. f. Tragédie dont l'action dramatique est émaillée d'incidents comiques et qui comporte un dénouement heureux. ◆ **tragédien** n. m. Interprète de tragédies.

train n. m. Ensemble constitué par la locomotive et par les voitures ou wagons, attelés les uns aux autres, qu'elle traîne : *train de voyageurs, train de marchandises.* ◇ Par extension, désigne le chemin de fer, les moyens de transport ferroviaire. *Prendre le train.* ◇ Dans l'armée de terre, unités chargées des moyens de transport terrestre.

traîneau n. m. Véhicule à patins utilisé pour se déplacer sur la neige ou sur la glace. Il est tiré à la main ou par un attelage de chiens, de chevaux...

traite n. f. 1 – soc Écrit par lequel une personne donne l'ordre à une autre de payer une certaine somme à une tierce personne. Synonyme : *lettre de change.*

traite n. f. 2 – tech Action de traire les femelles d'animaux domestiques (vache, chèvre...) pour extraire le lait de leurs mamelles. ◆ **trayeuse** n. f. Machine servant à traire. Le lait est aspiré par de petits gobelets appliqués sur les *trayons.*

traite des Noirs. Commerce des esclaves noirs d'Afrique organisé par les Européens du XVIᵉ au XVIIIᵉ s. Les esclaves étaient achetés en Afrique, transportés par bateau puis revendus aux planteurs d'Amérique.

traité n. m. Ouvrage qui expose de manière systématique un sujet déterminé. *Un traité de physique.* ◇ Convention écrite passée entre deux ou plusieurs États. *Le traité de Versailles.*

traitement n. m. 1 – soc Appointements attachés à un emploi, et notamment rémunération d'un fonctionnaire civil de l'État. Synonyme : *émoluments.*

traitement n. m. 2 – méd Ensemble des divers moyens qui sont mis en œuvre par le médecin pour soigner un malade et le guérir. *Prescription d'un traitement.* Synonyme : *thérapeutique.*

traitement n. m. 3 – TECH Ensemble des opérations qui permettent de transformer une matière en une autre ou de modifier les propriétés d'une substance : *un traitement chimique.*

4 727 **Trajan,** empereur romain (53-117). Adopté par Nerva, il lui succéda en 98. Par ses conquêtes en Orient et en Dacie (commémorées à Rome par la colonne Trajane), il donna alors son extension maximale à l'Empire. Il fut un excellent administrateur.

trajectoire n. f. Courbe parcourue par un objet en mouvement : *trajectoire d'un obus* lancé par un canon, *trajectoire d'une planète* autour du Soleil, *trajectoire d'un avion...*

8 1890 **trame** n. f. Dans un tissu, ensemble de fils parallèles qui ont été passés par la navette du métier à tisser et qui sont perpendiculaires aux fils de la chaîne. ◇ Ensemble des lignes d'une image télévisée décrites lors d'un balayage vertical.

6 1224 **tramontane** n. f. Vent froid soufflant du nord vers la région méditerranéenne, entre le Rhône et les Pyrénées (vient du mot italien *tramontana*).

1 239
9 1982 **tramway** n. m. Chemin de fer à rails plats servant au transport urbain ou périurbain. ◇ Voiture mue à l'électricité, circulant sur cette voie.

11 2479 **tranchée** n. f. Fossé étroit et long, à ciel ouvert, creusé dans le sol. *Tranchée de fondation.* ◇ Dispositif allongé creusé près des lignes ennemies et permettant aux soldats de circuler et de tirer à couvert. La Première Guerre mondiale fut une sanglante « guerre de tranchées ».

transaction n. f. Opération boursière ou commerciale. ◇ Contrat par lequel des parties règlent une contestation en faisant des concessions réciproques.

1 42
11 2443 **transatlantique** n. m. Paquebot rapide qui effectue des liaisons régulières entre l'Europe et l'Amérique. ◇ *Course transatlantique :* course de voiliers traversant l'océan Atlantique.

transcription n. f. Action de reproduire un écrit en le recopiant tel quel ou à l'aide de caractères graphiques différents. *La transcription d'un livre en braille.* ◇ Adaptation d'une œuvre musicale à d'autres instruments.

9 2115 **transept** n. m. Galerie d'une église qui coupe transversalement la nef* principale de manière à donner au bâtiment la forme symbolique d'une croix.

transfert n. m. Action de déplacer, de faire passer d'un lieu à un autre. *Transfert d'un prisonnier.* ◇ Acte par lequel on cède à quelqu'un un droit, une pro-

*Buste de l'empereur **Trajan.***

***Tramways** à Helsinki, en Finlande.*

***Transformateurs** dans une centrale thermique.*

***Transhumance** d'un troupeau de moutons en Sardaigne.*

priété. ◇ En psychanalyse, processus par lequel un sujet, au cours d'une cure, reporte sur l'analyste des sentiments inconscients provoqués par une autre personne (père, mère...).

transformateur n. m. Appareil qui permet de changer la tension et l'intensité d'un courant électrique. *Un transformateur 220/110 volts.* **4** 833

transformation n. f. Intégration, dans le génome d'une bactérie, d'un fragment du génome d'une autre bactérie. ◆ **transformisme** n. m. Théorie de l'évolution, opposée au *fixisme,* selon laquelle les organismes vivants se transforment progressivement en d'autres. (Voir évolution ; Darwin.) **14** 3340

transfusion n. f. Opération consistant à injecter dans les veines d'un sujet receveur du sang prélevé chez un sujet donneur possédant le même groupe sanguin. On utilise du sang total frais ou conservé à + 4 °C, ou une partie du sang (plasma). La transfusion est continue ou se fait au goutte-à-goutte. La transfusion directe de bras à bras est devenue exceptionnelle. **9** 1992
13 2919

transhumance n. f. Migration estivale du bétail des pâturages de plaine vers les pâturages d'altitude (alpage). Cette pratique est en régression. **14** 3191

transistor n. m. Abréviation de l'anglais *transfer resistor,* résistance de transfert. C'est un composant électronique à trois bornes utilisé pour amplifier des courants électriques, commander des dipôles... Un transistor se fabrique à partir de silicium ou de germanium. **3** 573
11 2496

transit n. m. Passage de marchandises, de voyageurs par un lieu, un pays situé sur leur itinéraire. *Marchandises en transit* (exemptes de droits de douane). *Salle de transit d'un aéroport.*

Transjordanie. Nom de l'émirat sous mandat britannique formé en 1922 sur les décombres de l'Empire ottoman au Proche-Orient. Devenu royaume indépendant en 1946, il prit en 1949 le nom de royaume de Jordanie après avoir annexé la Cisjordanie. **11** 2459

Transkei. Le premier des Bantoustans qui, en application de la politique d'apartheid*, fut déclaré indépendant en 1976 par l'Afrique du Sud. 41 600 km² ; 3 millions d'hab. Capitale : Umtata. Le Transkei n'est pas reconnu par l'ONU. **2** 286

translation n. f. Étant donné un vecteur $\vec{V}$, on appelle translation de vecteur $\vec{V}$ la transformation géométrique qui à tout point M du plan fait correspondre le point M' tel que les vecteurs $\overrightarrow{MM'}$ et $\vec{V}$ soient égaux.

transmission n. f. ◇ 1. PHYS Propagation de la lumière, de la chaleur, du son... ◇ Communication du mouvement d'un système mécanique à un autre. ◇ 2. BIOL Passage de caractères hérédi- **11** 2494 taires, de maladies, etc., d'une personne à une autre. ◇ **3.** SOC Action de transmettre des pouvoirs. *La transmission des pouvoirs du chef de l'État.* ◆ **transmissions** n. f. pl. Arme ou service chargés des liaisons radio, hertziennes, etc., dans l'armée.

4 957
13 2976

transpiration n. f. Sécrétion de sueur (sudation*). La transpiration est un phénomène permanent, qui s'amplifie lorsque la température ambiante atteint et dépasse 25 °C.

transplantation n. f. ◇ **1.** BOT Action de sortir de terre un végétal pour le replanter dans un autre endroit. ◇ **2.** MÉD Greffe d'un organe d'un sujet donneur sur un sujet receveur en rétablissant la continuité des gros vaisseaux sanguins.

1 88
1 238
2 337
2 457
9 1980

transport n. m. Action de transporter, d'un endroit à un autre, des voyageurs, des marchandises, du courant électrique... *Transport d'un paquet, d'un blessé.* ◆ **transports** n. m. pl. Ensemble des moyens affectés au déplacement de marchandises ou de personnes sur une distance relativement longue. *Les transports aériens. Une entreprise de transports routiers.* ◆ **transports en commun** n. m. pl. Ensemble des moyens de transport destinés au public : train, autobus, métro...

9 2034
13 2960

Transsibérien. Ligne de chemin de fer construite entre 1891 et 1907 pour relier Moscou à Vladivostok (9 300 km). Le Transsibérien comprend aujourd'hui plusieurs sections.

2 286

Transvaal. Province la plus septentrionale d'Afrique du Sud. 283 917 km² ; 8 765 000 hab. Capitale : Pretoria. Ville principale : Johannesburg. Région de hauts plateaux (élevage) au riche soussol (or, charbon, platine) ; industries. ◇ Colonisé par les Boers* après 1835, le Transvaal, annexé par la Grande-Bretagne, se souleva en 1880 et 1899.

12 2798

Transylvanie. Région de la Roumanie centrale. Dépression fertile (céréales, fruits, élevage), au sous-sol riche (gaz naturel, lignite, cuivre). ◇ Hongroise (XIe-XVIe s.) puis sous la domination des Habsbourg, la Transylvanie fut rattachée à la Roumanie en 1918. Minorités hongroises et germaniques.

trapèze n. m. **1** – MATH Quadrilatère dont deux côtés sont parallèles et inégaux, les deux autres étant obliques. Le trapèze est dit isocèle si les côtés obliques sont de même longueur.

trapèze n. m. **2** – SP Agrès formé d'une barre horizontale suspendue par deux cordes, utilisé pour des acrobaties au cirque ou au music-hall. L'une de ces acrobaties est le *trapèze volant*, où l'acrobate saute d'un trapèze à l'autre.

2 327

trapèze n. m. **3** – ANAT L'un des os du carpe*. ◇ Muscle dorsal fixé aux vertèbres dorsales, à la tête et à l'omoplate. Le trapèze maintient la tête droite.

Le **Transsibérien** parcourt 9 300 km de Moscou à Vladivostok.

Au **trapèze,** une artiste du cirque Alexis Gruss.

Trappeur à l'affût en Alaska.

Au Mali, pesage de l'or au **trébuchet.**

Trappe (Notre-Dame de la). Abbaye cistercienne de Soligny (Orne), fondée en 1140. ◇ Appellation courante de l'ordre des cisterciens réformés ou de la stricte observance (trappistes).

trappe n. f. Ouverture à battant pratiquée dans un plafond ou un plancher. ◇ Trou recouvert de branchages formant un piège pour animaux. ◆ **trappeur** n. m. Chasseur de bêtes à fourrure, en Amérique du Nord.

Trás-os-Montes. Région et ancienne province du nord du Portugal, formée de plateaux de moyenne altitude. Climat rude. Maigres ressources (vigne).

11 2609

traumatisme n. m. État engendré par une lésion, une blessure produite par un agent extérieur. ◇ En psychologie, ensemble des troubles psychiques dus à un choc émotionnel.

travail n. m. **1** – SOC Ensemble des activités humaines destinées à produire un bien, une œuvre, à modifier une situation. *Travail manuel, intellectuel.* ◇ Activité professionnelle rémunérée. *Perdre son travail.* ◇ *Travail à domicile :* travail exercé au domicile du salarié.

1 160
1 170
4 846
13 2998

travail n. m. **2** – PHYS Grandeur mesurant l'effet d'une force* qui se déplace : une locomotive exerce une force sur les wagons ; en les faisant avancer, elle produit un travail. Dans le système international, l'unité de travail est le joule*.

2 310
10 2292
14 3246

travaillisme n. m. Doctrine du parti travailliste anglais (Labour Party). Fondé en 1906 à partir des trade-unions, ce parti de tendance social-démocrate est depuis 1922 l'une des deux grandes formations politiques britanniques.

travaux forcés n. m. pl. Peine criminelle de droit commun exécutée dans un bagne. Elles est remplacée aujourd'hui en France par la réclusion à vie (le dernier bagne fut fermé en 1936).

traveller's chèque n. m. Mots anglais signifiant « chèque de voyage ».

travelling n. m. Mouvement d'une caméra placée sur un chariot monté sur rails, permettant de la rapprocher ou de l'éloigner de la scène filmée. ◇ La prise de vues ainsi obtenue. (Mot anglais.)

trébuchet n. m. Petite balance de précision à deux plateaux utilisée pour peser des objets légers ou, en laboratoire, de petites quantités de matière.

tréfilage n. m. Fabrication de fils métalliques. On amincit le métal en le passant à travers une filière, pièce percée d'un trou en forme d'entonnoir. ◆ **tréfilerie** n. f. Usine où l'on fabrique du fil par tréfilage.

trèfle n. m. Plante herbacée (famille des papilionacées) dont les feuilles ont 3 folioles (d'où son nom). Le trèfle donne un excellent fourrage.

2 362
7 1540

trekking n. m. Randonnée pédestre effectuée sur des distances limitées. Cette activité sportive de loisirs se pratique en forêt ou à la campagne.

tremblement n. m. 1 – MÉD Agitation, par oscillations involontaires, d'une partie du corps ou du corps tout entier. Les tremblements sont dus à certaines maladies (maladie de Parkinson), à la fièvre, à l'effet du froid...

tremblement n. m. 2 – GÉOL Série de secousses plus ou moins intenses. ◇ *Tremblement de terre* : ébranlement, d'intensité variable, d'une portion de l'écorce terrestre. Synonyme : *séisme**.

trempe n. f. Action de refroidir brusquement un objet en métal fortement chauffé, en le plongeant dans de l'eau ou de l'huile. La trempe augmente la dureté des pièces en acier : limes, outils pour perceuses, etc.

tremplin n. m. Planche élastique à partir de laquelle le plongeur ou le gymnaste prend son élan. ◇ Piste d'élan du saut à skis.

Trenet Charles, auteur, compositeur et interprète de chansons français (né en 1913). Il a su admirablement mêler poésie, fantaisie et rythme : *Je chante, Y a d' la joie, la Mer*...

Trente (concile de). Dix-neuvième concile œcuménique, réuni à Trente de 1545 à 1549, puis de 1551 à 1552 et de 1562 à 1563. En réponse à la Réforme, ce concile redéfinit le dogme et les rites catholiques. Il déclencha ainsi le mouvement de la Réforme catholique, ou Contre-Réforme, qui fixa le visage de l'Église jusqu'au XXᵉ siècle.

Trente Ans (guerre de). Conflit politique et religieux qui déchira l'Allemagne de 1618 à 1648. Il débuta en Bohême par le soulèvement des protestants contre les Habsbourg. La dureté de la répression catholique provoqua l'intervention danoise (1625), puis celle de la Suède (1630) et enfin celle de la France (1635-1648) soucieuse de diminuer la puissance autrichienne. Les traités de Westphalie sanctionnèrent le déclin de l'Empire germanique.

Trentin-Haut-Adige. Région alpine d'Italie, à la frontière autrichienne. 13 613 km² ; 872 000 hab. Chef-lieu : Trente. Élevage ; hydro-électricité ; tourisme. ◇ Région cédée par l'Autriche à l'Italie en 1919.

trépanation n. f. Action de pratiquer une ouverture dans un os (surtout le crâne) lors d'une intervention chirurgicale. ◆ **trépan** n. m. Instrument de chirurgie servant à percer un os. ◇ *Trépan de sonde* : outil de forage des puits de pétrole.

tréponème n. m. Genre de petites bactéries comprenant plusieurs espèces. L'une d'entre elles est l'agent responsable de la syphilis*.

*Skieur dévalant la pente du **tremplin** pour effectuer un saut.*

*Séance de clôture du concile de **Trente** (peinture de 1711).*

*Les voies de **triage** de la gare du Nord, à Paris.*

Trésor public. Service de l'État assurant l'exécution du budget, la rentrée des recettes et le règlement des dépenses publiques. Il est administré dans chaque département par un *trésorier-payeur général*.

trésorerie n. f. Ensemble des fonds* immédiatement disponibles d'une entreprise. ◇ Administration du Trésor* public. ◆ **trésorier** n. m. Personne qui gère les finances d'une collectivité.

treuil n. m. Appareil de levage et de chargement comprenant un cylindre sur lequel on enroule le câble qui retient la charge. On fait tourner le cylindre avec une manivelle ou un moteur.

trêve n. f. Suspension temporaire des hostilités entre belligérants, durant une guerre, un conflit non armé. ◇ *Trêve de Dieu* : au Moyen Âge, interdiction faite par l'Église aux seigneurs féodaux de guerroyer certains jours de l'année.

triage n. m. Action de séparer et de regrouper les wagons d'un train, afin de former de nouveaux convois. ◇ *Gare de triage* : ensemble de voies ferrées sur lesquelles on trie les wagons.

triangle n. m. 1 – MATH Polygone à 3 côtés. Si 2 côtés ont même longueur, il est dit isocèle. ◇ La surface d'un triangle est égale au demi-produit de sa base par sa hauteur. Les 3 hauteurs sont concourantes en un point appelé orthocentre, les 3 médianes se coupent au centre de gravité.

triangle n. m. 2 – MUS Instrument de musique à percussion formé d'une baguette d'acier pliée en triangle et que l'on frappe avec une tige également en acier.

Trianon. Nom de deux châteaux situés dans le parc de Versailles : le *Grand Trianon*, bâti par Jules Hardouin-Mansart en 1687, et le *Petit Trianon*, élevé par Jacques-Ange Gabriel (1762-1768).

trias n. m. Période la plus ancienne et la plus courte (env. 35 millions d'années) du secondaire, entre le permien et le jurassique, caractérisée par l'apparition des premiers mammifères.

tribord n. m. Côté droit d'un navire, lorsque l'on regarde vers l'avant. Le côté gauche est appelé *bâbord*.

tribu n. f. Groupement de familles d'une même ethnie se considérant comme descendant d'un même ancêtre et formant une entité politique, culturelle et militaire. ◇ Pour certains spécialistes, la tribu est équivalente de l'ethnie*.

tribun n. m. Officier ou magistrat romain. ◇ *Tribun militaire* : l'un des six officiers commandant une légion. ◇ *Tribun de la plèbe* : magistrat élu pour défendre les intérêts des plébéiens. ◇ Orateur populaire.

tribunal n. m. Juridiction d'un ou plusieurs magistrats qui jugent ensemble. ◇ On distingue, en France, les *tribunaux judiciaires*, qui jugent les conflits entre personnes morales ou physiques et qui répriment les délits et crimes, et les *tribunaux administratifs*, chargés des conflits où l'État (ou une collectivité publique) est partie*.

Tribunal révolutionnaire. Juridiction d'exception, créée par la Convention en mars 1793. Avec ses jugements sans appel ni cassation, exécutoires dans les 24 heures, il fut l'instrument de la Terreur*. Il fut supprimé en mai 1795.

Tribunat (le). Assemblée instituée par la Constitution de l'an VIII (1799). Composé de 100 membres choisis sur une liste de notables, le Tribunat discutait les projets de loi mais ne les votait pas. En 1807, Napoléon Ier supprima cette assemblée.

tribune n. f. Sorte de galerie aménagée à l'intérieur d'une église ou d'une salle où se tiennent des réunions publiques et réservée à certaines personnes. *La tribune de presse.* ◇ Gradins couverts d'un stade, d'un champ de courses. ◇ Estrade à l'usage des orateurs.

triceps n. m. Muscle dont l'une des extrémités se divise en trois faisceaux. La face postérieure du bras comporte le *triceps brachial extenseur.*

trichine n. f. Petit ver némathelminthe, parasite de l'intestin et des muscles de mammifères (Homme, porc). La trichine provoque des troubles digestifs, musculaires, etc.

trichomonas n. m. Genre de protozoaires à plusieurs flagelles et à membrane ondulatoire. Le trichomonas est un parasite intestinal et vaginal des humains et de certains animaux.

triclinium n. m. Divan à trois places sur lequel s'installaient les convives d'un repas, dans la Rome antique. Par extension, salle à manger romaine.

triforium n. m. Ensemble de petites arcades à colonnettes qui, dans une église, bordent la galerie placée au-dessus des bas-côtés de la nef ou du chœur et ouvrent sur cette nef et ce chœur.

trigonométrie n. f. Branche des mathématiques traitant des relations entre les éléments d'un triangle, et particulièrement entre les angles et les côtés. Par extension, étude des fonctions trigonométriques (sinus et cosinus, tangente et cotangente, sécante et cosécante), des relations entre ces fonctions et leurs applications à différents problèmes (physique, navigation, construction...). ◇ *Tables trigonométriques :* tables donnant les valeurs des fonctions trigonométriques en relation avec les mesures des angles.

trilobites n. m. pl. Classe des arthropodes primitifs fossiles et marins de l'ère primaire. Leur corps, ovale et

*La reine Marie-Antoinette comparut devant le **Tribunal révolutionnaire**.*

*Le palais du gouvernement de **Trinité et Tobago**.*

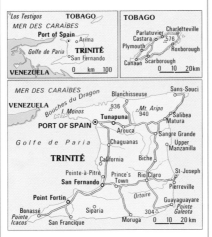

***Trinité et Tobago**.*

*La **Trinité** : Dieu le Père, Jésus et le Saint-Esprit (une colombe).*

aplati, était protégé par une épaisse cuticule formée de trois lobes.

trilogie n. f. Réunion de trois tragédies grecques écrites sur un même thème (*l'Orestie* d'Eschyle). ◇ Ensemble de trois pièces, de trois romans...

trimestre n. m. Période de trois mois consécutifs. ◇ Division de l'année scolaire. ◇ Somme que l'on paie ou que l'on reçoit tous les trois mois.

Trinité (la Sainte). Dogme et mystère de la religion chrétienne qui réunit en un Dieu unique les trois personnes divines du Père, du Fils (le Christ) et du Saint-Esprit.

Trinité et Tobago. État des Petites Antilles.

superficie :	5 128 km^2
population :	1 056 000 hab.
capitale :	Port of Spain
monnaie :	le dollar de Trinité et Tobago
code international :	TT

État formé de deux îles montagneuses, peuplé surtout de Noirs et d'Indiens originaires de l'Inde. Ressource principale : hydrocarbures. ◇ Colonies britanniques de 1802 à 1962.

trinôme n. m. Expression algébrique formée de la somme ou de la différence de trois termes ou monômes.

trio n. m. Composition musicale pour trois voix ou trois instruments. *Un trio de Schubert.* ◇ Formation de trois chanteurs, de trois instrumentistes.

Triolet Elsa, écrivain français d'origine russe (1896-1970). On lui doit des romans (*l'Âge de Nylon,* 1959-1963) et des nouvelles. Belle-sœur du poète Maïakovski, elle fut l'épouse d'Aragon.

triomphe n. m. Dans la Rome antique, entrée solennelle dans la ville d'un général ayant remporté une grande victoire. Précédé du butin amassé et de ses prisonniers, le général avait exceptionnellement le droit de franchir l'enceinte sacrée et passait avec ses troupes sous un arc de triomphe.

Tripoli. Capitale et port de la Libye, sur la Méditerranée. 551 000 hab. ◇ Cet ancien comptoir phénicien fut occupé par les Turcs (1551-1911) puis par les Italiens (1911-1943).

Tripolitaine. Région du nord-ouest de la Libye, formée par un plateau aride. ◇ Conquise par les Italiens (1911-1913), elle fut le théâtre de durs combats pendant la Seconde Guerre mondiale.

triptyque n. m. Œuvre peinte ou sculptée composée d'un panneau central sur lequel peuvent se refermer deux volets latéraux.

Tristan Flora, écrivain français (1803-1844). Elle lia la lutte contre l'exploitation de la classe ouvrière à la lutte contre l'oppression des femmes (*les Pérégrinations d'une paria*, 1838).

tritium n. m. Isotope* radioactif de l'hydrogène. Symbole *T.* Le tritium est présent en faible quantité dans l'atmosphère et les eaux de pluie.

4 753
9 1955 **triton** n. m. Amphibien urodèle, voisin des salamandres, portant une crête plus ou moins grande selon l'espèce. ◇ Mollusque gastéropode dont la coquille (conque) servait de trompe de guerre.

3 655
3 677 **triumvirat** n. m. Dans l'Antiquité, association de trois personnes exerçant le pouvoir. À Rome, César, Pompée et Crassus formèrent le premier triumvirat (60-53 av. J.-C.) ; Octavien, Lépide et Antoine, le second (44-42 av. J.-C.).

Trnka Jiři, dessinateur et cinéaste tchèque (1912-1969). Il fut le génial créateur du film de marionnettes : *le Rossignol de l'empereur de Chine* (1949), *le Brave Soldat Chveik* (1955), etc.

7 1582
12 2782 **troc** n. m. Forme primitive du commerce qui consiste à échanger directement un objet, une marchandise contre d'autres, sans faire usage de monnaie. Dans un système économique fondé sur le troc, la monnaie n'existe pas.

troglodyte n. m. ◇ 1. GÉO Personne vivant dans une caverne, une grotte ou une excavation artificielle. ◇ 2. ZOOL Petit oiseau passériforme* brun, qui construit un nid volumineux.

2 415 **Troie** ou **Ilion.** Ancienne ville d'Asie Mineure. Longtemps discutée, l'existence de la ville décrite par Homère dans *l'Iliade* fut établie par les découvertes de Schliemann (1871-1890) à Hissarlik (Turquie). L'archéologue, en effet, retrouva les ruines superposées de 9 cités datant du IVᵉ millénaire av. J.-C. à 400 ap. J.-C. La Troie d'Homère correspondrait à la septième Troie, détruite par le feu vers 1240 av. J.-C.

troïka n. f. En Russie, grand traîneau tiré par trois chevaux attelés de front.

10 2263 **Trois Glorieuses** (les). Journées révolutionnaires des 27, 28 et 29 juillet 1830, à Paris. Provoquées par les ordonnances de Charles X, ces journées entraînèrent la chute des Bourbons et l'avènement de la monarchie de Juillet.

1 239
9 1982 **trolleybus** n. m. Autobus de transport en commun équipé d'un moteur électrique et surmonté d'une perche orientable (trolley) qui, en contact avec un câble conducteur, transmet le courant.

2 263 **trombone** n. m. Instrument de musique à vent et à embouchure, composé de deux tubes recourbés en « U » qui s'emboîtent. *Trombone à coulisse, à pistons.*

trompe n. f. 1 — MUS Instrument à vent composé d'un tube conique enroulé sur lui-même. *Une trompe de chasse* (communément, cor* de chasse). ◇ Avertisseur sonore.

*Le **triton** à crête mâle revêt une parure nuptiale brillante.*

***Troïka** attelée de trois chevaux en Sibérie.*

*Enfants jouant du **trombone** à coulisse.*

***Trompe-l'œil** : fausses fenêtres et fausse dame sur vraie façade.*

7 146 **trompe** n. f. 2 — ZOOL Chez les mammifères, appendice formé par l'allongement du nez et de la lèvre supérieure. Le tapir, l'éléphant de mer possèdent une trompe. Celle de l'éléphant est préhensile et constitue une sorte de cinquième membre. ◇ Chez les insectes se nourrissant d'aliments liquides (mouches, papillons...), appendice aspirateur formé de diverses pièces buccales.

1 223
7 1634
9 2134 **trompe** n. f. 3 — ANAT Nom de divers conduits naturels. ◇ *Trompe d'Eustache :* chacun des deux conduits reliant les fosses nasales aux oreilles moyennes. ◇ *Trompe de Fallope* ou *trompe utérine :* chacun des deux conduits assurant, chez la femme et les mammifères femelles, le transport de l'ovule, émis à chaque cycle menstruel, des ovaires à l'utérus. La fécondation s'effectue dans les trompes.

trompe-l'œil n. m. Peinture dont les effets de perspective permettent la représentation d'objets, d'architectures, de personnages, etc., en donnant l'illusion du relief.

2 263 **trompette** n. f. Instrument de musique à vent et à embouchure, formé d'un tube conique dont l'extrémité est évasée. *Trompette d'harmonie* (à pistons), *trompette de cavalerie* (sans pistons).

4 904 **tronc** n. m. ◇ 1. BOT Partie inférieure dépourvue de branches de certains arbres. Le tronc est la principale source du bois d'œuvre. ◇ 2. ANAT Partie du corps à laquelle sont attachés la tête et les membres. ◇ Partie de fort diamètre, non ramifiée, d'une artère, d'un nerf...

4 888 **trône** n. m. Siège de cérémonie d'un souverain ou d'un personnage puissant. *Le trône pontifical.* Par extension, le terme symbolisa la charge d'un souverain : *le trône de France,* pour la monarchie française, ou *le trône et l'autel,* pour l'alliance du roi et de l'Église.

trophée n. m. Dépouilles des ennemis vaincus. Peu à peu, les armures, les armes puis les drapeaux pris à l'ennemi en déroute sont devenus la preuve tangible des victoires. ◇ Monument, motif décoratif représentant un trophée. *Le trophée d'Auguste.*

2 409
7 1462 **tropique** n. m. Chacun des deux cercles du globe terrestre, parallèles à l'équateur, de latitude* + 23° 27' (tropique du Cancer*) et − 23° 27' (tropique du Capricorne*). Ils délimitent la zone où le Soleil passe au zénith* à chacun des solstices*. ◇ *Année tropique :* intervalle entre deux passages consécutifs du Soleil à l'équinoxe* de printemps, soit 365 jours un quart.

5 1018 **tropisme** n. m. Mouvement d'une partie d'un organisme déclenché par un facteur externe et qui détermine son orientation. Le tropisme d'une plante est de croître en direction de la lumière.

6 1222
11 2565 **troposphère** n. f. Couche de l'atmosphère* en contact avec la Terre et limi-

tée par la stratosphère, d'épaisseur comprise entre 10 et 20 km environ. Sa température diminue avec l'altitude de 6,5 °C/km.

4 722
10 2371

trot n. m. Allure du cheval et d'autres quadrupèdes, intermédiaire entre le pas et le galop. *Petit trot, grand trot. Course de trot.*

11 2517
11 2531
13 3023

Trotski Léon (Lev Davidovitch BRON-STEIN, *dit*), homme politique russe (1879-1940). Révolutionnaire à 19 ans, il participa à la Révolution de 1905. Contraint à l'exil, il ne rejoignit les bolcheviks qu'en 1917. Dirigeant de l'insurrection d'Octobre, créateur et chef de l'armée rouge (1918-1920), il dirigea l'opposition de gauche à Staline après la mort de Lénine. Démis de ses fonctions, il fut expulsé d'URSS en 1929. Réfugié au Mexique, il y fut assassiné par un agent de Staline. En 1938, il avait fondé la IVe Internationale. Ses théories, exposées dans *la Révolution permanente,* fondent l'action politique des mouvements trotskistes.

trottinette n. f. Jouet formé d'une planche munie de deux roues et d'un guidon orientable. Synonyme : *patinette.*

7 1444

troubadour n. m. Poète lyrique du Moyen Âge, auteur de compositions littéraires et musicales écrites en langue d'oc*. La poésie chantée des troubadours (de *trobar,* trouver) est une poésie savante, lyrique ou, plus rarement, satirique, qui fleurit aux XIe, XIIe et XIIIe s. dans le midi de la France. Elle a l'amour courtois pour principale source d'inspiration.

troupe n. f. Unité régulière de soldats. *La troupe :* ensemble des militaires, sous-officiers et soldats, qui ne sont pas officiers. *Homme de troupe :* soldat non gradé. ◊ Groupe de comédiens jouant ensemble.

troupeau n. m. Groupe d'animaux domestiques de même espèce, gardés ensemble. ◊ Groupe d'animaux sauvages vivant ensemble.

6 1421

trouvère n. m. Poète et jongleur, d'abord simple interprète, puis auteur et interprète de poèmes lyriques chantés (rondeaux, virelais, pastourelles...) écrits en langue d'oïl*. L'art raffiné des trouvères s'est épanoui aux XIe, XIIe et XIIIe s. dans le nord de la France avec Thibaud de Champagne, Colin Muset, Jean Bodel, Rutebeuf, etc.

12 2719

Troyes (10000). Chef-lieu de l'Aube, sur la Seine. 64 769 hab. *(Troyens).* Bonneterie ; industries mécanique et électrique. ◊ Ville prospère du XIIe au XIVe s. (célèbres foires).

trucage → truquage

Trudeau Pierre Elliott, homme politique canadien (né en 1919). Président du parti libéral, il fut Premier ministre de 1968 à 1979 et de 1980 à 1984.

*Course de **trot** attelé : le driver est sur le sulky.*

*Portrait de **Trotski** à l'âge de quarante ans.*

*« Je fais des films pour réaliser mes rêves d'adolescent » (F. **Truffaut**).*

*Une bonne **truie** peut avoir 2 portées de 12 porcelets par an.*

Truffaut François, cinéaste français (1932-1984). Sa personnalité s'est affirmée au sein du mouvement de la « nouvelle vague ». *Les Quatre Cents Coups* (1959), *Jules et Jim* (1961), *Fahrenheit 451* (1966), *l'Enfant sauvage* (1969), *la Nuit américaine* (1973), *l'Histoire d'Adèle H.* (1975), *le Dernier Métro* (1980) sont ses films les plus célèbres.

12 2767

truffe n. f. Nom des fructifications de divers champignons ascomycètes. Les truffes se développent dans le sol, au voisinage des racines de chêne, de noisetier, et sont très recherchées pour leurs vertus gastronomiques.

1 123
8 1830

truie n. f. Femelle du porc domestique. Utilisée pour la reproduction, elle met bas, 2 fois par an, jusqu'à 12 porcelets par portée. (Voir verrat.)

11 2545

truite n. f. Poisson salmonidé, comestible, au corps tacheté de couleurs variées. On distingue la truite de mer migratrice, de lac, de rivière, la truite arc-en-ciel...

7 1548

Truman Harry, homme d'État américain (1884-1972). Démocrate, il fut vice-président de Roosevelt puis président de 1945 à 1953. Sous son administration débuta la « guerre froide » avec l'URSS.

11 2604

truquage (ou trucage) n. m. Modification de l'apparence d'un objet, afin de tromper : *truquage d'une photo.* ◊ Par extension, tromperie. *Le truquage d'un scrutin.* ◊ Procédé technique utilisé au cinéma pour donner l'illusion d'une chose ou d'un phénomène : éclairs de lumière donnant l'illusion d'un orage...

trust n. m. Combinaison économique ou financière réunissant plusieurs entreprises sous une même direction. (Voir holding.) ◊ Entreprise exerçant une influence prépondérante, voire un monopole, sur une branche économique.

trypanosome n. m. Protozoaire flagellé, parasite du sang, agent de maladies et véhiculé par des insectes se nourrissant de sang. La mouche tsé-tsé, parasitée, transmet la maladie du sommeil.

trypsine n. f. Enzyme agissant sur les protéines et qui, sécrétée par le pancréas sous forme inactive (trypsinogène), est activée par le suc intestinal.

tsar n. m. Titre de certains souverains des pays slaves (Serbie, Bulgarie), et en particulier des empereurs russes depuis Ivan IV le Terrible (vient du latin *caesar,* césar).

9 1950
9 2027

tsé-tsé → glossine

Ts'eu-hi ou **Ci Xi**, impératrice de Chine (1835-1908). Impératrice et régente de 1875 à sa mort, elle encouragea les mouvements anti-occidentaux (révolte des Boxers) et s'opposa à toute réforme.

T.S.F. (*télégraphie sans fil* ou *téléphonie sans fil*). Abréviation couramment utilisée jusqu'à la Seconde Guerre mondiale pour désigner la radiodiffusion.

10 2257 **Tsiganes** ou **Tziganes** (les). Nomades probablement originaires de l'Inde, d'où ils auraient migré à partir du IXe s. vers l'Europe. Divisés en plusieurs groupes (Gitans, Rom, Sinti, Manouches), ils développèrent une culture originale. Ils ne furent jamais ni conquérants ni pasteurs.

Ts'ing ou **Qing.** Dynastie mandchoue qui régna sur la Chine de 1644 à 1911. Arrivée au pouvoir après avoir renversé les Ming, cette dynastie ne sut pas protéger la Chine contre les empiétements des Occidentaux.

4 760 **Tuamotu** ou **Touamotou** (îles). Archipel de la Polynésie française, à l'est de Tahiti ; environ 60 îles et îlots. 880 km² ; 8 496 hab. Chef-lieu : Rotoava.

2 263 **tuba** n. m. Instrument de musique à vent, à embouchure et à trois pistons (famille des cuivres). Il est utilisé pour la puissance de ses basses.

tube n. m. ◇ 1. TECH Tuyau cylindrique en caoutchouc, métal ou plastique. Emballage cylindrique rigide ou souple avec un goulot : *tube d'aspirine, de dentifrice.* ◇ 2. ANAT Conduit naturel : *tube digestif.* ◇ 3. BOT Conduit par lequel s'écoule la sève. ◇ 4. PHYS Ampoule étanche que l'on branche sur un circuit électrique : *tube fluorescent* (éclairage). ◇ 5. CHIM Petit récipient cylindrique en verre : *tube à essai.*

4 907 **tubercule** n. m. Excroissance d'une racine, d'un rhizome* et, parfois, d'une tige aérienne. C'est l'organe de réserve de la plante. Les tubercules comestibles sont la pomme de terre, la carotte...

4 840 **tuberculose** n. f. Maladie infectieuse contagieuse due à un microbe, le bacille de Koch (identifié en 1882). La tuberculose affecte le plus souvent les poumons, mais également les reins, le foie, les os, les méninges, la plèvre... La vaccination obligatoire par BCG*, le dépistage systématique par radiographie, l'emploi des antibiotiques ont entraîné un recul sensible de cette maladie en Europe. Mais certaines formes restent fréquentes en Afrique.

tubéreuse n. f. Plante herbacée (famille des amaryllidacées) dont les grappes de fleurs blanches sont très odorantes. ◇ Ancien nom de la pomme de terre.

8 1786 **Tudor.** Famille anglaise, descendant d'Owen Tudor, qui donna cinq souverains à l'Angleterre : Henri VII (le premier roi Tudor, 1485), Henri VIII, Édouard VI, Marie Tudor et Élisabeth Ire qui mourut sans héritier (1603).
8 1905
14 3292

8 1866 **tuf** n. m. Roche poreuse non homogène, d'origine sédimentaire (tuf calcaire) ou éruptive (tuf volcanique) ; elle est légère et le plus souvent tendre.

6 1326 **tuile** n. f. Chacune des plaquettes de terre cuite que l'on pose sur le toit d'une maison pour la couvrir. ◆ **tuilerie** n. f. Fabrique de tuiles.

Joueur de violon **tsigane** *en Hongrie.*

Tudor : *Marie Ire, fille d'Henri VIII, reine d'Angleterre de 1553 à 1558.*

Fête donnée aux **Tuileries** *par Louis XIV en 1662.*

La culture de la **tulipe** *est très développée en Hollande.*

Tuileries (palais des). Ancienne résidence royale et impériale de Paris, située entre le Louvre et la Concorde. P. Delorme* fut son premier architecte (1564). Incendiées sous la Commune (1871), les Tuileries furent démolies en 1882, à l'exception des pavillons de Flore et de Marsan.

tulipe n. f. Plante bulbeuse, ornementale (famille des liliacées), à grandes fleurs printanières formées de 3 pétales et de 3 sépales vivement colorés.
10 227

Tulle (19000). Chef-lieu de la Corrèze, sur la Corrèze. 20 642 hab. (*Tullistes* ou *Tullois*). Manufacture d'armes. ◇ Cathédrale Saint-Martin (nef du XIIe s.).
12 282

tumeur n. f. Masse de tissu provenant d'une prolifération anormale de certaines cellules. On distingue les tumeurs malignes (*cancers**) des tumeurs bénignes, non envahissantes, tels les *verrues, fibromes, angiomes...* Certains végétaux présentent des tumeurs, ou *galles,* dues à des virus, des chocs...
8 182

tumulus n. m. Amas de terre ou de pierres que certains peuples anciens élevaient au-dessus de leurs sépultures.

tungstène n. m. Métal gris-noir, dense (19,2) et à haut point de fusion (3 410 ºC). Symbole *W.* Le tungstène, également appelé *wolfram,* est utilisé dans la fabrication des filaments de lampes.

tunique n. f. ◇ 1. ANAT Nom courant des membranes et des gaines protégeant certains organes. *Les tuniques de l'œil.* ◇ 2. BOT Nom courant des enveloppes protectrices d'un bulbe. *Tuniques d'un bulbe d'oignon.*

Tunis. Capitale de la Tunisie, au fond du golfe de Tunis. Avec un million d'habitants, Tunis est la métropole commerciale et industrielle du pays. ◇ Ville d'origine punique, elle se développa après la conquête arabe (698).
7 1496

Tunisie (république de). État d'Afrique du Nord, baigné par la Méditerranée au nord et à l'est.
7 1500
14 3278

superficie :	163 610 km²
population :	6 500 000 hab. (*Tunisiens*)
capitale :	Tunis
monnaie :	le dinar tunisien
code international :	TN

Le Nord, montagneux (1 544 m au djebel Chambi), au climat méditerranéen, comprend la fertile vallée de la Medjerda. Au centre domine la steppe. Le Sud est désertique. La majorité de la population (bas niveau de vie) se concentre dans le Nord et sur les côtes. ◇ Bien que la majorité de la population active soit employée dans l'agriculture (olives, céréales, vigne, agrumes, élevage ovin et bovin, pêche), la Tunisie tire ses principales ressources des hydrocarbures, des phosphates, du tourisme et des fonds rapatriés par les émigrés. Des industries légères sont implantées dans les grandes villes. ◇ Peuplée à l'origine de Berbères, la Tunisie fut occupée par les Phéniciens du IXᵉ s. av J.-C. au IIᵉ s. ap. J.-C. (voir Carthage), puis par les Romains jusqu'au Vᵉ s. Elle souffrit de l'invasion des Vandales mais retrouva sa prospérité après la conquête arabe (669-705). Conquise par les Ottomans (XVIᵉ s.) qui en firent une base pour la piraterie barbaresque, elle entra en déclin au XIXᵉ s. La France imposa son protectorat sur le pays en 1881. L'agitation nationaliste, qui se développa dès 1911, fut animée par le Destour puis le Néo-Destour, fondé par Habib Bourguiba (1934). Après l'indépendance, obtenue en 1956, Bourguiba instaura la république et devint chef de l'État. La stabilité du régime ne peut cependant masquer une crise sociale, qui s'est traduite par des émeutes urbaines (1984).

6 1252

tunnel n. m. Long passage souterrain creusé pour faire passer une voie de communication (route, voie ferrée, canal) au travers de montagnes ou sous les villes (tunnels du métro).

Tupolev Andreï, ingénieur soviétique (1888-1972). Il construisit le premier avion de transport supersonique soviétique, le Tupolev 144.

2 480
7 1580
11 2638

turbine n. f. Moteur constitué par une roue qui tourne autour d'un axe. La roue, qui est mise en mouvement par l'eau *(turbine hydraulique),* la vapeur ou par des gaz de combustion, est équipée d'aubes ou d'ailettes. ◆ **turbocompresseur** n. m. Compresseur entraîné par une turbine. Il sert à augmenter la puissance des moteurs d'autos. ◆ **turbopropulseur** n. m. Moteur à hélice servant à propulser les avions. L'hélice est entraînée par une turbine à gaz. ◆ **turboréacteur** n. m. Moteur d'avion à réaction. Un turboréacteur est équipé d'un compresseur d'air entraîné par une turbine à gaz. Les gaz de combustion sont éjectés par une tuyère à l'arrière du turboréacteur. Ces gaz créent une poussée qui propulse l'avion.

turbot n. m. Poisson plat carnassier, au corps en forme de losange. Comestible, il est pêché dans l'Atlantique et en Méditerranée.

1 88

turbotrain n. m. Train très rapide dont la motrice est équipée d'une turbine* à gaz. Le turbotrain peut atteindre en ligne droite une vitesse de 300 kilomètres à l'heure.

turbulence n. f. Agitation irrégulière, parfois violente, en forme de tourbillons, d'un liquide ou d'un gaz : *la turbulence atmosphérique.*

turdidés n. m. pl. Famille des oiseaux passériformes insectivores, au bec robuste et aux pattes souvent longues et fortes. Ce sont la grive, le merle, le rossignol, le rouge-gorge...

8 1841
9 1985

Turenne (Henri DE LA TOUR D'AUVERGNE, *vicomte* DE), maréchal de France (1611-1675). Héros de la guerre de

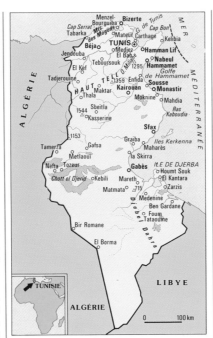

La **Tunisie.**

Salle des **turbines** dans une centrale électrique.

Henri de La Tour d'Auvergne, vicomte de **Turenne.**

Trente Ans, il prit parti un moment pour les frondeurs. Il s'illustra par ses victoires sur les Espagnols (aux Dunes, 1658) puis contre les Impériaux en Alsace (Turckheim, 1675). Il mourut au combat.

9 2021

Turgot (Anne Robert Jacques, *baron* DE L'AULNE), homme politique et économiste français (1727-1781). Influencé par les physiocrates, il fut intendant de Limoges, puis contrôleur général des Finances (1774) ; il tenta alors vainement de supprimer les douanes intérieures et fut disgracié (1776).

10 2245

Turin. Ville d'Italie, chef-lieu du Piémont, sur le Pô. 1 182 000 hab. Grand centre industriel : constructions automobiles (Fiat), textile... ◇ Capitale des États de la maison de Savoie.

Turkestan. Région de l'Asie centrale, en URSS (Kazakhstan*, Kirghizistan*, Ouzbékistan*, Tadjikistan*, Turkménistan*) et en Chine (Sin-kiang), peuplée par des Turcs depuis le VIᵉ siècle.

9 2029

Turkménistan. République d'URSS, sur la Caspienne, aux frontières iranienne et afghane. 488 100 km² ; 2 159 000 hab. *(Turkmènes).* Capitale : Achkhabad. Pays riche : coton (irrigation), sel, pétrole, soufre.

10 2187
11 2570

Turner William, peintre anglais (1775-1851). Sa manière de décomposer les formes d'un paysage dans les vibrations de la lumière annonce l'impressionnisme* et l'abstraction lyrique.

12 2658

Turquie. État d'Asie occidentale, englobant une petite partie de la péninsule balkanique.

superficie :	780 576 km²
population :	45 218 000 hab. *(Turcs)*
capitale :	Ankara
monnaie :	la livre turque
code international :	TR

La Turquie enserre la mer de Marmara et contrôle les détroits du Bosphore et des Dardanelles, riverains d'Istanbul, la plus grande ville du pays. Pays montagneux bordé par la mer Noire et la Méditerranée, la Turquie voit sa population, en croissance rapide, se concentrer sur les côtes et dans les bassins intérieurs. L'exode rural et le chômage (émigration vers la Suisse et la RFA) sont importants. ◇ L'économie est fondée sur l'agriculture (élevage surtout), dont la production ne couvre pas les besoins (blé, viande). L'industrialisation est freinée par la médiocrité des ressources minérales et énergétiques et le manque de capitaux. ◇ L'Anatolie*, terre de vieille civilisation, fut profondément marquée par la colonisation grecque (dès le XIIIᵉ s. av. J.-C.), qui se maintint après la conquête perse (VIᵉ s. av. J.-C.) puis romaine. Cette terre fut le cœur de l'Empire byzantin, peu à peu envahi par les Turcs, lesquels soumirent définitivement le pays en 1453. Centre de l'Empire ottoman, place stratégique dans les relations entre l'Orient et l'Occident, elle fut convoitée par les puissances européennes dès le XVIIIe s. Mustafa* Kemal prit en 1920 la tête d'un mouvement nationaliste, renversa le sultan et modernisa le pays. Intégrée à l'OTAN, la Turquie est en proie depuis 1960 à une instabilité politique alimentée par des difficultés économiques, les tensions ethniques (5 millions de Kurdes) et religieuses.

turquoise n. f. Pierre utilisée en joaillerie, de couleur bleu clair tirant sur le vert, que l'on trouve notamment en Turquie, d'où son nom.

tutelle n. f. Institution conférant à une personne *(tuteur)* la charge de prendre soin de la personne et des biens d'un enfant mineur ou d'un interdit. ◇ *Tutelle administrative :* contrôle du gouvernement sur les collectivités publiques et les établissements privés d'intérêt public.

Tuvalu → Gilbert et Ellice

13 2946 **T.V.A.** *(taxe à la valeur ajoutée).* Impôt* indirect prélevé sur les biens de consommation. Introduite en France à partir de 1954, la TVA fut généralisée en 1968. Son taux (7 à 33 %) varie selon la nature des produits.

10 2381 **14** 3241 **Twain** Mark (Samuel Langhorne CLEMENS, *dit*), écrivain américain (1835-1910). Son esprit satirique et humoristique fait merveille dans *les Aventures de Tom Sawyer* (1876) et *les Aventures de Huckleberry Finn* (1884).

7 1634 **tympan** n. m. 1 — ANAT Nom courant de la membrane du tympan séparant le conduit auditif externe de la caisse du tympan, cavité de l'oreille moyenne contenant les osselets auxquels il transmet les vibrations de l'air.

1 53 **tympan** n. m. 2 — ARCH Espace situé entre le haut du portail d'une église romane ou gothique et l'arc qui surplombe ce portail.

13 2903 **Tyndall** John, physicien irlandais (1820-1893). Il étudia la diffusion* de la lumière et le phénomène du regel des glaciers.

14 3231 **typhoïde** n. f. Maladie infectieuse épidémique due à un bacille. La typhoïde se

Jeunes paysans de **Turquie.**

La **Turquie.**

Chalet typique de la vallée de Trisan, au **Tyrol.**

transmet par ingestion d'aliments contaminés. Elle se caractérise par une forte fièvre, des troubles nerveux et digestifs.

6 1224 **typhon** n. m. Nom désignant un cyclone* des mers du Sud-Est asiatique (mer de Chine et mer du Japon) ainsi que de l'océan Indien.

typhus n. m. Maladie infectieuse contagieuse et épidémique due à un microorganisme (rickettsie) qui est transmis par le pou ; elle se caractérise par une forte fièvre et une éruption de taches rosées sur tout le corps.

typographie n. f. Procédé d'impression permettant de reproduire des textes, grâce à des caractères mobiles, en relief, assemblés (à la main ou à la machine) les uns à la suite des autres. ◆ **typographe** n. m. Ouvrier spécialisé en typographie.

2 272 **Tyr.** Ville du Liban. 12 000 hab. ◇ Prospère cité phénicienne au IXe s. av. J.-C., Tyr fonda de nombreux comptoirs, dont Carthage, et joua un rôle important jusqu'à la conquête arabe en 638.

tyran n. m. Dans l'Antiquité grecque, personnage s'emparant du pouvoir par la force. Bien souvent, les tyrans grecs s'appuyèrent sur le peuple pour combattre leurs adversaires aristocratiques. ◇ Détenteur du pouvoir qui l'exerce de manière oppressive.

8 1895 **Tyrol.** Région des Alpes orientales, partagée entre l'Autriche et l'Italie (Trentin*-Haut-Adige). En Autriche, elle forme un Land (12 647 km² ; 541 000 hab. Capitale : Innsbruck). Pays d'élevage au tourisme actif.

10 2245 **14** 3144 **Tyrrhénienne** (mer). Partie de la Méditerranée occidentale, entre la Corse, la Sardaigne, la Sicile et l'Italie. Mer profonde et parsemée d'îles.

11 2525 **13** 3023 **Tzara** Tristan, écrivain français d'origine roumaine (1896-1963). Il fut l'un des fondateurs et l'un des principaux animateurs du dadaïsme* : *Sept Manifestes dada* (1924).

Tziganes → Tsiganes

U

ubac n. m. Versant d'une montagne exposé au nord et jouissant, par conséquent, d'un ensoleillement moindre que l'adret*, versant exposé au sud.

7 1523
14 3312
Uccello Paolo (Paolo DI DONO, *dit*), peintre, mosaïste et marqueteur italien (1397-1475). Il fit des recherches poussées dans le domaine de la perspective : fresque de l'effigie équestre de *John Hawkwood* (1436, Florence).

10 2299
Uderzo Albert, dessinateur de bandes dessinées français (né en 1927). Il a créé avec Goscinny le Peau-Rouge *Oumpapah* (1958) et le célèbre *Astérix*.

9 2028
Ukraine. République d'URSS, sur la mer Noire. 604 000 km² ; 47 100 000 hab. Capitale : Kiev. Région de plaines, au sol souvent fertile (terre noire) : blé, maïs, betterave sucrière ; gros cheptel bovin, porcin et ovin. Industries actives du fait d'un sous-sol riche (charbon surtout, hydrocarbures, fer). ◇ Elle fut souvent divisée entre États voisins.

Ulbricht Walter, homme politique allemand (1893-1973). Figurant parmi les fondateurs du parti communiste, il fut président du Conseil d'État de la RDA de 1960 à sa mort.

10 2321
ulcère n. m. Perte de substance de la peau ou d'une muqueuse, formant une lésion qui ne cicatrise pas. Peut s'étendre et suppurer. *Ulcère de l'estomac.*

uléma (ou ouléma) n. m. Mot d'origine arabe qui veut dire *savant*. Docteur de la loi musulmane, interprète du Coran, qui enseigne dans une medersa (collège religieux).

10 2196
13 2910
Ulm. Ville de RFA (Bade-Wurtemberg), sur le Danube. 94 000 hab. Diverses industries, dont des constructions automobiles. ◇ Une armée autrichienne y capitula devant Napoléon Ier (1805).

7 1574
Ulster. Région du nord de l'Irlande. Une petite partie de l'Ulster est incluse dans la république d'Irlande ; la

La Bataille de San Romano (v. 1456), de Paolo **Uccello** (détail). (Londres, National Gallery.)

Le petit port de Ballintoy, en **Ulster.**

majeure partie forme l'Irlande du Nord (14 000 km² ; 1 531 000 hab ; capitale : Belfast), unie à la Grande-Bretagne. ◇ L'Ulster fut colonisée massivement par les Anglais après 1603. Bastion protestant, cette région manœuvra contre l'indépendance de l'Irlande et obtint de demeurer unie (en perdant quelques comtés) à la Grande-Bretagne (1921).

ultimatum n. m. Ensemble de conditions formelles et définitives qu'un État adresse à un autre et dont le rejet entraîne un conflit. ◇ Mise en demeure impérative, sommation.

10 2375
13 2990
ultrason n. m. Vibration acoustique non perçue par l'oreille humaine, de fréquence* supérieure à 20 000 hertz*. Les ultrasons sont utilisés dans les sonars*, en échographie, etc.

6 1383
13 3110
ultraviolet n. m. Lumière invisible à l'œil, de longueur d'onde inférieure à celle du violet (comprise entre 100 et 4 000 Å). L'ultraviolet (UV) provoque le bronzage.

14 3185
Ulysse. Héros grec de *l'Odyssée*. Roi d'Ithaque, mari de Pénélope et père de Télémaque. Sa ruse permit de prendre Troie ; mais, poursuivi par la colère du dieu Poséidon, il mit ensuite dix ans pour revenir dans son île, près de sa femme et de son fils.

Umm al-Qaiwain → Koweït

Unamuno Miguel DE, écrivain espagnol (1864-1936). Penseur chrétien, il a opposé au rationalisme* le désir d'immortalité (*le Sentiment tragique de la vie*, 1913). Il fut aussi poète et romancier (*Brume,* 1914).

underground n. m. Mot d'origine anglaise signifiant *souterrain*. Il désigne en effet certaines productions artistiques (bandes dessinées, films...) diffusées « souterrainement », c'est-à-dire hors des circuits officiels.

2 455
14 3189

Unesco (*Organisation des Nations unies pour l'éducation, la science et la culture*). Organisme culturel de l'ONU* créé en 1946. But : maintenir la paix en resserrant, par l'éducation, la science et la culture, les liens entre les nations. Moyens : collaboration scientifique, échanges culturels, protection des biens culturels nationaux. Son siège est à Paris (palais de l'Unesco).

2 455
14 3189

Unicef (en français FISE : *Fonds des Nations unies pour l'enfance*). Organisme de l'ONU* créé en 1946 pour secourir les enfants qui avaient souffert de la guerre. Depuis 1950, son but est d'améliorer la condition de l'enfance, notamment dans les pays défavorisés ainsi que dans diverses situations d'urgence (catastrophes, guerres...). Prix Nobel de la paix en 1965.

unification n. f. Action d'unifier, de faire l'unité de plusieurs éléments distincts, de rendre un tout homogène. *Unification d'un pays, d'un parti, de textes de loi.* ◆ **réunification** n. f. Restauration de l'unité.

uniforme n. m. Costume au modèle, au tissu et à la couleur rigoureusement fixés, qu'on impose aux militaires, aux employés de certaines administrations, aux élèves de certaines écoles. *Le port illégal d'uniforme est un délit.*

Union soviétique → U.R.S.S.

1 158
11 2423
14 3297

unité n. f. Chacun des éléments semblables composant un nombre : *le nombre vingt est composé de vingt unités.* ◇ Quantité ou dimension adoptée comme étalon de mesure (unités de longueur, de masse, de temps...).

1 100
3 700
12 2878

Univers n. m. Ensemble des corps célestes répartis dans l'espace. L'Univers est formé de milliards de galaxies*. Différentes théories tentent de l'expliquer : il serait éternel (sous la forme actuelle), ou en expansion (provenant de l'explosion de la matière condensée à l'origine des temps, ou *Big Bang*), ou pulsant (passant alternativement d'une phase d'expansion à une phase de contraction).

6 1215
6 1344
6 1422
14 3209

université n. f. Établissement public d'enseignement supérieur regroupant (depuis 1968) les anciennes facultés* devenues unités d'enseignement et de recherche (UER). Chaque académie* compte une ou plusieurs universités, organisées selon trois principes : autonomie, participation (association enseignants-étudiants pour le choix des objectifs), pluridisciplinarité. Elles décernent des diplômes nationaux et des diplômes qui leur sont propres.

3 487

Unterwald. Canton de Suisse centrale, divisé en deux demi-cantons : Nidwald (274 km² ; 25 600 hab.) et Obwald (492 km² ; 24 500 hab.). Région des Préalpes. Élevage bovin, exploitation forestière, tourisme.

Unicef : campagne pour le planning familial en Inde.

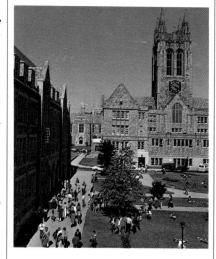

Campus de l'**université** de Cambridge (Massachusetts), aux États-Unis.

Ur : escalier de la ziggourat de la III{e} dynastie (XXII{e} s. av. J.-C.).

Mine d'**uranium** à ciel ouvert.

Upanishad. Nom donné à un ensemble de textes sanskrits anonymes qui composent la partie la plus mystique des *Veda** hindous. Les plus anciens de ces textes remontent aux VII{e}-V{e} s. av. J.-C.

8 1843

uppercut n. m. De l'anglais *upper*, « du bas vers le haut », et *cut*, « coup ». Désigne un coup utilisé en boxe, décoché de bas en haut, notamment en contre.

1 128

Ur ou **Our.** Ville de Mésopotamie. Les ruines de cette cité sumérienne, en cours de fouilles depuis 1919 (temples, tombes royales, ziggourats), ont permis de reconstituer son histoire dont l'apogée se situerait vers 2100 av. J.-C.

4 946
6 1299

uranium n. m. Métal gris et dense (18,7). Symbole *U*. À l'état naturel, il est faiblement radioactif ; c'est un mélange des isotopes 238 (99 %), 234 et 235 (0,7 %). Pour son utilisation dans les réacteurs nucléaires, on l'enrichit en isotope 235, fissile.

1 101
9 2145

Uranus. Septième planète dans l'ordre des distances au Soleil, découverte en 1781. De masse 15 fois plus grande que la Terre, elle possède 15 satellites.

6 1328

Urbain II (Odon ou Eudes DE LAGERY), pape d'origine française (v. 1042-1099). Élu en 1088, il réunit le concile de Clermont (1095) qui décida de la première croisade.

5 1130
10 2309
14 3168
14 3269

urbanisme n. m. Ensemble des techniques concernant l'aménagement des villes. ◆ **urbaniste** n. m. ou f. Spécialiste de l'urbanisme. L'augmentation de la population urbaine (7 Français sur 10 vivent dans les villes) a créé des problèmes que l'urbaniste doit résoudre : problèmes techniques (circulation automobile, collecte des ordures, etc.), socio-économiques (logements, équipements, etc.), esthétiques...

7 1484

urée n. f. Solide incolore soluble dans l'eau. Formule $CO(NH_2)_2$. C'est un déchet de l'organisme humain ; l'urée est extraite du sang par les reins et éliminée dans l'urine. ◆ **urémie** n. f. Élévation du taux de l'urée dans le sang par suite d'un mauvais fonctionnement du rein.

1 175
7 1483

uretère n. m. Canal conduisant l'urine du rein jusqu'à la vessie. L'homme et la femme ont 2 uretères, longs chacun de 25 cm environ pour 2 à 5 mm de diamètre et qui débouchent dans la vessie, en bas de sa face postérieure.

1 175
7 1483
9 2135

urètre n. m. Canal conduisant l'urine de la vessie à l'extérieur où il s'ouvre par le méat urinaire. Chez l'homme, l'urètre assure aussi l'évacuation du sperme ; il est entouré dans sa partie initiale par la prostate. Long de 4 cm chez la femme et de 16 cm chez l'homme.

14 3154

urgence n. f. Caractère de ce qui est urgent. *État d'urgence :* régime d'exception renforçant temporairement les pouvoirs du gouvernement. ◊ Situation médicale grave exigeant des soins immédiats.

3 487 **Uri.** Canton de la Suisse centrale. 1 075 km² ; 34 000 hab. Chef-lieu : Altdorf. Ce canton alpin, peu fertile, vit de l'élevage bovin et du tourisme. Importante voie de passage grâce au col du Saint-Gothard.

7 1482 **urine** n. f. Liquide organique, de couleur jaune ambré, sécrété par les reins. L'urine contient beaucoup d'eau, des sels minéraux (surtout du chlorure de sodium), des composés organiques (urée, acides aminés, hormones...). Les uretères* conduisent l'urine des reins à la vessie, où elle s'accumule avant d'être évacuée par l'urètre*.

11 2611 **urne** n. f. Boîte où l'on dépose les bulletins de vote. ◊ *Urne funéraire :* vase qui contient les cendres d'un mort. ◊ Dans l'Antiquité, une *urne* désignait un vase oblong à corps renflé.

4 753 **urodèles** n. m. pl. Ordre d'amphibiens* des régions tempérées de l'hémisphère Nord. Les urodèles se caractérisent par la présence d'une queue persistant après la métamorphose. Ainsi, les tritons, les salamandres, les axolotls sont des urodèles.

11 2615 **ursidés** n. m. pl. Famille de grands mammifères terrestres, plantigrades*, aux membres massifs et au corps lourd. Les différents ours* (ours brun, ours des cocotiers, ours à collier, ours blanc...) sont des ursidés.

9 2026
11 2520
12 2720
13 2957
U.R.S.S. (*Union des républiques socialistes soviétiques*). État couvrant tout le nord du continent eurasiatique ; le premier du monde par la superficie.

superficie :	22 400 000 km²
population :	267 millions d'hab. *(Soviétiques)*
capitale :	Moscou
monnaie :	le rouble
code international :	SU

L'URSS s'étend sur 10 000 km d'ouest en est et sur 5 000 km du nord au sud. Formée essentiellement de plaines immenses et de bas plateaux que bordent au sud et à l'est de hautes montagnes, elle s'ouvre sur le Pacifique, l'océan Arctique, la Baltique et la mer Noire. Le climat est marqué par la continentalité (hiver long et rude, été court et chaud), sauf en quelques régions. À la toundra, au nord, succèdent vers le sud la taïga puis la steppe. L'URSS, 3e pays du monde pour le nombre de ses habitants, recèle de nombreux groupes ethniques rassemblés en républiques fédérées ou en territoires autonomes ; ainsi ont-ils pu continuer de pratiquer leur langue, le russe étant toutefois la langue officielle. ◊ L'URSS (3e puissance industrielle mondiale) a une économie socialiste depuis 1917. Les moyens de production sont propriétés de l'État ou de coopératives ; un organisme d'État (le *Gosplan*) élabore

Le site touristique d'Andermatt, dans le canton d'Uri.

L'URSS.

En URSS, l'agriculture est organisée en kolkhozes et sovkhozes.

Salto, en Uruguay, fait face à Concordia, ville d'Argentine.

des plans quinquennaux centralisés et impératifs. L'agriculture, qui emploie 20 % des actifs, place le pays dans les premiers rangs mondiaux pour toutes les denrées essentielles. Les rendements, malgré les engrais et la mécanisation, sont faibles et des importations (céréales notamment) sont nécessaires. ◊ L'industrie (50 % des actifs) est puissante. L'industrie lourde (sidérurgie, chimie) et les biens d'équipement ont été privilégiés au détriment des biens de consommation. La richesse du sous-sol (charbon, hydrocarbures, fer, cuivre, bauxite : 1er ou 2e rang mondial) permet des exportations. La médiocrité des voies de communication constitue un sérieux handicap. Les échanges ont lieu surtout au sein du Comecon*. ◊ L'URSS est née de la révolution* de 1917. (Voir Russie.) Lénine jeta alors les bases d'un nouveau régime : réforme agraire, contrôle ouvrier des usines, reconnaissance des nationalités. La paix fut signée avec l'Allemagne (mars 1918), afin de consolider le jeune État, en proie à une terrible guerre civile après l'assassinat du tsar (juillet 1918). Les « Blancs », aidés par les Occidentaux, furent défaits par les « Rouges » (1921). L'URSS fut proclamée en 1922 et la priorité fut donnée à l'économie. Lénine mort (1924), Staline et Trotski s'opposèrent sur le problème de l'extension de la révolution. Staline l'emporta (1927) et renforça l'État et l'économie, usant de la répression (camps de travail). Sortie agrandie et renforcée, malgré de terribles pertes, de la Seconde Guerre mondiale, l'URSS, après une période (sous Khrouchtchev) marquée par des réformes politiques et idéologiques, semble entrée dans une phase de conservatisme.

urticaire n. f. Éruption sur la peau de petites boursouflures rouges, décolorées au centre. Le plus souvent, c'est une réaction d'allergie à des aliments.

Uruguay. Fleuve d'Amérique du Sud. 1 580 km. Né au Brésil à 80 km de la côte, l'Uruguay rejoint le Paraná, avec lequel il forme le Río de la Plata*. **12** 2677

Uruguay (république orientale de l'). État d'Amérique du Sud. **12** 2677

superficie :	176 215 km²
population :	3 060 000 hab. *(Uruguayens)*
capitale :	Montevideo
monnaie :	le peso uruguayen
code international :	U

Le pays, extrémité méridionale du bouclier brésilien recouvert par endroits de sédiments, est un ensemble de plaines et de plateaux ne dépassant pas 600 m d'altitude. Le climat, subtropical, est humide. La population est blanche en majorité ; la moitié vit dans la capitale. ◊ La principale richesse est l'agriculture : blé, maïs et surtout élevage bovin et ovin (10 animaux par hab.) qui alimente l'exportation. L'industrie, qui ne bénéficie d'aucune richesse minière, est essentiellement agro-alimentaire. Le niveau de vie est parmi les plus élevés d'Amérique latine. ◊ Exploré à partir de 1516 par les Portugais, le pays fut disputé entre Espagnols et Portugais, mais devint indépendant en 1828 grâce à l'appui britannique. Au début du XXᵉ s., le pays se dota d'une législation politique et sociale qui en fit un État moderne, démocratique et laïque. Mais en 1973 un coup d'État militaire y établit un régime autoritaire, jusqu'à 1985.

us n. m. pl. *Les us et coutumes :* les usages, les habitudes héritées du passé ; les habitudes, la manière de vivre d'un pays, d'une région...

U.S.A. *(United States of America)* → États-Unis

10 2236
10 2310

usine n. f. Grand établissement industriel équipé de machines pour transformer des matières premières en produits finis (automobiles, tissus...). ◆ **usinage** n. m. Ensemble des opérations de façonnage d'une pièce, effectuées à l'aide de machines-outils, comme le tour, la perceuse, etc.

usufruit n. m. Jouissance des revenus d'un bien qui appartient à un autre. *Il a légué sa ferme à son fils en laissant l'usufruit à son épouse.*

usure n. f. Action de prêter de l'argent à un taux d'intérêt supérieur au taux légal. L'usure est un délit. *Taux usuraire.* ◆ **usurier** n. m. Personne qui prête de l'argent à usure.

usurpateur n. m. Personne qui s'empare du pouvoir sans y avoir droit. Pour

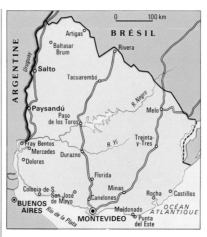

L'Uruguay.

Femme baignant son enfant
*(gravure de Kitagawa **Utamaro**).*

les royalistes européens, l'usurpateur par excellence fut Napoléon Iᵉʳ.

Utah. État du centre-ouest des USA. 219 932 km² ; 1 059 000 hab. Capitale : Salt Lake City. Une chaîne montagneuse sépare le plateau du Colorado (ouest) du bassin du Grand Lac Salé (est). Richesses minières. ◇ Les mormons*, qui s'y installèrent en 1847, mirent la région en valeur.

1 61

Utamaro ou **Outamaro** Kitagawa, peintre japonais (1753-1806). Il est l'un des grands maîtres de l'estampe. Ses œuvres les plus remarquables ont pour thème la femme et ses occupations.

utérus n. m. Muscle creux, organe de la gestation chez la femme et la femelle des mammifères. L'œuf s'y implante et s'y développe jusqu'à l'accouchement. Chez les primates, l'utérus est simple, avec une extrémité inférieure, ou col, qui s'engage dans le vagin.

1 223
9 2134
11 2493

Utrecht. Ville des Pays-Bas, sur le canal d'Amsterdam au Rhin (245 000 hab.). Grand centre commercial et industriel (textiles, métallurgie). Cathédrale gothique. ◇ *Traités d'Utrecht* (1713-1715) : ils mirent fin à la guerre de Succession d'Espagne, Philippe V renonçant à la couronne de France.

Utrillo Maurice, peintre français (1883-1955). Ses tableaux de Montmartre et de la banlieue parisienne sont à la fois naïfs et d'un grand raffinement quant à la couleur.

V

vacances n. f. pl. Temps pendant lequel les études cessent dans les écoles *(vacances scolaires)*, les séances de tribunaux sont suspendues, etc. ; période de congé* pour les travailleurs de toutes les catégories. *Grandes vacances :* vacances scolaires d'été.

vaccin n. m. Substance qui, introduite dans un organisme, déclenche dans celui-ci l'apparition d'une immunité de durée variable pour une maladie. Jenner a utilisé le virus de la vaccine pour créer une immunité contre la variole*. Le vaccin peut être formé de microbes tués ou dont la virulence a été atténuée, de toxines, qui provoquent la sécrétion d'anticorps, etc. Ne pas confondre avec sérum*.

vache n. f. Femelle du taureau, grand mammifère ruminant domestique. (Voir bœuf.) Il existe de très nombreuses races de vaches, sélectionnées suivant les besoins : la production de viande, de lait, de veaux, ou le travail. Mais les vaches ne servent plus d'animaux de trait que dans les pays pauvres. On appelle *génisse* la jeune vache qui n'a pas encore été saillie.

vacuole n. f. Cavité du cytoplasme cellulaire qui sert souvent de lieu d'accumulation de déchets. Les vacuoles peuvent occuper jusqu'à 95 % du volume d'une cellule végétale, mais elles sont rares dans les cellules animales.

Vaduz. Capitale du Liechtenstein, sur le Rhin. 5 000 hab. Centre touristique. ◇ Au-dessus du bourg, château princier (XIIᵉ-XVIIᵉ s., restauré).

vagin n. m. Partie de l'appareil génital femelle servant à l'accouplement. Chez la femme, c'est un conduit long de 7 à 8 cm, reliant l'utérus à la vulve.

vague n. f. Soulèvement local qui affecte la surface d'une étendue liquide

Vache normande.

Vaduz, dominée par le château de Liechtenstein.

et qui est dû à des forces naturelles : vent, courant, etc. Les vagues sont caractérisées, entre autres, par leur longueur d'onde (distance entre deux crêtes) et leur hauteur.

vahiné n. f. Mot tahitien désignant une femme de Tahiti. Lorsque le peintre Gauguin vivait à Tahiti, il a souvent représenté sur ses toiles des vahinés.

Vaillant Édouard, socialiste français (1840-1915). Exilé après la Commune, il fut élu député en 1893 et participa à la fondation de la SFIO (1905).

vairon n. m. Petit poisson d'eau douce, comestible ; son corps allongé atteint rarement plus de 10 cm (famille des cyprinidés). Synonyme : *gendarme*.

vaisseau n. m. 1 – ANAT Canal conducteur dans lequel circule le sang (artères, veines et capillaires sanguins) ou la lymphe (vaisseaux, capillaires lymphatiques). – BOT Élément conducteur de la sève brute.

vaisseau n. m. 2 – MAR Nom donné autrefois aux grands navires à voiles, dans la marine de guerre ou la marine marchande. ◇ *Vaisseau spatial :* véhicule conçu pour naviguer dans l'espace. Il transporte des spationautes.

val → vallée

Val d'Aoste → Aoste (Val d')

Valais. Canton de Suisse, aux frontières française et italienne. 5 231 km² ; 207 000 hab. *(Valaisans).* Chef-lieu : Sion. Ce canton alpin, drainé par le Rhône supérieur, vit surtout de l'industrie (hydro-électricité abondante) et du tourisme estival et hivernal (Zermatt). ◇ Le Valais fut annexé à la France en 1810 : il forma alors le département du Simplon. En 1814, il entra dans la Confédération helvétique (20ᵉ canton).

4 922 **Val-de-Marne** (94). Département français jouxtant Paris au sud-est (région Île-de-France). 244 km² ; 1 193 655 hab. Chef-lieu : Créteil. Sous-préfectures : L'Haÿ-les-Roses, Nogent-sur-Marne. Dans ce département, les industries sont concentrées le long de la vallée de la Seine, qui dessine un axe médian. L'Ouest et l'Est sont plus résidentiels. Une part importante des résidents du Val-de-Marne travaille à Paris, en raison d'une bonne desserte routière (autoroutes) et ferroviaire.

4 922 **Val-d'Oise** (95). Département de la région Île-de-France, au nord de Paris. 1 249 km² ; 920 598 hab. Chef-lieu : Pontoise. Sous-préfectures : Montmorency, Argenteuil. Ce département, drainé par l'Oise du nord au sud, est industrialisé surtout dans la vallée de l'Oise et à proximité de Paris. La ville nouvelle de Cergy-Pontoise et l'aéroport Charles-de-Gaulle devraient attirer les industries.

valence n. f. Nombre de liaisons qu'un atome d'un élément chimique peut engager dans une combinaison avec d'autres atomes : l'hydrogène est monovalent (valence 1), l'oxygène bivalent, le carbone tétravalent, etc.

9 1958 **Valence** (26000). Chef-lieu du département de la Drôme, sur le Rhône. 68 157 hab. (*Valentinois*). Centre commercial (fruits, primeurs) et industriel.

5 1169 **Valence.** Ville et port actif d'Espagne, sur la Méditerranée, au centre d'une riche plaine côtière, la Huerta. 720 000 hab. Sidérurgie, textiles, etc. ◇ Ville fondée par les Grecs ; centre d'un royaume maure (1021-1238).

Valentino Rudolph, acteur américain d'origine italienne (1895-1926). Ses rôles de séducteur dans des films muets (*Arènes sanglantes*, 1922 ; *le Cheikh*, 1922) en firent l'idole du public féminin.

Valera (Eamon DE) → De Valera Eamon

7 1506 **valériane** n. f. Plante herbacée des pays tempérés d'Eurasie. Une espèce à fleurs roses (herbe-à-chat) possède une racine aux propriétés calmantes.

Valérien (mont). Colline à l'ouest de Paris. Dans le fort qui s'y trouve, les Allemands fusillèrent de nombreux résistants français, entre 1941 et 1944.

13 2942 **Valéry** Paul, écrivain français (1871-1945). Poète d'inspiration symboliste (*la Jeune Parque*, 1917 ; *Charmes*, 1922), il a par ailleurs médité sa vie durant sur l'exercice de la pensée : cycle de *Monsieur Teste* (1896-1926) ; *Cahiers* écrits de 1894 jusqu'à sa mort.

Valette (La) → La Valette

valeur n. f. 1 — SOC Ce qui fait le prix d'une chose. ◇ Bien, titre négociable. ◆ **revalorisation** n. f. Action de rendre sa valeur à quelque chose ou de lui don-

« Le vent se lève !... Il faut tenter de vivre ! » (P. **Valéry**).

Vallée dans les Andes près de Cuzco, au Pérou.

Valmy, victoire-symbole : la Révolution vient de battre l'Ancien Régime.

Place principale de **Valparaiso**, qui fut l'escale des cap-horniers.

ner une valeur plus grande. ◆ **dévalorisation** n. f. Synonyme de *dépréciation*.

valeur n. f. 2 — MATH Expression de la mesure d'une grandeur, d'une quantité. ◇ *Valeur absolue* d'un nombre : obtenue en supprimant le signe − ou +. ◇ *Valeur numérique* d'une expression algébrique : valeur trouvée en effectuant les calculs.

Valkyrie → Walkyrie

vallée n. f. Dépression allongée, creusée par un cours d'eau (*vallée fluviale*) ou par un glacier (*vallée glaciaire*). On distingue le fond de la vallée et les versants. Le profil transversal des vallées fluviales est en forme de « V », celui des vallées glaciaires est en forme de « U ». ◆ **val** n. m. Vallée très large. ◆ **vallon** n. m. Petite vallée. **8** 1822

vallée des Rois → Rois (vallée des)

Valle Inclán Ramón DEL, écrivain espagnol (1869-1936). Il a mêlé la bouffonnerie et le tragique dans des récits en prose (*Sonates*, 1902-1905) et des pièces (*Comédies barbares*, 1907-1922).

Vallès Jules, journaliste et écrivain français (1832-1885). *Jacques Vingtras*, trilogie romanesque et autobiographique (*l'Enfant*, 1879 ; *le Bachelier*, 1881 ; *l'Insurgé*, 1886), est son œuvre la plus célèbre. Il fut membre de la Commune. **13** 2941

vallon → vallée

Valmy. Commune de la Marne. ◇ Le 20 septembre 1792, les troupes françaises de Dumouriez et de Kellermann y remportèrent une victoire qui brisa l'élan des Prussiens marchant sur Paris. **9** 2155 **12** 2718

Valois (les). Branche des Capétiens qui régna sur la France de 1328 à 1589. Les Valois directs, dont le premier à régner fut Philippe VI, eurent pour successeurs les Valois-Orléans, avec Louis XII, puis les Valois-Angoulême, avec François Ier et ses descendants. **7** 1598

Valparaiso. Principal port de commerce du Chili, au nord-ouest de Santiago. 280 000 hab. Centre industriel important : métallurgie, chimie, raffinerie de pétrole. **10** 2363

valse n. f. Danse à trois temps, où un couple se déplace en tourbillonnant. *Valse viennoise*. ◇ Air sur lequel on exécute cette danse. *Une valse d'Émile Waldteufel*. ◇ Composition musicale sur un rythme de valse. *La « Valse » de Ravel*. **13** 3061

valve n. f. 1 — ZOOL Chacune des parties de la coquille de certains mollusques. La coquille des lamellibranches* est ainsi constituée de deux valves. — BOT Chacune des parties des fruits secs, se séparant quand ils s'ouvrent.

valve n. f. 2 — TECH Petit tube fixé sur la chambre à air d'un pneumatique. Il est muni d'un clapet qui laisse passer l'air quand on gonfle le pneu et qui empêche l'air de s'échapper quand on arrête de gonfler le pneu.

10 2375 **vampire** n. m. 1 – ZOOL Nom donné à des chauves-souris des régions tropicales se nourrissant de sang d'animaux. Le plus connu est le vampire d'Azara d'Amérique du Sud.

14 3286 **vampire** n. m. 2 – LITT Mort qui, selon une croyance populaire surtout répandue dans les pays d'Europe centrale (Carpates*), sort la nuit de son tombeau pour se nourrir du sang d'un vivant endormi. *Une histoire, un film de vampires (Dracula).*

Van Allen James Alfred, physicien américain (né en 1914). Grâce aux mesures des satellites « Explorer », il a mis en évidence les ceintures de radiations de la haute atmosphère terrestre.

7 1476 **Vancouver.** Port et métropole de l'ouest du Canada (Colombie britannique), en face de l'île de Vancouver (40 000 km²). 410 188 hab. (1 100 000 pour l'agglomération). Grand centre industriel.

4 899 **Vandales** (les). Peuple germanique qui,
5 961 au Vᵉ s., traversa la Gaule et l'Espagne puis s'établit en Afrique du Nord, où il se tailla un royaume (429). Celui-ci tomba un siècle plus tard sous les coups de la conquête byzantine.

Van der Goes Hugo, peintre flamand (v. 1440-1482). Il se distingua de ses prédécesseurs par le caractère à la fois réaliste et tourmenté de son œuvre : *Triptyque Portinari* (v. 1476).

Van der Meulen Adam Frans, peintre flamand (1632-1690). Il travailla surtout en France, au service de Louis XIV : parties de chasse, scènes militaires.

Van der Waals Johannes Diderik, physicien néerlandais (1837-1923). Il étudia les forces attractives qui s'exercent entre les molécules. Prix Nobel de physique en 1910.

Van der Weyden (Rogier DE LA PASTURE, *dit*), peintre flamand (v. 1400-1464). Son génie dramatique fit de lui l'un des maîtres de l'école primitive flamande : *Descente de croix* (1435), *le Jugement dernier* (v. 1445-1450).

Van Dongen Kees, peintre français d'origine néerlandaise (1877-1968). Précurseur puis adepte du fauvisme*, il se rendit ensuite célèbre par ses portraits de personnalités du Tout-Paris.

12 2751 **Van Dyck** Antoine, peintre flamand (1599-1641). Élève puis assistant de Rubens, il se fixa en Angleterre (1632), où ses portraits raffinés de grands personnages exercèrent une influence considérable, surtout au XVIIIᵉ siècle.

3 590 **vanesse** n. f. Nom de papillons diurnes, migrateurs, aux ailes de couleurs vives (famille des nymphalidés). Principales espèces : le *vulcain*, la *vanesse des chardons* ou *belle-dame*.

Vancouver, grand port d'exportation du Canada vers l'Asie et l'Australie.

La Chambre à Arles *(1888),* de Vincent **Van Gogh.**

« Pi-ouit, pi-ouit ! » fait le **vanneau** huppé.

Vanuatu.

Van Eyck Jan, peintre flamand **7** 1527 (v. 1390-1441). Son art, dégagé du style médiéval, est celui d'un grand novateur : rendu de l'espace par le volume et la couleur (*l'Agneau mystique,* 1432), réalisme des visages (*les Époux Arnolfini,* 1434)... Il fit en outre évoluer la technique de la peinture à l'huile.

Van Gogh Vincent, peintre néerlandais **9** 2085
(1853-1890). D'abord influencé par la **12** 2819
tradition hollandaise puis par l'impres- **13** 3056
sionnisme*, il évolua pour élaborer en Provence cet extraordinaire style en torsions de couleurs vives (*Tournesols,* 1888) qui est comme le reflet de ses tourments intérieurs. Miné par l'angoisse, il se suicida.

vanille n. f. Fruit odorant du *vanillier,* **7** 1608 une orchidée grimpante d'Amérique du Sud ; utilisé en pâtisserie. ◇ Substance aromatique extraite de ce fruit.

Van Leeuwenhoek Antonie, biologiste **6** 1272 néerlandais (1632-1723). Il fabriqua des **9** 2095 microscopes simples (loupes très fortes) **13** 3087 avec lesquels il mit en évidence des organismes très petits.

Van Loo ou **Vanloo,** famille de peintres **9** 2020 français d'origine néerlandaise. Jean-Baptiste (1684-1745) et son frère Carle (1705-1765), fins portraitistes, sont ses membres les plus célèbres.

vanne n. f. Gros robinet muni d'un volant. Quand on tourne le volant dans le sens des aiguilles d'une montre, on ferme la vanne : le liquide ne peut plus passer.

vanneau n. m. Nom de plusieurs **9** 1957 oiseaux charadriiformes, migrateurs, à longues pattes. Le *vanneau huppé* noir et blanc vit dans les prairies d'Eurasie.

vannerie n. f. Confection d'ustensiles et d'objets tressés à l'aide de brins d'osier, de jonc, de rotin, de bambou... ◇ Nom donné à ces objets ainsi fabriqués. *Grosse vannerie, vannerie fine.*

Vannes (56000). Chef-lieu du Morbihan, **1** 134 au fond du golfe du Morbihan. 45 397 hab. *(Vannetais).* Petites industries. ◇ La ville fut l'une des capitales du duché de Bretagne.

Vanoise (massif de la). Massif des Alpes **9** 1963 (3 852 m d'altitude à la Grande Casse), **13** 2890 entre l'Isère et l'Arc. Parc national (52 800 ha) qui fait suite au parc italien du Grand-Paradis.

Vanuatu (Nouvelles-Hébrides jusqu'en **7** 1611 1980). État du Pacifique Sud, formé d'une quarantaine d'îles. 14 763 km² ; 84 000 hab. Capitale : Port-Vila. ◇ Archipel volcanique. Population : Mélanésiens et Polynésiens. Climat équatorial. Principales ressources : coprah, cacao, café, manganèse. Aide extérieure importante. ◇ Îles colonisées tardivement par les Européens ; administrées par les Anglais et les Français de 1887 à 1980.

Vanzetti → Sacco et Vanzetti

1 160
2 478
6 1410
8 1846
9 2098
13 2974

vapeur n. f. Gaz provenant d'un liquide (évaporation*, ébullition*) ou d'un solide (sublimation*) : la *vapeur d'eau* est invisible dans l'atmosphère, mais elle peut se transformer en liquide appelé *buée*, sur une vitre froide. Une *machine à vapeur* utilise l'énergie thermique de la vapeur d'eau, qu'elle transforme en travail*. ◆ **vaporisation** n. f. Passage d'une substance liquide à l'état de vapeur. La vaporisation peut s'effectuer en surface : c'est l'*évaporation* ; ou au sein du liquide : c'est l'*ébullition*.

2 364

Var (le). Fleuve torrentueux alpin (120 km) drainant le département des Alpes-Maritimes. Le Var se jette dans la Méditerranée près de Nice.

2 364

Var (83). Département de la région Provence-Alpes-Côte d'Azur, sur la Méditerranée. 5 999 km² ; 708 331 hab. Chef-lieu : Toulon. Sous-préfectures : Brignoles, Draguignan. Ce département, formé de hauts plateaux calcaires (au sud du Verdon) et de massifs anciens (Maures et Esterel), a une façade littorale (climat méditerranéen) densément peuplée, l'agglomération de Toulon regroupant la moitié de la population. Le secteur tertiaire (tourisme côtier surtout), avec Le Lavandou, Saint-Tropez..., est très développé.

3 695
8 1836
10 2242

varan n. m. Reptile saurien d'Asie du Sud, d'Égypte, d'Afrique noire. De taille variable : le varan à queue courte mesure 20 cm, le dragon de Komodo 3 mètres.

13 2904

varappe n. f. Ascension d'une paroi abrupte ou d'un couloir rocheux au cours d'une escalade en montagne. Par extension, exercices d'entraînement aux techniques de l'alpinisme.

2 278

varech n. m. Débris d'algues (fucus notamment) rejetés sur les côtes par la mer. Le varech constitue un excellent engrais*. Synonyme : *goémon*.

9 2155

Varennes-en-Argonne (55270). Commune de la Meuse. ◇ Le 21 juin 1791, le maître de poste Drouet y démasqua le roi Louis XVI et la famille royale qui tentaient de fuir incognito vers l'étranger. Cet épisode de l'histoire de France est connu sous le nom de *fuite à Varennes*.

Varèse Edgard, compositeur français naturalisé américain (1883-1965). Il fut un des précurseurs de la musique électro-acoustique : *Hyperprism* (1923), *Intégrales* (1926), *Ionisation* (1931).

variable n. f. Symbole (lettre x, par exemple) représentant une grandeur indéterminée qui, dans une fonction algébrique, peut prendre différentes valeurs numériques.

variation n. f. Chacun des changements successifs qui s'opèrent lors de la modification d'une chose. *Les variations d'une couleur, de la température, etc.*

*Joli village perché au nord du **Var**.*

*Le **varan** est le plus grand de tous les lézards.*

Varsovie : palais sur l'eau dans le parc Lazienki.

*Victor **Vasarely** devant l'une de ses œuvres.*

◇ Pièce musicale composée d'un thème et de la suite de ses modifications. *Les « Variations Goldberg » de Bach.*

varice n. f. Dilatation permanente et anormale d'une veine. On peut trouver des varices sur les jambes, dans l'œsophage, le rectum (hémorroïdes)...

varicelle n. f. Maladie ordinairement bénigne mais contagieuse. Elle est provoquée par un virus. La varicelle fait partie des maladies de l'enfant et se caractérise par plusieurs éruptions de vésicules qui crèvent et se dessèchent en quelques jours. — 12 2780

variété n. f. Subdivision de l'espèce. Il existe une variété de roses sans épines, une variété de pommes de terre à la peau rosée... Synonymes : *sous-espèce* et, chez les animaux, *race*. — 6 1292

variétés n. f. pl. Spectacle qui combine chansons, attractions de music-hall, sketches... *Une émission de variétés* (radiodiffusée, télévisée).

variole (ou petite vérole) n. f. Maladie contagieuse et grave due à un virus, qui se traduit par des fièvres intenses, des céphalées, des vomissements et une éruption de gros boutons purulents laissant de profondes cicatrices. — 13 2916 / 14 3230 / 14 3259

Varsovie. Capitale de la Pologne, sur la Vistule. 1 463 000 hab. Métropole culturelle, avec de nombreuses industries. ◇ En 1943, les juifs du ghetto, qui s'étaient soulevés, furent exterminés par les Allemands ; ceux-ci détruisirent la ville en état d'insurrection en 1944. — 12 2792 / 14 3301

Varsovie (pacte de). Pacte de défense réciproque liant l'URSS, la RDA, la Pologne, la Roumanie, la Hongrie, la Tchécoslovaquie et la Bulgarie. Signé en mai 1955, ce fut la réponse du monde socialiste à l'OTAN. — 11 2625

Vasarely Victor, peintre français d'origine hongroise (né en 1908). Ses compositions géométriques jouant avec la couleur (parfois éditées en « multiples ») suggèrent le mouvement (art cinétique).

vascularisation n. f. Formation de nouveaux vaisseaux dans un tissu ou un organe. ◇ Disposition des vaisseaux dans un organe. Ainsi, les artères, les veines et les vaisseaux lymphatiques se ramifient en de fins capillaires formant un réseau qui irrigue les organes.

vassal n. m. Homme lié à un seigneur (son suzerain) par un serment de fidélité. Cette institution médiévale était la clef de voûte de la société féodale, système d'enchevêtrement de vassalités qui, en échange d'une aide militaire, procurait des fiefs* aux vassaux. — 5 1138

Vatican (État de la cité du). Le plus petit État au monde, situé au cœur de Rome (700 hab.). Créé à la suite des accords du Latran (1929) entre le pape et Mussolini, il comprend le palais du Vatican, ses jardins, la place Saint- — 10 2247 / 14 3167

Pierre et quelques autres bâtiments à Rome et dans les environs (Castel Gandolfo). Éditant sa presse *(Osservatore romano)*, émettant ses timbres, ayant son drapeau, l'État du Vatican reste la base temporelle d'un pouvoir spirituel.

Vatican (concile œcuménique du). Le premier concile du Vatican, réuni en 1869-1870 par Pie IX, formula le dogme de l'infaillibilité pontificale. Le deuxième concile, réuni par Jean XXIII puis par Paul VI (1962-1965), assura le renouveau *(aggiornamento)* de l'Église face au monde moderne.

14 3168 **Vatican** (palais du). Résidence des papes, à Rome. Plutôt qu'un palais, c'est un ensemble de bâtiments qui abritent les appartements du pape, les organes du gouvernement pontifical, la chapelle Sixtine*, une très riche bibliothèque, plusieurs musées et leurs annexes (loges de Raphaël...).

9 1931 **Vauban** (Sébastien LE PRESTRE DE), maréchal de France (1633-1707). Commissaire général des fortifications, il fortifia la frontière nord du pays. Mais ses critiques et son projet de dîme royale le firent tomber en disgrâce.

Vaucanson Jacques DE, ingénieur français (1709-1782). Il construisit des automates très perfectionnés et inventa le premier métier à tisser automatique.

2 364 **Vaucluse** (84). Département du sud-est de la France (région Provence-Alpes-Côte d'Azur). 3 566 km² ; 427 343 hab. Chef-lieu : Avignon. Sous-préfectures : Apt, Carpentras. À l'ouest s'étend la plaine du comtat Venaissin, en bordure du Rhône (riche agriculture : fruits, légumes, vins), à l'est, des plateaux calcaires (Préalpes du Sud). L'industrie, peu développée, traite les produits agricoles. Le secteur tertiaire connaît un essor local (tourisme culturel : Avignon, Orange...).

3 486 **Vaud.** Canton de l'ouest de la Suisse. 3 211 km² ; 512 000 hab. *(Vaudois)*. Chef-lieu : Lausanne. Canton s'étendant sur le Jura (horlogerie), sur des collines (blé) et sur les Préalpes (vigne, tourisme). ◇ Gagné à la Réforme en 1536.

13 2966 **vaudeville** n. m. D'abord chanson populaire, puis pièce de théâtre mêlée de chansons (XVIIIe s.), enfin comédie fondée sur une intrigue gaie, légère, riche en quiproquos et situations inattendues.

12 2641 **vaudou** n. m. Culte animiste pratiqué dans les Antilles (Haïti, en particulier). Le vaudou mêle apports africains et chrétiens dans son rituel magique.

8 1879 **Vaugelas** (Claude FAVRE, *seigneur* DE), grammairien français (1585-1650). Ses *Remarques sur la langue française* (1647) visèrent à fixer le « bon usage » de la langue, celui de l'élite.

Vaughan Sarah, chanteuse de jazz américaine (née en 1924). Elle excelle dans l'interprétation de ballades sophistiquées *(Lover Man)*.

La « frontière » du **Vatican,** à Rome.

Le maréchal de **Vauban** perfectionna la défense des villes.

La plus musicienne des chanteuses de jazz : Sarah **Vaughan.**

Quelques **vautours** fauves nichent encore dans les Pyrénées.

vautour n. m. Nom courant de divers rapaces charognards de grande taille, à tête et cou nus. Les vautours américains forment la famille des vulturidés. Les autres sont des falconidés. **2** 245 **8** 1690 **13** 2891

Vauvenargues (Luc DE CLAPIERS, *marquis* DE), écrivain français (1715-1747). Ses *Réflexions et Maximes* (1746) sont celles d'un moraliste qui a confiance en la nature humaine.

veau n. m. Nom du petit de la vache jusqu'à l'âge de un an. On le nourrit au lait et aux farines pour la boucherie. Après un an, le veau mâle s'appelle *bouvillon* ; le veau femelle, *génisse*. **12** 2808

vecteur n. m. Segment de droite orienté comportant une origine et une extrémité. Un vecteur est symbolisé par deux lettres (la première désignant l'origine, la seconde l'extrémité) surmontées du signe → (exemple : $\overrightarrow{AB}$). Le vecteur est défini par sa direction (la droite qui le supporte), par son sens et par sa longueur. Les forces, les vitesses et les accélérations sont des vecteurs. **7** 1680 **13** 3042

Veda. Mot sanskrit signifiant *le Savoir*. Nom des 4 livres attribués à la révélation de Brahma* (Rigveda, Sāmaveda, Yajurveda, Atharvaveda). Recueils d'hymnes et de préceptes sacerdotaux rédigés en sanskrit*. **2** 380 **12** 2644

vedette n. f. 1 — SPEC Artiste (acteur, chanteur...) connu par un public étendu. *Une vedette de cinéma, de la chanson.* ◇ Personnalité en renom. *Avocat vedette du barreau de Paris.*

vedette n. f. 2 — MAR Petit navire rapide servant au transport de passagers sur de courtes distances ou à la surveillance des côtes (douanes, pêche en mer). **6** 1304

végétal n. m. Être vivant caractérisé par la présence d'amidon (glucide de réserve), de cellulose (parois cellulaires) et de chlorophylle (chez les végétaux verts autotrophes*, les végétaux non chlorophylliens étant hétérotrophes*), son incapacité à se mouvoir et son mode de reproduction.

végétarien n. m. Partisan du *végétarisme*, régime alimentaire excluant la consommation de viande, de poisson, mais autorisant certains aliments d'origine animale (lait, œufs...). **8** 1755

végétation n. f. Ensemble des plantes, des végétaux qui poussent dans une région. La végétation des régions équatoriales est la forêt pluviale, où de très hauts arbres dominent un sous-bois enchevêtré de lianes. On distingue également la végétation tropicale (savane), arctique (toundra), etc.

végétations n. f. pl. Développement excessif des amygdales pharyngiennes qui bouchent les fosses nasales, ce qui oblige à les supprimer. Les amygdales pharyngiennes disparaissent vers l'âge de vingt ans.

2 337
4 786
13 3053 **véhicule** n. m. Ce qui sert à transporter des personnes, des marchandises : auto, camion, autobus, train, bateau, avion, fusée... *Un véhicule spatial transporte dans l'espace des spationautes* (astronautes ou cosmonautes).

1 175
9 1989 **veine** n. f. Vaisseau qui ramène le sang des organes au cœur, aboutissant au niveau des 2 oreillettes. Les 2 veines caves reconduisent au cœur tout le sang du corps chargé de gaz carbonique alors que le sang provenant des poumons et chargé d'oxygène est conduit au cœur par les 4 veines pulmonaires.

12 2752 **Vélasquez** (Diego RODRIGUEZ DE SÍLVA Y VELÁZQUEZ, en franç.), peintre espagnol (1599-1660). Son génie de coloriste (*Vénus au miroir*, 1650) s'est exprimé dans des compositions célèbres pour la complexité de leur structure (*les Ménines*, 1656) et une prodigieuse liberté de touche (*les Fileuses*, v. 1656).

3 697 **vélo** n. m. Synonyme familier et courant de *bicyclette*. Les toutes premières bicyclettes étaient appelées *vélocipèdes*. ◆ **vélomoteur** n. m. Motocyclette de cylindrée inférieure à 125 cm³. ◆ **vélodrome** n. m. Piste à virages relevés servant aux courses cyclistes.

Venaissin (comtat) → comtat Venaissin

vendange n. f. Récolte du raisin destiné à faire le vin. ◇ *Les vendanges* : période où l'on fait cette récolte, en automne. ◆ **vendangeur** n. m. Personne qui vendange (féminin : *vendangeuse*).

7 1552 **Vendée** (85). Département de l'ouest de la France (région Pays de la Loire). 6 702 km² ; 483 027 hab. Chef-lieu : La Roche-sur-Yon. Sous-préfectures : Fontenay-le-Comte, Les Sables-d'Olonne. Les plateaux du Bocage vendéen occupent la majeure partie de ce département (élevage bovin). Au sud-est, une plaine calcaire porte céréales et fourrages. La Vendée est peu urbanisée et peu industrialisée. La région côtière, bordée d'îles (Noirmoutier, Yeu), vit du tourisme estival (Les Sables-d'Olonne).

Vendée (guerres de). Soulèvement royaliste et catholique de la Vendée, du Maine-et-Loire et de la Loire-Inférieure, qui dura de mars 1793 à mars 1796. L'insurrection fut provoquée par la levée en masse de soldats, décidée par la Convention. Dirigée notamment par d'Elbée, Charette et La Rochejaquelein, elle ne fut plus, après décembre 1793, qu'une résistance désespérée face à la répression.

vendémiaire an IV (journée du 13). Tentative d'insurrection royaliste à Paris, le 5 octobre 1795. Bonaparte réprima le mouvement, marquant ainsi le début de sa carrière politique.

vendetta n. f. Coutume corse qui oblige une famille entière à poursuivre sa vengeance pour défendre l'honneur d'un de ses membres offensé ou tué.

Le comte-duc d'Olivares à cheval
*(peinture de **Vélasquez**).*

*Compétition de poursuite
sur la piste en bois d'un **vélodrome**.*

Le **Venezuela**.

*Caracas,
moderne capitale du **Venezuela**.*

vénerie n. f. Art de la chasse à courre ou chasse à cheval du gibier à poil, rabattu par une meute de chiens. Le chef d'une vénerie est appelé *veneur* ou *grand veneur*.

vénériennes (maladies) n. f. pl. Ancien nom des *maladies sexuellement transmissibles* (MST) contractées au cours de l'acte sexuel : la syphilis, la blennorragie, le chancre mou... Certaines peuvent être très graves si elles ne sont pas correctement soignées.

Vénétie. Région de l'Italie du Nord-Est, couvrant en partie le territoire de l'ancienne république de Venise*. 18 377 km² ; 4 321 600 hab. Chef-lieu : Venise. La plaine est fertile. Les industries et le tourisme sont actifs. **10** 2245 **14** 3206

Venezuela (république du). État du nord de l'Amérique du Sud. **12** 2674

superficie :	912 050 km²
population :	14 310 000 hab. *(Vénézuéliens)*
capitale :	Caracas
monnaie :	le bolivar
code international :	YV

À l'ouest, la cordillère des Andes, divisée en deux chaînes, entoure le lac de Maracaibo. Au centre s'étend la plaine de l'Orénoque, couverte par la savane (les « llanos »). À l'est, le plateau des Guyanes est un bouclier cristallin couvert de forêts. Le climat est tropical, tempéré par l'altitude dans les Andes où se concentre la majorité de la population (urbaine à 70 %). ◇ L'agriculture (maïs, café et cacao) ne représente que 6 % de la production nationale. La grande richesse est le pétrole, dont le pays est un des premiers producteurs mondiaux. Avec le gaz naturel et quelques minerais (fer), il représente 40 % de la production nationale. L'industrie est liée au pétrole : raffineries, chimie (engrais, textiles synthétiques). Le niveau de vie moyen est le plus élevé d'Amérique latine. ◇ Ex-colonie espagnole ayant acquis son indépendance dès le début du XIXᵉ s., le Venezuela a connu une succession de dictatures jusqu'en janvier 1958, où une insurrection populaire rétablit la démocratie.

venin n. m. Substance toxique, sécrétée par divers animaux (abeille, scorpion, crapaud, serpent...) pour se défendre ou attaquer. Le venin est injecté par piqûre ou morsure (sauf pour le crapaud venimeux, qui le transmet par simple contact) grâce à un crochet ou un dard. **2** 464 **4** 841

Venise. Ville d'Italie, chef-lieu de la Vénétie, sur la lagune de Venise (formée par l'Adriatique). 360 000 hab. Ville construite sur des parcelles de terrain (118 îlots, séparés par 177 canaux qu'enjambent près de 400 ponts), Venise est un prestigieux centre touristique. Son port et sa zone industrielle (Mestre) sont parmi les plus importants d'Italie. ◇ République commerçante, Venise connut son apogée aux XIIIᵉ, XIVᵉ et XVᵉ siècles. Nombreux monuments : palais des Doges (chefs de la cité) bor- **6** 1277 **7** 1622 **10** 2249 **14** 3194 **14** 3205 dant la place Saint-Marc ; palais du Moyen Âge et de la Renaissance sur les rives du Grand Canal ; très nombreuses églises ; musées.

6 1222
6 1372
9 1923

vent n. m. 1 – PHYS Mouvement de l'air à la surface de la Terre. Les vents résultent du déplacement de l'air entre deux endroits de pression atmosphérique différente. On distingue les vents réguliers comme les *alizés**, qui soufflent continuellement, et les *moussons**, les vents secondaires comme la *brise**, les vents régionaux comme le *mistral**, le *sirocco**, etc. La direction du vent est indiquée par une girouette, sa vitesse par un anémomètre*.

vent n. m. 2 – MUS Air insufflé dans un instrument de musique dit *instrument à vent*, qu'il soit de la famille des bois (clarinette), des cuivres (cor) ou qu'il soit à clavier et à soufflerie (orgue).

Vent (îles du). Îles des Antilles, correspondant à la majeure partie des Petites Antilles, de Porto Rico à la Trinité, et dont font partie les Antilles françaises. Ainsi appelées parce qu'elles sont exposées à l'alizé du nord-est.

7 1584

vente n. f. Cession d'un bien contre de l'argent. *Vente aux enchères**. *Vente à crédit**. Contraire : *achat*. ◆ **vendeur** n. m. Personne qui vend ; employé de magasin, préposé à la vente.

3 601

ventilation n. f. Action de renouveler l'air à l'intérieur d'une maison, d'une auto, d'une salle de cinéma, d'une mine de charbon. ◆ **ventilateur** n. m. Hélice ou turbine entraînée par un moteur et qui crée un courant d'air.

ventre n. m. Nom courant donné à la région antérieure et inférieure du tronc, où se situe la cavité contenant les 2 intestins et qui correspond à la partie molle de l'abdomen. Chez la femme et la femelle des mammifères, le ventre contient l'organe de la gestation.

9 1988

ventricule n. m. Chacune des 2 cavités, de forme conique, situées à la partie inférieure du cœur*. Les ventricules reçoivent le sang provenant des oreillettes et, en se contractant, ils renvoient ce sang dans les artères (l'artère pulmonaire et l'aorte).

14 3181

Vénus. Déesse romaine de l'Amour et de la Beauté. À l'origine déesse du Charme, elle fut assimilée à l'Aphrodite grecque au IIe s. av. J.-C.

1 101
6 1437
13 2928

Vénus (planète de). Deuxième planète dans l'ordre des distances au Soleil, entre Mercure* et la Terre*. Légèrement plus petite et de masse inférieure à la Terre. Son atmosphère est surtout formée de gaz carbonique. Sa température au sol est de 480 ºC.

vêpres n. f. pl. Dans la liturgie* catholique, office religieux du soir, que l'on récite ou que l'on chante. Aujourd'hui, elles sont célébrées en fin d'après-midi.

Venise et ses canaux, ses palais, ses gondoles...

Photo de **Vénus** prise depuis un satellite en 1974.

Monnaie d'or à l'effigie de **Vercingétorix**.

Giuseppe **Verdi** en 1886, par Giovanni Boldini.

7 1470

Vêpres siciliennes. Massacre des Français de Sicile (1282). Déclenchée au moment où l'on sonnait les vêpres du lundi de Pâques, cette révolte des Siciliens contre Charles Ier d'Anjou donna le pouvoir à Pierre III d'Aragon.

1 196
2 442
7 1654
9 2102

ver n. m. Nom courant de nombreux animaux invertébrés au corps mou, de forme allongée et dépourvu de pattes. Les vers peuvent être libres, fixés ou parasites. Il existe plusieurs embranchements de vers : les vers plats, ou plathelminthes* ; les vers ronds, ou némathelminthes* ; les vers annelés, ou annélides*... ◇ Nom donné à la larve de certains insectes.

ver à soie → bombyx

verbalisation n. f. Action de verbaliser, c'est-à-dire de dresser un procès-verbal*. L'agent de police, le garde champêtre, etc., verbalisent contre les personnes en infraction*.

verbe n. m. Mot, partie du discours qui sert à exprimer un état, une action. *La mer est calme* (« est » marque l'état) ; *le jardinier ratisse l'allée* (« ratisse » marque l'action). Un verbe se conjugue, c'est-à-dire qu'il change de forme, varie en personne*, en nombre*, en temps*, en mode* et en voie (active ou passive). Verbes *transitifs, intransitifs :* qui sont suivis ou pas d'un complément d'objet direct ou indirect.

Verbe (le). Parole que Dieu adresse aux hommes de toute éternité. ◇ Dieu incarné en la 2e personne de la Trinité (Jésus) : *le Verbe s'est fait chair.*

3 656
4 769
4 800
5 1118
13 2881

Vercingétorix, chef gaulois (v. 72-46 av. J.-C.). Chef arverne, dirigeant la coalition gauloise lors de la révolte de 52, il battit César à Gergovie. Mais, contraint de se replier dans Alésia avec 80 000 hommes, il dut se rendre à l'issue d'un long siège. Après six ans de captivité, il fut exécuté à Rome.

9 1958

Vercors. Massif calcaire des Préalpes françaises, entre les vallées de l'Isère et de la Drôme (2 341 m au Grand-Veymont). ◇ En juillet et août 1944, le Vercors fut le théâtre de durs combats entre 3 500 maquisards et des troupes allemandes.

Vercors (Jean BRULLER, *dit*), dessinateur et écrivain français (né en 1902). Il est surtout connu pour un très beau récit qui évoque le temps de l'Occupation : *le Silence de la mer* (1942).

12 2736
13 3109
14 3342

Verdi Giuseppe, compositeur italien (1813-1901). Il est l'un des plus grands maîtres de l'art lyrique* : *Rigoletto* (1851), *le Trouvère* (1853), *la Traviata* (1853), *Aïda* (1871), *Otello* (1887), *Falstaff* (1893), etc. Autre chef-d'œuvre : son *Requiem* (1874).

verdict n. m. Déclaration du jury d'une cour d'assises, en réponse aux questions posées sur la culpabilité d'un accusé. *Verdict positif* (de culpabilité), *négatif* (acquittement).

5 1173
11 2479
Verdun (55100). Commune de la Meuse (24 120 hab.). ◇ À proximité se déroula la bataille la plus meurtrière de la Première Guerre mondiale (de février à décembre 1916). Attaques allemandes et contre-attaques y provoquèrent la mort de 360 000 soldats français et de 335 000 Allemands.

verge n. f. Organe mâle de l'accouplement et de la miction*. La verge, érectile, est constituée d'un corps caverneux et d'un corps spongieux. Synonyme : *pénis*.

Vergennes (Charles GRAVIER, *comte* DE), homme d'État français (1719-1787). Ministre des Affaires étrangères de Louis XVI (1774-1787), il appuya les insurgés américains contre l'Angleterre.

6 1279
vergue n. f. Pièce de bois ou de métal fixée perpendiculairement au mât d'un bateau. Les vergues servent à soutenir les voiles du bateau.

Verhaeren Émile, poète belge d'expression française (1855-1916). Il délaissa le symbolisme* pour une poésie sociale célébrant la foule et le monde moderne : *les Villes tentaculaires* (1895).

vérin n. m. Appareil servant à soulever des charges pesantes sur de faibles hauteurs. Le *cric*, utilisé pour soulever une auto, est un vérin.

vérisme n. m. Mouvement littéraire et musical italien de la fin du XIXᵉ s. qui, à la suite du naturalisme* français, s'est attaché à présenter tous les aspects de la réalité, y compris l'aspect sordide. *Le vérisme de Puccini*.

9 2029
Verkhoïansk. Localité d'URSS (république de Russie), en Sibérie orientale. 1 900 hab. Un des points les plus froids du globe, où l'on a relevé une température de − 69,8 °C.

13 2941
Verlaine Paul, poète français (1844-1896). D'abord influencé par les parnassiens* (*Poèmes saturniens*, 1866 ; *Fêtes galantes*, 1869), il évolua (*la Bonne Chanson*, 1870) pour inaugurer avec *Romances sans paroles* (1874) une poésie très personnelle et musicale qui produit une merveilleuse impression de spontanéité : *Sagesse* (1881), *Jadis et Naguère* (1884)...

12 2753
Vermeer Johannes (*dit* Vermeer de Delft), peintre hollandais (1632-1675). Ses compositions savantes (espaces clos, effets d'optique, jeux de lumière) sont un sommet de l'art universel : *la Dentellière* (v. 1664)...

1 61
Vermont. État du nord-est des USA, en Nouvelle-Angleterre. 24 887 km² ; 445 000 hab. Capitale : Montpelier. État limitrophe du Canada, formé de montagnes (forêts) et de plaines. Activités dominantes : agriculture et tourisme.

6 1234
10 2381
13 2941
Verne Jules, écrivain français (1828-1905). Un grand nombre de ses extraordinaires romans d'aventures anticipent sur les progrès scientifiques et tech-

« Le bonheur a marché côte à côte avec moi... » (Paul **Verlaine***).*

Détail de la Dentellière, de **Vermeer** *de Delft.*

Le Calvaire *(détail),* de **Véronèse.**

Un geste de l'artisan du **verre** *: le soufflage à la bouche.*

niques de notre époque : *Cinq Semaines en ballon* (1863), *De la Terre à la Lune* (1865), *les Enfants du capitaine Grant* (1868), *Vingt Mille Lieues sous les mers* (1870), *l'Île mystérieuse* (1874), *Robur le Conquérant* (1886)...

vernis n. m. Liquide qui contient une substance diluée dans un solvant. Le vernis est étendu sur une surface que l'on veut protéger ou décorer : meuble, ongles... Le solvant s'évapore et il laisse sur la surface à protéger une pellicule lisse, brillante et dure.

vernissage n. m. Réception organisée pour inaugurer une exposition de peinture, de sculpture. *Recevoir une invitation pour un vernissage.*

vérole → variole

Véronèse (Paolo CALIARI, *dit*), peintre italien (1528-1588). Dernier grand coloriste vénitien de la Renaissance, il affirmé son génie de la scénographie* dans des œuvres qui, par leurs effets de mouvement, annoncent le baroque* (fresques du palais des Doges).

véronique n. f. Genre de plantes herbacées à fleurs bleues (famille des scrofulariacées). La véronique est courante dans les régions tempérées.

11 2545
verrat n. m. Nom donné au porc mâle non castré. Les différentes races de verrats sont sélectionnées en vue de la reproduction.

9 1995
12 2870
verre n. m. Matière transparente, dure et cassante, qui est essentiellement constituée de silice. Le verre est fabriqué en faisant fondre du sable. Il sert à faire des vitres, des pare-brise d'autos, des bouteilles, des verres à boire, des verres de lunettes, des verres de montre... ◆ **verrerie** n. f. Usine où l'on fabrique des objets en verre. ◆ **verrier** n. m. Personne qui fabrique des objets en verre.

7 1526
Verrocchio (Andrea DI CIONE, *dit* **del**), sculpteur, orfèvre et peintre italien (1435-1488). Son *Colleoni* (Venise, 1481-1488) est l'une des plus belles statues équestres de la Renaissance.

verrue n. f. Petite tumeur bénigne de la peau résultant d'une prolifération épidermique, siégeant le plus souvent sur le visage, les mains ou les pieds.

vers n. m. Suite de mots soumis à une mesure et à une cadence particulières. *Le vers est un procédé de poétisation* (J. Cohen). On distingue, entre autres, les vers métriques (latins ou grecs), qui ne sont pas rimés, et les vers syllabiques (français, italiens...), qui obéissent aux règles de la rime*.

4 922
Versailles (78000). Chef-lieu des Yvelines, à 23 km au sud-ouest de Paris. 95 240 hab. *(Versaillais)*. Centre résidentiel et touristique (château).

9 1933
Versailles (château de). Pavillon de chasse de Louis XIII, transformé en

palais royal par Louis XIV à partir de 1661. Siège de la cour jusqu'en 1789. Le château fut construit par Mansart, Le Vau et Gabriel, les jardins étant l'œuvre de Le Nôtre ; des constructions ultérieures s'y ajoutèrent sous Louis XV et Louis XVI : le Grand et le Petit Trianon.

11 2483 **Versailles** (traité de). Traité mettant fin à la Première Guerre mondiale (28 juin 1919). Déclarant l'Allemagne responsable du conflit, les Alliés amputèrent son territoire (Alsace, Prusse orientale), lui imposèrent des réparations financières et limitèrent son armée à 100 000 hommes.

8 1823 **versant** n. m. Chacune des pentes d'une montagne *(le versant oriental des Vosges)* ou d'une vallée *(les versants de la vallée de la haute Garonne)*.

1 105 **Verseau** (constellation du). Groupement d'étoiles : l'une des 12 constellations servant à repérer sur la carte du ciel les régions du zodiaque*.

verset n. m. Petit paragraphe d'un texte sacré. *Les versets de la Bible, du Coran.* ◇ Au cours de la messe, c'est une brève formule chantée par un soliste et suivie d'un répons du chœur.

version n. f. Traduction d'un texte. ◇ Exercice scolaire qui consiste à traduire le texte d'une langue étrangère dans sa propre langue. *Version latine, anglaise* (s'oppose à *thème**).

vert-de-gris n. m. Composé vert qui recouvre le cuivre attaqué par l'air humide : le toit de l'Opéra de Paris est recouvert de vert-de-gris, ce qui le protège d'une attaque plus profonde.

2 328
3 532
9 2138 **vertèbre** n. f. Chacun des os courts qui, superposés, forment le rachis*, ou colonne vertébrale, axe du squelette des vertébrés. L'Homme possède de 33 à 35 vertèbres : 7 vertèbres cervicales, 12 dorsales, 5 lombaires, 5 sacrées soudées formant le sacrum*, 4 à 6 coccygiennes atrophiées soudées formant le coccyx*. Le canal rachidien contenant la moelle épinière traverse les vertèbres.

9 2137 **vertébrés** n. m. pl. Sous-embranchement de cordés*. Les vertébrés ont une colonne vertébrale, un tube nerveux dorsal, un encéphale et un appareil circulatoire clos avec un cœur à 4 cavités. Ils comprennent les poissons, les amphibiens, les reptiles, les oiseaux, les mammifères.

verticalité n. f. État de ce qui est vertical. ◆ **verticale** n. f. Droite qui a la direction du fil à plomb. Deux droites verticales (en un même lieu) sont parallèles entre elles et perpendiculaires à tout plan horizontal.

vertige n. m. Erreur de sensation donnant à une personne l'impression que les objets l'environnant sont animés d'un mouvement giratoire ou oscillatoire. Les vertiges sont d'origine variable (nerveuse, digestive...).

*Le château de **Versailles** est le monument le plus visité de France.*

*Monnaie romaine à l'effigie de l'empereur **Vespasien**.*

*Le cratère du **Vésuve**.*

***Vétérinaire** anesthésiant un chien avant une opération chirurgicale.*

verveine n. f. Genre de plantes herbacées. La *verveine officinale*, utilisée en tisane, possède des vertus calmantes. **11** 2499

Vésale André, médecin flamand (1514-1564). L'un des premiers à effectuer des dissections du corps humain, il fut le fondateur de l'anatomie moderne. **13** 2915

vésicule n. f. ◇ 1. ANAT Petit sac membraneux ou petite cavité glandulaire. *Vésicule biliaire :* où la bile s'accumule. *Vésicules séminales :* réservoirs contenant le sperme. ◇ 2. BOT Cavité close qui, entre autres fonctions, peut servir de flotteur à des plantes aquatiques. **10** 2322

Vesoul (70000). Chef-lieu du département de la Haute-Saône. 20 269 hab. *(Vésuliens).* Constructions mécaniques (automobiles) ; textile. **9** 2118

Vespasien, empereur romain (9-79). Proclamé empereur par les légions d'Orient (69), il réorganisa les finances de l'Empire, fit construire le Colisée et réduisit l'opposition aristocratique. Titus, son fils, lui succéda. **4** 725

Vespucci Amerigo, navigateur florentin (1454-1512). Bien qu'il ait abordé l'Amérique après Christophe Colomb, on choisit son prénom, à son insu, pour désigner le Nouveau Monde (1507). **8** 1687 **13** 3005

vesse-de-loup n. f. Champignon basidiomycète, blanc, en forme d'outre. Il est comestible à l'état jeune, mais, à maturité, il en sort des spores brunâtres. **1** 125

vessie n. f. ◇ 1. ANAT Réservoir de nature musculo-membraneuse où s'accumule, entre les mictions*, l'urine sécrétée continûment par les reins. ◇ 2. ZOOL La *vessie natatoire* ou *gazeuse* joue un rôle encore mal connu dans l'équilibration et la respiration de certains poissons. **1** 175 **7** 1483

vestige n. m. (surtout employé au pluriel). Marque ou trace du passé. Ainsi, les ruines des arènes de Lutèce sont des vestiges témoignant du passé romain de Paris.

Vésuve. Volcan actif d'Italie, au sud-est de Naples ; 1 270 m. ◇ En 79 ap. J.-C., une très violente éruption du Vésuve détruisit les villes d'Herculanum* et de Pompéi*. **3** 710

vétérinaire n. m. Médecin des animaux. Il pratique les soins et les vaccinations de même que les interventions chirurgicales. Les vétérinaires exercent surtout dans les villes, car les fermiers soignent souvent eux-mêmes leurs animaux, sauf dans les cas graves (épizooties). **14** 3258

veto n. m. (en latin : « je m'oppose »). Formule du tribun de la plèbe, à Rome, pour refuser une décision. ◇ Droit, pour une autorité, de suspendre ou de refuser une loi.

veuvage n. m. État, situation d'une personne dont le conjoint est mort. ◆ **veuf** n. m. Qui a perdu son conjoint et n'est pas remarié. Féminin : *veuve*.

9 2114 **Vézelay** (89540). Chef-lieu de canton de l'Yonne, près d'Avallon. 581 hab. *(Vézeliens).* Église de la Madeleine (XIIᵉ s.), admirable spécimen de l'architecture et de la sculpture romanes.

viaduc n. m. Pont très long et souvent très haut. Il permet à une route ou à une voie ferrée de passer au-dessus d'un cours d'eau, d'un précipice, d'un bras de mer...

viager n. m. Revenu viager, dont une personne jouit à vie, mais qui n'est pas transmis à ses héritiers. *Céder, mettre un bien en viager :* le vendre contre une rente viagère.

13 2943 **Vian** Boris, écrivain français (1920-1959). Ses romans (*l'Écume des jours, l'Automne à Pékin*, 1947 ; *l'Arrache-cœur*, 1953, etc.), ses pièces et ses poèmes (*Cantilènes en gelée*, 1950) sont empreints d'un humour grinçant. Il a écrit des chansons *(le Déserteur, la Java des bombes atomiques)* et a été trompettiste de jazz.

5 1182 **viande** n. f. Chair des animaux que l'on consomme pour se nourrir. *Viande rouge* (bœuf, cheval, mouton). *Viande blanche* (veau, porc, volaille, lapin). *La chair de poisson n'est pas une viande.*

vibraphone n. m. Instrument de musique à percussion composé de lamelles métalliques doublées de tubes résonateurs et que l'on frappe avec des mailloches (jazz, musique contemporaine).

8 1774 **vibration** n. f. Mouvement rapide de part et d'autre d'une position d'équilibre : vibration d'un diapason, vibration de la membrane d'un haut-parleur, etc. Toute vibration se caractérise par une amplitude* et par une fréquence*.

6 1272 **vibrion** n. m. Nom générique des bactéries mobiles ayant des cils terminaux et dont le corps est incurvé. De très nombreuses espèces habitent le sol. Le choléra est dû à un vibrion.

Vichnou → Vishnu

4 800
11 2600 **Vichy** (03200). Chef-lieu d'arrondissement de l'Allier, sur l'Allier. 30 554 hab. *(Vichyssois).* Importante station thermale. ◇ Siège du « gouvernement de Vichy », nom donné au pouvoir exécutif de l'État français (juillet 1940-août 1944) qui eut pour chef le maréchal Pétain*.

Victor Paul-Émile, explorateur français des régions polaires (né en 1907). Fondateur (1947) des « Expéditions polaires françaises » (terre Adélie, Groenland).

10 2336 **Victor-Emmanuel II,** roi de Sardaigne puis d'Italie (1820-1878). Il travailla avec son ministre Cavour à établir l'indépendance et l'unité italiennes. Il fut proclamé roi d'Italie en 1861.

11 2529 **Victor-Emmanuel III,** roi d'Italie (1869-1947). Succédant à Humbert Iᵉʳ en 1900,

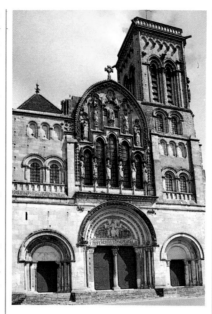

*Façade de l'église de la Madeleine, à **Vézelay**.*

***Viaduc** moderne sur la Côte d'Azur.*

*Paul-Émile **Victor**.*

*Les chutes **Victoria** du Zambèze, entre Zambie et Zimbabwe.*

il laissa Mussolini gouverner de 1922 à 1943. Compromis par quinze ans de fascisme, il abdiqua et s'exila en 1946.

9 2057 **Victoria.** Grande île arctique située dans le nord du Canada, incluse dans les Territoires* du Nord-Ouest. 217 290 km².

11 2453 **Victoria Iʳᵉ,** reine de Grande-Bretagne et d'Irlande (1819-1901). Montée sur le trône en 1837, elle imposa peu à peu l'image d'une Angleterre puritaine et prospère. L'« ère victorienne » atteignit son apogée lorsque Disraeli la fit couronner impératrice des Indes (1876).

6 1364 **Victoria.** Capitale de la colonie britannique de Hong Kong*, dans l'île de Hong Kong. 675 000 hab. Industries mécaniques et textiles.

4 734 **Victoria** (chutes). Chutes du Zambèze, près de Livingstone (Zambie). Hautes de 120 m, elles se précipitent dans une gorge étroite creusée dans le basalte.

5 1045
11 2577 **Victoria** (lac). Grand lac d'Afrique équatoriale, bordé par le Kenya, l'Ouganda et la Tanzanie. 68 100 km². Émissaire : le Nil blanc.

Victoria Cross. La plus élevée des décorations militaires britanniques. Elle fut créée par Victoria en 1856 et peut donner droit à une pension de l'État.

6 1412 **vide** n. m. Espace qui ne contient aucune matière solide, liquide ou gazeuse. Ce vide absolu (pression nulle) est théorique, il n'est pas réalisable. Même dans les espaces intersidéraux, il n'existe pas ; la pression y est très faible mais garde une certaine valeur. Actuellement, les pompes à vide, en aspirant l'air d'une enceinte, permettent d'atteindre des vides où la pression est de un millionième de pascal*.

7 1659
14 3159 **vidéo** n. f. Technique d'enregistrement et de reproduction d'images de télévision. ◆ **vidéocassette** n. f. Cassette qui contient une bande magnétique où sont enregistrés des images et des sons. On la met dans un magnétoscope pour regarder des films sur un écran de télé. ◆ **vidéodisque** n. m. Disque sur lequel sont enregistrés des images et des sons. ◆ **vidéophone** n. m. Appareil que l'on branche sur une ligne téléphonique. Il est muni d'un écran sur lequel on voit la personne à qui l'on téléphone. ◆ **vidéothèque** n. f. Endroit où on loue des vidéocassettes.

Vidocq François, policier français (1775-1857). Ancien forçat évadé, il devint chef de la Sûreté. Il inspira à Balzac le personnage de Vautrin.

1 146
1 222
2 280
5 1094
7 1513 **vie** n. f. Ensemble des phénomènes (physiques, chimiques...) se déroulant dans un être vivant (tant animal que végétal) de sa conception jusqu'à sa mort. Ainsi, tout être vivant consomme

10 2350 de l'énergie pour se développer et se reproduire. *La vie est apparue sur la Terre il y a plus de trois milliards d'années.* ◇ Existence humaine. *Être en vie. Le cours de la vie.*

1 226 **vieillesse** n. f. Dernière période de la vie d'un être humain ou d'un animal. Elle est marquée par un affaiblissement progressif des fonctions physiologiques et par une modification de structure de certains organes. Ainsi, chez l'Homme, il y a apparition de rides, décoloration des cheveux, ménopause ou andropause, diminution du débit cardiaque... *Sénescence** est plus précis.

vielle n. f. Instrument de musique à cordes et à touches, sur lequel une petite roue, qu'on actionne avec une manivelle, fait office d'archet*.

8 1893
13 2911 **Vienne** (en allemand, **Wien**). Capitale de l'Autriche, sur le Danube. 1 615 000 hab. *(Viennois).* Métropole culturelle, commerciale et industrielle de l'Autriche. ◇ Capitale de l'empire des Habsbourg à partir du XVIᵉ s., la ville connut une brillante époque baroque (1683-1770), dont il reste de nombreux édifices, tel le château du Belvédère (1714-1723).

12 2866 **Vienne** (86). Département de l'ouest de la France (région Poitou-Charentes). 6 990 km² ; 371 428 hab. Chef-lieu : Poitiers. Sous-préfectures : Châtellerault, Montmorillon. La Vienne s'étend sur les bas plateaux qui séparent Massif armoricain et Massif central, Bassin parisien et Bassin aquitain (seuil du Poitou). Région essentiellement agricole (élevage, céréales). Industries présentes surtout à Poitiers.

12 2827 **Vienne (Haute-)** (87). Département du centre-ouest de la France (région Limousin). 5 520 km² ; 355 737 hab. Chef-lieu : Limoges. Sous-préfectures : Bellac, Rochechouart. Formée de plateaux (de 250 m à 500 m d'altitude), la Haute-Vienne a un climat pluvieux, rude au sud-est. L'agriculture prédomine (élevage bovin). L'industrie est surtout présente à Limoges. On trouve quelques industries extractives, dont celle du kaolin et de l'uranium.

9 1975 **Vientiane.** Capitale du Laos, sur la rive gauche du Mékong. 200 000 hab. C'est un centre administratif et commercial. Industries textiles et alimentaires.

Vierge (Sainte) ⟶ Marie (sainte)

1 105 **Vierge** (constellation de la). Groupement d'étoiles, situé presque sur l'équateur. Une des douze constellations servant à repérer le zodiaque*.

12 2656 **Viêt-minh** (Front de l'indépendance du Viêt-nam). Organisation politique et militaire vietnamienne, fondée en 1941. De tendance communiste, elle triompha des Français en 1954 puis dirigea le Viêt-nam du Nord.

9 1977
12 2656 **Viêt-nam** (république socialiste du). État d'Asie du Sud-Est.

*La **vielle** à roue n'est plus employée que dans la musique folklorique.*

*Le château baroque du Belvédère, à **Vienne.***

*Le **Viêt-nam.***

*Le riz est la principale ressource alimentaire du **Viêt-nam.***

superficie :	329 556 km²
population :	55 millions d'hab. *(Vietnamiens)*
capitale :	Hanoi
monnaie :	le dong
code international :	VN

12 2685

État de l'est de la péninsule indochinoise. Trois grandes régions : au nord, le Tonkin* ; au centre, l'Annam* ; au sud, le delta du Mékong*. Climat chaud et humide. Population concentrée dans les plaines. ◇ L'économie est soumise à des normes* socialistes dans le nord du pays (le système est introduit avec prudence dans le sud). Culture dominante : le riz (production actuellement insuffisante). Industries en essor, surtout dans le nord. Le Viêt-nam est puissamment aidé par l'URSS. ◇ Sous domination chinoise du IIᵉ s. av. J.-C. au Xᵉ s. ap. J.-C., les Viets s'organisèrent à partir du XIᵉ s. au sein d'un royaume. La France y établit son protectorat en 1887. Dès 1925, des troubles nationalistes éclatèrent. Le Viêt-minh* lutta contre l'occupant japonais (1940-1945), puis contre la France (1946-1954), défaite à Diên Biên Phu ; le pays fut alors divisé en deux : au nord, la République démocratique du Viêt-nam, dirigée par le Viêt-minh ; au sud, la République du Viêt-nam, bientôt soutenue par les États-Unis dans sa lutte contre le Nord communiste. Après une terrible guerre, les Américains se retirèrent (1973). Le Nord se rendit maître du Sud en 1975 et réunifia le pays l'année suivante.

10 2326 **vigne** n. f. Arbrisseau sarmenteux grimpant grâce à ses vrilles (60 espèces). On cultive la vigne pour son fruit, le raisin, consommé tel quel ou sous forme de jus de raisin ou de vin. La nature du sol et l'ensoleillement sont essentiels pour la qualité du vin. ◇ La souche de la vigne cultivée provient du Caucase ; elle a été introduite en France, au VIᵉ s. av. J.-C., par les Grecs. ◆ **vigneron** n. m. Personne qui cultive la vigne et fabrique du vin. Synonyme : viticulteur.

11 2573
13 2940 **Vigny** Alfred (*comte* DE), écrivain français (1797-1863). Poète stoïque de « la majesté des souffrances humaines » (*les Destinées*, 1864), il en fut aussi le romancier (*Stello*, 1832), le nouvelliste (*Servitude et Grandeur militaires*, 1835) et le dramaturge (*Chatterton*, 1835).

Vigo Jean, cinéaste français (1905-1934). Il a génialement mêlé sensibilité poétique, réalisme et critique sociale : *À propos de Nice* (1930), *Zéro de conduite* (1933), *l'Atalante* (1934).

10 2363 **vigogne** n. f. Mammifère camélidé*, non domestiqué, des hauts plateaux andins. Capturée pour sa laine, la vigogne est relâchée après la tonte.

5 1172
5 1188
14 3209 **Vikings** (les). Guerriers et navigateurs scandinaves (appelés aussi « Normands »). Poussées par la surpopulation relative du Danemark, de la Suède et de la Norvège, les bandes de Vikings commencèrent à piller l'Occident à la fin du VIIIᵉ s. À bord de leurs navires

très rapides *(drakkars),* ils remontaient les fleuves et dévastaient monastères et châteaux. En France, Charles le Chauve leur accorda la Normandie, en 911, pour arrêter leurs incursions. En Grande-Bretagne, ils régnèrent avec Knud le Grand (1017-1035). Les Vikings, peu à peu christianisés, arrêtèrent toutes leurs expéditions au XIe siècle.

Vilar Jean, acteur et metteur en scène français de théâtre (1912-1971). Il a brillamment dirigé le Théâtre national populaire (de 1951 à 1963) et animé le Festival d'Avignon (de 1947 à 1971).

6 1409 **vilebrequin** n. m. Tige coudée qui transforme le mouvement alternatif des pistons* d'un moteur d'auto, de bateau..., en mouvement rotatif. Le vilebrequin est relié aux pistons par des bielles*.

12 2690 **Villa** Pancho, révolutionnaire mexicain (1878-1923). Bandit et justicier tout à la fois, il affronta, à la tête d'une véritable armée de cavaliers, le gouvernement en place (1910-1920), prenant Mexico en 1914. Il mourut assassiné.

1 118 **village** n. m. Petite agglomération rurale (bourg*, hameau*, commune*). ◊ *Village de vacances :* spécialement aménagé pour les loisirs par un organisme de tourisme. ◆ **villageois** n. m. Habitant d'un village.

Villa-Lobos Heitor, compositeur brésilien (1887-1959). Il s'est inspiré des musiques indienne et populaire de son pays : *Chôros* (1920-1928), *Bachianas brasileiras* (1930-1945), etc.

1 77
1 118
1 238
5 1129
6 1230
6 1345
9 2070
10 2308
ville n. f. Agglomération assez importante (plus importante qu'un village), dont les habitants exercent des activités relatives au commerce, à l'industrie, à l'administration et rarement à l'agriculture. *Ville nouvelle. Ville fortifiée.* ◊ Administration municipale, municipalité : *travaux financés par la ville.* ◆ **hôtel de ville** n. m. Mairie.

Villehardouin Geoffroi DE, chroniqueur français (v. 1150-1213). Nommé maréchal de Romanie (Roumanie) après la quatrième croisade, il écrivit une *Histoire de la conquête de Constantinople.*

Villeneuve Pierre Charles DE, marin français (1763-1806). Lors de la bataille de Trafalgar*, il était l'amiral commandant la flotte française. Il se suicida après sa libération par les Anglais.

13 2938 **Villon** François, poète français (1431-après 1463). Son existence turbulente faillit le conduire au gibet. Il évoque cette vie sur un ton goguenard ou mélancolique *(Ballade des pendus)* dans ses poèmes, premiers chefs-d'œuvre de la poésie lyrique française.

Villon Jacques (Gaston DUCHAMP, *dit*), peintre et graveur français (1875-1963). Il élabora un style original à partir du cubisme et de recherches sur le nombre d'or *(les Soldats en marche,* 1913).

Vikings : monument à Erikson qui, au Xe siècle, aborda peut-être le Canada.

*Robe, arôme, bouquet, corps : le grand **vin** révèle ses secrets.*

*Saint **Vincent de Paul** vint au secours de toutes les pauvretés.*

*Instrument de musique classique, le **violon** peut aussi chanter dans la rue.*

vin n. m. Boisson alcoolisée obtenue en faisant fermenter le jus de raisin. Au cours de cette fermentation, qui est provoquée par une levure, les sucres contenus dans le jus de raisin se transforment en alcool. L'abus de vin conduit à l'alcoolisme*. ◆ **vinification** n. f. Ensemble des opérations qui transforment le jus de raisin en vin.

5 1116
7 1487
10 2326

vinaigre n. m. Liquide acide servant de condiment, en particulier dans les salades. Il contient de l'acide acétique. On l'obtient en faisant fermenter du vin ou de l'alcool.

Vincent de Paul (saint), prêtre français (1581-1660). Aumônier général des galères, il créa des institutions charitables (œuvre des Enfants trouvés, « Filles de la Charité ») et développa les missions rurales (lazaristes).

Vinci (Léonard de) → Léonard de Vinci

vinyle n. m. Substance chimique à partir de laquelle on fabrique le polychlorure de vinyle, matière plastique très utilisée (bouteilles, câbles, disques...).

viol n. m. Crime par lequel un homme contraint une personne, par la violence, à des relations sexuelles. ◊ Action de pénétrer dans un lieu interdit, de transgresser une loi. Synonyme : *violation.*

viole n. f. Instrument de musique à archet, le plus souvent muni de 6 cordes *(viole de gambe).* Connue en Europe dès le XVe s., la viole est l'ancêtre du violon.

violence n. f. Force brutale exercée contre quelqu'un ; contrainte physique ou morale illégitime. *Faire violence à une femme :* la violer (viol*). ◊ Actes de violence : *subir des violences.* ◊ *Mort violente :* causée par un acte de violence ou un accident.

12 2837

violette n. f. Genre de plantes herbacées à fleurs violettes ou blanches, très parfumées (famille des violacées). La pensée est une espèce de violette.

Viollet-le-Duc Eugène Emmanuel, architecte français (1814-1879). Ses travaux de restauration, parfois contestables, contribuèrent à la sauvegarde de nombreux monuments : Vézelay, Sainte-Chapelle, Notre-Dame de Paris, la cité de Carcassonne, etc.

violon n. m. Instrument de musique à archet, muni de 4 cordes accordées par quintes. C'est une création du début du XVIe s. ◆ **violoniste** n. m. ou f. Celui, celle qui joue du violon.

2 261

violoncelle n. m. Instrument de musique bâti sur le modèle du violon (4 cordes), mais de plus grande taille et dont le ou la violoncelliste joue assis.

2 261

vipère n. f. Nom courant de divers serpents vivipares, venimeux, de taille variable, caractérisés par une tête trian-

2 462
7 1621

gulaire. La vipère se nourrit de petits vertébrés qu'elle tue à l'aide de deux crochets. Elle peuple le monde entier. La *vipère péliade* et la *vipère aspic* sont deux espèces courantes en Europe.

virement n. m. Passage d'une somme d'argent d'un compte (bancaire, postal) sur un autre, au moyen d'un chèque. *Salaire versé par virement.*

3 681 **Virgile** (Publius Virgilius Maro), poète latin (v. 70-19 av. J.-C.). Son œuvre, hymnes à la gloire de la nature et du labeur humain (*les Bucoliques,* 42 à 39 ; *les Géorgiques,* 39 à 29) ou épopée nationale (*l'Énéide,* inachevée), est un sommet de la poésie universelle.

1 61
8 1815 **Virginie.** État de l'est des É.-U., sur l'Atlantique. 105 716 km² ; 4 648 000 hab. Capitale : Richmond. Région au climat chaud et humide, célèbre pour ses plantations de tabac (en déclin). ◇ Fief sudiste lors de la guerre de Sécession*.

1 61 **Virginie-Occidentale.** État du centre-est des États-Unis (versant ouest des Appalaches). 62 629 km² ; 1 744 000 hab. Capitale : Charleston. Grand producteur de charbon. ◇ En 1861, opposée à l'esclavage, elle se détacha de la Virginie.

virologie n. f. Science qui étudie les virus*. La virologie étudie également les maladies provoquées par ces virus (poliomyélite, rougeole, variole...) afin de connaître leur mode d'action.

virtuose n. m. ou f. Personne qui joue d'un instrument de musique avec une technique brillante. *Un virtuose du violon, du piano.* ◆ **virtuosité** n. f. Maîtrise de virtuose.

5 1149 **virus** n. m. Agent infectieux formé d'un acide nucléique (ARN ou ADN) associé ou non à des protéines. De très petite taille (300 microns* pour les plus gros), les virus ne peuvent se développer qu'à l'intérieur de cellules vivantes, qu'ils parasitent et infectent.

4 732
6 1407 **vis** n. f. Petite tige cylindrique ou conique en métal. Elle présente un relief en spirale (le filet de la vis) et une tête munie d'une encoche. On l'enfonce en tournant avec un tournevis pour fixer ou assembler des objets.

visa n. m. Formule, sceau, signature apposé sur un acte pour le valider, le rendre régulier. ◇ Cachet apposé sur un passeport, permettant d'entrer dans un pays. *Demander un visa pour la Chine.*

viscère n. m. Nom donné à tous les organes, plus particulièrement aux organes creux comme l'intestin, l'estomac, le cœur, la vessie. ◇ Couramment, nom donné aux organes abdominaux.

7 1625 **Visconti.** Famille italienne qui régna sur Milan de 1277 à 1447. Jean-Galéas (1351-1402), dont la fille épousa Louis d'Orléans, étendit le Milanais jusqu'à

*La **vipère** à cornes du Sahara dort le jour dans le sable et chasse la nuit.*

*Une rue de Williamsburg, petite cité de **Virginie.***

***Vishnu,** le dieu aux divers avatars (statue indienne du XIIᵉ s.).*

*Très joueur, le **vison** adore gambades, glissades et galipettes.*

Vérone, Padoue et Bologne et se fit nommer « duc de Milan » en 1395.

Visconti Luchino, cinéaste italien (1906-1976). Il ouvrit la voie au néo-réalisme avec *Ossessione* (1942), puis mêla critique sociale et beauté formelle dans *Senso* (1954), *le Guépard* (1963)...

viscosité n. f. Résistance plus ou moins grande d'un fluide à l'écoulement uniforme. L'huile est plus visqueuse que l'eau : elle s'écoule plus lentement ; le bitume est plus visqueux que l'huile.

visée n. f. Action de diriger, à l'aide du regard, un appareil photo vers le sujet à photographier ou un fusil vers la cible à atteindre. ◆ **viseur** n. m. Appareil servant à effectuer une visée : *un viseur de caméra.*

2 381 **Vishnu** ou **Vichnou.** Un des trois grands dieux de l'hindouisme*. Représenté sous diverses formes humaines ou animales, il veille sur l'ordre du monde.

Visigoths → Wisigoths

3 524
5 1177 **vision** n. f. Perception du monde par les yeux. ◇ Mécanisme physiologique par lequel la lumière, atteignant les yeux, donne naissance à des sensations. Les sensations de couleurs, de formes, de relief, etc., que donne la vue* sont essentiellement dues au cerveau, les yeux n'étant que des capteurs de lumière. La vision peut s'éduquer et la précision avec laquelle un individu normal perçoit les formes, les couleurs..., est très variable.

5 1181 **vison** n. m. Petit mammifère carnivore, au corps long et au pelage épais, souple et brillant (famille des mustélidés). Chassé et élevé pour sa fourrure. Le vison d'Europe a disparu à l'état sauvage. ◇ Fourrure de cet animal.

12 2790 **Vistule** (la). Principal fleuve de Pologne (1 090 km). Née dans les Carpates, la Vistule draine la Pologne orientale et se jette dans la Baltique.

3 691 **vitamine** n. f. Substance indispensable, en quantités infinitésimales, à l'organisme. Celui-ci, qui est incapable d'en réaliser la synthèse, doit la trouver dans les aliments. Une carence en vitamine, ou avitaminose, peut être très grave : c'est le cas du scorbut* (carence en vitamine C), du rachitisme* (carence en vitamine D), etc. Ces maladies cessent avec l'apport de la vitamine manquante.

vitellus n. m. Ensemble des substances de réserve stockées dans un ovule et qui serviront pour le développement de l'embryon après la fécondation.

2 404
3 705
13 2897 **vitesse** n. f. ◇ 1. PHYS Grandeur caractérisant le mouvement : c'est la distance parcourue pendant un temps donné. Elle s'exprime en mètres par seconde (m/s), en kilomètres par heure (km/h)... *La vitesse maximale autorisée sur autoroute est de 130 km/h ; la vitesse de la*

lumière dans le vide est de l'ordre de 300 000 km/s. ◇ 2. SP Course se déroulant sur une petite distance, en athlétisme, en cyclisme, etc.

10 2326 **viticulture** n. f. Culture de la vigne pour la production du vin. ◆ **viticulteur** n. m. Personne qui cultive la vigne et récolte le raisin pour en faire du vin.

1 53
9 1993 **vitrail** n. m. Panneau de verres colorés, translucides, et le plus souvent scellés dans un réseau de plomb (résille) de façon à former une composition décorative. *Vitrail d'église.* ◇ L'art du vitrail, connu des Anciens, prit un développement considérable au Moyen Âge avec la construction des églises romanes et surtout des cathédrales gothiques (vitraux de Chartres, Sens, rosaces de Paris, Reims, Strasbourg).

vitrification n. f. Transformation d'une substance en verre par fusion. ◇ Action de recouvrir un parquet d'un vernis transparent et imperméable pour faciliter l'entretien de ce parquet.

vitrine n. f. Devanture vitrée d'un magasin, glace derrière laquelle un commerçant expose des marchandises. ◇ Petite armoire vitrée dans laquelle on expose des collections d'objets d'art.

vitriol n. m. Ancien nom donné aux sulfates* ou à l'acide sulfurique concentré (appelé aussi *huile de vitriol*), de formule H_2SO_4.

2 262 **Vivaldi** Antonio, compositeur italien (1678-1741). Prêtre, professeur de musique, auteur de nombreux opéras, oratorios, sonates et symphonies, il doit sa célébrité d'aujourd'hui à ses admirables concertos pour violon, parmi lesquels *les Quatre Saisons* (v. 1725).

9 1958 **Vivarais.** Région de la bordure orientale du Massif central où se situe le mont Gerbier-de-Jonc et qui correspond au département de l'Ardèche*.

11 2473 **vivarium** n. m. Établissement dans lequel on peut voir de petits animaux vivants (insectes, reptiles...) enfermés dans des cages vitrées où l'on a essayé de reconstituer leur milieu naturel.

5 968
8 1858 **vive** n. f. Genre de poissons marins, comestibles, vivant généralement sur les fonds sableux. Sa nageoire dorsale est munie d'épines venimeuses.

viverridés n. m. pl. Famille de mammifères carnivores terrestres, au corps svelte, à la tête plus ou moins pointue, dont font partie les civettes, les genettes, les mangoustes...

3 683 **vivier** n. m. Bassin alimenté en eau courante dans lequel on garde les poissons vivants. On attrape dans le vivier les poissons qu'on veut manger.

1 16
2 290 **viviparité** n. f. Mode de reproduction d'un animal (vivipare) dont l'œuf se

*Rose de la basilique de Saint-Denis, haut lieu de l'art du **vitrail**.*

*Violoniste, prêtre, chef d'orchestre, compositeur immense : Antonio **Vivaldi**.*

*Les épines de la **vive** peuvent causer de douloureuses blessures.*

*Deux bateaux – nain et géant – toutes **voiles** dehors.*

développe dans l'organisme maternel, donnant naissance à un jeune animal entièrement formé et sans enveloppe.

vivisection n. f. Intervention chirurgicale pratiquée sur un animal vivant, en vue de recherches scientifiques. La vivisection s'effectue sous anesthésie.

vizir n. m. Ministre d'un prince musulman. Sous les Abbassides, le vizir était le bras droit du calife. Chez les Ottomans, le titre était plutôt honorifique. **13** 3031

Vladivostok. Port de l'URSS (république de Russie), sur la mer du Japon. 536 000 hab. Russe depuis 1860, ce port est le terminus du Transsibérien*. **9** 2029

Vlaminck Maurice DE, peintre français (1876-1958). Il fut l'un des créateurs du fauvisme*. Plus tard, il exécuta des paysages aux ciels d'orage, de facture plus conventionnelle.

vocabulaire n. m. Ensemble des mots qu'une langue met à disposition. *Le vocabulaire de l'espagnol.* ◇ Mots utilisés par une personne, un groupe, ou propres à une science, à un art. *Le vocabulaire des menuisiers, de la physique.*

vocalise n. f. Exercice de chant exécuté soit sur une voyelle (généralement *a*), sans articulation de syllabes, soit sur une ou plusieurs syllabes.

vocation n. f. Goût, aptitude spéciale pour une profession, un art, un genre de vie. ◇ Appel à la vie religieuse, au sacerdoce. *Une vocation sacerdotale.*

voie n. f. Itinéraire qui permet de se rendre d'un lieu à un autre : *voie routière* (automobiles), *voie navigable* (péniches), *voie ferrée* (trains), *voie maritime* (navires) et *voie aérienne* (avions). Les voies de communication facilitent les échanges commerciaux et culturels. Elles ont une grande importance stratégique en cas de guerre. ◆ **voirie** n. f. Dans une ville, un pays, ensemble des voies de communication par terre et par eau.

Voie lactée (la). Bande brillante d'aspect blanchâtre, visible dans le ciel par nuit claire, représentant une accumulation d'étoiles. C'est la trace de notre Galaxie*. **3** 702 / **8** 1772 / **13** 2927 / **13** 3105

voile n. f. Pièce d'étoffe résistante que l'on hisse le long du mât*. Le vent gonfle la voile et pousse le navire vers l'avant. Les voiles se distinguent par leur forme : voiles carrées, fixées sur une vergue*, voiles trapézoïdales, voiles triangulaires (foc, grand-voile). La voile a été pendant longtemps (jusqu'en 1840) le seul moyen de propulsion des grands navires. ◆ **voilier** n. m. Bateau à voiles. **6** 1279 / **9** 1939

voilier n. m. Poisson osseux, au corps allongé, à la haute nageoire dorsale qui se dresse comme une voile. Le voilier du Pacifique atteint 3,50 m et peut peser 100 kg. **5** 968

Voisin (les frères), aviateurs français. Gabriel (1880-1973) créa la première usine d'avions. Charles (1882-1912) fut le premier pilote français.

9 1999 **voiture** n. f. Véhicule muni de roues : voiture à cheval, automobile. ◇ Véhicule pour le transport des voyageurs par chemin de fer (les marchandises sont transportées dans des wagons*).

12 2739 **voix** n. f. Nom donné à l'ensemble des sons produits au niveau du larynx par la vibration des cordes vocales. Cette vibration est due à des variations de pression de l'air. Le son est ensuite modulé dans les cavités de résonance (pharynx, bouche, nez) et par les mouvements des lèvres et de la langue.

11 2463 **vol libre** n. m. Vol d'une aile triangulaire *(Deltaplane)*, formée d'une structure en aluminium recouverte d'un voile en Dacron et à laquelle est suspendu un pilote. L'envol s'effectue d'une hauteur en surplomb, de la surface d'un lac...

1 155 **vol** n. m. 1 – ZOOL Mode de locomotion **2** 241 pratiqué par les animaux capables de voler, c'est-à-dire capables de s'élever en l'air de façon durable et de s'y déplacer (insectes, oiseaux, chéiroptères). Le vol nécessite des ailes, ou petites et battant rapidement *(vol battu)*, ou très longues et battant lentement, voire pas du tout *(vol plané)*.

vol n. m. 2 – SOC Action de s'approprier le bien d'autrui de façon illicite. *Vol simple :* délit relevant du tribunal correctionnel. *Vol qualifié :* accompagné de circonstances aggravantes, crime relevant de la cour d'assises.

11 2464 **vol à voile** n. m. Art de l'évolution des planeurs, ou avions sans moteur. Le planeur est lancé au treuil, au sandow (cordon élastique) ou remorqué par un avion à moteur ; le pilote cherche à maintenir le plus longtemps possible son engin en l'air en le plaçant au milieu de masses d'air ascendant.

14 3260 **volaille** n. f. Nom donné à tous les oiseaux domestiques de basse-cour, élevés pour leurs œufs et pour leur chair. Ce sont les poules, les canards, les dindes, les pintades...

volant n. m. Organe circulaire que l'on tourne avec la main pour manœuvrer les roues d'une auto, pour fermer une vanne, etc. ◇ Roue pesante qui sert à rendre plus régulier le mouvement de rotation d'un moteur, d'une machine.

volatilité n. f. Propriété qu'ont certains produits solides ou liquides de se transformer facilement en vapeur : l'éther ou l'essence, qui s'évaporent plus vite que l'eau, ont une plus grande volatilité.

1 6 **volcan** n. m. Montagne formée par l'ac- **4** 800 cumulation de laves* et de projections **10** 2256 autour d'un point d'émission, appelé **14** 3195 cheminée*, qui débouche dans le cra-

Vol libre à l'économie : trois Icares pour une aile...

*Des volcanologues vêtus d'amiante s'approchent du cratère d'un **volcan**.*

*Smash et contre, phase de jeu classique du **volley-ball**.*

***Voltaire** en 1728, par Nicolas de Largillière.*

tère*. Les volcans sont souvent répertoriés suivant leur forme et la composition des matériaux rejetés : volcan hawaiien (ou volcan-bouclier), strombolien (ou strato-volcan), péléen, vulcanien, etc. ◆ **volcanisme** n. m. Ensemble des manifestations liées à l'activité des volcans. ◆ **volcanologie** (ou vulcanologie) n. f. Science étudiant les volcans et les phénomènes liés à leur activité. ◆ **volcanologue** (ou vulcanologue) n. m. Spécialiste de volcanologie.

9 2028 **Volga** (la). Le plus long fleuve d'Europe (3 700 km), en URSS. Née au nord-ouest de Moscou, la Volga se jette dans la Caspienne. Son aménagement en a fait un grand axe commercial.

9 2028 **Volgograd** (Stalingrad* de 1925 à 1961). Ville d'URSS (république de Russie), sur la rive droite de la Volga. 931 000 hab. Grand centre industriel.

7 1674 **volley-ball** n. m. Sport d'équipe, créé aux États-Unis en 1895, se disputant sur un terrain séparé en deux par un filet. Chacune des deux équipes de six joueurs doit faire passer le ballon pardessus le filet dans le camp adverse, de telle sorte qu'il ne puisse pas être renvoyé. Une partie se dispute en 3 sets gagnants de 15 points chacun.

5 1025 **volt** n. m. Unité du système internatio- **5** 1091 nal pour la mesure de la différence de potentiel* électrique (ou tension*) et de la force électromotrice. Symbole *V*. En France, la prise de courant du secteur présente une tension de 220 V. ◆ **voltmètre** n. m. Appareil de mesure de la différence de potentiel entre deux points d'un circuit électrique.

4 743 **Volta** Alessandro, physicien italien **5** 1025 (1745-1827). Il inventa, en 1800, la pre- **9** 2095 mière pile électrique *(pile Volta)*, faite **13** 3049 d'une « pile » de rondelles en zinc et en cuivre et de drap mouillé d'eau acidifiée.

10 2343 **Volta** (la). Fleuve d'Afrique occidentale (1 600 km), formé par la réunion (au Ghana) de 3 cours d'eau nés en Haute-Volta. Le barrage d'Akosombo (Ghana) a créé le lac Volta (8 730 km²).

9 2021 **Voltaire** (François Marie AROUET, *dit*), **13** 2940 écrivain français (1694-1778). Esprit uni- **13** 3109 versel, il a abordé tous les genres, mais **14** 3234 c'est surtout le moraliste-philosophe, défenseur de la liberté de penser *(Lettres anglaises*, 1734 ; *Traité sur la tolérance*, 1763), le conteur *(Candide*, 1759) et l'épistolier *(Correspondance)* qu'on admire aujourd'hui pour son incomparable vivacité de style.

3 500 **volubilis** n. m. Genre de plantes ornementales grimpantes voisines du liseron, à très grandes fleurs en entonnoir, de couleurs variées.

12 2754 **volume** n. m. 1 – MATH Portion de l'es- **14** 3128 pace occupée par un corps quelconque (solide, gazeux...). ◇ Mesure de cet espace par rapport à une unité. L'unité de mesure des volumes est le mètre cube (m³) ; les sous-multiples sont : dm³, cm³, mm³. On peut calculer le volume de certains corps à l'aide du calcul intégral. Le volume d'un cube de côté a est a^3 ; pour un parallélépipède*, il est donné par le produit des 3 dimensions (longueur × largeur × hauteur).

volume n. m. 2 – LITT Livre (relié ou non) incluant la totalité d'un ouvrage ou une partie d'un ouvrage. *Un volume in-folio. Un dictionnaire encyclopédique en deux volumes.*

volve n. f. Débris du voile général demeurant à la base du pied de certains champignons (agarics, amanites...). Très développée chez certaines amanites, la volve forme un étui à la base du pied.

vomissement n. m. Acte anormal au cours duquel le contenu de l'estomac est rejeté violemment par la bouche. Les vomissements peuvent être d'origine digestive, nerveuse...

Vô Nguyen Giap → Giap

3 518   **Vosges.** Massif de l'est de la France (1 424 m au ballon de Guebwiller), boisé, au climat humide et rude. Les Vosges sont gréseuses (formes tabulaires) au nord et à l'ouest, cristallines (ballons) au sud et à l'est.

8 1700   **Vosges** (88). Département de l'est de la France (région Lorraine). 5 874 km² ; 395 769 hab. Chef-lieu : Épinal. Sous-préfectures : Neufchâteau, Saint-Dié. S'étendant sur une partie des Vosges cristallines et du plateau lorrain, ayant des sols peu fertiles propices surtout à l'élevage (lait), le département a un secteur industriel prépondérant (papeterie, faïencerie, verrerie, textile), aujourd'hui en crise. Thermalisme (Vittel, Contrexéville) ; tourisme.

Vostok. Engin soviétique pouvant contenir un seul cosmonaute. C'est à bord de la capsule Vostok I que Iouri Gagarine, le 12 avril 1961, effectua le premier vol spatial humain.

6 1205
11 2611
13 2905
13 3097   **vote** n. m. Acte par lequel les citoyens manifestent leur opinion. Pouvant s'exprimer oralement, par geste *(vote à main levée)* ou par écrit *(bulletin de vote)*, le vote peut être un privilège (soumis au paiement d'un impôt ou cens électoral) ou un droit ouvert à tous (suffrage* universel). On vote également dans une assemblée.

1 54
9 2115   **voûte** n. f. Ouvrage de maçonnerie de profil courbe, dont les pierres sont assemblées de manière à se soutenir les unes les autres. *Voûte en berceau plein cintre, en berceau brisé. Voûte d'arêtes. Voûte sur croisée d'ogives.*

7 1542   **voyage** n. m. Fait de se déplacer, d'aller dans un lieu assez éloigné de celui où l'on réside. *Voyage d'affaires, d'agrément.* ◆ **voyageur** n. m. Personne qui voyage. *Train de voyageurs* (opposé à train de marchandises).

*Massif des **Vosges** : vallée glaciaire en aval du lac de Longemer.*

*Dans le bureau de **vote**, l'électeur glisse son bulletin dans l'urne.*

***Voûte** gothique de la chapelle du King's College, à Cambridge.*

***Vulcain** dans sa forge (détail d'une peinture des frères Le Nain).*

voyance n. f. Don de voir, de connaître ce qui n'est pas présent, dans l'espace ou le temps. ◆ **voyant** n. m. Personne qui a, ou prétend avoir, le don de voyance. *Consulter une voyante.*

voyelle n. f. Son vocal (vibration) dont le timbre varie suivant l'ouverture de la bouche, la position de la langue et des lèvres. ◇ Lettre qu'on emploie pour noter ce son, en l'utilisant seule *(a, e, i, o, u, y)*, assemblée à d'autres voyelles *(ou, eau)* ou à une consonne* *(on, an)*.

Vries Hugo DE, biologiste et botaniste néerlandais (1848-1935). Il effectua de nombreux travaux de cytologie* végétale et il mit en évidence le phénomène des mutations.

vrille n. f. 1 – TECH Outil servant à faire des petits trous dans le bois à l'endroit où l'on veut mettre une vis*. On enfonce la vis dans le trou percé par la vrille avant de la visser.

vrille n. f. 2 – AVIA Mouvement d'un avion qui tombe rapidement vers le sol en tournoyant sur lui-même, à la suite d'un accident ou d'une erreur de pilotage. ◇ Figure de voltige aérienne.

V.R.P. Sigle désignant la catégorie professionnelle des voyageurs, des représentants et des placiers, qui se déplacent pour le compte d'une maison de commerce afin de vendre des marchandises ou d'enregistrer des commandes.

vue n. f. 1 – ANAT Celui des cinq sens dont l'organe est l'œil et qui permet la vision*. La vue, excellente chez l'Homme et les rapaces, est bonne chez les insectes, mais relativement mauvaise (ou bonne seulement la nuit) chez presque tous les autres animaux.   **3** 522

vue n. f. 2 – TECH Dessin, tableau, photographie, qui représente un paysage, une église, un monument, des personnages, regardés de loin. ◆ **prise de vues** n. f. Action de filmer une scène à l'aide d'une caméra.

Vulcain. Dieu romain du Feu et de la Métallurgie. Identifié à l'Héphaïstos des Grecs. La légende raconte qu'il travaillait le métal au fond des volcans de l'Italie du Sud.   **1** 7   **14** 3182

vulcanisation n. f. Opération qui consiste à ajouter du soufre au caoutchouc pour rendre celui-ci plus résistant. ◇ Action de coller à chaud une pièce de caoutchouc sur une chambre à air pour la réparer.   **5** 1016

vulgarisation n. f. Action de rendre le savoir facilement accessible, de mettre des connaissances à la portée du plus grand nombre. *Un ouvrage de vulgarisation scientifique.*

vulve n. f. Ensemble des organes génitaux externes de la femme et des femelles des mammifères. ◆ **vulvite** n. f. Inflammation de la vulve.   **9** 2134

12 2736
13 3109

Wagner Richard, compositeur allemand (1813-1883). Créateur d'une rare puissance, il a révolutionné l'opéra traditionnel et la musique (recours au leitmotiv* et aux demi-tons) : *le Vaisseau fantôme* (1841), *Tannhäuser* (1843-1845), *Lohengrin* (1845-1848), la *Tétralogie,* intitulée *l'Anneau du Nibelung* (1854-1874), *Tristan et Isolde* (1857-1859), *les Maîtres chanteurs de Nuremberg* (1862-1867), *Parsifal* (1877-1882).

11 2571

Wagner Wieland, metteur en scène allemand (1917-1966). Petit-fils de Richard Wagner, il a renouvelé la présentation des drames wagnériens.

1 90

wagon n. m. Véhicule servant au transport par voie ferrée de marchandises ou de bestiaux. Les types de wagons sont très nombreux : *wagon-citerne, wagon réfrigérant, wagon plat,* etc. ◆ **wagon-lit** n. m. Nom couramment donné aux voitures équipées de lits dans lesquels dorment les voyageurs.

Wajda Andrzej, cinéaste polonais (né en 1926). Ce créateur au style souvent baroque est l'auteur de *Cendre et Diamant* (1958), *la Terre de la grande promesse* (1974), *l'Homme de marbre* (1976), *l'Homme de fer* (1981), etc.

Waksman Selman Abraham, microbiologiste américain (1888-1973). Ses recherches permirent de découvrir la streptomycine. Il créa le mot « antibiotique ». Prix Nobel de médecine en 1952.

Waldheim Kurt, diplomate autrichien (né en 1918). Ministre des Affaires étrangères (1968-1970), secrétaire général de l'ONU (1972-1981), président de la république autrichienne depuis 1986.

walkie-talkie (ou talkie-walkie) n. m. De l'anglais *to talk,* « parler », et *to walk,* « marcher ». Ensemble radio émetteur-récepteur de portée réduite.

*Richard **Wagner** photographié en 1867.*

***Walkie-talkie** utilisé par un ranger d'un parc national aux États-Unis.*

Walkyrie (ou Valkyrie). Divinité de la mythologie germanique. Messagères d'Odin, les Walkyries conduisaient au Walhalla (paradis germanique) les guerriers morts en héros.

Wallace Alfred Russel, naturaliste anglais (1823-1913). Il explora l'Australie et soutint la thèse de la sélection naturelle en même temps que Darwin*. Fondateur de la biogéographie.

8 1841

Wallenstein (Albrecht Eusebius WENZEL VON), ou **Waldstein,** officier d'origine tchèque, au service du Saint Empire* (1583-1634). Dans l'espoir d'obtenir la couronne de Bohême, il négocia avec l'ennemi suédois. Il fut assassiné.

Waller Thomas, *dit* Fats, pianiste, chanteur et compositeur de jazz américain (1904-1943). Il a génialement mêlé virtuosité, humour et swing*.

4 758

Wallis-et-Futuna (îles). Archipel du Pacifique (territoire français d'outre-mer depuis 1959), entre les Samoa et les Fidji. 255 km² ; 8 546 hab. Chef-lieu : Mata-Utu, dans l'île d'Uvéa. Îles volcaniques (climat tropical). Faibles ressources (pêche, coprah). ◇ L'archipel fut découvert par l'Anglais Wallis en 1767. Protectorat français en 1886-1887.

4 773

Wallonie. Partie méridionale de la Belgique, d'expression française et romane (wallon). Capitale : Liège. Entité linguistique et culturelle qui s'est formée récemment (par opposition au mouvement flamand), la Wallonie connaît aujourd'hui une grave crise économique et démographique.

11 2552
13 3014

Wall Street (en anglais : « rue du Mur »). Rue de New York où se trouve la Bourse. La Bourse de Wall Street est la plus importante du monde.

Walsh Raoul, cinéaste américain (1892-1980). Il a réalisé d'excellents films d'action : *High Sierra* (1941), *Gen-*

tleman Jim (1942), *Aventures en Birmanie* (1945), *L'enfer est à lui* (1949), *les Nus et les Morts* (1958).

Walter Bruno, chef d'orchestre allemand naturalisé américain (1876-1962). Il s'est distingué dans l'interprétation de Mozart, Bruckner, Mahler...

12 2739 | **wapiti** n. m. Cerf d'Amérique du Nord, originaire d'Asie. Le plus grand cerf commun, dont les bois peuvent atteindre 1,80 m d'envergure.

1 72
9 2050 | **Washington** George, homme d'État américain (1732-1799). Général en chef des forces américaines pendant la guerre d'Indépendance, il devint, de 1789 à sa démission en 1796, le premier président des États-Unis.

1 63 | **Washington.** Capitale fédérale des États-Unis, constituant le district* de Columbia. 757 000 hab. (3 045 000 hab. pour l'agglomération). Centre administratif et culturel. ◇ Ville construite par le Français L'Enfant.

1 61 | **Washington.** État du nord-ouest des États-Unis, sur l'océan Pacifique. 176 617 km² ; 3 409 000 hab. Capitale : Olympia. Ville principale : Seattle. État montagneux (forêts), industrialisé.

Wassermann August VON, médecin allemand (1866-1925). Il adapta le test de réaction de Bordet pour la détection de certaines maladies infectieuses, dont la syphilis (test de Bordet-Wassermann).

10 2199 | **Waterloo.** Commune de Belgique. 23 500 hab. ◇ Le 18 juin 1815, les troupes françaises y furent vaincues par les armées anglaise et prussienne, commandées par Wellington et Blücher. À la suite de cette bataille décisive, Napoléon Iᵉʳ abdiqua le 22 juin 1815.

1 80 | **water-polo** n. m. Sport d'équipe nautique, se pratiquant dans un bassin large de 8 à 20 m et long de 20 à 30 m. Il s'agit d'une sorte de handball dans l'eau où deux équipes, formées de sept joueurs, cherchent à faire pénétrer le ballon dans le but adverse. Un match dure 20 minutes réparties en 4 périodes.

13 3090 | **Watson** James Dewey, biologiste américain (né en 1928). Avec Crick, il construisit le modèle à double hélice de la molécule d'ADN*. Prix Nobel de médecine, avec Crick et Wilkins, en 1962.

4 835
9 2098
13 3049 | **Watt** James, ingénieur et mécanicien écossais (1736-1819). Par ses nombreux et importants perfectionnements de la machine à vapeur (condenseur, régulateur à boules...), il favorisa le développement industriel au XVIIIᵉ siècle.

2 312
4 835 | **watt** n. m. Unité de mesure de puissance* du système international, correspondant à 1 joule* par seconde. Symbole *W.* ◆ **wattmètre** n. m. Appareil de mesure de la puissance électrique. ◆ **wattheure** n. m. Unité de mesure d'énergie (surtout de l'énergie électrique). Symbole *Wh.* Un wattheure vaut 3 600 joules. *Des wattheures.*

*Le **wapiti**, ou cerf du Canada, peut peser jusqu'à 350 kg.*

***Washington,** capitale fédérale des États-Unis. Au fond, le Capitole.*

*Match de **water-polo**.*

*Gilles, l'un des chefs-d'œuvre de **Watteau**.*

Watteau Antoine, peintre français (1684-1721). Il a admirablement traduit le caractère fugitif des plaisirs de la fête galante et champêtre : *l'Embarquement pour l'île de Cythère* (1717), *l'Indifférent, Gilles* (1721). On lui doit aussi *l'Enseigne de Gersaint* (1721). | **10** 2187 **14** 3313

Weber Carl Maria VON, compositeur allemand (1786-1826). Ses œuvres, notamment ses opéras (*Der Freischütz,* 1821 ; *Oberon,* 1826), donnèrent une vive impulsion au romantisme musical. | **11** 2571

Weber Wilhelm, physicien allemand (1804-1891). Il étudia les phénomènes acoustiques, puis réalisa de nombreux travaux en électricité et sur le magnétisme (induction électromagnétique).

weber n. m. Unité de mesure de flux d'induction magnétique du système international, correspondant à un tesla* par mètre carré. Symbole *Wb.*

Webern Anton VON, compositeur autrichien (1883-1945). Il est, avec Schönberg et Berg, l'un des trois « grands » de l'école de Vienne. Ses œuvres, fort brèves, sont presque toutes atonales : *Lieder ; Variations pour piano* (1936), etc.

Weddell James, marin anglais (1787-1834). Il explora les mers antarctiques. À l'approche du pôle Sud, il découvrit une mer libre de glaces qui porte aujourd'hui son nom.

Weddell (mer de). Mer bordière de l'océan Antarctique, au sud de la Terre de Feu. Elle atteint des profondeurs supérieures à 4 500 m. | **4** 867 **9** 2057

week-end n. m. (Mot anglais.) Congé de fin de semaine, comprenant le samedi (ou l'après-midi du samedi) et le dimanche.

Wegener Alfred, météorologiste et géophysicien allemand (1880-1930). Il est surtout connu pour sa théorie de la « dérive des continents », confirmée depuis par la théorie des plaques*. | **11** 2429

Wehrmacht (en allemand : « force de défense »). Nom de l'armée allemande de 1935 à 1945. Elle fut placée sous les ordres de Hitler, auquel les soldats prêtaient serment. | **11** 2533

Weil Simone, écrivain et philosophe français (1909-1943). D'origine juive, elle évolua vers un mysticisme chrétien et milita pour la justice sociale (expérience d'ouvrière chez Renault).

Weill Kurt, compositeur américain d'origine allemande (1900-1950). Ses musiques pour les pièces de Brecht sont restées célèbres, tel *l'Opéra de quat' sous* (1928).

Weimar. Ville de la RDA, en Thuringe. 63 000 hab. ◇ En 1919, on y vota une Constitution qui fit de l'Allemagne une république. Le régime institué, dit « république de Weimar », connut de grandes difficultés et s'éteignit en 1933 avec l'arrivée de Hitler au pouvoir. | **11** 2532

1 80 Weissmuller Johnny, nageur américain (1904-1984). De 1922 à 1928, il domina le sprint nautique mondial avant d'incarner au cinéma Tarzan, le célèbre héros de la jungle.

Welles Orson, cinéaste et acteur américain (1915-1985). Ses mises en scène, riches de trouvailles techniques, en font l'un des plus grands créateurs du septième art : *Citizen Kane* (1940), *la Splendeur des Amberson* (1942), *la Dame de Shanghai* (1947), *le Procès* (1962), etc.

Wellington (Arthur WELLESLEY, *duc* DE), général et homme politique britannique (1769-1852). Vainqueur des Français à Vitoria, en Espagne (1813), il l'emporta ensuite à Waterloo en 1815. De 1828 à 1830, il fut un Premier ministre très conservateur.

4 863 Wellington. Capitale de la Nouvelle-Zélande. Port dans l'île du Nord, sur le détroit de Cook. 136 000 hab. (350 000 pour l'agglomération). Industries mécaniques et textiles.

6 1239 Wells Herbert George, écrivain anglais (1866-1946). Il est l'un des maîtres du roman d'anticipation scientifique : *la Machine à explorer le temps* (1895), *l'Homme invisible* (1897), *la Guerre des mondes* (1898), *les Premiers Hommes dans la Lune* (1901), etc.

West Point. Académie militaire aux États-Unis, située sur l'Hudson (État de New York), qui forme, depuis 1802, les officiers des armées de terre et de l'air.

7 1613 western n. m. Film d'aventures qui a **13 2986** pour cadre l'ouest des États-Unis (*western* signifie en anglais « de l'Ouest ») à l'époque de sa conquête territoriale par les Blancs (1840 à 1912 environ). *Un western de John Ford.* ◇ Genre cinématographique représenté par ce type de film. La guerre contre les Indiens, le duel au revolver entre « cow-boys », l'attaque de banque ou de train sont des thèmes classiques du western.

Westminster. Quartier de Londres, sur la rive gauche de la Tamise. On y trouve l'abbaye de Westminster (lieu de couronnement et d'inhumation des souverains, panthéon des grands hommes) et le palais du Parlement, dont une des tours abrite un célèbre carillon, surnommé familièrement *Big Ben*.

8 1841 Westphalie. Région d'Allemagne (Land de Rhénanie-Westphalie, en RFA). ◇ Ancienne province saxonne, elle constitua de 1807 à 1813 l'éphémère « royaume de Westphalie » que Napoléon Ier confia à son frère Jérôme. ◇ *Traités de Westphalie* : nom des deux traités qui mirent fin à la guerre de Trente Ans (1648). La France, la Suède, les Provinces-Unies et la Suisse en furent les bénéficiaires.

8 1908 whig et **tory.** Noms des deux grands **10 2372** partis politiques anglais, surtout utilisés au XVIIIe s. Les *whigs*, artisans de la Révolution de 1688, étaient libéraux et souhaitaient réduire le rôle du souve-

*Le port de **Wellington**, capitale de la Nouvelle-Zélande.*

*Autobus londoniens devant l'abbaye de **Westminster**.*

*Indiens des plaines devant leurs **wigwams***

*Portrait d'Oscar **Wilde** par Toulouse-Lautrec.*

rain ; les *tories*, plus conservateurs, étaient partisans d'un pouvoir royal fort s'appuyant sur l'Église anglicane.

Whistler James MCNEILL, peintre et graveur américain (1834-1903). Il élabora son style au contact de Manet et des impressionnistes. Mallarmé traduisit son *Ten o'clock* (conférence sur l'art).

Whitman Walt, poète américain (1819-1892). Il a exalté le plaisir des sens et le besoin de fraternité humaine dans ses *Feuilles d'herbe* (1855), recueil de poèmes qui compte parmi les chefs-d'œuvre de la littérature américaine.

1 62 Whitney (mont). Point culminant des États-Unis (si l'on excepte l'Alaska avec le mont McKinley), dans la sierra Nevada (Californie) ; 4 418 m.

7 1571 Wight (île de). Île anglaise de la Manche, au sud de Southampton. 381 km² ; 100 000 hab. Chef-lieu : Newport. Tourisme, navigation de plaisance.

wigwam n. m. Hutte d'écorce, de forme hémisphérique, des Indiens d'Amérique du Nord. Par extension, tente, village de ces Indiens.

10 2378 Wilde Oscar, poète et dramaturge britannique (1854-1900). Il manifesta dans ses œuvres (*le Portrait de Dorian Gray*, 1891, roman) un goût raffiné pour la beauté et une vision tragique de la vie. Il fut condamné et emprisonné pour homosexualité (*Ballade de la geôle de Reading*, 1898).

Williams Tennessee, auteur dramatique américain (1911-1983). Ses principaux drames sociaux ont été adaptés à l'écran : *Un tramway nommé Désir* (1947), *Soudain l'été dernier* (1958), etc.

Wilson Harold, homme politique britannique (né en 1916). Premier ministre travailliste de 1964 à 1970 et, à nouveau, de 1974 à 1976.

11 2481 Wilson Thomas Woodrow, homme d'État américain (1856-1924). Démocrate, porté à la présidence en 1912 et réélu en 1916, il engagea les États-Unis dans la Première Guerre mondiale en 1917 et fut l'inspirateur de la Société* des Nations.

4 934 Wimbledon. Stade de Londres où furent appliquées pour la première fois les règles du tennis et où se disputent chaque année les *Internationaux de Grande-Bretagne*.

7 1477 Winnipeg. Ville du Canada, capitale du Manitoba. 244 800 hab. (5e agglomération du Canada : 560 874 hab.). Commerce du blé. Industries alimentaires ; métallurgie ; raffinerie de pétrole.

7 1477 Winnipeg (lac). Lac du Canada, dans le Manitoba. 24 600 km². Le lac Winnipeg communique avec la baie d'Hudson par le fleuve Nelson.

Winterhalter Franz Xaver, peintre allemand (1806-1873). Il fut le portraitiste de la cour de Napoléon III : *l'Impératrice Eugénie entourée des dames du palais* (1855).

1 61 **Wisconsin.** État du centre-nord des États-Unis, sur les lacs Supérieur et Michigan. 145 348 km² ; 4 418 000 hab. Capitale : Madison. Ville principale : Milwaukee. État agricole (élevage laitier : 1er producteur des États-Unis) et industriel.

4 896
5 961 **Wisigoths** ou **Visigoths** (les). Branche occidentale du peuple goth. Convertis à l'arianisme (hérésie* chrétienne), les Wisigoths s'emparèrent de Rome (410), sous Alaric Ier. Puis ils conquirent l'Aquitaine et l'Espagne avant d'être défaits par Clovis en 507. En 711, le royaume wisigothique d'Espagne s'effondra sous la poussée arabe (défaite de Rodrigue à Guadalete).

wolfram → tungstène

Woolf Virginia, écrivain anglais (1882-1941). Elle a très subtilement traduit, dans ses romans, le sentiment douloureux de la fuite du temps : *Mrs. Dalloway* (1925), *les Vagues* (1931), etc.

Worms. Ville de RFA (75 000 hab.). ◇ En 1122, le *concordat de Worms* clôtura la querelle des Investitures. ◇ La *diète de Worms*, réunie par Charles Quint, mit Luther au ban de l'Empire (édit de Worms, 1521).

12 2821 **Wright** Frank Lloyd, architecte américain (1869-1959). Pionnier de la modernité, il construisit des habitations audacieusement intégrées au décor naturel : *Maison sur la cascade* (1936).

4 810
11 2444 **Wright** (les frères), aviateurs américains. Wilbur (1867-1912) et son frère Orville (1871-1948) expérimentèrent des planeurs. Ils furent les seconds, après Ader, à faire voler un aéroplane équipé de deux hélices et d'un moteur à explosion en 1903.

1 58 **würm** n. m. Quatrième et dernière des grandes glaciations du quaternaire. Les moraines internes du piémont alpin datent de cette période.

Wyler William, cinéaste américain (1902-1981). Il aborda brillamment tous les genres : critique sociale (*les Plus Belles Années de notre vie*, 1946),

*Lignes épurées, simplicité des volumes : une maison dessinée par **Wright**.*

*Yannis **Xenakis**.*

*Le **xylophone** est employé dans nombre de musiques traditionnelles.*

western (*les Grands Espaces*, 1958), film historique (*Ben Hur*, 1959), drame psychologique (*l'Obsédé*, 1964)...

1 61 **Wyoming.** État de l'ouest des États-Unis. 253 597 km² ; 332 000 hab. Capitale : Cheyenne. État de montagnes et de hautes plaines arides. Exploitation du sous-sol (houille, pétrole). Tourisme (parc de Yellowstone*).

xanthophylle n. f. Pigment jaune présent dans les chloroplastes*, où il accompagne la chlorophylle. Il joue un rôle important dans l'absorption des rayons lumineux par les plantes.

Xenakis Yannis, compositeur français d'origine grecque (né en 1922). Il a recours pour l'élaboration de ses œuvres à différentes notions mathématiques : *Polytope de Cluny* (1972-1974), *Pléiades* (1979), etc.

6 1410 **xénon** n. m. Gaz incolore et inodore en très faible quantité dans l'air. Symbole *Xe*. Utilisé dans les lampes électriques à incandescence.

13 2970 **xénophobie** n. f. Hostilité, haine à l'égard des étrangers, de ce qui est étranger. ◆ **xénophobe** n. m. ou f. Personne qui a ou qui manifeste de l'hostilité à l'égard des étrangers.

Xénophon, écrivain athénien (v. 430-355 av. J.-C.). Il fut banni d'Athènes. Élève de Socrate, il célébra son maître dans ses écrits *(Apologie)*. Il fut également historien *(les Helléniques)*.

2 349 **Xerxès Ier,** roi de Perse (v. 510-465 av. J.-C.). Succédant à son père Darios Ier en 486, il mata les révoltes d'Égypte et de Chaldée mais ne put vaincre les Grecs, qui détruisirent sa flotte à Salamine (480) et battirent son armée à Platée. Il mourut assassiné.

6 1259 **xylographie** n. f. Impression de textes ou d'images au moyen de planches de bois gravées en relief. On met de l'encre sur la planche, puis on applique la planche sur le papier.

2 263 **xylophone** n. m. Instrument de musique. Un xylophone est composé de petites planches de bois de longueurs inégales. On frappe sur les planches avec deux petits maillets pour obtenir des sons.

Le **yack**, animal domestique des hauts plateaux du Tibet.

Le **Yémen du Nord.**

9 1938 **yacht** n. m. Navire de plaisance à voiles ou à moteur, utilisé pour la régate ou la croisière. On distingue les dériveurs (munis d'un aileron immergé), les quillards et les multicoques (deux coques pontées, ou catamaran ; trois coques, ou trimaran). ◆ **yachting** n. m. Pratique de la navigation de plaisance.

5 1180
6 1356 **yack** (ou **yak**) n. m. Mammifère bovidé* des steppes asiatiques de haute altitude. Au Tibet, il est élevé pour son travail, son lait, ses poils.

2 250
12 2642 **Yahvé** ou **IHWH.** Nom de Dieu dans la Bible. Ses quatre lettres sacrées forment un nom que l'on ne doit pas prononcer. Il signifie : « Celui qui est ».

yak → yack

Yale (université). Université américaine créée en 1701. Elle siège depuis 1716 à New Haven (Connecticut).

1 72
11 2620 **Yalta.** Ville d'URSS. ◇ Du 4 au 11 février 1945, la *conférence de Yalta* réunit Staline, Roosevelt et Churchill. Elle décida du sort de l'Allemagne après la guerre et détermina, de fait, les zones d'influence des pays vainqueurs. En lui accordant une zone d'occupation en Allemagne, la conférence rétablit la France au rang de grande puissance.

11 2602 **Yamamoto Isoroku,** amiral japonais (1884-1943). Chef des forces aéronavales, il dirigea l'attaque sur Pearl Harbor* en 1941 et mourut dans un avion abattu par les Américains.

6 1357 **Yang-tsé-kiang** ou **Yang-Tseu** (le) (ou « fleuve Bleu »). Le plus long fleuve de Chine (5 980 km). Né au Tibet, il se jette dans la mer de Chine orientale (Changhai est établi sur son estuaire). Grand axe économique.

Yankee n. m. Nom donné par les Anglais aux Américains révoltés, puis par les Sudistes aux Nordistes, et appliqué depuis à tous les habitants des États-Unis d'Amérique.

8 1915 **Yaoundé.** Capitale du Cameroun, reliée par voie ferrée au port de Douala. 274 000 hab. C'est un centre administratif et commercial.

yard n. m. Unité de mesure de longueur utilisée dans les pays anglo-saxons. Un yard est équivalent à 0,9144 mètre.

Yeats William Butler, écrivain irlandais (1865-1939). Essayiste, auteur de drames lyriques (*Deirdre*, 1907), c'est également un grand poète d'inspiration mystique (*la Tour*, 1927).

1 63 **Yellowstone** (le). Rivière des États-Unis, affluent rive droite du Missouri. 1 600 km. Le Yellowstone naît dans les montagnes Rocheuses, où il traverse le parc national de Yellowstone (85 km²), célèbre pour ses geysers.

6 1287 **Yémen** (république arabe du) ou **Yémen du Nord.** État du sud-ouest de l'Arabie.

superficie :	195 000 km²
population :	5 940 000 hab. *(Yéménites)*
capitale :	Sanaa
monnaie :	le riyal
code international :	non communiqué

Plaine côtière désertique dominée par des montagnes (près de 4 000 m) suffisamment arrosées pour permettre les cultures : café, blé, coton. Forte émigration. ◇ Possession ottomane jusqu'en 1920, le pays fut ensuite gouverné par des imams que les républicains renversèrent en 1962.

6 1287 **Yémen** (république démocratique et populaire du) ou **Yémen du Sud.** État du sud-ouest de l'Arabie.

superficie :	290 000 km²
population :	2 millions d'hab. *(Yéménites)*
capitale :	Aden
monnaie :	le dinar
code international :	non communiqué

Pays de hauts plateaux (céréales, café, coton) et de basses terres désertiques, hormis la plaine d'Aden (irrigation), le Yémen du Sud vit surtout de la pêche et de l'activité commerciale du port d'Aden. ◇ Cet ancien protectorat britannique, indépendant depuis 1967, a pris une orientation marxisante.

Yepes Narciso, guitariste espagnol (né en 1927). Il a donné de brillantes interprétations de De Falla, Rodrigo *(Concerto d'Aranjuez)*, F. Sor...

yéti n. m. Hominien* de l'Himalaya dont on suppose l'existence d'après des empreintes observées sur la neige. Synonyme : *abominable homme des neiges.*

yiddish n. m. Langue germanique (avec emprunts à l'hébreu et aux idiomes slaves) parlée par les communautés juives d'Europe centrale.

8 1793 **yoga** n. m. Système philosophique hindouiste, visant à libérer l'Homme des contraintes matérielles par la maîtrise de son corps. ◆ **yogi** n. m. Adepte du yoga. Le yogi apprend par diverses techniques *(Hatha-Yoga)* à contrôler ses mouvements, son rythme et son souffle pour aboutir à la domination de ses pulsions* et de ses désirs.

1 205 **Yokohama.** Ville et port du Japon (Honshu), au sud de la conurbation de Tokyo. 2 238 000 hab. Activité portuaire et industrielle intense.

1 140 **Yom Kippour.** En hébreu : « jour de l'Expiation ». Fête juive du Grand Pardon, célébrée dix jours après le nouvel an juif. Jour de jeûne et de prière.

5 1114 **Yonne.** Rivière du Bassin parisien (295 km), affluent rive gauche de la Seine. Des bassins-réservoirs freinent ses crues brutales en amont de Paris.

5 1114 **Yonne** (89). Département français du sud-est du Bassin parisien (région Bourgogne). 7 427 km² ; 311 019 hab. Chef-lieu : Auxerre. Sous-préfectures : Avallon, Sens. Ce département est formé de plateaux et de plaines : céréales, élevage bovin, vigne localement (Chablis). Il est drainé par l'Yonne, dont la vallée forme une voie de passage importante (métallurgie de transformation), mais il souffre de l'exode rural.

7 1571 **York.** Ville de Grande-Bretagne, dans le nord de l'Angleterre. 105 000 hab. ◇ Ville importante au Moyen Âge. Remparts du XIVe s. Cathédrale gothique.

8 1786 **York.** Famille noble anglaise. Branche cadette des Plantagenêts, elle fut fondée par Edmond de Langley, qui, après avoir exercé la régence, se rallia aux Lancastres (1399). Ses descendants provoquèrent la guerre des Deux-Roses* et s'emparèrent du trône (Edouard IV, Edouard V, Richard III), avant d'être supplantés par les Tudors*.

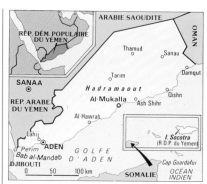

*Le **Yémen du Sud**.*

***Yoga** : asana (ou posture) du pied solitaire.*

*La **Yougoslavie**.*

*Tente démontable, la **yourte** est faite de bois et de feutre.*

Yougoslavie (république socialiste populaire fédérative de). État d'Europe du Sud. **11** 2483

superficie :	255 804 km²
population :	22 160 000 hab. *(Yougoslaves)*
capitale :	Belgrade
monnaie :	le dinar yougoslave
code international :	YU

Le relief s'oriente en trois bandes nord-ouest-sud-est : le littoral adriatique, très découpé, touristique ; les Alpes dinariques ; les plaines de Slavonie et de Vojvodine, où coule le Danube. Le climat, méditerranéen sur la côte, est continental ailleurs. Le pays groupe six peuples slaves (Serbes, Croates, Slovènes, Bosniaques, Macédoniens, Monténégrins) organisés en six républiques (Serbie, Croatie, Slovénie, Bosnie-Herzégovine, Macédoine, Monténégro) et deux non slaves (Albanais, Hongrois), habitant deux régions autonomes (Kosovo et Vojvodine). ◇ L'agriculture (40 % des actifs) produit surtout du maïs et du blé. Le pays dispose de lignite, d'hydro-électricité, d'un peu de pétrole. La bauxite alimente la branche principale de l'industrie lourde. La croissance économique fut rapide de 1970 à 1978, mais le niveau de vie reste un des plus bas d'Europe. Le tourisme et les salaires rapatriés par les travailleurs émigrés sont des ressources appréciables. ◇ État créé par un congrès national réuni à Zagreb en 1918, le « royaume des Serbes, Croates et Slovènes » devint, en 1929, la Yougoslavie. Il fut envahi en 1941 par la Wehrmacht, puis démembré. Une résistance très puissante (surtout communiste avec Tito) libéra presque seule le pays en 1944. Tito rompit avec l'URSS en 1948, établit un socialisme autogestionnaire et pratiqua, en politique extérieure, le non-alignement.

Yourcenar Marguerite, écrivain de nationalité française et américaine (1903-1987). Auteur des *Mémoires d'Hadrien* (1952), *l'Œuvre au noir* (1968)... Première femme élue à l'Académie française (1980). **13** 2943

yourte n. f. Tente démontable, faite en feutre ou en peau, qui sert d'habitation aux populations nomades du centre et du nord de l'Asie (Mongolie). **7** 1530 **13** 2994

Yo-yo n. m. Jouet formé de deux disques réunis en leur centre et que l'on fait monter et descendre le long d'une ficelle (nom déposé). *Des Yo-yo.*

Ypres. Ville de Belgique (34 400 hab.). ◇ Très important centre drapier au Moyen Âge. Halle au drap et collégiale gothiques. La ville fut le théâtre de violents combats de 1914 à 1918. **4** 775

Yuan. Nom chinois de la dynastie mongole qui régna sur la Chine de 1279 à 1368. Fondée par Kubilay khan, petit-fils de Gengis* khan, elle fut chassée par une révolte populaire. **14** 3271

8 1898 **Yucatán.** Péninsule du Sud-Est mexicain fermant, au sud, le golfe du Mexique et formée de bas plateaux calcaires. ◇ Nombreux vestiges mayas (Chichén Itzá*, Uxmal...).

5 973 **yucca** n. m. Plante ligneuse d'Amérique centrale (famille des liliacées), proche de l'agave. En Europe, on la cultive pour ses hautes hampes florales.

9 2109 **Yukon** (le). Fleuve du Canada et de l'Alaska, tributaire de la mer de Béring (delta ramifié). 3 290 km.

7 1476 **Yukon.** Territoire du Canada (extrémité nord-occidentale), vaste (536 324 km²), montagneux et glacé. Chef-lieu : Withehorse. Presque désert (21 836 hab.), le Yukon possède de grandes ressources minières et énergétiques.

4 922 **Yvelines** (78). Département français situé à l'ouest de Paris (région Île-de-France). 2 271 km² ; 1 196 111 hab. Chef-lieu : Versailles. Sous-préfectures : Mantes-la-Jolie, Rambouillet, Saint-Germain-en-Laye. Les forêts, qui couvrent une notable superficie des Yvelines, laissent peu de place à l'agriculture. Drainé par la Seine, le département connaît une forte croissance industrielle et démographique.

Zadkine Ossip, sculpteur français d'origine russe (1890-1967). Il a élaboré à partir du cubisme un style personnel à la fois expressionniste et baroque : *la Ville détruite* (1948-1951).

11 2485 **Zagreb.** Ville de Yougoslavie, capitale de la Croatie, sur la Save. 566 000 hab. Grand centre culturel, commercial (foire internationale) et industriel. ◇ Cathédrale gothique Saint-Étienne (XIIIe-XVIIIe s.) ; musées.

11 2460 **Zagros** (monts). Haute chaîne de montagnes d'Asie occidentale (culminant à 4 270 m), qui s'étend sur 1 800 km, de la Turquie au détroit d'Ormuz.

7 1590 **Zaïre** ou **Congo** (le). Fleuve d'Afrique équatoriale, le deuxième du monde par l'étendue de son bassin et par son débit. 4 640 km. Né sur le plateau du Shaba, le Zaïre se jette dans l'Atlantique. La régularité et l'abondance de son débit en fait une bonne voie de pénétration.

7 1588
8 1723
12 2686 **Zaïre** (république du). État d'Afrique équatoriale.

superficie :	2 345 409 km²
population :	28 290 000 hab. (Zaïrois)
capitale :	Kinshasa
monnaie :	le zaïre
code international :	ZRE

Troisième État d'Afrique pour la superficie, le Zaïre (faible ouverture sur l'Atlantique) correspond à une immense cuvette drainée par le Zaïre et ses affluents. Climat équatorial, forêt dense, sauf au sud et au sud-est (savane). Population urbanisée à 25 %,

Le yucca, plante tropicale, orne maintenant les jardins d'Europe.

*Pierre (1914)
(sculpture d'Ossip Zadkine).*

Le Zaïre.

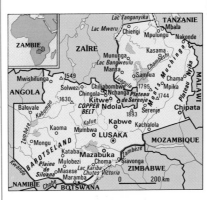

La Zambie.

en augmentation rapide (2,8 % par an). ◇ Les 3/4 des actifs sont employés dans l'agriculture : cultures vivrières (manioc, riz, maïs) et coloniales (caoutchouc, cacao, huile de palme, coton, thé, café). Mais le Zaïre est surtout un État minier : cuivre, zinc, cobalt, manganèse, or... Bien que beaucoup de compagnies soient nationalisées, les intérêts étrangers sont encore puissants. La mauvaise gestion, les bas prix des matières premières ont plongé l'économie dans le marasme. ◇ Léopold II, roi des Belges, entreprit pour son compte personnel la colonisation du royaume du Congo, qu'il céda à la Belgique en 1908 ; dès cette époque, le secteur minier fut très exploité. Des mouvements nationalistes obtinrent l'indépendance en 1960. Puis le pays tomba dans le chaos (sécession du Katanga avec Moïse Tschombé en 1960, assassinat de Patrice Lumumba* en 1961), jusqu'à la prise du pouvoir par le général Mobutu (1965), qui instaura un régime autoritaire et qui, par des réformes constitutionnelles, devint le chef absolu du pays. Le Congo devint le Zaïre en 1971.

4 735 **Zambèze** (le). Fleuve d'Afrique australe, tributaire de l'océan Indien. 2 660 km. Naît en Zambie. Son cours moyen est ponctué de chutes (Victoria) et de rapides. Peu navigable. Importants barrages (Kariba et Cabora Bassa).

4 735 **Zambie** (république de). État d'Afrique australe.

superficie :	746 254 km²
population :	5 830 000 hab. (Zambiens)
capitale :	Lusaka
monnaie :	le kwacha
code international :	Z

Relief composé d'un vaste plateau cristallin, drainé par le Zambèze. Climat tropical (savane arborée). Population peu dense. ◇ Cultures vivrières (maïs, mil, sorgho) et commerciales : coton, tabac, thé, café. La Zambie est surtout un État minier (cuivre principalement, zinc, cobalt...). L'économie souffre de l'absence de débouché maritime et du bas prix des matières premières locales. ◇ Colonisée à la fin du XIXe s. par les Britanniques, la région, appelée Rhodésie du Nord, devint protectorat en 1924. Un mouvement nationaliste naquit en 1948. Inquiets, les Blancs créèrent en 1953 une fédération groupant les deux Rhodésies et le Nyassaland et firent régner l'apartheid*. Mais les nationalistes l'emportèrent en 1963. La fédération éclata et le pays devint indépendant en 1964 sous le nom de Zambie. K. Kaunda y établit un régime présidentiel.

11 2577 **Zanzibar.** Île du littoral africain de l'océan Indien. 1 658 km² ; 190 000 hab. Plantations de girofliers. Indépendante en 1963, elle a fusionné, en 1964, avec le Tanganyika pour former la Tanzanie*.

12 2690 **Zapata** Emiliano, révolutionnaire mexicain (1879-1919). Paysan indien luimême, il souleva les paysans (1910), conquit tout le sud du pays et appliqua une réforme agraire. Il fut assassiné sur l'ordre du président Carranza.

8 1897 **Zapotèques** (les). Peuple de l'ancien Mexique. Du IVe au IXe s., les Zapotèques développèrent une brillante civilisation dont témoignent les ruines de Monte Albán. Aux environs du XIIIe s., ils subirent l'invasion mixtèque.

2 347
7 1445 **Zarathoustra** ou **Zoroastre,** prophète et réformateur iranien du mazdéisme* (VIIIe ou VIIe s. av. J.-C.). Sa doctrine met en avant l'affrontement d'un dieu du Bien et d'un dieu du Mal.

Zátopek Emil, athlète tchécoslovaque (né en 1922). Champion olympique du 5 000 m et du 10 000 m en 1948 et 1952, du marathon en 1952, il fut recordman de l'heure.

1 38
9 1944 **zèbre** n. m. Mammifère africain atteignant 1,50 m au garrot et caractérisé par sa robe blanche rayée de noir ou de brun (famille des équidés). Les zèbres vivent en troupeaux dans les savanes.

zébu n. m. Bœuf domestique, issu d'une espèce indienne d'aurochs, caractérisé par une bosse graisseuse au niveau du garrot. Élevé en Asie, en Afrique et à Madagascar.

14 3257 **Zeffirelli** Franco, metteur en scène de théâtre et de cinéma italien (né en 1923). On lui doit notamment l'adaptation à l'écran de *Roméo et Juliette* (1967) et de *la Traviata* (1982).

Zeiss Carl, opticien et industriel allemand (1816-1888). Il a créé, à Iéna, des ateliers d'optique qui ont acquis une réputation mondiale dans la fabrication des objectifs d'appareils photo.

zen n. m. Nom d'une secte bouddhique originaire de Chine et implantée au Japon depuis le XIIe siècle. Il prône la quête spirituelle par l'ascèse corporelle et mentale (méditation assise).

zénith n. m. Point où la verticale ascendante d'un lieu donné rencontre la sphère céleste. Opposé au nadir*.

Zénobie, reine de Palmyre, en Syrie (?-v. 274). Succédant à son époux, Odenath, elle étendit son royaume à l'Égypte et à l'Asie Mineure. Mais, vaincue par Aurélien, elle mourut en Italie.

Zénon d'Élée, philosophe grec (Ve s. av. J.-C.). Célèbre pour avoir montré l'impossibilité de penser le mouvement (argument d'Achille et de la tortue).

11 2444 **Zeppelin** Ferdinand (*comte* VON), industriel allemand (1838-1917). En 1900, il construisit le premier ballon dirigeable géant à carcasse métallique. Son nom a été donné à ce type de dirigeable : *un zeppelin.*

2 351
6 1259 **zéro** n. m. Signe numérique de valeur nulle (0). Du point de vue cardinal, il représente un ensemble n'ayant pas d'éléments et, du point de vue ordinal,

Emiliano **Zapata** sur une mosaïque de Diego Rivera, à Mexico.

Art des **Zapotèques** : dieu du maïs (urne en terre cuite).

Zèbre. « La prison sur son pelage a laissé l'ombre du grillage » (Desnos).

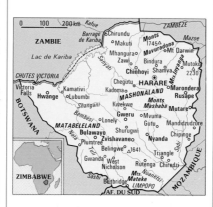

Le **Zimbabwe.**

la séparation des nombres positifs et négatifs. ◇ *Zéro absolu* : température la plus basse qui puisse être obtenue dans notre univers, équivalente à − 273,15o Celsius, ou 0o Kelvin*.

2 421
14 3184 **Zeus.** Dieu suprême des anciens Grecs. Maître du ciel, maniant la foudre, il faisait régner l'ordre sur terre et parmi les dieux de l'Olympe. Zeus était vénéré à Olympie et à Dodone. Les Romains l'ont assimilé à Jupiter.

zibeline n. f. Petit mammifère carnivore des forêts d'Asie (famille des mustélidés) élevé pour sa fourrure allant du noir au brun clair. Chasse contrôlée.

1 128
5 1079 **ziggourat** n. f. Mot d'origine assyrienne. Tour à étages de l'ancienne Mésopotamie, destinée à supporter un temple. La forme et la hauteur de la ziggourat de Babylone auraient inspiré la légende de la tour de Babel*.

4 737 **Zimbabwe** (république de) (ex-Rhodésie). État d'Afrique australe.

superficie :	389 362 km²
population :	7 600 000 hab.
capitale :	Harare (ex-Salisbury)
monnaie :	le dollar de Zimbabwe
code international :	ZW

Ce pays de plateaux qui se relèvent à l'est (climat tropical) a une population formée surtout de Noirs : beaucoup de Blancs (5 % de la population avant 1980) ont émigré depuis cette date. ◇ À côté de l'agriculture traditionnelle existent de grandes exploitations produisant surtout du tabac. Les produits du sous-sol sont destinés à l'exportation : amiante (4e producteur mondial), or (8e producteur), nickel... Le potentiel hydro-électrique est considérable (barrage de Kariba, sur le Zambèze), mais l'industrialisation faible. ◇ Plus riche que la Rhodésie du Nord (Zambie*) et ayant attiré plus de Blancs, la Rhodésie du Sud devint, en 1923, une colonie britannique. Maîtres de l'économie, pratiquant l'apartheid*, les colons blancs ne voulurent pas tenir compte de la montée du nationalisme noir et réclamèrent, en 1965, une indépendance que Londres refusa d'accorder : aussi proclamèrent-ils unilatéralement l'indépendance en 1970, avec le soutien de l'Afrique du Sud ; les Noirs, aidés par des États voisins, se lancèrent dans la guérilla. Les Blancs durent accepter un référendum (1979), puis des élections (1980) qui donnèrent le pouvoir aux Noirs, avec le radical nationaliste R. Mugabe. Le Zimbabwe indépendant était né.

6 1301 **zinc** n. m. Métal blanc bleuâtre, pouvant être transformé en feuille et en fil. Symbole *Zn*. Utilisé pour la confection de toitures et de gouttières, dans la protection du fer (galvanisation*), dans certains alliages (laiton*, maillechort*). ◆ **zincage** (ou zingage) n. m. Dépôt de zinc, par électrolyse, sur un autre métal.

zinjanthrope n. m. Australopithèque dont le fossile fut découvert en Tanzanie, dans la vallée d'Olduvai, en 1959. Il aurait vécu à une période antérieure de 1,6 à 1,9 million d'années par rapport à notre ère.

zinnia n. m. Plante herbacée annuelle, originaire du Mexique (famille des composacées). Il existe de nombreuses variétés ornementales.

Zinoviev (Grigori Ievseïevitch RADO-MYLSKI, *dit*), homme politique soviétique (1883-1936). Président du Komintern*, il contribua à l'éviction de Trotski (1926), avant d'être éliminé par Staline.

zircon n. m. Gemme transparente, de couleurs variées (la plus recherchée est rouge orangé), faite de silicate naturel de zirconium. Le zircon a l'éclat du diamant, mais pas sa dureté.

zirconium n. m. Métal gris argent. Symbole *Zr*. Utilisé pour le gainage des barreaux ou « crayons » de combustible introduits dans les réacteurs nucléaires.

1 105
13 3038
14 3184

zodiaque n. m. Zone de la voûte céleste s'étendant de part et d'autre de l'écliptique, dans laquelle se déplacent apparemment les planètes (sauf Pluton). Le zodiaque est divisé en 12 parties égales du nom des constellations : Bélier, Taureau, Gémeaux, Cancer, Lion, Vierge, Balance, Scorpion, Sagittaire, Capricorne, Verseau, Poissons.

11 2403
13 2941
14 3306

Zola Émile, romancier français (1840-1902). Sa série des *Rougon-Macquart* (20 romans), *histoire naturelle et sociale d'une famille sous le second Empire*, participe du naturalisme* et représente ce que cette école a produit de plus puissant. Polémiste de talent, il a défendu avec courage la cause du capitaine Dreyfus (*J'accuse*, 1898).

4 735

Zomba. Ville du Malawi, dans le sud du pays. Environ 28 000 hab. Ancienne capitale du Malawi, remplacée par Lilongwe en 1975.

3 544
4 865
7 1462

zone n. f. Portion de territoire. ◇ 1. GÉO La Terre est divisée en *5 zones climatiques* délimitées par les cercles polaires et les tropiques (zones polaires, tempérées...). ◇ 2. SOC Portion de territoire. *Zone urbaine :* partie d'une agglomération se définissant selon un caractère dominant (industriel, résidentiel...).

zoo n. m. Parc, jardin ouvert au public, où sont rassemblés toutes sortes d'animaux, et notamment des animaux vivant ordinairement à l'état sauvage.

3 610

zoologie n. f. Science dont l'objet est l'étude des animaux. Elle se divise en de nombreuses disciplines : étude systématique (classification des animaux), écologie (étude du milieu de vie), éthologie* (étude du comportement des animaux), biogéographie (répartition géographique des animaux), évolution et paléontologie* animales...

8 1919

zoom n. m. Objectif de caméra à distance focale réglable. Le zoom permet

*Émile **Zola**
(détail d'un tableau de Manet).*

*Au **zoo**.*

*Les **Zoulous** furent vaincus par les Boers, puis par les Anglais.*

***Zwingli** voulut imposer la Réforme par les armes : il fut tué dans une bataille.*

de réaliser des effets de travelling, comme si la caméra se rapprochait ou s'éloignait du sujet filmé.

zootechnie n. f. Étude des animaux domestiques, de leur reproduction et de leurs mœurs, ainsi que des différents moyens nécessaires pour améliorer les races et les conditions d'élevage dans le but d'augmenter la production animale (lait, viande, laine).

5 1120
14 3261

Zoroastre → Zarathoustra

Zorro. Héros de films d'aventures, justicier et séducteur. Il fut incarné pour la première fois par Douglas Fairbanks (*le Signe de Zorro*, 1920).

zostère n. f. Genre de plantes monocotylédones marines, aux longues feuilles en rubans. Les zostères forment des herbiers immergés le long des côtes.

Zoug. Canton du centre de la Suisse, au pied des Préalpes et autour du lac de Zoug. 239 km² ; 68 000 hab. Chef-lieu : Zoug. Canton industrialisé (constructions électriques) qui relie Zurich à la route du Saint-Gothard.

3 486

Zoulous (les). Peuple noir du groupe bantou (Afrique du Sud, Zimbabwe), dont le vaste empire fut détruit, au XIXᵉ s., par les Boers* et les Anglais.

5 1049
8 1722

Zuiderzee ou **Zuyderzee.** Ancien golfe de la mer du Nord. Fermé en 1932 par une digue longue de 29 km, il se nomme depuis lac d'IJssel (ou IJsselmeer). 225 000 ha de terres ont pu être ainsi gagnés sur la mer. (Voir polder.)

6 1431

Z.U.P. (*zone à urbaniser en priorité*). Zone dans laquelle sont réalisés des ensembles d'habitation disposant d'équipements collectifs.

Zurbarán Francisco DE, peintre espagnol (1598-1664). Son art austère s'exprime pleinement dans la gravité des scènes de la vie monacale (cycle pour la chartreuse de Jerez, 1633-1639).

12 2752
13 3056

Zurich. Canton du nord-est de la Suisse, sur le lac de Zurich. 1 729 km² ; 1 120 000 hab. (canton le plus peuplé). Chef-lieu : Zurich (422 600 hab.), principal centre économique et financier de la Suisse, grande place du commerce transalpin depuis le XIIIᵉ siècle.

3 486

Zwingli Ulrich, réformateur religieux suisse (1484-1531). Prêchant la Réforme dès 1520, il voulut faire de Zurich un État protestant. Il mourut lors d'un combat contre les cantons catholiques.

8 1768
12 2643

zygomycètes n. m. pl. Groupe de champignons primitifs dont l'œuf, ou zygospore, provient de la fusion de deux gamètes non libres.

zygote n. m. Résultat de la fusion d'un spermatozoïde et d'un ovule lors de la fécondation. Par des mitoses*, le zygote donnera un nouvel individu. Synonyme : *œuf.*

8 1730
9 2134

TOUT L'UNIVERS

sommaire
thématique

sommaire
par volume

sommaire thématique

Chronologies

ART

ZOOLOGIE

sommaire par volume

volume 1

volume 2

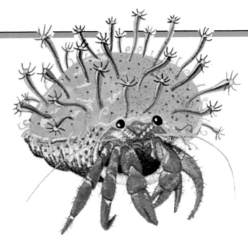

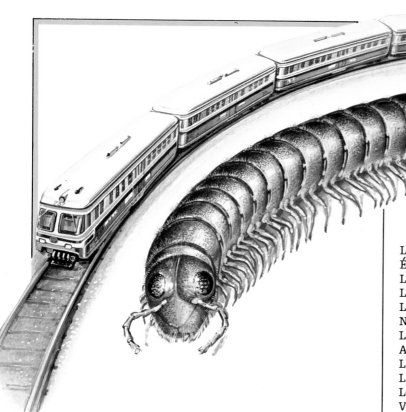

volume 3

volume 4

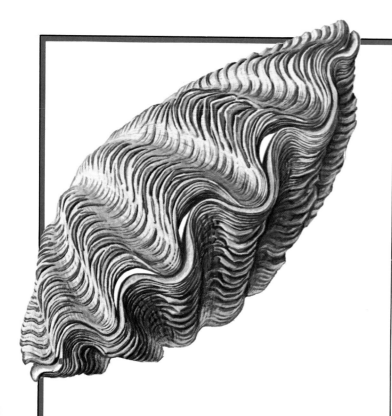

volume 5

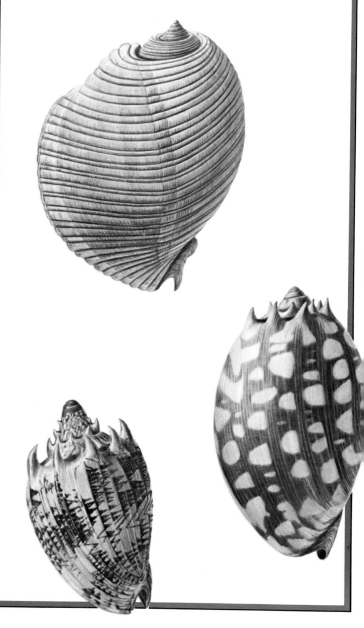

volume 6

volume 7

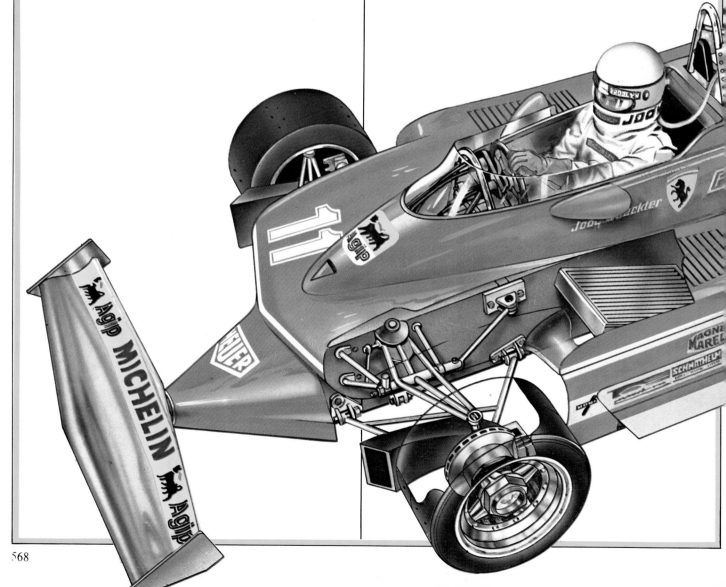

volume 8

volume 9

volume 10

volume 11

volume 12

volume 13

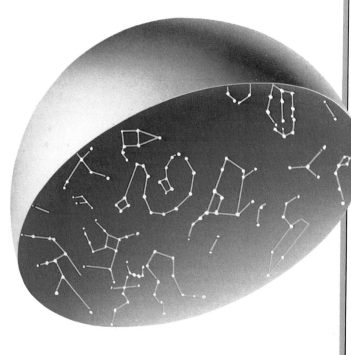

volume 14

Les photos sont dues à :
Archives Fabbri/Bighini/Collection privée, Milan : 572bd ;
Archives Fabbri/Foglio/Phonola, Saronno : 572hg ;
Archives Fabbri/Loprieno/Musée du Louvre, Paris : 573 ; Archives Fabbri/Mateucci : 558 ;
Archives Fabbri/Museo Civico di Storia naturale, Gênes : 553 ;
Archives Fabbri/Pagani/Museum für Völkerkunde und Vorgeschichte, Hambourg : 564bd ;
Archives Fabbri/Vada/Musée archéologique national, Naples : 555 ;
Michel Langrognet : 560hg ; Dr Lino Pellegrini : 556 ; Stradella/Cirani : 557.

Les dessins sont dus à :
M. Bighellini : 569bd ; F. Borrani : 566, 576 ; G. Crosazzo : 569hg, 570 ;
V. Faggian : 562 ; E. Giglioli : 559, 561cd, 563b, 574hg ;
Logical Studio Communication : 574bd ; C. Pesarini : 561bg ; G. Pozzi : 565 ;
A. Ripamonti : 575bg ; F. Russo : 567, 568 ; M. Russo : 560cd ; 575bd ;
Studio G.S. : 564h ; M.P. Team : 563hd ; D. Veluti/O. Berni : 571.

annexes

DÉCLARATION DES DROITS DE L'HOMME ET DU CITOYEN (1789)

Deuxième Déclaration des droits de l'Homme et du citoyen *votée par la Convention nationale française, le 29 mai 1793. Musée Carnavalet, Paris.*

Préambule. Les représentants du peuple français, constitués en Assemblée nationale, considérant que l'ignorance, l'oubli ou le mépris des droits de l'homme sont les seules causes des malheurs publics et de la corruption des gouvernements, ont résolu d'exposer dans une déclaration solennelle les droits naturels, inaliénables et sacrés de l'homme ; afin que cette déclaration, constamment présente à tous les membres du corps social, leur rappelle sans cesse leurs droits et leurs devoirs ; afin que les actes du pouvoir législatif et ceux du pouvoir exécutif, pouvant être à chaque instant comparés avec le but de toute institution politique, en soient plus respectés ; afin que les réclamations des citoyens, fondées désormais sur des principes simples et incontestables, tournent toujours au maintien de la Constitution et au bonheur de tous. En conséquence, l'Assemblée nationale reconnaît et déclare, en présence et sous les auspices de l'Être suprême, les droits suivants de l'homme et du citoyen :

Art. Ier. - Les hommes naissent et demeurent libres et égaux en droits ; les distinctions sociales ne peuvent être fondées que sur l'utilité commune.

Art. II. - Le but de toute association politique est la conservation des droits naturels et imprescriptibles de l'homme. Ces droits sont : la liberté, la propriété, la sûreté et la résistance à l'oppression.

Art. III. - Le principe de toute souveraineté réside essentiellement dans la nation ; nul corps, nul individu ne peut exercer d'autorité qui n'en émane expressément.

Art. IV. - La liberté consiste à pouvoir faire tout ce qui ne nuit pas à autrui. Ainsi, l'exercice des droits naturels de chaque homme n'a de bornes que celles qui assurent aux autres membres de la société la jouissance de ces mêmes droits ; ces bornes ne peuvent être déterminées que par la loi.

Art. V. - La loi n'a le droit de défendre que les actions nuisibles à la société. Tout ce qui n'est pas défendu par la loi ne peut être empêché, et nul ne peut être contraint à faire ce qu'elle n'ordonne pas.

Art. VI. - La loi est l'expression de la volonté générale ; tous les citoyens ont le droit de concourir, personnellement, ou par leurs représentants, à sa formation : elle doit être la même pour tous, soit qu'elle protège, soit qu'elle punisse. Tous les citoyens, étant égaux à ses yeux, sont également admissibles à toutes dignités, places et emplois publics, selon leurs capacités, et sans autres distinctions que celles de leurs vertus et de leurs talents.

Art. VII. - Nul homme ne peut être accusé, arrêté, ni détenu que dans les cas déterminés par la loi, et selon les formes qu'elle a prescrites. Ceux qui sollicitent, expédient, exécutent ou font exécuter des ordres arbitraires doivent être punis ; mais tout citoyen appelé ou saisi en vertu de la loi doit obéir à l'instant ; il se rend coupable par la résistance.

Art. VIII. - La loi ne doit établir que des peines strictement et évidemment nécessaires, et nul ne peut être puni qu'en vertu d'une loi établie et promulguée antérieurement au délit, et légalement appliquée.

Art. IX. - Tout homme étant présumé innocent jusqu'à ce qu'il ait été déclaré coupable, s'il est jugé indispensable de l'arrêter, toute rigueur qui ne serait pas nécessaire pour s'assurer de sa personne doit être sévèrement réprimée par la loi.

Art. X. - Nul ne doit être inquiété pour ses opinions, même religieuses, pourvu que leur manifestation ne trouble pas l'ordre public établi par la loi.

Art. XI. - La libre communication des pensées et des opinions est un des droits les plus précieux de l'homme ; tout citoyen peut donc parler, écrire, imprimer librement, sauf à répondre de l'abus de cette liberté dans les cas déterminés par la loi.

Art. XII. - La garantie des droits de l'homme et du citoyen nécessite une force publique ; cette force est donc instituée pour l'avantage de tous et non pour l'utilité particulière de ceux à qui elle est confiée.

Art. XIII. - Pour l'entretien de la force publique, et pour les dépenses d'administration, une contribution commune est indispensable ; elle doit être également répartie entre tous les citoyens, en raison de leurs facultés.

Art. XIV. - Les citoyens ont le droit de constater, par eux-mêmes ou par leurs représentants, la nécessité de la contribution publique, de la consentir librement, d'en suivre l'emploi et d'en déterminer la quotité, l'assiette, le recouvrement et la durée.

Art. XV. - La société a le droit de demander compte à tout agent public de son administration.

Art. XVI. - Toute société dans laquelle la garantie des droits n'est pas assurée, ni la séparation des pouvoirs déterminée, n'a pas de constitution.

Art. XVII. - La propriété étant un droit inviolable et sacré, nul ne peut en être privé, si ce n'est lorsque la nécessité publique, légalement constatée, l'exige évidemment et sous la condition d'une juste et préalable indemnité.

DÉCLARATION DES DROITS DE L'ENFANT
(Déclaration adoptée par l'Assemblée générale des Nations unies le 20 novembre 1959)

1. L'enfant doit jouir de tous les droits énoncés dans la présente Déclaration. Ces droits doivent être reconnus à tous les enfants sans exception aucune, et sans distinction ou discrimination fondées sur la race, la couleur, le sexe, la langue, la religion, les opinions politiques ou autres, l'origine nationale ou sociale, la fortune, la naissance, ou sur toute autre situation, que celle-ci s'applique à l'enfant lui-même ou à sa famille.

2. L'enfant doit bénéficier d'une protection spéciale et se voir accorder des possibilités et des facilités par l'effet de la loi et par d'autres moyens, afin d'être en mesure de se développer d'une façon saine et normale sur le plan physique, intellectuel, moral, spirituel et social, dans des conditions de liberté et de dignité. Dans l'adoption de lois à cette fin, l'intérêt supérieur de l'enfant doit être la considération déterminante.

3. L'enfant a droit, dès sa naissance, à un nom et à une nationalité.

4. L'enfant doit bénéficier de la sécurité sociale. Il doit pouvoir grandir et se développer d'une façon saine ; à cette fin, une aide et une protection spéciales doivent lui être assurées ainsi qu'à sa mère, notamment des soins prénatals et postnatals adéquats. L'enfant a droit à une alimentation, à un logement, à des loisirs et à des soins médicaux adéquats.

5. L'enfant physiquement, mentalement ou socialement désavantagé doit recevoir le traitement, l'éducation et les soins spéciaux que nécessite son état ou sa situation.

6. L'enfant, pour l'épanouissement harmonieux de sa personnalité, a besoin d'amour et de compréhension. Il doit, autant que possible, grandir sous la sauvegarde et sous la responsabilité de ses parents et, en tout état de cause, dans une atmosphère d'affection et de sécurité morale et matérielle ; l'enfant en bas âge ne doit pas, sauf circonstances exceptionnelles, être séparé de sa mère. La société et les pouvoirs publics ont le devoir de prendre un soin particulier des enfants sans famille ou de ceux qui n'ont pas de moyens d'existence suffisants. Il est souhaitable que soient accordées aux familles nombreuses des allocations de l'État ou autres pour l'entretien des enfants.

7. L'enfant a droit à une éducation qui doit être gratuite et obligatoire au moins aux niveaux élémentaires. Il doit bénéficier d'une éducation qui contribue à sa culture générale et lui permette, dans des conditions d'égalité de chances, de développer ses facultés, son jugement personnel et son sens des responsabilités morales et sociales, et de devenir un membre utile de la société.
L'intérêt supérieur de l'enfant doit être le guide de ceux qui ont la responsabilité de son éducation et de son orientation ; cette responsabilité incombe en priorité à ses parents. L'enfant doit avoir toutes possibilités de se livrer à des jeux et à des activités récréatives, qui doivent être orientés vers les fins visées par l'éducation ; la société et les pouvoirs publics doivent s'efforcer de favoriser la jouissance de ce droit.

8. L'enfant doit, en toutes circonstances, être parmi les premiers à recevoir protection et secours.

9. L'enfant doit être protégé contre toute forme de négligence, de cruauté et d'exploitation.
Il ne doit pas être soumis à la traite sous quelque forme que ce soit. L'enfant ne doit pas être admis à l'emploi avant d'avoir atteint un âge minimum approprié ; il ne doit en aucun cas être astreint ou autorisé à prendre une occupation ou un emploi qui nuise à sa santé ou à son éducation, ou qui entrave son développement physique, mental ou moral.

10. L'enfant doit être protégé contre les pratiques qui peuvent pousser à la discrimination raciale, à la discrimination religieuse ou à toute autre forme de discrimination. Il doit être élevé dans un esprit de compréhension, de tolérance, d'amitié entre les peuples, de paix et de fraternité universelles, et dans le sentiment qu'il lui appartient de consacrer son énergie et ses talents au service de ses semblables.

La sonde Viking se posant sur la planète Mars.

CONQUÊTE DE L'ESPACE

1957 : Lancement et mise en orbite terrestre (4 octobre) du satellite artificiel soviétique Spoutnik 1. Spoutnik 2 emporte dans l'espace (3 novembre) le premier être vivant (la chienne Laïka).

1958 : Lancement et mise en orbite terrestre (31 janvier) du satellite artificiel américain Explorer 1.

1961 : Vostok 1, le premier satellite occupé par un homme (Y. Gagarine), est mis en orbite terrestre (12 avril) et revient sur terre.

1962 : La capsule spatiale américaine Friendship 1, avec J. Glenn à son bord, réalise le même exploit (2 février). Premières liaisons de télévision entre les États-Unis et l'Europe grâce au satellite Telstar 1.

1963 : Lancement de la première cosmonaute (V. Terechkova) à bord de Vostok 6.

1964 : La sonde spatiale Mariner 4 (É.-U.) prend les premières photographies de la planète Mars (28 novembre).

1965 : Le Soviétique A. Leonov exécute la première sortie hors capsule (18 mars) suivi par l'Américain E. White (3 juin). – La France met un satellite (A-1) en orbite grâce à son lanceur Diamant (26 novembre). – Les Américains J. Lovell et F. Bormann restent 14 jours sur orbite (4 au 18 décembre). – Premier rendez-vous orbital entre deux satellites américains occupés (Gemini 6 et Gemini 7) le 15 décembre.

1966 : La sonde spatiale soviétique Lunik 9 se pose « en douceur » sur la Lune (3 février) ; la sonde américaine Surveyor 1 en fait autant le 30 mai.

1967 : Catastrophe à Cap Kennedy : trois astronautes américains, dont E. White, meurent carbonisés lors d'un essai (27 janvier). Soyouz 1, avec le Soviétique V. Komarov à bord, s'écrase au sol (24 avril). Vénus 4 (U.R.S.S.) et Mariner 5 (É.-U.) renseignent sur l'atmosphère de Vénus.

1968 : Lancement (15 septembre) de l'engin soviétique Zond 5 qui réalise la première boucle Terre-Lune-Terre. – Débuts du programme américain Apollo avec notamment le vol (20 heures) de F. Bormann, J. Lovell et W. Anders autour de la Lune (24 décembre, premier vol humain sur orbite lunaire).

1969 : Mission Apollo 10 : un compartiment lunaire habité LM (Lunar Module) est mis sur orbite de la Lune, puis rejoint la cabine Apollo (23 mai). – Mission Apollo 11 : N. Armstrong (et tout de suite derrière lui E. Aldrin) marche sur le sol lunaire (21 juillet) après y avoir été déposé par un LM.

1970 : Lancement et mise en orbite terrestre du premier satellite artificiel chinois (24 avril).

1971 : Série de lancements de sondes spatiales vers Mars : Mariner 8 et Mariner 9 (É.-U.), Mars 2 et Mars 3 (U.R.S.S.).

1972 : Création par la NASA d'une navette spatiale, sorte de gros avion à aile delta qui sera capable (1981) d'effectuer plusieurs aller et retour entre la Terre et une station orbitale (programme Space-Shuttle).

1973 : Programme américain Skylab (mai 1973 à février 1974) : étude de la Terre et du Soleil, analyse du comportement de l'Homme dans l'espace, etc., à partir d'un atelier orbital (Skylab).

1974 : Création de l'Agence spatiale européenne (E.S.A.) : programme Spacelab, Ariane et Marots.

1975 : Mission Apollo-Soyouz : jonction sur orbite terrestre (arrimage standardisé) d'un vaisseau spatial américain et d'un vaisseau spatial soviétique (17 juillet).

1979 : Succès du lancement de la fusée Ariane (24 décembre). La sonde américaine Pioneer 11 (lancée en 1973) atteint Saturne (septembre), tandis que Voyager 1 explore Jupiter et ses satellites.

1980 : Retour sur terre de Soyouz 37 (11 octobre) avec à bord V. Rioumine et L. Popov qui ont séjourné 184 jours 19 heures et 48 minutes dans l'espace (sur la station orbitale Saliout 6). – La sonde américaine Voyager 1 photographie Saturne (12 novembre).

1981 : Lancement (12 avril) de la navette spatiale américaine, le premier engin aérospatial piloté (R. Crippen et J. Young) et réutilisable (atterrissage réussi le 14 avril après un vol de 54 heures et 20 minutes). – Succès du lancement (19 juin) de la fusée Ariane qui met deux satellites en orbite géostationnaire. – La sonde américaine Voyager 2 apporte (24 août) un complément d'informations sur Saturne (nombre des anneaux).

1982 : Séjour (24 juin-2 juillet) sur la station orbitale Saliout 7 des cosmonautes soviétiques Djanibekov et Ivantchenkou et du commandant J.-L. Chrétien, premier Français dans l'espace (vol aller et retour effectué à bord de Soyouz T.6).

1983 : Succès pour le 6e lancement (16 juin) de la fusée Ariane qui met en orbite deux satellites européens : E.C.S. et Oscar 10 (ce dernier destiné à tous les radioamateurs du monde). – Lancement réussi (18 juin) de la navette spatiale Challenger avec à son bord R. Crippen, J. Fabian, F. Hauck, Dr N. Thagard et S. Ride, la première femme astronaute américaine. Mise en orbite de deux satellites de télécommunications. Série d'expériences pour remédier au « mal de l'espace ».

1984 : 10e mission de la navette spatiale Challenger. Échec de la mise en orbite des satellites de télécommunications Westar 6 et Palapa-B2 (6 février). – Succès de la première sortie libre dans l'espace (sans câble de rattachement à la navette) des astronautes américains B. McCandless et R. Stewart (7 février). Deuxième sortie libre (9 février) en vue du vol d'avril (11e mission) où le satellite scientifique SMM (Solar Maximum Mission) sera effectivement récupéré en orbite. – À bord du vaisseau spatial Soyouz T-10 (8 février), 3 cosmonautes soviétiques, dont un médecin, rallient la station orbitale Saliout 7 pour y réaliser des expériences scientifiques, techniques et médico-biologiques. – 12e mission de la navette Discovery (30 août-5 septembre), 13e mission Challenger (5-13 octobre), 14e mission Discovery (8-16 novembre) : largage de satellites de télécommunications, récupération de satellites en panne, expériences médicales...

CHRONOLOGIE DES SOUVERAINS ET CHEFS D'ÉTAT DE LA FRANCE

Dynastie	Dates des règnes	Dynastie ou Régime	Dates des règnes ou des mandats

LES MÉROVINGIENS (428-751)

- **Mérovée,** fils présumé de Chlodion — 448 ?-458 ?
- **Childéric Ier,** fils de Mérovée — 458 ?-481
- **Clovis Ier,** fils de Childéric — 481 ou 482-511
- Les fils de Clovis — 511-558
- **Clotaire Ier,** fils de Clovis (régna seul à partir de 558) — 558-561
- Les fils et les petits-fils de Clotaire Ier — 561-613
- **Clotaire II** (régna seul à partir de 613) — 584-629
- **Dagobert Ier,** fils de Clotaire II — 629-639
- Rois « fainéants » et maires du palais dont **Charles Martel** qui gouverne de fait de 737 à 741 — 639-751

LES CAROLINGIENS (751-987)

- **Pépin le Bref,** fils de Charles Martel — 751-768
- **Charlemagne,** fils de Pépin le Bref — 768-814
- **Louis Ier le Pieux** ou **le Débonnaire,** fils de Charlemagne — 814-840
- **Charles II le Chauve,** fils de Louis Ier — 840-877
- **Louis II le Bègue,** fils de Charles II — 877-879
- **Louis III** et son frère **Carloman,** fils de Louis II — 879-882
- **Carloman,** seul — 882-884
- **Charles III le Gros,** fils de Louis le Germanique — 884-887
- **Eudes,** comte de Paris, fils de Robert le Fort — 888-898
- **Charles III le Simple,** fils de Louis II le Bègue (en lutte contre Eudes) — 893-898
- **Charles III le Simple,** seul — 898-922
- **Robert Ier,** frère d'Eudes — 922-923

Philippe le Bel, *premier souverain français à réunir les États généraux.*

- **Raoul de Bourgogne,** gendre de Robert Ier — 923-936
- **Louis IV d'Outremer,** fils de Charles III le Simple — 936-954
- **Lothaire,** fils de Louis IV d'Outremer — 954-986
- **Louis V le Fainéant,** fils de Lothaire — 986-987

LES CAPÉTIENS

1° Capétiens directs (987-1328)

- **Hugues Capet,** fils de Hugues le Grand et petit-fils de Robert Ier — 987-996
- **Robert II le Pieux,** fils de Hugues Capet — 996-1031
- **Henri Ier,** fils de Robert II le Pieux — 1031-1060
- **Philippe Ier,** fils de Henri Ier — 1060-1108
- **Louis VI le Gros,** fils de Philippe Ier — 1108-1137
- **Louis VII le Jeune,** fils de Louis VI le Gros — 1137-1180
- **Philippe II Auguste,** fils de Louis VII le Jeune — 1180-1223
- **Louis VIII le Lion,** fils de Philippe II Auguste — 1223-1226
- **Louis IX (Saint Louis),** fils de Louis VIII le Lion — 1226-1270
- **Philippe III le Hardi,** fils de Louis IX — 1270-1285
- **Philippe IV le Bel,** fils de Philippe III le Hardi — 1285-1314
- **Louis X le Hutin,** fils de Philippe IV le Bel — 1314-1316
- **Jean Ier le Posthume,** fils de Louis X le Hutin — 1316
- **Philippe V le Long,** frère de Louis X le Hutin — 1316-1322
- **Charles IV le Bel,** frère de Philippe V le Long — 1322-1328

2° Valois (1328-1589)
Valois directs (1328-1498) :

- **Philippe VI de Valois,** fils de Charles de Valois et neveu de Philippe IV le Bel — 1328-1350
- **Jean II le Bon,** fils de Philippe VI de Valois — 1350-1364
- **Charles V le Sage,** fils de Jean II le Bon — 1364-1380
- **Charles VI le Bien-Aimé** ou **le Fol** fils de Charles V le Sage — 1380-1422
- **Charles VII le Victorieux,** fils de Charles VI le Bien-Aimé — 1422-1461
- **Louis XI,** fils de Charles VII — 1461-1483
- **Charles VIII,** fils de Louis XI — 1483-1498

Valois-Orléans (1498-1515) :
- **Louis XII,** fils de Charles d'Orléans (le poète) ; cousin et beau-frère de Charles VII — 1498-1515

Valois-Orléans-Angoulême (1515-1589) :
- **François Ier,** fils de Charles d'Angoulême, comte d'Orléans ; cousin et gendre de Louis XII — 1515-1547
- **Henri II,** fils de François Ier — 1547-1559
- **François II,** fils de Henri II — 1559-1560
- **Charles IX,** frère de François II — 1560-1574
- **Henri III,** frère de Charles IX — 1574-1589

3° Bourbons (1589-1792)
- **Henri IV,** fils d'Antoine de Bourbon, roi de Navarre — 1589-1610
- **Louis XIII,** fils de Henri IV — 1610-1643
- **Louis XIV,** fils de Louis XIII — 1643-1715
- **Louis XV,** arrière-petit-fils de Louis XIV — 1715-1774
- **Louis XVI,** petit-fils de Louis XV (« roi des Français » en 1791-1792) — 1774-1792

LA PREMIÈRE RÉPUBLIQUE (1792-1799)

- **Convention nationale** — 1792-1795
- **Directoire** (pouvoir exécutif exercé par cinq directeurs ; pouvoir législatif confié au Conseil des Cinq-Cents et au Conseil des Anciens) — 1795-1799
- **Consulat** (pouvoir exécutif exercé par 3 consuls) ; Bonaparte, nommé premier Consul, puis Consul à vie en 1802, an X. Le Consulat maintient le régime républicain en droit, mais non en fait — 1799-1804

582

Dynastie ou Régime	Dates des règnes ou des mandats	Régime	Dates des mandats

Aigle impériale de la grille d'honneur du château de Fontainebleau.

LE PREMIER EMPIRE
- **Napoléon I{er},** empereur des Français — 1804-1814

LA PREMIÈRE RESTAURATION
Les Bourbons remontent sur le trône en la personne de
- **Louis XVIII,** frère de Louis XVI — 1814-1815

LE PREMIER EMPIRE
- **Napoléon I{er}** règne encore cent jours — du 20-3 au 8-6-1815

LA SECONDE RESTAURATION (1815-1830)
- **Louis XVIII** remonte sur le trône — 1815-1824
- **Charles X,** frère de Louis XVIII — 1824-1830

LA MONARCHIE DE JUILLET
- **Louis-Philippe I{er}** (branche des Bourbons-Orléans), fils de Louis-Philippe d'Orléans, cousin de Charles X ; roi des Français — 1830-1848

LA DEUXIÈME RÉPUBLIQUE (1848-1852)
- **Louis Napoléon Bonaparte** (neveu de Napoléon I{er}), élu président de la République le 10 décembre 1848 — 1848-1852

LE SECOND EMPIRE
- **Louis Napoléon Bonaparte,** empereur des Français sous le nom de **Napoléon III** (2 décembre 1852) — 1852-1870

LA TROISIÈME RÉPUBLIQUE (1870-1940)
Elle eut pour présidents :
- **Adolphe Thiers** — 1871-1873
- **Edme Patrice de Mac-Mahon** — 1873-1879
- **Jules Grévy** — 1879-1887

- **Marie François Sadi-Carnot** — 1887-1894
- **Jean Casimir-Perier** — 1894-1895
- **Félix Faure** — 1895-1899
- **Émile Loubet** — 1899-1906
- **Armand Fallières** — 1906-1913
- **Raymond Poincaré** — 1913-1920
- **Paul Deschanel** — du 18-2 au 21-9-1920
- **Alexandre Millerand** — 1920-1924
- **Gaston Doumergue** — 1924-1931
- **Paul Doumer** — 1931-1932
- **Albert Lebrun** — 1932-1940

L'ÉTAT FRANÇAIS,
ayant pour chef
- **le maréchal Philippe Pétain** — 1940-1944

LE GOUVERNEMENT PROVISOIRE DE LA RÉPUBLIQUE (1944-1946)
- **Charles de Gaulle** — 1944-1946
- **Félix Gouin** — du 27-1 au 24-6-1946
- **Georges Bidault** — du 24-6 au 18-12-1946
- **Léon Blum** — 1946-1947

LA QUATRIÈME RÉPUBLIQUE (1946-1958)
(Constitution du 13-10-1946 entrée en vigueur le 16-1-1947). Elle eut pour présidents :
- **Vincent Auriol** — 1947-1954
- **René Coty** — 1954-1959

LA CINQUIÈME RÉPUBLIQUE
(Constitution du 4-10-1958). Présidents :
- **Charles de Gaulle** — 1959-1969
- **Georges Pompidou** — 1969-1974
- **Valéry Giscard d'Estaing** — 1974-1981
- **François Mitterrand** — 1981-1988

Médaille commémorative de la révolution de 1848 (24 février). (Archives de France.)

CHRONOLOGIE DES PAPES

Le nom des antipapes (papes élus irrégulièrement et non reconnus par l'Église) est imprimé en italique.

N°	Nom de pape	État civil		Dates de règne
1	**Pierre** (saint)	Palestine	?- 64 ou 67	48 ou 49-67 ?
2	**Lin** (saint)	Italie	?- 76 ou 79	64 ou 65-76 ou 79
3	**Anaclet** ou **Clet** (saint)	Italie	?- 88 ou 89	76 ou 79-88 ou 89
4	**Clément I** (saint)	Italie	?- 97	88 ou 89-97
5	**Évariste** (saint)	Grèce	?-105	97-105
6	**Alexandre I** (saint)	Italie	?-115	105-115
7	**Sixte I** (saint)	Italie	?-125	115-125
8	**Télesphore** (saint)	Grèce	?-136	125-136
9	**Hygin** saint	Grèce	?-140	136-140
10	**Pie I** (saint)	?	?-155	140-155
11	**Anicet** (saint)	Syrie	?-166	155-166
12	**Soter** (saint)	Italie	?-174 ou 175	166-174 ou 175
13	**Éleuthère** (saint)	Grèce	?-189	174 ou 175-189
14	**Victor I** (saint)	Afrique	?-199	189-198 ou 199
15	**Zéphyrin** (saint)	Italie	?-217	198 ou 199-217
16	**Calixte I** (saint)	Italie	155-222	217-222
	Hippolyte (saint)	?	170-235	217-235
17	**Urbain I** (saint)	Italie	?-230	222-230
18	**Pontien** (saint)	Italie	?-235	230-235
19	**Antère** (saint)	Grèce	?-236	235-236
20	**Fabien** (saint)	Italie	?-250	236-250
21	**Corneille** (saint)	Italie	?-253	251-253
	Novatien	?	?	251
22	**Lucius I** (saint)	Italie	?-254	253-254
23	**Étienne I** (saint)	Italie	?-257	254-257
24	**Sixte II** (saint)	Grèce	?-258	257-258
25	**Denys** (saint)	?	?-268	259-268
26	**Félix I** (saint)	Italie	?-274	269-274
27	**Eutychien** (saint)	?	v. 220-283	275-283
28	**Caïus** (saint)	Dalmatie	?-296	283-296
29	**Marcellin** (saint)	Italie	?-304	296-304
30	**Marcel I** (saint)	Italie	?-309 ou 310	308-309 ou 310
31	**Eusèbe** (saint)	Grèce	?-310	309-310
32	**Miltiade** (saint)	Afrique	?-314	311-314
33	**Sylvestre I** (saint)	Italie	?-335	314-335
34	**Marc** (saint)	Italie	?-336	336
35	**Jules I** (saint)	Italie	280-352	337-352
36	**Libère** (saint)	Italie	?-366	352-366
	Félix II	?	?-365	355-358
37	**Damase I** (saint)	Espagne	?-384	366-384
	Ursicin ou *Ursin*	?	?	366-367
38	**Sirice** (saint)	Italie	320-399	384-399
39	**Anastase I** (saint)	Italie	?-401	399-401
40	**Innocent I** (saint)	?	?-417	401-417
41	**Zosime** (saint)	Grèce	?-418	417-418
42	**Boniface I** (saint)	Italie	?-422	418-422
	Eulalius	?	?	418-419
43	**Célestin I** (saint)	Italie	?-432	422-432
44	**Sixte III** (saint)	Italie	?-440	432-440
45	**Léon I le Grand** (saint)	Italie	?-461	440-461

Saint Pierre, *détail d'un polyptyque de Giotto. Galerie des Offices, Florence.*

N°	Nom de pape	État civil		Dates de règne
46	**Hilaire** (saint)	Sardaigne	?-468	461-468
47	**Simplice** (saint)	Italie	?-483	468-483
48	**Félix II (III)** (saint)	Italie	?-492	483-492
49	**Gélase I** (saint)	Afrique	?-496	492-496
50	**Anastase II**	Italie	?-498	496-498
51	**Symmaque** (saint)	Sardaigne	v. 450-514	498-514
	Laurent	?	?	498-505
52	**Hormisdas** (saint)	Italie	?-523	514-523
53	**Jean I** (saint)	Italie	v. 470-526	523-526
54	**Félix III (IV)** (saint)	Italie	?-530	526-530
55	**Boniface II**	Italie	?-v. 532	530-532
	Dioscore	?	?	530
56	**Jean II** (Mercurius)	Italie	470-535	533-535
57	**Agapet I** (saint)	Italie	535-536	535-536
58	**Silvère** (saint)	Italie	?-537	536-537
59	**Vigile**	Italie	?-555	537-555
60	**Pélage I**	Italie	v. 500-561	556-561
61	**Jean III** (Catelinus)	Italie	?-574	561-574
62	**Benoît I**	Italie	?-v. 579	575-579
63	**Pélage II**	Italie	520-590	579-590
64	**Grégoire I le Grand** (saint)	Italie	v. 540-604	590-604
65	**Sabinien**	Italie	?-606	604-606

N°	Nom de pape	État civil		Dates de règne	N°	Nom de pape	État civil		Dates de règne
66	**Boniface III**	Italie	?-607	607	109	**Marin Ier** ou **Martin II**	Italie	?-884	882-884
67	**Boniface IV** (saint)	Italie	?-615	608-615	110	**Adrien III** (saint)	Italie	?-885	884-885
68	**Adéodat Ier** (saint) ou **Dieudonné Ier**	Italie	?-618	615-618	111	**Étienne V**	Italie	?-891	885-891
69	**Boniface V**	Italie	?-625	619-625	112	**Formose**	Italie	V. 816-896	891-896
70	**Honorius Ier**	Italie	?-638	625-638	113	**Boniface VI**	Italie	?-896	896
71	**Séverin**	Italie	?-640	640	114	**Étienne VI**	Italie	?-897	896-897
72	**Jean IV**	Dalmatie	v. 580-642	640-642	115	**Romain**	Italie	?-897	897
73	**Théodore Ier**	Palestine	?-649	642-649	116	**Théodore II**	Italie	?-897	déc. 897
74	**Martin Ier** (saint)	Italie	v. 590-655	649-653	117	**Jean IX**	Italie	840-900	898-900
75	**Eugène Ier** (saint)	Italie	?-657	654-657	118	**Benoît IV**	Italie	?-903	900-903
76	**Vitalien** (saint)	Italie	v. 600-672	657-672	119	**Léon V**	Italie	?-903	903
77	**Adéodat II** ou **Dieudonné II**	Italie	?-676	672-676		*Christophore*	Italie	?	903-904
78	**Donus**	Italie	?-678	676-678	120	**Serge III**	Italie	?-911	904-911
79	**Agathon** (saint)	Sicile	?-681	678-681	121	**Anastase III**	Italie	?	911-913
80	**Léon II** (saint)	Sicile	?-683	682-683	122	**Landon**	Italie	?	913-914
81	**Benoît II** (saint)	Italie	?-685	684-685	123	**Jean X**	Italie	860-928	914-928
82	**Jean V**	Syrie	?-686	685-686	124	**Léon VI**	Italie	?-928	928
83	**Conon**	?	?-687	686-687	125	**Étienne VII**	Italie	?-931	929-931
84	**Serge Ier** (saint)	Syrie	?-701	687-701	126	**Jean XI**	Italie	906-935	931-935
	Théodore	?	?	687	127	**Léon VII**	Italie	?-939	936-939
	Pascal	?	?	687	128	**Étienne VIII**	Italie	?-942	939-942
85	**Jean VI**	Grèce	?-705	701-705	129	**Marin II** ou **Martin III**	Italie	?-946	942-946
86	**Jean VII**	Grèce	?-707	705-707	130	**Agapet II**	Italie	?-955	946-955
87	**Sisinnius**	Syrie	?-708	708	131	**Jean XII** (Ottaviano)	Italie	937-964	955-963
88	**Constantin Ier**	Syrie	?-715	708-715	132	**Léon VIII**	Italie	?-965	963-964
89	**Grégoire II** (saint)	Italie	669-731	715-731	133	**Benoît V**, dit le Grammairien	Italie	?-966	964-966
90	**Grégoire III** (saint)	Syrie	?-741	731-741	134	**Jean XIII**	Italie	?-972	966-972
91	**Zacharie** (saint)	Grèce	?-752	741-752	135	**Benoît VI**	Italie	?-974	972-974
92	**Étienne** (non consacré)	Italie	?	mars 752		*Boniface VII*	Franconie	?	974
93	**Étienne II**	Italie	?-757	752-757	136	**Benoît VII** (Théophylacte ?)	?	?	974-983
	Théophylacte	?	?	757	137	**Jean XIV** (Pietro Canepanova)	Italie	?-984	983-984
94	**Paul Ier** (saint)	Italie	v. 700-767	757-767		*Boniface VII* (pour la 2e fois)			984-985
	Constantin II	?	?	767-768	138	**Jean XV**	Italie	?-996	985-996
	Philippe	?	?	768	139	**Grégoire V** (Brunon de Carinthie)	Allemagne	973-999	996-999
95	**Étienne III**	Sicile	v. 720-772	768-772		*Jean XVI* (Giovanni Filagato)	?	?-1013	997-998
96	**Adrien Ier**	Italie	?-795	772-795	140	**Sylvestre II** (Gerbert d'Aurillac)	France	v. 938-1003	999-1003
97	**Léon III** (saint)	Italie	750-816	795-816	141	**Jean XVII** (Siccone)	Italie	?-1003	1003
98	**Étienne IV**	Italie	?-817	816-817	142	**Jean XVIII** (Fasano)	Italie	?-1009	1003-1009
99	**Pascal Ier** (saint)	Italie	?-824	817-824	143	**Serge IV** (Pietro)	Italie	?-1012	1009-1012
100	**Eugène II**	Italie	?-827	824-827	144	**Benoît VIII** (Théophylacte)	?	?-1024	1012-1024
101	**Valentin Ier**	Italie	?-827	827		*Grégoire*	?	?	1012
102	**Grégoire IV**	Italie	?-844	827-844	145	**Jean XIX** (Romanus)	?	?-1032	1024-1032
	Jean	?	?	844	146	**Benoît IX** (Théophylacte)	?	?-1055	1032-1044
103	**Serge II**	Italie	?-847	844-847	147	**Sylvestre III** (Jean)	Italie	v. 1000-ap. 1046	1045
104	**Léon IV** (saint)	Italie	?-855	847-855	148	**Benoît IX** (pour la 2e fois)			1045
105	**Benoît III**	Italie	?-858	855-858	149	**Grégoire VI** (Jean-Gratien)	Italie	?-1048	1045-1046
	Anastase	?	?	déposé en 855	150	**Clément II** (Suidger de Morsleben et Hornburg)	Allemagne	?-1047	1046-1047
106	**Nicolas Ier le Grand** (saint)	Italie	v. 800-867	858-867	151	**Benoît IX** (pour la 3e fois)			1047-1048
107	**Adrien II**	Italie	792-872	867-872	152	**Damase II** (Poppone)	Tyrol	?-1048	1048
108	**Jean VIII**	Italie	v. 820-882	872-882	153	**Léon IX** (saint)(Bruno d'Egisheim Dagsburg)	Alsace	1002-1054	1049-1054

N.B. – Au XIIIe siècle, on accrédita la légende d'une femme pape (la papesse Jeanne) qui aurait régné après Léon IV, en 855.

N°	Nom de pape	État civil		Dates de règne
154	**Victor II** (Gebhard, comte de Dollnstein-Hirschberg)	Allemagne	?-1057	1055-1057
155	**Étienne IX** (Frédéric de Lorraine)	?	?-1058	1057-1058
	Benoît X (Jean Mincius)	?	?	1058-1059
156	**Nicolas II** (Gérard de Bourgogne)	Savoie	v. 980-1061	1059-1061
157	**Alexandre II** (Anselmo da Baggio)	Italie	?-1073	1061-1073
	Honorius II (Cadalus)	Italie	v. 1009-1072	1061-1072
158	**Grégoire VII** (saint) (Hildebrand)	Italie	v. 1020-1085	1073-1085
	Clément III	?	?	1080-1100
159	**Victor III** (bienheureux) (Desiderio da Montecassino)	Italie	v. 1027-1087	1086-1087
160	**Urbain II** (bienheureux) (Eudes de Châtillon)	France	v. 1042-1099	1088-1099

Église Saint-Pierre de Rome :
cérémonie pour l'anniversaire du pape Jean-Paul II, en 1981.

N°	Nom de pape	État civil		Dates de règne
161	**Pascal II** (Rainier)	Italie	v. 1050-1118	1099-1118
	Théodoric	?	?	1100-1102
	Albert	?	?	1102
	Sylvestre IV (Maginulfe)	?	v. 1050-ap. 1111	1105-1111
162	**Gélase II** (Jean de Gaète)	?	v. 1058-1119	1118-1119
	Grégoire VIII (Maurice Burdin)	?	?-1125	1118-1121
163	**Calixte II** (Guy de Bourgogne)	France	v. 1060-1124	1119-1124
164	**Honorius II** (Lambert Scannabecchi)	Italie	?-1130	1124-1130
	Célestin II (Tebaldo Buccapecus)	?	?	1124
165	**Innocent II** (Gregorio Papareschi)	Italie	?-1143	1130-1143
	Anaclet II (Pierre de León)	?	?	1130-1138
	Victor IV (Gregorio Conti)	?	?-ap. 1140	1138
166	**Célestin II** (Guido di Città di Castello)	?	?-1144	1143-1144
167	**Lucius II** (Gerardo Caccianemici)	Italie	?-1145	1144-1145
168	**Eugène III** (bienheureux) (Bernardo Paganelli di Montemagno)	Italie	?-1153	1145-1153
169	**Anastase IV** (Corrado)	Italie	?-1154	1153-1154
170	**Adrien IV** (Nicolas Breakspear)	Angleterre	v. 1100-1159	1154-1159
171	**Alexandre III** (Rolando Bandinelli)	Italie	?-1181	1159-1181
	Victor IV (Ottaviano de Monticello)	Italie	1095-1164	1159-1164
	Pascal III (Guido da Crema)	Italie	v. 1100-1168	1164-1168
	Calixte III (Jean, abbé de Strumi)	?	?	1168-1178
	Innocent III (Lando Sitino)	?	?	1178-1180
172	**Lucius III** (Ubaldo Allucingoli)	Italie	?-1185	1181-1185
173	**Urbain III** (Uberto Crivelli)	Italie	v. 1120-1187	1185-1187
174	**Grégoire VIII** (Alberto di Mora)	Italie	?-1187	1187
175	**Clément III** (Paolo Scolari)	Italie	?-1191	1187-1191
176	**Célestin III** (Giacinto di Pietro di Bobone)	Italie	1106-1198	1191-1198
177	**Innocent III** (Giovanni Lotario, comte de Segni)	Italie	1160-1216	1198-1216
178	**Honorius III** (Cencio Savelli)	Italie	?-1227	1216-1227
179	**Grégoire IX** (Ugolino de Segni)	Italie	v. 1145-1241	1227-1241
180	**Célestin IV** (Goffredo Castiglioni)	Italie	?-1241	1241
181	**Innocent IV** (Sinibaldo Fieschi)	Italie	v. 1195-1254	1243-1254
182	**Alexandre IV** (Rinaldo di Segni)	Italie	?-1261	1254-1261
183	**Urbain IV** (Jacques-Pantaléon)	France	v. 1200-1264	1261-1264
184	**Clément IV** (Gui Foulques)	France	?-1268	1265-1268

N°	Nom de pape	État civil		Dates de règne
185	Grégoire X (bienheureux) (Tebaldo Visconti)	Italie	1210-1276	1271-1276
186	Innocent V (bienheureux) (Pierre de Tarentaise)	Savoie	v. 1225-1276	1276
187	Adrien V (Ottobono de Fieschi)	Italie	?-1276	1276
188	Jean XXI (Pietro di Giuliano)	Portugal	v. 1220-1277	1276-1277
189	Nicolas III (Giovanni Gaetano Orsini)	Italie	v. 1210-1280	1277-1280
190	Martin IV (Simon de Brion)	France	v. 1210-1285	1281-1285
191	Honorius IV (Giacomo Savelli)	Italie	1210-1287	1285-1287
192	Nicolas IV (Girolamo Masci)	Italie	v. 1230-1292	1288-1292
193	Célestin V (saint) (Pietro Angeleri, dit del Morrone)	Italie	v. 1215-1296	1294
194	Boniface VIII (Benedeto Caetani)	Italie	v. 1235-1303	1294-1303
195	Benoît XI (bienheureux) (Nicolo Boccasini)	Italie	1240-1304	1303-1304
196	Clément V (Bertrand de Got)	France	?-1314	1305-1314
197	Jean XXII (Jacques Duèse ou d'Euze)	France	1245-1334	1316-1334
	Nicolas V (Pietro Rainalducci)	Italie	v. 1260-1333	1328-1330
198	Benoît XII (Jacques Fournier)	France	?-1342	1334-1342
199	Clément VI (Pierre Roger)	France	1291-1352	1342-1352
200	Innocent VI (Étienne Aubert)	France	?-1362	1352-1362
201	Urbain V (bienheureux) (Guillaume de Grimoard)	France	1310-1370	1362-1370
202	Grégoire XI (Pierre-Roger de Beaufort)	France	1329-1378	1370-1378
203	Urbain VI (Bartolomeo Prignano)	Italie	v. 1318-1389	1378-1389
	Clément VII (Robert de Genève)	?	1342-1394	1378-1394
204	Boniface IX (Pietro Tomacelli)	Italie	?-1404	1389-1404
	Benoît XIII (Pedro Martinez de Luna)	Espagne	v. 1320-1423	1394-1423
205	Innocent VII (Cosimo Gentile de Migliorati)	Italie	1336-1406	1404-1406
206	Grégoire XII (Angelo Correr)	Italie	v. 1325-1417	1406-1415
	Alexandre V (Petros Filargès ou Pierre de Candie)	Crète	1340-1410	1409-1410
	Jean XXIII (Baldassare Cossa)	Italie	v. 1370-1419	1410-1415
207	Martin V (Oddone Colonna)	Italie	1368-1431	1417-1431
	Clément VIII (Gil Sanchez Muñoz)	Espagne	v. 1380-1447	1423-1429
	Benoît XIV (Bernard Garnier)	France	?	1425-1430
208	Eugène IV (Gabriele Condulmer)	Italie	1383-1447	1431-1447
	Félix V (duc Amédée VIII de Savoie)	Savoie	1383-1451	1439-1449

N°	Nom de pape	État civil		Dates de règne
209	Nicolas V (Tommaso Parentucelli)	Italie	v. 1398-1455	1447-1455
210	Calixte III (Alonso Borgia)	Espagne	1378-1458	1455-1458
211	Pie II (Enea Silvio Piccolomini)	Italie	1405-1464	1458-1464
212	Paul II (Pietro Barbo)	Italie	1417-1471	1464-1471
213	Sixte IV (Francesco della Rovere)	Italie	1414-1484	1471-1484
214	Innocent VIII (Giovanni Battista Cybo)	Italie	1432-1492	1484-1492
215	Alexandre VI (Rodrigo Borgia)	Espagne	1431-1503	1492-1503
216	Pie III (Francesco Todeschini-Piccolomini)	Italie	1439-1503	sept-oct. 1503
217	Jules II (Giuliano della Rovere)	Italie	1443-1513	1503-1513
218	Léon X (Jean de Médicis)	Italie	1475-1521	1513-1521
219	Adrien VI (Adriaan Floriszoon)	Pays-Bas	1459-1523	1522-1523
220	Clément VII (Jules de Médicis)	Italie	1478-1534	1523-1534
221	Paul III (Alessandro Farnèse)	Italie	1468-1549	1534-1549
222	Jules III (Giovan Maria de' Ciocchi del Monte)	Italie	1487-1555	1550-1555
223	Marcel II (Marcello Cervini)	Italie	1501-1555	avril 1555
224	Paul IV (Gian Pietro Carafa)	Italie	1476-1559	1555-1559
225	Pie IV (Jean-Ange de Médicis)	Italie	1499-1565	1559-1565
226	Pie V (saint) (Antonio Ghislieri)	Italie	1504-1572	1566-1572
227	Grégoire XIII (Ugo Boncompagni)	Italie	1502-1585	1572-1585
228	Sixte V (Felice Peretti)	Italie	1520-1590	1585-1590
229	Urbain VII (Giovan Battista Cestagna)	Italie	1521-1590	sept. 1590
230	Grégoire XIV (Niccolò Sfondrati)	Italie	1535-1591	1590-1591
231	Innocent IX (Giovanni Antonio Facchinetti)	Italie	1519-1591	oct.-déc. 1591
232	Clément VIII (Ippolito Aldobrandini)	Italie	1536-1605	1592-1605
233	Léon XI (Alexandre de Médicis)	Italie	1535-1605	avril 1605
234	Paul V (Camillo Borghèse)	Italie	1552-1621	1605-1621
235	Grégoire XV (Alessandro Ludovisi)	Italie	1554-1623	1621-1623
236	Urbain VIII (Maffeo Barberini)	Italie	1568-1644	1623-1644
237	Innocent X (Giambattista Pamphili)	Italie	1574-1655	1644-1655
238	Alexandre VII (Fabio Chigi)	Italie	1599-1667	1655-1667
239	Clément IX (Giulio Rospigliosi)	Italie	1600-1669	1667-1669
240	Clément X (Emilio Altieri)	Italie	1590-1676	1670-1676
241	Innocent XI (bienheureux) (Benedetto Odescalchi)	Italie	1611-1689	1676-1689

Le pape Jean-Paul II s'adressant à la foule.

N°	Nom de pape	État civil		Dates de règne
242	**Alexandre VIII** (Pietro Vito Ottoboni)	Italie	1610-1691	1689-1691
243	**Innocent XII** (Antonio Pignatelli)	Italie	1615-1700	1691-1700
244	**Clément XI** (Gianfrancesco Albani)	Italie	1649-1721	1700-1721
245	**Innocent XIII** (Michelangelo Conti)	Italie	1655-1724	1721-1724
246	**Benoît XIII** (Vincenzo Maria Orsini)	Italie	1649-1730	1724-1730
247	**Clément XII** (Lorenzo Corsini)	Italie	1652-1740	1730-1740
248	**Benoît XIV** (Prospero Lambertini)	Italie	1675-1758	1740-1758
249	**Clément XIII** (Carlo Rezzonico)	Italie	1693-1769	1758-1769
250	**Clément XIV** (Giovanni Vincenzo Ganganelli)	Italie	1705-1774	1769-1774
251	**Pie VI** (Giannangelo Braschi)	Italie	1717-1799	1775-1799
252	**Pie VII** (Gregorio Luigi Barnaba Chiaramonti)	Italie	1742-1823	1800-1823
253	**Léon XII** (Annibale Sermattei Della Genga)	Italie	1760-1829	1823-1829

N°	Nom de pape	État civil		Dates de règne
254	**Pie VIII** (Francesco Saverio Castiglioni)	Italie	1761-1830	1829-1830
255	**Grégoire XVI** (Bartolomeo Alberto Cappellari)	Italie	1765-1846	1831-1846
256	**Pie IX** (Giovanni Maria Mastai Ferretti)	Italie	1792-1878	1846-1878
257	**Léon XIII** (Vincenzo Gioacchino Pecci)	Italie	1810-1903	1878-1903
258	**Pie X** (saint) (Giuseppe Sarto)	Italie	1835-1914	1903-1914
259	**Benoît XV** (Giacomo della Chiesa)	Italie	1854-1922	1914-1922
260	**Pie XI** (Achille Ratti)	Italie	1857-1939	1922-1939
261	**Pie XII** (Eugenio Pacelli)	Italie	1876-1958	1939-1958
262	**Jean XXIII** (Angelo Giuseppe Roncalli)	Italie	1881-1963	1958-1963
263	**Paul VI** (Giovanni Battista Montini)	Italie	1897-1978	1963-1978
264	**Jean-Paul Ier** (Albino Luciani)	Italie	1912-1978	1978
265	**Jean-Paul II** (Karol Wojtyla)	Pologne	né en 1920	1978-

HIÉRARCHIE MILITAIRE FRANÇAISE (grades)

	ARMÉE DE TERRE	ARMÉE DE L'AIR	MARINE NATIONALE			ARMÉE DE TERRE	ARMÉE DE L'AIR	MARINE NATIONALE
HOMMES DU RANG	soldat de 2e classe soldat de 1re classe	soldat de 2e classe soldat de 1re classe	matelot breveté	OFFICIERS SUBALTERNES (SUITE)		sous-lieutenant	sous-lieutenant	Enseigne de vaisseau de 2e classe
	caporal ou brigadier	caporal	quartier-maître de 2e classe			lieutenant	lieutenant	enseigne de vaisseau de 1re classe
	caporal-chef ou brigadier-chef	caporal-chef	quartier-maître de 1re classe			capitaine	capitaine	lieutenant de vaisseau
SOUS-OFFICIERS	sergent ou maréchal des logis	sergent	second maître	OFFICIERS SUPÉRIEURS		commandant : chef de bataillon ou d'escadron(s)	commandant	capitaine de corvette
	sergent de carrière	sergent de carrière	second maître de carrière			lieutenant-colonel	lieutenant-colonel	capitaine de frégate
	sergent-chef ou maréchal des logis-chef	sergent-chef	maître			colonel	colonel	capitaine de vaisseau
	adjudant	adjudant	premier maître	OFFICIERS GÉNÉRAUX		général de brigade	général de brigade aérienne	contre-amiral
	adjudant-chef	adjudant-chef	maître principal			général de division	général de division aérienne	vice-amiral
	major	major	major			général de corps d'armée	général de corps aérien	vice-amiral d'escadre ou amiral d'escadre
OFFICIERS SUBALTERNES	aspirant	aspirant	aspirant *(statut spécial défini par un décret du 22-10-1973)*			général d'armée	général d'armée aérienne	amiral

NOTA : Les titres de maréchal et d'amiral de France sont des dignités, et non des grades.

PRIX NOBEL

Diplôme du prix Nobel *de littérature remis au Français Roger Martin du Gard en 1937.*

Le chimiste suédois
Alfred Nobel.

Année	Physique	Chimie	Physiologie-médecine	Littérature	Paix
1901	RÖNTGEN W.C. (All.)	VAN'T HOFF J. H. (P.-B.)	von BEHRING E. (All.)	SULLY PRUDHOMME (F.)	PASSY F. (F.) DUNANT H. (Suisse)
1902	LORENTZ H.A. (P.-B.) ZEEMAN P. (P.-B.)	FISCHER E. (All.)	ROSS sir R. (G.-B.)	MOMMSEN T. (All.)	DUCOMMUN E. (Suisse) GOBAT C.A. (Suisse)
1903	BECQUEREL H. (F.) CURIE P. et M. (F.)	ARRHENIUS S. (Suède)	FINSEN N.R. (Dan.)	BJØRNSON B. (Norv.)	CREMER sir W.R. (G.-B.)
1904	RAYLEIGH J.W.S. (G.-B.)	RAMSAY sir W. (G.-B.)	PAVLOV I.P. (Russie)	MISTRAL F. (F.) ECHEGARAY J. (Esp.)	Institut de droit international de Gand
1905	LENARD P. (All.)	von BAEYER A. (All.)	KOCH R. (All.)	SIENKIEWICZ H. (Pol.)	von SÜTTNER B. (Autr.)
1906	THOMSON sir J.J. (G.-B.)	MOISSAN H. (F.)	GOLGI C. (It.) RAMÓN Y CAJAL S. (Esp.)	CARDUCCI G. (It.)	ROOSEVELT T. (É.-U.)
1907	MICHELSON A.A. (É.-U.)	BUCHNER E. (All.)	LAVERAN C.-L.-A. (F.)	KIPLING R. (G.-B.)	MONETA E.T. (It.) RENAULT L. (F.)
1908	LIPPMANN G. (F.)	RUTHERFORD lord E. (G.-B.)	EHRLICH P. (All.) METCHNIKOV E. (Russie)	EUCKEN R.C. (All.)	ARNOLDSON C.P. (Suède) BAJER F. (Dan.)
1909	MARCONI G. (It.) BRAUN K.F. (All.)	OSTWALD W. (All.)	KOCHER E.T. (Suisse)	LAGERLÖF S. (Suède)	BEERNAERT A. (Belg.) D'ESTOURNELLES DE CONSTANT P. (F.)
1910	VAN DER WAALS J.D. (P.-B.)	WALLACH O. (All.)	KOSSEL A. (All.)	von HEYSE P. (All.)	Bureau intern. permanent de la paix (Suisse)
1911	WIEN W. (All.)	CURIE M. (F.)	GULLSTRAND A. (Suède)	MAETERLINCK M. (Belg.)	ASSER T.M. (P.-B.) FRIED A.H. (Autr.)
1912	DALÉN N.G. (Suède)	GRIGNARD V. (F.) SABATIER P. (F.)	CARREL A. (F.)	HAUPTMANN G. (All.)	ROOT E. (É.-U.)
1913	KAMERLINGH-ONNES H. (P.-B.)	WERNER A. (Suisse)	RICHET C. (F.)	TAGORE R. (Inde)	LA FONTAINE H. (Belg.)
1914	von LAUE M. (All.)	RICHARDS T.W. (É.-U.)	BÁRÁNY R. (Autr.-Hongrie)	non décerné	non décerné
1915	BRAGG sir W.H. (G.-B.) BRAGG W.L. (G.-B.)	WILLSTÄTTER R. (All.)	non décerné	ROLLAND R. (F.)	non décerné
1916	non décerné	non décerné	non décerné	VON HEIDENSTAM C.G.V. (Suède)	non décerné
1917	BARKLA C.G. (G.-B.)	non décerné	non décerné	GJELLERUP K. (Dan.) PONTOPPIDAN H. (Dan.)	Comité international de la Croix-Rouge
1918	PLANCK M. (All.)	HABER F. (All.)	non décerné	non décerné	non décerné
1919	STARK J. (All.)	non décerné	BORDET J. (Belg.)	SPITTELER C. (Suisse)	WILSON T. W. (É.-U.)

Année	Physique	Chimie	Physiologie-médecine	Littérature	Paix
1920	GUILLAUME C.E. (Suisse)	NERNST W. (All.)	KROGH A. (Dan.)	HAMSUN K.P. (Norv.)	BOURGEOIS L. (F.)
1921	EINSTEIN A. (All.)	SODDY F. (G.-B.)	non décerné	FRANCE A. (F.)	BRANTING K.H. (Suède) LANGE C.L. (Norv.)
1922	BOHR N. (Dan.)	ASTON F.W. (G.B.)	HILL A.V. (G.B.) MEYERHOF O.F. (All.)	BENAVENTE J. (Esp.)	NANSEN F. (Norv.)
1923	MILLIKAN R.A. (É.-U.)	PREGL F. (Autr.)	BANTING sir F. G. (Can.) MACLEOD J.J.R. (Can.)	YEATS W.B. (Irl.)	non décerné
1924	SIEGBAHN K.M.G. (Suède)	non décerné	EINTHOVEN W. (P.-B.)	REYMONTS V.S. (Pol.)	non décerné
1925	FRANCK J. (All.) HERTZ G. (All.)	ZSIGMONDY R. (Autr.)	non décerné	SHAW G.B. (G.-B.)	CHAMBERLAIN A. (G.-B.) DAWES C.G. (É.-U.)
1926	PERRIN J. (F.)	SVEDBERG T. (Suède)	FIBIGER J. (Dan.)	DELEDDA G. (It.)	BRIAND A. (F.) STRESEMANN G. (All.)
1927	COMPTON A.H. (É.-U.) WILSON C.T.R. (G.-B.)	WIELAND H. (All.)	WAGNER von JAUREGG J. (Autr.)	BERGSON H. (F.)	BUISSON F. (F.) QUIDDE L. (All.)
1928	RICHARDSON O.W. (G.-B.)	WINDAUS A. (All.)	NICOLLE C. (F.)	UNDSET S. (Norv.)	non décerné
1929	BROGLIE L.-V. de (F.)	von EULER-CHELPIN H. (All.) HARDEN sir A. (G.B.)	EIJKMAN C. (P.-B.) HOPKINS sir F.G. (G.B.)	MANN T. (All.)	KELLOGG F.B. (É.-U.)
1930	RAMAN sir C.V. (Inde)	FISCHER H. (All.)	LANDSTEINER K. (Autr.)	LEWIS S. (É.-U.)	SÖDERBLOM N. (Suède)
1931	non décerné	BOSCH C. (All.) BERGIUS F. (All.)	WARBURG O.H. (All.)	KARLFELD E.A. (Suède)	ADAMS J. (É.-U.) BUTLER N.M. (É.-U.)
1932	HEISENBERG W. (All.)	LANGMUIR I. (É.-U.)	SHERRINGTON sir C.S. (G.-B.) ADRIAN E.D. (G.-B.)	GALSWORTHY J. (G.-B.)	non décerné
1933	DIRAC P.A.M. (G.-B.) SCHRÖDINGER E. (Autr.)	non décerné	MORGAN T.H. (É.-U.)	BOUNINE I. (U.R.S.S.)	ANGELL sir N. (G.-B.)
1934	non décerné	UREY H.C. (É.-U.)	WHIPPLE G.H. (É.-U.) MINOT G.R. (É.-U.) MURPHY W.P. (É.-U.)	PIRANDELLO L. (It.)	HENDERSON A. (G.-B.)
1935	CHADWICK J. (G.-B.)	JOLIOT-CURIE F. (F.) JOLIOT-CURIE I. (F.)	SPEMANN H. (All.)	non décerné	von OSSIETZKY C. (All.)
1936	HESS V.F. (Autr.) ANDERSON C.D. (É.-U.)	DEBYE P. (P.-B.)	DALE sir H.H. (G.-B.) LŒWI O. (All.)	O'NEILL E.G. (É.-U.)	SAAVEDRA LAMAS C. (Arg.)
1937	DAVISSON C.J. (É.-U.) THOMSON G.P. (G.-B.)	HAWORTH sir W.N. (G.-B.) KARRER P. (Suisse)	SZENT-GYÖRGYI A. (Hongr.)	MARTIN DU GARD R. (F.)	CECIL OF CHELWOOD Lord E. (G.-B.)
1938	FERMI E. (It.)	KUHN R. (All.)	HEYMANS C. (Belg.)	BUCK P. (É.-U.)	Comité Nansen (Suisse)
1939	LAWRENCE E.O. (É.-U.)	BUTENANDT A. (All.) RUŽIČKA L. (Suisse)	DOMAGK G. (All.)	SILLANPÄÄ F.E. (Finl.)	non décerné
1940					
1941	non décerné	non décerné	non décerné	non décerné	non décerné
1942					
1943	STERN O. (É.-U.)	von HEVESY G. (Hongr.)	DOISY E.A. (É.-U.) DAM C.P.H. (Dan.)	non décerné	non décerné
1944	RABI I.I. (É.-U.)	HAHN O. (All.)	ERLANGER J. (É.-U.) GASSER H.S. (É.-U.)	JENSEN J.V. (Dan.)	Comité international de la Croix-Rouge
1945	PAULI W. (Autr.)	VIRTANEN A.I. (Finl.)	CHAIN E. (G.-B.) FLEMING sir A. (G.-B.) FLOREY sir H.W. (G.-B.)	MISTRAL G. (Chili)	HULL C. (É.-U.)
1946	BIRDGMAN P.W. (É.-U.)	SUMNER J.B. (É.-U.) NORTHROP J.H. (É.-U.) STANLEY W. (É.-U.)	MULLER H. (É.-U.)	HESSE H. (Suisse)	BALCH E.G. (É.-U.) MOTT J.R. (É.-U.)
1947	APPLETON sir E. (G.-B.)	ROBINSON sir R. (G.-B.)	HOUSSAY B. (Arg.) CORI C.F. (É.-U.) CORI G. (É.-U.)	GIDE A. (F.)	American Friends Service Committee (É.-U.) Society of Friend's Service (G.-B.)
1948	BLACKETT P.M.S. (G.-B.)	TISELIUS A. (Suède)	MÜLLER P. (Suisse)	ELIOT T.S. (G.-B.)	non décerné

Année	Physique	Chimie	Physiologie-médecine	Littérature	Paix
1949	YUKAWA H. (Jap.)	GIAUQUE W. (É.-U.)	HESS W.R. (Suisse) MONIZ A. de Abreu Freire Egas (Port.)	FAULKNER W. (É.-U.)	ORR OF BRECHIN lord J.B. (G.-B.)
1950	POWELL C.F. (G.-B.)	ALDER K. (R.F.A.) DIELS O. (R.F.A.)	HENCH P. (É.-U.) KENDALL E. (É.-U.) REICHSTEIN T. (Suisse)	RUSSELL B. (G.-B.)	BUNCHE R. (É.-U.)
1951	COCKCROFT sir J.D. (G.-B.) WALTON E. (Irl.)	McMILLAN E. (É.-U.) SEABORG G.T. (É.-U.)	THEILER M. (Un. sud-afr.)	LAGERKVIST P. (Suède)	JOUHAUX L. (F.)
1952	BLOCH F. (É.-U.) PURCELL E. (É.-U.)	MARTIN A. (G.-B.) SYNGE R. (G.-B.)	WAKSMAN S. (É.-U.)	MAURIAC F. (F.)	SCHWEITZER A. (F.)
1953	ZERNIKE F. (P.-B.)	STAUDINGER H. (R.F.A.)	KREBS H.A. (R.F.A.) LIPMANN F. (É.-U.)	CHURCHILL sir W. (G.-B.)	MARSHALL G.C. É.-U.
1954	BORN M. (G.-B.) BOTHE W. (R.F.A.)	PAULING L. (É.-U.)	ENDERS J. (É.-U.) ROBBINS F. (É.-U.) WELLER Th. (É.-U.)	HEMINGWAY E. (É.-U.)	Haut-Commissariat des Nations unies pour les réfugiés
1955	KUSCH P. (É.-U.) LAMB W. (É.-U.)	du VIGNEAUD V. (É.-U.)	THEORELL A.H. (Suède)	LAXNESS H. (Isl.)	non décerné
1956	BARDEEN J. (É.-U.) BRATTAIN W. (É.-U.) SHOCKLEY W. (É.-U.)	HIINSHELWOOD sir C.N. (G.-B.) SEMENOV N. (U.R.S.S.)	COURNAND A. (É.-U.) FORSSMANN W. (R.F.A.) RICHARDS D.W. (É.-U.)	JIMÉNEZ J.R. (Esp.)	non décerné
1957	TSUNG DAO-LEE (Chine) CHEN NING-YANG (Chine)	TODD sir A. (G.-B.)	BOVET D. (It.)	CAMUS A. (F.)	PEARSON L. (Can.)
1958	FRANK I. (U.R.S.S.) TAMM I. (U.R.S.S.) TCHERENKOV P. (U.R.S.S.)	SANGER F. (G.-B.)	BEADLE G. (É.-U.) LEDERBERG J. (É.-U.) TATUM E. (É.-U.)	PASTERNAK B. (U.R.S.S.) (prix refusé)	PIRE R.P. D. (Belg.)
1959	CHAMBERLAIN O. (É.-U.) SEGRÉ E. (É.-U.)	HEYROVSKÝ J. (Tchéc.)	OCHOA S. (É.-U.) KORNBERG A. (É.-U.)	QUASIMODO S. (It.)	NOEL-BAKER P. (G.-B.)
1960	GLASER D.A. (É.-U.)	LIBBY W.F. (É.-U.)	BURNET sir F. M.F. (Austr.) MEDAWAR P. (G.-B.)	SAINT-JOHN PERSE (F.)	LUTHULI A.J. (Af. du Sud) (attribué en 1961)
1961	HOFSTADTER R. (É.-U.) MÖSSBAUER R. (R.F.A.)	CALVIN M. (É.-U.)	von BEKESY G. (É.-U.)	ANDRIĆ I. (Youg.)	HAMMARSKJÖLD D. (Suède)
1962	LANDAU L. (U.R.S.S.)	KENDREW J.C. (G.-B.) PERUTZ M. F. (G.-B.)	CRICK F.H.C. (G.-B.) WATSON J. (É.-U.) WILKINS M. (G.-B.)	STEINBECK J. (É.-U.)	PAULING L. (É.-U.)
1963	GŒPPERT-MAYER M. (É.-U.) JENSEN H. (R.F.A.) WIGNER E. (É.-U.)	NATTA G. (It.) ZIEGLER K. (R.F.A.)	ECCLES sir J. (Austr.) HODGKIN A. (G.-B.) HUXLEY A. (G.-B.)	SÉFÉRIS G. (Grèce)	Comité internat. de la Croix-Rouge. Ligue internat. des sociétés de la Croix-Rouge
1964	BASSOV N. (U.R.S.S.) PROKHOROV A. (U.R.S.S.) TOWNES C. (É.-U.)	CROWFOOT HODGKIN D. (G.-B.)	BLOCH K. (É.-U.) LYNEN F. (R.F.A.)	SARTRE J.-P. (F.) (prix refusé)	KING M.L. (É.-U.)
1965	FEYNMAN R. (É.-U.) SCHWINGER J. (É.-U.) TOMONAGA S. (Jap.)	WOODWARD R.B. (É.-U.)	JACOB F. (F.) LWOFF A. (F.) MONOD J. (F.)	CHOLOKHOV M. (U.R.S.S.)	Fonds des Nations unies pour l'aide à l'enfance (U.N.I.C.E.F.)
1966	KASTLER A. (F.)	MULLIKEN R. (É.-U.)	HUGGINS C. (É.-U.) ROUS F. (É.-U.)	SACHS N. (Suède) AGNON S. (Israël)	non décerné
1967	BETHE H. (É.-U.)	EIGEN M. (R.F.A.) NORRISH R. (G.-B.) PORTER G. (G.-B.)	GRANIT R. (Suède) HARTLINE H. (É.-U.) WALD G. (É.-U.)	ASTURIAS M.A. (Guat.)	non décerné
1968	ALVAREZ L. (É.-U.)	ONSAGER L. (É.-U.)	HOLLEY R. (É.-U.) KHORANA G. (É.-U.) NIRENBERG M.W. (É.-U.)	KAWABATA Y. (Jap.)	CASSIN R. (F.)

Année	Physique	Chimie	Physiologie-médecine	Littérature	Paix	Sciences économiques (prix créé en 1969)
1969	GELL-MANN M. (É.-U.)	BARTON D.H. (G.-B.) HASSEL O. (Norv.)	DELBRUCK M. (É.-U.) HERSHEY A. (É.-U.) LURIA S. (É.-U.)	BECKETT S. (Irl.)	Organisation internationale du travail	FRISH R. (Norv.) TINBERGEN J. (P.-B.)
1970	NÉEL L. (F.) ALFVÉN H. (Suède)	LELOIR L. (Arg.)	AXELROD J. (É.-U.) von EULER U. (Suède) KATZ sir B. (G.-B.)	SOLJENITSYNE A. (U.R.S.S.)	BORLAUG N. (É.-U.)	SAMUELSON P. (É.-U.)
1971	GABOR D. (G.-B.)	HERZBERG G. (Can.)	SUTHERLAND E.W. (É.-U.)	NERUDA P. (Chili)	BRANDT W. (R.F.A.)	KUZNETS S. (É.-U.)
1972	BARDEEN J. (É.-U.) COOPER L. (É.-U.) SCHRIEFFER J. (É.-U.)	ANFINSEN C. (É.-U.) MOORE S. (É.-U.) STEIN W. (É.-U.)	EDELMAN G. (É.-U.) PORTER R. (G.-B.)	BÖLL H. (R.F.A.)	non décerné	HICKS sir J.R. (G.B.) ARROW K. J. (É.-U.)
1973	ESAKI L. (É.-U.) GIAEVER I. (É.-U.) JOSEPHSON B. (G.-B.)	FISCHER E.O. (R.F.A.) WILKINSON G. (G.-B.)	von FRISCH K. (Autr.) LORENZ K. (Autr.) TINBERGEN N. (P.-B.)	WHITE P. (Austr.)	KISSINGER H. (É.-U.) LÊ DUC THO (Viêt-nam) (prix refusé)	LEONTIEFF V. (É.-U.)
1974	RYLE M. (G.-B.) HEWISH A. (G.-B.)	FLORY P.J. (É.-U.)	CLAUDE A. (Belg.) DUVE C. de (Belg.) PALADE G. (É.-U.)	JOHNSON E. (Suède) MARTINSON H. (Suède)	SATÔ E. (Jap.) MAC BRIDE S. (Irl.)	von HAYEK F. (Autr.) MYRDAL G. (Suède)
1975	BOHR A. (Dan.) MOTTELSON B. (Dan.) RAINWATER J. (É.-U.)	PRELOG V. (Suisse) CORNFORTH J.W. (Austr.)	BALTIMORE D. (É.-U.) DULBECCO R. (É.-U.) TEMIN H. (É.-U.)	MONTALE E. (It.)	SAKHAROV A. (U.R.S.S.)	KOOPMANS T.C. (É.-U.) KANTOROVITCH L. (U.R.S.S.)
1976	TING S. (É.-U.) RICHTER B. (É.-U.)	LIPSCOMB W.N. (É.-U.)	BLUMBERG B. (É.-U.) GAJDUSEK D.C. (É.-U.)	BELLOW S. (É.-U.)	CORRIGAN M. (G.-B.) WILLIAMS B. (G.-B.)	FRIEDMAN M. (É.-U.)
1977	VLECK J.H. Van (É.-U.) ANDERSON P. (É.-U.) MOTT sir N. (G.-B.)	PRIGOGINE I. (Belg.)	GUILLEMIN R. (É.-U.) SCHALLY A. (É.-U.) YALOW R. (É.-U.)	ALEIXANDRE V. (Esp.)	Amnesty international	MEADE J. (G.-B.) OHLIN B. (Suède)
1978	KAPITSA P.L. (U.R.S.S.) PENZIAS A.A. (É.-U.) WILSON R.W. (É.-U.)	MITCHELL P. (G.-B.)	ARBER W. (Suisse) NATHANS D. (E.-U.) SMITH H. (É.-U.)	SINGER I.B. (É.-U.)	SADATE A. el- (Égypte) BEGIN M. (Israël)	SIMON H. (É.-U.)
1979	GLASHOW S. (É.-U.) SALAM A. (Pakistan) WEINBERG S. (É.-U.)	BROWN H.C. (É.-U.) WITTIG G. (R.F.A.)	CORMACK A. Mc Leod (É.-U.) HOUNSFIELD G. N. (G.-B.)	ELYTIS O. (Grèce)	Mère TERESA (Inde)	LEWIS sir A. (G.-B.) SCHULTZ T. (É.-U.)
1980	CRONIN J.W. (É.-U.) FITCH V.L. (É.-U.)	BERG P. (É.-U.) GILBERT W. (É.-U.) SANGER F. (G.-B.)	BENACERRAF B. (É.-U.) DAUSSET J. (F.) SNELL G.D. (É.-U.)	MILOSZ C. (Pol.)	PEREZ ESQUIVEL A. (Arg.)	KLEIN L.R. (É.-U.)
1981	BLOEMBERGEN N. (É.-U.) SCHAWLOW A.L. (É.-U.) SIEGBAHN K.M. (Suède)	HOFFMANN R. (É.-U.) FUKUI K. (Jap.)	WIESEL T.N. (Suède) SPERRY R.W. (É.-U.) HUBEL D.H. (É.-U.)	CANETTI E. (G.-B.)	Haut-Commissariat aux réfugiés des Nations unies (Genève)	TOBIN J. (É.-U.)
1982	WILSON K.G. (É.-U.)	KLUG A. (Afr. du Sud)	BERGSTROEM S.K. (Suède) SAMUELSON B.I. (Suède) VANE J.R. (G.-B.)	GARCÍA MARQUEZ G. (Colombie)	MYRDAL A. (Suède) GARCIA ROBLÈS A. (Mexique)	STIGLER G. (É.-U.)
1983	FOWLER W.A. (É.-U.) SHANDRASEKHAR S. (É.-U.)	TAUBE H. (É.-U.)	Mc CLINTOCK B. (É.-U.)	GOLDING W. (G.-B.)	WALESA L. (Pol.)	DEBREU G. (É.-U.)
1984	RUBBIA C. (It.) VAN DER MEER S. (P.-B.)	MERRIFIELD B. (É.-U.)	JERNE N. (Dan.) KÖHLER G. (R.F.A.) MILSTEIN C. (G.-B.)	SEIFERT J. (Tchécosl.)	TUTU D. Mgr (Afr. du Sud)	STONE sir R. (G.-B.)
1985	Von KLITZING K. (R.F.A.)	HAUPTMAN H. (É.-U.) KARLE J. (É.-U.)	BROWN M. (É.-U.) GOLDSTEIN J. (É.-U.)	SIMON C. (F.)	International Physicians for Prevention of Nuclear War	MODIGLIANI F. (É.-U.)
1986	RUSKA E. (R.F.A.) BINNIG G. (R.F.A.) ROHRER H. (Suisse)	HERSCHBACH D.R. (É.-U.) LEE Y.T. (É.-U.) POLANYI J.C. (Can.)	COHEN S. (É.-U.) LEVI-MONTALCINI R. (It.)	SOYINKA W. (Nigeria)	WIESEL E. (É.-U.)	MAC GILL BUCHANAN J. (É.-U.)
1987	BEDNORZ G. (R.F.A.) MULLER A. (Suisse)	LEHN J.-M. (F.) CRAM D. (É.-U.) PEDERSEN C. (É.-U.)	TONEGAWA S. (Japon)	BRODSKY J. (É.-U.)	ARIAS SANCHEZ O. (Costa Rica)	SOLOW R.M. (É.-U.)

Stockholm : cérémonie de la remise des prix Nobel en présence du roi et de la reine de Suède.

GRANDS MUSÉES DU MONDE

PEINTURE

FRANCE

Musée Condé (Chantilly) : Clouet, Poussin, Raphaël... ; miniatures de Fouquet ; dessins.
Centre national d'art et de culture G.-Pompidou (Paris, Beaubourg) : peinture de 1905 à nos jours (Braque, Chagall, Dali, Kandinsky, Matisse, Picasso...).
Musée du Louvre (Paris) : prestigieux ensemble des écoles européennes du XIVe à la fin du XIXe s., avec notamment _la Joconde_ de Vinci, _la Belle Jardinière_ de Raphaël...
Musée d'Orsay (Paris) : réalisme, impressionnisme, peinture « pompier ».
Musée historique national (Versailles, salles du château) : Clouet, David, Delacroix, Ingres, Le Brun, Oudry...

ALLEMAGNE DE L'EST

Nationalgalerie (Berlin) : peinture des XIXe et XXe s.
Gemäldegalerie (Dresde) : Rembrandt, Rubens, le Tintoret, Titien, Vélasquez...

ALLEMAGNE DE L'OUEST

Dahlem Museum (Berlin) : peinture ancienne du XIIIe au XVIIIe s.
Nationalgalerie (Berlin) : peinture moderne (XXe s.).
Alte Pinakothek (Munich) : Bruegel, Cranach, Dürer, Rembrandt, Rubens...

AUTRICHE

Kunsthistorisches Museum (Vienne) : Bruegel, Dürer, Giorgione, Rubens, le Tintoret, Titien...
Musée historique (Vienne) : Bosch, Cranach, Holbein, Rubens...
Albertina (Vienne) : dessins de maîtres et estampes (Dürer, Rembrandt...).

BELGIQUE

Musée royal des Beaux-Arts (Anvers) : primitifs flamands (Rubens, Van Eyck, Ensor...).
Musée Groeninge (Bruges) : Van Eyck, Van der Goes...
Musée royal d'Art ancien (Bruxelles) : peinture flamande (Bruegel, Jordaens, Rubens, Van der Weyden, Van Dyck...).

BRÉSIL

Musée d'Art (São Paulo) : Cézanne, Degas, Gauguin, Manet, Renoir, Soutine, Toulouse-Lautrec...

CANADA

Musée des Beaux-Arts (Montréal) : peintures européennes du XIIIe au XXe s.
National Gallery of Canada (Ottawa) : peintures européennes du XVIe au XXe s.
Art Gallery of Ontario (Toronto) : écoles italienne (XVe-XVIIIe s.), allemande (XVIIe s.), française (XVIIe-XXe s.), anglaise (XVIIIe-XXe s.).

Léonard de Vinci : La Joconde.
Musée du Louvre, Paris.

(En bas) F. Goya : Manuel Osorio Manrique De Zuniga.
Metropolitan Museum of Art, New York.

CHINE (république populaire de)

Changhai Museum (Changhai) : peinture chinoise ancienne.

CHINE (Taiwan)

Musée du palais de Taichung (T'ai-Pei) : peinture chinoise des anciennes collections du palais impérial de Pékin.
National Palace Museum (T'ai-Pei) : peinture chinoise ancienne.

DANEMARK

Ny Carlsberg Glyptotek (Copenhague) : peinture française du XIXe et du XXe s.

ESPAGNE

Musée du Prado (Madrid) : panorama presque complet de la peinture espagnole ancienne et œuvres très importantes de Bosch, Dürer, Rubens, le Tintoret, Titien, Van Dyck...
Palais de l'Escurial (province de Madrid) : le Greco, Titien, Vélasquez, Véronèse...

ÉTATS-UNIS

Baltimore Museum of Art (Baltimore) : primitifs européens des XIVe et XVe s. ; peinture moderne.
Musée des Beaux-Arts (Boston) : peinture européenne des XIXe et XXe s. ; peintures chinoise et japonaise anciennes.
Fogg Art Museum (Cambridge, près de Boston) : primitifs italiens ; peinture chinoise ancienne.
Art Institute of Chicago (Chicago) : écoles espagnole (Goya, Vélasquez, Zurbarán...), allemande (Cranach, Holbein...), flamande (Van der Weyden...), française (Cézanne, Degas, Renoir, Seurat...).
Cleveland Museum of Art (Cleveland) : Corot, Georges de La Tour, Goya, le Tintoret, Toulouse-Lautrec...
Fondation Barnes (Merion, près de Philadelphie) : Cézanne, Corot, Courbet, Daumier, Picasso...
Yale University Art Gallery (New Haven, Connecticut) : primitifs italiens.

Metropolitan Museum of Art (New York) : peintures ancienne (Goya, le Greco, Rembrandt, Van Eyck, Vermeer...) et contemporaine (Pollock, pop art, Kline...).
Frick Collection (New York) : peintures italienne, française (Boucher, Fragonard...), flamande, hollandaise, espagnole, américaine (Whistler...).
Museum of Modern Art (New York) : Braque, Cézanne, Duchamp, Léger, Mondrian, Picasso, Van Gogh...
Solomon R. Guggenheim Museum (New York) : Delaunay, Kandinsky, Klee, Mondrian, Picasso...
Philadelphia Museum of Art (Philadelphie) : Cézanne, Courbet, Daumier, Delacroix, Giotto, Rembrandt...
Fine Arts Museum of San Francisco (San Francisco) : peinture européenne ancienne.
Toledo Museum of Art (Toledo) : peintres français des XVIIe et XVIIIe s.
National Gallery of Art (Washington, D.C.) : nombreux chefs-d'œuvre des maîtres de la peinture ancienne (Botticelli, Dürer, Memling, Titien, Van Eyck...) ; impressionnistes ; Braque, Modigliani, Picasso...
Freer Gallery of Art (Washington, D.C.) : peintres américains (Whistler) ; peintures chinoise et japonaise anciennes.
Philips Collection (Washington, D.C.) : Daumier, les impressionnistes, Matisse, Picasso...

GRANDE-BRETAGNE
Galerie de Hampton Court (Hampton, près de Londres) : Clouet, le Corrège, Dürer, Holbein, Mantegna, le Tintoret, Titien, Van Dyck...
National Gallery (Londres) : Botticelli, Bruegel, Goya, le Greco, Hogarth, Raphaël, Reynolds, Titien, Turner, Van Eyck, Vinci, Watteau... ; impressionnistes.

Estampe japonaise d'Utamaro Kitagawa.
Musée national des Beaux-Arts, Tōkyō.

(À gauche) D. Vélasquez :
Le Comte-Duc de Olivares.
Musée du Prado, Madrid.

(En bas) J.E. Millais : Ophélie.
Tate Gallery, Londres.

Tate Gallery (Londres) : œuvres majeures de Turner ; préraphaélites ; impressionnistes.
Victoria and Albert Museum (Londres) : Gainsborough, Le Nain, Millet, Poussin...
Courtauld Institute Gallery (Londres) : Cézanne, Degas, Gauguin, Manet...

GRÈCE
Musée byzantin (Athènes) : icônes, figures émaillées sur bronze.

HONGRIE
Musée des Beaux-Arts (Budapest) : le Corrège, le Greco, Raphaël, Ribera, Titien, Vélasquez...

IRLANDE
National Gallery of Ireland (Dublin) : Gainsborough, Hogarth, Reynolds, Romney, Corot, Delacroix, Géricault... ; impressionnistes.

ITALIE
Musée des Offices (Florence) : admirables collections des maîtres de la peinture ancienne, notamment italienne (Botticelli, Mantegna, Masaccio, Michel-Ange, Raphaël...) ; primitifs flamands et français.
Galerie Pitti (Florence) : Raphaël, Rubens, le Tintoret, Titien, Véronèse...
Pinacothèque de Brera (Milan) : G. Bellini, Carpaccio, Mantegna, Raphaël...

Musée national de Capodimonte (Naples) : Bruegel, Cranach, L. Lotto, Titien...
Galerie Borghèse (Rome) : G. Bellini, A. Del Sarto, Sodoma, Véronèse...
Pinacothèque du Vatican (Rome) : Daddi, Giotto, Raphaël...
Galerie Sabauda (Turin) : primitifs flamands ; Rubens, Van Dyck... ; peintures de la Renaissance italienne.
Palais des Doges (Venise) : G. Bellini, Bosch, Tiepolo, le Tintoret, Titien, Véronèse...
Musée Correr (Venise) : G. Bellini, T. Bouts, Carpaccio, Van der Goes...
Académie des Beaux-Arts (Venise) : maîtres vénitiens (Bellini, Carpaccio...).

JAPON
Musée national des Beaux-Arts (Tōkyō) : peintures japonaise et chinoise.
Musée national d'Art occidental (Tōkyō) : belle collection de peinture française (XIXe s., XXe s. jusqu'à 1914) ; Matisse, Picasso...

PAYS-BAS
Rijksmuseum (Amsterdam) : chefs-d'œuvre de Hals, Rembrandt, Rubens, Vermeer... ; écoles européennes ; gravures ; dessins.
Stedelijk Museum (Amsterdam) : Van Gogh ; peinture moderne (Chagall, Léger, Mondrian, Picasso...).
Mauritshuis (La Haye) : Holbein, Memling, Rembrandt, Van der Weyden...

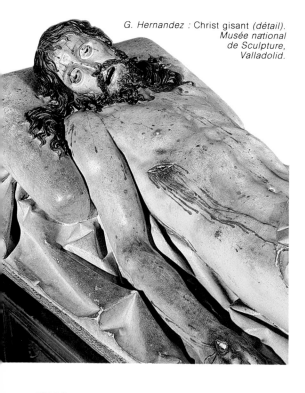

G. Hernandez : Christ gisant (détail). Musée national de Sculpture, Valladolid.

Rijksmuseum Kröller-Müller (Otterlo) : ensemble exceptionnel de Van Gogh ; peinture moderne.
Musée Boymans-Van Beuningen (Rotterdam) : œuvres de Bosch et des maîtres hollandais du XVIIᵉ s. ; peinture moderne (groupe Cobra) ; estampes.

PORTUGAL
Musée national d'Art ancien (Lisbonne) : primitifs portugais, Nuno Gonçalves...
Musée de la Fondation Gulbenkian (Lisbonne) : peinture européenne du XVIIIᵉ s. (Largillière, La Tour, Gainsborough).

SUÈDE
Musée national (Stockholm) : Bonnard, Boucher, Chardin, Gauguin, le Greco, Rembrandt, Tiepolo, Titien... ; icônes russes.
Musée moderne (Stockholm) : art contemporain.

SUISSE
Kunstmuseum (Bâle) : œuvres importantes d'Holbein, Baldung Grien, Grünewald..., Cézanne, Corot, Courbet, Gauguin, Van Gogh...
Kunstmuseum (Berne) : peintures ancienne et moderne (Bonnard, cubisme...). Fondation Klee.
Musée d'Art et d'Histoire (Genève) : Corot, Cranach, Hogarth, Manet, Monet, C. Witz...
Kunstmuseum (Winterthur) : peinture moderne française (Bonnard, Pissarro, Renoir...).
Fondation Oscar-Reinhart (Winterthur) : Bruegel, Holbein, Rembrandt... ; impressionnistes.
Kunsthaus (Zurich) : peintures ancienne et moderne (Dubuffet, Ernst, Matisse, Picasso...).

TCHÉCOSLOVAQUIE
Galerie nationale (Prague) : primitifs des XIVᵉ et XVᵉ s. ; cubistes.

URSS
Musée de l'Ermitage (Leningrad) : admirables collections de peintures italienne (Raphaël, Titien, Vinci...), flamande, hollandaise (nombreux Rembrandt), espagnole, allemande et française.
Galerie Tretiakov (Moscou) : icônes russes ; peintures russe et soviétique (réalisme socialiste).
Musée des Beaux-Arts « Pouchkine » (Moscou) : peinture française (XIXᵉ-XXᵉ s.).
Musée de la Peinture occidentale moderne (Moscou) : ensemble unique d'œuvres de Gauguin ; Van Gogh ; impressionnistes, fauves, cubistes ; Matisse.

SCULPTURE ET ARCHÉOLOGIE

FRANCE
Musée archéologique (Lyon) : archéologie gallo-romaine.
Musée Cernuschi (Paris) : archéologie du bronze d'Extrême-Orient ; sculpture bouddhique chinoise.
Musée du Louvre (Paris) : précieux spécimens de la statuaire sumérienne, mésopotamienne, égyptienne, assyrienne, grecque *(Vénus de Milo)* et romaine ; sculptures du Moyen Âge, de la Renaissance et des Temps modernes.
Musée d'Orsay (Paris) : sculptures de la deuxième moitié du XIXᵉ s.
Centre national d'art et de culture G.-Pompidou (Paris, Beaubourg) : sculptures du XXᵉ s.
Musée des Arts décoratifs (Paris) : antiquités égyptiennes, grecques, romaines et orientales ; sculptures du Moyen Âge...
Musée Guimet (Paris) : collections uniques de sculptures khmères (Cambodge ancien), hellénistico-bouddhiques de l'Afghanistan ancien (IIᵉ-VIIᵉ s.) ; bas-reliefs d'Amarāvatī (Inde, Iᵉʳ-IIIᵉ s.).
Musée de Cluny (Paris) : statues, chapiteaux et retables du Moyen Âge.
Musée national des Monuments français (Paris) : moulages de sculptures.
Musée des Antiquités nationales (Saint-Germain-en-Laye) : archéologie préhistorique, celtique, romaine et mérovingienne.

ALLEMAGNE DE L'EST
Pergamon Museum (Berlin) : statuaire grecque et romaine.
Gemäldegalerie (Dresde) : sculptures de la haute Renaissance et de style baroque.

ALLEMAGNE DE L'OUEST
Dahlem Museum (Berlin) : statuaire égyptienne ; sculptures de l'époque paléochrétienne au XVIIIᵉ s.
Nationalgalerie (Berlin) : sculptures du XIXᵉ et du XXᵉ s.
Städelsches Kunstinstitut (Francfort) : Bourdelle, Maillol, Rodin...
Musée municipal de Sculpture (Francfort) : statuaire du Moyen Âge et de la Renaissance.
Glyptothèque (Munich) : statuaire grecque et romaine.

AUTRICHE
Kunsthistorisches Museum (Vienne) : collections archéologiques.

Art égyptien : Sarcophage de Toutankhamon (détail du deuxième cercueil). Musée des Antiquités égyptiennes, Le Caire.

Art assyrien (VIIIᵉ s. ap. J.-C.) : Lion qui saisit un enfant entre ses crocs. *Iraq Museum, Bagdad.*

Résidence de la Hofburg (Vienne) : sculptures de l'Antiquité gréco-romaine *(reliefs d'Ephèse).*
Musée du Baroque (Vienne) : sculptures autrichiennes du XVIIIᵉ s. (chefs-d'œuvre de Permoser).

BELGIQUE
Musées royaux d'Art et d'Histoire (Bruxelles) : préhistoire ; Égypte ; Antiquité gréco-romaine.
Musée royal de l'Afrique centrale (Tervuren) : riche collection de sculptures d'Afrique noire (Zaïre, ex-Congo belge).

CHINE (république populaire de)
Musée historique (Pékin, palais impérial) : pièces archéologiques de la Chine ancienne.

DANEMARK
Ny Carlsberg Glyptotek (Copenhague) : archéologie antique ; sculptures française (Rodin, Laurens...), belge (Meunier...), danoise.

ÉGYPTE
Musée des Antiquités égyptiennes (Le Caire) : magnifiques collections de sculptures égyptiennes anciennes, de la période prédynastique à l'époque gréco-romaine ; trésor de Toutankhamon ; momies royales.

ESPAGNE
Musée du Prado (Madrid) : statuaire grecque, romaine et ibérique.

Art crétois : Dauphins *(fresque provenant du palais de Cnossos). Musée archéologique, Hêraklion.*

Musée national de Sculpture (Valladolid, collège S. Gregorio) : statues religieuses en bois polychrome (Berruguete, Hernandez...).

ÉTATS-UNIS
Albright Art Gallery (Buffalo) : sculptures du monde entier (bronzes du Bénin).
Art Institute of Chicago (Chicago) : sculptures égyptiennes anciennes ; sculptures européennes (XIXᵉ-XXᵉ s.).
Metropolitan Museum of Art (New York) : archéologie (Orient ancien) ; statuaire de l'Égypte ancienne, de la Grèce antique ; sculptures médiévales européennes ; sculptures modernes ; art primitif (Afrique noire).
Museum of Modern Art (New York) : sculptures modernes (Brancusi, Calder...).
Solomon R. Guggenheim Museum (New York) : sculptures du XXᵉ s.
American Institute of Art and Archaeology (New York) : art iranien ancien.
Brooklyn Museum (New York) : statuaire égyptienne ancienne, assyrienne, précolombienne ; art primitif (Afrique noire).
Frick Collection (New York) : sculptures françaises (XVIIᵉ-XVIIIᵉ s.).
Museum of Primitive Art (New York) : sculptures de l'Afrique noire, d'Océanie, de Polynésie.
Musée de l'université de Pennsylvanie (Philadelphie) : statuaires de l'Égypte ancienne, du Moyen-Orient, de la Grèce antique, de Rome ; sculptures d'Afrique noire et du Mexique précolombien.

National Gallery of Art (Washington, D.C.) : sculptures anciennes et modernes européennes.

GRANDE-BRETAGNE
British Museum (Londres) : magnifiques collections d'archéologie égyptienne, assyrienne, suméro-babylonienne ; chefs-d'œuvre de la sculpture grecque ancienne *(frises du Parthénon)* et romaine ; sculptures d'Afrique noire (bronzes du Bénin), d'Océanie, de Polynésie ; préhistoire.
Victoria and Albert Museum (Londres) : œuvres du Bernin, de Donatello, Michel-Ange, Pisano, Rodin, Verrocchio... ; sculptures gréco-bouddhiques de l'Inde (Gautama).
Wallace Collection (Londres) : sculptures de Germain Pilon, Houdon...
Ashmolean Museum of Art (Oxford) : archéologie (antiquités crétoises, grecques, égyptiennes...).

GRÈCE
Musée national archéologique (Athènes) : riches collections qui représentent l'évolution ininterrompue de la sculpture grecque antique.
Musée de l'Acropole (Athènes) : sculptures grecques des périodes archaïques et classiques.
Musée archéologique (Delphes) : sculptures grecques classiques *(Aurige).*
Musée archéologique (Olympie) : décoration sculptée du temple de Zeus...
Musée archéologique (Hêraklion) : chefs-d'œuvre archéologiques de la civilisation crétoise.

Art chinois (époque Chang) : La Tigresse *(bronze). Musée Cernuschi, Paris.*

Art grec (IIᵉ-Iᵉʳ s. av. J.-C.) : Laocoon.
Musée Pio Clementino, Rome-Vatican.

INDE
Musée de Madras (Madras) : reliefs bouddhiques d'Amarāvatī, bronzes dravidiens...
Musée de Mathurā (Mathurā) : archéologie indienne.
Musée national de l'Inde (New Delhi) : sculptures indiennes.

IRAN
Musée archéologique (Téhéran) : art de la Perse ancienne de la préhistoire à l'époque sassanide.

IRAQ
Iraq Museum (Bagdad) : archéologie sumérienne (collection unique au monde), assyrienne et islamique.

IRLANDE
National Museum of Ireland (Dublin) : antiquités irlandaises (stèles, croix...).

ISRAËL
Musée national d'Israël (Jérusalem) : archéologie ; sculpture moderne (de Maillol à Tinguely).

ITALIE
Musée municipal (Bologne) : archéologie.
Musée des Offices (Florence) : statuaire de la Grèce antique ; sculptures italiennes (XIVᵉ-XVIᵉ s.).
Musée national du Bargello (Florence) : œuvres des grands sculpteurs de la Renaissance (Donatello, Michel-Ange, Luca Della Robbia...).
Galleria dell'Accademia (Florence) : œuvres de Michel-Ange *(David, Esclaves...).*
Musée archéologique (Florence) : civilisation étrusque.
Château des Sforza (Milan) : collections de sculptures italiennes anciennes.

Musée archéologique national (Naples) : très importants vestiges archéologiques d'Herculanum (statues en bronze), de Pompéi, Capoue, Cumes...
Musée national archéologique (Palerme) : sculptures provenant de la cité antique de Sélinonte...
Galerie Borghèse (Rome, villa Borghèse) : antiquités gréco-romaines ; sculptures du Bernin, de Canova *(Pauline Bonaparte en Vénus).*
Musée national des thermes de Dioclétien (Rome) : nombreux objets et sculptures antiques *(Vénus de Cyrène).*
Musée national de la villa Giulia (Rome) : statuaire étrusque *(Apollon de Véies...).*
Musée du Capitole (Rome) : sculptures antiques *(Gaulois mourant).*
Galerie nationale d'art moderne (Rome) : sculptures (XIXᵉ-XXᵉ s.).
Musée Pio Clementino (Rome, Vatican) : collections de sculptures antiques célèbres *(Vénus de Cnide, Laocoon, Apollon du Belvédère...).*
Musée Chiaramonti (Rome, Vatican) : sculptures antiques *(Doryphore).*
Musée grégorien (Rome, Vatican) : antiquités égyptiennes et étrusques.
Musée du palais du Latran (Rome, Vatican) : sculptures antiques, sarcophages paléochrétiens...
Musée Egizio (Turin) : antiquités égyptiennes *(statue de Ramsès II).*

JAPON
Musée national des Beaux-Arts (Tōkyō) : sculptures japonaises anciennes (période Nara...).
Musée national d'Art moderne (Tōkyō) : sculptures contemporaines japonaises et européennes.

LIBAN
Musée archéologique national (Beyrouth) : antiquités phéniciennes *(sarcophage d'Ahiram, stèle de Byblos...).*

MEXIQUE
Musée national d'Anthropologie et d'Histoire (Mexico) : archéologie précolombienne (importantes collections de sculptures maya, maya-toltèques...).
Musée ethnographique (Mexico) : sculptures précolombiennes aztèques (fouilles de Tenochtitlán, aujourd'hui Mexico).

NOUVELLE-ZÉLANDE
Auckland Institute and Museum (Auckland) : art maori et polynésien.

PAYS-BAS
Rijksmuseum (Amsterdam) : sculptures européennes (A. Van Wesel, Artus Quellinus, Della Robbia...).
Musée Amstelle (Amsterdam) : sculptures contemporaines.
Stedelijk Museum (Arnhem) : sculptures contemporaines (Moore, Zadkine...).
Rijksmuseum Kröller-Müller (Otterlo) : parc avec sculptures modernes.

SUÈDE
Musée national d'Ethnographie (Stockholm) : archéologie précolombienne.

Art du Bénin : Statuette féminine *(bronze).*
Museum für Völkerkunde, Berlin.

SUISSE

Kunstmuseum (Bâle) : sculptures de Despiau, Maillol, Rodin...
Kunsthalle (Berne) : sculptures contemporaines.
Musée d'Art et d'Histoire (Genève) : sculptures antiques (Grèce, Rome).
Kunsthaus (Zurich) : sculptures modernes (Arp, Brancusi...).

SYRIE

Musée archéologique (Alep) : belles pièces d'archéologie orientale assyro-hittite.
Musée national syrien (Damas) : importants vestiges archéologiques de villes de la Mésopotamie antique (Doura-Europos, Māri...).

TUNISIE

Musée alaoui (Tunis, palais du Bardo) : sculptures phéniciennes et archéologie romaine (mosaïques).

TURQUIE

Musée archéologique (Ankara) : art hittite, grec et romain.
Musée hittite (Ankara) : sculptures hittites (petits bronzes animaliers...).
Musée archéologique (Istanbul) : art grec, romain et chypriote.

URSS

Musée de l'Ermitage (Leningrad) : antiquités scythes ; arts de l'Asie centrale, de la Sibérie, de la Chine... ; archéologie grecque et romaine.
Musée de la Peinture occidentale moderne (Moscou) : sculptures de Barye, Bourdelle, Maillol, Rodin...

YOUGOSLAVIE

Musée national (Belgrade) : préhistoire ; antiquités gréco-romaines.
Musée archéologique (Split) : art grec et romain (notamment verrerie).
Musée archéologique (Zagreb) : momies avec inscriptions étrusques ; statues antiques du sud de l'Italie, de la Dalmatie et de la Croatie.

(Ci-dessus) Art indien : Masque à forme humaine. *Musée national de l'Homme, Ottawa.*

(Ci-contre) Art syrien juif : Le Triomphe de Mardochée. *Musée national syrien, Damas.*

(Ci-dessous) Art indien : Masque d'une jeune fille avec cheveux humains. *Portland Art Museum, Portland.*

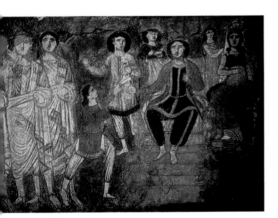

ETHNOGRAPHIE ET ETHNOLOGIE

FRANCE

Musée de l'Homme (Paris) : précieuses collections d'objets et de sculptures d'Afrique noire (masques dogons), d'Océanie, d'Amérique précolombienne...
Musée des Arts africains et océaniens (Paris) : objets et sculptures d'Afrique noire, d'Océanie.
Musée des Arts et Traditions populaires (Paris) : techniques, coutumes, croyances, modes de vie traditionnels évoqués par l'objet.
Musée d'Histoire naturelle et d'Ethnographie (La Rochelle) : Afrique (terres cuites sao), Amérique, Océanie (île de Pâques, collection Stephen-Chauvet).

ALLEMAGNE DE L'EST

Musée d'Ethnologie (Dresde) : objets ethnographiques de nombreux pays ; collection de crânes.
Musée ethnographique (Leipzig) : riches collections du monde entier (outils, armes, vêtements, instruments de musique...).

ALLEMAGNE DE L'OUEST

Dahlem Museum, section d'ethnographie (Berlin) : collection de sculptures d'Afrique ; objets d'Océanie (instruments de musique de Mélanésie...), d'Amérique précolombienne (sculptures aztèques...), d'Asie du Sud (textiles, armes...).
Museum für Völkerkunde (Berlin) : art africain.
Übersee-Museum (Brême) : belles collections ethnographiques.
Musée ethnographique (Francfort-sur-le-Main) : Océanie (Nouvelle-Guinée), Afrique...
Institut d'ethnographie de l'Université (Göttingen) : Océanie, Afrique...
Musée ethnographique (Hambourg) : Océanie (sculpture des Nouvelles-Hébrides, Nouvelle-Zélande...).
Musée ethnographique (Heidelberg) : art d'Asie centrale, de Mélanésie.
Musée ethnographique (Munich) : nombreux objets d'art de Bali, de Birmanie, des Indes, de Java, du Siam... ; art du Pérou.
Linden-Museum (Stuttgart) : objets (environ 120 000) provenant d'Afrique noire, de Bornéo (crânes gravés), de Java (marionnettes), du Pérou (masques d'or)...

AUSTRALIE

National Museum of Victoria (Melbourne) : art et artisanat des aborigènes australiens.
Australian Museum (Sydney) : art des aborigènes australiens et des peuples de Mélanésie.

AUTRICHE

Musée ethnographique (Vienne) : culture, histoire, art des peuples d'Afrique noire (bronzes du Bénin) ; Océanie (pièces découvertes à l'époque de Cook) ; objets de la Bolivie, du Brésil, de l'Équateur, du Mexique précolombien (miroir d'obsidienne), du Pérou.

Masque suisse *(Valais)*. *Musée d'Ethnographie, Bâle.*

*Art africain :
Figure équestre en ivoire.
Nigerian Museum, Lagos.*

BELGIQUE
Musée ethnographique (Anvers) : objets et sculptures d'Afrique noire.
Musées royaux d'Art et d'Histoire (Bruxelles) : collection d'Afrique, Océanie et Extrême-Orient.
Musée royal de l'Afrique centrale (Tervuren) : sculptures et objets (armes, instruments de musique, poteries...) de l'ancien Congo belge (l'actuel Zaïre).

CANADA
Glenbow Foundation (Calgary) : collections consacrées aux pionniers de l'Ouest canadien (XIXe s.-début du XXe s.) et aux Indiens de la Prairie (costumes brodés de perles, coiffures, armes...).
Eskimo Museum (Churchill) : objets d'art et ustensiles domestiques des Esquimaux.
Musée national de l'Homme (Ottawa) : collections consacrées aux Amérindiens (Inuits, Hurons, Iroquois, peuples de la Colombie britannique).
Musée d'Anthropologie de l'université de Colombie britannique (Vancouver) : culture et art des peuples de la côte de Colombie britannique (mâts totémiques, masques en bois peint...).
British Columbia Provincial Museum (Victoria) : objets d'art et ustensiles domestiques des peuples de la côte de Colombie britannique (Haïda, Kwakiult...).

CÔTE-D'IVOIRE
Musée des Sciences humaines (Abidjan) : culture et art d'Afrique noire.

DANEMARK
Musée national (Copenhague) : belles collections sur la vie des Esquimaux du Canada et de l'Alaska ; souvenirs des expéditions au Groenland de Knud Rasmussen ; cultures d'Amérique, d'Afrique, d'Asie et d'Océanie.

ESPAGNE
Musée national d'Anthropologie et d'Ethnologie (Madrid) : collections en provenance d'Espagne, d'Afrique, d'Océanie, d'Amérique et des Philippines ; momies du Pérou.

ÉTATS-UNIS
Peabody Museum of Archaeology and Ethnology (Cambridge, près de Boston) : culture des Indiens de l'Amérique du Nord et de l'Amérique centrale ; art de l'Océanie.
Musée d'Histoire naturelle (Chicago) : importantes collections d'objets d'art (Afrique, Océanie).
Académie des Arts (Honolulu) : objets d'art de la Micronésie et de l'Asie.
Bernice Pauahi Bishop Museum (Honolulu) : sculptures maori (Nouvelle-Zélande), des îles Hawaii... ; ancien artisanat d'art du Pacifique.
Museum of Fine Arts (Houston) : objets d'art d'Afrique, d'Amérique du Nord et d'Amérique centrale.
American Museum of Natural History (New York) : collections en provenance d'Afrique et d'Océanie ; évolution de l'habitat humain depuis ses origines.
Museum of Primitive Art (New York) : objets d'Afrique noire, d'Océanie.
Museum of the American Indian (New York) : culture et art des tribus indiennes de l'Amérique du Nord, de l'Amérique centrale et de l'Amérique du Sud.
Musée de l'université de Philadelphie (Philadelphie) : collections ethnographiques d'Afrique et d'Océanie.
Portland Art Museum (Portland) : collections ethnographiques concernant les Indiens d'Amérique du Nord, les Esquimaux, l'ensemble des peuples d'Amérique précolombienne.
Haffenreffer Museum of Anthropology (Rhode Island) : culture et art des Indiens d'Amérique du Nord et des Esquimaux.
National Museum of Natural History (département d'anthropologie) (Washington, D.C.) : culture, histoire et art des tribus indiennes de l'Amérique du Nord ; ethnologie générale.

GRANDE-BRETAGNE
Royal Scottish Museum (département d'ethnologie) (Édimbourg) : sculptures d'Océanie, d'Afrique... ; poteries (Mexique et Pérou précolombiens).
Glasgow Art Gallery and Museum (département d'ethnographie) (Glasgow) : sculptures d'Océanie et d'Afrique ; antiquités orientales.
British Museum (département d'ethnographie ou Museum of Mankind) (Londres) : collections d'objets et de sculptures d'Océanie (îles Cook, îles Hawaii), d'Afrique (admirables bronzes du Bénin) et d'Amérique précolombienne.
Pitt Rivers Museum (Université d'Oxford, Oxford) : collections ethnographiques, histoire de l'évolution des techniques...

HONGRIE
Musée ethnographique (Budapest) : belles collections d'objets d'Océanie et d'Australie ; ethnographie d'Afrique, d'Asie, d'Amérique ; folklore hongrois (environ 100 000 pièces).

IRLANDE
National Museum of Ireland (Dublin) : objets d'Océanie (collection du médecin de l'expédition Cook) ; antiquités irlandaises.

*Art australien : Galet gravé churinga.
Musée et Institut d'Ethnographie, Genève.*

*Un astrolabe. Conservatoire national
des Arts et Métiers, Paris.*

ITALIE

Musée du Latran (Rome) : collections ethnologiques (Afrique, Océanie) des Missions catholiques.
Musée missionnaire ethnologique (Rome, Vatican) : objets et sculptures de différentes parties du monde ; souvenirs et documents des Missions.
Musée préhistorique et ethnographique Pigorini (Rome) : riches collections d'objets domestiques du Brésil, d'Argentine, d'Amazonie, de Polynésie, du cercle arctique...

NIGERIA

Nigerian Museum (Lagos) : objets et sculptures d'Afrique noire (terres cuites d'Ifé, bronzes du Bénin, masques des Ibo...).

NOUVELLE-ZÉLANDE

Auckland Institute and Museum (Auckland) : objets d'Océanie, notamment de Polynésie (culture maori).

PAYS-BAS

Musée des Tropiques de l'Institut royal des Tropiques (Amsterdam) : objets d'art et ustensiles domestiques d'Afrique noire ; culture de l'islam (habitat et architecture des mosquées).

PORTUGAL

Musée national d'Archéologie et d'Ethnologie (Lisbonne) : outils du paléolithique et du néolithique ; momies égyptiennes ; objets et sculptures d'Afrique noire...

SUÈDE

Musée d'Ethnographie (Göteborg) : collections africaines (Pygmées, Zoulous...) ; objets rituels et domestiques des Indiens du nord de l'Amérique et d'une partie du Canada ; culture des Esquimaux du Groenland et des Lapons ; remarquables collections précolombiennes (aztèque et maya).
Musée national d'Ethnographie (Stockholm) : collections concernant la Chine, le Tibet, la Mongolie, le Japon ; objets polynésiens et africains.

SUISSE

Musée d'Ethnographie (Bâle) : précieuses collections d'objets et de sculptures d'Afrique noire, d'Océanie (Mélanésie), d'Amérique centrale (civilisations précolombiennes), d'Amérique du Nord, du Proche et de l'Extrême-Orient, d'Indonésie...
Musée et Institut d'Ethnographie (Genève) : belles collections d'objets d'Afrique du Nord (bijoux kabyles), d'Afrique noire (art du Bénin) et d'Océanie ; Amérique précolombienne : tissage, métallurgie et céramique ; Asie : culture de la Chine, du Japon, de l'inde... ; collection unique d'objets du Népal.
Musée ethnographique (Neuchâtel) : riches collections d'objets rituels et domestiques d'Afrique noire, du Sahara et de Mauritanie ; admirables sculptures d'Océanie (expédition Cook).
Musée Rietberg (Zurich) : culture, histoire et art des tribus indiennes de l'Amérique du Nord et du peuple des Esquimaux ; objets rituels et domestiques d'Océanie ; sculptures des principaux groupes ethniques d'Afrique ; Amérique précolombienne (céramique maya).

TCHÉCOSLOVAQUIE

Musée des Cultures d'Asie, d'Afrique et d'Amérique (Prague) : objets d'Afrique, d'Asie, d'Océanie, d'Amérique du Nord et de l'Amérique latine.

URSS

Musée anthropologique de l'université Lomonossov (Moscou) : collections d'objets et de sculptures d'Afrique noire, d'Océanie, de Colombie britannique...
Musée d'Anthropologie et d'Ethnologie (Leningrad) : culture d'Extrême-Orient (vêtements de l'ancienne Chine) ; objets et sculptures d'Afrique noire, d'Amérique du Nord, d'Amérique latine et surtout d'Océanie ; évolution des sociétés primitives.

YOUGOSLAVIE

Musée ethnographique (Belgrade) : costumes, vie sociale (maisons, outils, poteries, costumes folkloriques...) des Serbes et des Croates.

SCIENCES ET TECHNIQUES

FRANCE

Palais de la Découverte (Paris) : astronomie ; biologie ; chimie ; chirurgie ; histoire des sciences ; mathématiques ; médecine ; physique ; planétarium.
Cité des Sciences et de l'Industrie (Paris) : panorama de la recherche scientifique et des progrès technologiques actuels ; Géode...
Galeries du Muséum national d'Histoire naturelle (Paris) : anatomie comparée ; géologie ; paléontologie ; zoologie.
Conservatoire national des Arts et Métiers (Paris) : automates du xve au xxe s. ; automobiles ; avions (Ader, Blériot...) ; horloges du xve au xxe s. ; instruments de mesure ; machines à calculer (Pascal...) ; marmite de Papin.

Une salle du National Museum of History and Technology de Washington D.C.

La diligence Birmingham-Londres (gravure). Science Museum, Londres.

ALLEMAGNE DE L'EST
Musée des Mathématiques et de la Physique (Dresde-Zwinger) : astronomie ; cartographie ; chronométrie ; géodésie ; machines à calculer ; poids et mesures.
Musée des Transports (Dresde) : histoire du chemin de fer, de la marine marchande.

ALLEMAGNE DE L'OUEST
Musée allemand (Munich) : astronomie ; aviation ; chimie ; industrie minière ; photographie ; physique ; textiles ; transport ; planétarium.

AUSTRALIE
Science Museum of Victoria (Melbourne) : astronomie ; chimie ; physique appliquée ; santé publique ; transports ; planétarium.

AUTRICHE
Musée de l'Industrie et de la Technologie (Vienne) : aviation ; chimie ; électricité ; énergie nucléaire ; gaz ; horlogerie ; papier ; photographie ; textiles.

CANADA
Musée national de la Science et de la Technologie (Ottawa) : agriculture ; aviation ; chimie ; énergie ; industrie minière ; transports ; observatoire.

ÉTATS-UNIS
Musée de la Science (Boston) : espace (fusées, satellites) ; histoire naturelle ; médecine ; minéralogie ; paléontologie ; planétarium.
Musée de la Science et de l'Industrie (Chicago) : aéronautique ; agriculture ; astronautique ; aviation ; histoire du cirque ; médecine ; industrie minière ; télécommunications ; transports.
Musée de la Santé (Cleveland) : anatomie ; physiologie ; environnement et santé.
California Museum of Science and Industry (Los Angeles) : aéronautique ; géologie ; industrie ; minéralogie ; médecine (art dentaire).
Musée d'Histoire naturelle (New York) : astronomie (Hayden Planetarium) ; évolution de l'habitat humain ; extraction du pétrole ; pierres précieuses ; recherche spatiale ; sciences naturelles.
Franklin Institute Science Museum (Philadelphie) : astronomie ; aviation ; histoire de la navigation ; recherche spatiale ; observatoire ; planétarium.
Oregon Museum of Science and Industry (Portland) : anthropologie ; géologie ; paléontologie ; physique ; observatoire ; planétarium.
Rochester Museum and Sciences Center (Rochester, New York) : anthropologie ; astronomie ; géologie ; paléontologie ; pharmacie ; observatoire...
National Museum of History and Technology (Washington, D.C.) : aéronautique ; anatomie ; histoire de la navigation ; médecine ; textiles ; transports.

GRANDE-BRETAGNE
Musée de la Science et de l'Industrie (Birmingham) : collections d'instruments scientifiques et de machines (notamment machines à vapeur).
Royal Scottish Museum (Édimbourg) : exploitation des mines ; géologie ; histoire naturelle ; minéralogie ; musée des enfants ; navigation.
Science Museum (Londres) : riches collections illustrant les origines et le développement de toutes les sciences y compris l'astronautique ; observatoire ; planétarium.
Musée de l'Histoire des sciences (Oxford) : instruments scientifiques anciens (astrolabes, microscopes, télescopes...).

INDE
Birla Industrial and Technological Museum (Calcutta) : histoire de la science et de la technologie.

Visvesvaraya Industrial and Technological Museum (Bangalore) : électrotechnique ; mathématiques ; force motrice ; fabrication du papier...

ITALIE
Musée national de la Science et de la Technique « Léonard-de-Vinci » (Milan) : aéronautique ; évolution des sciences et de leurs applications de Vinci à nos jours ; extraction du pétrole ; moteurs ; télécommunications...

JAPON
Musée municipal des Sciences (Nagoya) : astronomie ; chimie ; électronique ; énergie atomique ; physique ; transports ; observatoire ; planétarium.
Musée national des Sciences (Tōkyō) : astronomie ; construction mécanique ; histoire de la science et de la technologie au Japon ; physique ; observatoire.

MONACO (Principauté de)
Musée océanographique (Monaco) : aquarium ; engins de sondages marins et de pêche ; étude de la faune et de la flore des mers.

NORVÈGE
Musée norvégien de la Science et de l'Industrie (Oslo) : aviation ; électricité ; hydraulique ; machines à vapeur ; radio ; rayons X ; télégraphe ; téléphone.

GRAND JARDIN DE L'ÉLYSÉE MONTMARTRE

TOUS LES SOIRS
TRIANON-CONCERT
80, Boul¹ Rochechouart.
SPECTACLE VARIÉ

*G. Meunier : Affiche pour le « Trianon-Concert ».
Musée de l'Affiche, Paris.*

*(Ci-contre, à droite)
Decamps : Automate. Conservatoire
national des Arts et Métiers, Paris.*

*(Page de gauche, en bas) Panhard-Levassor
(collection des frères Schlumpf).
Musée national de l'Automobile, Mulhouse.*

PAYS-BAS

Institut néerlandais de la Science et de la Technologie (Amsterdam) : histoire des sciences et techniques et de leurs applications industrielles.
Musée national d'Histoire des sciences exactes et naturelles (Leyde) : instruments scientifiques (microscopes) ; médecine ; sciences naturelles et domaines pré-scientifiques (alchimie au XVIᵉ s.).

ROUMANIE

Musée technique Dimitri-Leonida (Bucarest) : aviation ; chimie ; électricité ; exploitation des mines ; extraction du pétrole ; magnétisme ; mécanique ; physique ; télécommunications.

SUÈDE

Musée de la Technique (Stockholm) : histoire de la science et de la technologie illustrée par des machines d'époque.

SUISSE

Musée suisse des Transports et Communications (Lucerne) : astronomie ; automobiles ; avions ; bateaux ; bicyclettes ; locomotives ; motocyclettes ; radio ; téléphone ; télévision ; planétarium.

TCHÉCOSLOVAQUIE

Musée technique (Košice) : astronomie ; aviation ; chemins de fer ; exploitation des mines ; horlogerie ; photographie ; télécommunications ; textiles ; observatoire ; planétarium.
Musée national de la Technique (Prague) : astronomie ; cinématographie ; électronique ; industrie minière ; photographie ; sidérurgie (forge) ; télévision ; transports (air, rail, route).

URSS

Musée K.E.-Tsiolkovski (Kalouga) : astronautique, recherche spatiale.
Maison de la technologie (Kharkov) : collections de machines et d'engins montrant le développement de la technologie aux XIXᵉ et XXᵉ s.
Musée polytechnique (Moscou) : histoire des sciences ; présentation des réalisations contemporaines de la science et de la technologie soviétiques : astronautique, aviation, énergie atomique, médecine, physique...

YOUGOSLAVIE

Musée technique (Zagreb) : astronautique ; astronomie ; énergie atomique ; solaire... ; exploitation des mines ; transports ; planétarium.

COLLECTIONS DIVERSES

AFFICHE

Musée de l'Affiche (Paris) : sa collection (60 000 affiches, XIXᵉ-XXᵉ s.) en fait l'un des musées spécialisés les plus riches du monde.

ARMES

Armeria (Madrid, palais royal) : armes anciennes et armures.
Musée de l'Armée (Paris) : ensemble de riches collections d'armes à feu et d'armes blanches.

Armures de parade (armures des rois de France...) ; pièces d'artillerie ; uniformes ; figurines historiques.
Musée ethnographique (Vienne) : importante collection d'armes blanches.

AUTOMATES

Conservatoire national des Arts et Métiers (Paris) : riches collections d'automates et de mécanismes à musique du XVᵉ au XXᵉ s.

AUTOMOBILES

Musée national de la Voiture et du Tourisme (château de Compiègne) : voitures à cheval (XVIIIᵉ, XIXᵉ et début du XXᵉ s.), costumes de cochers...
Musée Henri-Malartre (La Rochetaillée-sur-Saône) : riches collections de voitures anciennes (1890 à 1960) ; vélocipèdes ; bicyclettes (1819 à 1925) et motocyclettes (1898 à 1935).
Musée de l'Automobile de la Sarthe (Le Mans, circuit des 24 Heures du Mans) : collection de plus de 150 voitures datant de 1884 à 1940.
Musée national de l'Automobile (Mulhouse, ancienne collection des frères Schlumpf) : remarquable ensemble de 585 voitures dont 285 classées au titre de monuments historiques.
Conservatoire national des Arts et Métiers (Paris) : collection d'engins marquant les débuts de la locomotion automobile (« fardier » de l'ingénieur Cugnot, 1771) ; draisiennes, premières bicyclettes à pédalier central...
Musée de l'Automobile (Stuttgart) : histoire de l'automobile ; voitures Daimler-Benz.
Musée de l'Automobile « Carlo-Biscaretti-di-Ruffia » (Turin) : histoire de l'automobile ; modèles anciens (Bugatti...).
Museon di Rodo (Uzès) : collections de voitures anciennes (1897 à 1940).

AVIONS

Musée de l'Aviation (Le Bourget) : présentation unique de modèles anciens et modernes.

Musée de l'Aviation (Meudon) : avions des pionniers de l'air ; maquettes d'avions, de ballons captifs et de dirigeables. La collection retrace l'histoire de l'aviation depuis les premières montgolfières (1793) jusqu'en 1918.

National Air and Space Museum (Washington, D.C.) : histoire de l'aviation et de l'astronautique ; avions ; maquettes d'avions ; voyages dans l'espace...

CARROSSES

Musée national des Carrosses (Lisbonne) : collection unique de carrosses royaux à décor sculpté et peint du XVIIe au XIXe s.

Musée des Voitures (Vienne, château de Schönbrunn) : carrosses des XVIIe, XVIIIe et XIXe s. ; voitures à cheval (XVIIIe-début XXe s.), costumes de cochers...

CÉRAMIQUE

Musée international de la Céramique (Faenza) : histoire de la majolique (faïence) ; céramiques de toutes les époques et de tous les pays.

Musée national Adrien-Dubouché (Limoges) : céramiques française et étrangère ; porcelaines de Limoges.

Musée national de Céramique (Sèvres) : céramiques de toutes les époques et de tous les pays ; porcelaines de Sèvres.

CHEMINS DE FER

Musée français du Chemin de fer (Mulhouse) : transport par voie ferrée (1844 à 1937) ; collection de locomotives...

CINÉMA

Musée du Cinéma de la Cinémathèque française (Paris) : appareils cinématographiques anciens, décors de films, documents...

Musée national du Cinéma (Turin) : histoire du cinéma, histoire des films...

CIRE

Musée Tussaud (Londres) : figures de cire (personnages historiques, vedettes du spectacle, de la politique...).

Musée Grévin (Paris) : figures de cire (personnages historiques, vedettes du spectacle, de la politique...).

CIRQUE

Circus World Museum (Baraboo, Wisconsin) : objets, accessoires et docu-

Monnaie grecque de Cyrique (Ve s. av. J.-C.) représentant Nikê assise. *Cabinet des Médailles de la Bibliothèque nationale, Paris.*

(En bas) Studio de cinéma. Musée du Cinéma de la Cinémathèque française, Paris.

ments se rapportant aux cirques du monde entier.

Musée du Cirque (Leningrad) : collections permettant de retracer l'histoire du cirque en Europe.

COSTUME

Musée de la Mode et du Costume de la Ville de Paris (Paris) : riches collections de vêtements (XVIIIe s. à nos jours) desquelles sont exclus uniformes militaires et costumes régionaux.

FERRONNERIE

Musée Le Secq-des-Tournelles (Rouen) : collection unique de ferronnerie d'art ancienne (rampes d'escaliers, heurtoirs de portes, clefs, serrures...).

HORLOGERIE

Musée international de l'Horlogerie (La Chaux-de-Fonds, Suisse) : montres, horloges et pendules (pièces rares des XVIe, XVIIe et XVIIIe s.).

IMAGERIE POPULAIRE

Musée départemental des Vosges (Épinal) : images populaires d'Épinal et des autres régions de France, du XVIe s. à nos jours.

INSTRUMENTS DE MUSIQUE

Musée des Instruments de musique anciens (La Haye).

Musée instrumental du Conservatoire national supérieur de musique (Paris) : instruments de musique de tous les pays et de toutes les époques.

JEUX

Musée des Arts et Traditions populaires (Paris) : jeux de société anciens.

JOUETS

Musée du Jouet (Nuremberg) : riches collections de jouets (période médiévale au XXe s.).

Perelman Toy Museum (Philadelphie) : jouets mécaniques (XIXe-XXe s.).

MARINE

Musée de la Marine (Paris) : collection de modèles réduits (navires à rames, bateaux à voiles...) unique au monde.

Musée municipal de la Marine (Gênes) : modèles réduits (voiliers, bateaux à vapeur...).

MARIONNETTES
Musée international de la Marionnette (Lyon) : marionnettes françaises (notamment *Guignol*) et du monde entier.
Musée de la Marionnette (Moscou) : marionnettes anciennes et modernes originaires de 30 pays, y compris l'URSS.

MÉDECINE
Wellcome Institute of the History of Medicine (Londres) : objets relatifs à l'histoire de la médecine des temps les plus reculés jusqu'à nos jours.
Musée de l'Assistance publique (Paris) : instruments de médecine et de chirurgie, pots à pharmacie.
Musée Dupuytren (Paris) : collections d'anatomie pathologique, d'histologie...

MINÉRAUX
Musée minéralogique de l'École des mines (Paris) : collection de fossiles ; géologie ; minéralogie.
Muséum national d'Histoire naturelle (Paris) : géologie ; minéralogie.

NUMISMATIQUE
Hôtel des monnaies (Paris) : monnaies et médailles françaises.
Cabinet des Médailles de la Bibliothèque nationale (Paris) : riches collections de médailles et de pierres gravées (camées).

PARIS
Musée Carnavalet (Paris) : histoire de la ville de Paris.

(À droite) Guignol, *le personnage du « canut frondeur ».*
Musée international de la Marionnette, Lyon.

PHOTOGRAPHIE
Musée français de la Photographie (Bièvres) : collections d'appareils et documents retraçant l'histoire de la photographie.
Musée Niepce (Chalon-sur-Saône) : histoire des origines de la photographie.

POUPÉES
Musée international de la Poupée (New Delhi) : poupées anciennes et modernes de tous les pays du monde.
Musée national des Arts et Traditions populaires (Paris) : poupées des provinces françaises.
Musée de la Poupée (Warwick, Angleterre) : collections de poupées anciennes.

TAPISSERIE ET TAPIS
Musée des Tapisseries (Angers, salles du château) : *Tenture de l'Apocalypse* (XIVe s.), tapisseries françaises et flamandes (XVe-XVIe s.).
Musée des Gobelins (Paris) : tapisseries des Gobelins et de Beauvais (ensemble unique du XVIIIe s.) ; tapis persans du XVIe s., tapis de la Savonnerie du XVIIe s.
Musée des Arts décoratifs (Paris) : tapisseries du faubourg Saint-Germain

Tapisserie : La Pêche miraculeuse.
Musée des Gobelins, Paris.

Encrier en forme de crèche *(céramique émaillée).*
Musée national de Céramique, Sèvres.

(époque Louis XIII), des Gobelins et de Beauvais, tapis de la Savonnerie et d'Aubusson du XVIIIe s.

TIMBRES-POSTE
Musée de la Poste (La Haye) : histoire de la poste ; philatélie.
Musée central des Postes et Télécommunications « A. S.-Popov » (Leningrad) : histoire des services postaux et des télécommunications ; collection philatélique.
Musée postal (Paris) : histoire de la poste et de la philatélie.

TISSUS
Musée historique des Tissus (Lyon) : collection unique de tissus de tous les pays et de toutes les époques (de l'Égypte ancienne à nos jours) ; soieries et étoffes lyonnaises (XVIIIe-XXe s.).

TRANSPORTS URBAINS
Musée des Transports urbains (Saint-Mandé) : histoire des transports publics français (omnibus, tramways, motrices de métro, locomotives...).

VERRERIE
Musée du Verre (Liège) : riches collections de verrerie de toutes les époques et de tous les pays.
Museo Vetrario (Murano, commune de Venise) : art du verre et glaces.
Galerie nationale (Prague) : verrerie de Bohême et d'Europe des origines à nos jours.

DRAPEAUX

Afghanistan	Afrique du Sud	Albanie	Algérie	Allemagne de l'Est	Allemagne de l'Ouest	Andorre
Angola	Antigua et Barbuda	Arabie Saoudite	Argentine	Australie	Autriche	Bahamas
Bahreïn	Bangladesh	Barbade (la)	Belgique	Belize	Bénin	Bhoutan
Birmanie	Bolivie	Botswana	Brésil	Bulgarie	Burundi	Cameroun
Canada	Cap-Vert (îles du)	Centrafricaine (Rép.)	Chili	Chine	Chypre	Colombie
Comores (les)	Congo	Corée du Nord	Corée du Sud	Costa Rica	Côte-d'Ivoire	Cuba
Danemark	Djibouti	Dominicaine (Rép.)	Dominique	Égypte	Émirats arabes unis (Féd.)	Équateur
Espagne	États-Unis	Éthiopie	Fidji	Finlande	France	Gabon
Gambie	Ghana	Grande-Bretagne	Grèce	Grenade	Guatemala	Guinée
Guinée-Bissau	Guinée équatoriale	Guyana	Haïti	Haute-Volta	Honduras	Hongrie
Inde	Indonésie	Iran	Iraq	Irlande	Islande	Israël
Italie	Jamaïque	Japon	Jordanie	Kampuchéa	Kenya	Koweït
Laos	Lesotho	Liban	Liberia	Libye	Liechtenstein	Luxembourg

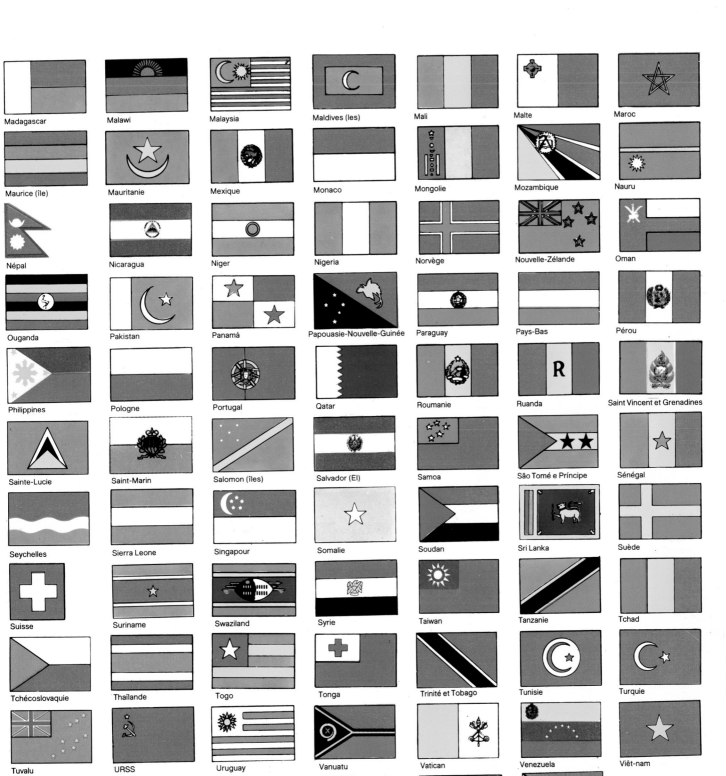

Madagascar	Malawi	Malaysia	Maldives (les)	Mali	Malte	Maroc
Maurice (île)	Mauritanie	Mexique	Monaco	Mongolie	Mozambique	Nauru
Népal	Nicaragua	Niger	Nigeria	Norvège	Nouvelle-Zélande	Oman
Ouganda	Pakistan	Panamá	Papouasie-Nouvelle-Guinée	Paraguay	Pays-Bas	Pérou
Philippines	Pologne	Portugal	Qatar	Roumanie	Ruanda	Saint Vincent et Grenadines
Sainte-Lucie	Saint-Marin	Salomon (îles)	Salvador (El)	Samoa	São Tomé e Príncipe	Sénégal
Seychelles	Sierra Leone	Singapour	Somalie	Soudan	Sri Lanka	Suède
Suisse	Suriname	Swaziland	Syrie	Taiwan	Tanzanie	Tchad
Tchécoslovaquie	Thaïlande	Togo	Tonga	Trinité et Tobago	Tunisie	Turquie
Tuvalu	URSS	Uruguay	Vanuatu	Vatican	Venezuela	Viêt-nam
Yémen du Nord	Yémen du Sud	Yougoslavie	Zaïre	Zambie	Zimbabwe	

Conseil de l'Europe

Croix-Rouge

Jeux Olympiques (J.O.)

Nations unies (O.N.U.)